D0231915

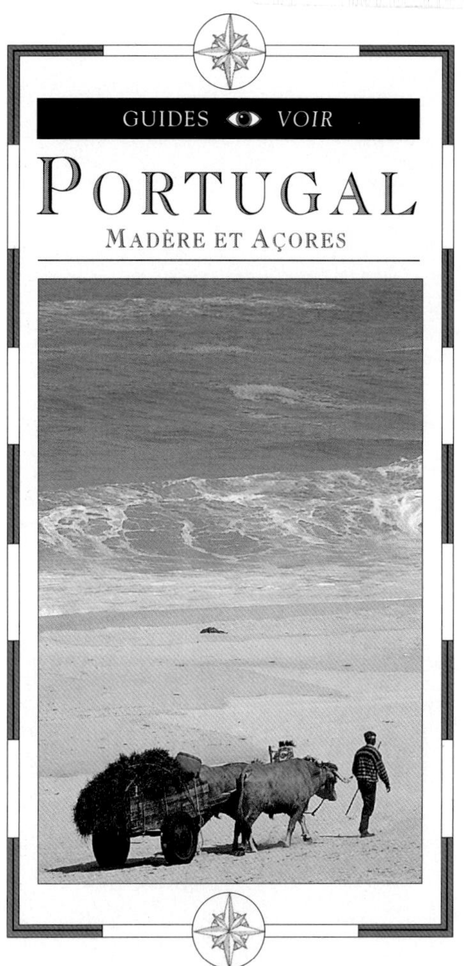
GUIDES VOIR
PORTUGAL
MADÈRE ET AÇORES

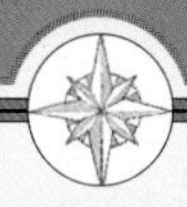

GUIDES VOIR

PORTUGAL

MADÈRE ET AÇORES

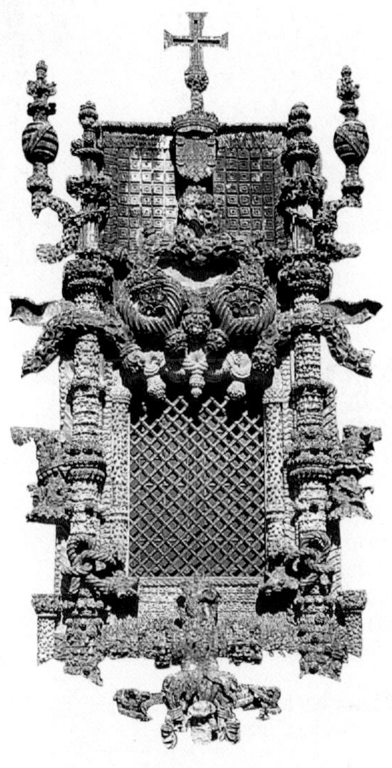

Libre Expression

CE GUIDE VOIR A ÉTÉ ÉTABLI PAR
Susie Boulton, Christopher Catling, Clive Gilbert, Marion Kaplan, Sarah McAlister, Alice Peebles, Carol Rankin, Norman Renouf, Joe Staines, Robert Strauss, Nigel Tisdall, Edite Vieira

DIRECTION
Isabelle Jeuge-Maynart

DIRECTION ÉDITORIALE
Catherine Marquet

ÉDITION
Hélène Gédouin
Marguerite Cardoso

TRADUIT ET ADAPTÉ DE L'ANGLAIS PAR
Tina Calogirou et Véronique Dumont

MISE EN PAGES (P.A.O.)
Anne-Marie Le Fur

Publié pour la première fois en Grande-Bretagne, en 1997, sous le titre : *Eyewitness Travel Guides : Portugal with Madeira and the Azores.*
© Dorling Kindersley Limited, London, 1997.
© Hachette Livre (Hachette Tourisme), 1998, pour la traduction et l'édition française.
Cartographie © Dorling Kindersley, 1997.

© Éditions Libre Expression ltée, 1998, pour l'édition française au Canada.

Tous droits de traduction, d'adaptation et de reproduction réservés pour tous pays.
La marque Voir est une marque déposée.

Aussi soigneusement qu'il ait été établi, ce guide n'est pas à l'abri des changements de dernière heure. Faites-nous part de vos remarques, informez-nous de vos découvertes personnelles ; nous accordons la plus grande attention au courrier de nos lecteurs.

Éditions Libre Expression
2016, rue Saint-Hubert
Montréal (Québec) H2L 3Z5

DÉPÔT LÉGAL : 2e trimestre 1998
ISBN: 2-89111-767-0

SOMMAIRE

Statue équestre de Dom José Ier, praça do Comércio, Lisbonne

PRÉSENTATION DU PORTUGAL

LISBONNE

L'Alfama, le plus vieux quartier de Lisbonne

Entrée de la salle capitulaire du monastère d'Alcobaça, Estremadura

Maison aux décorations bleues typiques près de Beja, Alentejo

Azulejos du XVIIe siècle du palácio Fronteira, Lisbonne

Le superbe monastère gothique de Batalha

COMMENT UTILISER CE GUIDE

Ce guide vous aidera à profiter au mieux de votre séjour au Portugal. L'introduction, *Présentation du Portugal,* situe la région dans son contexte géographique, historique et culturel. Dans les neuf chapitres sur les régions et celui sur *Lisbonne,* plans, textes et illustrations présentent les principaux sites et monuments. *Une image du Portugal* renseigne sur l'architecture, les festivals, les plages et la gastronomie. *Les bonnes adresses* informent sur les hôtels et les restaurants, et les *Renseignements pratiques* conseillent dans tous les domaines de la vie quotidienne.

LISBONNE

Le centre de Lisbonne est divisé ici en cinq quartiers. Chaque chapitre débute par un portrait du quartier et une liste des monuments présentés. Des numéros les situent clairement sur le *Plan du quartier.* Ils correspondent à l'ordre dans lequel ces monuments sont présentés dans le corps du texte.

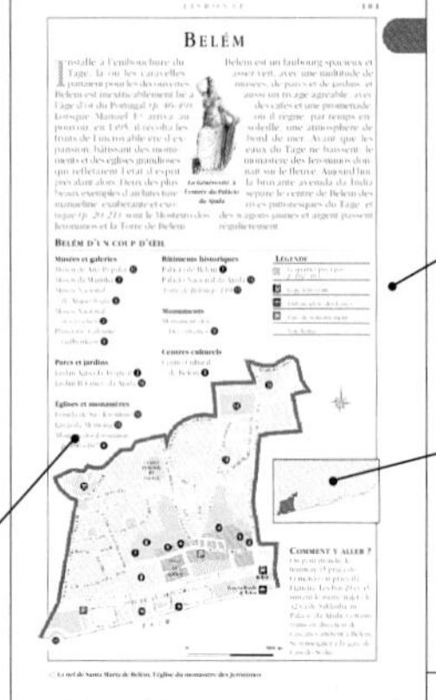

1 Plan général du quartier
*Un numéro y situe chaque monument du quartier, qui apparaît également dans l'*Atlas des rues de Lisbonne, *p. 126-139.*

La carte de situation indique où se trouve le quartier dans la ville.

Le quartier d'un coup d'œil classe les centres d'intérêt : églises, musées, bâtiments historiques, parcs et jardins, etc.

Un repère rouge signale toutes les pages concernant Lisbonne.

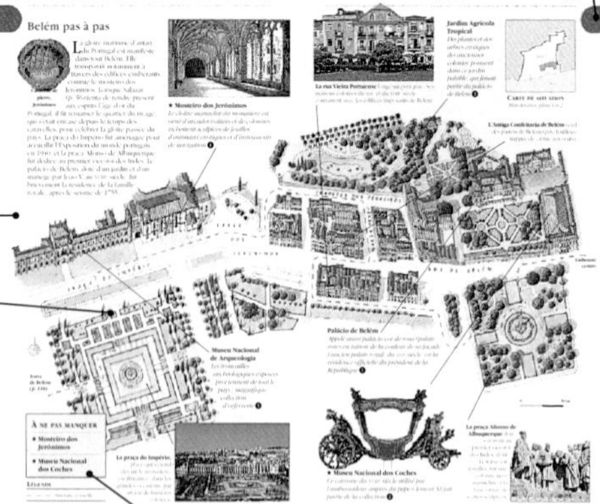

2 Plan du quartier pas à pas
Il offre une vue aérienne du cœur d'un quartier.

Un itinéraire de promenade emprunte les rues intéressantes.

Des étoiles signalent les sites à ne pas manquer.

3 Renseignements détaillés
Les sites et les monuments de Lisbonne sont décrits un par un. Chaque chapitre donne également les adresses et les informations pratiques. La légende des symboles figure sur le dernier rabat de couverture.

1 Introduction *Une description des paysages, de l'histoire et du caractère de chaque région présente son évolution au cours des siècles et ce qu'elle offre aujourd'hui au visiteur.*

LE PORTUGAL RÉGION PAR RÉGION

Nous avons divisé le Portugal en neuf régions, qui font chacune l'objet d'un chapitre séparé. Sur la *Carte touristique*, un numéro indique les villes, les localités et les sites les plus intéressants.

2 La carte touristique *Elle offre une vue d'ensemble de la région et de son réseau routier. Les sites sont numérotés. Des indications sont fournies pour se déplacer dans la région.*

Un repère de couleur correspond à chaque région. Le premier rabat de couverture en donne la clé.

3 Renseignements détaillés *Les localités et les sites sont décrits un par un, dans l'ordre de la numérotation de la* Carte touristique. *Texte, plans et illustrations présentent en détail ce qu'il y a d'intéressant à visiter.*

Des encadrés sont consacrés à des sujets particuliers.

Pour tous les principaux monuments, le Mode d'emploi vous aide à organiser votre visite.

4 Les principaux monuments *Deux pages, ou plus, leur sont dédiées. La représentation en coupe des édifices en dévoile l'intérieur. Les plans des musées, par étage, aident à s'y reconnaître.*

Présentation du Portugal

Le Portugal dans son environnement

Situé à l'extrême sud-ouest de l'Europe, le Portugal occupe environ un sixième de la péninsule Ibérique, avec une population dépassant les 10 millions d'habitants. Au nord et à l'est, 1 300 km de frontière séparent le Portugal de l'Espagne. Au sud et à l'ouest, 830 km de littoral sont baignés par l'océan Atlantique. Les archipels de Madère et des Açores, éparpillés dans l'Atlantique, font partie du territoire portugais.

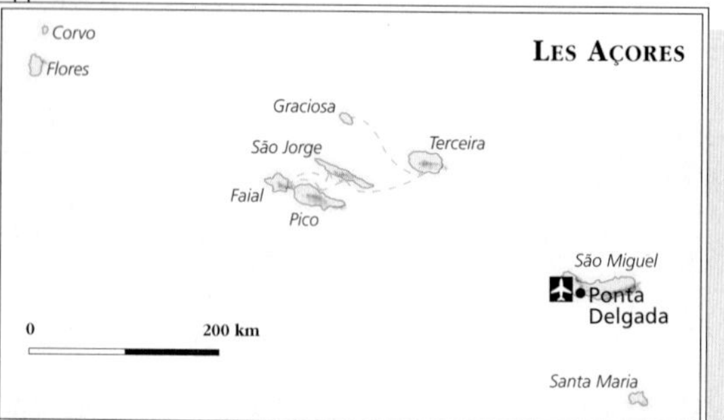

Les Açores

Situées à 1 300 km à l'ouest de Lisbonne, les Açores, îles d'origine volcanique, s'étendent sur 650 km.

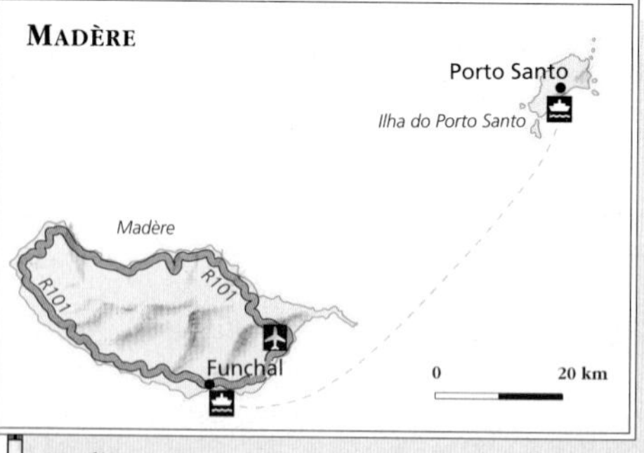

Madère

Sis à 965 km au sud-ouest de Lisbonne, l'archipel de Madère compte deux îles habitées, Madère et Porto Santo.

LÉGENDE

- Aéroport international
- Embarcadère de ferry
- Autoroute
- Route principale
- Route secondaire
- Voie ferrée
- Frontière espagnole

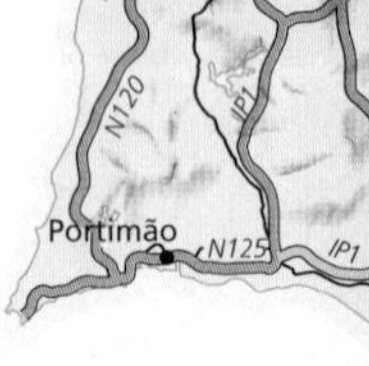

OCÉAN ATLANTIQUE

0 100 km

◁ **Paysage près de Lagos dans l'Algarve par Sir Cedric Morris (1889-1982)**

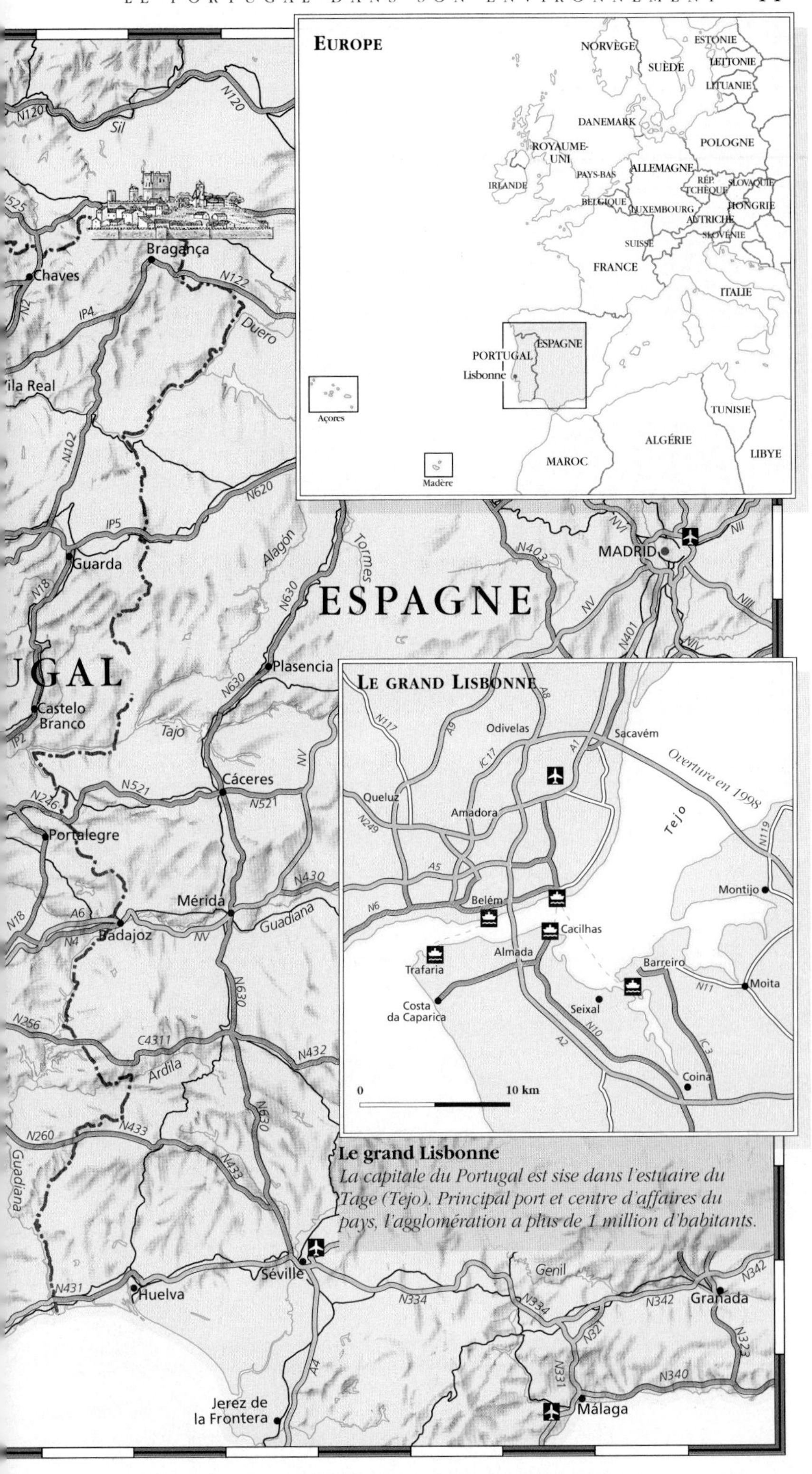

Le grand Lisbonne
La capitale du Portugal est sise dans l'estuaire du Tage (Tejo). Principal port et centre d'affaires du pays, l'agglomération a plus de 1 million d'habitants.

UNE IMAGE DU PORTUGAL

La plupart des visiteurs sont attirés par les plages, les villages de pêcheurs et les terrains de golf de l'Algarve. Mais derrière les stations balnéaires de la côte sud se cachent les confins sans doute les moins touristiques de l'Europe occidentale : un pays aux paysages escarpés, aux villes superbes et aux traditions vivaces.

Quoique rien ne prédestinât, géographiquement, le Portugal à devenir un État-nation, ce pays installé à l'ouest de la péninsule Ibérique a vu ses frontières quasiment inchangées au cours des huit derniers siècles. Les dix millions de Portugais s'enorgueillissent d'une histoire qui a marqué le monde depuis les Grandes Découvertes.

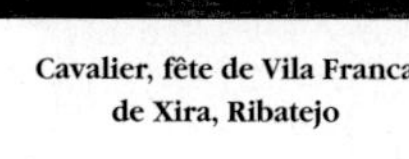

Cavalier, fête de Vila Franca de Xira, Ribatejo

Les régions de ce petit pays sont d'une incroyable diversité : le Minho et le Trás-os-Montes, au nord, sont les plus rurales et traditionnelles. C'est d'ici d'ailleurs que sont partis quantité de Portugais, contraints d'émigrer, pour des raisons économiques, au cours des quarante dernières années. Le sud du pays, quant à lui, est très différent. Avec ses superbes plages de sable et son climat méditerranéen, agréable toute l'année, l'Algarve est une destination touristique européenne très prisée.

Deux grands fleuves baignent le pays. Le Tage et le Douro naissent en Espagne, puis se dirigent vers l'ouest, traversant le Portugal avant de se jeter dans l'Atlantique. La vallée du Douro est surtout connue par son fameux vin de Porto. Installés sur des terrasses escarpées, les vignobles sont blottis sur les flancs des montagnes. Par contraste, le Tage est un large fleuve paisible, dont les crues débordent régulièrement sur la plaine du Ribatejo, plane et fertile, où paissent de superbes chevaux et des taureaux de combat.

Plage bondée en haute saison, à Albufeira, en Algarve

◁ **L'agriculture traditionnelle est pratiquée dans de petites exploitations, près de Ponte de Lima, dans le Minho**

Prairie de l'Alentejo, avec le village et le château médiéval de Terena à l'arrière-plan

Les deux principales villes du pays, Lisbonne et Porto, sont établies respectivement à l'embouchure du Tage et du Douro. La capitale, Lisbonne, est une métropole cosmopolite aux nombreux musées, très riche au plan culturel. Porto lui fait une concurrence sérieuse, surtout au plan commercial et industriel. Villages de pêcheurs de l'Atlantique, petites cités médiévales des plaines caniculaires de l'Alentejo ou régions montagneuses des Beiras, les autres zones de peuplement du pays sont nettement moins importantes que Porto et Lisbonne.

Femme ôtant l'écorce de rameaux d'osier, Madère

Loin dans l'Atlantique s'étendent deux archipels, qui sont devenus des régions autonomes : Madère, chaud et luxuriant, s'étend au large des côtes du Maroc, tandis que les Açores comptent neuf îles volcaniques et verdoyantes, à peu près au tiers du trajet de Lisbonne à New York.

POLITIQUE ET ÉCONOMIE

Un nouveau chapitre de l'histoire du Portugal s'est ouvert au milieu des années 70. En effet, soumis au régime d'António Salazar depuis 1928, le Portugal était quasiment coupé du reste du monde. Sa politique étrangère avait alors pour priorité la conservation des colonies africaines et asiatiques, en vain. L'industrie et le commerce étaient aux mains de quelques familles richissimes, dans un contexte économique marqué par une extrême rigueur budgétaire.

Il fallut donc attendre la Révolution des Œillets, le 25 avril 1974, pour que sonnât le glas de cette dictature, enlisée dans des guerres coloniales à l'évidence sans issue. L'œillet rouge devint le symbole de cette révolution sans effusion de sang. Dans un premier temps, le retour à la démocratie fut

Le quartier du Barredo, à Porto

douloureux et chaotique. Le pays dut faire face à des problèmes délicats, notamment le retour des colons. Mais les années 80 marquent la fin de cette longue hésitation démocratique. Le Portugal réussit enfin à s'affirmer en tant que membre à part entière de l'Europe occidentale. Ce changement se concrétisa, en 1986, par l'entrée dans l'Union européenne. Celle-ci, saluée unanimement malgré quelques craintes, permit au Portugal de combler, en partie, son retard économique. Aux exportations traditionnelles (liège, résine, textile, sardines en boîte et vin) sont venues s'ajouter des industries plus modernes, telles que le ciment ou la construction automobile. Pour ce faire, les aides et les prêts accordés par l'Union européenne ont été les bienvenus. Ils ont permis la construction, entre autres, de routes, de ponts et d'hôpitaux et ont amené des progrès notables dans l'agriculture. Toutefois, même si son niveau de vie a connu une forte augmentation, le Portugal se situe toujours, en termes de produit intérieur brut (PIB), à l'avant-dernière place de l'UE.

Yachts luxueux dans le port de Vilamoura, en Algarve

Récolte d'algues pour la production d'engrais, Ria d'Aveiro

L'ART DE VIVRE

Un certain souci des formes est de mise dans les relations sociales. Par exemple, seuls les jeunes appellent spontanément leurs nouvelles connaissances par leur prénom, alors que les plus âgés opteront pour des relations plus compassées. Cependant, la convivialité domine la vie sociale ; les Portugais adorent se retrouver, no-

Vue du village de Monsanto, perché dans les montagnes, à la frontière espagnole

Paysans se restaurant dans les champs de l'Alentejo

Portugais, garçons ou filles, restent chez leurs parents jusqu'au mariage, voire après tant qu'ils n'ont pas de situation stable. En revanche, la démographie a connu un changement notable. Il y a une génération à peine, les familles nombreuses, de dix enfants ou plus, étaient fréquentes, en particulier dans les régions rurales. La conception de la famille a suivi la même évolution que dans le reste de l'Europe : les couples ont aujourd'hui en moyenne un ou deux enfants. Ces derniers sont souvent gardés par une grand-mère, lorsque les deux parents travaillent.

tamment à l'occasion d'une *festa.* Dans ce pays où l'enfant est considéré comme un don du ciel, les plus petits sont bien accueillis. Mais derrière le sourire et la gaieté se cache la *saudade,* un sentiment difficile à définir, qui tient à la fois de la mélancolie et de la nostalgie de quelque chose d'irrémédiablement perdu.

La famille occupe également une place primordiale dans la société. Quoique les modes de vie changent, surtout dans les villes, il n'est pas rare de voir trois générations cohabiter sous le même toit. Et les jeunes

Porte de la ville d'Óbidos, avec le sanctuaire de Nossa Senhora da Piedade, orné d'*azulejos*

Pour ce qui est de la religion, le catholicisme est omniprésent, en particulier dans le nord du pays. Les mariages et les communions restent des cérémonies familiales très pieuses. Le culte de la Vierge de Fátima, par exemple, demeure vivace, à l'instar des fêtes *(romarias)* célébrées en l'honneur des saints locaux, une tradition qui perdure surtout dans le Nord.

Façade ornée d'*azulejos* à Alcochete

Langue et culture

Les Portugais sont fiers de leur langue et de leur littérature ; ainsi, *Os Lusíadas (Les Lusiades),* épopée en vers de Camões, le plus grand poète portugais du XVIe siècle, continuent d'être étudiées, tout comme les portraits ironiques de la société brossés par l'écrivain Eça de Queirós dans ses romans, au XIXe siècle.

Le *fado,* musique traditionnelle qui chante la *saudade,* est toujours très

Procession religieuse dans le village de Vidigueira, dans l'Alentejo

apprécié. Et dans les régions rurales, notamment dans le Minho, les danses folkloriques comptent toujours beaucoup d'amateurs.

Le pays possède de nombreux journaux de qualité. Toutefois, le quotidien qui connaît le plus fort tirage est *A Bola,* consacré aux sports. La tauromachie possède ses aficionados, mais ce phénomène est sans aucune commune mesure avec l'Espagne.

Les Portugais, depuis toujours des téléspectateurs passionnés, produisent aujourd'hui films, documentaires et « sit coms ». Une manière de se libérer de l'influence américaine en ce domaine.

Transport local dans la Beira Alta

La société subit un changement notable. Depuis 1975, en effet, le pays a connu une renaissance artistique et s'est résolument tourné vers l'an 2000. Cette volonté se retrouve dans le choix du thème de la mer, qui dominera l'Expo'98 (mai-septembre) — le meilleur lien entre l'avenir, qui passe par la défense des océans, et l'époque des Découvertes, qui façonna son histoire. Le style architectural le plus apprécié reste le style manuélin, qui date de ce temps. Nombre de peintures d'*azulejos* s'inspirent de son glorieux passé.

Lors de l'entrée du Portugal dans l'Union européenne, Jacques Delors, alors président de la Commission, enjoignit aux Portugais de se voir d'abord comme des Portugais, puis comme des Européens. Conseil inutile. Qui aurait pu croire, en effet, que ce pays si fier de son histoire allait abandonner des siècles de culture et d'indépendance !

Café en plein air sur la praça da Figueira, dans la Baixa, à Lisbonne

L'architecture vernaculaire

Fenêtre de Marvão ***(p. 294)***

L'architecture rurale varie considérablement en fonction du climat et des matériaux disponibles. Au nord, d'épais murs de granit protègent des hivers pluvieux. Les Beiras jouissent d'un climat plus doux, mais les maisons, en briques ou en calcaire, tournent généralement le dos au vent du nord. Dans l'Alentejo et le Ribatejo, les maisons, longues et basses, abritent du soleil de l'été et du froid de l'hiver. En Algarve, au contraire, les constructions d'argile ou de pierre sont conçues pour profiter du climat méditerranéen.

Maisons soulignées de jaune sous les murs d'Óbidos ***(p. 174-175)***

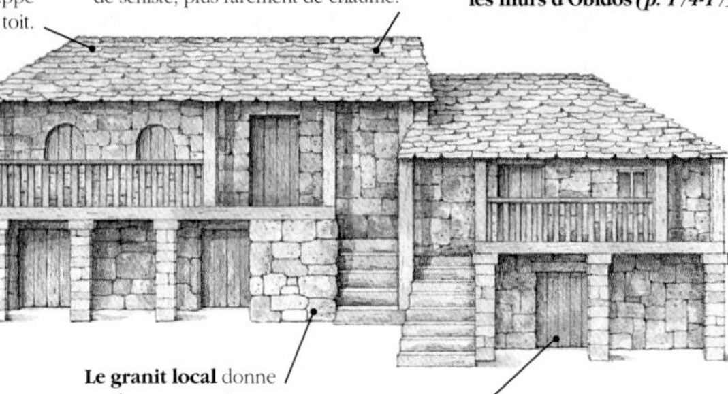

Les cheminées sont petites, voire inexistantes ; la fumée s'échappe alors par les ouvertures du toit.

Les toits sont d'ardoises ou de tuiles de schiste, plus rarement de chaume.

Les maisons villageoises *du Minho* (p. 263) *et du Trás-os-Montes* (p. 233) *comportent deux niveaux, et les escaliers sont en général situés à l'extérieur. La véranda constitue un espace supplémentaire.*

Le granit local donne des murs rustiques.

Le rez-de-chaussée abrite les bêtes et sert au stockage.

Les maisons de pêcheurs, *de la Costa Nova, au sud d'Aveiro* (p. 201), *sont peintes de bandes de couleurs vives. Le bois provient des forêts plantées pour empêcher les dunes de sable de gagner sur la terre.*

Des plates-formes protègent des inondations.

Les maisons modernes sont ornées de carreaux de faïence ou de rayures peintes.

Les bandes de couleur, peintes sur le bois, permettent aux pêcheurs de reconnaître leur maison dans le brouillard.

Toits de Castelo de Vide, dans l'Alentejo ***(p. 295)***

Toits de tuiles

Les tuiles d'argile rouge, au charme inouï, sont omniprésentes. La plus répandue est la *telha de canudo,* ou tuile tubulaire. Introduites par les Maures, ces tuiles semi-cylindriques sont disposées en deux épaisseurs : une première couche de tuiles (côté convexe tourné vers le bas) est couverte de *telhas* qui chevauchent les bords des deux tuiles du dessous.

Les ***telhados de quatro águas,*** **toits de tuiles typiques de Tavira, en Algarve** ***(p. 330)***

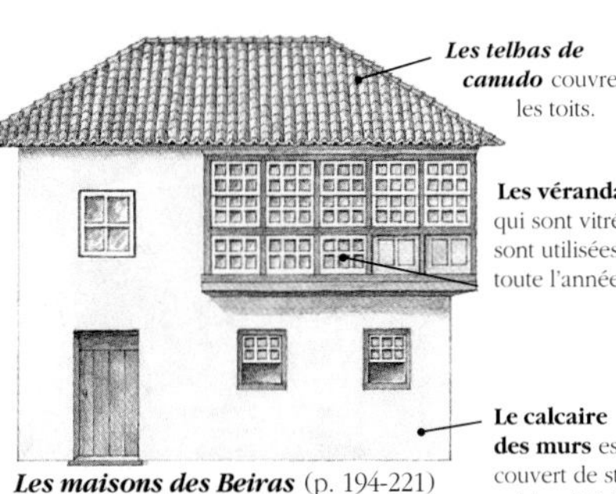

Les telhas de canudo couvrent les toits.

Les vérandas, qui sont vitrées, sont utilisées toute l'année.

Le calcaire des murs est couvert de stuc et blanchi à la chaux.

Les maisons des Beiras (p. 194-221) *ont souvent des vérandas, généralement au premier étage. Elles sont construites face au soleil et protègent aussi des vents froids du nord.*

Les moulins à vent

On pense que les moulins à vent sont en usage au Portugal depuis le XIe siècle. Certains parsèment encore les collines, surtout dans les régions côtières.

Nombre de moulins, *en particulier en Estremadura* (p. 170-193), *ont une base cylindrique en brique ou en pierre. La partie supérieure pivote pour prendre le vent.*

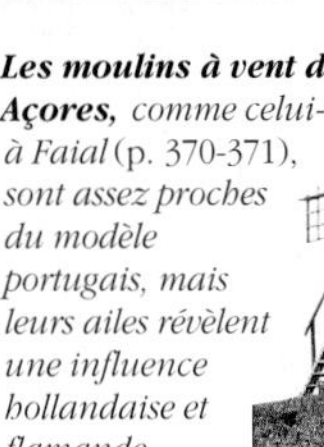

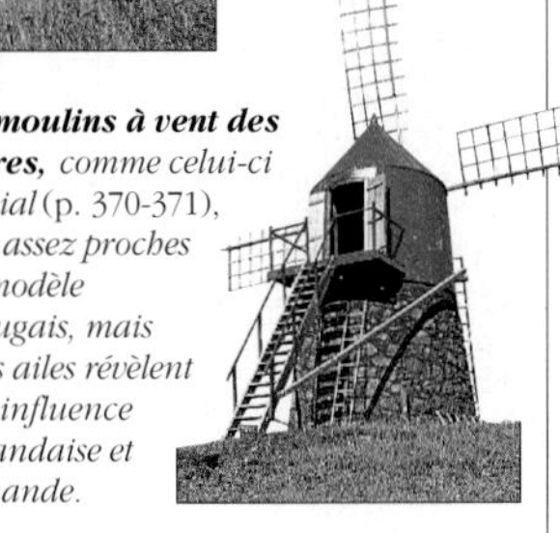

Les moulins à vent des Açores, *comme celui-ci à Faial* (p. 370-371), *sont assez proches du modèle portugais, mais leurs ailes révèlent une influence hollandaise et flamande.*

Poutres en bois

Les maisons en chaume *de l'estuaire du Sado* (p. 169) *sont construites avec des matériaux locaux. Les murs ont une structure en bois, soutenant des parties tressées en paille et en roseau.*

Certaines tuiles sont retirées en été, pour laisser entrer la lumière.

Les fenêtres en bois sont entourées d'une bordure peinte.

Ces vastes cheminées permettent de fumer jambons et saucisses.

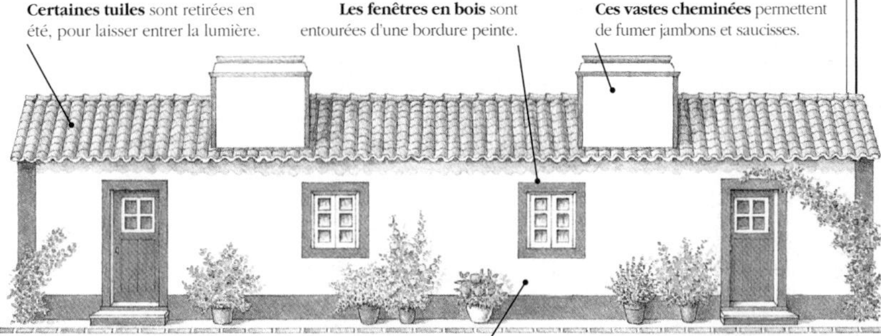

Les maisons *de l'Alentejo et du Ribatejo, rehaussées de couleurs, sont essentiellement en argile. Longues et étroites, elles ont peu d'ouvertures, pour garder la fraîcheur en été et la chaleur en hiver.*

La chaux protège les murs, réverbère le soleil estival et repousse les insectes et animaux nuisibles. Beaucoup d'habitations sont blanchies tous les ans.

Les cheminées de l'Algarve

Les cheminées sont un élément décoratif important des maisons de l'Algarve *(p. 314-331).* L'influence mauresque apparaît dans les formes cylindriques ou prismatiques, ainsi que dans les ouvertures géométriques. Elles sont également blanchies à la chaux. Les détails sont souvent soulignés de couleurs.

L'architecture manuéline

Ce style architectural, qui s'est épanoui sous Manuel Ier *(p. 46-49)* et qui a perduré, est essentiellement une variante portugaise du gothique tardif. Il se caractérise par des motifs marins, inspirés des Découvertes, et par la profusion de décorations sophistiquées. Les grands noms de ce style sont João de Castilho, Diogo Boytac — à qui l'on doit notamment le cloître du Mosteiro dos Jerónimos *(p. 106-107)* —, ainsi que Francisco et Diogo de Arruda, architectes de la Torre de Belém *(p. 110)*.

Pilori manuélin à colonnes torses, Chaves *(p. 256-257)*

Le portail *de l'église de la Conceição Velha à Lisbonne* (p. 87) *a été commandé au début du* XVIe *siècle par le roi Manuel, qui est représenté dans le relief sculpté du tympan.*

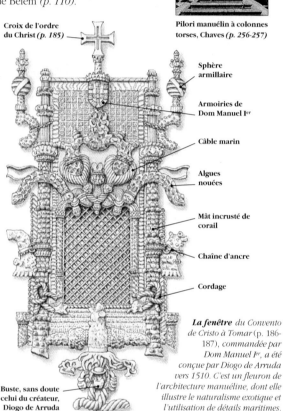

La fenêtre *du Convento de Cristo à Tomar* (p. 186-187), *commandée par Dom Manuel Ier, a été conçue par Diogo de Arruda vers 1510. C'est un fleuron de l'architecture manuéline, dont elle illustre le naturalisme exotique et l'utilisation de détails maritimes.*

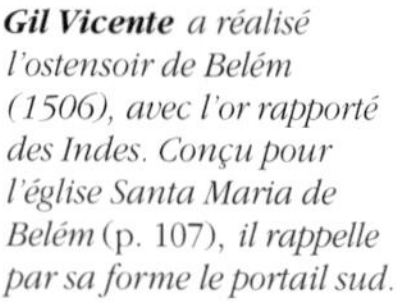

Gil Vicente *a réalisé l'ostensoir de Belém (1506), avec l'or rapporté des Indes. Conçu pour l'église Santa Maria de Belém* (p. 107), *il rappelle par sa forme le portail sud.*

Détails décoratifs

Les principaux motifs de l'architecture manuéline sont la sphère armillaire, la croix de l'ordre du Christ et le cordage. Les formes naturalistes et fantastiques sont très utilisées, de même que des motifs finement ouvragés moins exubérants. Les motifs manuélins plus tardifs intègrent parfois des ornements de la Renaissance italienne.

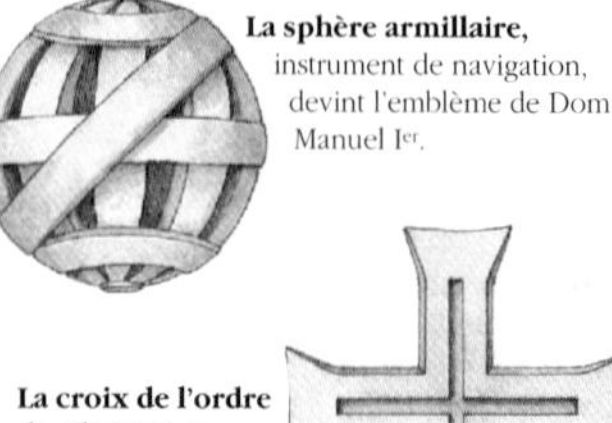

La sphère armillaire, instrument de navigation, devint l'emblème de Dom Manuel Ier.

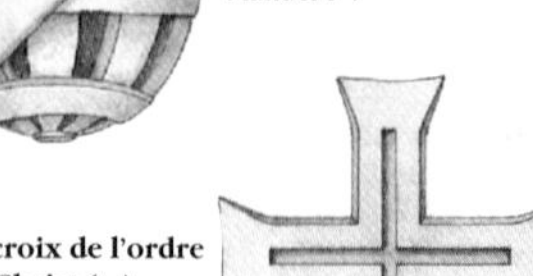

La croix de l'ordre du Christ était l'emblème d'un ordre militaire influent. Elle figurait aussi sur les voiles et les drapeaux.

LE PORTAIL MANUÉLIN DE MADRE DE DEUS

Le portail manuélin de l'église de Madre de Deus à Lisbonne *(p. 123)* fut détruit par le séisme de 1755. Ce n'est qu'en 1872 que João Maria Nepomuceno fut chargé de sa reconstruction. Pour ce faire, il s'aida d'un tableau du début du XVIe siècle, l'*Arrivée des reliques de Santa Auta à l'église de Madre de Deus*. L'œuvre, due à un artiste inconnu, se trouve au Museu Nacional de Arte Antiga *(p. 96-99)*. Elle représente une procession se dirigeant vers le portail manuélin de l'église. Comme d'autres portails contemporains, il se détache du bâtiment et domine la façade. Le style manuélin préférait les arcs ronds aux arcs brisés. Celui-ci présente une forme trilobée intéressante.

Portail de la Madre de Deus aujourd'hui

***L'Arrivée des reliques* représentant le portail d'origine du XVIe siècle**

Dans le cloître royal de Batalha (p. 182-183), *les arcs brisés gothiques, du début du XVe siècle, sont ornés de remplages manuélins soutenus par des colonnettes, sans doute dus à Diogo Boytac.*

Les branches et les feuilles exotiques rappellent les motifs sculpturaux indiens.

Croix de l'ordre du Christ

Le marbre tendre a permis de sculpter une véritable dentelle.

Sphère armillaire

Les colonnettes sont ornées de motifs de perles, d'écailles et de torsades qui se répètent.

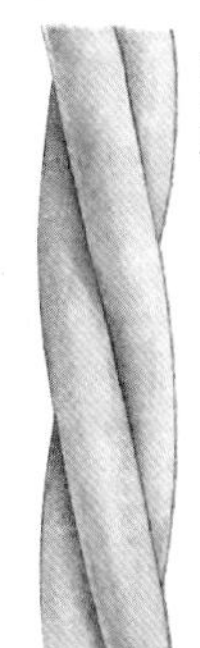

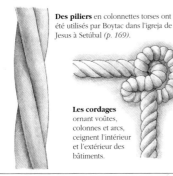

Des piliers en colonnettes torses ont été utilisés par Boytac dans l'igreja de Jesus à Setúbal *(p. 169)*.

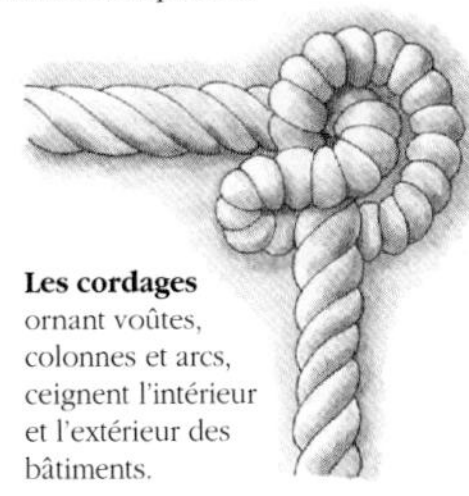

Les cordages ornant voûtes, colonnes et arcs, ceignent l'intérieur et l'extérieur des bâtiments.

Le palais de Buçaco, *qui abrite aujourd'hui un palace renommé* (p. 210), *était à l'origine un pavillon de chasse royal. Construit à la fin du XIXe siècle, le palais intègre tous les éléments architecturaux caractéristiques du style manuélin, qui a perduré au fil des siècles dans l'architecture monumentale portugaise.*

Les azulejos

Ce sont les Maures qui ont introduit au Portugal et en Espagne des carreaux couvrant les murs, les sols et même les plafonds. À compter du XVIe siècle, le Portugal commença à produire ses propres *azulejos* décoratifs. Au XVIIIe siècle, c'était le pays d'Europe fabriquant le plus grand nombre de carreaux, aux utilisations et aux motifs extrêmement variés. Les carreaux bleu et blanc de l'époque baroque sont les plus recherchés. Les *azulejos* ont été un apport majeur à la décoration intérieure et extérieure des bâtiments portugais.

1716 *Détail du panneau du Christ prêchant au temple*
Vers 1690, on commença à produire des *azulejos* bleu et blanc racontant une histoire. Ces personnages proviennent d'une composition du maître António de Oliveira Bernardes (v. 1660-1732). Les panneaux centraux sont entourés d'une bordure complexe *(igreja Misericórdia, p. 303)*.

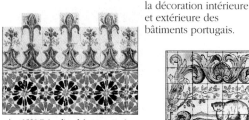

v. 1520 *Frise* d'azulejos *espagnols*
Ces carreaux étaient réalisés avec différentes techniques isolant les émaux les uns des autres (arêtes, cordons) pour empêcher les couleurs de couler *(Palácio Nacional de Sintra, p. 158-159)*.

v. 1680 *Chat qui chasse*
Ces panneaux naturalistes étaient souvent naïfs, mais peints dans une vaste palette de couleurs *(Museu Nacional do Azulejo, p. 122-123)*.

1500	1600	1700
RENAISSANCE	**MANIÉRISME**	**BAROQUE**
1500	1600	1700

1565 *Suzanne et les vieillards*
Au XVIe siècle, on vit apparaître la technique de la majolique, qui permit de peindre directement sur des carreaux lisses, couverts d'émail blanc sur lequel les couleurs ne coulaient pas à la cuisson. Ce panneau est l'un des plus anciens produits au Portugal. Les détails décoratifs sont caractéristiques de la Renaissance *(Quinta da Bacalhoa, p. 167)*.

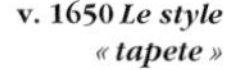

v. 1650 *Le style « tapete »*
Ces carreaux, qui doivent leur nom aux tapis orientaux, ont été réalisés en bleu, jaune et blanc. Ils couvraient souvent des murs entiers *(Museu Nacional do Azulejo, p. 122-123)*.

1736 *Capela de São Filipe*
La chapelle du château de Setúbal est un exemple parfait de composition décorative jouant sur les tons de bleu et de blanc. Les panneaux, qui illustrent la vie de saint Philippe, sont signés par Policarpo de Oliveira, fils d'António *(Castelo de São Filipe, p. 168)*.

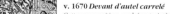

v. 1670 *Devant d'autel carrelé*
Cette composition exubérante intègre des motifs hindous et d'autres thèmes exotiques inspirés du chintz et du calicot imprimés rapportés des Indes *(Museu Nacional do Azulejo, p. 122-123)*.

1865 *Usine d'*azulejos *Viúva Lamego, Lisbonne*
Au cours de la première moitié du XIXe siècle, peu d'*azulejos* furent produits. Puis ils revinrent à la mode. Des motifs stylisés simples servaient à orner les devantures de magasins et les maisons. Ce personnage naïf fait partie d'une composition de 1865 qui couvre toute la façade de l'usine.

v. 1910 *Motif*
Ce motif original composant un panneau très moderne, dû à l'architecte Raúl Lino, date de 1910 environ. Beaucoup d'artistes ont recouru aux *azulejos (Museu Nacional do Azulejo, p. 122-123)*

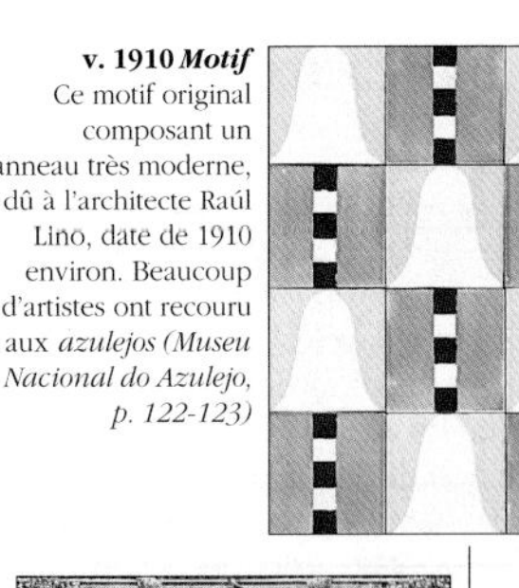

v. 1770-1784 *Corredor das Mangas*
La période rococo vit réapparaître les *azulejos* polychromes. Cette antichambre du palais de Queluz est ornée de panneaux illustrant des scènes de chasse, les saisons et les continents *(p. 164-165)*.

1927 *Bataille d'Ourique*
Le début du XXe siècle vit la réapparition des grandes fresques historiques, dans les bleus et blancs traditionnels. Ce panneau est l'œuvre de Jorge Calaço *(pavillon Carlos Lopes, parque Eduardo VII, Lisbonne, p. 115)*.

1800	1900	
NÉO-CLASSICISME	**ART NOUVEAU**	**ART MODERNE**
1800	1900	

v. 1800 *L'histoire du chapelier António Joaquim Carneiro*
De superbes ornements néo-classiques entourent le sujet central bleu et blanc de l'histoire de ce jeune berger, qui vient tenter sa chance à la ville comme chapelier. Les motifs sophistiqués de ce genre disparurent pendant la période de la guerre napoléonienne *(p. 54)* au début du XIXe siècle *(Museu Nacional do Azulejo, p. 122-123)*.

v. 1770 *Portier*
Les figures « isolées », ornement amusant de nombreux palais et demeures à partir du XVIIIe siècle, montent la garde dans les entrées, sur les paliers ou dans les escaliers *(Museu Nacional do Azulejo, p. 122-123)*.

LES *AZULEJOS* SUR LES FAÇADES

Des frises et des décorations Art nouveau colorées agrémentent la façade de cette maison du début du siècle, à Aveiro. Aujourd'hui, les carreaux sont utilisés pour couvrir des façades entières. Relativement bon marché, ils durent longtemps et exigent peu d'entretien. Ovar *(p. 198-199)* en offre de superbes exemples.

Vila Africana, Aveiro *(p. 200)*

Les céramiques

Dans tout le pays, il existe des poteries traditionnelles *(olarias)*. Chaque région possède son style. Partout, les amateurs trouveront de jolies terres cuites dans les usines et sur les marchés. Le vaste choix recouvre différentes qualités, comme la terre cuite brune, aux multiples usages, les figurines aux couleurs vives *(bonecos)*, les articles aux motifs complexes peints à la main et la porcelaine fine.

Barcelos (p. 273) *est le centre septentrional de la poterie. Jarres, vases, pots de fleurs et lanternes en terre cuite, ainsi que des figurines, sortent des ateliers de campagne.*

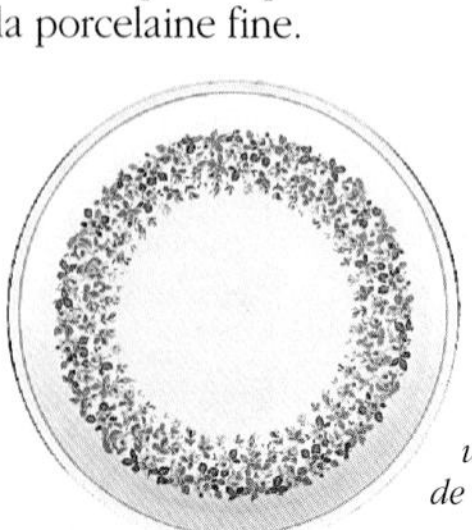

La porcelaine la plus fine *du Portugal, réputée pour sa délicatesse, vient de Vista Alegre* (p. 201). *L'usine abrite un musée retraçant l'évolution de la porcelaine.*

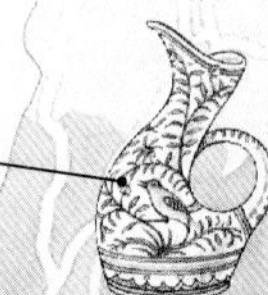

La tradition de la faïence *de Coimbra* (p. 202-205) *est perpétuée dans de nombreuses usines, comme celle d'Estrela de Conimbriga. Des motifs du* XVII*e et du* XVIII*e siècle, ainsi que des ornements mauresques, sont peints à la main sur des objets utilitaires et décoratifs, comme ce chandelier.*

Caldas da Rainha (p. 175) *produit, entre autres, des céramiques figurant des légumes, des poissons et des fruits, mais aussi des articles ornés de motifs en relief.*

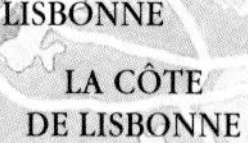

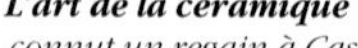

L'art de la céramique *connut un regain à Cascais* (p. 162) *grâce à Luís Soares, qui réutilisa une technique ancienne consistant à tracer un dessin sur l'argile avec un stylet. La qualité des vernis et la cuisson à haute température parfont les objets.*

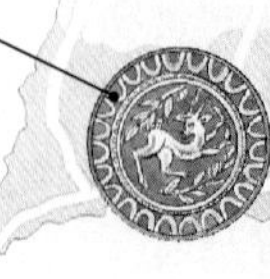

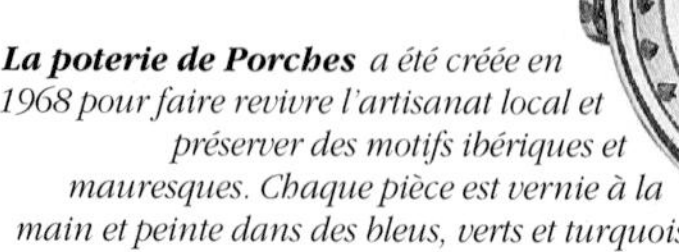

La poterie de Porches *a été créée en 1968 pour faire revivre l'artisanat local et préserver des motifs ibériques et mauresques. Chaque pièce est vernie à la main et peinte dans des bleus, verts et turquoises.*

DOURO ET TRÁS-OS-MONTES

La terre cuite brune

La terre cuite mate ou vernie, sans motif ou peinte, est très répandue au Portugal. Partout, sur les foires et sur les marchés, on peut trouver ces articles, à la fois utilitaires et décoratifs : grandes jarres, cocottes résistantes à la cuisson, réchauds servant à faire cuire les fameuses saucisses *(chouriço)* à table, etc.

Bisalhães *et d'autres villages près de Vila Real* (p. 255) *produisent des poteries noires ou gris foncé, colorées par la fumée de bois à la cuisson, qui servent à stocker l'huile ou les olives et à cuisiner.*

LES BEIRAS

Les motifs blancs, *incrustés dans la terre cuite, caractérisent les poteries de Nisa (Alentejo). Des éclats de quartz ou de marbre sont assemblés pour composer des motifs floraux rappelant des broderies.*

L'argile rouge *d'Estremoz* (p. 300-301) *est appréciée pour sa malléabilité. Les articles typiques comportent des décorations en relief. La ville est aussi renommée pour ses figurines extravagantes.*

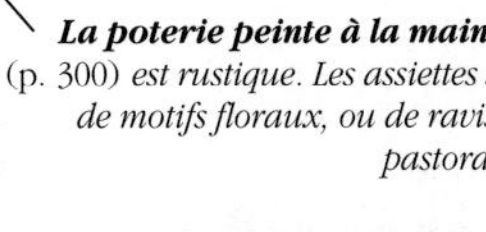

La poterie peinte à la main *de Redondo* (p. 300) *est rustique. Les assiettes sont décorées de motifs floraux, ou de ravissantes scènes pastorales, comme ici.*

ALENTEJO

Cette potière *de São Pedro do Corval parvient à couper un grand morceau d'argile en parts égales, qui lui permettent de produire plusieurs jarres de même taille. Ici, elle met la touche finale à une pièce. Les environs de Reguengos do Monsaraz* (p. 307) *comptent plusieurs coopératives de potiers.*

ALGARVE

La pêche

Pots en terre cuite

Ce secteur majeur emploie près de 34 000 pêcheurs, essentiellement sur des chalutiers. Les poissons capturés sont destinés à la consommation locale ou à l'exportation. Viana do Castelo, Peniche, Nazaré, Sesimbra et Ericeira à l'ouest, et Sagres, Lagos et Olhão au sud permettent de voir des pêcheurs au travail.

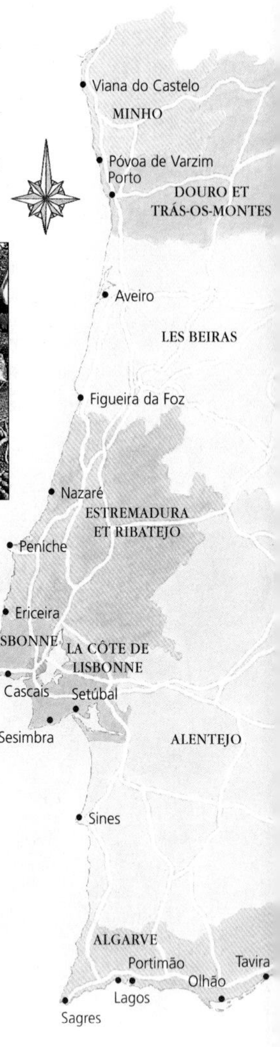

Viana do Castelo
MINHO
Póvoa de Varzim
Porto
DOURO ET TRÁS-OS-MONTES
Aveiro
LES BEIRAS
Figueira da Foz
Nazaré
ESTREMADURA ET RIBATEJO
Peniche
Ericeira
LISBONNE
LA CÔTE DE LISBONNE
Cascais
Setúbal
Sesimbra
ALENTEJO
Sines
ALGARVE
Portimão
Tavira
Olhão
Lagos
Sagres

***Pêcheurs** réparant leurs filets à Peniche* (p. 174), *grand centre de la sardine. Tous les ans, environ 250 000 tonnes de sardines sont pêchées, puis congelées, mises en conserve ou consommées dans les restaurants de bord de mer.*

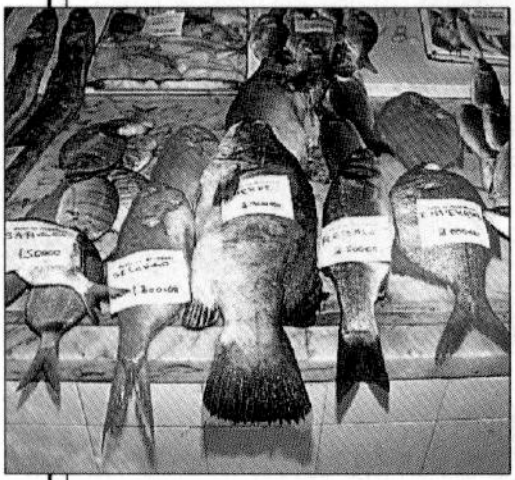

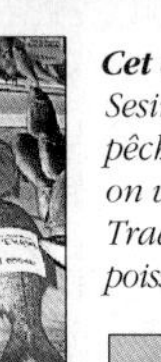

***Cet étal de bord de mer,** à Sesimbra* (p. 166), *présente la pêche locale. Au premier plan, on voit différents brèmes et bars. Traditionnellement, les poissonnières triaient le poisson.*

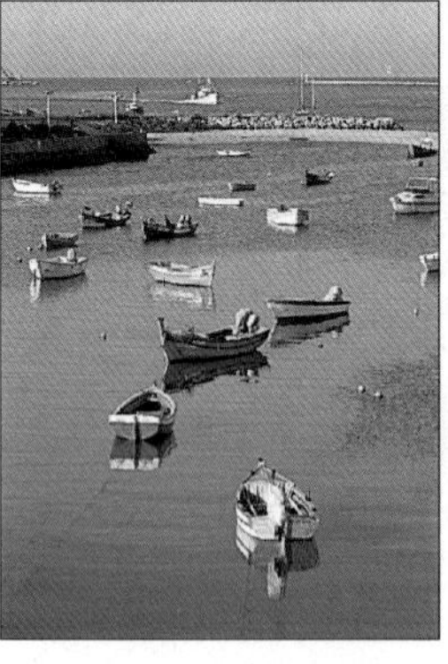

***Ferragudo** est un petit port typique de l'Algarve. Les petits bateaux qui pêchent près des côtes couvrent les besoins locaux. La pêche industrielle s'effectue depuis Portimão, le principal centre de la sardine en Algarve.*

Bateaux de pêche

La plupart des bateaux de pêche officiellement recensés sont anciens. Les plus grands, chalutiers de 24 m, sont équipés de moteurs diesel et de la radio. Les chalutiers plus petits sont utilisés pour la pêche côtière. On trouve aussi des *meia-lua* de 5 m, à rames. Certains sont tirés par des bœufs depuis la rive.

***Le bateau typique** de l'Algarve, le petit chalutier* (traineira), *mesure moins de 12 m, ce qui interdit aux pêcheurs de sortir loin en mer.*

***La* meia-lua** *(demi-lune), avec son fond plat et sa grande proue, est utilisée sur la côte ouest. Elle est ornée d'un porte-bonheur peint, tel que la croix de l'ordre du Christ* (p. 185).

***La fête** de Nossa Senhora da Agonia à Viana do Castelo* (p. 274-275) *est l'une des nombreuses célébrations en l'honneur de la patronne des pêcheurs. Une statue de la Vierge est portée en procession, puis placée sur un bateau pour bénir les embarcations.*

***À Cascais,** une vente à la criée se tient tous les soirs au marché aux poissons, pour vendre la prise du jour. Cette manifestation animée est une véritable attraction.*

***Pêcheurs** rentrant chargés de palourdes de Cabanas, en Algarve. Palourdes, coques, bulots et couteaux se trouvent dans les eaux chaudes de la lagune, où ils sont ramassés à marée basse.*

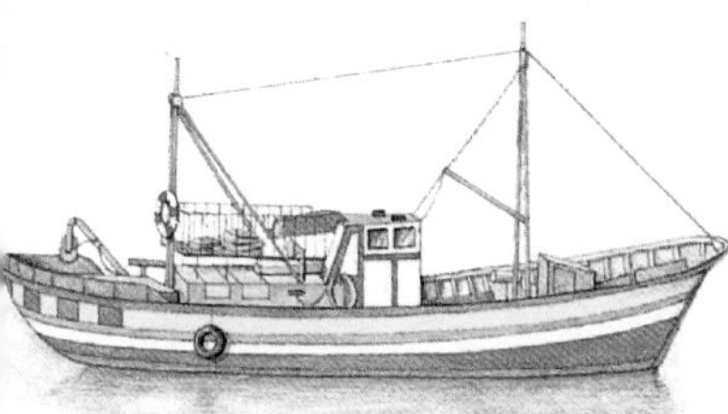

Le chalutier (traineira) *pêche le plus loin des côtes, essentiellement des sardines. Selon une tradition qui remonte aux Phéniciens, les chalutiers sont souvent peints de couleurs vives, pour être visibles en mer.*

Les différents poissons

Des délicieuses sardines aux brèmes et aux bars, en passant par les rougets et les thons, sans oublier la famille de l'anguille et du poulpe, le choix de poissons est infini. Curieusement, le poisson national, la morue séchée et salée *(bacalhau)*, n'est pas portugais. Appelée *o fiel amigo*, l'ami fidèle, on la retrouve dans d'innombrables recettes.

Les sardines *(sardinhas)*, ou jeunes pilchards, sont la principale prise. Des chalutiers prennent à la seine des bancs qui se déplacent entre 25 et 40 m de profondeur.

Le chinchard *(carapau)*, bon marché et abondant, est très apprécié, grillé, frit ou cuit au four. On le fait parfois mariner après la cuisson.

Le thon *(atum)* mesure jusqu'à 4 m et se trouve en banc, près des Açores et de l'Algarve. Il se vend frais ou en conserve, pour l'exportation.

Les calmars *(lulas)* sont répandus sur toute la côte. Ils se dégustent servis frits, grillés ou en sauce. Les seiches *(chocos)* et les poulpes *(polvos)* sont aussi très appréciés.

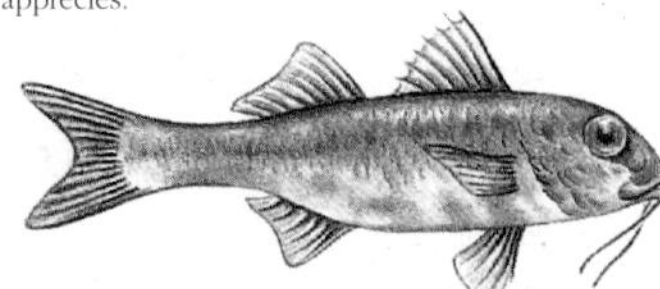

Le rouget de roche *(salmonete)*, à la saveur délicate, se trouve près de Setúbal, d'où proviennent les recettes les plus connues.

Le poisson-épée *(peixe espada)* est un long poisson effilé à la chair savoureuse, propre à Sesimbra et à Madère. À ne pas confondre avec le *peixe espadarte*, ou espadon, plus trapu, au goût très différent.

Les vins

Depuis l'entrée du Portugal dans la Communauté européenne, en 1986, sa gamme de vins s'est élargie. Outre le porto *(p. 228-229),* le madère *(p. 349)* et les *vinhos verdes,* ou vins verts, qui se boivent jeunes et frais, citons les excellents vins rouges fruités classiques du Bairrada et du Dão. Quant aux régions de l'Alentejo et de Ribatejo, elles produisent des vins rouges haut de gamme de plus en plus reconnus.

***Les rosés,** comme le mateus, s'exportent très bien. La couleur rose s'obtient en laissant la peau des raisins rouges écrasés macérer peu de temps avec le jus.*

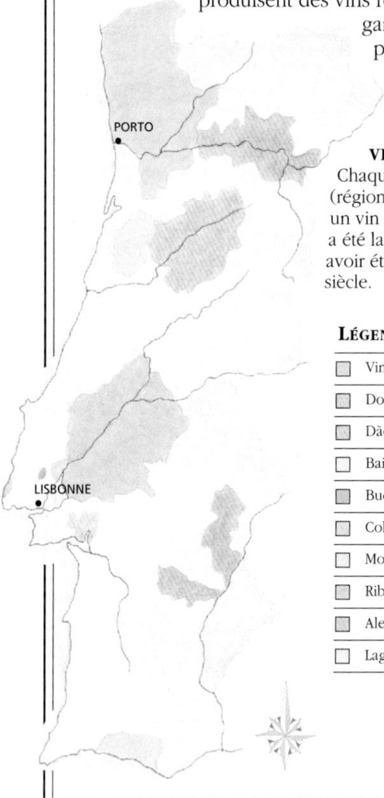

PORTO

LISBONNE

Régions vinicoles

Chaque *região demarcada* (région délimitée) garantit un vin de qualité. Le Douro a été la première région à avoir été délimitée, au XVIIIe siècle.

Légende

- Vinhos verdes
- Douro
- Dão
- Bairrada
- Bucelas
- Colares
- Moscatel de Setúbal
- Ribatejo
- Alentejo
- Lagoa

0 50 km

Vignoble de *vinho verde* dans le village de Lapela, près de Monção dans le Minho

Cave du Buçaco Palace Hotel *(p. 210-211),* réputée pour ses vins rouges

Lire une étiquette

Outre *branco, tinto* et *rosado* (blanc, rouge et rosé), les termes à connaître sont *adamado* ou *doce* (doux), *seco* (sec), *bruto* (sec et pétillant), *licoroso* (liquoreux) et *maduro* (vieilli en cuve). Le mot *generoso* est utilisé pour qualifier un vin qui se boit au dessert ou à l'apéritif, *clarete* qualifie un vin proche du bordeaux et *claro* un vin nouveau. *Reserva* s'utilise pour les très bonnes années. La mention *engarrafado no origem* indique que le vin a été mis en bouteille au domaine. Vous retrouverez souvent sur les étiquettes les termes *adega* (cave) et *quinta* (domaine).

Vinhos Sogrape est le nom du producteur qui a mis en bouteille et distribué ce vin.

Ce vin est un *vinho verde,* blanc léger et un peu pétillant. Il existe aussi du *vinho verde* rouge.

Denominação de origem controlada est l'équivalent portugais de l'appellation contrôlée.

Ce type de vin est un vin blanc sec.

La teneur en alcool de 9,5 % est relativement élevée pour un *vinho verde.*

Les vinhos verdes *du Minho sont en général blancs, parfois rouges. Ils sont produits à partir de raisins qui poussent à quelques mètres du sol. Le raisin est récolté avant d'arriver à maturité et le vin fermenté en bouteille, ce qui le rend légèrement pétillant.*

Le bucelas blanc *est produit au nord-ouest de Lisbonne, surtout à partir de cépage arinto, qui croît très bien dans ce petit vignoble. Sec et délicieux, ce vin souvent comparé au chablis se marie bien au poisson.*

Le moscatel de Setúbal *est un célèbre vin de dessert produit sur les collines de l'Arrábida, près de Palmela, essentiellement dans le domaine de José Maria da Fonseca. Les caves, où le vin est parfois gardé en fûts de chêne pendant cinquante ans avant d'être mis en bouteille, se visitent.*

La vallée du Douro *compte environ 80 000 vignobles. La région, connue par son porto, produit tout autant de raisin pour le vin de table. C'est de là que vient le célèbre barca velha, dont seuls quelques millésimes sont commercialisés.*

Vendanges près d'Amarante
(p. 248–249)

Le Ribatejo *est une région vinicole au succès croissant, où le raisin croit en abondance sur la plaine inondable et sablonneuse du Tage. La région de Coruche est de plus en plus appréciée pour ses vins rouges fruités.*

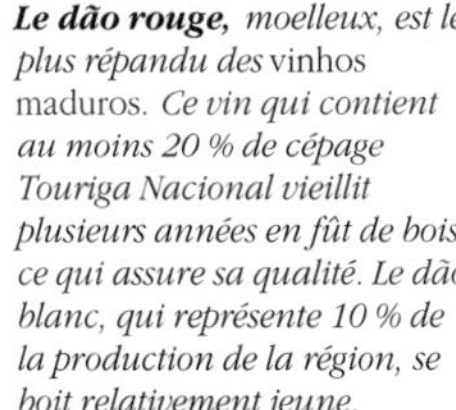

Le dão rouge, *moelleux, est le plus répandu des* vinhos maduros. *Ce vin qui contient au moins 20 % de cépage Touriga Nacional vieillit plusieurs années en fût de bois, ce qui assure sa qualité. Le dão blanc, qui représente 10 % de la production de la région, se boit relativement jeune.*

L'Alentejo *produit de très bons vins, notamment d'excellents vins rouges, et les appellations d'origine comme borba, redondo, moura et reguengos méritent d'être goûtées. Les vins rouges et blancs ont un degré alcoolique élevé.*

Les vins de Bairrada *sont très renommés. La variété prédominante de cépage rouge est le baga, qui donne un vin rouge fruité qui fait concurrence au dão et a également besoin de vieillir. Les blancs, plus rares, sont moins appréciés, à l'exception d'un vin pétillant.*

Le Colares *est une région vinicole très ancienne, près de Sintra. Les vignes sont plantées dans des tranchées creusées dans des dunes de sable, à l'abri du vent. Ces vins rouges riches en tanin s'adoucissent en vieillissant. Les blancs, plus rares, sont des* maduro *secs.*

Lagoa *produit le meilleur vin de la région délimitée récemment en Algarve. C'est un vin fruité et corsé qui supporte mal le transport, mais qui est très bon marché lorsqu'il est acheté en* garrafão *(bonbonne). Il accompagne très bien les plats de poissons.*

Le Portugal au jour le jour

Juillet et août sont les mois de prédilection des visiteurs. Toutefois, le printemps et l'automne sont des saisons plus agréables pour découvrir le charme du Portugal. L'atmosphère est plus détendue, sans la canicule estivale ni la foule de vacanciers. Toutes les régions perpétuent leurs traditions, notamment à travers les fêtes religieuses. Des *festas* sont célébrées toute l'année, le plus souvent en l'honneur d'un saint, mais aussi pour la fin des récoltes ou des événements gastronomiques ou sportifs. Elles s'accompagnent de processions, de feux d'artifice et de danses traditionnelles. On y mange et on y boit, dans l'allégresse générale.

Festa da Coca, Monção (juin)

Printemps

À l'arrivée des beaux jours, la campagne se couvre d'un tapis de fleurs sauvages. Sachez toutefois qu'il risque de pleuvoir jusqu'à fin mai.

Pâques est salué par quantité de célébrations religieuses, et lors de la semaine sainte, des processions se déroulent dans tout le pays.

Tous les ans, le 13 mai, plus de 100 000 pèlerins se rendent à Fátima

Mars

Open de golf *(mi-mars)*. Le lieu de la compétition change tous les ans. **Festival Intercéltico do Porto** *(fin mars ou début avril)*, Porto. Festival de musique portugaise et espagnole.

Fête des fleurs de Funchal

Avril

Semaine sainte *(sem. avant Pâques)*, Braga. Les fêtes, très solennelles, s'accompagnent de processions aux flambeaux. Le dimanche de Pâques marque aussi le début de la saison de la tauromachie. **Mãe Soberana** *(2e dimanche après Pâques)*, Loulé, Algarve. Pèlerinage à Nossa Senhora da Piedade *(p. 324)*. **FIAPE** *(mi-avril)*, Estremoz. Foire internationale (bestiaux, agriculture, artisanat). **Fête des fleurs** *(avril/mai)*, Funchal, Madère. Les magasins et les maisons sont décorés de fleurs. La fête s'achève par un défilé de chars fleuris.

Mai

Festas das Cruzes *(début mai)*, Barcelos. La fête des croix commémore le jour où la forme d'une croix est apparue dans la terre, en 1504. **Pèlerinage de Fátima** *(12-13 mai)*. Une foule importante se rend à l'endroit où la Vierge est apparue à trois enfants, en 1917 *(p. 184)*. **Queima das Fitas** *(mi-mai)*, Coimbra. Des festivités animées marquent la fin de l'année universitaire *(p. 207)*. **Festa do Senhor Santo Cristo dos Milagres** *(5e dim. après Pâques)*, Ponta Delgada, São Miguel, Açores. La plus grande fête religieuse de l'archipel. **Festa do Espírito Santo** *(Pentecôte)*, Açores. Point culminant de la fête de l'Esprit Saint *(p. 367)*. **Pèlerinage du Bom Jesus** *(Pentecôte)*, Braga. Les pénitents gravissent à genoux un escalier spectaculaire *(p. 278-279)*. **Festival de musique de l'Algarve** *(mai et juin)*, dans toute la région. Concerts et représentations du ballet Gulbenkian.

Enfants portant une croix, Festas das Cruzes, Barcelos (mai)

Été

La plupart des visiteurs vont au Portugal en été. Comme beaucoup d'entreprises ferment en août, c'est aussi la période où les Portugais partent en vacances. C'est une bonne période pour visiter le Minho, plus frais, quand le Nord célèbre de nombreuses fêtes *(p. 226-227)*.

Les célèbres cavaliers du Ribatejo, Vila Franca de Xira (juillet)

Juin

Festa de São Gonçalo *(premier week-end)*, Amarante. Les jeunes célibataires de la ville échangent des gâteaux de forme phallique en gage d'amour. **Feira Nacional da Agricultura** *(début juin)*, Santarém. Foire agricole, tauromachie et danses. **Santo António** *(12-13 juin)*, Lisbonne. Célébré dans l'Alfama, avec des chants et des danses. Les riverains installent des lampions et des banderoles et sortent des chaises pour les visiteurs. **Festa da Coca** *(jeudi suiv. le dim. de la Trinité)*, Monção. La fête, qui s'inscrit dans le cadre des célébrations de la Fête-Dieu, présente des scènes comiques de saint Georges combattant le dragon. **São João** *(23-24 juin)*, Porto. Les participants font des vœux en sautant par-dessus des petits feux. Course de bateaux *(p. 226-227)*. **São Pedro** *(29 juin)*, Lisbonne. Fête de rue. **Festival de Música de Sintra** *(15 juin-16 juil.)*, Sintra. Concerts de musique classique et ballets.

Juillet

Festa do Colete Encarnado *(premier week-end)*, Vila Franca de Xira. La fête du « gilet rouge » doit son nom au costume traditionnel du cavalier du Ribatejo. Combats et lâchers de taureaux. **Festa dos Tabuleiros** *(mi-juil., tous les 2 ou 3 ans)*, Tomar. L'événement principal est un défilé de jeunes filles portant sur leur tête des plateaux avec des pains décorés. Musique, danses, feux d'artifice et course de taureaux *(p. 184-185)*. **Festa da Ria** *(tout le mois)*, Aveiro. Danses folkloriques, courses de bateaux et concours de l'embarcation la mieux décorée *(p. 201)*.

Août

Festas Gualterianas *(premier week-end)*, Guimarães. Cette fête de trois jours remonte à 1452. Processions aux flambeaux, danses et défilé médiéval. **Festa da Nossa Senhora da Boa Viagem** *(premier week-end)*, Peniche. Une foule se rassemble dans le port avec des bougies allumées et accueille une statue de la Vierge qui arrive en bateau. Les feux d'artifice et les danses se poursuivent tard dans la nuit. **Festival Internacional da Cerveja** *(début août)*, Castelo de Silves. Fête de la bière très animée. **Rally du vin de Madère** *(début août)*, Funchal, Madère. Rallye de haut niveau. **Semana do mar** *(1re semaine d'août)*, Horta, Faial, Açores. Au programme : gastronomie, musique, artisanat, sports nautiques et compétitions. **Festival do Marisco** *(mi-août)*, Olhão. Fête des fruits de mer, dans l'un des plus grands ports de pêche de l'Algarve. **Romaria da Nossa Senhora da Agonia** *(week-end le plus proche du 20 août)*, Viana do Castelo. Procession, suivie de défilés de chars, de danses et de feux d'artifice. Course de taureaux le samedi après-midi, suivie d'une bénédiction des bateaux de pêche.

Jeune fille en costume traditionnel

Festa dos Tabuleiros, Tomar

L'Algarve, ensoleillé, attire les vacanciers

Procession de la *Romaria* de Nossa Senhora da Nazaré

Automne

C'est la meilleure saison. Dès la mi-septembre, les températures se rafraîchissent, et l'automne est plus sec que le printemps. C'est une saison délicieuse, où les paysages se couvrent de tons bruns, or et rouges.

Septembre est aussi le début de la *vindima*. Les vendanges et le pressurage du raisin s'effectuent dans une atmosphère de fête, surtout dans le Douro.

Septembre

Romaria de Nossa Senhora dos Remédios *(8 sept.)*, Lamego. Le pèlerinage annuel à ce célèbre sanctuaire baroque constitue le point culminant de trois jours de célébrations. Procession aux flambeaux et musique. **Romaria de Nossa Senhora de Nazaré** *(8 sept. et week-end suivant)*, Nazaré. Processions, danses folkloriques et courses de taureaux. **Feiras Novas** *(mi-sept.)*, Ponte de Lima. Gigantesque marché, avec foire, feux d'artifice, costumes de carnaval et un concours d'orchestres de cuivres. **Grand Prix du Portugal** *(date variable)*, Estoril. La course de formule 1, qui se tient à l'Autodromo, draine une foule importante. **Festival folklorique national** *(mi-sept.)*, Algarve. Des groupes de musique et de danse venus des quatre coins du pays se produisent dans diverses localités de l'Algarve. **Fête du vin** *(tout le mois)*, Funchal et Estreito de Câmara de Lobos, Madère. La manifestation de Funchal est très animée. Pour découvrir une fête plus authentique, préférez celle d'Estreito de Câmara de Lobos. **Festa de São Mateus** *(dernière semaine)*, Elvas. Manifestations religieuses, culturelles et agricoles.

Musiciens en costume régional, au festival folklorique national, en septembre

Damon Hill remportant le Grand Prix d'Estoril, en 1995

Octobre

Feira de Outubro *(1re semaine)*, Vila Franca de Xira. Lâchers et courses de taureaux. **Pèlerinage à Fátima** *(12-13 oct.)*. Ultime pèlerinage de l'année, à la date de la dernière apparition de la Vierge. **Festival de Gastronomia** *(2 dernières semaines)*, Santarém. Pour découvrir le meilleur de la cuisine régionale. **Rallye automobile international de l'Algarve** *(oct.-nov.)*, Algarve.

Novembre

Toussaint *(1er nov.)*. Les Portugais honorent les morts. **Feira Nacional do Cavalo** *(2 1res semaines)*, Golegã. Les passionnés de chevaux et de tauromachie se retrouvent pour voir des courses et des défilés équestres. Célébrations de la Saint-Martin, grand défilé et lâcher de taureaux. **Encontros de Fotografia** *(mi-nov.)*, Coimbra. Exposition des œuvres de jeunes photographes. **Feira de Artesanato Do Porto** *(déc.)*, Porto. Grande foire artisanale.

Cavaliers à la Feira Nacional do Cavalo, Golegã

Paysage enneigé de la Serra de Montemuro, au sud de Cinfães *(p. 249)*

Hiver

En Algarve, le temps est doux et ensoleillé, et beaucoup de localités restent animées. Les golfeurs apprécieront aussi les mois d'hiver. En janvier et en février, les amandiers en fleurs offrent un spectacle superbe dans tout le Sud.

D'autres visiteurs partent encore plus au sud, à Madère, au climat subtropical. En hiver, surtout autour de Noël, la saison touristique y bat son plein.

Jours fériés

Nouvel An (1er janv.).
Carnaval (fév.).
Vendredi saint (mars ou avr.).
Dia 25 de Abril, *Révolution de 1974.*
Dia do Trabalhador, *fête du Travail* (1er mai).
Fête-Dieu (6 juin).
Fête nationale, mort de Camões (10 juin).
Assomption (15 août).
Proclamation de la République (5 oct.).
Toussaint (1er nov.).
Dia da Restauração, *indépendance face à l'Espagne, en 1640* (1er déc.).
Immaculée Conception (8 déc.).
Noël (25 déc.).

Décembre

Noël *(25 déc.)*. Des crèches ornent églises et magasins. Le soir du réveillon, les Portugais mangent du *bacalhau* (morue). À Madère, on confectionne le traditionnel *bolo de mel* (gâteau au miel), et les enfants plantent du blé, du maïs ou de l'orge dans des pots disposés autour de la crèche pour symboliser le renouveau et la prospérité.

Le *bolo rei* se déguste pour les fêtes de Noël

Janvier

Nouvel An. Fêtes avec des feux d'artifice magnifiques célébrant la nouvelle année. Festa dos Rapazes *(25 déc.-6 janv.)*, autour de Bragança. Des garçons revêtent des masques et se déchaînent dans leur village, perpétuant un ancien rite païen de passage *(p. 227)*.
Épiphanie *(6 janv.)*. Le traditionne *bolo rei* (gâteau des rois) renferme un porte-bonheur et une fève. La personne qui a la fève devra acheter le prochain gâteau. Le *bolo rei* se mange aussi à Noël. **Festa de São Gonçalinho** *(2e semaine)*, Aveiro. Des miches de pain sont jetées à la foule, du haut d'une chapelle, en remerciement pour le retour d'un pêcheur ou pour un mariage.

Amandiers en fleurs en février, en Algarve

Février

Fantasporto *(1er-15 fév.)*, Porto. Festival international du film, avec projection d'œuvres, notamment de science-fiction, de jeunes réalisateurs. **Carnaval** *(en fonction de Pâques)*. Célébré dans tout le pays. Défilés très colorés à Ovar, Sesimbra, Torres, Vedras, Funchal et Loulé. Les festivités de Loulé se déroulent parallèlement à la foire annuelle de la récolte des amandes.

Costumes de carnaval, Ovar

Le climat du Portugal

Le Portugal continental jouit d'un climat agréable, avec de longs étés chauds et des hivers cléments. À mesure qu'on descend vers le Sud, il fait de plus en plus chaud et les précipitations diminuent, jusqu'en Algarve où les gelées sont rares. À l'intérieur du pays, le climat est plus continental, avec des étés plus chauds et des hivers plus froids. Madère est pluvieuse au nord, plus chaude et plus sèche au sud, et les Açores bénéficient d'un climat doux, avec quelques pluies toute l'année et du vent.

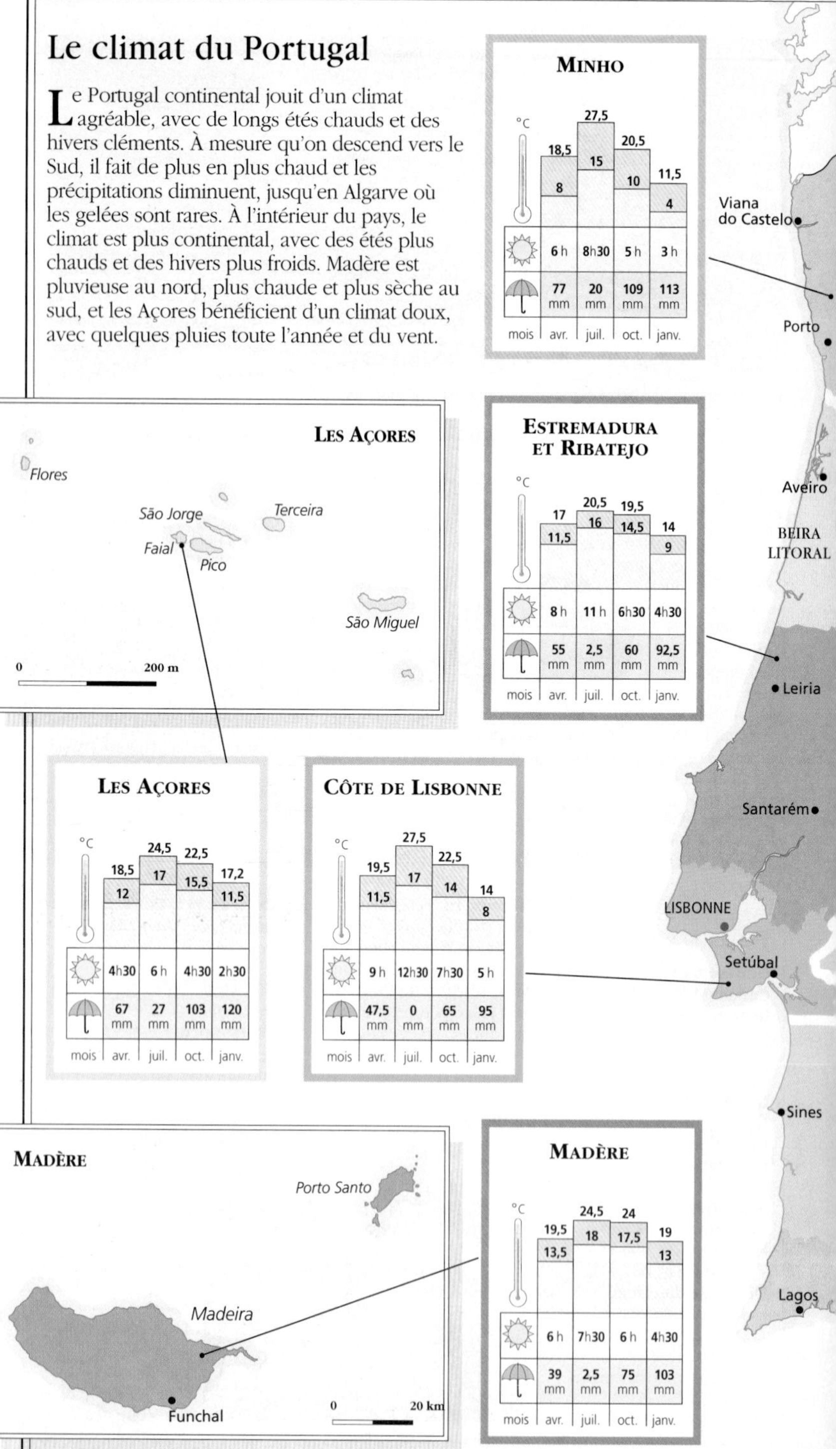

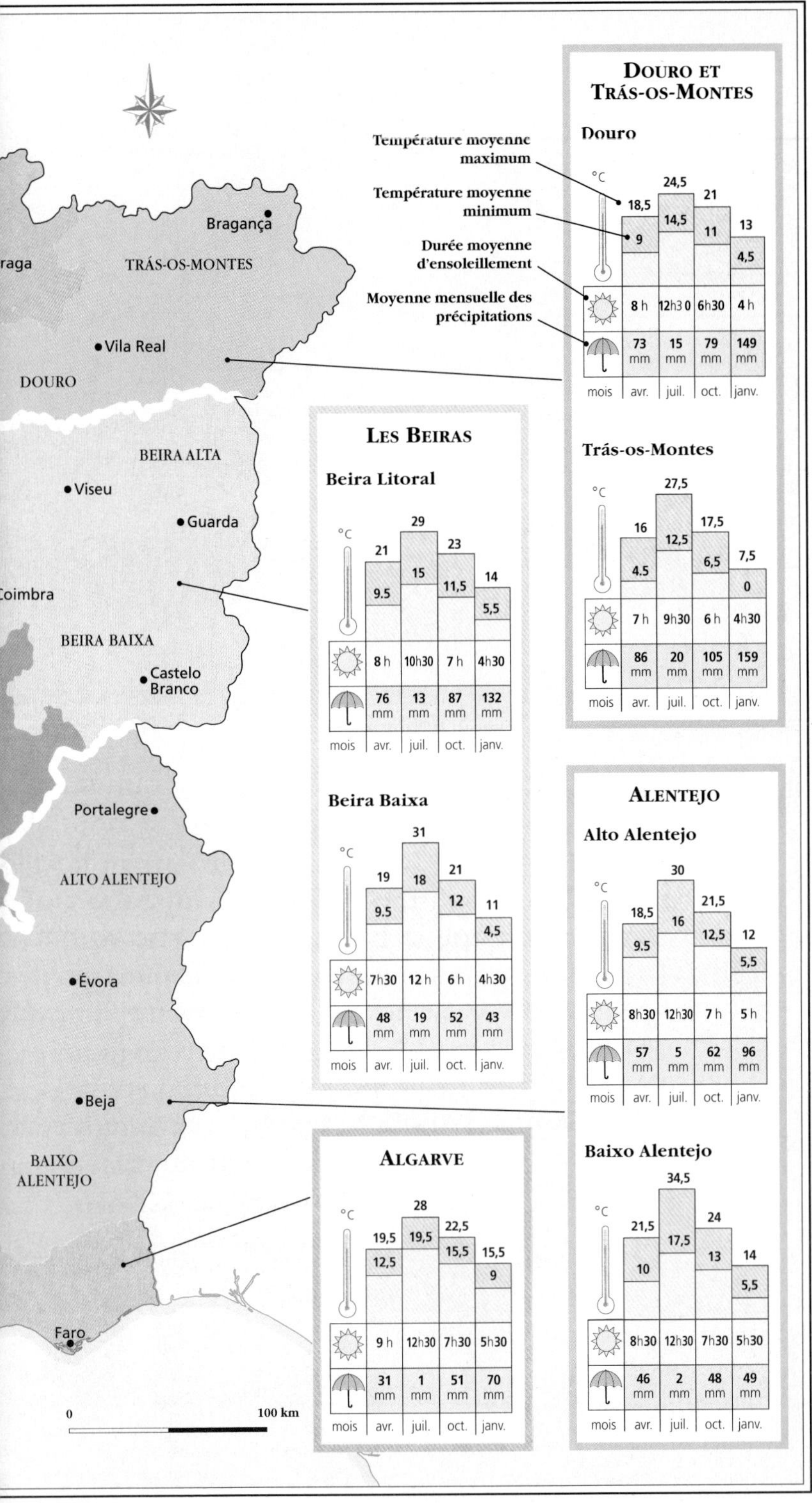

Douro et Trás-os-Montes

Douro

mois	avr.	juil.	oct.	janv.
°C max.	18,5	24,5	21	13
°C min.	9	14,5	11	4,5
ensoleillement	8 h	12h3 0	6h30	4 h
précipitations	73 mm	15 mm	79 mm	149 mm

Trás-os-Montes

mois	avr.	juil.	oct.	janv.
°C max.	16	27,5	17,5	7,5
°C min.	4.5	12,5	6,5	0
ensoleillement	7 h	9h30	6 h	4h30
précipitations	86 mm	20 mm	105 mm	159 mm

Les Beiras

Beira Litoral

mois	avr.	juil.	oct.	janv.
°C max.	21	29	23	14
°C min.	9.5	15	11,5	5,5
ensoleillement	8 h	10h30	7 h	4h30
précipitations	76 mm	13 mm	87 mm	132 mm

Beira Baixa

mois	avr.	juil.	oct.	janv.
°C max.	19	31	21	11
°C min.	9.5	18	12	4,5
ensoleillement	7h30	12 h	6 h	4h30
précipitations	48 mm	19 mm	52 mm	43 mm

Alentejo

Alto Alentejo

mois	avr.	juil.	oct.	janv.
°C max.	18,5	30	21,5	12
°C min.	9.5	16	12,5	5,5
ensoleillement	8h30	12h30	7 h	5 h
précipitations	57 mm	5 mm	62 mm	96 mm

Baixo Alentejo

mois	avr.	juil.	oct.	janv.
°C max.	21,5	34,5	24	14
°C min.	10	17,5	13	5,5
ensoleillement	8h30	12h30	7h30	5h30
précipitations	46 mm	2 mm	48 mm	49 mm

Algarve

mois	avr.	juil.	oct.	janv.
°C max.	19,5	28	22,5	15,5
°C min.	12,5	19,5	15,5	9
ensoleillement	9 h	12h30	7h30	5h30
précipitations	31 mm	1 mm	51 mm	70 mm

DOM MANVEL

per graça de deos Rey de portugall ⁊
dos algarues daquem ⁊ dalē mar
em africa. senhor de guinee ⁊ da conquista nauegaçam ⁊ co
merçeo detheopia arabia persia ⁊ da Jndia ⁊c. A
quantos esto aperpetua memoria feito virem fazemos
saber que assi como o propio ⁊ principall cuydado dos q
tem alguu cargo deue ser trabalhar como as cousas q
lhes sam encarregadas seiam postas no mais prospero
⁊ melhorado estado que ser possa. assy tanto mais cabe
isto nos Reis ⁊ principes fazello. quanto com mais ex
cellente preminencia sam per deos postos na terra pera
bem della ⁊ de seus vassallos. ⁊ pera toda execuçam ⁊ exē
plo de virtude. E por que esta obrigaçam tam deuida

Histoire du Portugal

Le Portugal compte parmi les plus vieux États-nations d'Europe. Sa fondation, en 1139, précéda de 350 ans celle de l'Espagne voisine. Les Romains, qui pénétrèrent dans la région en 216 av. J.-C., baptisèrent l'ensemble de la péninsule Hispanie et la zone entre le Douro et le Tage Lusitanie. Après l'effondrement de l'Empire romain, au Ve siècle, l'Hispanie fut dominée par des tribus germaniques, puis, en 711, par les Maures. La reconquête par les royaumes chrétiens du Nord commença au XIe siècle. C'est au cours de ce processus qu'en 1139, le Portucale, petit comté du royaume de Castille-León, fut déclaré indépendant par son premier roi, Dom Afonso Henriques.

Bateau portugais (v. 1500)

Le nouveau royaume s'étendit vers le sud. Des navigateurs portugais commencèrent à explorer les côtes de l'Afrique et l'Atlantique. Le Portugal connut son apogée sous le règne de Dom Manuel Ier, avec le voyage de Vasco da Gama aux Indes, en 1498, et la découverte du Brésil, en 1500. Le commerce avec l'Orient apporta des richesses, mais après la défaite militaire essuyée au Maroc, cette prospérité fut de courte durée. En 1580, l'Espagne envahit le Portugal, où les rois d'Espagne régnèrent pendant soixante ans.

Redevenu indépendant, le royaume retrouva sa richesse grâce à l'or du Brésil. Au XVIIIe siècle, le Premier ministre, le marquês de Pombal, modernisa le pays et limita l'influence conservatrice de l'Église. L'invasion napoléonienne de 1807 et la perte du Brésil, en 1825, appauvrirent et divisèrent le Portugal. Les luttes entre absolutistes et libéraux achevèrent d'affaiblir le pays, et malgré une période de stabilité vers 1850, la crise empira. En 1910, une révolution républicaine en finit avec la monarchie. Mais la dégradation de la situation économique se poursuivit jusqu'au coup d'État de 1926. António Salazar, qui resta au pouvoir de 1926 à 1968, libéra le pays de ses dettes, mais imposa un régime dictatorial dont le pays eut du mal à sortir. Ce n'est qu'en 1974, avec la Révolution des Œillets, que le Portugal fut enfin libéré. Cependant, la démocratie ne fut entièrement rétablie qu'en 1976.

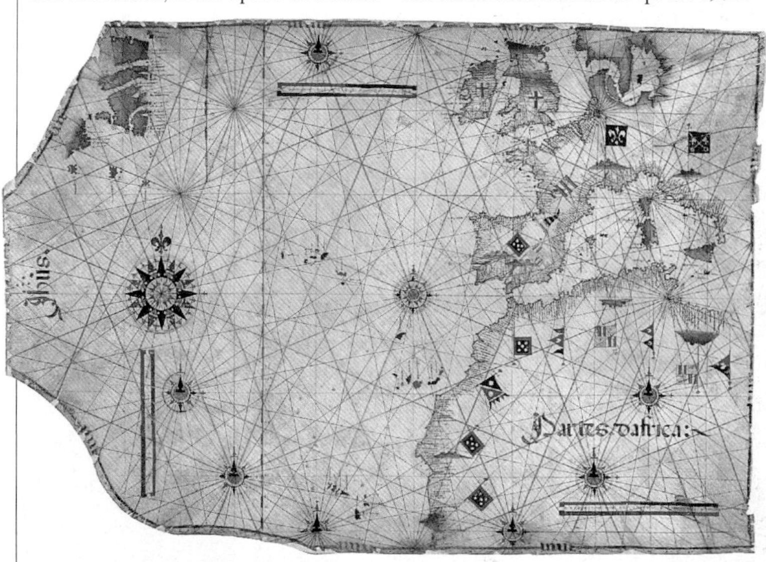

Carte marine portugaise de l'Atlantique Nord, sur parchemin (v. 1550)

◁ **Frontispice enluminé de la *Leitura Nova*, représentant les armoiries du Portugal et Dom Manuel Ier (v. 1520)**

Les grands hommes du Portugal

En 1139, Dom Afonso Henriques se fit nommer premier roi du Portugal. Les alliances maritales de ses descendants entraînèrent plusieurs crises dynastiques. La défaite des Castillans devant Dom João Ier, en 1385, donna naissance à la maison d'Avis. Puis, en 1580, en l'absence d'héritier direct, le Portugal fut dirigé pendant six décennies par les rois d'Espagne, avant que le duc de Bragança ne monte sur le trône, sous le nom de Dom João IV. Mais, en 1910, une révolution républicaine mit fin à la monarchie. En seize ans, 40 gouvernements se succédèrent, et, en 1926, le Portugal devint une dictature, menée par Salazar. En 1974, la Révolution des Œillets ouvrit la voie à la démocratie.

1481–1495 João II

1438–1481 Afonso V

1211–1223 Afonso II

1185–1211 Sancho Ier

1248–1279 Afonso III

1279–1325 Dinis

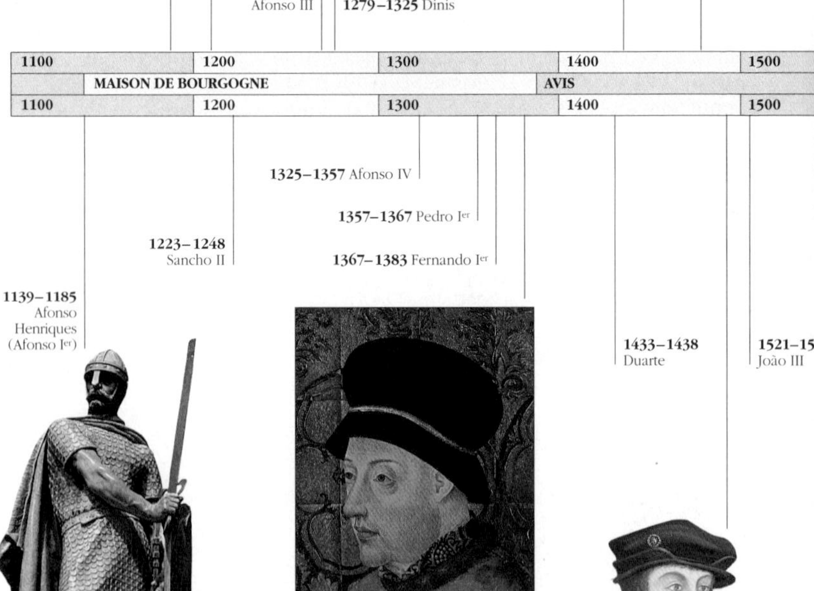

1100	1200	1300	1400	1500
MAISON DE BOURGOGNE			AVIS	
1100	1200	1300	1400	1500

1325–1357 Afonso IV

1357–1367 Pedro Ier

1223–1248 Sancho II

1367–1383 Fernando Ier

1139–1185 Afonso Henriques (Afonso Ier)

1433–1438 Duarte

1521–15 João III

1385–1433 João Ier

1495–1521 Manuel Ier

1826–1853 Maria II

1557–1578 Sebastião

1750–1777 José Ier

1932–1968 António Salazar (Premier ministre)

1621–1640 Felipe III (Philippe IV d'Espagne)

1853–1861 Pedro V

1640–1656 João IV

1816–1826 João VI (régent depuis 1792)

1976–1978 et 1983–1985 Mário Soares (Premier ministre)

1656–1683 Afonso VI

1861–1889 Luís Ier

1683–1706 Pedro II (régent depuis 1668)

1600	1700	1800	1900
HASBOURG	BRAGANÇA		RÉPUBLIQUE
1600	1700	1800	1900

1598–1621 Felipe II (Philippe III d'Espagne)

1985–1995 Aníbal Cavaco Silva (Premier ministre)

1580–1598 Felipe Ier (Philippe II d'Espagne)

1578–1580 Henrique

1995– António Guterres (Premier ministre)

1777–1816 Maria Ire et Pedro III

1908–1910 Manuel II

1706–1750 João V

1826 Pedro IV

1889–1908 Carlos Ier

Préhistoire et Empire romain

Pièce d'or (v. 400 apr. J.-C.)

À partir de 2000 av. J.-C., les peuples de l'âge du bronze subirent, entre autres, les invasions des Ibères et des Celtes. Lorsque Rome défit Carthage, en 216 av. J.-C., et prit possession de ses territoires d'Espagne orientale, elle dut réduire les tribus celtibères de l'ouest. Celle des Lusitaniens lui opposa une résistance farouche, avant d'être défaite en 139 av. J.-C. Cependant, le nom de Lusitanie fut conservé pour désigner la province de l'Hispanie romaine, qui correspondait grosso modo au Portugal actuel. Elle connut quatre siècles de stabilité. Mais après l'effondrement de l'Empire, la Lusitanie fut envahie par les Suèves, puis par les Wisigoths.

PÉNINSULE EN 27 AV. J.-C.

Provinces romaines

L'amphithéâtre date du programme de construction du Ier siècle apr. J.-C.

Le forum et le temple principal

Dolmen de Comenda
Les dolmens, comme celui-ci près d'Évora, servaient de sépultures collectives. Beaucoup furent construits par des hommes du néolithique au IIIe *millénaire av. J.-C.*

Rue principale menant à Aeminium (Coimbra).

Porca de Murça
Le Trás-os-Montes compte encore seize statues d'animaux, comme ce cochon (p. 257), *sans doute utilisé pour des rites de fertilité.*

***Palestra* (lieu d'exercice des thermes)**

Les bains de Trajan avaient vue sur le ravin au bas des murailles.

CHRONOLOGIE

v. 2000 Arrivée dans la péninsule de tribus ibères, probablement venues d'Afrique

Collier ibère en or

139 Fin de la résistance celtibère avec la mort de Viriathe, chef des Lusitaniens

3000 av. J.-C.	2000	1000

2500 Le Portugal est habité par des hommes de la fin de l'âge de pierre. Nombreuses tombes mégalithiques de ce temps

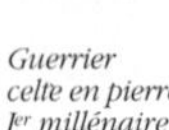

Guerrier celte en pierre, Ier millénaire av. J.-C.

1000 Création de comptoirs commerciaux et de peuplements phéniciens sur la côte sud

v. 700 Installation des Celtes au Portugal

218 Invasion de la péninsule par les Romains

Sol de mosaïque
De superbes villas furent bâties à l'époque romaine. Cette mosaïque de triton (Ier siècle apr. J.-C.) provient de la Maison aux jets d'eau, en dehors de Conimbriga.

Amphore romaine
Le garum, *une sauce épicée à base de poisson fermenté, était produit à Tróia* (p. 169) *et exporté en amphores de 27 litres comme celle-ci.*

Aqueduc

Route vers Tomar

Boucle wisigothique
Les peuple des Wisigoths acheva de christianiser la région. Mais son système de monarchie élective suscita des factions.

Une *domus,* demeure avec un jardin

Reconstitution de Conimbriga

Les vastes vestiges de Conimbriga *(p. 208)* illustrent l'ampleur de la romanisation du Portugal. La ville s'étendit rapidement au Ier siècle apr. J.-C., où elle obtint le statut de *municipium* autonome. Elle tomba aux mains des Suèves en 468 apr. J.-C.

Où voir le Portugal préhistorique et romain

L'Alentejo regorge de mégalithes de l'âge de pierre *(p. 306)*. Mais les deux peuplements celtibères majeurs se trouvent dans le Nord, à Sanfins *(p. 248)* et à Briteiros. On rencontre partout quantité de vestiges romains. Hormis Conimbriga, les principaux sites, comme les villas de Pisões *(p. 311)* et de Milreu *(p. 325)*, sont dans le Sud. Le Museu Municipal de Faro *(p. 327)* abrite une belle collection de pièces locales.

La Citânia de Briteiros *a été fondée vers le Ve siècle av. J.-C. Le site qui a survécu jusqu'à l'époque romaine a été découvert en 1874* (p. 281).

Le temple d'Évora, *qui date du IIe ou du IIIe siècle apr. J.-C.* (p. 302), *est quasiment le seul vestige d'une ville romaine.*

73 L'empereur Vespasien accorde à des villes de la péninsule les mêmes droits qu'aux villes latines d'Italie

200 Enracinement du christianisme dans la péninsule

415 Les Wisigoths chassent les Vandales et les Alains

585 Conquête du royaume suève par les Wisigoths, qui installent leur capitale à Tolède

1 apr. J.-C. | **200** | **400** | **600**

27 Division de la péninsule en trois provinces sous l'empereur Auguste. La province centrale, au sud du Douro, est appelée la Lusitanie

409 Invasions barbares : Vandales, Alains et Suèves

411 Fondation d'un royaume suève en Galice et au nord du Portugal

Chapelle de São Frutuoso (p. 277)

La domination maure et la Reconquête chrétienne

Après la défaite des Wisigoths devant les Maures, en 711, la péninsule Ibérique devint une province du califat de Damas. En 756, Abd ar-Rahman fonda le royaume indépendant d'Al Andalus, dont la capitale Córdoba devint un centre culturel majeur. La domination maure sur la péninsule resta quasiment incontestée durant trois siècles, jusqu'au début de la Reconquête par les petits royaumes chrétiens du Nord. Au XIe siècle, alors que la puissance maure déclinait, le « Portucale » n'était qu'un petit comté du royaume de Castille-León, baigné par le Douro. Il devint indépendant lorsque Dom Afonso Henriques défit les Maures à Ourique, en 1139.

Lampe à huile maure en bronze

Péninsule Ibérique en 1100

- *Comté de Portucale*
- *Royaume de Castille-León*
- *Royaumes maures*

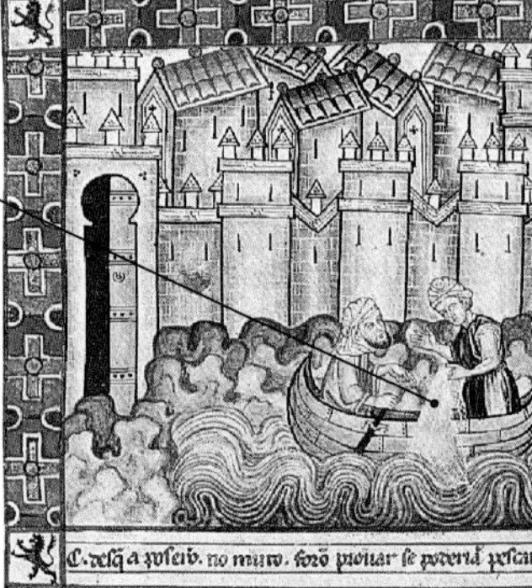

Sans la Vierge pour veiller sur eux, les pêcheurs de Faro remontent des filets vides.

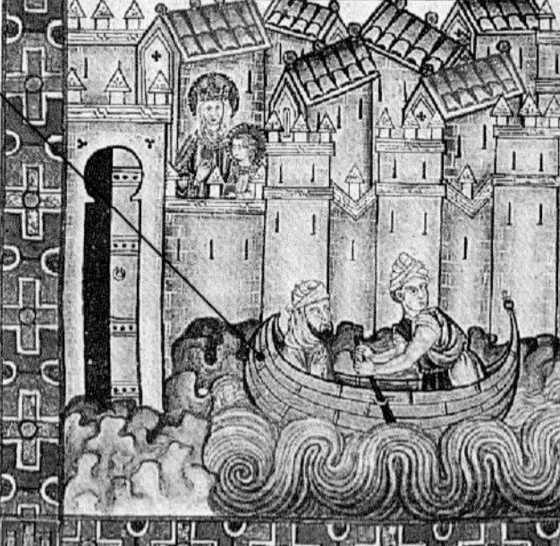

Les pêcheurs repartent, pleins d'espoir.

Plat maure
Ce plat du XIe siècle a été trouvé à Mértola, port qui servait au commerce avec l'Orient. Il est orné d'un chien de chasse, d'un faucon et d'une gazelle.

Coexistence
Sous la domination maure, les religions cohabitaient. Cette miniature du XIIIe siècle représente la rencontre pacifique entre un chevalier chrétien et un chevalier maure.

Chronologie

711 Conquête de la péninsule par les Maures, suite aux problèmes de succession wisigothique

722 La victoire chrétienne à Covadonga, dans les Asturies, marque le début de la reconquête

756 Bataille d'Al Musara. Défaite du gouverneur de Córdoba devant Abd ar-Rahman, qui fonde le royaume d'Al Andalus

868 Vímara Peres prend Porto aux Maures

878 Les chrétiens prennent possession de Coimbra

955 Le chef maure Al Mansur reprend Coimbra, puis repousse les chrétiens jusqu'au Douro

1008–1031 Division d'Al Andalus en petits royaumes, les *taifas*

700 | 800 | 900 | 1000

Boîte hispano-mauresque du Xe siècle

La nora, *roue à godets inventée par les Maures, servant à élever l'eau*

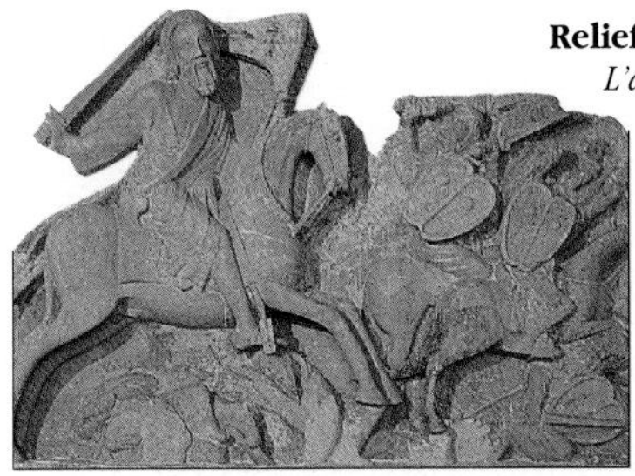

Relief de São Tiago
L'apôtre saint Jacques joua un rôle essentiel dans les guerres contre les Maures. Des soldats l'auraient vu mener au combat les armées chrétiennes à Ourique, en 1139.

Dirham d'argent du XIIe siècle
Cette pièce a été battue à Beja par les Almohades, musulmans encore plus stricts que leurs prédécesseurs, les Almoravides.

Où voir le Portugal maure

L'influence maure est plus manifeste dans le Sud, dans des villes comme Lagos *(p. 320)*, Faro *(p. 326)* et Silves. L'architecture *(p. 19)* y présente une nette influence arabe. L'église de Mértola *(p. 313)* a conservé nombre d'éléments de l'ancienne mosquée. Plus au nord, le Castelo dos Mouros, à Sintra *(p. 157)*, et d'autres forteresses ont été prises et remaniées par les chrétiens.

Une citerne *a été découverte dans le château en grès rouge de Silves, une importante forteresse maure en Algarve* (p. 322).

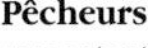

La statue perdue de la Vierge est sortie de la mer et remise à son emplacement d'origine, sur les murs.

Pêcheurs remontant des filets pleins.

Prise de Lisbonne
Le pape conféra à la Reconquête le statut de croisade. Lisbonne fut prise en 1147, avec l'aide de soldats anglais en route pour la Terre Sainte.

Faro sous la domination maure

Les Mozarabes étaient des chrétiens vivant sous domination maure. À Faro, ils installèrent sur les murs de la ville une statue de la Vierge, que des musulmans mal intentionnés ôtèrent. Ces quatre scènes des *Cantigas de Santa Maria* racontent le miracle qui suivit.

1097 Alfonso VI de Castille-León confie le Portucale à son beau-fils, Henri de Bourgogne

1086 Invasion des Almoravides

1139 Bataille d'Ourique. Dom Afonso Henriques se proclame roi du Portugal

1143 Le traité de Zamora établit l'indépendance du Portugal

1165–1169 Geraldo sem Pavor prend aux Almohades de nombreuses villes, comme Évora et Badajoz

1050 | 1100 | 1150

1064 Les chrétiens reprennent Coimbra

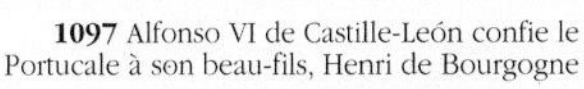

Henri de Bourgogne

1128 Bataille de São Mamede. Dom Afonso Henriques prend le contrôle du comté de Portucale

1153 Fondation de l'abbaye cistercienne d'Alcobaça

1147 Chute de Lisbonne face aux armées croisées. L'empire almoravide tombe aux mains des Almohades

Le nouveau royaume

La Reconquête fut achevée en 1249 avec la prise de Faro, en Algarve, par Dom Afonso III. Son successeur, le roi Dinis, développa, entre autres, l'agriculture et le commerce. Il fit également construire des forteresses pour protéger les frontières et renforça la marine. Les conflits territoriaux avec la Castille culminèrent en 1383, lorsque, à la mort du roi Fernando, son beau-fils, Juan Ier de Castille, réclama le trône du Portugal pour son épouse Beatriz. Mais ses opposants lui préférèrent le fils illégitime de Dom Pedro Ier, João d'Avis, élu roi par les *cortes* à Coimbra, en 1385.

Chevalier en armes du XIVe siècle

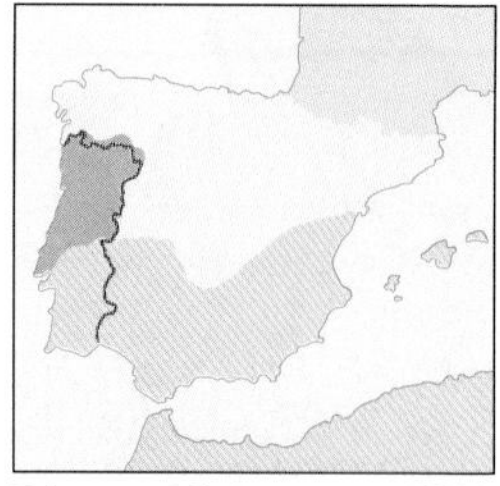

PÉNINSULE IBÉRIQUE EN 1200

- *Royaume du Portugal*
- *Royaumes d'Espagne*
- *Domination maure*

Cancioneiro da Ajuda
Cette enluminure provient d'un recueil de chants, dont beaucoup sont dus au roi Dinis, poète et musicien de talent.

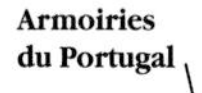

Armoiries du Portugal

Le chien fidèle, aux pieds du défunt, est un élément courant des tombeaux gothiques.

La frise évoque des scènes de la vie de Pedro et d'Inês.

Les côtés présentent des scènes illustrant la vie de saint Barthélemy, saint patron de Dom Pedro.

Fortifications de Serpa
Le roi Dinis fit bâtir des villes fortifiées et des châteaux à la frontière avec la Castille et l'Espagne maure. Cette gravure du XVIe siècle représente les murailles et les tours médiévales de Serpa (p. 310).

CHRONOLOGIE

1173 Transfert à Lisbonne de la dépouille mortelle de saint Vincent

1179 Le pape reconnaît le royaume du Portugal

1185 Sancho Ier devient roi. Ses victoires en Algarve sont contrecarrées par Al-Mansur, le calife almohade

Afonso III

1200

1211 Tenue des premiers *cortes* (parlement) à Coimbra

Château de Leiria

1248 Fin du règne anarchique de Sancho II, destitué par son frère, Afonso III

1249 Afonso III achève la reconquête de l'Algarve, mais sa souveraineté est contestée par la Castille

1250

1254 Les *cortes* comptent des représentants des villes

1256 Lisbonne devient capitale à la place de Coimbra

Sainte Isabel (1271-1336)
Le roi Dinis n'approuvait pas les actes de charité de son épouse. La légende veut que le pain que la reine s'apprêtait à distribuer se transforma en roses quand son mari la réprimanda.

Croix de Sancho Ier
La puissance royale s'accrut sous le règne de Dom Sancho, malgré les différends qui l'opposaient au pape.

Six anges soutiennent le roi gisant.

Saint Barthélemy, martyrisé, est mort écorché vif.

Tombeau de Pedro Ier

Les sculptures gothiques du tombeau royal d'Alcobaça *(p. 178-179)* sont les plus belles du genre au Portugal. Dom Pedro, qui régna de 1357 à 1367, est surtout resté dans les mémoires à cause de l'histoire tragique d'Inês de Castro, dont le tombeau fait face au sien.

Où voir le Portugal médiéval

Parmi les châteaux bâtis ou remaniés à cette époque, les plus pittoresques sont ceux d'Almourol *(p. 189)* et d'Óbidos. La forteresse de Bragança *(p. 258-259)* abrite la Domus Municipalis, l'hôtel de ville du Moyen Âge. Toutefois, la plupart des édifices romans préservés sont religieux : les cathédrales de Porto, Coimbra *(p. 204)* et Lisbonne *(p. 74)*, et nombre d'églises du Nord.

Le château d'Óbidos *a été reconstruit par le roi Dinis, lorsqu'il fit don, en 1282, de la ville à son épouse Isabel en cadeau de mariage* (p. 172).

La Sé de Porto (p. 240) *a été remaniée, mais le côté occidental, aux tours jumelles, conserve son caractère original.*

1279–1325 Le roi Dinis scelle l'indépendance du Portugal

1288 Création de la 1re université à Lisbonne

1297 La Castille reconnaît la souveraineté du Portugal sur l'Algarve

1300

Chevalier de l'ordre du Christ

1319 Fondation de l'ordre du Christ *(p. 185)*

1336 Mort de la reine Isabel

1349 Après l'épidémie de peste noire, une loi impose le travail aux champs

1350

1355 Après l'assassinat d'Inês, Pedro prend les armes contre son père Afonso IV

1357 Pedro Ier accède au trône et fait sauvagement exécuter les assassins d'Inês de Castro

1372 Le mariage impopulaire de Fernando Ier avec Leonor Teles entraîne des émeutes

1383 João d'Avis met fin à la régence de Leonor Teles et se proclame défenseur du royaume

1384 Juan Ier de Castille envahit le Portugal

La dynastie d'Avis

Après avoir défait les Castillans, en 1385, João d'Avis devint João Ier du Portugal et conclut une alliance avec l'Angleterre. Son long règne vit le début de l'impérialisme portugais et des expéditions maritimes lancées par son fils, Henri le Navigateur *(p. 48-49)*. Sous Dom Manuel Ier, d'autres voyages entraînèrent des échanges avec les Indes et l'Orient, et, après la prise de Goa par Afonso de Albuquerque, ils apportèrent une grande richesse. La colonisation du Brésil amena elle aussi la prospérité. Toutefois, l'aventure des colonies affaiblit le Portugal métropolitain, qui se dépeupla sérieusement. L'expansion prit fin en 1578, avec l'échec d'une expédition militaire au Maroc, menée par le roi Sebastião.

Péninsule Ibérique en 1500

- *Portugal*
- *Espagne (Castille et Aragon)*

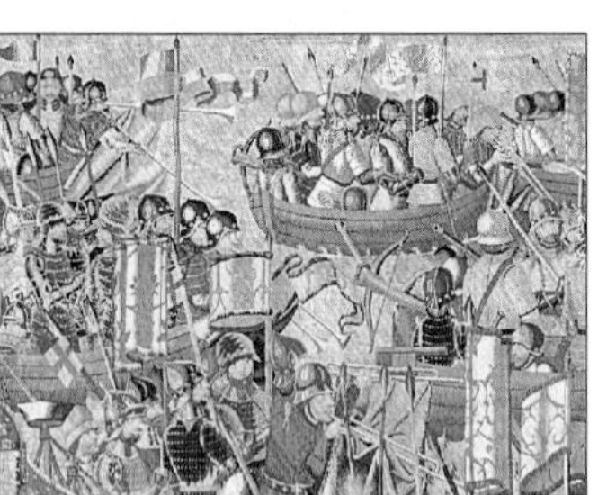

Plat en porcelaine, XVIe siècle
En 1557, les Portugais obtinrent Macão comme comptoir commercial. Ce plat chinois affiche les armoiries de Matias de Albuquerque, descendant du conquérant de Goa.

Armoiries royales anglaises

Jean de Gand mit à profit l'alliance avec le Portugal pour revendiquer le trône de Castille.

Arrivée des soldats à Arzila
Les rois de la dynastie d'Avis étendirent leur territoire au Maroc, où ils créèrent une colonie autour de Tanger. Cette tapisserie flamande représente la prise d'Arzila par Dom Afonso V, en 1471.

Luís de Camões
Après avoir servi aux Indes et au Maroc, où il perdit un œil, le poète écrivit Os Lusíadas (p. 188), *une épopée sur les Découvertes.*

Chronologie

- **1385** Défaite castillane devant Dom João Ier à Aljubarrota
- **1386** Traité de Windsor, scellant l'alliance avec l'Angleterre
- **1400**
- **1415** Prise de Ceuta au Maroc
- **1418** Henri le Navigateur est fait gouverneur de l'Algarve
- **1425**
- **v. 1425** Le roi Duarte écrit le « *Leal Conselheiro* », un traité sur les bonnes manières
- **1441** Lagos est le premier marché aux esclaves d'Europe
- **1450**
- **1471** Conquête des forteresses d'Arzila et de Tanger
- **1475**
- **1482–1483** João II réussit à déjouer la Conspiration des Nobles
- **1494** Traité de Tordesillas : partage du Nouveau Monde entre l'Espagne et le Portugal
- **1495–1521** Dom Manuel Ier ; Grandes Découvertes
- **1496** Expulsion ou conversion de force des juifs

Le roi Duarte

Mariage de Manuel Ier
Le règne de Dom Manuel marqua l'apogée des Découvertes. Ses mariages renforcèrent les liens avec l'Espagne. On voit ici son troisième mariage, avec Leonor, la sœur de Carlos Ier d'Espagne, en 1518.

Dom João Ier fut soutenu par les marchands de Lisbonne et de Porto, et non par les nobles, qui choisirent la Castille.

Archevêque de Braga

Évêques prenant position pour Dom João, après le refus du pape de légitimer les enfants d'Inês *(p. 44-45)*.

João Ier et les Anglais

L'alliance de João Ier avec l'Angleterre conduisit, en 1387, à son mariage avec Philippa de Lancastre, fille de Jean de Gand et petite-fille d'Edouard III. Cette illustration tirée de la chronique de Jean de Wavrin montre le roi divertissant son beau-père.

Où voir le Portugal gothique

Nombre d'églises possèdent des éléments gothiques, comme le cloître de la cathédrale de Porto *(p. 240)* et le portail sculpté de celle d'Évora *(p. 304)*. Le convento de Cristo *(p. 186-187)* est essentiellement gothique, comme l'église d'Alcobaça *(p. 178-179)*. La plus belle église est celle de Batalha. Elle présente aussi de superbes éléments d'architecture manuéline *(p. 20-21)*.

Batalha (p. 182-183) *intègre nombre de styles gothiques. La sobriété de la nef contraste avec la décoration extérieure.*

Bataille d'Alcácer-Quibir (1578)
Le roi Sebastião considéra son expédition africaine comme une croisade. Cependant, la mort du roi, à Alcácer-Quibir, devait sonner le glas de la dynastie d'Avis.

Ostensoir de Belém (p. 20)

1510 Naissance de l'empire portugais en Asie ; Goa conquis par Afonso de Albuquerque

1531 Introduction de l'Inquisition au Portugal

1536 Mort de Gil Vicente, grand poète dramatique

1572 Publication de l'épopée en vers de Luís de Camões, *Os Lusíadas*

1500 | 1525 | 1550 | 1575

1498 Arrivée de Vasco da Gama aux Indes

v. 1502 Fondation du monastère de Jerónimos à Belém *(p. 106-107)*

1521–1557 Règne de João III, dit « Le Pieux »

Gil Vicente

1559 Fondation de l'université jésuite d'Évora *(p. 304)*

1578 L'expédition de Sebastião au Maroc se solde par la mort du roi et la défaite totale à la bataille d'Alcácer-Quibir

L'âge des Découvertes

L'incroyable période des conquêtes portugaises s'ouvrit en 1415, avec la prise de Ceuta en Afrique du Nord. Suivirent des expéditions maritimes dans l'Atlantique et sur les côtes d'Afrique occidentale, motivées par l'hostilité vis-à-vis de l'islam et l'appât du gain. L'or et les esclaves de la côte guinéenne apportèrent des richesses, mais l'impérialisme portugais connut son véritable apogée en 1498, avec l'arrivée de Vasco da Gama *(p. 108)* aux Indes. Le Portugal contrôla rapidement l'océan Indien et le commerce des épices, et installa la capitale des colonies orientales à Goa. Avec la découverte du Brésil, le Portugal devint une superpuissance marchande.

***Padrão* portugais**

Sphère armilliaire
Ce globe est formé d'anneaux symbolisant les mouvements des astres autour de la terre. Cet instrument devint l'emblème personnel de Dom Manuel Ier.

Magellan (v. 1480-1521)
Grâce à des fonds espagnols, le navigateur portugais Fernão de Magalhães, dit Magellan, entama le premier voyage de circumnavigation de la terre (1519-1522). Il fut tué aux Philippines.

1500–1501 Gaspar Corte Real arrive à Terre-Neuve.
1427 Diogo de Silves découvre les Açores.
1434 Gil Eanes double le cap Bojador (Sahara occidental).
1460 Diogo Gomes découvre l'archipel du Cap-Vert.
v. 1470 Découverte de l'île de São Tomé.
1500 Pedro Álvares Cabral parvient au Brésil.
1482 Diogo Cão arrive à l'embouchure du Congo.
1485 Diogo Cão, lors de son 3e voyage, atteint le cap Cross (Namibie).
1488 Bartolomeu Dias dépasse le cap de Bonne-Espérance.

L'Adoration des Mages
Peint pour la cathédrale de Viseu, après le retour de Cabral du Brésil, en 1500, ce tableau est attribué à Grão Vasco (p. 213). *Le deuxième roi, Balthazar, a les traits d'un Indien Tupi du Brésil.*

Salière d'Afrique
Cet objet en ivoire du XVIe siècle représente des soldats portugais soutenant un globe et un bateau, et un marin dans le nid de pie.

Paravent japonais (v. 1600)
Il représente des marchands déchargeant une nef. Entre 1575 et leur expulsion en 1638, les Portugais détenaient le monopole du commerce entre la Chine et le Japon.

Henri le Navigateur

Bien que n'ayant jamais navigué, Henri (1394-1460), le troisième fils de João Ier, posa les jalons de l'expansion maritime du Portugal, poursuivie plus tard par João II et Manuel Ier. Maître du riche ordre du Christ et gouverneur de l'Algarve, Henri finança des expéditions sur les côtes africaines. À sa mort, il détenait le monopole de tout le commerce au sud du cap Bojador. La légende veut qu'il fonda une grande école de navigation, à Sagres *(p. 320)* ou Lagos.

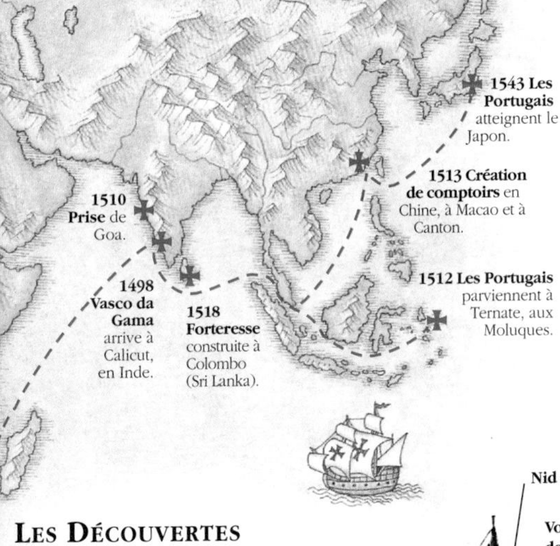
1543 Les Portugais atteignent le Japon.
1513 Création de comptoirs en Chine, à Macao et à Canton.
1510 Prise de Goa.
1512 Les Portugais parviennent à Ternate, aux Moluques.
1498 Vasco da Gama arrive à Calicut, en Inde.
1518 Forteresse construite à Colombo (Sri Lanka).

Légende

– – – Itinéraires des découvertes

Clous de girofle
Poivre
Muscade
Cannelle

La route des épices
Les épices furent une source de richesse pour le Portugal. En 1528, les Espagnols tentèrent de s'emparer des Moluques, ou îles aux épices.

Les Découvertes

La tentative de découvrir une route maritime vers les Indes, qui conduisit au monopole du commerce des épices, fut lancée en 1482, avec l'expédition de Diogo Cão. Celui-ci plantait un croix là où il accostait.

Nid de pie
Voile du mât de misaine
Croix de l'ordre du Christ (p. 185)

Les voiles latines
Les bateaux à trois voiles triangulaires (latines) étaient appréciés des premiers explorateurs, qui faisaient du cabotage. Plus tard, pour les voyages en pleine mer, ils préférèrent les voiles rectangulaires.

La domination espagnole

Philippe II d'Espagne

Lorsque Dom Henrique mourut sans héritier, en 1580, Philippe II d'Espagne, neveu de Dom Manuel Ier, revendiqua le trône du Portugal. Sous la domination espagnole, la politique étrangère commune conduisit à la perte progressive des colonies en faveur des Hollandais. Cependant, en 1640, le duc de Bragança fut proclamé roi du Portugal, sous le nom de Dom João IV. L'Espagne répondit par une guerre qui se poursuivit jusqu'en 1668. Durant cette période, l'économie du Portugal fut tributaire de ses territoires d'outre-mer.

Restauration de Dom João IV
Après que l'Espagne eut été chassée par les partisans de Dom João, en 1640, ce dernier fut couronné devant le palais royal à Lisbonne.

Armada espagnole
En 1588, Philippe II d'Espagne tenta de débarquer en Angleterre avec une flotte partie de Lisbonne, où elle avait été équipée.

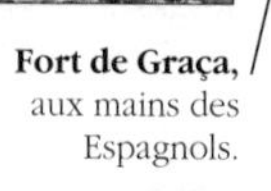

Fort de Graça, aux mains des Espagnols.

António Vieira
Ce prêtre jésuite (1606-1697) était également écrivain et orateur. Il fut chargé de missions diplomatiques et s'opposa à l'Inquisition.

La guerre d'indépendance

La guerre opposant le Portugal à l'Espagne (1640-1668) se déroula essentiellement dans l'Alentejo. Ce panneau d'*azulejos* du palácio Fronteira de Lisbonne *(p. 125)* illustre la bataille de Linhas de Elvas (1658). L'armée portugaise, défaite à Elvas *(p. 296-297)*, fut secourue par des soldats d'Estremoz.

Chronologie

1580 Invasion du Portugal par l'Espagne. Philippe II d'Espagne devient roi du Portugal

1588 L'Armada espagnole quitte Lisbonne pour envahir l'Angleterre

1614 Fernão Mendes Pinto publie *A Peregrinação*, le récit de ses voyages dans l'Asie du milieu du XVIe siècle

1624 Prise de Bahia, au Brésil, par les Hollandais

1631 Naissance de la peintre Josefa de Óbidos

1580 | 1600 | 1620

1583 Philippe rentre en Espagne, laissant comme vice-roi son neveu Albert, archiduc d'Autriche

1581 Le roi confie à l'architecte italien Filippo Terzi le remaniement du palais royal de Lisbonne et la construction de plusieurs églises

L'église de São Vicente de Fora (p. 72) *due à Filippo Terzi et Baltasar Álvares, achevée en 1627*

1626 Traversée de l'Himalaya par le missionnaire jésuite António de Andrade qui arrive au Tibet

Contador indo-portugais
Les contadores, *cabinets luxueux en teck et en ébène, étaient fabriqués dans les colonies portugaises, et notamment à Goa. Cette superbe pièce du* XVIIe *siècle se trouve au Museu Nacional de Arte Antiga* (p. 96-99).

L'armée portugaise défaite à Elvas revenait d'une campagne infructueuse en Espagne.

Bastions protégeant des canons ennemis.

Les troupes d'Estremoz mirent les Espagnols en déroute.

Josefa de Óbidos
Née en Espagne, Josefa (1631-1684) s'installa à Óbidos (p. 172) *enfant. Formée par son père, elle peignit motifs religieux et natures mortes.*

OÙ VOIR LE PORTUGAL DU XVIIe SIÈCLE

Le style qui prévalait sous la domination espagnole était austère, comme à São Vicente de Fora *(p. 72)*, la Sé Nova de Coimbra *(p. 204)* et l'église jésuite de Santarém *(p. 191)*. À Vila Viçosa, la façade du palais des ducs de Bragança en est un autre exemple *(p. 298-299)*. On verra des *azulejos* colorés de cette période au palácio Fronteira *(p. 125)* et au Museu Nacional do Azulejo *(p. 122-123)*.

***Le palácio dos Biscainhos** à Braga* (p. 277) *a été bâti par de riches émigrants rentrés du Brésil. Agrandi ultérieurement, il a conservé sa structure originale.*

L'Inquisition
Au XVIe *et au* XVIIe *siècle, l'Inquisition, mise en place par l'Église catholique, brûla des hérétiques sur le Terreiro do Paço à Lisbonne.*

1639 Les bateaux portugais sont interdits dans les ports japonais

1654 Les Hollandais sont expulsés du Brésil

1656 Mort de Dom João IV. Sa veuve, Luisa de Guzmán, devient régente du jeune roi Afonso VI

1665 Défaite de l'Espagne à la bataille de Montes Claros

1668 L'Espagne reconnaît l'indépendance du Portugal

1683 Dom Pedro II devient roi

Pedro II

1640 | 1660 | 1680

Catherine de Bragança

1640 Restauration. Le 4e duc de Bragança devient le roi João IV, après un soulèvement contre la domination espagnole

1662 Catherine de Bragança épouse Charles II d'Angleterre

1667 Afonso VI, faible d'esprit, est déposé par son frère Pedro, qui épouse la femme d'Afonso, une Française, et devient régent

1697 Découverte de mines d'or dans le Minas Gerais au Brésil

1698 Dernière réunion des *cortes* portugais

L'absolutisme

Pièce d'or de João V

Le XVIIIe siècle fut une période ambiguë pour le Portugal : malgré les richesses engendrées par l'or du Brésil, Dom João V conduisit le pays au bord de la faillite. Plus tard, le marquês de Pombal, Premier ministre de Dom José Ier, successeur de Dom João, appliqua les idées des Lumières. À son arrivée sur le trône, en 1777, Dona Maria Ire annula quantité de décrets de Pombal. Cependant, l'invasion française, en 1807, la contraignit à l'exil, au Brésil.

Funambule
Il était utilisé à l'université de Coimbra à la fin du XVIIIe siècle pour illustrer le centre de gravité.

Marquês de Pombal (1699-1782)
Après le séisme de 1755 (p. 62-63), *Pombal fit reconstruire Lisbonne selon des principes rationnels. Il présente ici la nouvelle ville.*

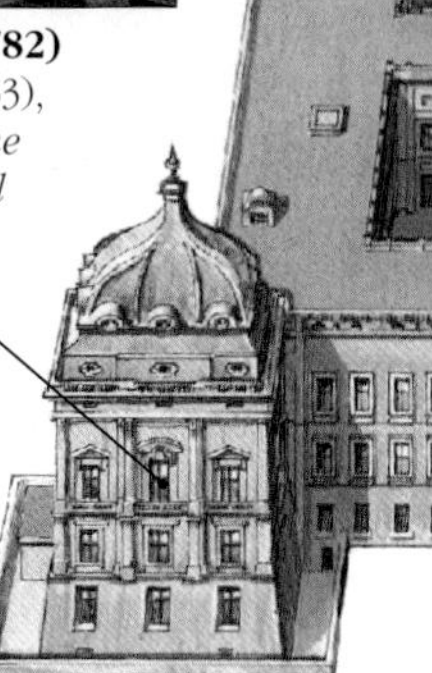

La bibliothèque, aux étagères baroques, contient 40 000 volumes.

Appartements de la reine

La basilique recèle de belles statues dues à des maîtres italiens, dans un étonnant décor de marbre jaune, rose, rouge et bleu.

Dom João V
Cette miniature (1720) de Castriotto représente le roi buvant du chocolat, boisson à la mode chez les nobles, que lui sert l'infant Miguel.

Chronologie

1703 Le traité de Methuen ouvre aux Portugais le marché du vin en Angleterre et aux Anglais celui du textile au Portugal

1723 Construction de l'escalier baroque du Bom Jesus, près de Braga *(p. 278-279)*

1755 Un séisme ravage Lisbonne et une grande partie du sud du Portugal

1730 Consécration de la basilique du palais-monastère de Mafra

1700 — 1720 — 1740

1706–1750 Règne de Dom João V « Le Magnanime », période de floraison artistique

Bom Jesus do Monte

1733 Représentation du premier opéra portugais, *La patience de Socrate,* d'António de Almeida, au palais royal de Lisbonne

1748 L'aqueduc das Águas Livres de Lisbonne conduit de l'eau pour la première fois

1750 Dom José Ier succède à Dom João V

Águas Livres
Inauguré en 1748, l'aqueduc fut financé par les Lisboètes. Malgré les conseils de ses ingénieurs, Dom João V le fit bâtir dans la vallée de l'Alcântara.

Fauteuil du XVIIIe siècle
L'influence du style anglais Queen Anne se traduit par les pieds de cette chaise richement dorée en noyer.

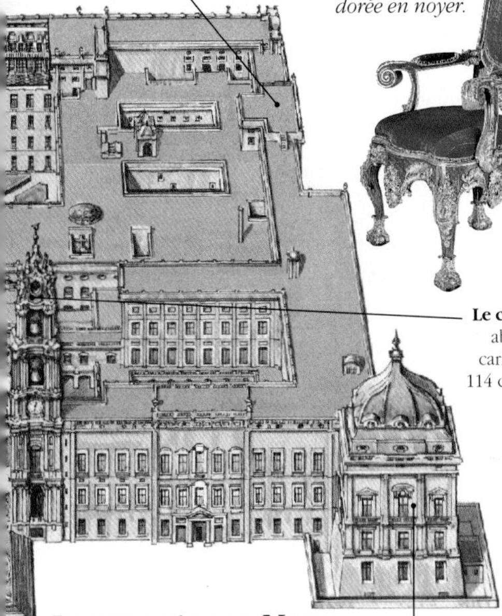

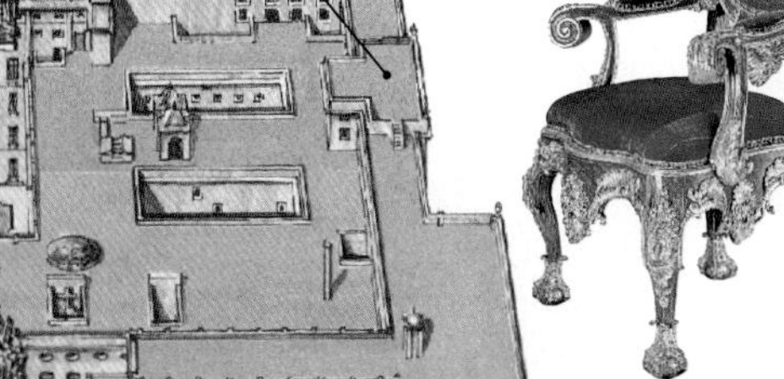

Réfectoire des moines

Le clocher abrite un carillon de 114 cloches.

Les appartements du roi sont séparés de ceux de la reine par une galerie.

LE MONASTÈRE DE MAFRA

Ce monument dédié à Dom João V comprend le palais royal, une église et un monastère *(p. 152)*. Sa construction dura 38 ans. Le complexe compte 880 pièces et 300 cellules de moines.

OÙ VOIR LE PORTUGAL DU XVIIIe SIÈCLE

Les églises baroques, aux intérieurs ornés de bois doré *(talha dourada)*, comme São Francisco *(p. 241)* et Santa Clara *(p. 239)*, ne manquent pas. Les intérieurs décorés d'*azulejos* *(p. 22-23)* sont courants. L'université de Coimbra possède la capela de São Miguel et une bibliothèque baroque.

Outre les palais de Mafra et de Queluz, nombre de belles demeures, comme la casa de Mateus *(p. 254-255)*, datent de cette époque.

Le palais de Queluz (p. 164-165), *qui fut la résidence de Dona Maria Ire, est un bel exemple d'architecture rococo.*

La capela de São Miguel, *à l'université de Coimbra* (p. 206-207), *a été redécorée en style baroque sous Dom João V.*

1756 La vallée du Douro, première région vinicole délimitée

1759 Pombal expulse les jésuites

1760

1762 Déclaration de guerre de l'Espagne

*Statue de Dom José Ier*

1772 Pombal réorganise l'université de Coimbra et ajoute les mathématiques et les sciences naturelles au programme

1775 La statue de Dom José Ier, due à Machado de Castro, est inaugurée comme le centre de la Lisbonne reconstruite

1777 Dona Maria Ire monte sur le trône

1780

*Dona Maria Ire*

1789 Répression du mouvement indépendantiste brésilien dans le Minas Gerais

1799 Dom João, fils de Dona Maria Ire, est nommé régent

1800

1807 Invasion des Français. La famille royale s'enfuit au Brésil

1808 Les Français reculent devant l'armée menée par Sir A. Wellesley. Convention de Sintra

Réforme et révolution

Le Portugal souffrit de la guerre contre Napoléon et de la perte du Brésil. Cette période de chaos culmina en 1832, avec la guerre civile opposant Dom Pedro IV le libéral à Dom Miguel l'absolutiste. Malgré la victoire libérale, les gouvernements ultérieurs furent souvent réactionnaires. Suivit une période de croissance économique, qui vit toutefois l'échec des tentatives d'expansion en Afrique. La monarchie constitutionnelle suscitait un profond mécontentement et, en 1910, un soulèvement républicain contraignit Manuel II à l'exil.

Révolution
La révolution de 1820 conduisit au retour de la famille royale du Brésil et à une nouvelle constitution. Celle-ci fut abrogée après le coup d'État de 1823.

Zé Povinho
Ce personnage représentant Monsieur-tout-le-monde fut créé en 1875 par Rafael Bordalo Pinheiro, artiste et potier. Il exprimait les préoccupations des Portugais moyens.

Bateaux républicains bombardant le palais royal.

Personnification de la République portugaise

Prêtres renvoyés par les républicains.

La guerre napoléonienne (1808-1814)
Napoléon tenta deux fois d'envahir le Portugal, mais il fut repoussé par l'armée de Wellington qui remporta une victoire décisive, en 1810, à Buçaco (p. 210-211).

La naissance de la République

L'engouement pour la République fut propagé dans les classes moyennes et dans l'armée par une société secrète, la Carbonária. La révolution, qui se déroula à Lisbonne en octobre 1910, dura à peine cinq jours.

Chronologie

1809–1820 La régence est dominée par Beresford, qui commande l'armée portugaise

1822 Nouvelle constitution. Indépendance du Brésil sous Dom Pedro, le fils de João VI

Teatro Nacional Dona Maria II

1853 Émission des premiers timbres postaux

1856 Inauguration de la première ligne de chemin de fer

1810 — 1830 — 1850

1826 Dom Pedro IV octroie une charte modérée, avant d'abdiquer en faveur de sa fille Maria

1810 Bataille de Buçaco

1828 Dom Miguel, fiancé à sa nièce Maria, est couronné roi

1842 Fondation du Théâtre national

1834 Monastères dissous

1832–1834 Guerre des deux frères, défaite de Miguel l'absolutiste

1851–1889 « Régénération » : période de développement industriel

Timbre de 5 reis

Ivrognes, de José Malhôa
Malhôa (1855-1933) brossa une sorte d'histoire sociale avec des peintures de genre comme celle-ci, où l'on voit des hommes enivrés.

Le roi Manuel II fuit d'Ericeira pour l'Angleterre à bord du yacht royal.

Le Portugal et l'Afrique
La traversée de l'Afrique australe par Serpa Pinto en 1879 inspira la création d'une colonie allant de mer à mer.

Les soldats républicains installent des barricades à Lisbonne et ne rencontrent que peu d'opposition.

Leaders du parti républicain

Eça de Queirós
Le grand écrivain (1845-1900) brossa un portrait acerbe de la bourgeoisie portugaise. Diplomate, il vécut longtemps à l'étranger.

Où voir le Portugal du XIXe siècle

Vous pourrez admirer le néo-classicisme, qui dominait au début du siècle, au palácio da Ajuda *(p. 111)*. Plus tard sont apparus des styles plus romantiques, qui vont du néo-gothique exubérant du palácio da Pena *(p. 160-161)* de Sintra à l'orientalisme subtil de Monserrate *(p. 155)*. Parmi les gares intéressantes liées au développement du chemin de fer, voyez la gare du Rossio de Lisbonne et São Bento à Porto *(p. 239)*.

La gare du Rossio (p. 82) *à Lisbonne présente une façade néo-manuéline, due à José Luís Monteiro. Achevée en 1887, elle possède l'une des premières voûtes en fer du Portugal.*

Le pont Dom Luís Ier (p. 242), *à Porto, date de 1886. Teófilo Seyrig s'inspira du pont voisin, de Gustave Eiffel, pour son architecture à double tablier.*

1865–1868 Coalition de deux grands partis

1869 Abolition du commerce des esclaves dans les colonies

1888 Publication d'*Os Maias* d'Eça de Queirós, étude satirique de l'inertie portugaise

Manuel II

1910 Révolution. Dom Manuel II abdique et part en exil

1870 — 1890 — 1910

1861–1889 Règne de Dom Luís Ier, modéré

1877 Serpa Pinto part de Benguela, en Angola, pour traverser l'Afrique australe.

1886 Construction du Ponte de Dom Luís Ier à Porto

1908 Assassinat de Dom Carlos Ier et de son héritier, Luís, par les républicains

1890 La jonction entre les deux colonies africaines, Mozambique et Angola, est contrecarrée par l'ultimatum britannique

Le Portugal moderne

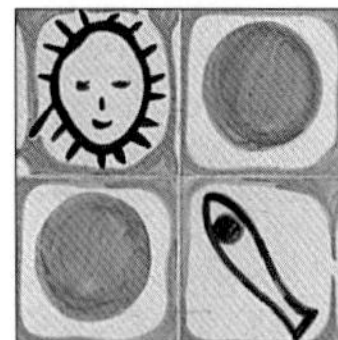

***Azulejos* modernes du métro de Lisbonne**

La nouvelle République vécut une crise politique et économique jusqu'au coup d'État militaire de 1926, qui ouvrit la voie à la mise en place du Nouvel État, en 1933. Sous la dictature d'António Salazar, le pays réussit à se défaire de ses dettes, mais connut pauvreté et chômage. La dépendance du pays vis-à-vis de ses colonies entraîna des guerres coûteuses, des troubles dans l'armée, puis, en 1974, la chute du gouvernement. Le Portugal fut admis dans la Communauté européenne en 1986.

1935 Mort du poète Fernando Pessoa, qui avait plusieurs hétéronymes. Ce portrait dû à José de Almada Negreiros se trouve au Centro de Arte Moderna *(p. 120)* de Lisbonne

1922 1re traversée de l'Atlantique Sud en avion par Coutinho et Cabral

1933 Création de l'*Estado Novo* (État Nouveau), mené par Salazar. Le gouvernement interdit les grèves, censure la presse et réprime l'opposition avec l'aide de la PIDE, police secrète

1949 Le Portugal signe le traité de l'Atlantique Nord et devient membre de l'OTAN

1911 Droit de vote accordé aux femmes

1910	1920	1930	1940	1950

1910	1920	1930	1940	1950

1916 Entrée du Portugal dans la Première Guerre mondiale, aux côtés des alliés

1917 À Fátima, trois enfants affirment avoir vu la Sainte Vierge. Le lieu de l'apparition devient un but de pèlerinage

1918 Assassinat du président Sidónio Pais. Les années d'après-guerre sont agitées par des troubles sociaux et de fréquents changements de gouvernement

1928 António Salazar est nommé ministre des Finances. Il devient Premier ministre en 1932

1926 Coup d'État militaire. Le général Carmona, nouveau président, occupe ce poste jusqu'en 1951

1939–1945 Pendant la dernière guerre, le Portugal se veut neutre, mais les menaces contre ses navires l'obligent à vendre des minerais à l'Allemagne. En 1943, il autorise l'installation des bases anglaises et américaines aux Açores. Salazar *(au centre)* y visite la troupe

1949 Le prix Nobel de médecine est décerné à António Egas Moniz pour ses travaux sur la lobotomie

1942 Salazar et Franco concluent un pacte de non-agression

1966 Inauguration du Ponte Salazar (l'actuel Ponte 25 de Abril) sur le Tage *(p. 114)*

1986 Entrée du Portugal dans la Communauté européenne. Soares devient le premier président civil depuis 60 ans

1955 Mort du magnat arménien Calouste Gulbenkian, qui lègue 2,355 milliards d'escudos (80 millions de francs) pour une fondation pour les arts

1966 L'équipe nationale de football, avec le talentueux Eusébio *(au centre, accroupi)*, arrive en quart de finale de la Coupe du Monde

1985 Arrivée au pouvoir des sociaux-démocrates, avec Aníbal Cavaco Silva

1974 Révolution des Œillets : le régime de Marcelo Caetano est renversé par le MFA (Mouvement des Forces Armées), un groupe d'officiers de gauche

1997 Lisbonne prépare l'Expo'98. Gil, la mascotte, évoque le thème de l'eau et des océans

1995 António Guturres (parti socialiste) élu Premier ministre

1960	1970	1980	1990

1960	1970	1980	1990

1961 Annexion de Goa, Damão et Diu par l'Inde

1968 Salazar se retire. Marcelo Caetano, plus modéré, lui succède

1976 Premières élections libres depuis 50 ans ; le socialiste Mário Soares devient Premier ministre

1988 Rosa Mota *(au centre)* gagne le marathon féminin des J. O., Séoul

1958 À l'élection présidentielle, le candidat de l'opposition, le général Delgado, remporte tant de suffrages que les résultats sont falsifiés.

1975 L'indépendance est accordée à toutes les colonies, hormis Macao, mettant fin à de longues guerres en Afrique. Les soldats, comme ceux-ci en Angola, sont rapidement rapatriés au Portugal

La Révolution des Œillets

Le coup d'État du 25 avril 1974 doit son nom aux œillets rouges que la population plaçait dans le canon des fusils des soldats. Conduite par des officiers que mécontentent les sanglantes guerres coloniales en Afrique, la révolution annonça une période d'effervescence dans un pays sortant de décennies d'isolement. Toutefois, la situation politique était chaotique : le nouveau gouvernement mit en œuvre un programme controversé de nationalisations et de réformes agraires. En novembre 1975, les radicaux de gauche furent évincés.

GOLPE MILITAR
"MOVIMENTO DAS FORÇAS ARMADAS" DESENCADEIA ACÇÃO DE MADRUGADA

Journal annonçant la révolution

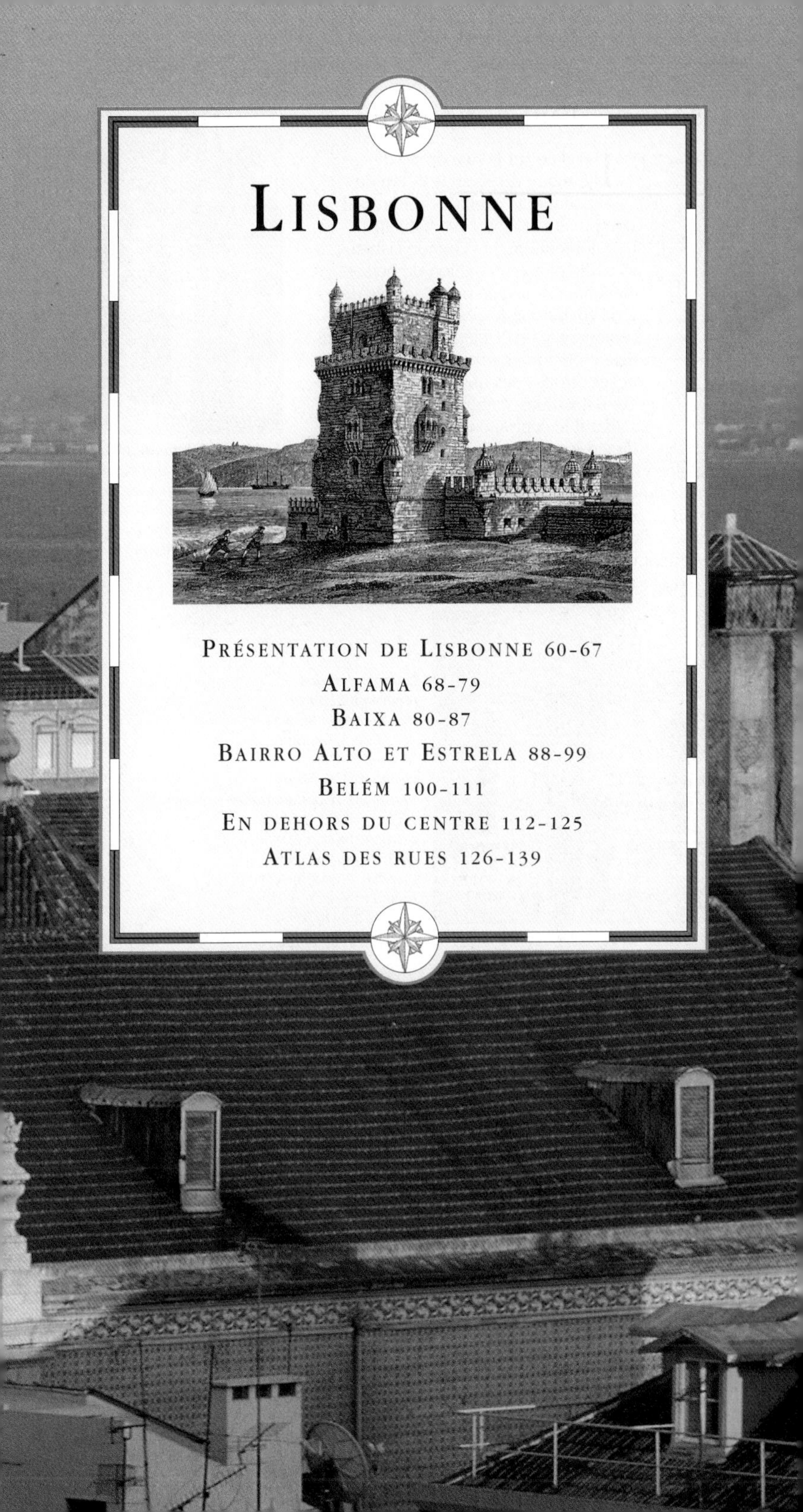

LISBONNE

Lisbonne d'un coup d'œil

Installée sur la rive droite de l'estuaire du Tage, à 17 km de l'Atlantique, la capitale du Portugal compte environ 700 000 habitants. L'agglomération, le « Grande Lisboa », accueille plus d'un million de personnes. Entièrement ravagé par le séisme de 1755 *(p. 62-63),* le centre-ville, où s'étendent les rues élégantes de la Baixa, date en grande partie du XVIIIe siècle. Les ruelles étroites des quartiers de l'Alfama et du Bairro Alto, établis sur les collines encadrant le centre, en font une ville agréable, à dimension humaine. Depuis ses années de gloire à l'âge des Découvertes, où elle était la capitale du commerce mondial, Lisbonne est restée un port important. Les docks sont aujourd'hui installés ailleurs, mais les monuments de Belém constituent un témoignage de son passé maritime.

Le Museu Nacional de Arte Antiga *présente arts décoratifs, sculptures et peintures. Ne manquez pas les toiles portugaises d'inspiration flamande, comme le* Christ apparaissant à la Vierge *de Jorge Afonso* (p. 96-97).

Le Mosteiro dos Jerónimos *est un magnifique monastère du XVIe siècle. Commandé par Manuel Ier, il est essentiellement de style manuélin. Le portail sud de l'église, orné de sculptures extravagantes, a été conçu en 1516 par João de Castilho. C'est l'une des premières créations de ce style* (p. 106-107).

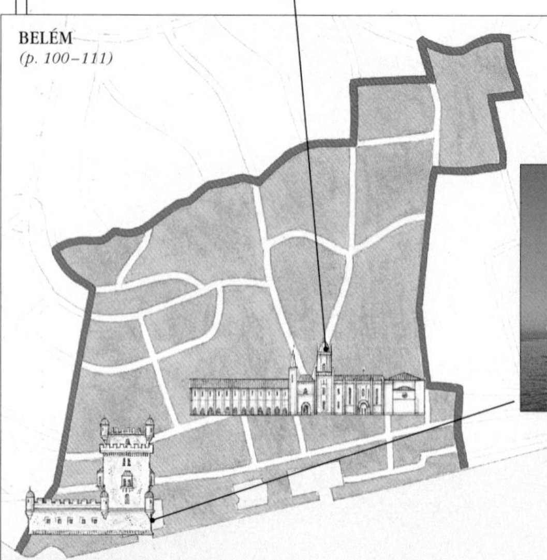

La Torre de Belém *guidait les navigateurs rentrant des Indes et du Nouveau Monde, et symbolisait la puissance maritime du Portugal* (p. 110).

◁ **Les tours jumelles de la Sé, de style roman, dominent les toits de la Baixa**

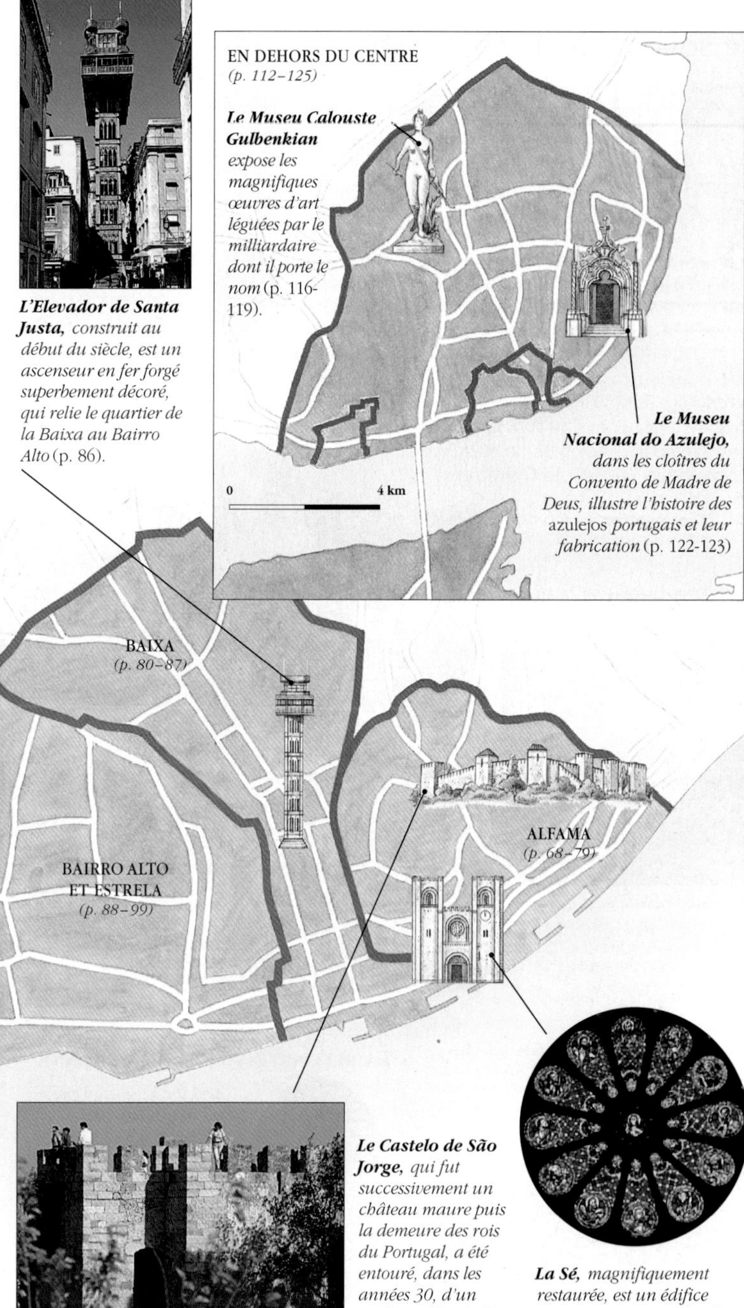

Le Museu Calouste Gulbenkian *expose les magnifiques œuvres d'art léguées par le milliardaire dont il porte le nom* (p. 116-119).

L'Elevador de Santa Justa, *construit au début du siècle, est un ascenseur en fer forgé superbement décoré, qui relie le quartier de la Baixa au Bairro Alto* (p. 86).

Le Museu Nacional do Azulejo, *dans les cloîtres du Convento de Madre de Deus, illustre l'histoire des* azulejos *portugais et leur fabrication* (p. 122-123)

Le Castelo de São Jorge, *qui fut successivement un château maure puis la demeure des rois du Portugal, a été entouré, dans les années 30, d'un jardin public. Belle vue depuis les remparts* (p. 78-79).

La Sé, *magnifiquement restaurée, est un édifice roman imposant, éclairé par une rosace. Les reliques de saint Vincent, le patron de la ville, sont exposées dans le trésor, avec des objets d'art liturgique* (p. 74).

Le séisme de 1755 à Lisbonne

Ex-voto carrelé offert par des survivants

Les premières secousses se firent sentir le 1er novembre, vers 9 h 30. Quelques minutes plus tard, un deuxième choc, beaucoup plus violent, détruisait plus de la moitié de la ville. Bien que l'épicentre du séisme fût situé près de l'Algarve, c'est Lisbonne qui paya le plus lourd tribut. Plusieurs églises s'effondrèrent sur les fidèles célébrant la Toussaint. Une troisième secousse provoqua des incendies qui se propagèrent très vite. Une heure plus tard, des vagues gigantesques déferlèrent depuis le Tage, inondant la ville basse. Presque tout le pays fut touché, et les secousses furent ressenties jusqu'en Italie. À Lisbonne, le séisme causa environ 15 000 morts.

Ce tableau (anonyme), qui illustre l'arrivée d'un ambassadeur du pape à la cour en 1693, montre le Terreiro do Paço avant le séisme.

Certains bâtiments qui avaient survécu au séisme furent ravagés par l'incendie qui suivit.

L'ancien palais royal, le Paço da Ribeira, fut gravement touché par le séisme et l'inondation.

Des bateaux bondés de citadins fuyant l'incendie firent naufrage, et les passagers furent engloutis par les flots.

***La famille royale** vivait à Belém, moins touché que Lisbonne, et sortit indemne de la catastrophe. Ici, le roi vient constater les dommages à Lisbonne.*

***Ce détail** provient d'un ex-voto dédié à Nossa Senhora da Estrela. La peinture fut donnée par un père reconnaissant dont la fille avait miraculeusement survécu au séisme. La fillette fut retrouvée en vie sous les décombres, sept heures après la catastrophe.*

La reconstruction de Lisbonne

Marquês de Pombal (1699-1782)

À peine le séisme passé, Sebastião José de Carvalho e Melo, Premier ministre de José Ier et futur marquês de Pombal, se mit à concevoir les projets de reconstruction de la ville. Laissant les philosophes moraliser, Pombal réagit avec pragmatisme. « Enterrer les morts et nourrir les survivants », telle fut sa devise. Il rétablit l'ordre, puis mit en place un programme d'urbanisme novateur.

La catastrophe et les réactions

Voltaire (1694-1778)

Le séisme marqua profondément la pensée européenne. Partout, les journaux publièrent les comptes rendus de témoins oculaires. Un débat enflammé eut lieu sur l'origine du séisme : s'agissait-il d'un phénomène naturel ou d'un acte de colère divine ? Lisbonne était une ville prospère, connue pour sa richesse — et aussi pour son idolâtrie et l'Inquisition. Estimant que le séisme était une punition divine, des prédicateurs annoncèrent de nouvelles catastrophes. La signification à accorder à l'événement fut débattue par les hommes de lettres. Voltaire écrivit un poème sur la catastrophe, exposant ses idées, intitulé *Sur le désastre de Lisbonne*.

Les murailles du château cédèrent sous l'assaut des vagues puissantes.

Les flammes, dues aux cierges allumés dans les églises pour la Toussaint, se propagèrent. L'incendie dura 7 jours.

Quelques-uns des plus beaux bâtiments de la ville furent détruits, de même que bijoux, objets en or, archives, livres, etc.

Un raz-de-marée déferla, à 11 h, sur la ville basse. Les docks d'Alcântara subirent le choc le plus violent.

***Les églises, les habitations** et les bâtiments publics furent touchés. L'Opéra royal, ici en ruine, venait d'être achevé en mars.*

Vue contemporaine du séisme

Cette gravure allemande de 1775 montre bien l'ampleur de la catastrophe. Beaucoup de citadins, fuyant les flammes, s'embarquèrent sur le Tage, mais furent engloutis par des vagues gigantesques. Le tribut en vies et en pertes matérielles fut colossal.

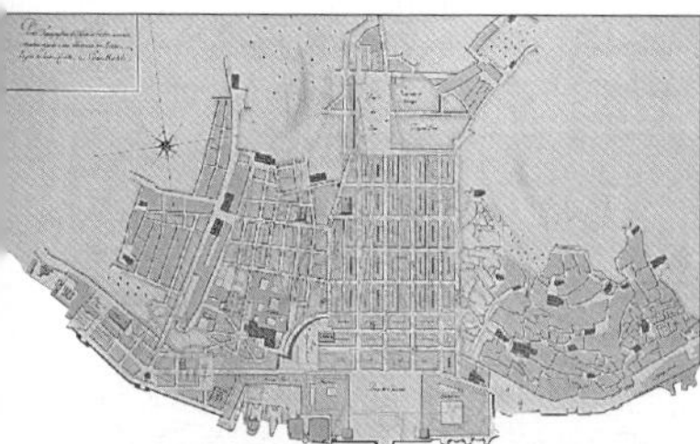

***La reconstruction** du centre de Lisbonne commença rapidement. À la fin du mois de novembre, le marquês de Pombal avait conçu un plan résolument moderne de rues parallèles, allant du bord de mer au Rossio. Les édifices nouveaux sont représentés en jaune.*

***La ville actuelle** présente quantité de témoignages du séisme. Le plan en grille novateur de Pombal apparaît sur cette vue de la Baixa* (p. 80-87)*. Les travaux durèrent longtemps, et ce n'est qu'un siècle plus tard, en 1873, que fut achevé l'arc de triomphe enjambant la rua Augusta.*

Se distraire à Lisbonne

Cette ville, qui est petite comparée aux autres capitales européennes, accueille quantité de manifestations culturelles. Capitale européenne en 1994, la ville est le théâtre d'événements modernes et traditionnels : concerts de musique classique, ballets et opéras, festivals de rue, foires et courses de taureaux. Des concerts de rock et de pop s'y déroulent toute l'année, et on y fait la part belle au *fado (p. 66-67)*. Les amateurs de football assisteront à un match de Benfica ou du Sporting. La vie nocturne est très animée dans les lieux branchés du front de mer et du Bairro Alto.

Réservation de billets

Les réservations peuvent se faire par téléphone auprès de l'Agência de Bilhetes para Espectáculos Públicos (ABEP), et se règlent en espèces, lors du retrait au kiosque. On peut réserver, par carte ou par téléphone, dans les centres culturels.

Le kiosque ABEP vend les billets sur la praça dos Restauradores

Magazines

Il existe plusieurs magazines mentionnant les manifestations et les adresses de bars et de boîtes de nuit à Lisbonne : les mensuels *What's On* et *LISBOAem,* publiés en anglais et disponibles gratuitement à l'Office du tourisme, et le mensuel *Agenda Cultural,* gratuit aussi, en portugais.

Cinéma et théâtre

Lisbonne fait le bonheur des cinéphiles : les places de cinéma sont bon marché et les films sont projetés en version originale sous-titrée. La ville compte quantité de salles, et le **centre commercial d'Amoreiras** *(p. 114)* possède un centre multiplexe, avec dix salles proposant les dernières productions hollywoodiennes. Le programme de la **Cinemateca Portuguesa,** qui présente des films-cultes et des films d'auteur, est disponible au guichet et à l'Office du tourisme. Nombre de salles pratiquent un tarif réduit le lundi.

Les amateurs de théâtre pourront assister à des représentations au **Teatro Nacional Dona Maria II.** Dans un registre plus décontracté, le **Chapitô,** un centre artistique de l'Alfama, propose des représentations en plein air, avec vue sur le fleuve.

Musique classique, opéra et danse

Les deux grands centres culturels sont le **Centro Cultural de Belém** *(p. 108)* et la **Fundação Calouste Gulbenkian** *(p. 116-119)*. Ils accueillent des spectacles portugais et internationaux : concerts, ballets, opéras, etc. Le programme est disponible au guichet de chaque centre et à l'Office du tourisme. Des spectacles d'opéra et concerts de musique classique ont également lieu au **Teatro Nacional de São Carlos** et au **Coliseu dos Recreios.**

Spectacle de clowns au Chapitô, le centre artistique de l'Alfama

Musiques du monde, jazz, folk et rock

Outre le *fado,* la ville vit aussi au rythme de musiques africaines et sud-américaines, du rock et du jazz contemporain. Pour écouter de la musique brésilienne, on ira au **Bar Pintaí** ou au **Pé Sujo.** Quant au **B. Leza** et au **Ritz Club,** ce sont les temples de la musique africaine.

Chaque été, la Fundação Gulbenkian organise un festival international de jazz.

L'orchestre de la Fundação Calouste Gulbenkian

Musicien brésilien au Pé Sujo

Le **Hot Clube,** scène de jazz très appréciée, accueille aussi des chanteurs et des groupes de folk, comme Fausto et Sérgio Godinho.

Les grands groupes de rock et de pop se produisent dans les stades, parfois au Coliseu dos Recreios. Plusieurs bars, comme le **Johnny Guitar** et l'**Anos Sessenta,** accueillent des concerts de rock.

BARS ET BOÎTES DE NUIT

Les établissements les plus à la mode se trouvent presque tous dans le Bairro Alto, bastion traditionnel des noctambules, ou sur l'avenida 24 de Julho, au bord de l'eau. Le Bairro Alto compte quantité de bars et de discothèques, comme le **Portas Largas,** le **Três Pastorinhos** et le **Frágil.** Pour une atmosphère plus calme, on préférera le **Pavilhão Chinês,** à la décoration excentrique.

L'avenida 24 de Julho est le nouveau lieu branché, avec ses boîtes de nuit et ses bars spacieux occupant d'anciens entrepôts au bord du fleuve. Le **Kapital,** installé sur trois étages couronnés d'une véranda sur le toit, attire une clientèle jeune et chic. Juste à côté, le **Kremlin,** très animé, réunit les amateurs de techno.

Sous le Ponte 25 de Abril s'étendent plusieurs cafés de plein air. Les *Docas* (docks) sont très agréables pour prendre un verre au coucher du soleil.

SPORT

Les manifestations sportives se déroulent hors de la ville. Toutefois, presque chaque dimanche, l'un des deux clubs de football de Lisbonne joue à domicile : Benfica à l'**Estádio da Luz** et le Sporting à l'**Estádio José Alvalade.** Les courses de taureaux se déroulent d'avril à oct., à **Campo Pequeno.** Le prix des places varie selon qu'elles sont *sombra* ou *sol* (ombre ou soleil).

CARNET D'ADRESSES

RÉSERVATION DE BILLETS

ABEP
Praça dos Restauradores.
Plan 7 A2.
01-347 58 24.

CINÉMA ET THÉÂTRE

Amoreiras Shopping Centre
Avenida Engenheiro Duarte Pacheco.
Plan 5 A5.
01-381 02 00.

Chapitô
Costa do Castelo 1–7.
Plan 7 C3.
01-886 14 10.

Cinemateca Portuguesa
Rua Barata Salgueiro 39.
Plan 5 C5.
01-354 62 79.

Teatro Nacional Dona Maria II
Praça Dom Pedro IV.
Plan 7 B3.
01-342 84 49.

MUSIQUE CLASSIQUE, OPÉRA ET DANSE

Centro Cultural de Belém
Praça do Império.
Plan 1 C5.
01-361 24 44.

Coliseu dos Recreios
Rua das Portas de Santo Antão 96.
Plan 7 A2.
01-343 16 77.

Fundação Calouste Gulbenkian
Avenida de Berna 45.
Plan 5 B2.
01-793 51 31.

Teatro Nacional de São Carlos
Rua Serpa Pinto 9.
Plan 7 A4.
01-346 59 14.

MUSIQUES DU MONDE, JAZZ, FOLK ET ROCK

Anos Sessenta
Largo do Terreirinho 21.
Plan 7 C2.
01-887 34 44.

B. Leza
Largo do Conde Barão 50.
Plan 4 E3.
01-396 37 35.

Bar Pintaí
Largo da Trindade 22–3.
Plan 7 A3.
01-342 48 02.

Hot Clube
Praça da Alegria 39.
Plan 4 F1.
01-346 73 69.

Johnny Guitar
Calçada Marquês de Abrantes 72.
Plan 4 E3.
01-396 04 15.

Pé Sujo
Largo de S. Martinho 6–7.
Plan 8 D4.
01-886 56 29.

Ritz Clube
Rua da Glória 57.
Plan 4 F1.
01-342 51 40.

BARS ET BOÎTES DE NUIT

Frágil
Rua da Atalaia 128.
Plan 4 F2.
01-346 95 78.

Kapital
Avenida 24 de Julho 68.
Plan 4 E3.
01-395 59 63.

Kremlin
Escadinhas da Praia 5.
Plan 4 D3.
01-60 87 68.

Pavilhão Chinês
Rua Dom Pedro V 89.
Plan 4 F2.
01-342 47 29.

Portas Largas
Rua da Atalaia 105.
Plan 4 F2.
01-346 63 79.

Três Pastorinhos
Rua da Barroca 111.
Plan 4 F2.
01-346 43 01.

SPORT

Estádio José Alvalade
Alameda das Linhas de Torres.
01-759 94 59.

Estádio da Luz
Avenida General Norton Matos.
01-726 61 29.

Le fado, musique de Lisbonne

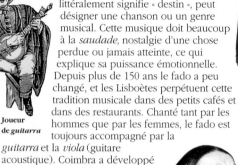

À l'instar du blues, le *fado* chante la nostalgie et la tristesse. Ce terme, qui littéralement signifie « destin », peut désigner une chanson ou un genre musical. Cette musique doit beaucoup à la *saudade,* nostalgie d'une chose perdue ou jamais atteinte, ce qui explique sa puissance émotionnelle. Depuis plus de 150 ans le fado a peu changé, et les Lisboètes perpétuent cette tradition musicale dans des petits cafés et dans des restaurants. Chanté tant par les hommes que par les femmes, le fado est toujours accompagné par la *guitarra* et la *viola* (guitare acoustique). Coimbra a développé son propre style, plus léger.

Joueur de *guitarra*

Représentation de l'univers du fado dans les années 20

Argentina Santos est la plus grande chanteuse traditionnelle contemporaine. Toutes les femmes *fadistas* portent un châle noir.

Le *guitarrista* joue la mélodie et exécute à l'occasion un solo instrumental.

Maria Severa *(1810-1836) fut la première grande* fadista. *Le premier film portugais parlant, en 1931, lui fut consacré. Sa vie scandaleuse et sa mort prématurée jouèrent un rôle essentiel dans l'histoire du* fado. *Elle inspira fados, poèmes, romans, etc.*

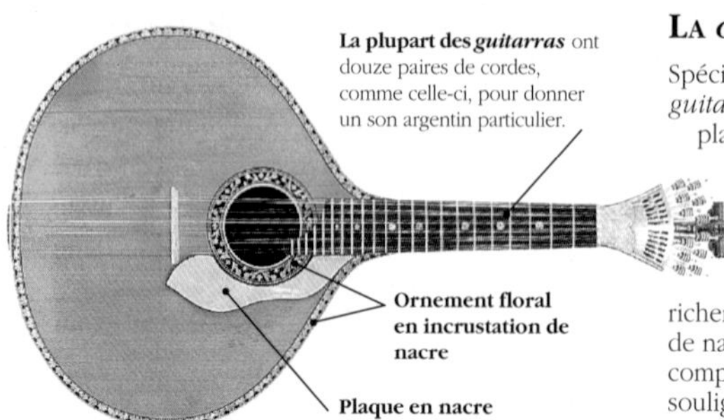

La plupart des *guitarras* ont douze paires de cordes, comme celle-ci, pour donner un son argentin particulier.

Ornement floral en incrustation de nacre

Plaque en nacre pour les doigts

La *GUITARRA*

Spécifiquement portugaise, la *guitarra* est un instrument à dos plat, en forme de mandoline, à 8, 10 ou 12 cordes regroupées par paires. La forme simple du XIXe siècle a évolué, pour donner un instrument richement décoré, parfois incrusté de nacre. Sa sonorité est une composante essentielle du *fado,* soulignant la ligne mélodique du chanteur.

e fado aborde tous les sujets possibles. *insi, cette chanson de 1910 célèbre la aissance de la république libérale. Les artitions sont restées un mode de diffusion u fado très populaire, même après apparition des premiers disques, en 1904.*

***Alfredo Duarte** (1891-1982) était un célèbre parolier de fados chantant l'amour, la mort, la nostalgie et le triomphe. Affectueusement appelé* O Marceneiro *(menuisier), en raison de son métier d'origine, il reste adulé, et ses œuvres continuent à être jouées.*

***Figure emblématique** du Portugal, Amália Rodrigues est l'ambassadrice du fado depuis plus de 50 ans. Dans les années d'après-guerre, elle a cristallisé cette musique et l'a fait connaître aux quatre coins du monde.*

La *viola* assure l'accompagnement rythmique. Le musicien n'effectue jamais de solo.

***Cette musique** a toujours inspiré les écrivains et les peintres. L'œuvre* O Fado *(1910) de José Malhôa* (p. 55) *représente cette musique jouée dans un cadre intime, où le* fadista *captive et bouleverse les spectateurs.*

A MAISON DU FADO

s meilleurs établissements de *do* de Lisbonne, comme le lèbre Parreirinha de l'Alfama, i appartient à Argentina Santos *oir ci-dessus),* sont tenus par s fadistas eux-mêmes. Ils rpétuent la tradition née dans lfama, où les cafés et les staurants accueillaient la usique du peuple. Ces ablissements authentiques ntinuent à servir une cuisine de alité et proposent de la bonne usique. Le plus ancien est le so, ouvert dans les années 30.

Où écouter du fado à Lisbonne

Ces établissements réunissent tous les ingrédients essentiels d'une soirée lisboète réussie : bonne cuisine, bon vin et musique bouleversante.

Adega Machado
Rua do Norte 91.
Plan 7 A3. ☎ *01-392 87 13.*

Lisboa à Noite
Rua das Gáveas 69.
Plan 7 A3. ☎ *01-396 26 03.*

Luso
Travessa da Queimada 10.
Plan 7 A3. ☎ *01-342 22 81.*

Parreirinha de Alfama
Beco do Espírito Santo 1.
Plan 7 E4. ☎ *01-886 82 09.*

Senhor Vinho
Rua do Meio à Lapa.
Plan 4 D3. ☎ *01-397 26 81.*

A Severa
Rua das Gáveas 51.
Plan 7 A4. ☎ *01-342 83 14.*

ALFAMA

On a du mal à croire aujourd'hui que ce quartier modeste ait été autrefois la partie la plus prisée de la ville. À l'époque maure, la ville se limitait aux ruelles autour du château fortifié. Le déclin commença au Moyen Âge, lorsque les résidents fortunés, redoutant les séismes, partirent plus à l'ouest, abandonnant le quartier aux pêcheurs et aux indigents. Les bâtiments ont survécu au tremblement de terre de 1755 *(p. 62-63)* et bien qu'il ne reste plus d'édifices maures, le quartier a conservé sa disposition rappelant une casbah. Des maisons compactes bordent les rues et les escaliers escarpés, et du linge sèche aux fenêtres. Des travaux de restauration ont enfin été entamés dans certaines zones. L'Alfama est dominée par l'imposant Castelo de São Jorge, qui couronne la colline orientale de Lisbonne. Bastion défensif et palais royal jusqu'au XVIe siècle, le château est aujourd'hui un lieu de promenade très apprécié, offrant de belles vues depuis les remparts superbement restaurés.

Les armoiries du Portugal, trésor de la Sé

À l'ouest de l'Alfama se dressent fièrement les deux tours jumelles de la Sé. Au nord-est, le dôme de l'église Santa Engrácia et la façade blanche de São Vicente de Fora se détachent.

LE QUARTIER D'UN COUP D'ŒIL

Musées et galeries
Museu de Artes Decorativas 2
Museu da Marioneta 11
Museu Militar 6

Bâtiments historiques
Casa dos Bicos 7
Castelo de São Jorge p. 78–79 10

Églises
Santo António à Sé 9
Santa Engrácia 5
São Vicente de Fora 3
Sé 8

Belvédères
Miradouro da Graça 12
Miradouro de Santa Luzia 1

Marchés
Feira da Ladra 4

COMMENT Y ALLER ?

Les tramways 12 et 28 partent de la Baixa pour l'Alfama. Le bus 37 circule entre le château et le Rossio, praça da Figueira. Sur l'avenida Infante Dom Henrique, beaucoup de bus partent vers la gare Santa Apolónia et Belém.

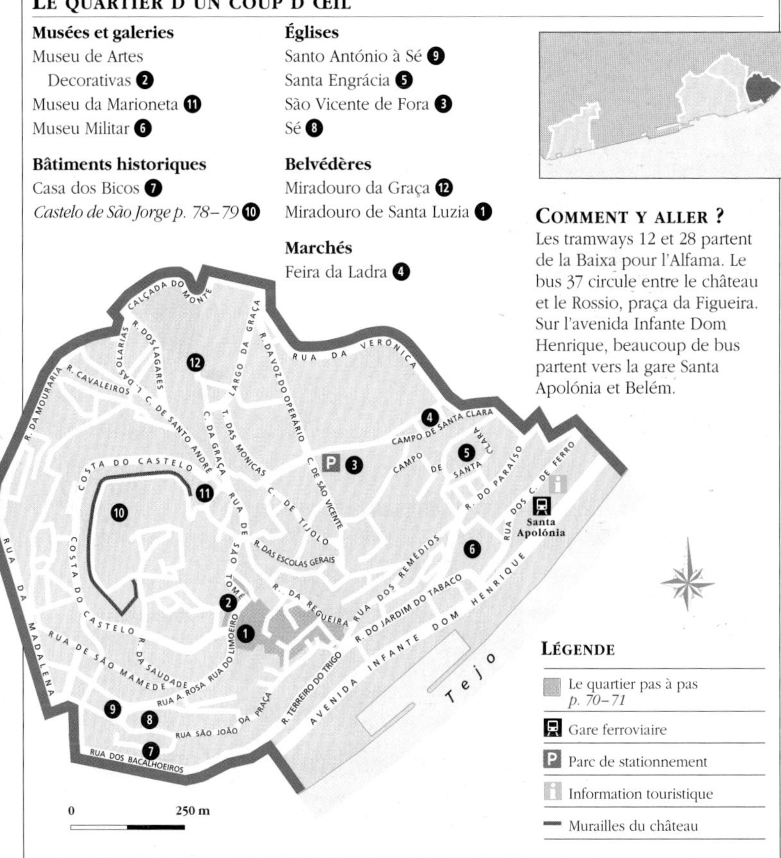

Balcons en fer forgé d'une maison de la rua dos Bacalhoeiros, à côté de la Casa dos Bicos

L'Alfama pas à pas

Ce quartier, passionnant et pittoresque, s'éveille en fin de journée, lorsque ses habitants sortent de chez eux et les petites tavernes se remplissent. Beaucoup d'émigrés africains vivent ici, et des établissements proposent de la musique du Mozambique et du Cap-Vert. Comme les rues sont escarpées et les escaliers nombreux, la meilleure solution consiste à commencer la visite au sommet de l'Alfama, pour découvrir des endroits étonnants, de vieilles églises et une superbe vue panoramique depuis les terrasses ombragées, comme le miradouro de Santa Luzia.

Sur le largo das Portas do Sol, les tables des cafés donnent sur l'Alfama et le Tage. Les Portas do Sol gardaient autrefois l'entrée de la vieille ville.

L'église Santa Luzia est ornée, sur son mur sud, d'*azulejos* bleu et blanc du XVIIIe siècle.

Une statue de saint Vincent tenant l'emblème de Lisbonne, un bateau avec deux corbeaux, est installée largo das Portas do Sol.

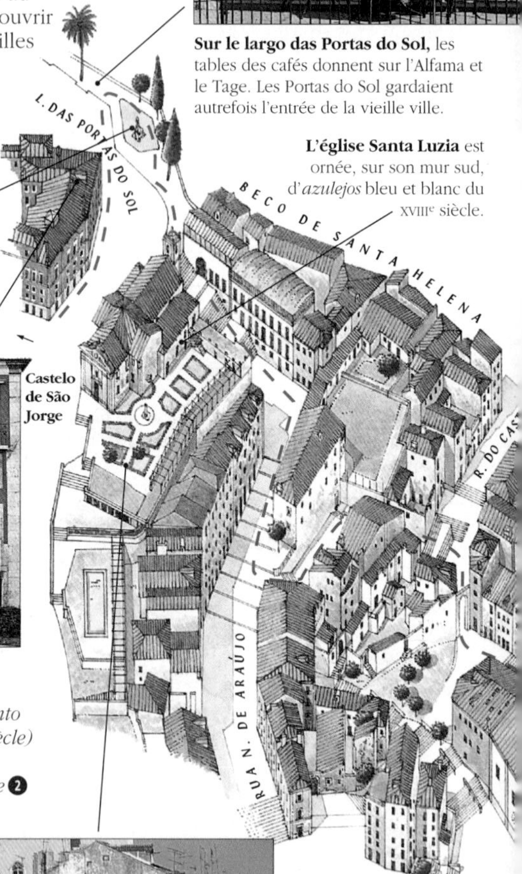

L. das Portas do Sol

Beco de Santa Helena

R. do Cas

Castelo de São Jorge

Rua N. de Araújo

★ Museu de Artes Decorativas
Transformé en musée par un banquier, Ricardo do Espírito Santo Silva, le Palácio Azurara (XVIIe siècle) abrite mobilier et arts décoratifs portugais du XVIIe et du XVIIIe siècle ❷

Légende

— — — Itinéraire conseillé

0 25 m

À ne pas manquer

- **★ Miradouro de Santa Luzia**
- **★ Museu de Artes Decorativas**

★ Miradouro de Santa Luzia
Depuis cette terrasse, la vue porte sur les toits de l'Alfama, jusqu'au Tage. C'est un endroit agréable pour se reposer après une promenade dans les rues escarpées du quartier ❶

Le Beco dos Cruzes, comme la plupart des ruelles *(becos)* qui serpentent dans l'Alfama, est escarpé et pavé. Dans le quartier, on voit souvent du linge sécher aux fenêtres.

CARTE DE SITUATION
Atlas des rues, plan 8

La rua São Pedro accueille un marché aux poissons animé, où les *varinas* vendent la prise du jour. On y trouve du *peixe espada* (poisson-épée).

Le largo do Chafariz de Dentro tire son nom de la fontaine du XVIIe siècle qui se trouvait jadis non pas à l'extérieur des murs du XIVe siècle, mais à l'intérieur *(dentro)*.

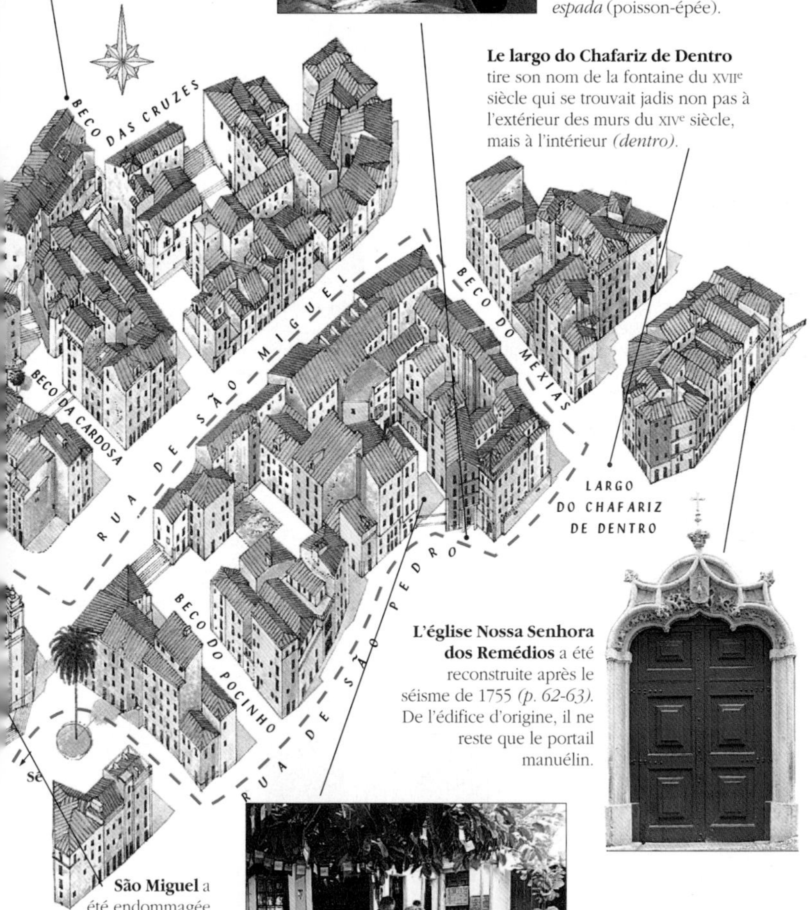

BECO DAS CRUZES
BECO DA CARDOSA
RUA DE SÃO MIGUEL
BECO DO MEXIAS
LARGO DO CHAFARIZ DE DENTRO
BECO DO POCINHO
RUA DE SÃO PEDRO
Sé

L'église Nossa Senhora dos Remédios a été reconstruite après le séisme de 1755 *(p. 62-63)*. De l'édifice d'origine, il ne reste que le portail manuélin.

São Miguel a été endommagée lors du séisme de 1755, puis reconstruite. Admirez le superbe plafond d'origine en bois de jacaranda.

Les petits restaurants du dédale de ruelles s'ouvrent sur des patios en plein air. Le *Lautasco (p. 404)*, dans le Beco do Azinhal, sert une excellente cuisine.

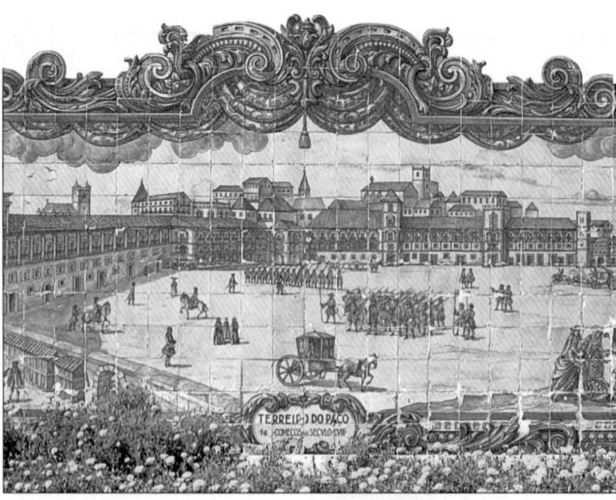

Azulejos représentant la praça do Comércio avant le séisme, Santa Luzia

Miradouro de Santa Luzia ❶

Rua do Limoeiro. **Plan** 8 D4. *28.*

La terrasse près de l'église Santa Luzia offre une vue éblouissante sur l'Alfama et le Tage. De gauche à droite, on voit le dôme de Santa Engrácia, l'église Santo Estêvão et les deux tours blanches de São Miguel. Tandis que les touristes admirent la vue, de vieux messieurs jouent aux cartes sous la pergola couverte de bougainvilliers. Le mur sud de Santa Luzia présente deux panneaux de faïencerie modernes : l'un représente la praça do Comércio avant le séisme, l'autre les chrétiens attaquant le Castelo de São Jorge *(p. 78-79)* en 1147.

Museu de Artes Decorativas ❷

Largo das Portas do Sol 2. **Plan** 8 D3. *01-886 21 83.* *37.* *12, 28.* *10 h–20 h mer.–dim.* *lun.*

Appelé aussi Fondation Ricardo do Espírito Santo Silva, le musée a été créé en 1953 pour préserver les traditions et faire connaître les arts décoratifs portugais. La fondation doit son nom au banquier qui acheta, en 1947, le palácio Azurara pour y installer sa superbe collection de meubles, de textiles, d'argenterie et de céramiques. Parmi les antiquités du XVIIe et du XVIIIe siècle, on remarque quantité d'objets en bois exotique, comme une tablette de jacquet et d'échecs en bois de rose. La porcelaine chinoise et l'argenterie du XVIIIe siècle, et les tapis d'Arraiolos *(p. 301)* sont également magnifiques. Les salles sont spacieuses. Certaines sont ornées de panneaux d'*azulejos* originaux tout comme leurs plafonds.

Coffre à couverts du XVIIIe s., Museu de Artes Decorativas

Le bâtiment voisin abrite des ateliers qui se visitent, où des artisans perpétuent la fabrication de cabinets, la dorure, la reliure et autres techniques traditionnelles. Le palais accueille aussi des expositions temporaires, des conférences et des concerts.

Statue représentant une femme priant près du tombeau de Carlos Ier, São Vicente de Fora

São Vicente de Fora ❸

Largo de São Vicente. **Plan** 8 E3. *01-886 25 44.* *28.* *9 h–12 h 30, 15 h–18 h 30 mar.–dim.* *pour les cloîtres.*

Saint Vincent devint le saint patron de la ville en 1173, lorsque ses reliques, qui se trouvent aujourd'hui dans la Sé *(p. 74)*, furent transférées de l'Algarve dans une église installée ici, hors *(fora)* des murs de la ville. Conçue par l'architecte italien Filippo Terzi et achevée en 1627, l'église présente une façade blanc cassé, sobre et symétrique, encadrée par deux tours. À l'intérieur, le regard est attiré par le baldaquin baroque de Machado de Castro au-dessus de l'autel, flanqué par des statues en bois.

L'ancien monastère augustin voisin, que l'on rejoint par la nef, renferme une citerne du XVIe siècle et des vestiges de l'ancien cloître. Il est surtout renommé pour ses *azulejos* du XVIIIe siècle. Parmi les panneaux de l'entrée, non loin du premier cloître, on voit en des scènes très vivantes, mais inexactes historiquement, le roi Afonso Henriques attaquant Lisbonne et Santarém. Autour des cloîtres, des scènes champêtres illustrent les fables de La Fontaine.

Un passage conduit à l'ancien réfectoire, transformé en 1885 en mausolée des Bragança. Il abrite les sarcophages de presque tous les souverains, du premier de la dynastie, João IV, mort en 1656, à Manuel II, le dernier roi du Portugal. Seuls Maria Ire et Pedro IV n'y reposent pas. Une statue est agenouillée près du tombeau de Carlos Ier et de son fils Luís Filipe, assassinés sur la praça do Comércio en 1908.

Feira da Ladra ❹

Campo de Santa Clara. **Plan** 8 F2.
7 h 30–13 h mar. et sam. *28.*

Les étals de la « foire de la voleuse » occupent cet emplacement ombragé, à la lisière de l'Alfama, depuis plus d'un siècle. Il est aujourd'hui devenu difficile de faire des affaires sur ce marché aux puces, qui est très renommé. Toutefois, dans cet incroyable bric-à-brac, certains stands vendent des articles en fer forgé, des gravures et des *azulejos* intéressants, de même que des vêtements d'occasion. Quelques vendeurs proposent des sculptures, des masques et des bijoux africains. Sur le marché voisin, on trouve poissons, légumes et épices.

Brocante de la Feira da Ladra

Santa Engrácia ❺

Campo de Santa Clara. **Plan** 8 F2.
01-888 15 29. *28.* *10 h–17 h mar.–dim.* *1er janv., Pâques, 1er mai, 25 déc.*

Ce superbe dôme domine l'est de Lisbonne. L'église d'origine fut ravagée par une tempête en 1681. La première pierre du nouvel édifice baroque fut posée en 1682, marquant le début d'une épopée architecturale qui allait durer jusqu'en 1966, soit 284 ans. Aujourd'hui, on parle d'un « travail de Santa Engrácia » pour désigner un ouvrage inachevé.

Couronné d'une immense coupole, l'intérieur est extrêmement spacieux. L'église, qui est le panthéon national, abrite les cénotaphes de personnages historiques comme Vasco da Gama *(p. 108)* et Afonso de Albuquerque, vice-roi des Indes (1502-1515) sur la gauche et Henri le Navigateur *(p. 49)* et Luís Vaz de Camões *(p. 188)* sur la droite. Sur demande, les visiteurs peuvent emprunter l'ascenseur menant au sommet du dôme, qui offre une vue panoramique.

Museu Militar ❻

Largo do Museu da Artilharia.
Plan 8 F3. *01-888 21 31.* *12, 46, 107.* *28.* *10 h–17 h mar.–sam.* *lun., jours fériés.*

Installé dans une fonderie de canons et un arsenal du XVIe siècle, le Musée militaire présente une importante collection d'armes, d'uniformes et de documents historiques militaires. La visite commence dans la salle Vasco da Gama, avec une collection de canons anciens et des peintures murales modernes illustrant la découverte de la route des Indes. Les Salas da Grande Guerra, au premier étage, présentent des objets liés à la Première Guerre mondiale. Les autres salles retracent l'évolution des armes portugaises. La grande cour est ornée de panneaux carrelés évoquant l'histoire du pays, de la Reconquête à la Première Guerre mondiale. Le département consacré à l'artillerie abrite le véhicule qui servit à acheminer l'arc de triomphe jusqu'à la rua Augusta *(p. 87)*.

L'intérieur en marbre de couleur et la coupole de Santa Engrácia

Casa dos Bicos ❼

Rua dos Bacalhoeiros. **Plan** 8 D4.
01-888 48 27. *1, 13, 46, 91.* *expositions temporaires uniquement.*

Cet édifice extravagant, décoré de pierres en forme de diamant *(bicos)*, a été construit en 1523 pour Brás de Albuquerque, fils illégitime d'Afonso, vice-roi des Indes. L'étrange façade est inspirée d'un style très en vogue au XVIe siècle en Europe du Sud. Les deux étages supérieurs, ravagés en 1755, n'ont été restaurés que dans les années 1980. Son aspect d'origine a été recréé grâce à des panneaux et des gravures de Lisbonne. Entre-temps, le bâtiment servit à saler du poisson (d'où le nom : rue des pêcheurs de morue). Les étages inférieurs accueillent des expositions temporaires.

L'étrange façade de la Casa dos Bicos

La façade de la cathédrale de Lisbonne

Sé 8

Largo da Sé. **Plan** 8 D4. *01-886 67 52.* *37.* *28.* *9 h–17 h t.l.j.* *cloître et trésor.*

En 1150, trois ans après avoir repris Lisbonne aux Maures, Afonso Henriques construisit sur le site de l'ancienne mosquée une cathédrale pour le premier évêque de la ville, le croisé anglais Gilbert of Hastings. Ravagée par trois tremblements de terre au XIVe siècle et le séisme de 1755, puis rénovée au cours des siècles, la cathédrale (Sé est un diminutif de Sedes Episcopalis, siège épiscopal), affiche aujourd'hui un mélange de différents styles architecturaux. Avec ses deux tours et sa magnifique rosace, la façade a conservé son aspect roman. L'intérieur sombre est sobre et austère, et il ne reste quasiment rien des embellissements ajoutés par le roi João V au XVIIIe siècle. Au-delà de la nef romane restaurée, le déambulatoire compte neuf chapelles gothiques. La capela de Santo Ildefonso abrite les sarcophages du XIVe siècle de Lopo Fernandes Pacheco, compagnon d'armes du roi Afonso IV, et de son épouse, Maria Vilalobos. Ils sont tous deux représentés en sculpture sur leurs tombeaux, tenant respectivement une épée et un livre de prières, leurs chiens fidèles installés à leurs pieds. Dans le chœur adjacent se trouvent les tombeaux d'Afonso IV et de sa femme, Dona Beatriz.

Tombeau du noble Lopo Fernandes Pacheco qui vécut au XIVe siècle, déambulatoire

Détail de la crèche baroque de Joaquim Machado de Castro

Le cloître gothique, auquel on accède par la troisième chapelle du déambulatoire, présente d'élégantes arcades, avec des chapiteaux finement sculptés. L'une des chapelles a toujours sa grille en fer forgé du XIIIe siècle. Des fouilles archéologiques ont mis au jour divers vestiges.

La chapelle franciscaine, située à gauche en entrant dans la cathédrale, abrite la cuve qui aurait servi au baptême de saint Antoine en 1195. Elle est agrémentée d'un panneau de faïences représentant le saint parlant aux poissons. La chapelle adjacente contient une crèche baroque, en liège, en bois et en terre cuite, de Machado de Castro (1766).

Le trésor se trouve au sommet des escaliers situés sur la droite, en entrant. Il abrite une collection d'argenterie, de statues, d'habits sacerdotaux et diverses reliques liées à saint Vincent. Le bien le plus précieux est le reliquaire renferment les vestiges du saint, transférés en 1173 du Cabo de São Vicente à Lisbonne *(p. 319)*. La légende veut que deux corbeaux sacrés veillèrent sur le bateau transportant les reliques. Cet oiseau qui devint le symbole de la Lisbonne libérée des musulmans apparaît dans les armoiries de la ville. Les descendants de ces deux corbeaux vivaient dans les cloîtres de la cathédrale.

SANTO ANTÓNIO (v. 1195–1231)

Santo António, connu sous le nom de saint Antoine de Padoue, naquit et passa son enfance à Lisbonne, mais termina sa vie à Padoue, en Italie. Saint Antoine entra dans l'ordre des franciscains en 1220, marqué par des frères croisés qu'il avait rencontrés à Coimbra. Le moine franciscain, prédicateur érudit et passionné, est connu pour son dévouement aux pauvres et son aptitude à convertir les hérétiques. Beaucoup de représentations le montrent portant l'Enfant Jésus sur un livre. On le voit aussi parlant aux poissons, comme saint François parlait aux oiseaux. Il est souvent invoqué pour retrouver les objets perdus.

Pie XI en fit le saint patron du Portugal en 1934. En 1995, le huit centième anniversaire de sa naissance donna lieu à des célébrations dans toute la ville.

Santo António à Sé ❾

Largo Santo António da Sé. **Plan** 7 C4. *01-886 91 45.* *37.* *28.* *8 h–19 h 30 t.l.j.* **Museu Antoniano** *01-886 04 47.* *10 h–13 h, 14 h–18 h mar.–dim.*

On dit que la petite église se dresse à l'emplacement de la maison natale de saint Antoine. La crypte que l'on rejoint par la sacristie est tout ce qu'il reste du bâtiment d'origine, détruit en 1755. La construction de la nouvelle église commença en 1757, sous la direction de Mateus Vicente, l'architecte de la basílica da Estrela *(p. 95)*. Elle fut en partie financée grâce aux dons collectés par des enfants, qui criaient : « Une petite pièce pour saint Antoine ». Aujourd'hui encore, le sol de la petite chapelle de la crypte est parsemé d'escudos, et des inscriptions de fidèles figurent sur les murs.

Sur la façade, les courbes baroques se mêlent aux colonnes ioniques néo-classiques, de part et d'autre du portail principal. À l'intérieur, en descendant à la crypte, un panneau d'*azulejos* commémore la visite du pape en 1982. L'église fut rénovée en 1995, pour le huit centième anniversaire de la naissance du saint. La tradition veut que les jeunes couples viennent ici le jour de leur mariage et offrent des fleurs à saint Antoine.

À côté, le petit Museu Antoniano présente des ex-voto, des images et des manuscrits liés au saint, ainsi que des objets en or et en argent qui ornaient l'église. Un beau panneau d'*azulejos* datant du XVIIe siècle représente saint Antoine parlant aux poissons.

Miradouro et igreja da Graça, vus du Castelo de São Jorge

Panneau d'*azulejos* commémorant la visite de Jean-Paul II à Santo António à Sé

Castelo de São Jorge ❿

Voir p. 78–79.

Museu da Marioneta ⓫

Largo Rodrigues de Freitas 19A. **Plan** 8 D3. *01-888 28 41.* *37.* *28.* *10 h–13 h, 14 h–19 h mar.–dim.*

Une entrée peu avenante mène à ce petit musée de la Marionnette, très original. La collection regroupe des personnages de théâtre et d'opéra finement sculptés, du XVIIe et du XVIIIe siècle : chevaliers, bouffons, princesses, diables, etc. Toutefois, il y a fort à parier que leurs traits laids et grotesques ne plairont pas aux enfants. Le musée présente des spectacles de marionnettes en vidéo, et parfois de véritables représentations.

Marionnette, Museu da Marioneta

Miradouro da Graça ⓬

Plan 8 D2. *37.* *12, 28.*

Les visiteurs viennent surtout dans le quartier populaire de Graça pour admirer la belle vue du *miradouro* (belvédère). Le panorama des toits et des gratte-ciel est moins impressionnant que la vue du château, mais c'est un endroit très apprécié, surtout en début de soirée, où les cafés sous les pins se remplissent. Derrière le *miradouro* se dresse un monastère augustinien, fondé en 1271 et reconstruit après le séisme. Ce complexe abrite aujourd'hui une caserne, mais l'église, l'igreja da Graça, se visite toujours. À l'intérieur, dans le transept droit, le *Senhor dos Passos* représente le Christ portant sa croix sur le chemin du Calvaire. Le deuxième dimanche de carême, la statue, drapée dans des habits pourpres brillants, est portée en procession dans le quartier. Les *azulejos* du devant d'autel, qui imitent les brocarts ornant généralement cet endroit, datent du XVIIe siècle.

21
21

Castelo de São Jorge ⑩

Sculpture de Martim Moniz

Après la prise de Lisbonne aux Maures, en 1147, le roi Dom Afonso Henriques installa la résidence des rois du Portugal dans cette citadelle. En 1511, Manuel Ier construisit un palais plus luxueux sur l'actuelle praça do Comércio. Le château servit alors successivement de théâtre, de prison et d'arsenal. Après le séisme de 1755, les remparts restèrent en ruine jusqu'en 1938, où Salazar *(p. 56-59)* entama une rénovation complète, reconstruisant les murs « médiévaux » et ajoutant des jardins. Le château n'est peut-être pas authentique, mais les jardins et les ruelles de Santa Cruz entre les murs invitent à la promenade. Les vues comptent parmi les plus jolies de la ville.

Un escalier escarpé descend à la Torre de São Lourenço.

★ Remparts

Les visiteurs peuvent monter sur les tours et se promener le long des remparts restaurés.

Restaurant Casa do Leão

Cet établissement installé dans l'ancienne résidence royale accueille dîneurs et réceptions.

Statue d'Afonso Henriques installée pendant la restauration de Salazar.

★ Terrasse

Cette vaste place ombragée offre de superbes vues sur Lisbonne. Les résidents du quartier y jouent au jacquet et aux cartes.

LÉGENDE

– – – Itinéraire conseillé

◁ **Ravissante cour cachée entre les maisons délabrées de Santa Cruz, à l'intérieur des murs du château**

La Porta de Martim Moniz doit son nom au chevalier, dont le buste trône près de la porte, qui sacrifia sa vie pour laisser entrer les soldats d'Afonso Henriques (1147).

La Porta de Santo André s'ouvre sur le largo R. de Freitas.

MODE D'EMPLOI

Porta de S. Jorge, rua do Chão da Feira. **Plan** 8 D3. *37.* *28.*
9 h–23 h t.l.j.

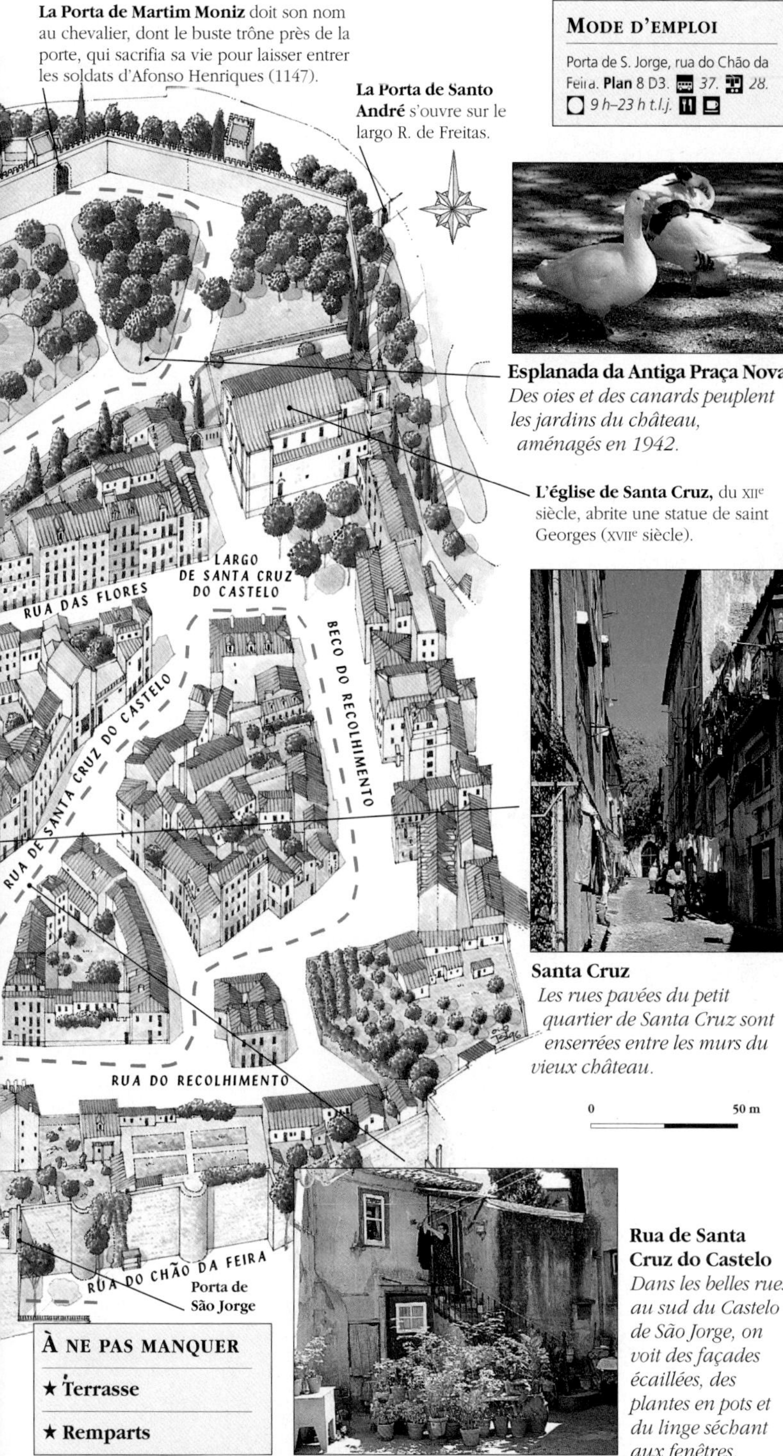

Esplanada da Antiga Praça Nova
Des oies et des canards peuplent les jardins du château, aménagés en 1942.

L'église de Santa Cruz, du XIIe siècle, abrite une statue de saint Georges (XVIIe siècle).

Santa Cruz
Les rues pavées du petit quartier de Santa Cruz sont enserrées entre les murs du vieux château.

Porta de São Jorge

Rua de Santa Cruz do Castelo
Dans les belles rues au sud du Castelo de São Jorge, on voit des façades écaillées, des plantes en pots et du linge séchant aux fenêtres.

À NE PAS MANQUER

- ★ Terrasse
- ★ Remparts

VIRTVTIBVS
MAIORVM
VT. SIT. OMNIBVS. DOCVMENTO. P. P. D.

Baixa

Après le séisme de 1755 (*p. 62-63*), le marquês de Pombal fit entièrement reconstruire le centre de Lisbonne. Utilisant un plan de rues disposées en grille, il relia l'imposante praça do Comércio ornée d'arcades, près du Tage, à la place centrale du Rossio, très animée. Les rues furent bordées d'édifices néo-classiques semblables et baptisées d'après les activités des commerçants et des artisans.

Détail de la statue de José Ier, praça do Comércio

La ville basse est restée le quartier commerçant de la ville. Au centre, le Rossio est un endroit de rencontre très apprécié, où l'on trouve cafés, théâtres et restaurants. L'aménagement géométrique du quartier a été conservé, mais la plupart des bâtiments construits depuis le milieu du XVIIIe siècle n'affichent plus le formalisme pombalin. Les rues sont très animées dans la journée, surtout la rua Augusta, mais le quartier se vide dès que la nuit tombe.

Le quartier d'un coup d'œil

Musées et galeries
Museu da Sociedade de Geografia 4

Églises
Nossa Senhora da Conceição Velha 9

Parcs et jardins
Jardim Botânico 1

Ascenseur
Elevador de Santa Justa 7

Rues et places historiques
Avenida da Liberdade 2
Praça do Comércio 10
Praça da Figueira 6
Praça dos Restauradores 3
Rossio 5
Rua Augusta 8

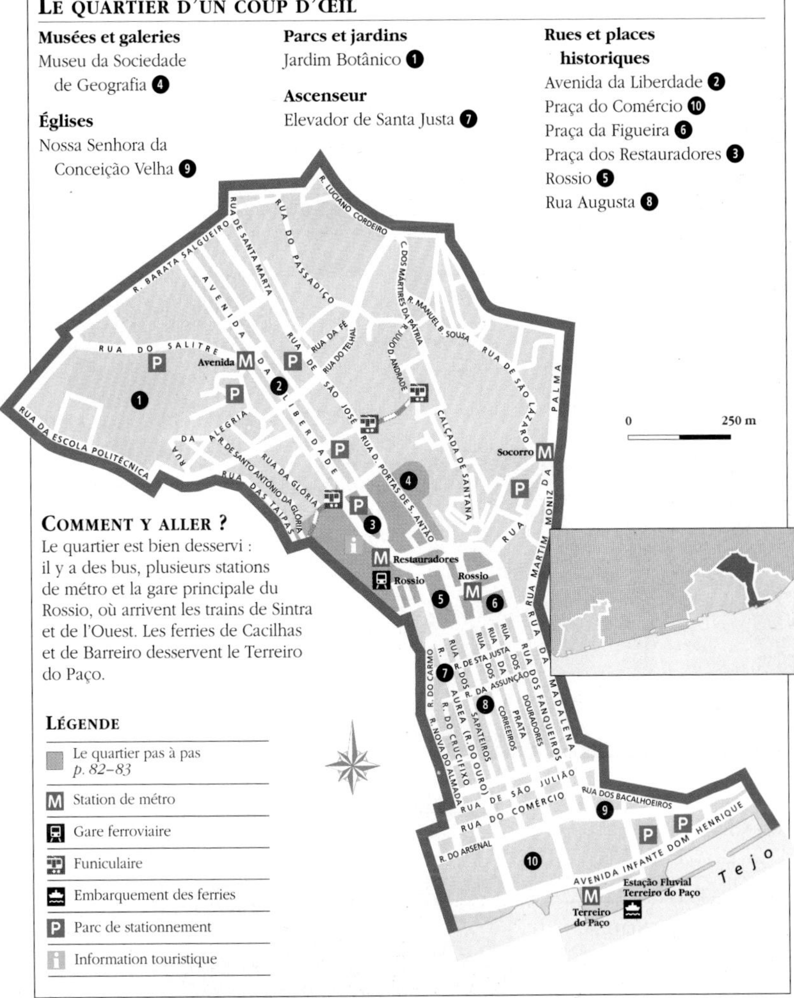

Comment y aller ?

Le quartier est bien desservi : il y a des bus, plusieurs stations de métro et la gare principale du Rossio, où arrivent les trains de Sintra et de l'Ouest. Les ferries de Cacilhas et de Barreiro desservent le Terreiro do Paço.

Légende

- Le quartier pas à pas *p. 82-83*
- Station de métro
- Gare ferroviaire
- Funiculaire
- Embarquement des ferries
- Parc de stationnement
- Information touristique

◁ L'arc de triomphe de la praça do Comércio s'ouvre sur la rua Augusta et la Baixa.

La Baixa pas à pas

***Azulejos*, façade de la tabacaria Monaco**

La Baixa est le quartier le plus animé de la ville, avec la place du Rossio et la praça da Figueira. Reconstruit après le séisme de 1755 *(p. 62-63)*, le quartier fut l'un des premiers exemples d'urbanisme en Europe. Aujourd'hui, des bureaux sont installés dans les bâtiments néo-classiques bordant les rues et les places spacieuses. Le meilleur moyen de prendre le pouls du quartier est de s'installer à la terrasse d'un café. La rua das Portas de Santo Antão, rue piétonne, est plus calme et invite à la promenade.

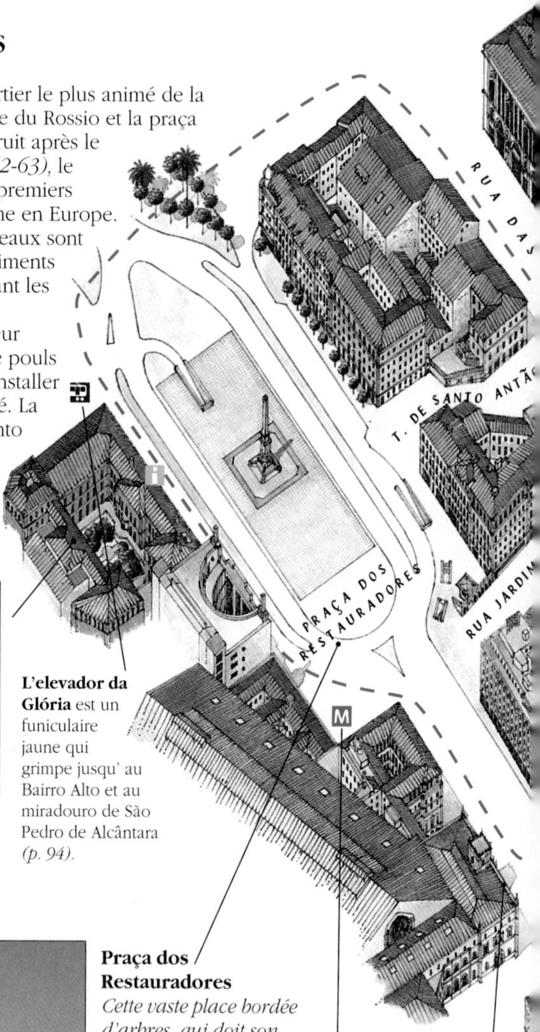

Le palácio Foz, superbe palais construit au XVIIIe siècle par l'architecte italien Francesco Fabri, abrite l'Office du tourisme.

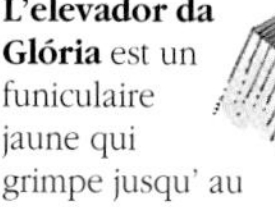

L'elevador da Glória est un funiculaire jaune qui grimpe jusqu' au Bairro Alto et au miradouro de São Pedro de Alcântara *(p. 94)*.

Praça dos Restauradores

Cette vaste place bordée d'arbres, qui doit son nom aux restaurateurs de l'indépendance du pays, est un endroit de passage animé, avec des cafés installés sur le sol orné de motifs ❸

Restauradores

La gare du Rossio, conçue par J. L. Monteiro, est un édifice néo-manuélin de la fin du XIXe siècle, orné de deux arcs en fer à cheval mauresques.

Légende

Itinéraire conseillé

À NE PAS MANQUER

★ **Rossio**

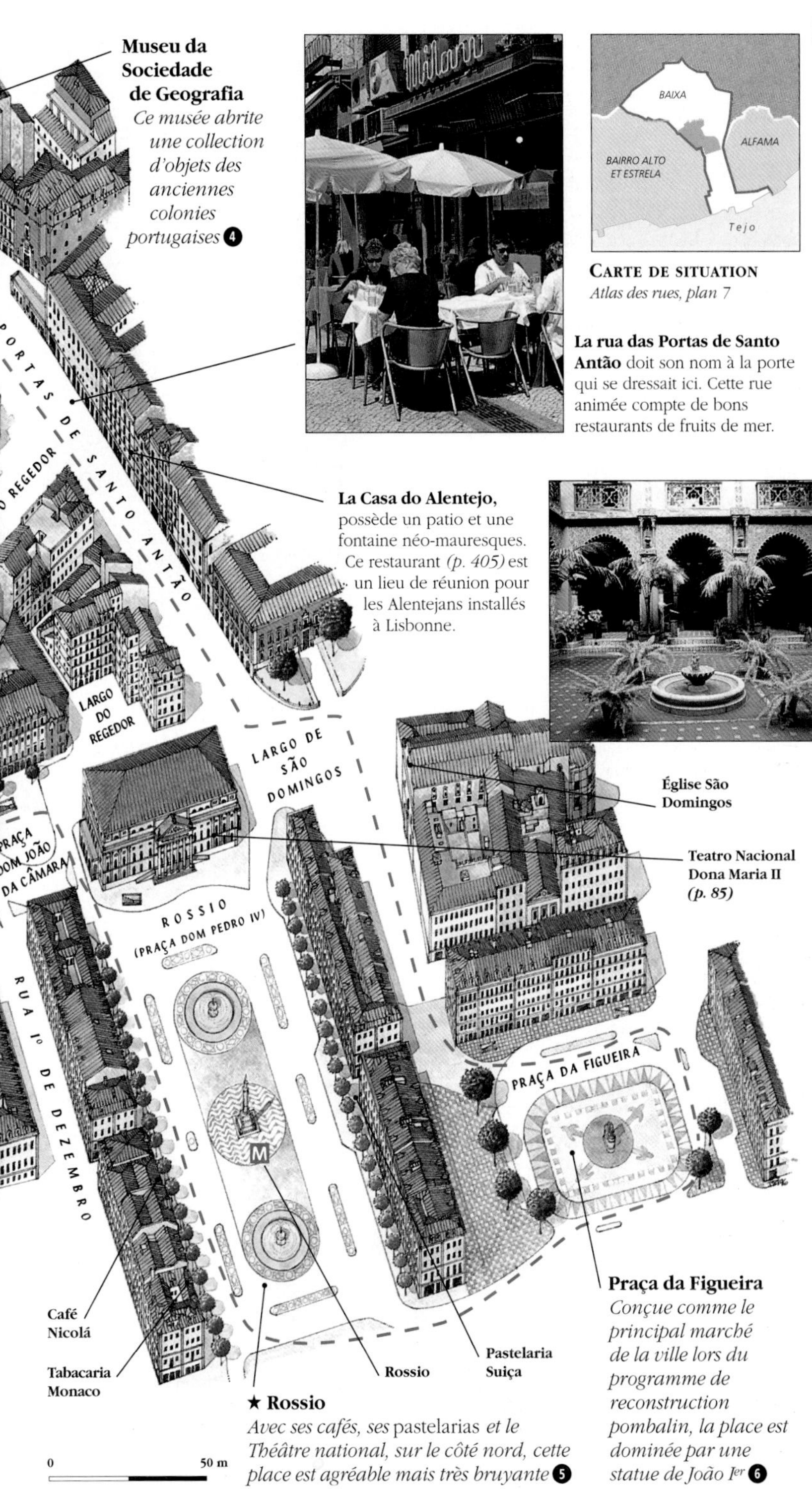
Museu da Sociedade de Geografia
Ce musée abrite une collection d'objets des anciennes colonies portugaises 4
BAIXA
ALFAMA
BAIRRO ALTO ET ESTRELA
Tejo
CARTE DE SITUATION
Atlas des rues, plan 7
La rua das Portas de Santo Antão doit son nom à la porte qui se dressait ici. Cette rue animée compte de bons restaurants de fruits de mer.
PORTAS DE SANTO ANTÃO
DO REGEDOR
La Casa do Alentejo, possède un patio et une fontaine néo-mauresques. Ce restaurant *(p. 405)* est un lieu de réunion pour les Alentejans installés à Lisbonne.
LARGO DO REGEDOR
LARGO DE SÃO DOMINGOS
Église São Domingos
PRAÇA DOM JOÃO DA CÂMARA
Teatro Nacional Dona Maria II ***(p. 85)***
ROSSIO (PRAÇA DOM PEDRO IV)
RUA 1º DE DEZEMBRO
M
PRAÇA DA FIGUEIRA
Café Nicolá
Tabacaria Monaco
Rossio
Pastelaria Suiça
Praça da Figueira
Conçue comme le principal marché de la ville lors du programme de reconstruction pombalin, la place est dominée par une statue de João Ier 6
★ Rossio
Avec ses cafés, ses pastelarias *et le Théâtre national, sur le côté nord, cette place est agréable mais très bruyante* 5
0 50 m

Un pont enjambe une mare, dans le Jardim Botânico

Jardim Botânico ❶

Rua da Escola Politécnica 56. **Plan** 4 F1. *01-396 15 21.* *15, 58, 100.* *Avenida.* **Jardins** *9 h–18 h (avr.–sept. : 20 h) sam. et dim.* *1er janv., 25 déc.* **Museu de História Natural** *expositions seulement.* **Museu da Ciência** *10 h–13 h, 14 h–17 h lun.–ven., 15 h–18 h sam.* *jours fériés.*

Ce complexe qui appartient à l'université comprend deux musées et quatre hectares de jardin. Le jardin botanique, qui se déroule depuis l'entrée principale, au niveau supérieur, jusqu'à la rua da Alegria, semble laissé à l'abandon. Toutefois, la visite (accès payant) en vaut la peine ; la promenade entre les arbres exotiques et dans les allées ombragées qui descendent vers la deuxième entrée est exquise. Une superbe avenue bordée de palmiers relie les deux niveaux.

Le **Museu de História Natural** (muséum d'Histoire naturelle) n'ouvre que pour des expositions temporaires. Le **Museu da Ciência** (musée de la Science), qui présente des principes scientifiques élémentaires, est très apprécié des enfants.

Avenida da Liberdade ❷

Plan 7 A2. *2, 9, 36, entre autres routes.* *Restauradores, Avenida.*

Après le séisme de 1755 *(p. 62-63)*, le marquês de Pombal créa le Passeio Público (promenade publique) là où se trouvent aujourd'hui le bas de l'avenida da Liberdade et la praça dos Restauradores. Contrairement à ce qu'indiquait son nom, le Passeio Público n'était accessible qu'à la haute société lisboète. Des murs et des portes en interdisaient l'accès aux classes laborieuses. L'avenida et la place ne devinrent accessibles à tous qu'en 1821, lorsque les Libéraux arrivèrent au pouvoir.

L'avenue actuelle a été construite entre 1879 et 1882, dans le style des Champs-Élysées. La large avenue bordée d'arbres se mit à accueillir spectacles et manifestations. Un monument aux morts rend hommage aux victimes de la Première Guerre mondiale. Avec ses fontaines et ses cafés, cette avenue ombragée est restée élégante. La rue au sol orné de motifs abstraits s'étend sur 90 m de large. Aujourd'hui, il est devenu impossible de s'y promener paisiblement : sur cet axe reliant la praça dos Restauradores à la praça Marquês de Pombal, la circulation s'effectue sur sept voies. Certains bâtiments d'origine ont été préservés, comme le cinéma Tivoli, au n° 188, devant lequel se dresse un kiosque des années 20, et la casa Lambertini, ornée de mosaïques colorées, au n° 166. Mais quantité de façades Art nouveau ont cédé la place à des bureaux, hôtels et boutiques.

Monument commémorant la restauration de l'indépendance, praça dos Restauradores

Détail du monument aux morts de la Grande Guerre, avenida da Liberdade

Praça dos Restauradores ❸

Plan 7 A2. *2, 9, 36, 46, entre autres routes.* *Restauradores.*

Cette place dominée par un obélisque érigé en 1886 commémore la libération du joug espagnol, en 1640 *(p. 50-51)*. Les statues en bronze sur le piédestal représentent la Victoire, tenant une palme et une couronne, et la Liberté. Les noms et les dates inscrits sur l'obélisque sont ceux des batailles de la guerre de restauration de l'indépendance.

Sur le côté ouest, le Palácio Foz, qui abrite le bureau principal de l'Office du tourisme, a été construit par Francesco Savario Fabri entre 1755 et 1777 pour le marquês de Castelo-Melhor. Il fut renommé d'après le marquês de Foz, qui y vécut au siècle dernier. L'élégant Avenida Palace Hotel *(p. 381)* qui limite la place au sud-ouest a été conçu par l'architecte José Luís Monteiro.

Museu da Sociedade de Geografia ❹

Rua das Portas de Santo Antão 100. **Plan** 7 A2. *01-342 54 01.* *9, 80, 90.* *Restauradores.* *11 h et 15 h lun., mer. et ven.* *obligatoire.*

Le musée présente des objets des anciennes colonies portugaises. On y voit surtout des masques de Guinée-Bissau, des instruments de musique et des lances, de même que des objets d'origine angolaise destinés à soutenir les coiffures, et le *padrão* (pilier de pierre) érigé par les Portugais en 1482 pour marquer leur souveraineté sur cette nouvelle colonie. La plupart des objets sont exposés dans la splendide Sala Portugal, où se tiennent également des conférences.

Rossio ❺

Plan 6 B3. *2, 36, 44, 45, entre autres routes.* *Rossio.*

Autrefois appelée praça de Dom Pedro IV, cette vaste place est depuis plus de six siècles le centre névralgique de Lisbonne. Elle a accueilli des courses de taureaux, des fêtes, des défilés militaires et de terribles *autos da fé*, ou autodafés *(p. 51)*. Aujourd'hui, hormis quelques rassemblements politiques, il ne s'y passe plus grand-chose. Les sobres bâtiments pombalins, couronnés de publicités lumineuses, abritent de petits magasins de souvenirs, des bijouteries et des cafés souvent bondés. Au milieu trône une statue de Dom Pedro IV, le premier empereur du Brésil indépendant *(p. 54)*, entourée des allégories de la Justice, de la Sagesse, de la Force et de la Modération — qualités attribuées à Dom Pedro.

Au milieu du XIXe siècle, la place fut pavée de mosaïques représentant des vagues. Les pavés gris et blancs taillés à la main furent les premiers du genre à orner les trottoirs de la ville. Aujourd'hui, il ne reste qu'une petite partie du motif d'origine.

Le Teatro Nacional Dona Maria II illuminé, sur le Rossio

Sur le côté nord de la place se dresse le Teatro Nacional Dona Maria II, qui doit son nom à la fille de Dom Pedro. L'édifice néo-classique fut construit vers 1840 par l'architecte italien Fortunato Lodi. Au sommet du fronton, on voit Gil Vicente (1465-1536), le père du théâtre portugais.

Le Café Nicola, sur le côté ouest de la place, était très prisé des écrivains. Le poète Manuel Maria Bocage (1765-1805) était un habitué de l'ancien café (l'établissement actuel date de 1929).

Praça da Figueira ❻

Plan 6 B3. *14, 43, 59, 60, entre autres routes.* *15.* *Rossio.*

Avant le séisme de 1755 *(p. 62-63)*, l'Hospital de Todos-os-Santos (tous les saints) se dressait sur cette place proche du Rossio. Le programme d'urbanisme de Pombal attribua à la place le rôle de marché central. Le marché couvert installé en 1885 fut détruit dans les années 1950. Aujourd'hui, les bâtiments de quatre étages sont occupés par des hôtels, des magasins et des cafés. Le trait le plus marquant de la place réside peut-être dans ses pigeons, perchés par centaines sur la statue équestre en bronze de João Ier, due à Leopoldo de Almeida et érigée en 1971.

Statue de bronze du roi João Ier, praça da Figueira

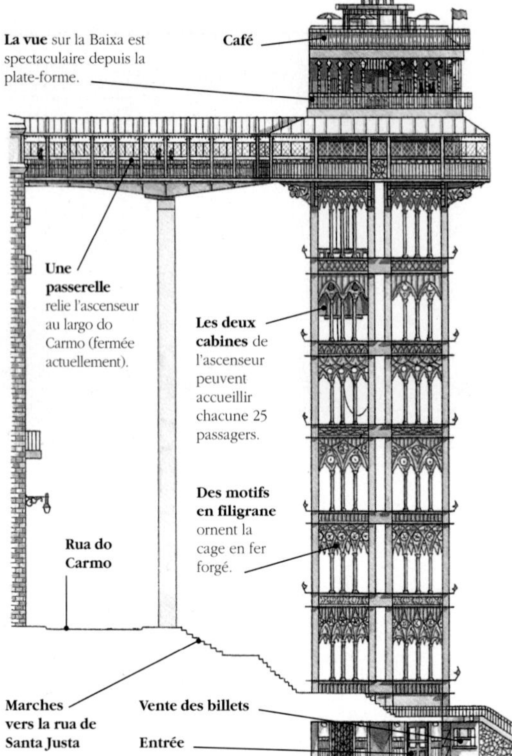
La vue sur la Baixa est spectaculaire depuis la plate-forme.
Café
Une passerelle relie l'ascenseur au largo do Carmo (fermée actuellement).
Les deux cabines de l'ascenseur peuvent accueillir chacune 25 passagers.
Des motifs en filigrane ornent la cage en fer forgé.
Rua do Carmo
Marches vers la rua de Santa Justa
Vente des billets
Entrée

Elevador de Santa Justa ❼

Rua de Santa Justa et Largo do Carmo. **Plan** 7 B3. *01-363 20 21.* *7 h–23 h lun.–sam., 9 h–23 h dim. et jours fériés.*

Aussi appelé elevador do Carmo, cet ascenseur néo-gothique a été construit au début du siècle par l'architecte français Raoul Mesnier du Ponsard, élève de Gustave Eiffel. C'est l'une des principales curiosités de la Baixa. En fer et orné de filigranes, cet ascenseur installé dans une tour relie la Baixa et le Bairro Alto, 32 m plus haut. C'est le moyen le plus pratique de rejoindre la partie haute de la ville. Deux jolies cabines ornées de lambris de bois et d'accessoires en laiton déposent les passagers sur une passerelle menant au largo do Carmo, non loin, et à l'igreja do Carmo, en ruine *(p. 92).*

Au sommet de la tour trône un café, desservi par un étroit escalier en colimaçon. L'endroit offre une vue superbe sur le Rossio, le plan en grille de la Baixa, la rive opposée avec le château, le fleuve et les ruines de l'église du Carmo, toute proche. L'incendie qui ravagea le quartier de Chiado en 1988 *(p. 92)* fut circonscrit tout près de l'ascenseur.

Le café du sommet de l'elevador de Santa Justa

Rua Augusta ❽

Plan 7 B4. *Rossio.* *2, 14, 36, entre autres routes.*

Cette rue piétonne animée au sol de mosaïque est bordée de boutiques et de cafés. C'est le principal axe touristique et l'une des rues les plus élégantes de la Baixa. Des artistes de rue s'y produisent. Le regard est attiré par le triomphal Arco da rua Augusta qui laisse entrevoir la statue équestre de José Ier sur la praça do Comércio. Conçu par Santos de Carvalho pour célébrer la reconstruction de la ville après le séisme *(p. 62-63),* l'arc ne fut achevé qu'en 1873.

Les autres grandes rues de la Baixa sont la rua da Prata (rue de l'Argent) et la rua Áurea, ou rua do Ouro (rue de l'Or). Ces grands axes bordés de magasins et de banques sont coupés par des rues plus petites, offrant de jolies vues sur le Bairro Alto à l'ouest et sur le quartier du Castelo de São Jorge *(p. 78-79)* à l'est. Les rues portent le nom des corporations de la ville ou de métaux précieux : on trouve des bijoutiers dans la rua da Prata et la rua do Ouro des chausseurs dans la rua dos Sapateiros et des banques dans la rua do Comércio.

Le site le plus insolite, au cœur de la Baixa, est un vestige des thermes romains, installés dans le Banco Comercial Português, dans la rua dos Correeiros. Les ruines et les mosaïques sont visibles depuis une vitrine, à l'arrière de la banque. On peut aussi les découvrir le jeudi, jour d'ouverture du « musée ».

Les passants rua Augusta, dans la Baixa

Nossa Senhora da Conceição Velha ❾

Rua da Alfândega. **Plan** 7 C4.
9, 46, 90. *18.* *8 h–13 h, 15 h–19 h t.l.j.* *août.*

Le portail manuélin sophistiqué de l'église est le seul élément qui ait survécu de Nossa Senhora da Misericórdia du XVIe siècle, qui se dressait ici avant le séisme de 1755. Il présente une profusion de détails manuélins : anges, bêtes, fleurs, sphères armillaires et croix de l'ordre du Christ *(p. 18-19)*. Dans le tympan, la Vierge protège de son manteau plusieurs personnages contemporains, comme le pape Léon X, Manuel Ier *(p. 46-47)* et sa sœur, la reine Leonor, veuve de João II. C'est elle qui fonda la Misericórdia (hospice) d'origine, sur l'ancien site d'une synagogue.

Détail du portail, N. S. Conceição Velha

Malheureusement, l'intense circulation de la rua da Alfândega et le parking installé juste devant l'église n'invitent pas à la contemplation du portail. L'intérieur sombre recèle un plafond en stuc peu commun. La deuxième chapelle sur la droite abrite une statue de Nossa Senhora do Restelo. Elle provient de la chapelle de Belém où les navigateurs priaient avant de s'embarquer vers l'Orient.

Praça do Comércio ❿

Plan 7 C5. *2, 14, 40, 46, entre autres routes.* *15, 18.*

Cette vaste place qui accueillit le palais royal pendant quatre siècles est aussi appelée *Terreiro do Paço* (place du Palais) par les Lisboètes. En 1511, Manuel Ier transféra la résidence royale du Castelo de São Jorge au bord du fleuve. Le premier palais, y compris sa bibliothèque et ses 70 000 volumes, fut détruit lors du séisme de 1755. Lors de la reconstruction de la ville, la place fut la pièce maîtresse du programme d'urbanisme. Le nouveau palais fut installé dans des bâtiments spacieux ornés d'arcades, sur trois côtés de la place. Après la révolution de 1910 *(p. 54-55)*, ils furent transformés en locaux administratifs et peints en rose républicain. Depuis, ils ont retrouvé leur couleur jaune royal.

Le côté sud, orné de deux tours carrées, donne sur le Tage. Cet endroit a toujours été l'accès le plus élégant de la ville : rois et ambassadeurs y accostaient et gravissaient les marches de marbre. Les visiteurs pourront admirer cette vue magnifique en prenant un ferry pour Cacilhas, sur la rive sud. Toutefois, aujourd'hui, une circulation intense défile sur l'avenida Infante Dom Henrique qui longe la rive. Au centre de la place se dresse la statue équestre du roi José Ier, créée en 1775 par Machado de Castro, le plus célèbre sculpteur portugais du XVIIIe siècle. Le cheval de bronze, qui piétine des serpents, valut à la place son troisième nom de « place du Cheval noir », que lui donnèrent les visiteurs et les marchands anglais. Au cours des années, le cheval s'est couvert d'une patine verte. L'imposant arc de triomphe, au nord de la place, donne sur la rua Augusta. C'est la porte d'entrée de la Baixa. L'arc est orné de statues de personnages historiques, comme Vasco da Gama *(p. 108)* et le marquês de Pombal *(p. 52-53)*. Non loin, à l'angle nord-est de la place, se trouve le plus vieux café de Lisbonne, le Martinho da Arcada, qui fut le lieu de rendez-vous des écrivains.

Les arcades ombragées au nord de la praça do Comércio

Le 1er février 1908, le roi Carlos et son fils Luís Filipe furent assassinés sur la place *(p. 55)*, qui fut le théâtre, en 1974, du premier soulèvement du Mouvement des Forces Armées, qui renversa le régime de Marcelo Caetano *(p. 57)*. Longtemps couverte par un grand parking, la place abrite aujourd'hui la poste principale, des ministères et des terrasses de cafés.

Du Tage, des marches de marbre montent jusqu'à la praça do Comércio

Bairro Alto et Estrela

Perché sur une colline, le Bairro Alto, qui fut aménagé selon un plan en grille à la fin du XVIe siècle, est un quartier très pittoresque. Initialement habité par de riches citoyens qui avaient quitté l'Alfama, devenu mal famé, il se dégrada petit à petit pour devenir au XIXe siècle un quartier de prostitution. Aujourd'hui, petits ateliers et *tascas* (restaurants familiaux bon marché) s'y côtoient. Le Chiado, un élégant quartier commerçant où les Lisboètes aisés vont faire leur shopping, est très différent du centre du Bairro. Au nord-est, le quartier de l'Estrela s'étend autour de jardins agréables et de la basilique couronnée d'un dôme. Au sud-ouest, le quartier de Lapa regroupe des ambassades et de belles demeures élégantes.

***Azulejos*, largo Rafael Bordalo Pinheiro, Bairro Alto**

Le quartier d'un coup d'œil

Musées et galeries
Museu do Chiado 5
Museu Nacional de Arte Antiga p. 96–99 11

Églises
Basílica da Estrela 13
Igreja do Carmo 2
São Roque 1

Bâtiments et quartiers historiques
Chiado 3
Palácio de São Bento 10
Solar do Vinho do Porto 7
Teatro Nacional de São Carlos 4

Marché
Mercado 24 de Julho 6

Jardins et belvédères
Jardim da Estrela 12
Miradouro de São Pedro de Alcântara 8
Praça do Príncipe Real 9

Comment y aller ?

On rejoint le quartier par l'elevador da Glória, depuis la praça dos Restauradores, ou celui de Santa Justa, depuis la Baixa. À pied, c'est plus raide. Une station de métro est prévue sur le largo do Chiado. Du Bairro Alto, les tramways 24 et 28 vont à Estrela et à Lapa.

Légende

- Le quartier pas à pas *p. 90–91*
- Station de métro
- Gare ferroviaire
- Funiculaire
- Embarquement des ferries
- Parc de stationnement
- Voie ferrée

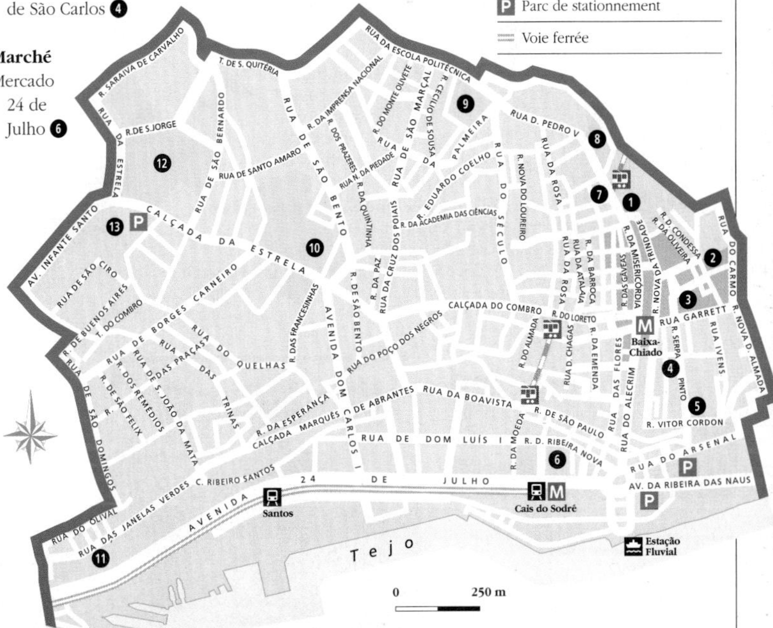

◁ **Décor Art nouveau du café A Brasileira dans le Chiado, fréquenté par les écrivains et les intellectuels**

Le Bairro Alto pas à pas

Le Bairro Alto (quartier haut) est un quartier fascinant aux rues pavées, aux façades écaillées et aux petites épiceries vendant des fruits et du vin. Autrefois voué à la prostitution et aux salles de jeu, le Bairro Alto est devenu une zone résidentielle agréable. Il est aujourd'hui renommé pour ses bars et ses *casas de fado* *(p. 66-67)*. Très différent, le Chiado, avec ses magasins élégants et ses cafés au charme désuet, s'étend de la praça Luís de Camões à la rua do Carmo et la Baixa. D'importants travaux de rénovation ont été entrepris depuis 1988, où un incendie *(p. 92)* a ravagé quantité de bâtiments.

Ange baroque, igreja do Carmo

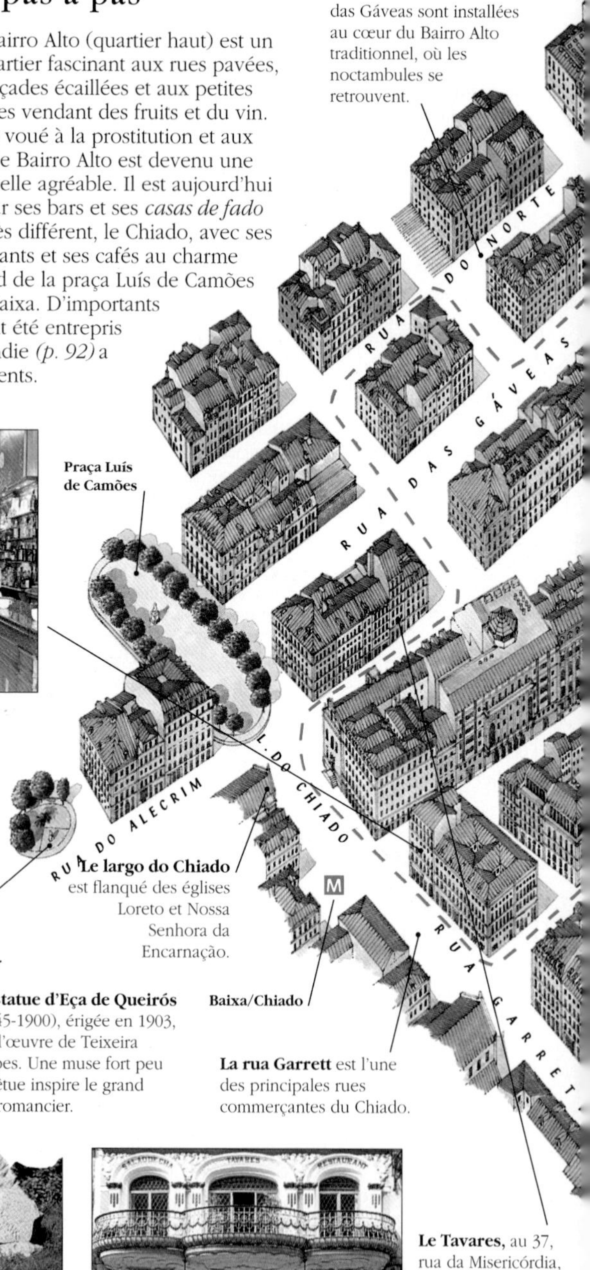

La rua do Norte et la rua das Gáveas sont installées au cœur du Bairro Alto traditionnel, où les noctambules se retrouvent.

Chiado

Le Chiado est un élégant quartier commerçant. Situé juste avant le largo do Chiado, le café A Brasileira, qui date des années 20, était fréquenté par Fernando Pessoa ❸

Praça Luís de Camões

Le largo do Chiado est flanqué des églises Loreto et Nossa Senhora da Encarnação.

Baixa/Chiado

La statue d'Eça de Queirós (1845-1900), érigée en 1903, est l'œuvre de Teixeira Lopes. Une muse fort peu vêtue inspire le grand romancier.

La rua Garrett est l'une des principales rues commerçantes du Chiado.

Le Tavares, au 37, rua da Misericórdia, a ouvert en 1784. Décoré vers 1900 de miroirs et de stucs sophistiqués, cet ancien café est aujourd'hui un restaurant élégant *(p. 405)*.

0 — 50 m

Légende

— — — Itinéraire conseillé

Elevador da Glória

Le Museu de Arte Sacra présente une collection d'objets liturgiques et illustre l'histoire des trésors de l'église São Roque, à côté.

Carte de situation
Atlas des rues, plan 7

La cervejaria Trindade est une brasserie et un restaurant connu, décoré d'*azulejos.*

★ São Roque
Des mosaïques et des pierres semi-précieuses ornent la capela de São Jorge, baroque, dans l'église du XVIe siècle ❶

Teatro da Trindade

Les carreaux de la façade de cette maison de 1864, largo Rafael Bordalo Pinheiro, représentent des allégories de la Science, de l'Agriculture, de l'Industrie et du Commerce.

★ Igreja do Carmo
Les arcs gracieux de cette église carmélite, qui fut jadis la plus grande de Lisbonne, résistèrent au séisme de 1755. Le chœur, qui est la seule partie intacte, abrite un musée archéologique ❷

Elevador de Santa Justa *(p. 86)*

Les magasins de la rua do Carmo sont petit à petit restaurés, après le terrible incendie de 1988 *(p. 92).*

À ne pas manquer

- **★ São Roque**
- **★ Igreja do Carmo**

Ruines de l'igreja do Carmo du XIVe siècle, vues de la Baixa

São Roque ❶

Largo Trindade Coelho. **Plan** 7 A3. *01-346 03 61.* *58, 100.* *28.* *8 h 30–17 h (jours fériés : 13 h) t.l.j.* **Museu de Arte Sacra** *10 h–17 h mar.–dim.* *jours fériés.*

La sobre façade de São Roque cache un intérieur remarquablement riche. L'église fut fondée à la fin du XVIe siècle par l'ordre des jésuites. En 1742, la chapelle de Saint-Jean-Baptiste (dernière sur la gauche) fut commandée par João V aux architectes italiens Luigi Vanvitelli et Nicola Salvi. Construite à Rome, elle fut ornée de lapis-lazuli, d'agate, d'albâtre, d'améthyste, de marbre précieux, d'or, d'argent et de mosaïques. Puis la chapelle fut bénie par le pape dans l'église Sant'Antonio dei Portoghesi à Rome, démontée et envoyée à Lisbonne par bateau.

Parmi les nombreux *azulejos* de l'église, les plus intéressants sont ceux de la troisième chapelle sur la droite, qui date du XVIe siècle et qui est dédiée à São Roque (saint Roch), qui protégeait de la peste. Admirez aussi le plafond en trompe-l'œil représentant une coupole et des scènes de l'Apocalypse, et la sacristie, avec son plafond à caissons et ses panneaux peints illustrant la vie de saint François Xavier, le missionnaire jésuite du XVIe siècle. Les trésors de la chapelle Saint-Jean, avec son devant d'autel en argent et en lapis-lazuli, sont présentés dans le **Museu de Arte Sacra.**

Détail d'*azulejos*, São Roque

Igreja do Carmo ❷

Largo do Carmo. **Plan** 7 B3. *01-346 04 73.* *28 et elevador Santa Justa.* *avr.–sept. : 10 h– 18 h mar.–dim. ; oct.–mars : 10 h–13 h, 14 h–17 h mar.–dim.* *jours fériés.*

Les ruines de l'église carmélite gothique qui domine la Baixa témoignent des ravages du séisme de 1755. Fondée à la fin du XIVe siècle par Nuno Álvares Pereira *(p. 183)*, le chef militaire qui devint membre de l'ordre des carmélites, l'église fut un temps la plus grande de Lisbonne. Aujourd'hui, la nef privée de toit est tout ce qu'il reste du bâtiment qui s'effondra sur la congrégation réunie pour la messe. Des rosiers grimpent sur les piliers, des pigeons ont élu domicile sur les arcs en ruine.

Le chœur, dont le toit a résisté au séisme, abrite un **Musée archéologique,** qui présente une petite collection hétéroclite réunissant statues, sarcophages, céramiques et mosaïques. Parmi les pièces les plus anciennes d'Europe, on trouve un vestige de pilier wisigoth et un tombeau romain sculpté, avec des reliefs représentant les Muses. Le musée recèle aussi des objets du Mexique et d'Amérique du Sud, notamment des momies.

Dehors, sur le largo do Carmo, la chafariz do Carmo, une fontaine du XVIIIe siècle due à Ângelo Belasco, est joliment ornée de quatre dauphins.

Chiado ❸

Plan 7 A4. *58.* *28.* *Chiado (en travaux).*

Les explications concernant l'origine du mot Chiado, utilisé depuis 1567, sont nombreuses. Il pourrait venir du grincement *(chiar)* des roues des charrettes ou du surnom donné au poète du XVIe siècle António Ribeiro, « O Chiado ». Cet ancien bastion des intellectuels compte

L'incendie du Chiado

Le 25 août 1988, un incendie se déclara dans la rua do Carmo, qui relie la Baixa au Bairro Alto. Les camions de pompiers ne pouvant accéder à cette rue piétonne, le feu s'étendit à la rua Garrett. Des magasins, des bureaux et de superbes bâtiments du XVIIIe siècle furent ravagés. La rua do Carmo fut la plus gravement touchée. Le programme de rénovation, qui s'efforce de préserver les façades d'origine, est dirigé par le grand architecte portugais Álvaro Siza Vieira.

Pompiers luttant contre le feu, rua do Carmo

L'orchestre et le balcon du Teatro Nacional de São Carlos

diverses statues d'écrivains. Celle du poète Fernando Pessoa est installée à une table devant le café A Brasileira. Cet établissement fondé dans les années 20 était le rendez-vous des intellectuels.

Le nom de Chiado est souvent utilisé pour désigner uniquement la rua Garrett, commerçante, qui doit son nom à l'écrivain João Almeida Garrett (1799-1854). Cette rue élégante, qui descend du largo do Chiado vers la Baixa, est connue pour ses cafés et ses librairies. Ravagé par l'incendie de 1988, le quartier est reconstruit dans un style différent. Les boutiques remplacent les cafés.

Largo do Chiado se dressent deux églises baroques : igreja do Loreto, côté nord, et Nossa Senhora da Encarnação, en face, dont les murs extérieurs sont en partie ornés d'*azulejos*.

Teatro Nacional de São Carlos ❹

Rua Serpa Pinto 9. **Plan** 7 A4. *01-346 84 08. 58. 28. Chiado (en travaux). représentations uniquement.*

Ce théâtre, qui remplace l'opéra ravagé par le séisme de 1755, fut construit entre 1792 et 1795 par José da Costa e Silva. Inspiré de la Scala de Milan et du San Carlo de Naples, l'édifice présente une façade bien proportionnée et un magnifique intérieur rococo. Toutefois, la vue de l'extérieur est gâchée par le parking installé sur la place devant le Teatro. La saison de l'opéra dure de septembre à juin, mais des concerts et des spectacles de ballet sont programmés toute l'année.

Museu do Chiado ❺

Rua Serpa Pinto 4. **Plan** 7 A5. *01-343 21 48. 58. 24, 28. Chiado (en travaux). 10 h–18 h mer.–dim., 14 h–18 h mar. 1er janv., Pâques, 1er mai, 25 déc.*

Le musée national d'Art contemporain, qui présente en réalité des toiles de 1850 à 1950, a changé de nom en 1994 et est parti s'installer dans un entrepôt joliment restauré. Les peintures et les sculptures illustrent l'évolution du romantisme au modernisme. La plupart des œuvres, dues à des artistes portugais, affichent souvent une influence étrangère très nette, particulièrement manifeste dans les paysages du XIXe siècle, dont les auteurs fréquentaient les artistes de l'école de Barbizon. Parmi les quelques œuvres étrangères, on remarquera des dessins de Rodin (1840-1917) et des sculptures françaises de la fin du XIXe siècle. Des expositions temporaires présentent les œuvres de « nouveaux artistes, de préférence inspirés par la collection permanente ».

Façade Art nouveau du célèbre café A Brasileira, Chiado

Marchand de légumes du Mercado 24 de Julho

Mercado 24 de Julho ❻

Avenida 24 de Julho. **Plan** 4 F3. *Cais do Sodré. 14, 32, 40. 15, 28. 3 h du matin–midi lun.–sam.*

Du matin au soir, cet édifice coiffé d'un dôme accueille un marché de victuailles et un marché aux fleurs. La halle regorge de cageots de fruits et légumes ainsi que de sacs de haricots et de noix. Les étals proposent fromages, viande, poisson frais et morue séchée. Aujourd'hui, la plupart des produits sont livrés en camion, mais à l'occasion on voit encore des marchands déchargeant des bateaux et transportant des cageots sur leur tête. Chez un poissonnier, un panneau d'*azulejos* moderne rappelle le temps où les *varinas*, les poissonnières *(p. 198)*, nu-pieds, vendaient la prise fraîche sur le quai.

Le matin, le café du marché est fréquenté par les marchands et par les noctambules.

La vaste sélection de portos du Solar do Vinho do Porto

Solar do Vinho do Porto ❼

Rua de São Pedro de Alcântara 45. **Plan** 4 F2. *01-347 57 07.* *58.* *28, elevador da Glória.* *10 h–23 h 45 lun.–ven., 11 h–22 h 45 sam.* *jours fériés.*

Le Solar do Vinho do Porto (solar signifie manoir ou demeure) est installé au rez-de-chaussée d'une demeure du XVIIIe siècle. L'édifice appartenait autrefois à l'architecte allemand Johann Friedrich Ludwig (Ludovice), qui construisit le monastère de Mafra *(p. 152)*. Semblable au Solar do Vinho do Porto installé à Porto *(p. 243)*, ce bar propose 6 000 variétés de porto, et notamment des millésimes rares remontant jusqu'à 1937. On peut y déguster environ 300 vins, allant du jeune porto ruby rouge au tawny plus léger en passant par les grands vins millésimés *(p. 228-229)*. Ces boissons, un peu chères il faut le dire, se dégustent au bar ou dans les fauteuils confortables de la salle à l'ambiance de club.

Miradouro de São Pedro de Alcântara ❽

Rua de São Pedro de Alcântara. **Plan** 7 A2. *58.* *28, elevador da Glória.*

Du belvédère *(miradouro)*, la vue sur l'est de Lisbonne, au-delà de la Baixa, est magnifique. Une carte en carreaux de faïence installée sur la balustrade permet de reconnaître les curiosités de la ville. La vue porte des remparts du Castelo de São Jorge *(p. 78-79)*, entouré d'arbres, au sud-est, jusqu'à l'igreja da Penha de França, du XVIIIe siècle, au nord-ouest. Le vaste complexe monastique de l'igreja da Graça *(p. 75)* se détache sur la colline et, au loin, on reconnaît São Vicente de Fora *(p. 73)*, dont les tours symétriques flanquent sa façade blanche.

Cette terrasse ombragée où sont disposés des bancs est une halte agréable pour se reposer après avoir gravi la calçada da Glória depuis la Baixa. Les visiteurs moins courageux emprunteront le funiculaire jaune, l'elevador da Glória, qui les déposera non loin.

Le monument du jardin, érigé en 1904, représente Eduardo Coelho (1835-1889), fondateur du journal *Diário de Notícias*, et un jeune livreur courant avec des exemplaires du journal. Les imprimeries modernes ont déserté le quartier au profit de locaux plus spacieux, à l'ouest de la ville.

La vue est magnifique au coucher du soleil et la nuit, lorsque le château est illuminé. La terrasse devient un lieu de rendez-vous animé pour les jeunes Lisboètes.

Praça do Príncipe Real ❾

Plan 4 F1. *58, 100.*

Joueurs de cartes sur la praça do Príncipe Real

Aménagée en 1860 comme une zone résidentielle élégante, la place a toujours fière allure. De belles demeures entourent un parc très agréable avec un café en terrasse, des statues et des arbres magnifiques. Les branches d'un immense cyprès ont été palissées sur une grille, créant un vaste espace d'ombre où l'on vient jouer aux cartes. Au n° 26 de la grande place se dresse un bel édifice néo-mauresques rose et blanc, orné de dômes et de pinacles, qui appartient à l'université de Lisbonne.

Vue sur la ville et le Castelo de São Jorge, depuis le miradouro de São Pedro de Alcântara

Kiosque à musique en fer forgé, jardim da Estrela

Palácio de São Bento ⑩

Rua de São Bento. **Plan** 4 E2. *01-396 01 41.* *6, 49.* *sur r.-v.*

Aussi appelé palácio da Assembleia Nacional, cet immense bâtiment blanc néo-classique est le siège du Parlement portugais. L'édifice construit au XVIe siècle abrita d'abord le monastère bénédictin de São Bento. Après la dissolution des ordres religieux, en 1834, il devint le siège du Parlement, le palácio das Cortes. L'intérieur est grandiose, avec des piliers en marbre et des statues néo-classiques.

Museu Nacional de Arte Antiga ⑪

Voir p. 96–99.

Jardim da Estrela ⑫

Praça da Estrela. **Plan** 4 D2. *9, 20, 22, 38.* *25, 28.*

Aménagé au XIXe siècle, en face de la basílica da Estrela, ce jardin très apprécié est l'une des attractions du quartier. Le week-end, les familles flânent entre les parterres de fleurs, les arbustes et les arbres, donnent à manger aux canards et aux carpes du lac, ou paressent dans les cafés au bord de l'eau. Les jardins tirés au cordeau sont agrémentés de plates-bandes et d'arbustes entourant des platanes et des ormes. L'attraction principale du parc est un kiosque à musique vert en fer forgé, où des musiciens se produisent en été. Construit en 1884, il se dressait à l'origine sur le Passeio Público, avant la création de l'avenida da Liberdade *(p. 84)*.

Le cimetière anglais, au nord du jardin, est la dernière demeure d'Henry Fielding (1707-1754), romancier et dramaturge qui mourut à Lisbonne. *Le Journal d'un voyage à Lisbonne,* publié à titre posthume en 1775, raconte son dernier voyage entrepris dans une vaine tentative de recouvrer la santé.

Basílica da Estrela ⑬

Praça da Estrela. **Plan** 4 D2. *01-396 09 15.* *9, 20, 22, 38.* *25, 28.* *7 h 30–13 h, 15 h–20 h t.l.j.*

Tombeau de la pieuse Maria Ire dans la basílica da Estrela

Au XVIIIe siècle, Maria Ire *(p. 165),* la fille de José Ier, fit le vœu de bâtir une église si elle avait un fils, qui serait héritier du trône. Son souhait fut exaucé et la construction de la basilique fut entamée en 1779. Toutefois, son fils José mourut de la variole en 1790, avant l'achèvement de l'église. Cette version simplifiée de la basilique de Mafra *(p. 152)* fut construite par des architectes de l'école de Mafra en style baroque tardif et néo-classique. La façade est flanquée de deux tours jumelles et décorée de statues de saints et de figures allégoriques. Installée sur une colline à l'ouest de la ville, la basilique est l'un des symboles de Lisbonne.

L'intérieur spacieux, inondé de la lumière tombant de la coupole, est orné de marbre gris, rose et jaune. Le tombeau sophistiqué de la reine Maria Ire, qui mourut au Brésil, se trouve dans le transept de droite. L'extraordinaire crèche de Machado de Castro, composée de plus de 500 personnages en liège et en terre cuite, est enfermée dans une salle voisine (pour la voir, demander au sacristain).

Façade néo-classique et escalier du palácio de São Bento

Museu Nacional de Arte Antiga ⓫

Sculpture de saint Georges, XVe siècle

Le musée national d'Art ancien est installé dans un palais du XVIIe siècle, construit pour les comtes d'Alvor. En 1770, le marquês de Pombal fit l'acquisition du bâtiment, qui resta la propriété de sa famille durant plus d'un siècle. Inauguré en 1884, le musée est aussi familièrement appelé par les Lisboètes Casa das Janelas Verdes, en raison des fenêtres vertes du palais. En 1940, une annexe moderne a été ajoutée. Le bâtiment a été construit sur le site du monastère carmélite Saint-Albert, détruit lors du séisme de 1755 (p. 62-63). Le seul élément ayant survécu est la chapelle, qui a été intégrée au musée.

★ Saint Jérôme en prière
Ce portrait magistral, réalisé par un Albrecht Dürer âgé, représente l'un des principaux thèmes de l'humanisme, la nature éphémère de l'homme (1521).

SUIVEZ LE GUIDE !

Le rez-de-chaussée présente la peinture européenne du XIVe au XIXe siècle, les arts décoratifs et le mobilier. Au premier étage, on trouve les arts africain et oriental, les céramiques chinoises et portugaises, l'or, l'argent et les bijoux, et au niveau supérieur la peinture et la sculpture portugaises.

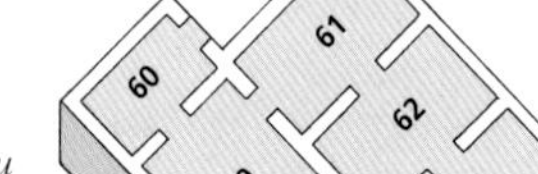

***La Tentation de saint Antoine,* Hieronymus Bosch**

***Saint Augustin,* Piero della Francesca**

Vierge à l'Enfant et saints
La Sacra Conversazione *(1519), une composition équilibrée de Hans Holbein l'Ancien, se déroule dans un cadre Renaissance majestueux, où des saints en habits contemporains détaillés cousent et lisent.*

Jésus voilé
Peint à la fin du XVe siècle par un artiste de l'école portugaise, Jésus accusé est représenté le voile abaissé sur les yeux. Il affiche une expression de calme et de dignité, malgré la couronne d'épines, la corde et les taches de sang.

LÉGENDE DU PLAN

- Art européen
- Peinture et sculpture portugaises
- Céramiques portugaises et chinoises
- Art oriental et africain
- Or, argent et bijoux
- Arts décoratifs
- Chapelle Saint-Albert
- Expositions temporaires
- Circulations et services

À NE PAS MANQUER

- ★ St Jérôme de Dürer
- ★ Paravents namban
- ★ Adoration de saint Vincent de Gonçalves

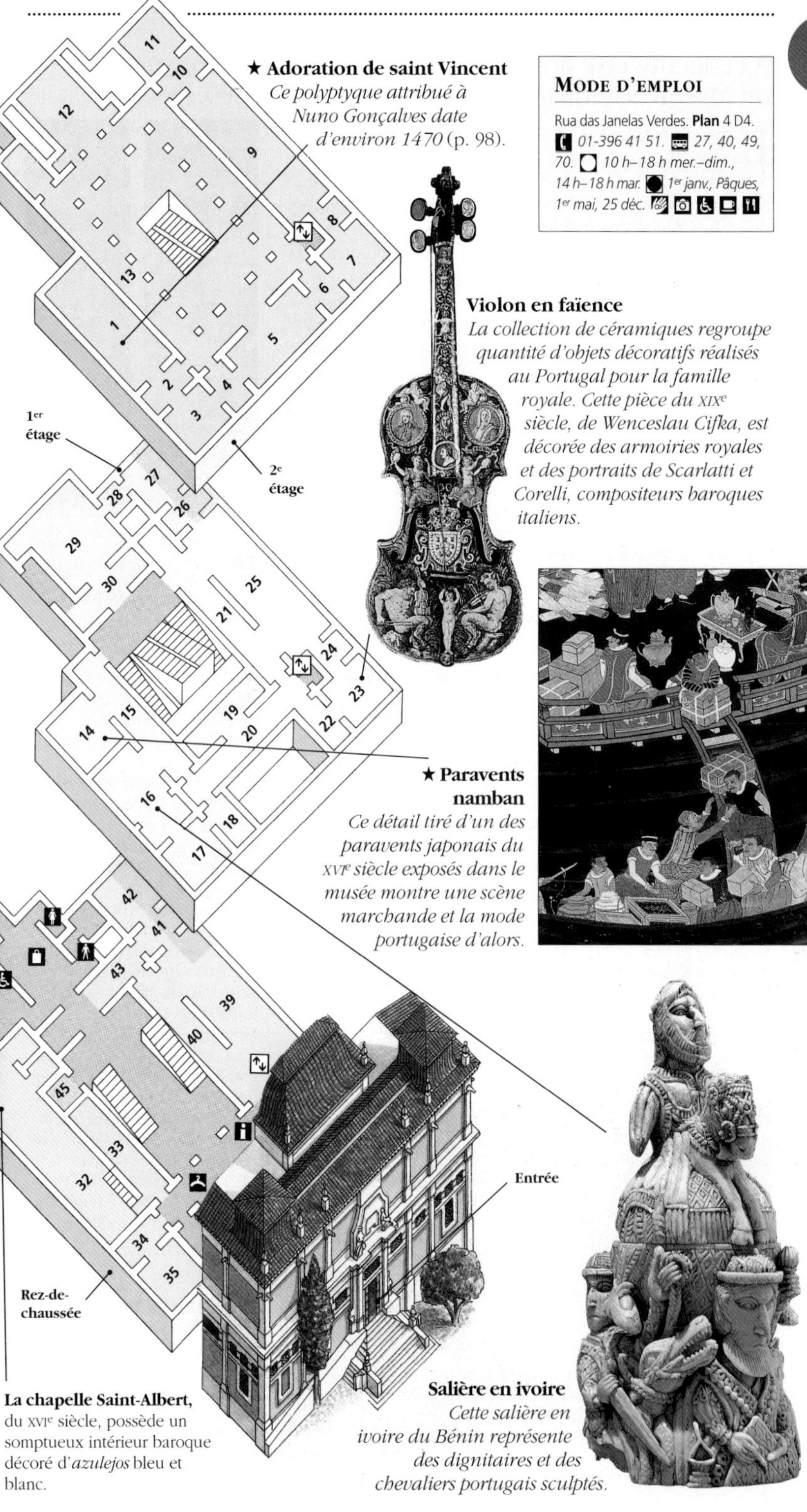

★ Adoration de saint Vincent
Ce polyptyque attribué à Nuno Gonçalves date d'environ 1470 (p. 98).

Mode d'emploi

Rua das Janelas Verdes. **Plan** 4 D4. *01-396 41 51.* *27, 40, 49, 70.* *10 h–18 h mer.–dim., 14 h–18 h mar.* *1er janv., Pâques, 1er mai, 25 déc.*

Violon en faïence
La collection de céramiques regroupe quantité d'objets décoratifs réalisés au Portugal pour la famille royale. Cette pièce du XIXe siècle, de Wenceslau Cifka, est décorée des armoiries royales et des portraits de Scarlatti et Corelli, compositeurs baroques italiens.

★ Paravents namban
Ce détail tiré d'un des paravents japonais du XVIe siècle exposés dans le musée montre une scène marchande et la mode portugaise d'alors.

La chapelle Saint-Albert, du XVIe siècle, possède un somptueux intérieur baroque décoré d'*azulejos* bleu et blanc.

Salière en ivoire
Cette salière en ivoire du Bénin représente des dignitaires et des chevaliers portugais sculptés.

À la découverte des collections du Museu Nacional de Arte Antiga

Le musée national d'Art ancien possède la plus grande collection de peinture du Portugal. Son point fort réside dans les œuvres religieuses de primitifs portugais, pour la plupart provenant de la confiscation des biens des couvents et des monastères en 1834. Il présente aussi de la sculpture, de l'argenterie, de la porcelaine et des arts appliqués, offrant un panorama de l'art portugais du Moyen Âge au XIXe siècle. À cela viennent s'ajouter des œuvres d'Europe et d'Orient. Omniprésent, le thème des Découvertes illustre les liens du Portugal avec le Brésil, l'Afrique, l'Inde, la Chine et le Japon.

Art européen

Les peintures d'artistes européens du XIVe au XIXe siècle sont disposées chronologiquement au rez-de-chaussée. Contrairement à l'art portugais, la plupart de ces toiles sont issues de collections privées, ce qui explique leur grande diversité. Les premières salles, consacrées au XIVe et au XVe siècle, illustrent la transition du gothique médiéval à l'esthétique de la Renaissance.

Les peintres les mieux représentés sont les artistes allemands et flamands du XVIe siècle, avec le *Saint Jérôme* en prière d'Albrecht Dürer (1471-1528), la *Salomé* de Lucas Cranach l'Ancien (1472-1553), la *Vierge à l'Enfant* de Hans Memling (v. 1430-1494) et la *Tentation de saint Antoine* du grand maître fantastique flamand Hieronymus Bosch (1450-1516). Parmi la petite collection italienne, le *Saint Augustin* de Piero della Francesca (v. 1420-1492) et un panneau d'autel de Raphaël (1483-1520) représentant la Résurrection sont remarquables. Quelques peintres portugais, comme Josefa de Óbidos *(p. 51)* et Gregório Lopes (1490-1550), sont présentés avec les écoles étrangères.

Peinture et sculpture portugaises

Les œuvres les plus anciennes sont pour la plupart dues aux primitifs portugais, influencés par le réalisme et l'amour du détail des artistes flamands. Au XVe et au XVIe siècle, plusieurs peintres d'origine flamande, comme Frey Carlos d'Évora, ont installé des ateliers au Portugal.

La pièce maîtresse du musée est le polyptyque de São Vicente de Fora, chef-d'œuvre de la peinture portugaise du XVe siècle. Peint environ entre 1467 et 1470, et attribué à Nuno Gonçalves, le retable représente l'*Adoration de saint Vincent,* saint patron du Portugal, entouré de dignitaires, de moines et de chevaliers, ainsi que de pêcheurs et de mendiants. La précision des portraits des personnages en fait un témoignage historique et sociologique d'une valeur inestimable.

Parmi les œuvres plus tardives, on trouve un portrait du XVIe siècle du jeune Dom Sebastião *(p. 46-47)* de Cristóvão de Morais et des toiles du peintre néo-classique Domingos A. de Sequeira.

La collection de sculptures comprend quantité de statues gothiques en bois et en pierre polychromes du Christ, de la Vierge et de saints. On trouve aussi des statues du XVIIe siècle et une crèche de Machado de Castro, du XVIIIe siècle, dans la chapelle Saint-Albert.

Panneau central de la *Tentation de saint Antoine,* de Hieronymus Bosch

L'Adoration de saint Vincent

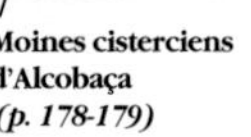

Moines cisterciens d'Alcobaça *(p. 178-179)*

Moine

Pêcheur

Céramiques portugaises et chinoises

La vaste collection retrace l'évolution de la porcelaine chinoise et de la faïence portugaise, et illustre l'influence orientale sur des objets portugais, et vice-versa.

À compter du XVIe siècle, les céramiques portugaises révèlent une nette influence Ming, et les pièces chinoises affichent des motifs portugais. Au milieu du XVIIIe siècle, certains potiers développent un style européen de plus en plus spécifique, avec des motifs rustiques et populaires. La collection comprend aussi :des céramiques italiennes, espagnoles et néerlandaises.

Vase de Chine du XVIe siècle

Arts africain et oriental

Les ivoires et les meubles aux motifs européens illustrent aussi l'influence entre le Portugal et ses colonies. Au XVIe siècle, l'engouement pour l'exotisme suscita une forte demande en objets tels que des cors de chasse sculptés en ivoire d'Afrique. Les fascinants paravents namban du XVIe siècle représentent les Portugais commerçant au Japon. Les Japonais appelaient les Portugais *namban-jin* (barbares venus du Sud).

Or, argent et bijoux

La superbe collection d'objets liturgiques comprend la croix en or de Sancho Ier (1214), l'ostensoir de Belém (1505) *(p. 20)* et aussi le reliquaire de la Madre de Deus du XVIe siècle qui abriterait une épine de la couronne du Christ. La pièce maîtresse de la collection étrangère est un ensemble d'argenterie du XVIIIe siècle, commandé par José Ier à l'atelier parisien de Thomas Germain et composé de 1 200 pièces, avec des soupières, des saucières et des salières finement décorées. La collection de bijoux réunit des objets donnés aux couvents par les membres de la noblesse et de la bourgeoisie entrant dans les ordres.

Arts appliqués

La collection réunit meubles, tapisseries, tissus, habits sacerdotaux et mitres d'évêques. Les nombreux meubles des règnes de João V, de José et de Maria Ire illustrent l'évolution du baroque au néo-classique. Parmi les meubles étrangers, les créations françaises du XVIIIe siècle sont remarquables.

On verra aussi des couvre-lits du XVIIe siècle, des tapisseries, dont de nombreuses pièces flamandes, comme le *Baptême du Christ* (XVIe siècle), des tapis brodés et des tapis d'Arraiolos *(p. 301)* .

Reliquaire en or incrusté de pierres précieuses (v. 1502)

BELÉM

Installé à l'embouchure du Tage, là où les caravelles partaient pour les découvertes, Belém est inextricablement lié à l'âge d'or du Portugal *(p. 46-49)*. Lorsque Manuel Ier arriva au pouvoir, en 1495, il récolta les fruits de l'incroyable ère d'expansion, bâtissant des monuments et des églises grandioses qui reflétaient l'état d'esprit prévalant alors. Deux des plus beaux exemples d'architecture manuéline, exubérante et exotique *(p. 20-21)*, sont le Mosteiro dos Jerónimos et la Torre de Belém.

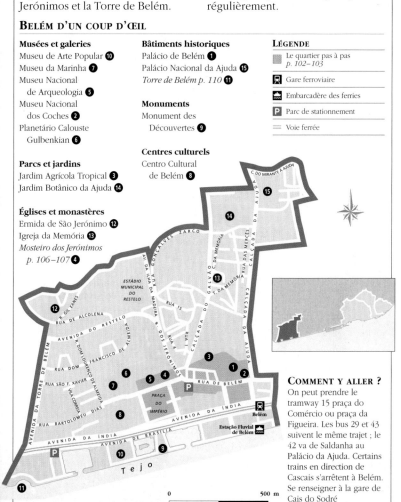

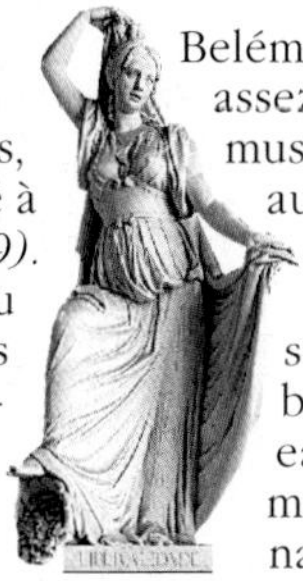

La Générosité, à l'entrée du Palácio da Ajuda

Belém est un faubourg spacieux et assez vert, avec une multitude de musées, de parcs et de jardins, et aussi un rivage agréable, avec des cafés et une promenade, où il règne, par temps ensoleillé, une atmosphère de bord de mer. Avant que les eaux du Tage ne baissent, le monastère des Jerónimos donnait sur le fleuve. Aujourd'hui, la bruyante avenida da Índia sépare le centre de Belém des rives pittoresques du Tage, et des wagons jaunes et argent passent régulièrement.

BELÉM D'UN COUP D'ŒIL

Musées et galeries
Museu de Arte Popular 10
Museu da Marinha 7
Museu Nacional de Arqueologia 5
Museu Nacional dos Coches 2
Planetário Calouste Gulbenkian 6

Parcs et jardins
Jardim Agrícola Tropical 3
Jardim Botânico da Ajuda 14

Églises et monastères
Ermida de São Jerónimo 12
Igreja da Memória 13
Mosteiro dos Jerónimos p. 106–107 4

Bâtiments historiques
Palácio de Belém 1
Palácio Nacional da Ajuda 15
Torre de Belém p. 110 11

Monuments
Monument des Découvertes 9

Centres culturels
Centro Cultural de Belém 8

LÉGENDE
- Le quartier pas à pas *p. 102–103*
- Gare ferroviaire
- Embarcadère des ferries
- Parc de stationnement
- Voie ferrée

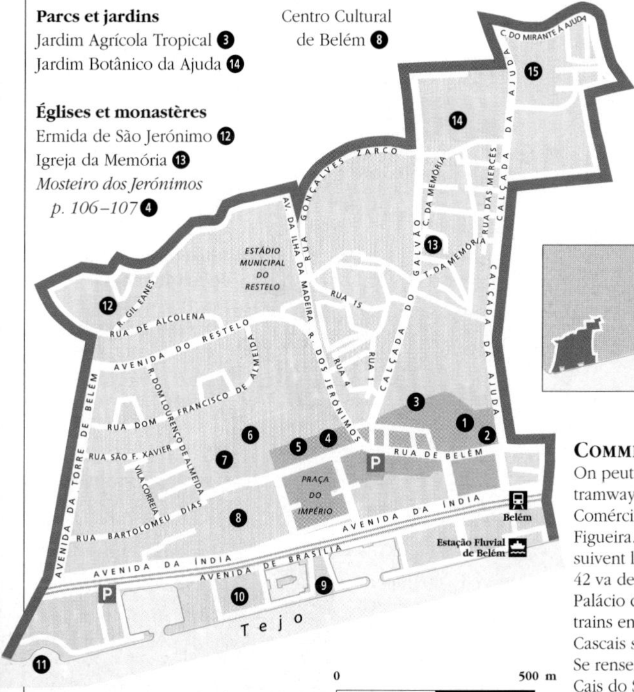

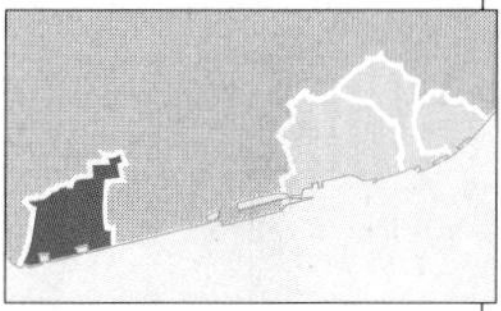

0 500 m

COMMENT Y ALLER ?
On peut prendre le tramway 15 praça do Comércio ou praça da Figueira. Les bus 29 et 43 suivent le même trajet ; le 42 va de Saldanha au Palácio da Ajuda. Certains trains en direction de Cascais s'arrêtent à Belém. Se renseigner à la gare de Cais do Sodré

Belém pas à pas

Caravelle de pierre, Jerónimos

La gloire maritime d'antan du Portugal est manifeste dans tout Belém. Elle transparaît notamment à travers des édifices exubérants comme le mosteiro dos Jerónimos. Lorsque Salazar *(p. 56)* tenta de rendre présent aux esprits l'âge d'or du Portugal, il fit remanier le quartier du rivage, qui s'était envasé depuis le temps des caravelles, pour célébrer la gloire passée du pays. La praça do Império fut aménagée pour accueillir l'Exposition du monde portugais, en 1940, et la praça Afonso de Albuquerque fut dédiée au premier vice-roi des Indes. Le palácio de Belém, doté d'un jardin et d'un manège par João V au XVIIIe siècle, fut brièvement la résidence de la famille royale, après le séisme de 1755.

★ Mosteiro dos Jerónimos
Le cloître manuélin du monastère est orné d'arcades voûtées et de colonnes richement sculptées de feuilles, d'animaux exotiques et d'instruments de navigation ❹

LARGO DOS JERÓNIMOS

PRAÇA DO IMPÉRIO

Museu Nacional de Arqueologia
Les trouvailles archéologiques exposées proviennent de tout le pays ; magnifique collection d'orfèvrerie ❺

Torre de Belém *(p. 110)*

À NE PAS MANQUER

★ **Mosteiro dos Jerónimos**

★ **Museu Nacional dos Coches**

LÉGENDE

— — — Itinéraire conseillé

La praça do Império, place qui s'étend devant le monastère, est illuminée, dans les grandes occasions, par un jeu de lumières colorées.

La rua Vieira Portuense longe un petit parc. Ses maisons colorées du XVIe et du XVIIIe siècle contrastent avec les édifices imposants de Belém.

Jardim Agrícola Tropical
Des plantes et des arbres exotiques des anciennes colonies poussent dans ce jardin paisible, qui faisait partie du palácio de Belém ❸

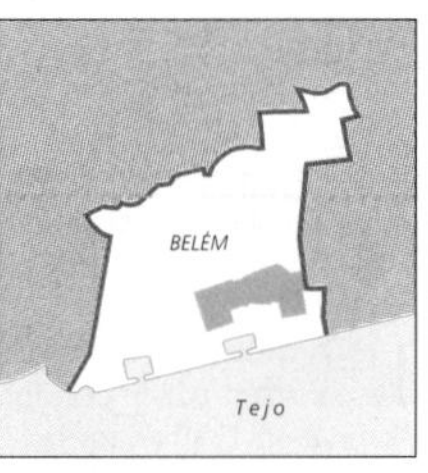

CARTE DE SITUATION
Atlas des rues, plans 1 et 2

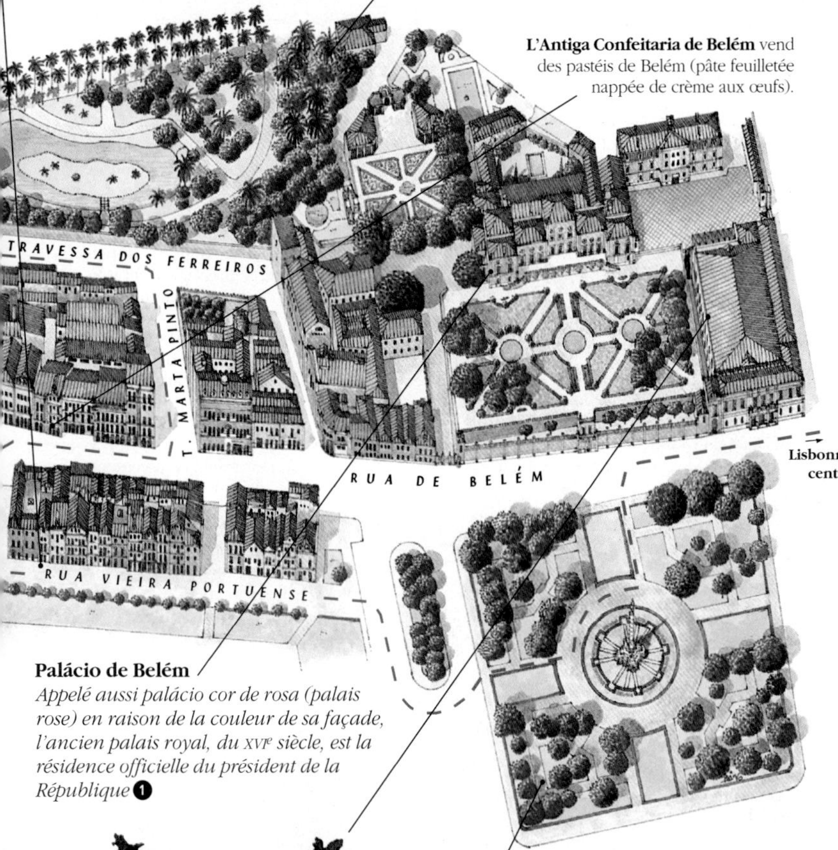

L'Antiga Confeitaria de Belém vend des pastéis de Belém (pâte feuilletée nappée de crème aux œufs).

TRAVESSA DOS FERREIROS
T. MARTA PINTO
RUA DE BELÉM
RUA VIEIRA PORTUENSE
Lisbonne centre

Palácio de Belém
Appelé aussi palácio cor de rosa (palais rose) en raison de la couleur de sa façade, l'ancien palais royal, du XVIe siècle, est la résidence officielle du président de la République ❶

0 50 m

★ **Museu Nacional dos Coches**
Ce carrosse du XVIIIe siècle utilisé par l'ambassadeur auprès du pape Clément XI fait partie de la collection ❷

La praça Afonso de Albuquerque doit son nom au premier vice-roi des Indes, dont la statue est installée sur une colonne néo-manuéline à la base ornée de scènes sculptées.

Palácio de Belém ❶

Praça Afonso de Albuquerque. **Plan** 1 C4. *01-363 71 41.* *14, 28, 43, 49.* *15.* *Belém.* *3e dim. du mois (matin).*

Les jardins de ce palais d'été, construit par le conde de Aveiras en 1559 avant la baisse des eaux du Tage, bordaient autrefois le fleuve. Au XVIIIe siècle, le palais fut acheté par João V, à qui l'or du Brésil *(p. 52-53)* avait apporté une richesse considérable. Il modifia entièrement le palais, ajoutant un manège et rendant l'intérieur luxueux à souhait pour accueillir ses conquêtes amoureuses.

Le roi José Ier et sa famille avaient élu résidence ici lors du séisme de 1755 *(p. 62-63)*, ce qui leur valut de survivre à la catastrophe. Mais la famille royale, redoutant de nouvelles secousses, s'installa provisoirement dans des tentes sur le domaine du palais. Aujourd'hui, l'élégant bâtiment rose est la résidence officielle du président de la République.

Façade rose du palácio de Belém, la résidence du président de la République

Museu Nacional dos Coches ❷

Praça Afonso de Albuquerque. **Plan** 2 D4. *01-363 80 22.* *14, 28, 43, 49.* *15.* *Belém.* *10 h–18 h mar.–dim.* *1er janv., Pâques, 1er mai, 25 déc.* *r.-de-c.uniquement.*

La collection du musée des Carrosses est sans conteste la plus riche d'Europe. Elle est située dans l'aile est du palácio de Belém, où se trouvait autrefois le manège construit par l'architecte italien Giacomo Azzolini, en 1726. De la galerie supérieure, la famille royale regardait évoluer ses superbes chevaux lusitaniens *(p. 296)*. En 1905, le manège fut transformé en musée par l'épouse du roi Carlos, Dona Amélia.

Les carrosses portugais, italiens, français, autrichiens et espagnols couvrent trois siècles et vont du plus simple au plus ostentatoire. La galerie principale, de style Louis XVI, qui possède de superbes plafonds peints, abrite deux rangées de carrosses.

La collection commence avec un carrosse en bois et en cuir rouge relativement sobre, du XVIIe siècle, qui appartenait à Philippe II d'Espagne *(p. 50-51)*. Puis les véhicules deviennent de plus en exubérants. L'intérieur est orné de velours rouge et d'or, et l'extérieur est richement sculpté et décoré d'allégories et d'armoiries royales. La présentation s'achève avec trois gigantesques carrosses baroques, fabriqués à Rome pour l'ambassadeur portugais au Vatican, le marquês d'Abrantes. Monuments de faste et d'extravagance, mais pas forcément de confort, ces véhicules de cinq tonnes sont agrémentés d'un intérieur en peluche et de grandes statues dorées.

La galerie voisine présente d'autres voitures royales, y compris des cabriolets à deux roues, des landaus et autres voitures tirées par des poneys et utilisés par les jeunes membres de la famille royale. Il y a aussi un

Arrière du carrosse construit (1716) pour le marquês d'Abrantes, ambassadeur portugais auprès de Clément XI

taxi lisboète du XIXe siècle, peint en noir et vert. Un cabriolet du XVIIIe siècle, dont la capote de cuir noir est percée de fenêtres sinistres, a été fabriqué sous Pombal *(p. 52-53)*, où la sobriété était de mise. La galerie supérieure présente des harnais, des costumes et des portraits de membres de la famille royale.

Jardim Agrícola Tropical ❸

Calçada do Galvão. **Plan** 1 C4. *01-362 02 10.* *27, 28, 43, 51.* *15.* *10 h–17 h mar.–dim.* *jours fériés.* **Museu Tropical** *sur r.-v.*

Aussi appelé jardim do Ultramar, ce parc paisible agrémenté de mares et peuplé d'oiseaux aquatiques et de paons attire peu de visiteurs. Aménagé au début du siècle comme centre de recherche de l'Institut de Sciences Tropicales, il tient davantage de l'arboretum que du jardin d'agrément. Il est planté de végétaux tropicaux et subtropicaux rares, dont de nombreuses espèces menacées. On notera des dragonniers, originaires des îles Canaries et de Madère, des araucarias d'Amérique du Sud et de grands palmiers bordant une allée. Le jardin oriental, avec ses cours d'eau, ses ponts et ses hibiscus, est dominé par un immense portail de style chinois qui représenta Macao lors de l'Exposition du monde portugais de 1940 *(p. 102)*.

Les locaux consacrés à la recherche et le Museu Tropical sont installés dans le palácio dos condes da Calheta, du XVIIIe siècle, dont l'intérieur est rehaussé d'*azulejos*. Le musée abrite 50 000 plantes séchées et 2 414 variétés de bois.

Mosteiro dos Jerónimos ❹

Voir p. 106–107.

Palmiers du Jardim Agrícola Tropical

Museu Nacional de Arqueologia ❺

Praça do Império. **Plan** 1 B4. *01-362 00 00.* *28, 43, 49, 51.* *15.* *10 h–18 h mer.–dim., 14 h–18 h mar.* *1er janv., Pâques, 1er mai, 25 déc.*

La longue aile ouest du mosteiro dos Jerónimos *(p. 106-107)* accueille un musée depuis 1893.

Reconstruit au milieu du XIXe siècle, l'édifice est une pâle imitation de l'original manuélin. Le musée contient le principal centre de recherche archéologique du pays et des trouvailles de toutes les régions, comme un bracelet en or de l'âge du fer trouvé à Grândola dans l'Alentejo, des bijoux wisigoths de Beja *(p. 311)*, des ornements romains et des objets maures du début du VIIIe siècle. Le département égyptien et gréco-romain, très riche en art funéraire, possède notamment des figurines, des pierres tombales, des masques et des amulettes en terre cuite. La salle des Trésors, faiblement éclairée, présente une superbe collection de pièces, colliers, bracelets et autres bijoux datant de 1800 à 500 av. J.-C., qui manque toutefois d'explications. Certaines salles sont consacrées à des expositions temporaires et une partie de la collection permanente reste dans les réserves.

Boucle wisigothique, Museu de Arqueologia

Planetário Calouste Gulbenkian ❻

Praça do Império. **Plan** 1 B4. *01-362 00 02.* *28, 43, 49, 51.* *15.* *spectacles : 16 h et 17 h sam. et dim. (vacances scolaires : 11 h, 15 h et 16 h 15 mer. et jeu.). Spectacles spéciaux pour les enfants : 11 h dim.* *jours fériés.*

Le planétarium est installé dans un bâtiment moderne de 1965, qui contraste avec le monastère des Jerónimos voisin. L'intérieur reconstitue un ciel étoilé et dévoile les mystères du cosmos. Des présentations en portugais, en français et en anglais expliquent le mouvement des étoiles et le système solaire. Des conférences se tiennent aussi sur des thèmes plus spécialisés, comme les constellations ou l'étoile.

Le dôme du Planetário Calouste Gulbenkian

Mosteiro dos Jerónimos ❹

Sphère armillaire du cloître

Monument glorifiant la richesse de l'âge des Découvertes *(p. 48-49)*, le monastère est le fleuron de l'architecture manuéline *(p. 20-21)*. Commandé par Manuel Ier en 1501, peu de temps après le retour de Vasco da Gama de son voyage historique, il fut largement financé par « l'argent du poivre », les bénéfices du commerce des épices. Parmi les grands bâtisseurs de l'édifice, le plus célèbre est sans doute Diogo Boytac, remplacé en 1516 par João de Castilho. Le monastère fut confié à l'ordre de Saint-Jérôme (Hiéronymites) jusqu'à l'interdiction de tous les ordres religieux en 1834.

Tombeau de Vasco da Gama
Sa tombe (p. 108), *du* XIX*e siècle, est sculptée de cordages, de sphères armillaires et autres objets marins.*

Réfectoire
*Les murs du réfectoire sont tapissés d'*azulejos *du* XVIII*e siècle. Le panneau de l'extrémité nord représente le* Repas de cinq mille.

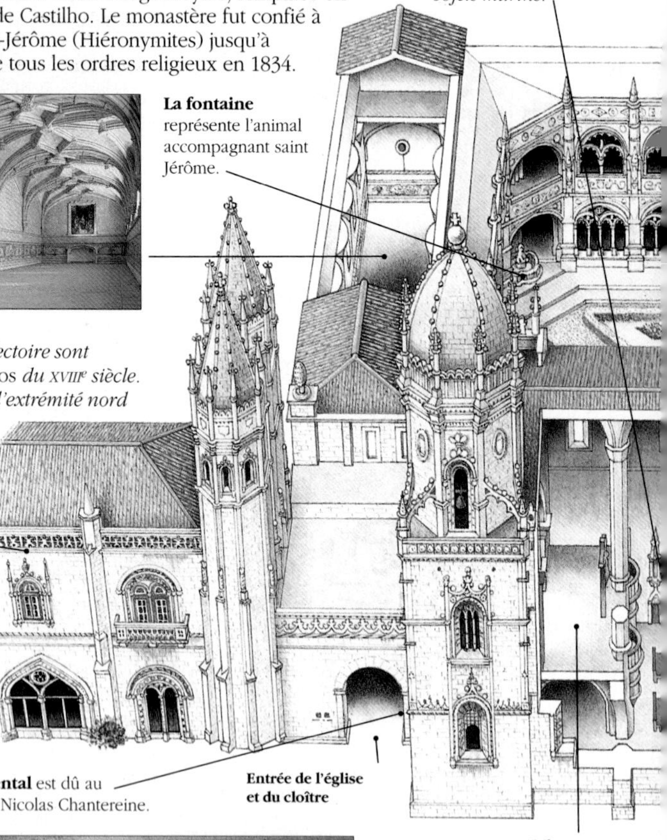

La fontaine représente l'animal accompagnant saint Jérôme.

L'aile moderne, de style néo-manuélin, abrite le Museu Nacional de Arqueologia *(p. 105)*.

Le portail occidental est dû au sculpteur français Nicolas Chantereine.

Entrée de l'église et du cloître

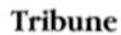

Tribune

Vue du monastère
Cette scène peinte par Felipe Lobo représente des femmes autour d'une fontaine, en face de l'édifice.

À NE PAS MANQUER

- ★ **Portail sud**
- ★ **Cloître**

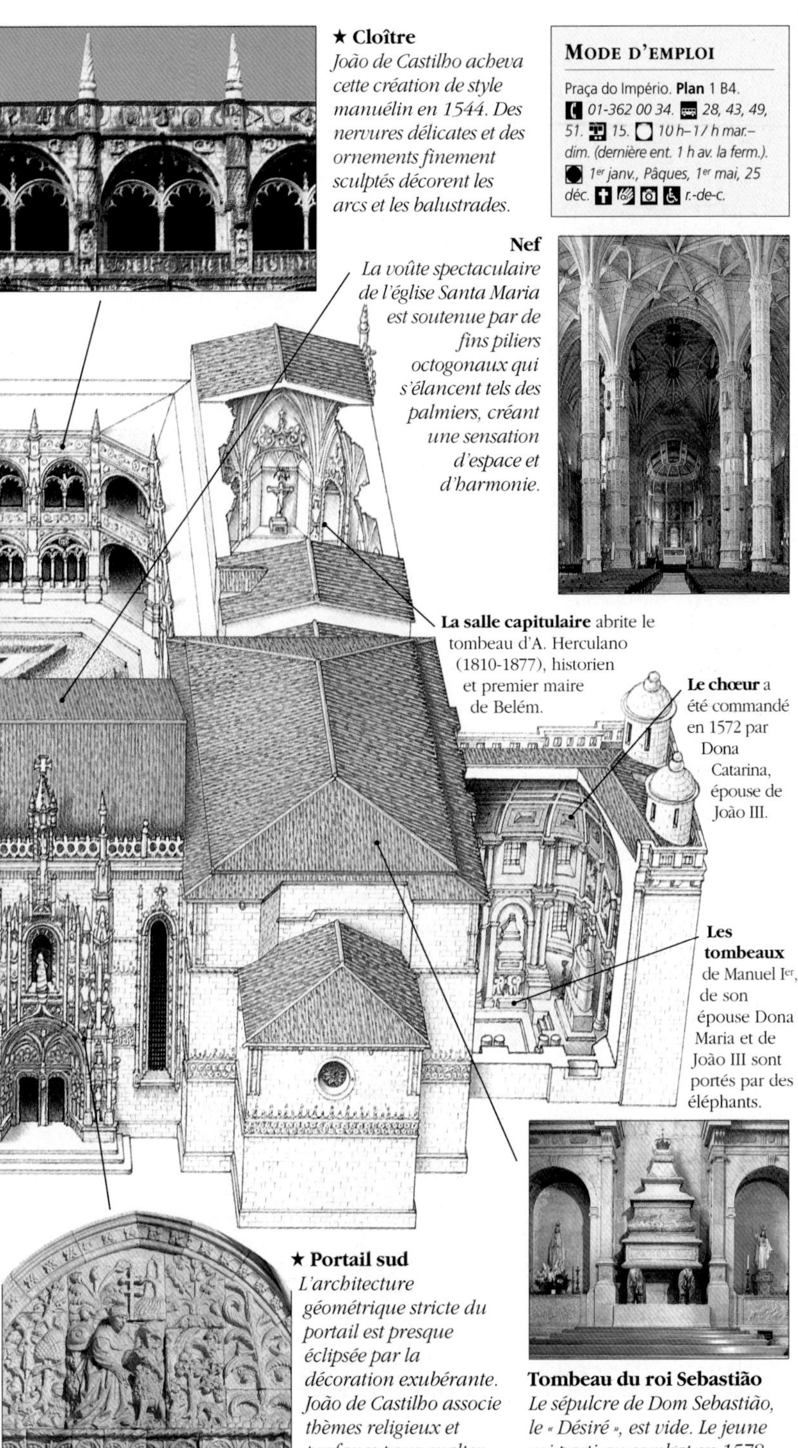

★ Cloître
João de Castilho acheva cette création de style manuélin en 1544. Des nervures délicates et des ornements finement sculptés décorent les arcs et les balustrades.

Mode d'emploi

Praça do Império. **Plan** 1 B4. *01-362 00 34.* *28, 43, 49, 51.* *15.* *10 h–17 h mar.–dim. (dernière ent. 1 h av. la ferm.).* *1er janv., Pâques, 1er mai, 25 déc.* *r.-de-c.*

Nef
La voûte spectaculaire de l'église Santa Maria est soutenue par de fins piliers octogonaux qui s'élancent tels des palmiers, créant une sensation d'espace et d'harmonie.

La salle capitulaire abrite le tombeau d'A. Herculano (1810-1877), historien et premier maire de Belém.

Le chœur a été commandé en 1572 par Dona Catarina, épouse de João III.

Les tombeaux de Manuel Ier, de son épouse Dona Maria et de João III sont portés par des éléphants.

★ Portail sud
L'architecture géométrique stricte du portail est presque éclipsée par la décoration exubérante. João de Castilho associe thèmes religieux et profanes pour exalter les rois du Portugal.

Tombeau du roi Sebastião
Le sépulcre de Dom Sebastião, le « Désiré », est vide. Le jeune roi parti au combat en 1578 ne revint jamais (p. 47).

Façade du Museu da Marinha

Museu da Marinha ❼

Praça do Império. **Plan** 1 B4. *01-362 00 19.* *28, 43, 49, 51.* *15.* *10 h–18 h (oct.–mai : 17 h) mar.–dim.* *jours fériés.*

Le musée de la Marine a été inauguré en 1962, dans l'aile ouest du monastère des Jerónimos *(p. 106-107).* C'est ici, dans la chapelle construite par Henri le Navigateur *(p. 49),* que les marins assistaient à la messe avant de prendre la mer. Une salle dédiée aux Découvertes illustre les progrès rapides de la construction navale à partir du XVe siècle, grâce aux enseignements recueillis par les navigateurs. Des petites maquettes montrent l'évolution de la *barca* jusqu'à la *nau* portugaise, en passant par la caravelle à voiles latines et celle plus rapide à voiles rectangulaires. Le musée présente aussi des instruments de navigation, astrolabes et reproductions de cartes du XVIe siècle. Les piliers de pierre, sculptés de la croix de l'ordre du Christ, sont des reproductions des *padrão* érigés pour marquer la souveraineté portugaise sur les nouvelles terres. Derrière la salle des Découvertes, plusieurs pièces présentant des maquettes de bateaux portugais modernes mènent aux appartements royaux et à la cabine du roi Carlos et de la reine Amélia, provenant du yacht royal, l'*Amélia,* construit en 1900.

Le pavillon moderne, en face, abrite des galiotes royales, dont la plus extravagante est celle construite en 1780 pour Maria Ire. La visite s'achève par une collection d'hydravions, dont le *Santa Clara,* qui effectua la première traversée de l'Atlantique Sud en 1922.

Vasco da Gama (v.1460–1524)

En 1498, Vasco da Gama doubla le cap de Bonne-Espérance et ouvrit la route des Indes *(p. 48-49).* Bien que le souverain hindou de Calicut, qui le reçut paré de rubis et de diamants, ne fût aucunement impressionné par ses modestes présents, le navigateur rentra au Portugal chargé d'épices. En 1502, il retourna aux Indes, créant des routes commerciales portugaises dans l'océan Indien. João II le nomma vice-roi des Indes en 1524, mais il mourut de la fièvre peu de temps après.

Vasco da Gama à Goa, peinture du XVIe siècle

Centro Cultural de Belém ❽

Praça do Império. **Plan** 1 B5. *01-361 24 00.* *28, 43, 49, 51.* *15.* *9 h–21 h 45 t.l.j.* **Centre des Expositions** *11 h–20 h.*

La construction d'un bâtiment moderne austère, juste entre le monastère et le Tage, souleva bien des polémiques. Bâti en 1990, par les architectes Vittorio Gregotti et Manuel Salgado, pour accueillir le siège de la présidence portugaise de la Communauté européenne, le complexe fut transformé, en 1993, en centre culturel consacré à la musique, aux spectacles et à la photographie. Le grand **Centre des Expositions** reçoit des manifestations temporaires. Les salles de conférences portent les noms de lieux en Asie où se rendit l'écrivain et aventurier Fernão Mendes Pinto (1510-1583).

Le complexe moderne du Centro Cultural de Belém

Monument des Découvertes ❾

Padrão dos Descobrimentos, avenida de Brasília. **Plan** 1 C5. *01-301 62 28.* *28, 29, 43, 51.* *15.* *9 h 30–18 h mar.–dim.* *jours fériés.* *ascenseur et expositions.*

Trônant au bord du Tage, le monument des Découvertes, massif et anguleux, a été achevé en 1960 par Salazar, pour le 500e anniversaire de la mort d'Henri le Navigateur *(p. 49).* Ce monument de 50 m de hauteur rend hommage aux navigateurs, aux rois et à tous les artisans des Découvertes. En forme de caravelle, il est orné sur les côtés des armoiries du Portugal. L'épée

L'immense rose des vents devant le monument des Découvertes

de la maison royale d'Avis s'élève au-dessus de l'entrée. Henri le Navigateur se tient à la proue, une caravelle dans sa main. Disposées en deux rangées, de chaque côté du monument, des statues représentent des personnages historiques liés aux Découvertes. Sur le côté occidental, on reconnaît, entre autres, les infants Dom Pedro et Dom Fernando, les fils de Dom João Ier, le poète Camões avec un exemplaire d'*Os Lusíadas*, l'écrivain Fernão Mendes Pinto et le peintre Nuno Gonçalves tenant une palette, mais aussi des navigateurs, cosmographes et mathématiciens.

Sur le côté nord du monument, la gigantesque rose des vents ornant le sol est un cadeau offert par l'Afrique du Sud en 1960. La mappemonde centrale, émaillée de galions et de sirènes, représente les itinéraires des découvertes au XVe et au XVIe siècle. Un ascenseur dessert le dernier étage du monument, d'où un escalier mène au sommet. De là, le panorama du fleuve et de Belém est de toute beauté. Le sous-sol accueille des expositions temporaires, pas forcément liées aux Découvertes.

L'architecture du monument ne fait pas l'unanimité, mais l'emplacement est indéniablement magnifique. Il est saisissant, vu de l'ouest, dans la lumière de la fin de l'après-midi.

Museu de Arte Popular ⑩

Avenida de Brasília. **Plan** 1 B5.
01-301 12 82. *28, 29, 43, 51.*
15. *10 h–17 h mar.–dim.*
1er janv., Pâques, 1er mai, 25 déc.

Ce bâtiment terne, entre le Padrão dos Descobrimentos et la Torre de Belém *(p. 110)*, abrite le musée d'Art populaire et d'Artisanat portugais, ouvert en 1948. La collection distribuée par provinces présente des poteries, des outils agricoles, des costumes, des instruments de musique, des bijoux et des selles colorées. Le musée illustre la grande diversité des créations d'une région à l'autre. Chacune possède ses spécialités : jougs colorés et coqs de céramique du Minho, vannerie du Trás-os-Montes, clochettes à vaches et cocottes en terre cuite de l'Alentejo, équipement de pêche d'Algarve, etc. Les explications sont peu nombreuses et il est difficile de comprendre l'usage des objets inconnus ou inusités. Toutefois, pour qui prévoit de voyager dans le pays, le musée offre un excellent aperçu de l'artisanat traditionnel des différentes provinces.

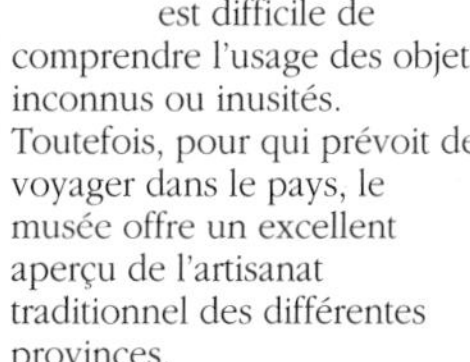

Costume du Trás-os-Montes

Côté est du monument des Découvertes

Torre de Belém ⓫

Armoiries, Manuel Ier

Manuel Ier fit bâtir cette forteresse au milieu du Tage entre 1515 et 1521. Ce joyau de l'architecture manuéline était le point de départ des navigateurs, et il devint le symbole de l'ère d'expansion du Portugal. Sa véritable beauté réside dans ses décorations extérieures. Ornée de cordages en pierre sculptée, la tour (en restauration) présente des balcons à claire-voie, des échauguettes de style mauresque et des créneaux originaux en forme d'écussons. L'intérieur gothique, sous la terrasse, est très austère. Il servit d'arsenal et de prison. En revanche, les quartiers privés de la tour méritent une visite. La loggia est superbe, et le panorama magnifique.

MODE D'EMPLOI

Avenida da India. **Plan** 1 A5. *01-362 00 34.* *14, 28, 43, 51.* *15.* *Belém.* *10 h–17 h mar.–dim.* *1er janv., Pâques, 1er mai, 25 déc.* *r.-de-c. uniquement.*

Loggia Renaissance
L'élégante loggia à arcades, d'inspiration italienne, ajoute une touche de légèreté aux créneaux de la tour.

Vierge à l'Enfant
Notre-Dame-du-Bon-Succès est tournée vers la mer, veillant sur les marins partis en voyages de découvertes.

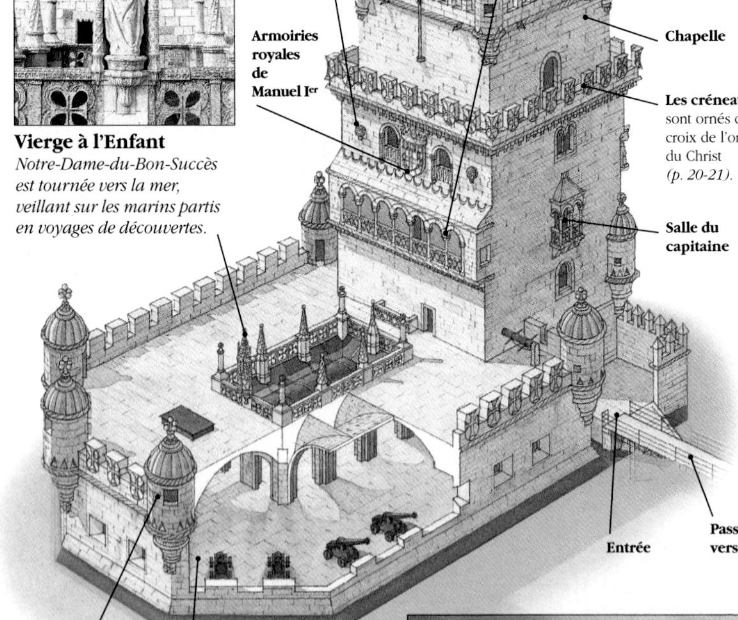

Sphères armillaires et cordages évoquent un peuple navigateur.

Armoiries royales de Manuel Ier

Chapelle

Les créneaux sont ornés de la croix de l'ordre du Christ (p. 20-21).

Salle du capitaine

Entrée

Passerelle vers la rive

Postes des sentinelles

Le cachot voûté servit de prison jusqu'au XIXe siècle.

La Torre de Belém en 1811
Sur cette toile de J.T. Serres, qui représente un bateau anglais sur le Tage, la tour est plus loin du rivage qu'aujourd'hui ; au XIXe siècle, des terres furent gagnées sur la rive droite du fleuve.

L'Ermida de São Jerónimo est une sobre chapelle manuéline

Ermida de São Jerónimo ⓬

Rua Pedro de Covilhã. **Plan** 1 A3. *01-301 86 48.* *27, 28, 41.* *sur r.-v. uniquement.*

Aussi appelée Capela de São Jerónimo, l'élégante petite chapelle fut bâtie en 1514, alors que Diogo Boytac construisait le mosteiro dos Jerónimos *(p. 106-107)*. Bien que plus simple, l'édifice est aussi de style manuélin, et pourrait avoir été construit sur des plans de Diogo Boytac. Ses seuls éléments décoratifs sont quatre pinacles, des gargouilles d'angle et le portail manuélin. Perchée sur une colline paisible dominant Belém, la chapelle offre de belles vues sur le Tage. De la terrasse, un chemin descend en serpentant vers la Torre de Belém.

Igreja da Memória ⓭

Calçada do Galvão, Ajuda. **Plan** 1 C3. *01-363 52 95.* *14, 29, 73.* *16 h–18 h lun.–sam.*

L'église fut construite en 1760 par José Ier qui avait échappé à cet endroit à une tentative d'assassinat, en 1758. Le roi revenait d'un rendez-vous galant secret avec une dame de la famille des Távora lorsqu'il fut attaqué et touché d'une balle au bras. Détenteur d'un pouvoir total, Pombal *(p. 52-53)* exploita l'incident pour se débarrasser des Távora. Il les accusa de conspiration et, en 1759, les fit torturer et exécuter. Dans le beco do Chão Salgado, non loin de la rua de Belém, se dresse une colonne à leur mémoire.

L'église néo-classique couronnée d'un dôme possède un intérieur de marbre et une petite chapelle qui abrite le tombeau de Pombal. Il mourut un an après avoir été banni de Lisbonne, à 83 ans.

Jardim Botânico da Ajuda ⓮

Calçada da Ajuda. **Plan** 1 C2. *14, 29, 73.* *18.* *8 h–17 h lun.–ven.* *jours fériés.*

Aménagé par Pombal en 1768, ce jardin de style italien qui s'étend sur deux niveaux offre un refuge agréable. Attention ! il est facile de manquer le portail vert en fer forgé qui s'ouvre dans un mur rose. On y trouve des arbres tropicaux et des jardins géométriques aux plates-bandes bien entretenues. Admirez le dragonnier de 400 ans, originaire de Madère, et la grande fontaine extravagante, du XVIIIe siècle, ornée de serpents, de poissons ailés, d'hippocampes et de créatures mythiques. Une terrasse majestueuse donne sur le niveau inférieur du jardin.

Trône du XIXe siècle, Palácio Nacional da Ajuda

Palácio Nacional da Ajuda ⓯

Largo da Ajuda. **Plan** 2 D2. *01-363 70 95.* *42, 60.* *18.* *10 h–17 h jeu.–mar.* *1er janv., Pâques, 1er mai, 25 déc.*

Détruit par un incendie en 1795, le palais royal fut remplacé au début du XIXe siècle par l'édifice néo-classique actuel. Il resta inachevé lorsque la famille royale s'enfuit au Brésil, en 1807 *(p. 52-53)*.

Il ne devint la résidence permanente de la famille royale qu'en 1861, lorsque Luís Ier monta sur le trône et épousa Maria Pia di Savoia. On ne recula devant aucune dépense pour meubler les appartements. Les pièces fastueuses sont tendues de soie et regorgent de porcelaine de Sèvres et de chandeliers en cristal. La salle de Saxe, cadeau de mariage du roi de Saxe à Maria Pia, illustre le faste royal : chaque meuble est décoré de porcelaine de Meissen. La gigantesque salle de banquet, au premier étage, est décorée de chandeliers en cristal, de chaises couvertes de soie et d'un plafond orné d'une allégorie de la naissance de João VI. L'atelier de peinture néo-gothique de Luís Ier, plus intime, abrite des meubles ornés de sculptures sophistiquées.

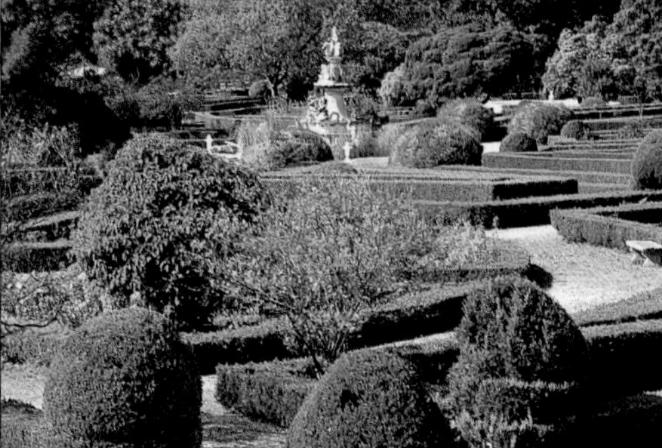

Les jardins tirés au cordeau du Jardim Botânico da Ajuda

EN DEHORS DU CENTRE

La plupart des centres d'intérêt situés hors de la ville, parmi lesquels de superbes musées, sont bien desservis, en bus ou en métro. Depuis les jardins du parque Eduardo VII, une promenade de dix minutes vers le nord vous mène à la Fundação Calouste Gulbenkian, située dans le très beau parc de Palhavã. Rares sont les visiteurs qui s'aventurent encore plus au nord, mais le Museu da Cidade, installé dans le palácio Pimenta à Campo Grande, mérite le détour. Il offre un aperçu de l'histoire de la ville. Le charmant palácio Fronteira, décoré d'*azulejos,* est l'une des nombreuses villas qui dominent les faubourgs de la ville. Les connaisseurs apprécieront le Museu Nacional do Azulejo. Si vous disposez d'une demi-journée, traversez le Tage et rendez-vous au monument Cristo Rei d'où le panorama est magnifique. Au nord-est, le pavillon des Océans se construit dans le cadre d'Expo'98, qui transformera le secteur en quartier résidentiel et commercial.

Panneaux d'*azulejos,* palácio Fronteira

LES ENVIRONS D'UN COUP D'ŒIL

Musées et galeries
Centro de Arte Moderna 7
Museu da Água 9
Museu Calouste Gulbenkian *p. 116–119* 6
Museu da Cidade 12
Museu Nacional do Azulejo *p. 122–123* 10

Architecture moderne
Amoreiras Shopping Centre 3
Cristo Rei 1
Ponte 25 de Abril 2

Architecture historique
Aqueduto das Águas Livres 14
Campo Pequeno 8
Palácio Fronteira 15
Praça Marquês de Pombal 4

Parcs et jardins
Parque Eduardo VII 5
Parque do Monteiro-Mor 16

Zoos
Jardim Zoológico 13
Pavilhão dos Oceanos 11

LÉGENDE
Principaux quartiers à visiter
Aéroport
Embarcadère de ferries
Autoroute
Route principale
Route secondaire

0 4 km

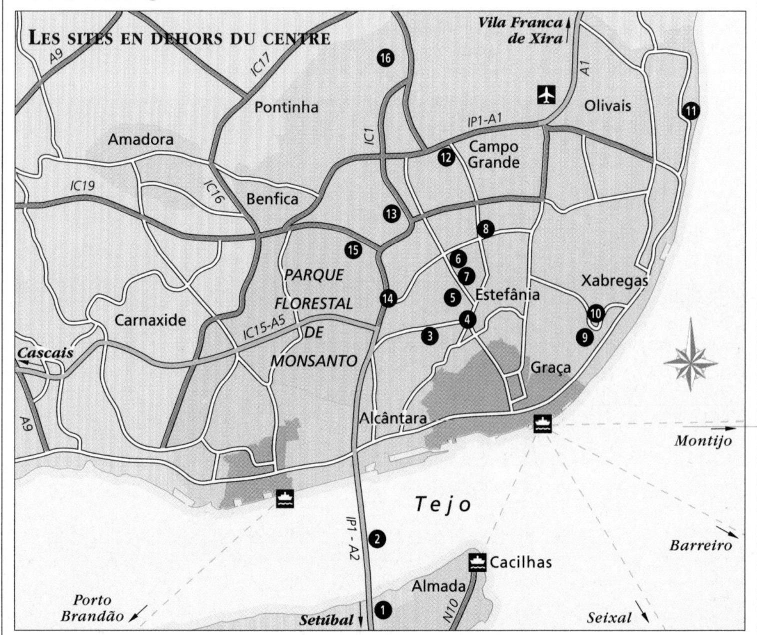

Cristo Rei ❶

Santuário Nacional do Cristo Rei, alto do Pragal, Almada. *01-275 10 00.* *de Praça do Comércio et Cais do Sodré à Cacilhas, puis* *101.* **Ascenseur** *9 h–18 h 30 t.l.j.*

Inspiré du célèbre Cristo Redentor de Rio de Janeiro, cette gigantesque statue se dresse, les bras ouverts, sur la rive gauche du Tage. Ce Christ de 28 m de haut, perché sur un immense piédestal, a été réalisé par Francisco Franco entre 1949 et 1959, à la demande de Salazar.

Le monument peut s'admirer depuis différents endroits, mais la solution la plus divertissante consiste à prendre un ferry pour l'*Outra Banda* (l'autre rive), puis un bus ou un taxi (en évitant les heures de pointe). Un ascenseur puis quelques marches mènent 82 m plus haut, au sommet du socle, qui offre de belles vues.

L'imposant monument du Cristo Rei domine le Tage

Ponte 25 de Abril ❷

Plan 3 A5. *52, 53.*

Appelé Ponte Salazar, le pont suspendu de Lisbonne, construit en 1966, fut rebaptisé pour commémorer la révolution du 25 avril 1974, qui ramena la démocratie au Portugal *(p. 57).*

Inspirée par le Golden Gate de San Francisco, aux États-Unis, cette construction en acier s'étend sur 2 km. Les travaux en cours, visant à ajouter un nouveau tablier sous le pont, permettront une liaison ferroviaire par-dessus le Tage. Le pont est connu pour ses embouteillages, surtout le week-end, mais ce problème sera en partie résolu avec l'achèvement du pont Vasco da Gama, de 12 km de long. La construction qui enjambera le fleuve entre Montijo et Sacavém, au nord du site de l'Expo'98, devrait être terminée en 1998.

Centre commercial d'Amoreiras ❸

Avenida Engenheiro Duarte Pacheco. **Plan** 5 A5. *01-381 02 00.* M *Rotunda.* *11, 23, 53.* *10 h–23 h t.l.j.* *25 déc.*

Au XVIIIe siècle, le marquês de Pombal *(p. 52-53)* ordonna la plantation de mûriers *(amoreiras)*, le long de la bordure ouest de la ville, pour l'élevage de vers à soie. Ces arbres ont donné leur nom au centre commercial construit en 1985. Ce complexe post-moderne aux tours roses et bleues, dû à l'architecte Tomás Taveira, compte 370 commerces, dix cinémas, près de 60 cafés et un hôtel. Véritable pôle d'attraction, il attire quantité de visiteurs, surtout les jeunes Lisboètes.

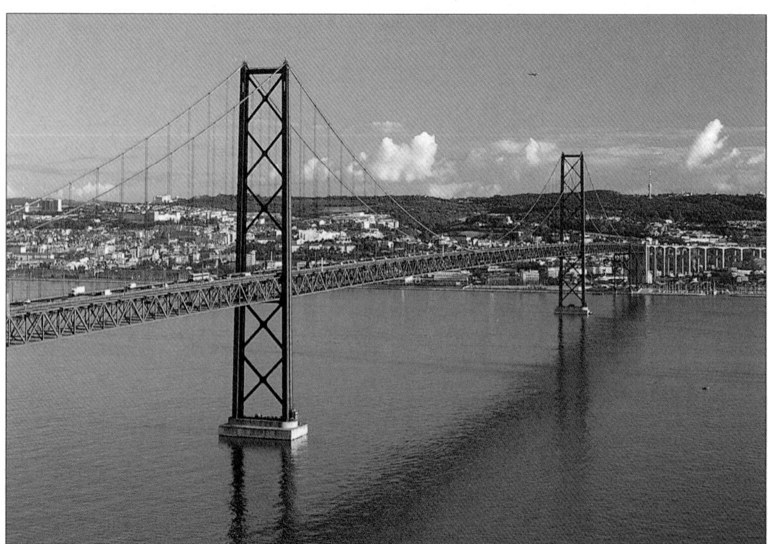

Le Ponte 25 de Abril relie le centre de Lisbonne à la rive gauche du Tage

Plantes tropicales de l'Estufa Quente, l'une des serres du parque Eduardo VII

Praça Marquês de Pombal ❹

Plan 5 C5. **M** *Rotunda.* 🚌 *11, 23, 36, 101, entre autres.*

Au bout de l'avenida da Liberdade *(p. 84)*, la circulation gronde autour de la Rotunda (rond-point), comme l'appellent les Lisboètes. Au milieu se dresse le monument à Pombal, inauguré en 1934. Le despote, qui dirigea le pays entre 1750 et 1777, se dresse au sommet de la colonne, la main posée sur un lion, symbole de pouvoir, et les yeux dirigés vers la Baixa, qu'il réaménagea *(p. 52-53)*. Des allégories de ses réformes dans l'éducation, la politique et l'agriculture ornent la base du monument. Des personnages représentent l'université de Coimbra, où il créa une nouvelle faculté des sciences. Cet homme politique redouté mais dynamique réussit à propulser son pays dans l'âge des Lumières. Les blocs de pierre au pied du monument et les vagues inondant la ville symbolisent le séisme de 1755.

Les visiteurs pourront admirer les sculptures du piédestal et les inscriptions en empruntant le passage souterrain menant au centre de la place. Il conduit aussi à la station de métro Rotunda et au parque Eduardo VII, parfaitement entretenu, qui s'étend vers le nord au-delà de la place. Autour de la Rotunda, les pavés composent une mosaïque représentant les armoiries de Lisbonne. Des motifs noir et blanc similaires ornent de nombreuses places et rues de la ville.

Détail représentant l'agriculture sur la base du monument de la praça Marquês de Pombal

Parque Eduardo VII ❺

Praça Marquês de Pombal. **Plan** 5 B4. ☎ *01-385 04 08.* **M** *Rotunda.* 🚌 *2, 11, 22, 36.* **Estufa Fria** ◯ *9 h–17 h 30 (oct.–fév. : 17 h) t.l.j.* ● *1er janv., 25 avr., 1er mai, 25 déc.* ♿

Le plus grand parc du centre-ville doit son nom au roi Edward VII d'Angleterre qui vint à Lisbonne en 1902 pour réaffirmer l'alliance anglo-portugaise. Le vaste domaine de 25 hectares fut aménagé en prolongement de l'avenida da Liberdade *(p. 84)*, au début du siècle. Depuis la praça Marquês de Pombal, des parterres très soignés montent jusqu'à un belvédère. De là, le panorama de la ville et des collines lointaines, au bord du Tage, est magnifique. Par beau temps, la vue porte jusqu'à la serra da Arrábida *(p. 167)*.

Au nord-ouest se trouvent les serres, l'élément le plus original de ce parc plutôt monotone : l'**Estufa Fria** (serre froide), véritable jungle avec des plantes exotiques, des cours d'eau et des cascades. Des palmiers montent jusqu'au toit de bambou et des chemins serpentent dans une forêt de fougères, de fuchsias, d'arbustes en fleurs et de bananiers. L'Estufa Quente, plus chaude, est une serre vitrée avec une végétation luxuriante, des mares couvertes de nénuphars et des cactées, ainsi que des oiseaux tropicaux en cages.

Près des serres, une mare peu profonde où nagent de grandes carpes et une aire de jeu figurant un galion font le bonheur des enfants. À l'est, le **Pavilhão Carlos Lopes,** qui porte le nom du vainqueur du marathon des Jeux olympiques de 1984, accueille des concerts et des conférences. La magnifique façade blanche et ocre est décorée de scènes en *azulejos* modernes de Jorge Colaço *(p. 23)*, représentant surtout des batailles portugaises. Au nord du pavillon, un café agréable est installé au bord de l'eau.

Museu Calouste Gulbenkian ❻

Calouste Gulbenkian *(p. 119)* était un magnat du pétrole arménien, aux goûts très éclectiques, qui avait le coup d'œil pour les chefs-d'œuvre. Ce musée inauguré en 1969 abrite l'une des plus belles collections d'art d'Europe. C'est l'une des émanations de la fondation léguée au Portugal par le milliardaire. L'architecture du bâtiment, installé dans le parc de Palhavã, laisse entrer la lumière du jour dans certaines pièces. Il a été construit spécialement pour mettre en valeur la riche collection du fondateur.

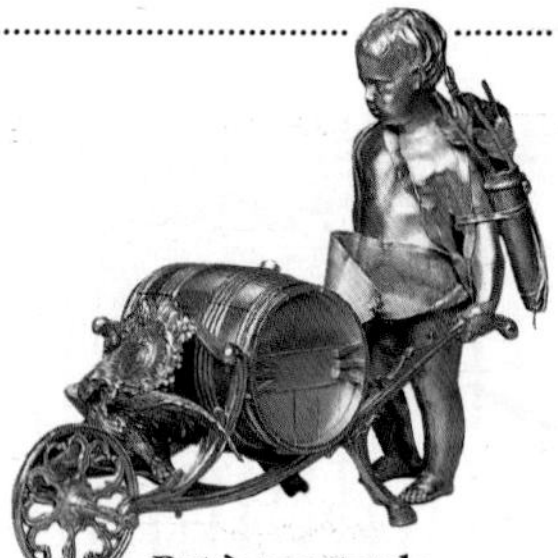

Pot à moutarde
Ce pot à moutarde en argent du XVIIIe siècle a été réalisé en France par A. S. Durand.

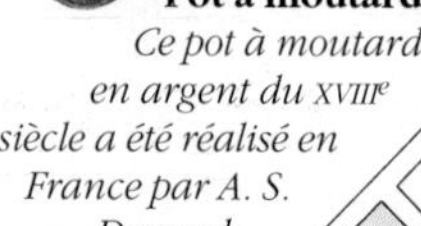

Ornement de corsage de René Lalique
Les courbes des serpents en or et en émail distinguent ses bijoux Art nouveau.

★ Diane
Cette statue en marbre (1780) du sculpteur français Jean Antoine Houdon, qui appartint à Catherine II la Grande, était jugée trop osée pour être exposée. Elle représente Diane, déesse de la chasse, tenant un arc et une flèche.

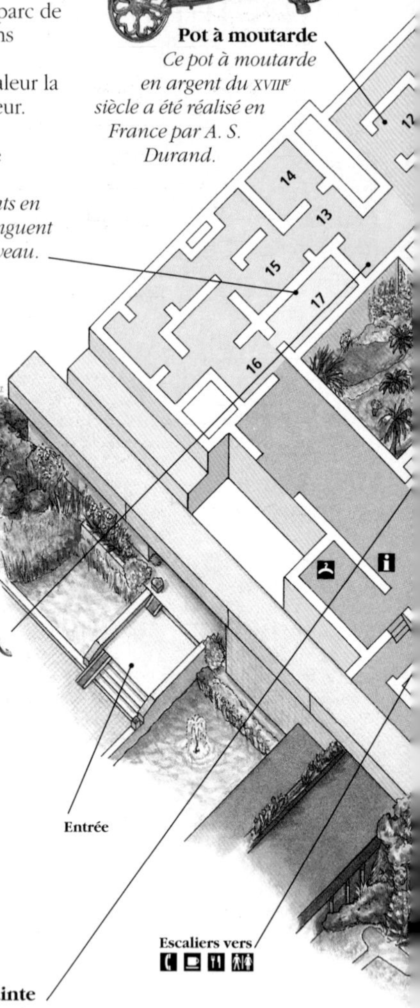

Entrée

Escaliers vers

★ Sainte Catherine
Ce buste a été peint par Rogier Van der Weyden (1400-1464). La mince bande de paysage, sur la gauche du panneau de bois, apporte au portrait luminosité et profondeur.

À NE PAS MANQUER

- ★ **Portrait de vieillard par Rembrandt**
- ★ **Diane par Houdon**
- ★ **Sainte Catherine par Van der Weyden**

★ Portrait de vieillard
Rembrandt était un maître du clair-obscur. Dans ce portrait daté de 1645, la stature fragile du vieil homme contraste avec l'éclairage puissant et spectaculaire.

Vase aux cent oiseaux
La décoration en émail qui orne ce vase de porcelaine chinois est appelée « Famille Verte ». Les motifs sophistiqués sont caractéristiques de la dynastie Qing sous le règne de K'ang-Hi, empereur de 1662 à 1722.

Chat de bronze égyptien
Ce bronze d'une chatte allaitant ses petits date de la période saïte (VIIe siècle av. J.-C.). On notera aussi un magnifique masque de momie en or.

Plat de faïence turque
Les fabriques d'Iznik en Turquie produisirent quelques-uns des plus beaux plats, cruches et vases du monde islamique, comme ce plat creux du XVIIe siècle orné d'animaux stylisés.

Mode d'emploi

Avenida de Berna. **Plan** 5 B2. 01-793 51 31. Palhavã ou São Sebastião. 16, 26, 56. 24. juin–sept. : 10 h – 17 h mar., jeu., ven. et dim., 14 h–19 h 30 mer. et sam. ; oct.–mai : 10 h–17 h mar.–dim. (dernière ent. 30 mn av. la ferm.). jours fériés.

Suivez le guide !

Les galeries sont agencées chronologiquement et géographiquement : la première section (salles 1 à 6) est consacrée à l'art classique et oriental ; la seconde (salles 7 à 17) à la peinture, à la sculpture, à l'ameublement, aux bijoux européens, etc.

Légende du plan

- Art égyptien, classique et mésopotamien
- Art d'Orient islamique
- Art d'Extrême-Orient
- Art européen (XIVe -XVIIe siècle)
- Arts décoratifs français, XVIIIe siècle
- Art européen (XVIIIe-XIXe siècles)
- Collection Lalique
- Circulations et services

Découvrir la collection Gulbenkian

Ce musée qui abrite l'extraordinaire collection d'art de Calouste Gulbenkian est l'un des plus beaux de Lisbonne, avec le Museu de Arte Antiga *(p. 96-99)*. Les objets présentés couvrent quatre millénaires, depuis les statuettes égyptiennes aux broches Art nouveau en passant par la verrerie islamique. Ils sont exposés dans des galeries spacieuses, dont beaucoup donnent sur le jardin ou des cours. Le musée est assez petit, mais chaque œuvre d'art, qu'elle appartienne à la magnifique collection d'art de l'Orient islamique ou à la sélection de peintures et de meubles européens, mérite l'attention.

Art égyptien, classique et mésopotamien

Des trésors inestimables retracent l'évolution de l'art égyptien de l'Ancien Empire (v. 2700 av. J.-C.) à l'Égypte romaine (Ier siècle av. J.-C.), avec une coupe d'albâtre de la IIIe dynastie jusqu'au buste bleu en terre cuite étonnamment moderne d'une statuette de *Vénus Anadyomène* de l'Égypte romaine.

Dans la section classique, notez le vase grec à figures rouges et les médailles romaines trouvées en Égypte. On pense qu'elles auraient été battues pour les jeux de Macédoine (242 apr. J.-C.), en commémoration d'Alexandre le Grand. Dans la section mésopotamienne, un grand bas-relief assyrien en albâtre représente le génie ailé du Printemps portant un récipient d'eau sacrée (IXe siècle av. J.-C.).

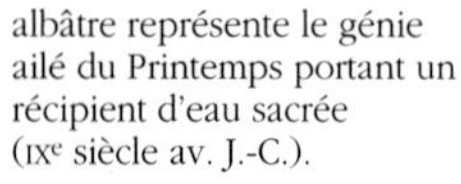

Vase grec du Ve siècle av. J.-C.

Art de l'Orient islamique

Calouste Gulbenkian, qui était arménien, se passionna pour l'art du Moyen-Orient. Cette section présente une belle collection de tapis, de tissus, de costumes et de céramiques persans et turcs. Dans la partie sur cour, des lampes de mosquée et des bouteilles syriennes, commandées par des princes et des sultans, sont décorées de verre émaillé. La collection arménienne comprend quelques superbes manuscrits illustrés du XVIe au XVIIIe siècle, réalisés par des réfugiés arméniens à Istanbul, en Perse et en Crimée.

Triptyque français en ivoire, *Scènes de la vie de la Vierge* (XIVe siècle)

Carreau de faïence persan de la fin du XVIe siècle, de l'école d'Ispahan

Art d'Extrême-Orient

Entre 1910 et 1930, Calouste Gulbenkian réunit une riche collection de porcelaine chinoise. L'une des pièces les plus rares est une petite coupe bleue vernie de la dynastie Yuan (1279-1368), sur la droite en entrant. La plupart des objets sont de la « Famille Verte », plus tardive et à la décoration plus exubérante, ou du biscuit K'ang-Hi du XVIIe et du XVIIIe siècle. On trouve également des jades et autres pierres semi-précieuses chinoises, ainsi que des estampes, des tentures en brocart, des livres reliés et des laques japonais.

Art européen (XIVe-XVIIe siècle)

Cette section s'ouvre sur des manuscrits enluminés, des livres imprimés rares et des ivoires médiévaux. Les diptyques et triptyques français en ivoire délicatement sculpté du XIVe siècle représentent des scènes de la vie du Christ et de la Vierge.

La collection de peintures commence avec des panneaux de *Saint Joseph* et de *Sainte Catherine* de Rogier Van der Weyden, le grand peintre flamand du XVe siècle. La Renaissance italienne est représentée par la *Sacra Conversazione* de Cima da Conegliano de la fin du XVe siècle et le *Portrait de jeune fille* (1485) de Domenico Ghirlandaio.

On passe ensuite aux œuvres flamandes et hollandaises du XVIIe siècle, avec deux toiles de

Rembrandt : le magistral *Portrait de vieillard* (1645) et *Alexandre le Grand* (1660), pour lequel Titus, le fils du peintre, aurait servi de modèle, et dont on pensait autrefois qu'il représentait la déesse Pallas Athéna. Rubens est présent avec trois toiles, dont le magnifique *Portrait d'Hélène Fourment* (1630), seconde épouse du peintre.

Après les peintures hollandaises et flamandes, on trouve des tapisseries et des textiles italiens et flamands, des sculptures et des céramiques italiennes.

ARTS DÉCORATIFS FRANÇAIS DU XVIIIe SIÈCLE

Des objets de style Louis XV et Louis XVI remarquablement travaillés, dont certains réalisés pour des maisons royales, figurent dans la collection de meubles français du XVIIIe siècle. Beaucoup sont ornés de panneaux de laque, d'ébène et de bronze. Ils sont regroupés par style historique, dans un décor de tapisseries d'Aubusson et de Beauvais.

L'argenterie française, provenant en grande partie des tables des palais russes, comprend soupières, salières et plats richement ornés.

Commode Louis XV, incrustée d'ébène et de bronze

ART EUROPÉEN (XVIIIe-XIXe SIÈCLES)

L'art du XVIIIe siècle est dominé par les peintres français, comme Watteau (1684-1721), Boucher (1703-1770) et Fragonard (1732-1806). La sculpture la plus connue est la *Diane* de Jean-Antoine Houdon. Commandée en 1780 par le duc de Saxe-Gotha pour ses jardins, elle devint l'une des pièces maîtresses du musée de l'Ermitage (Russie) au XIXe et au début du XXe siècle.

***Vue du Molo avec le palais ducal* (1790), Francesco Guardi**

Une salle entière est consacrée aux vues de Venise de Francesco Guardi, peintre vénitien du XVIIIe siècle. La petite collection d'art anglais comprend des œuvres de grands portraitistes du XVIIIe siècle, comme le *Portrait de Mrs Lowndes-Stone* de Gainsborough (v. 1775) et le *Portrait de Mrs Constable* de Romney (1787), et deux marines de J.M.W. Turner (1775-1851). Les paysages français du XIXe siècle sont bien représentés, avec l'école de Barbizon, les Réalistes et les Impressionnistes, reflétant la prédilection de Gulbenkian pour le naturalisme. Toutefois, les toiles les plus connues sont le *Garçon aux cerises* de Manet, peint vers 1858, au début de la carrière de l'artiste, et *Le souffleur de bulles,* réalisé vers 1867. Le *Portrait de Madame Claude Monet* de Renoir a été peint vers 1872, alors que l'artiste séjournait chez Monet à Argenteuil, dans la banlieue parisienne.

COLLECTION LALIQUE

La visite du musée s'achève par une salle entière consacrée aux créations extravagantes du bijoutier Art nouveau René Lalique (1860-1945). Gulbenkian, qui était un ami de Lalique, acquit quantité de bijoux, verres et ivoires exposés ici directement auprès de l'artiste. Incrustés de pierres semi-précieuses et couverts de feuilles d'or ou d'émail, les broches, les colliers, les vases et les peignes sont décorés de libellules, de paons et de nus sensuels caractéristiques de l'Art nouveau.

CALOUSTE GULBENKIAN

Né à Scutari en Turquie en 1869, Gulbenkian commença à collectionner des objets d'art à 14 ans, en achetant des pièces anciennes dans un bazar. En 1928, il reçut cinq pour cent du capital de quatre grandes compagnies pétrolières, dont BP et Shell, pour le rôle qu'il joua dans le transfert de l'Iraq Petroleum Company à ces quatre sociétés. L'opération lui valut le surnom de « Monsieur cinq pour cent ». Avec la fortune qu'il amassa, il put s'adonner à sa passion pour l'art. Pendant la Seconde Guerre mondiale, il partit s'installer au Portugal, qui était neutre. À sa mort, en 1955, il légua tous ses biens à l'État portugais, en créant une fondation qui soutient quantité d'activités culturelles et qui possède un orchestre, des bibliothèques, un corps de ballet et des salles de concert.

Sculpture d'Henry Moore dans le jardin du Centro de Arte Moderna

Centro de Arte Moderna ❼

Rua Dr Nicolau de Bettencourt. **Plan** 5 B3. 01-795 02 41. *São Sebastião.* *41, 46.* *juin–sept. : 10 h–17 h mar., jeu., ven. et dim., 14 h–19 h 30 mer. et sam. ; oct.–mai : 10 h–17 h mar.–dim.* *jours fériés.*

Le musée d'Art moderne, séparé du musée Calouste Gulbenkian par un jardin, appartient à la même fondation *(p. 119)*. La collection permanente présente des peintures et des sculptures d'artistes portugais de la fin du XIXe siècle à nos jours. La toile la plus connue est le remarquable portrait du poète Fernando Pessoa au Café Irmãos Unidos (1964), de José de Almada Negreiros (1893-1970), l'un des grands noms du modernisme portugais. On remarquera aussi les toiles d'Eduardo Viana (1881-1967), d'Amadeo de Sousa Cardoso (1887-1910) et d'artistes contemporains, comme Paula Rego, Rui Sanches, Graça Morais et Teresa Magalhães.

Spacieux et lumineux, le musée possède un jardin agréable et une cafétéria, très fréquentée le week-end.

Campo Pequeno ❽

Plan 5 C1. *Campo Pequeno.* *22, 45.* **Bullring** 01-793 24 42. *Pâques–oct. : pour les courses de taureaux.*

La place est dominée par les arènes néo-mauresques en briques rouges, de la fin du XIXe siècle. Ce grand bâtiment de 9 000 places possède des fenêtres en forme de serrures et des doubles coupoles ornées de croissants de lune. Des courses de taureaux *(p. 144-145)* ne s'y déroulent qu'une ou deux fois dans la saison. Le reste de l'année, le bâtiment accueille parfois des concerts et d'autres spectacles, comme le cirque annuel de Noël.

Façade néo-mauresque des arènes dans le Campo Pequeno

Pompe à vapeur rénovée du XIXe siècle au Museu da Água

Museu da Água ❾

Rua do Alviela 12. 01-813 55 22. *35, 104, 105, 107.* *10 h–12 h 30, 14 h–17 h mar.–sam.* *jours fériés.*

Consacré à l'histoire de la distribution de l'eau à Lisbonne, ce petit musée passionnant a été créé dans la première station de pompage à vapeur de la ville. Il rend hommage à Manuel da Maia, l'ingénieur de l'aqueduc des Águas Livres *(p. 124)* au XVIIIe siècle.

Quatre machines à vapeur sont soigneusement conservées. L'une d'elles fonctionne toujours (à l'électricité) et elle est mise en marche pour les visiteurs. Des photographies illustrent l'évolution des technologies. Les parties consacrées à l'aqueduc des Águas Livres et à la Chafariz d'el-Rei de l'Alfama (XVIIe siècle), l'une des premières fontaines de Lisbonne, sont particulièrement intéressantes. En fonction de leur statut social, les habitants de la ville faisaient jadis la queue à l'un des six points d'eau.

Museu Nacional do Azulejo ❿

Voir p. 122–123.

Pavilhão dos Oceanos ⓫

Doca das Olivais. *01-831 98 98.* *Oriente.* *18, 28, 50, 82.* *Gare do Oriente.* *10 h–20 h t.l.j. à partir du 22 mai 1998.*

Installé sur les rives du Tage, dans le complexe de l'Expo'98, ce gigantesque Pavillon des Océans est le plus grand d'Europe et le deuxième du monde. Construit pour l'Exposition, le pavillon s'articule autour du thème « Les océans, un patrimoine pour le futur ». Il a été conçu par l'architecte américain Peter Chermayeff pour sensibiliser le public à la biodiversité des océans et pour inciter les hommes à protéger les mers pour les générations futures.

L'élément central est l'immense réservoir qui contient un volume d'eau équivalent à quatre piscines olympiques. Il présente la faune de haute mer, des bancs de sardines aux requins. Autour du réservoir principal, les écosystèmes de l'Atlantique, de l'Antarctique, du Pacifique et de l'océan Indien ont été reconstitués dans quatre aquariums plus petits. On y découvre la faune et la flore spécifiques de chaque océan, des phoques de l'Antarctique aux récifs de corail de l'océan Indien.

Jouet indien du XVIIIe siècle, Museu da Cidade

La cuisine carrelée d'origine du XVIIIe siècle

Museu da Cidade ⓬

Campo Grande 245. *01-759 16 17.* *Campo Grande.* *1, 7, 36, 101.* *10 h–13 h, 14 h–18 h mar.–dim.* *jours fériés.*

On dit que le palácio Pimenta aurait été commandé par João V *(p. 52-53)* pour sa maîtresse madre Paula, une religieuse du couvent voisin d'Odivelas. La demeure se dressait autrefois dans un cadre champêtre paisible, à l'extérieur de la ville. Aujourd'hui, elle doit faire face à l'intense circulation du Campo Grande et d'un pont routier. La maison a toutefois conservé son charme originel, et le musée de la Ville, installé ici en 1979, est l'un des plus intéressants de Lisbonne. Il illustre l'évolution de la ville depuis la préhistoire, en passant par les Romains, les Wisigoths et les Maures. On y voit des *azulejos*, des dessins, des peintures, des maquettes et des documents historiques. Les visiteurs découvrent également les anciens logements de la demeure et la cuisine, décorée de panneaux de carreaux bleu et blanc représentant des poissons, des fleurs et du gibier. Les autres pièces abritent des meubles, des tableaux et des jouets d'époque. Une collection de céramiques du XVIIIe siècle présente des statuettes, des soupières et des plats provenant de la manufacture royale de porcelaine de Rato.

La ville avant le séisme est représentée par des objets fascinants, comme une maquette très détaillée des années 1950, et une peinture à l'huile du XVIIe siècle de Dirk Stoop (1610-1686) montrant le Terreiro do Paço, ancien nom de la praça do Comércio *(p. 87)*. Une salle est consacrée à l'aqueduc des Águas Livres *(p. 124)* avec les plans détaillés de sa construction ainsi que des gravures et des aquarelles de l'ouvrage achevé.

Le thème du séisme hante les représentations de la ville ravagée et les divers plans de reconstruction. Le retour au XXe siècle s'effectue avec une grande affiche célébrant la Révolution de 1910 et la proclamation de la nouvelle république *(p. 54-55)*. D'autres objets illustrent la vie dans la ville du XXe siècle, comme le tableau *O Fado* (1910) de José Malhôa *(p. 67)*.

Détail de la vue du Terreiro do Paço de Dirk Stoop, XVIIe siècle, Museu da Cidade

Museu Nacional do Azulejo ⑩

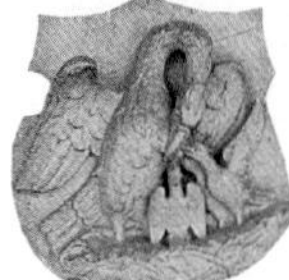

Pélican du portail manuélin

Dona Leonor, veuve du roi João II, fonda le convento da Madre de Deus en 1509. Construit à l'origine en style manuélin, le couvent fut restauré sous le règne de João III, avec des formes Renaissance simples. L'éblouissante décoration baroque a été ajoutée par João V. Les cloîtres offrent un cadre magnifique au musée national de l'Azulejo. Des panneaux décoratifs, des carreaux isolés et des photographies retracent l'évolution de leur fabrication depuis leur introduction par les Maures jusqu'à nos jours *(p. 22-23)*.

Panorama de Lisbonne
Ce panneau du XVIIIe siècle, qui orne un mur du cloître, représente Lisbonne avant le séisme de 1755 (p. 62-63). *Ce détail montre le palais royal sur le Terreiro do Paço.*

Scène de chasse
Ce sont des artisans plus que des artistes qui commencèrent, au XVIIe siècle, à décorer des carreaux.

1er étage

Rez-de-chaussée

Légende du plan

- Faïence mauresque
- Faïence du XVIe siècle
- Faïence du XVIIe siècle
- Faïence du XVIIIe siècle
- Faïence du XIXe siècle
- Faïence du XXe siècle
- Expositions temporaires
- Circulations et services

À ne pas manquer

- ★ Madre de Deus
- ★ Cloître manuélin
- ★ Nossa Senhora da Vida

★ Nossa Senhora da Vida
*Ce détail représentant saint Jean fait partie d'un retable de majolique du XVIe siècle. Le panneau central illustre l'*Adoration des Mages.

Les carreaux du XVIIe siècle aux influences orientales sont exposés ici.

Faïence
Les murs du restaurant sont tapissés d'azulejos du XXe siècle représentant des sangliers, des faisans et des saucisses.

MODE D'EMPLOI

Rua da Madre de Deus 4. *01-814 77 47.* *18, 42, 104, 105.* *14 h–18 h mar., 10 h–18 h mer.–dim. (dernière ent. 30 mn av. la ferm.).* *1er janv., Pâques, 1er mai, 25 déc.*

Faïence mudéjare
Les motifs géométriques caractérisent les azulejos *mauresques. Ces carreaux du XVe siècle, ornés d'animaux stylisés, seraient dus à des artisans maures de Séville.*

Le cloître Renaissance est l'œuvre de Diogo de Torralva (1500-1566).

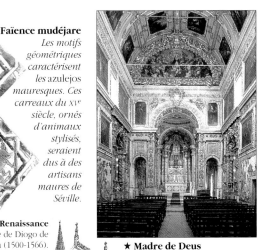

★ Madre de Deus
Achevée au milieu du XVIe siècle, l'église Madre de Deus ne s'orna de sa décoration sophistiquée que deux siècles plus tard, sous João V. Le splendide retable rococo a été ajouté après le séisme de 1755.

SUIVEZ LE GUIDE !
Les salles autour du cloître central sont disposées de façon chronologique, des carreaux mauresques près de l'entrée jusqu'aux azulejos *du XXe siècle en haut. Au rez-de-chaussée, une salle retrace l'histoire des techniques de fabrication.*

Le portail manuélin sculpté *(p. 21)* a été restauré à partir d'un tableau du XVIe siècle.

Exposition sur l'histoire du musée

★ Cloître manuélin
Le cloître manuélin est un élément important du couvent d'origine qui a été préservé. Les azulejos *aux motifs géométriques ont été ajoutés sur les murs au XVIIe siècle.*

Jardim Zoológico ⓭

Estrada de Benfica 158-60. *01-726 93 49.* *Sete-Rios.* *16, 34, 54, 68.* *9 h-18 h (avr.-sept. : 20 h) t.l.j.*

Les jardins sont aussi intéressants que le zoo. De plus, les plantes, luxuriantes, ont l'air plus satisfaites de leur sort que les animaux... En effet, certaines cages et volières datent de l'ouverture du zoo, en 1905 ; toutefois, la modernisation du zoo est en cours. Certains éléments sont inattendus, notamment le mini-téléphérique qui survole le parc, le spectacle sur la Guerre des Étoiles et le spectacle de dauphins, qui enchantent petits et grands. Le domaine est divisé en quatre zones, et le prix d'entrée est fonction du nombre de parties visitées.

Dauphins du Jardim Zoológico

Aqueduto das Águas Livres ⓮

Calçada da Quintinha. *01-813 55 22.* *2, 58, 74.* *visites guidées sur r.-v.* **Mãe d'Água das Amoreiras**, Praça das Amoreiras. *expositions.*

L'impressionnant Aqueduto das Águas Livres, qui était considéré comme le plus beau site de Lisbonne au début du siècle, franchit la vallée d'Alcântara, au nord-ouest de la ville. La construction d'un aqueduc destiné à approvisionner la ville en eau douce fournit à João V *(p. 52-53)* l'occasion rêvée de s'adonner à sa passion des projets grandioses. Le seul quartier qui possédait alors de l'eau potable était l'Alfama. Le projet fut financé par un impôt sur la viande, le vin, l'huile d'olive et d'autres aliments. Bien qu'il n'ait été entièrement achevé qu'au XIXe siècle, l'aqueduc commença à approvisionner la ville dès 1748. L'aqueduc principal mesure 19 km, mais la longueur totale de toutes les ramifications est de 58 km. Quatorze arches enjambent la vallée d'Alcântara ; la plus haute se dresse à 65 m.

Le passage piéton de l'aqueduc, qui faisait une promenade agréable, a été fermé en 1853, en partie à cause de Diogo Alves, le célèbre voleur qui précipitait ses victimes dans le vide. Aujourd'hui, une visite guidée, très intéressante, permet de découvrir les arches de l'Alcântara. Des visites du réservoir de Mãe d'Água sont parfois organisées, de même que des excursions aux sources de Mãe d'Água. Comme les visites ne sont pas régulières, mieux vaut contacter le Museu da Água *(p. 120)* pour connaître le programme.

Au bout de l'ancien aqueduc, la **Mãe d'Água das Amoreiras,** qui ressemble à un château, servait autrefois de réservoir d'eau. Les plans de 1745 furent dessinés par l'architecte hongrois Carlos Mardel, qui travailla à la reconstruction de la Baixa sous les ordres de Pombal *(p. 62-63)*. Achevé en 1834, l'endroit devint un lieu de rendez-vous agréable, et on raconte que les rois y retrouvaient leurs maîtresses. Aujourd'hui, les murs de 5 m d'épaisseur qui entourent le bassin accueillent des expositions temporaires.

Les arches imposantes de l'Aqueduto das Águas Livres enjambent la vallée d'Alcântara

Palácio Fronteira ⓯

Largo São Domingos de Benfica 1. 01-778 20 23. Sete-Rios. 72. Benfica. 10 h 30–13 h (oct.–mai : 11 h–13 h) lun.–sam. palais. jours fériés.

Ce ravissant manoir fut construit en 1640 comme pavillon de chasse pour João de Mascarenhas, le premier marquês de Fronteira. Bien que des gratte-ciel se détachent à l'horizon, la demeure est toujours installée en un paisible endroit champêtre en bordure du parque Florestal de Monsanto. La maison et le jardin possèdent de magnifiques *azulejos* aux thèmes les plus variés, allant de scènes de batailles à des singes soufflant dans des trompettes.

Terrasse carrelée menant à la chapelle du palácio Fronteira

Le palais est habité par le 12e marquis du nom, mais certaines pièces, la bibliothèque et le jardin à la française se visitent. Dans la salle des Batailles, des panneaux de faïence représentent des scènes très vivantes de la guerre de restauration de l'indépendance *(p. 50-51)*, un détail montrant João de Fronteira combattant un général espagnol. C'est sa loyauté vis-à-vis de Pedro II durant cette guerre qui lui valut le titre de marquis. Comparez ces naïfs *azulejos* portugais du XVIIe siècle à la faïence de Delft de la même période, dans la salle à manger, représentant des scènes naturalistes. La salle à manger est également décorée de fresques en carreaux et de portraits de la noblesse portugaise, réalisés par des artistes comme Domingos A. de Sequeira (1768-1837).

La chapelle (fin du XVIe siècle) est la partie la plus ancienne de la maison. La façade est agrémentée de pierres, de coquillages et d'éclats de verre et de porcelaine. La vaisselle aurait été utilisée pour les festivités d'inauguration du palais, puis brisée. La visite du **jardin** part de la terrasse de la chapelle, où des niches carrelées abritent des personnages incarnant les arts et des créatures mythologiques. À une extrémité du jardin à l'italienne, des scènes en *azulejos* figurant des chevaliers (ancêtres de la famille Fronteira), se reflètent dans l'eau d'un grand bassin. De part et d'autre du plan d'eau, un grand escalier rejoint une terrasse, où des niches abritent des bustes de rois et des reliefs colorés en majolique ornent les arcades. D'autres *azulejos* ornent le fond du jardin.

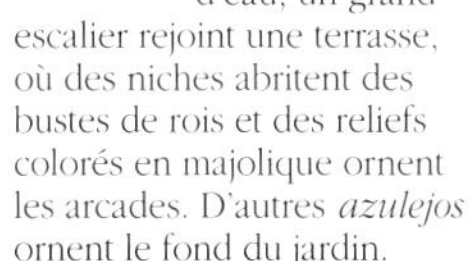

Buste de João Ier, jardin du palácio Fronteira

Entrée du musée du théâtre, parque do Monteiro-Mor

Parque do Monteiro-Mor ⓰

Largo Júlio Castilho. 01-759 03 18. Campo Grande. 3, 7, 36. **Parc** 10 h–18 h mar.–dim. 1er janv., Pâques, 1er mai, 25 déc. **Museu Nacional do Traje** 10 h–18 h mar.–dim. **Museu Nacional do Teatro** 10 h–18 h mer.–dim., 14 h–18 h mar. billet valable pour le parc et les musées.

Ce parc fut cédé à l'État portugais en 1975, et le palais du XVIIIe siècle accueille désormais des musées. Les visiteurs sont peu nombreux dans ce superbe domaine boisé, éloigné du centre-ville. Autour des musées s'étend un jardin avec des arbustes fleuris, des mares et des arbres tropicaux, bien plus charmant que ceux de Lisbonne.

Le **Museu Nacional do Traje** (musée du Costume), plutôt désuet, possède une vaste collection de vêtements ayant appartenu à des musiciens, des hommes politiques, des poètes, des aristocrates et des soldats.

Le **Museu Nacional do Teatro** est installé dans deux bâtiments. L'un accueille des expositions temporaires, l'autre présente une très petite collection permanente. On y voit des photographies, des affiches et des dessins d'acteurs portugais célèbres du XXe siècle. Une partie est consacrée à Amália Rodrigues, la célèbre chanteuse de *fado* *(p. 66-67)*.

Répertoire des noms de rues

Les références données pour chaque site, monument ou salle de spectacles de Lisbonne décrits dans ce guide se rapportent aux plans de l'Atlas des pages suivantes. Des références sont également fournies pour les hôtels *(p. 380-383)* et les restaurants de Lisbonne *(p. 404-407)*. Le premier chiffre de la référence correspond au numéro du plan. La lettre et le chiffre suivants indiquent le carré défini par la grille du plan. La carte ci-dessous représente la zone couverte par les huit cartes. Les symboles utilisés pour les sites et les renseignements utiles sont expliqués ci-dessous. Le métro de Lisbonne *(p. 448-449)* est en cours d'extension. Les stations dont l'ouverture est prévue en 1998 figurent déjà sur le plan.

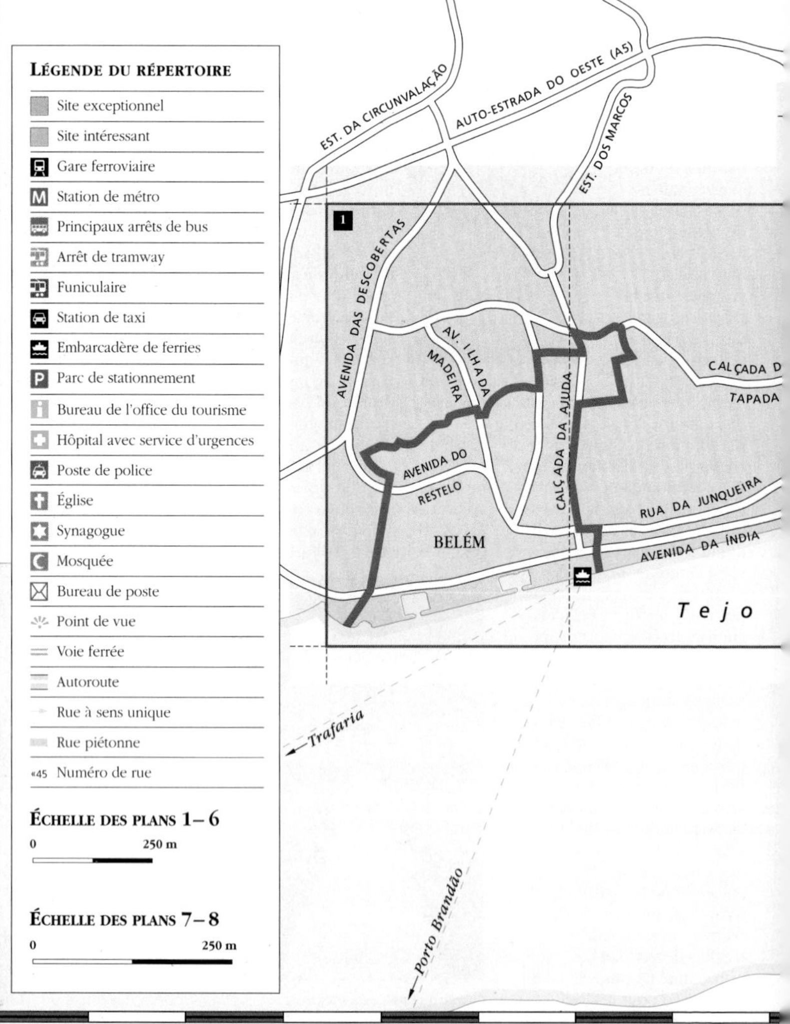

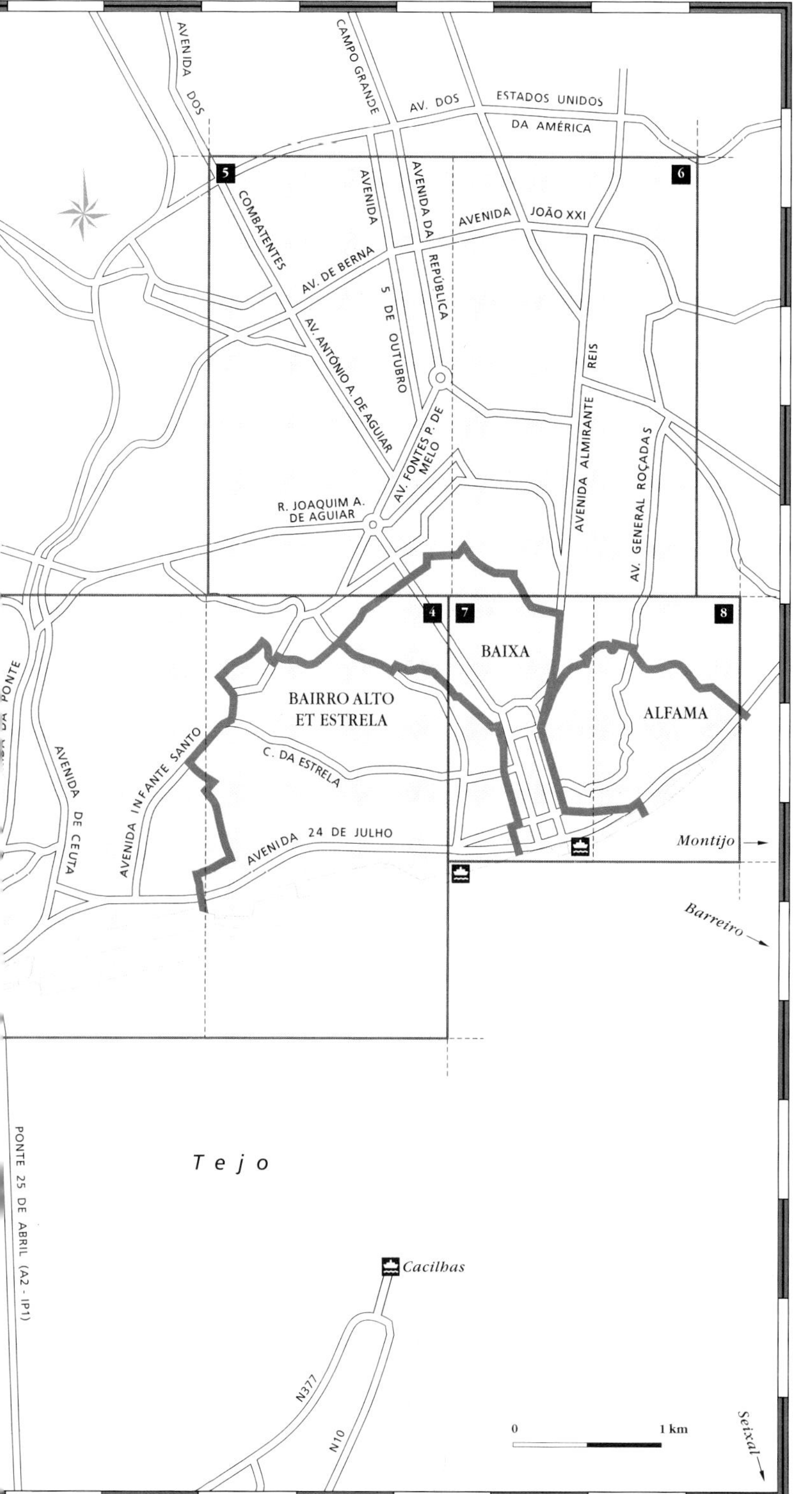
AVENIDA DOS
CAMPO GRANDE
AV. DOS ESTADOS UNIDOS DA AMÉRICA
5
6
COMBATENTES
AVENIDA
AVENIDA DA REPÚBLICA
AVENIDA JOÃO XXI
AV. DE BERNA
5 DE OUTUBRO
AV. ANTÓNIO A. DE AGUIAR
AV. FONTES P. DE MELO
AVENIDA ALMIRANTE REIS
AV. GENERAL ROÇADAS
R. JOAQUIM A. DE AGUIAR
4
7
8
BAIXA
ALFAMA
BAIRRO ALTO ET ESTRELA
C. DA ESTRELA
AVENIDA INFANTE SANTO
AVENIDA DE CEUTA
AVENIDA 24 DE JULHO
Montijo
Barreiro
Tejo
Cacilhas
PONTE 25 DE ABRIL (A2 - IP1)
N377
N10
0
1 km
Seixal

Répertoire des noms de rues

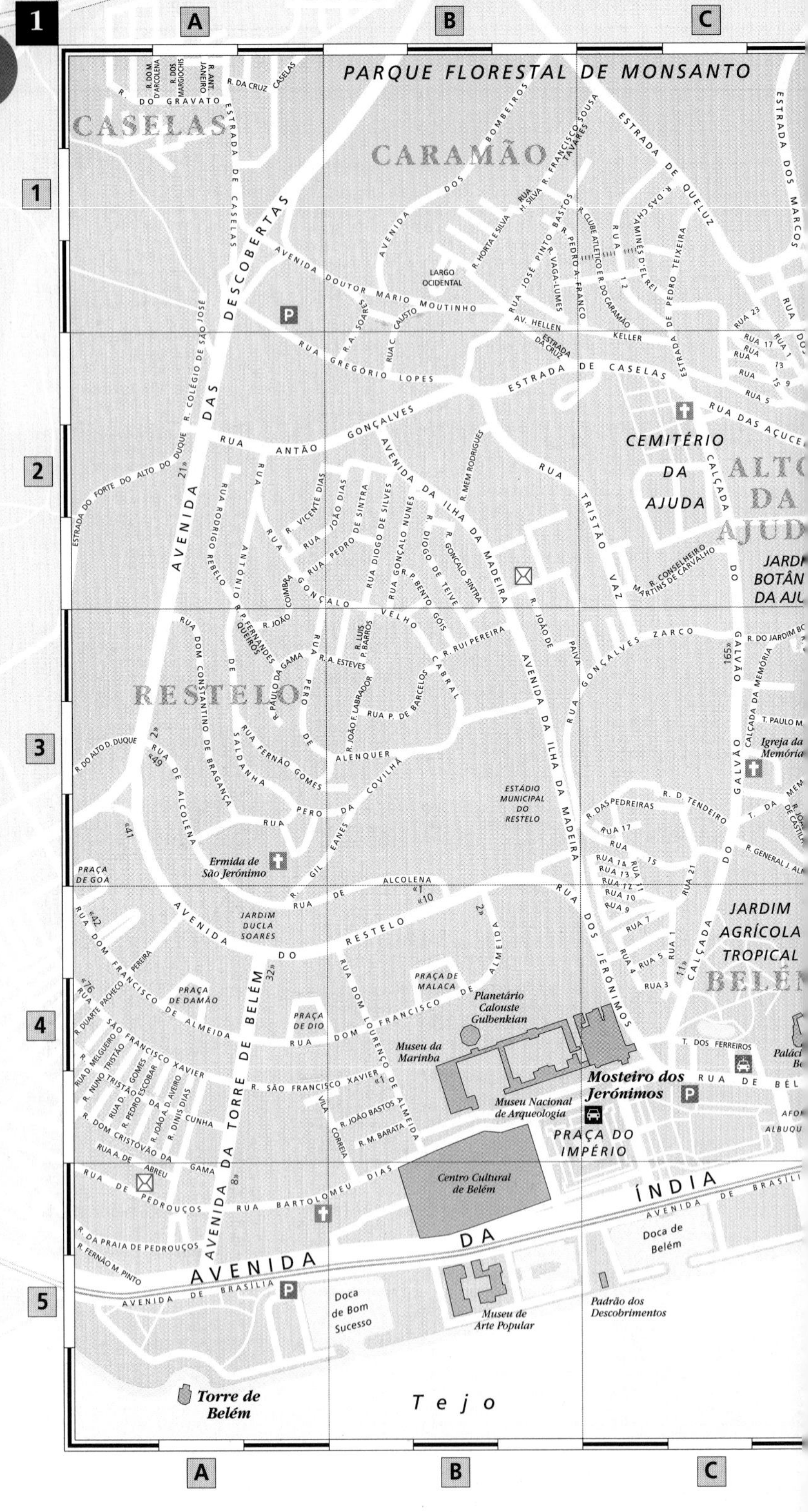
1
A
B
C
PARQUE FLORESTAL DE MONSANTO
CASELAS
CARAMÃO
RESTELO
CEMITÉRIO DA AJUDA
ALTO DA AJUDA
JARDIM BOTÂNICO DA AJUDA
Igreja da Memória
ESTÁDIO MUNICIPAL DO RESTELO
Ermida de São Jerónimo
PRAÇA DE GOA
JARDIM DUCLA SOARES
PRAÇA DE DAMÃO
PRAÇA DE DIO
PRAÇA DE MALACA
Planetário Calouste Gulbenkian
Museu da Marinha
Mosteiro dos Jerónimos
Museu Nacional de Arqueologia
PRAÇA DO IMPÉRIO
JARDIM AGRÍCOLA TROPICAL
BELÉM
Centro Cultural de Belém
Doca de Belém
Doca de Bom Sucesso
Museu de Arte Popular
Padrão dos Descobrimentos
Torre de Belém
Tejo
AVENIDA DAS DESCOBERTAS
ESTRADA DE CASELAS
AVENIDA DOUTOR MARIO MOUTINHO
RUA GREGÓRIO LOPES
RUA ANTÃO GONÇALVES
AVENIDA DA ILHA DA MADEIRA
RUA TRISTÃO VAZ
RUA GONÇALVES ZARCO
CALÇADA DO GALVÃO
ESTRADA DE QUELUZ
ESTRADA DOS MARCOS
AVENIDA DO RESTELO
RUA DOS JERÓNIMOS
AVENIDA DA TORRE DE BELÉM
RUA DOM FRANCISCO DE ALMEIDA
RUA SÃO FRANCISCO XAVIER
RUA DOM LOURENÇO DE ALMEIDA
RUA BARTOLOMEU DIAS
RUA DE PEDROUÇOS
AVENIDA DA ÍNDIA
AVENIDA DE BRASÍLIA
RUA DE BELÉM
RUA PERO DA COVILHÃ
RUA DE ALCOLENA
RUA DOM CONSTANTINO DE BRAGANÇA
RUA FERNÃO GOMES
RUA GONÇALO VELHO CABRAL
2
3
4
5

D
E
F
2
1
2
3
4
5
TAPADA
DA
AJUDA
BAIRRO DA AJUDA
AJUDA
SANTO AMARO
ESTRADA DO ALVITO
CALÇADA DA AJUDA
PROFESSOR CID DOS SANTOS
R. DO SITIO AO CASALINHO DA AJUDA
RUA ROY CAMPBELL
R. FONSECA BENEVIDES
R. DO CASALINHO DA AJUDA
PROF. ARMANDO DE LUCENA
RUA P. QUARTIN
T. DO ARMADOR
C. DO MIRANTE À AJUDA
LARGO DA TORRE
R. DA TORRE
RUA A. GOMES FERREIRA
RUA DO CRUZEIRO
T. JOSÉ EDUARDO
FERNANDES
TRAVESSA DO PARDAL
R. PADRE M. A. CORREIA
LARGO DA AJUDA
Palácio Nacional da Ajuda
R. DO GUARDA-JÓIAS
BAIRRADA
RUA G. ANTINORI
CASTRO
RUA DE DOM VASCO
T. DAS FLORINDAS
CALÇADA DA TAPADA
RUA JAU
R. DA INDUSTRIA
R. DA BICA DO MARQUÊS
T. DO GUARDA-JÓIAS
RUA DO RIO SECO
R. SILVA PORTO
RUA DOM JOÃO DE CASTRO
T. DOS MOINHOS
RUA JOÃO DE BARROS
RUA LUÍS DE CAMÕES
RUA GIL VICENTE
R. SOARES DE PASSOS
RUA PEDRO CALMON
RUA ELÍSIO FILINTO
LUSÍADAS
TRAVESSA MOINHO VELHO
R. CORONEL PEREIRA DA SILVA
R. DO MACHADO
MIRADOR
RUA ALIANÇA OPERÁRIA
TRAVESSA DA BOA HORA À AJUDA
RUA DO MIRADOR
RUA DIOGO CÃO
TRAVESSA DO GIESTAL
CALÇADA DE SANTO AMARO
R. SÁ DE MIRANDA
T. DOM VASCO
RUA NOVA DO CALHARIZ
RUA DOS QUARTÉIS
R. DAS AMOREIRAS À AJUDA
R. ALF. DA SILVA
CALÇADA DA BOA HORA
T. DO CONDE DA RIBEIRA
R. ACADEMIA RECREATIVA DE S. AMARO
RUA ALEXANDRE DE SÁ PINTO
R. DA QUINTA DO ALMARGEM
RUA ARTUR LAMAS
RUA PINTO FERREIRA
RUA DO GIESTAL
Hospital de Egas Moniz
RUA DA JUNQUEIRA
T. DA PRAIA
T. DO PINTO
T. DA GUARDA
RUA DO EMBAIXADOR
Museu Nacional dos Coches
RUA DA JUNQUEIRA
AVENIDA DA ÍNDIA
AVENIDA DE BRASÍLIA
Belém
Estação Fluvial de Belém
Tejo

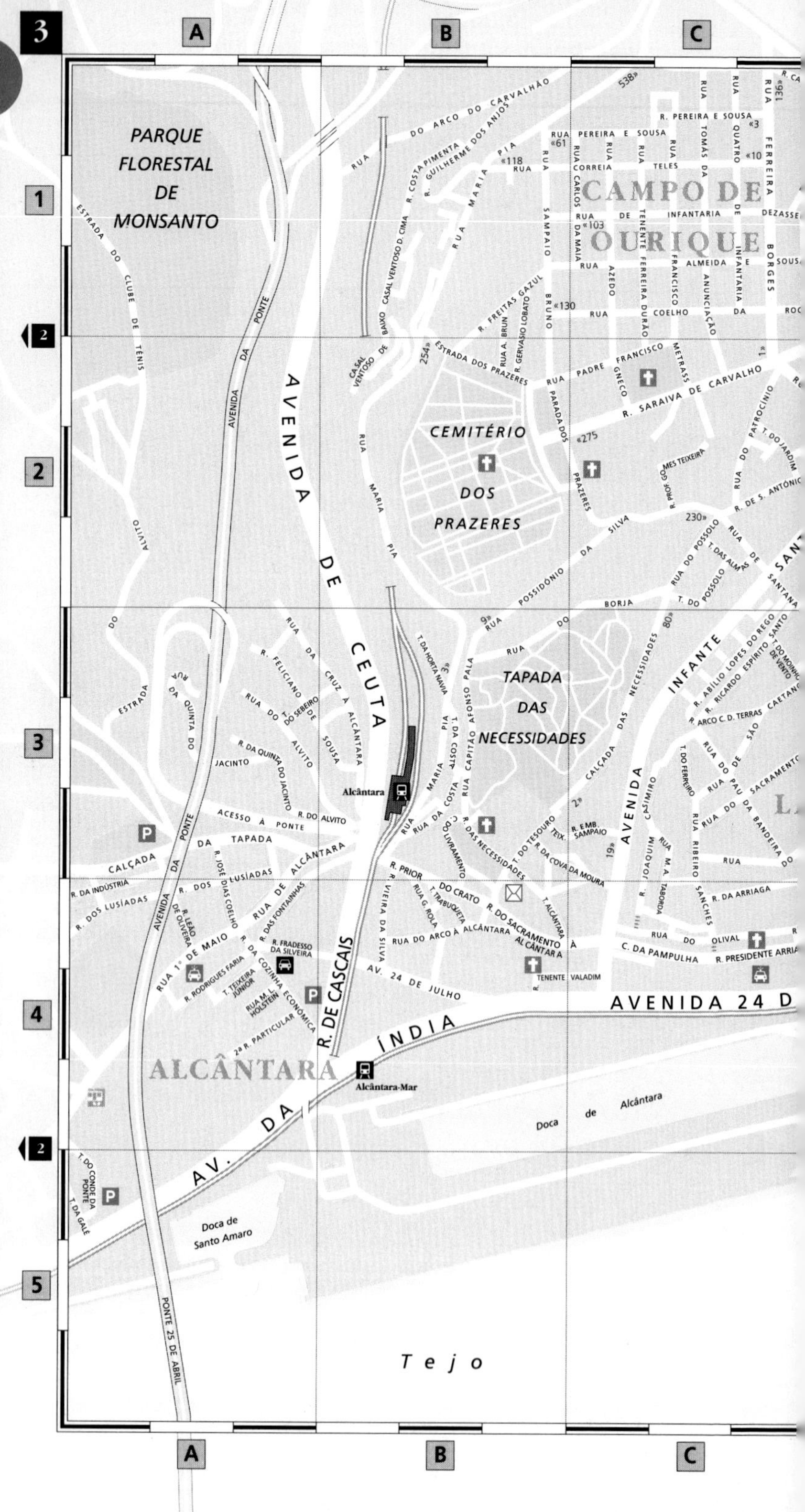

3
A
B
C
1
2
3
4
5
PARQUE FLORESTAL DE MONSANTO
ESTRADA DO CLUBE DE TÉNIS
AVENIDA DA PONTE
AVENIDA DE CEUTA
RUA DO ARCO DO CARVALHÃO
R. COSTA PIMENTA
R. GUILHERME DOS ANJOS
RUA MARIA PIA
CASAL VENTOSO D. CIMA
CASAL VENTOSO DE BAIXO
R. FREITAS GAZUL
RUA A. BRUN
R. GERVÁSIO LOBATO
ESTRADA DOS PRAZERES
RUA SAMPAIO BRUNO
RUA CORREIA
RUA CARLOS DA MAIA
RUA PEREIRA E SOUSA
R. PEREIRA E SOUSA
RUA TOMÁS DA ANUNCIAÇÃO
RUA QUATRO DE INFANTARIA
RUA FERREIRA BORGES
RUA DE INFANTARIA DEZASSEIS
RUA ALMEIDA E SOUSA
RUA TENENTE FERREIRA DURÃO
RUA FRANCISCO METRASS
RUA AZEDO GNECO
RUA COELHO DA ROCHA
RUA TELES
CAMPO DE OURIQUE
RUA PADRE FRANCISCO
R. SARAIVA DE CARVALHO
CEMITÉRIO DOS PRAZERES
PARADA DOS PRAZERES
R. PROF. GOMES TEIXEIRA
RUA DO PATROCÍNIO
T. DO JARDIM
R. DE S. ANTÓNIO
RUA SILVA
POSSIDÓNIO DA SILVA
RUA DO POSSOLO
T. DAS ALMAS
T. DO POSSOLO
RUA DE SANTANA
RUA BORJA
TAPADA DAS NECESSIDADES
CALÇADA DAS NECESSIDADES
INFANTE SANTO
R. ABÍLIO LOPES DO REGO
R. RICARDO ESPÍRITO SANTO
T. DO MOINHO DE VENTO
R. ARCO C. D. TERRAS
R. SÃO CAETANO
T. DA HORTA NAVIA
T. DA COSTA
RUA CAPITÃO AFONSO PALA
RUA DA COSTA
RUA MARIA PIA
RUA DA CRUZ A ALCÂNTARA
R. FELICIANO DE SOUSA
RUA DO T. DO SEBEIRO
RUA DO ALVITO
R. DA QUINTA DO JACINTO
RUA DA QUINTA DO JACINTO
ESTRADA DO ALVITO
Alcântara
R. DO ALVITO
ACESSO À PONTE
CALÇADA DA TAPADA
RUA DE ALCÂNTARA
R. JOSÉ DIAS COELHO
R. DOS LUSÍADAS
R. DA INDÚSTRIA
R. LEÃO DE OLIVEIRA
RUA 1° DE MAIO
R. DAS FONTAINHAS
R. FRADESSO DA SILVEIRA
R. DA COZINHA ECONÓMICA
R. RODRIGUES FARIA
T. TEIXEIRA JÚNIOR
RUA M. L. HOLSTEIN
2ª R. PARTICULAR
R. DE CASCAIS
R. VIEIRA DA SILVA
R. PRIOR DO CRATO
RUA G. ROLA
T. TRABUQUETA
T. DO LIVRAMENTO
R. DAS NECESSIDADES
RUA DO ARCO À ALCÂNTARA
R. DO SACRAMENTO À ALCÂNTARA
T. ALCÂNTARA
T. DO TESOURO
TEIX.
R. EMB. SAMPAIO
R. DA COVA DA MOURA
AVENIDA
RUA JOAQUIM CASIMIRO
RUA M. A. TABORDA
RUA RIBEIRO SANCHES
T. DO FERREIRO
RUA DO PAU DA BANDEIRA
RUA DE SÃO
RUA DO SACRAMENTO
R. DA ARRIAGA
RUA DO OLIVAL
C. DA PAMPULHA
R. PRESIDENTE ARRIAGA
TENENTE VALADIM
AV. 24 DE JULHO
AVENIDA 24 D
AV. DA ÍNDIA
ALCÂNTARA
Alcântara-Mar
Doca de Alcântara
Doca de Santo Amaro
T. DO CONDE DA PONTE
T. DA GALÉ
PONTE 25 DE ABRIL
Tejo

D
E
F
4
5
7
1
2
3
4
5
RATO
JARDIM BOTÂNICO
JARDIM DA ESTRELA
ESTRELA
BAIRRO ALTO
MADRAGOA
Rato
Avenida
LARGO DO RATO
AV. DA LIBERDADE
RUA DA ESCOLA POLITÉCNICA
AV. PEDRO ÁLV. CABRAL
PRAÇA DO PRÍNCIPE REAL
PRAÇA DA ALEGRIA
PRAÇA DA ESTRELA
Basílica da Estrela
Palácio de São Bento
Solar do Vinho do Porto
CALÇADA DA ESTRELA
RUA DE SÃO BENTO
RUA DE SÃO MARÇAL
CALÇADA DO COMBRO
R. DO LORETO
RUA DA BOAVISTA
Elevador da Bica
AV. DOM CARLOS I
RUA DE DOM LUÍS I
AVENIDA 24 DE JULHO
Mercado 24 de Julho
Santos
Cais do Sodré
Museu Nacional de Arte Antiga
RUA DAS JANELAS VERDES
Tejo

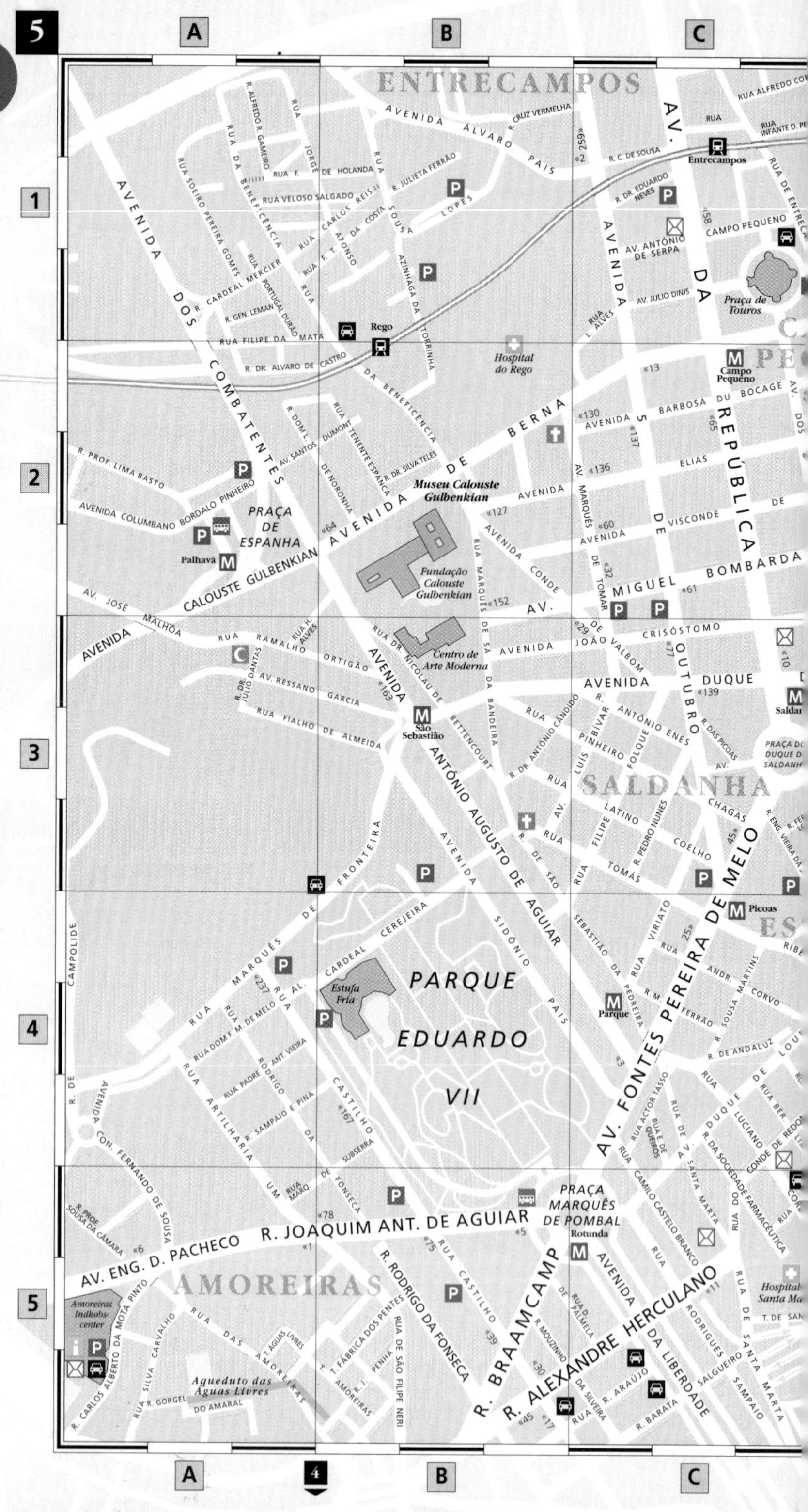

5
A
B
C
1
2
3
4
5
ENTRECAMPOS
Entrecampos
Rego
Hospital do Rego
Campo Pequeno
Praça de Touros
Museu Calouste Gulbenkian
Fundação Calouste Gulbenkian
Centro de Arte Moderna
PRAÇA DE ESPANHA
Palhavã
São Sebastião
SALDANHA
Picoas
Parque
PARQUE EDUARDO VII
Estufa Fria
PRAÇA MARQUÊS DE POMBAL
Rotunda
AMOREIRAS
Amoreiras Indkøbs-center
Aqueduto das Aguas Livres
Hospital Santa Ma
AVENIDA DOS COMBATENTES
AVENIDA DE BERNA
CALOUSTE GULBENKIAN
AVENIDA ANTÓNIO AUGUSTO DE AGUIAR
AV. DA REPÚBLICA
AV. FONTES PEREIRA DE MELO
R. JOAQUIM ANT. DE AGUIAR
AV. ENG. D. PACHECO
R. BRAAMCAMP
R. ALEXANDRE HERCULANO
AVENIDA DA LIBERDADE
R. RODRIGO DA FONSECA
AVENIDA ÁLVARO PAIS
AVENIDA 5 DE OUTUBRO
AVENIDA DUQUE
AVENIDA COLUMBANO BORDALO PINHEIRO
AV. JOSÉ MALHOA
RUA MARQUÊS DE FRONTEIRA
AVENIDA SIDÓNIO PAIS
AZINHAGA DA TORRINHA
RUA VELOSO SALGADO
R. PROF. LIMA BASTO
RUA RAMALHO ORTIGÃO
AV. RESSANO GARCIA
RUA FIALHO DE ALMEIDA
AV. MIGUEL BOMBARDA
AVENIDA CONDE VALBOM
AVENIDA JOÃO CRISÓSTOMO
AV. ELIAS GARCIA
AVENIDA BARBOSA DU BOCAGE
AV. VISCONDE DE
RUA TOMÁS RIBEIRO
RUA LATINO COELHO
CAMPO PEQUENO
CAMPOLIDE
RUA DAS AMOREIRAS
RUA CASTILHO

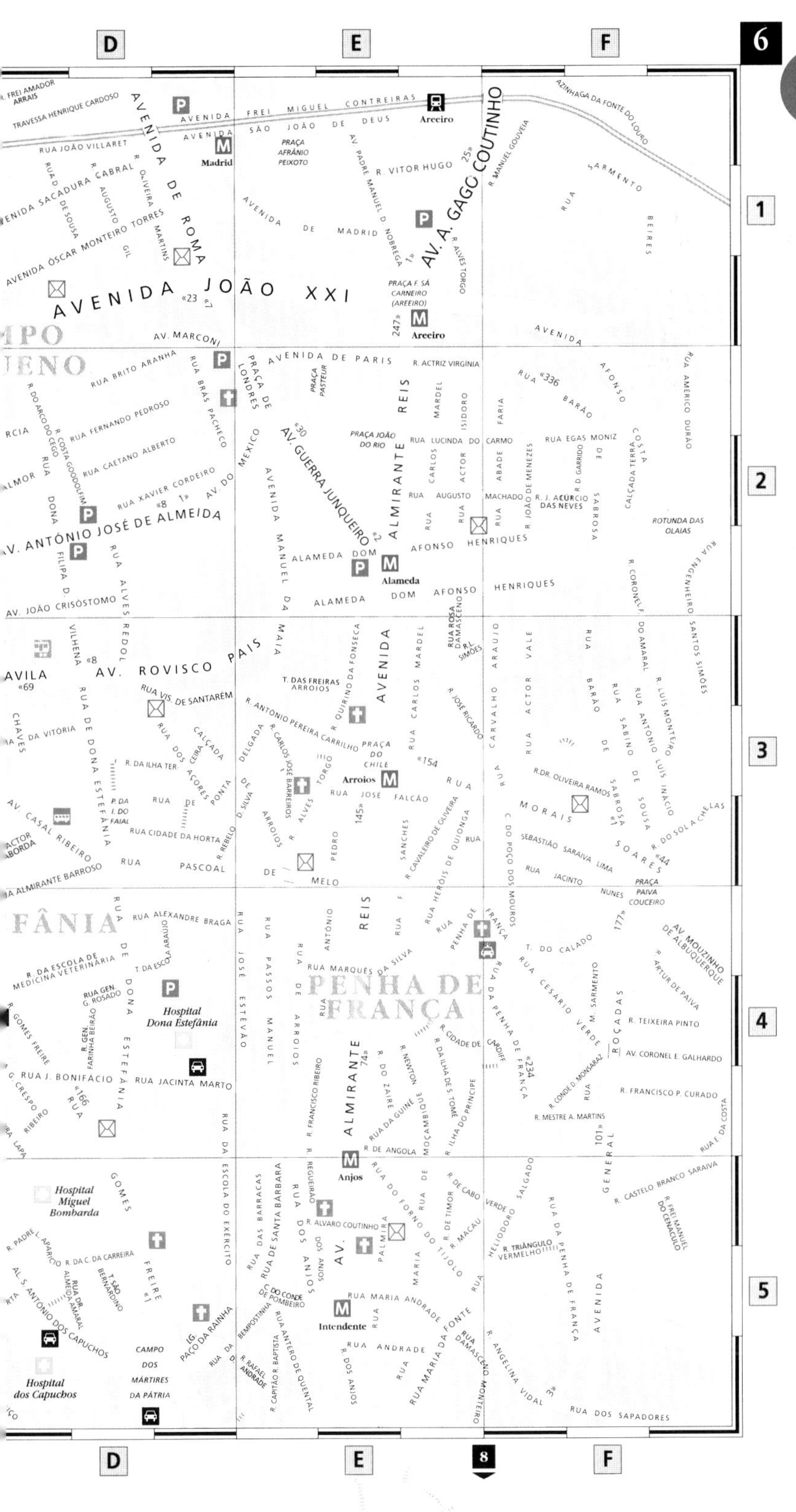

6
D
E
F
1
2
3
4
5
8
FREI AMADOR ARRAIS
TRAVESSA HENRIQUE CARDOSO
AVENIDA DE ROMA
AVENIDA FREI MIGUEL CONTREIRAS
AVENIDA SÃO JOÃO DE DEUS
Areeiro
AV. A. GAGO COUTINHO
AZINHAGA DA FONTE DO LOURO
RUA JOÃO VILLARET
Madrid
PRAÇA AFRÂNIO PEIXOTO
AV. PADRE MANUEL DA NÓBREGA
R. VITOR HUGO
R. MANUEL GOUVEIA
RUA SARMENTO BEIRES
RUA SACADURA CABRAL
R. AUGUSTO GIL
R. OLIVEIRA MARTINS
RUA DE SOUSA
AVENIDA ÓSCAR MONTEIRO TORRES
AVENIDA DE MADRID
R. ALVES TORGO
AVENIDA JOÃO XXI
PRAÇA F. SÁ CARNEIRO (AREEIRO)
Areeiro
AV. MARCONI
AVENIDA
AVENIDA DE PARIS
R. ACTRIZ VIRGÍNIA
PRAÇA DE LONDRES
PRAÇA PASTEUR
RUA BRITO ARANHA
RUA BRÁS PACHECO
RUA AMÉRICO DURÃO
RUA AFONSO BARÃO
R. DO ARCO DO CEGO
RUA FERNANDO PEDROSO
R. COSTA GOODOLFIM
RUA CAETANO ALBERTO
RUA XAVIER CORDEIRO
AV. DO MÉXICO
AV. GUERRA JUNQUEIRO
PRAÇA JOÃO DO RIO
RUA LUCINDA DO CARMO
RUA CARLOS MARDEL
RUA ACTOR ISIDORO
RUA ABADE FARIA
RUA EGAS MONIZ
CALÇADA TERRA COSTA
RUA AUGUSTO MACHADO
R. JOÃO DE MENEZES
R. D. GARRIDO
R. J. ACÚRCIO DAS NEVES
DE SABROSA
ROTUNDA DAS OLAIAS
RUA ALMIRANTE REIS
AV. ANTÓNIO JOSÉ DE ALMEIDA
RUA DONA FILIPA DE VILHENA
RUA ALVES REDOL
AVENIDA MANUEL DA MAIA
ALAMEDA DOM AFONSO HENRIQUES
Alameda
R. CORONEL F. DO AMARAL
RUA ENGENHEIRO SANTOS SIMÕES
AV. JOÃO CRISÓSTOMO
RUA ROSA DAMASCENO
R. L. SIMÕES
RUA CARVALHO ARAÚJO
RUA ACTOR VALE
RUA BARÃO DE SABROSA
AVILA
AV. ROVISCO PAIS
T. DAS FREIRAS ARROIOS
R. QUIRINO DA FONSECA
AVENIDA
R. JOSÉ RICARDO
RUA SABINO DE SOUSA
RUA ANTÓNIO LUÍS INÁCIO
R. LUÍS MONTEIRO
RUA VIS. DE SANTARÉM
RUA DE DONA ESTEFÂNIA
CHAVES
RUA DA VITÓRIA
R. ANTÓNIO PEREIRA CARRILHO
R. DELGADA
R. CARLOS JOSÉ BARREIROS
PRAÇA DO CHILE
R. DA ILHA TERCEIRA
RUA DOS AÇORES
CALÇADA DA PONTA
CEIRA
P. DA I. DO FAIAL
RUA DE
R. D. SILVA
ARROIOS
TORGO
ALVES
Arroios
RUA JOSÉ FALCÃO
R. DR. OLIVEIRA RAMOS
MORAIS SOARES
AV. CASAL RIBEIRO
RUA CIDADE DA HORTA
R. REBELO
PEDRO
SANCHES
R. CAVALEIRO DE OLIVEIRA
RUA HERÓIS DE QUIONGA
C. DO POÇO DOS MOUROS
SEBASTIÃO SARAIVA LIMA
R. DO SOL A CHELAS
ACTOR TABORDA
RUA PASCOAL DE MELO
RUA JACINTO NUNES
PRAÇA PAIVA COUCEIRO
RUA ALMIRANTE BARROSO
FÂNIA
RUA ALEXANDRE BRAGA
RUA JOSÉ ESTÊVÃO
RUA PASSOS MANUEL
RUA DE ARROIOS
ANTÓNIO
RUA PENHA DE FRANÇA
T. DO CALADO
AV. MOUZINHO DE ALBUQUERQUE
R. DA ESCOLA DE MEDICINA VETERINÁRIA
T. DA ESCOLA ARAÚJO
RUA MARQUÊS DA SILVA
PENHA DE FRANÇA
RUA CESÁRIO VERDE
M. SARMENTO
R. ARTUR DE PAIVA
RUA GEN. G. ROSADO
RUA DE DONA ESTEFÂNIA
Hospital Dona Estefânia
R. GOMES FREIRE
R. GEN. FARINHA BEIRÃO
ALMIRANTE
R. DO ZAIRE
R. NEWTON
R. CIDADE DE CARDIFF
R. DA ILHA DE S. TOMÉ
RUA DA PENHA DE FRANÇA
ROÇADAS
R. TEIXEIRA PINTO
AV. CORONEL E. GALHARDO
R. CONDE D. MONSARAZ
RUA J. BONIFÁCIO
RUA JACINTA MARTO
R. FRANCISCO RIBEIRO
RUA DA GUINÉ
MOÇAMBIQUE
R. ILHA DO PRÍNCIPE
R. FRANCISCO P. CURADO
R. MESTRE A. MARTINS
RUA DA ESCOLA DO EXÉRCITO
R. DE ANGOLA
GENERAL
RUA E. DA COSTA
Anjos
R. CASTELO BRANCO SARAIVA
Hospital Miguel Bombarda
GOMES FREIRE
RUA DAS BARRACAS
RUA DE SANTA BÁRBARA
R. REGUEIRÃO
RUA DOS ANJOS
RUA DO FORNO DO TIJOLO
R. DE CABO VERDE
SALGADO
R. DE TIMOR
R. MACAU
HELIODORO
RUA DA PENHA DE FRANÇA
R. FREI MANUEL DO CENÁCULO
R. PADRE L. APARÍCIO
R. DA C. DA CARREIRA
R. ALVARO COUTINHO
PALMIRA
MARIA
R. TRIÂNGULO VERMELHO
T. SÃO BERNARDINO
RUA DR. ALMEIDA AMARAL
AL. S. ANTÓNIO DOS CAPUCHOS
C. DO CONDE DE POMBEIRO
RUA MARIA ANDRADE
AV.
AVENIDA
Intendente
BEMPOSTINHA
RUA ANTERO DE QUENTAL
RUA ANDRADE
RUA DAMASCENO MONTEIRO
RUA DA FONTE
R. ANGELINA VIDAL
LG. PAÇO DA RAINHA
CAMPO DOS MÁRTIRES DA PÁTRIA
Hospital dos Capuchos
R. RAFAEL ANDRADE
R. CAPITÃO R. BAPTISTA
R. DOS ANJOS
RUA MARIA DA FONTE
RUA DOS SAPADORES

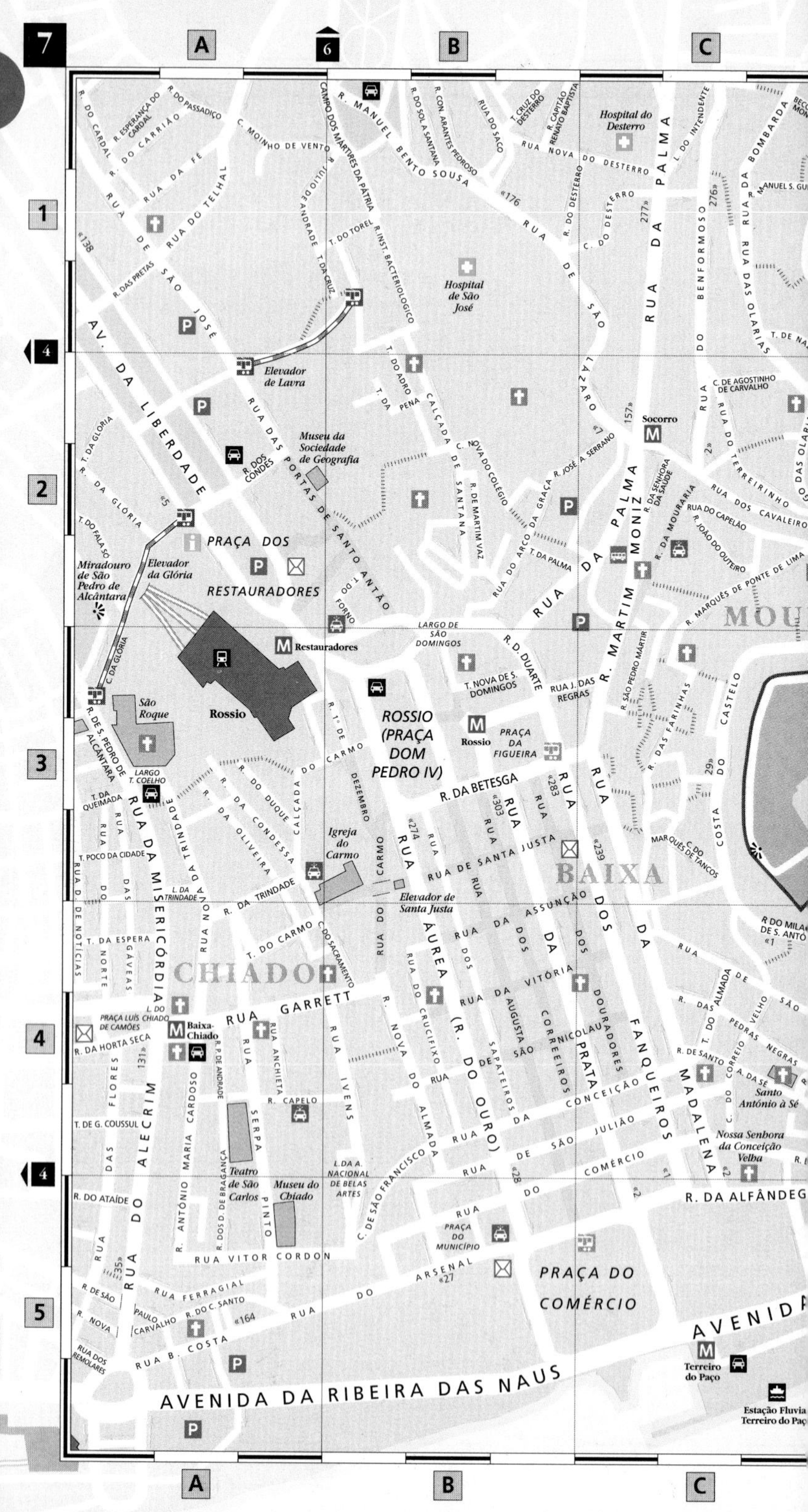

7
A
6
B
C
1
2
3
4
5
R. DO CARDAL
R. ESPERANÇA DO CARDAL
R. DO PASSADIÇO
R. DO CARRIÃO
C. MOINHO DE VENTO
CAMPO DOS MÁRTIRES DA PÁTRIA
R. MANUEL BENTO SOUSA
R. DO SOL A SANTANA
R. CON. ARANTES PEDROSO
RUA DO SACO
T. CRUZ DO DESTERRO
R. CAPITÃO RENATO BAPTISTA
Hospital do Desterro
RUA NOVA DO DESTERRO
L. DO INTENDENTE
RUA DA BOMBARDA
BECO MONT.
MANUEL S. GUE
RUA DA FÉ
RUA DO TELHAL
RUA DE SÃO JOSÉ
R. JÚLIO DE ANDRADE
T. DO TOREL
T. DA CRUZ
R. INST. BACTERIOLÓGICO
«176
RUA DE SÃO LÁZARO
R. DO DESTERRO
C. DO DESTERRO
277»
RUA DA PALMA
276»
DO BENFORMOSO
RUA DAS OLARIAS
«138
R. DAS PRETAS
Hospital de São José
T. DE NAZ
AV. DA LIBERDADE
Elevador de Lavra
T. DO ADRO
T. DA PENA
CALÇADA DE SANTANA
C. DE AGOSTINHO DE CARVALHO
RUA DO TERREIRINHO
157»
Socorro
«7
R. JOSÉ A. SERRANO
T. DA GLÓRIA
R. DA GLÓRIA
RUA DAS PORTAS DE SANTO ANTÃO
Museu da Sociedade de Geografia
R. DOS CONDES
C. NOVA DO COLÉGIO
R. DE MARTIM VAZ
R. DA SENHORA DA SAÚDE
RUA DOS CAVALEIROS
RUA DO CAPELÃO
R. JOÃO DO OUTEIRO
R. DA MOURARIA
«5
T. DO FALA SÓ
PRAÇA DOS RESTAURADORES
Miradouro de São Pedro de Alcântara
Elevador da Glória
T. DO FORNO
RUA DO ARCO DA GRAÇA
T. DA PALMA
RUA DA PALMA
R. MARTIM MONIZ
R. MARQUÊS DE PONTE DE LIMA
MOU
LARGO DE SÃO DOMINGOS
R. D. DUARTE
Restauradores
C. DA GLÓRIA
T. NOVA DE S. DOMINGOS
RUA J. DAS REGRAS
R. SÃO PEDRO MÁRTIR
R. DAS FARINHAS
CASTELO
São Roque
Rossio
R. 1º DE DEZEMBRO
ROSSIO (PRAÇA DOM PEDRO IV)
Rossio
PRAÇA DA FIGUEIRA
R. DE S. PEDRO DE ALCÂNTARA
LARGO T. COELHO
CALÇADA DO CARMO
R. DO DUQUE
R. DA CONDESSA
R. DA OLIVEIRA
R. DA BETESGA
«283
«303
RUA DOS FANQUEIROS
29»
COSTA DO CASTELO
T. DA QUEIMADA
RUA DA MISERICÓRDIA
RUA NOVA DA TRINDADE
Igreja do Carmo
RUA DO CARMO
«274
RUA ÁUREA (R. DO OURO)
RUA AUGUSTA
RUA DE SANTA JUSTA
«239
MARQUÊS DE C. DO TANCOS
T. POÇO DA CIDADE
RUA DAS GÁVEAS
L. DA TRINDADE
R. DA TRINDADE
Elevador de Santa Justa
BAIXA
RUA DA ASSUNÇÃO
R DO MILAGRE DE S. ANTÓ
«1
RUA DE DE NOTÍCIAS
T. DA ESPERA
T. DO CARMO
C. DO SACRAMENTO
RUA DO CRUCIFIXO
RUA DOS SAPATEIROS
RUA DOS CORREEIROS
RUA DOS DOURADORES
RUA DA PRATA
CHIADO
RUA DA VITÓRIA
RUA DA MADALENA
RUA DAS PEDRAS NEGRAS
RUA DE S. MAMEDE
RUA NORTE
L. DO CHIADO
PRAÇA LUÍS DE CAMÕES
Baixa-Chiado
RUA GARRETT
RUA ANCHIETA
RUA IVENS
R. NOVA DO ALMADA
RUA DE SÃO NICOLAU
R. DE SANTO A. DA SÉ
T. DO CORREIO VELHO
Santo António à Sé
R. DA HORTA SECA
131»
R. P. DE ANDRADE
RUA SERPA PINTO
R. CAPELO
RUA DA CONCEIÇÃO
RUA DE SÃO JULIÃO
RUA DOS FLORES
RUA DO ALECRIM
RUA ANTÓNIO MARIA CARDOSO
T. DE G. COUSSUL
RUA DO COMÉRCIO
Nossa Senhora da Conceição Velha
«2
R. DO ATAÍDE
R. DOS D. DE BRAGANÇA
Teatro de São Carlos
Museu do Chiado
L. DA A. NACIONAL DE BELAS ARTES
C. DE SÃO FRANCISCO
«28
RUA DO OURO
R. DA ALFÂNDEGA
PRAÇA DO MUNICÍPIO
RUA VITOR CORDON
«35
RUA DO ARSENAL
«27
PRAÇA DO COMÉRCIO
R. DE SÃO PAULO
RUA FERRAGIAL
R. DO C. SANTO
R. NOVA DO CARVALHO
«164
RUA B. COSTA
RUA DOS REMOLARES
AVENIDA
Terreiro do Paço
AVENIDA DA RIBEIRA DAS NAUS
Estação Fluvial Terreiro do Paço

D
E
6
F
8
1
2
3
4
5
Rua da Senhora do Monte
Rua de São Gens
Calçada do Monte
Rua Josefa Maria
Rua da Graça
Rua Josefa de Óbidos
Rua das Beatas
Rua do Sol à Graça
Rua da Senhora da Glória
R. do Cardal à Graça
T. Santo António à Graça
Rua da Bela Vista à Graça
Rua do Vale de Santo António
R. Bart. da Costa
R. Machado de Castro
C. dos Barbadinhos
R. Cap. H. Ataíde
R. Washington
R. Rui Barbosa
Rua Mato Grosso
Rua Leite de Vasconcelos
R. Outeirinho Mirante
Beco do Mirante
Rua de Entremuros do Mirante
Graça
Miradouro da Graça
Largo da Graça
Travessa da Pereira
Rua da Verónica
Rua da Voz do Operário
T. de São Vicente
Travessa das Mónicas
Calçada da Graça
T. Cidade Avintes
T. Freiras
Santa Clara
Feira da Ladra
Campo de Santa Clara
Rua do Paraíso
C. do Cardeal
Arco Grande da Cima
São Vicente de Fora
Santa Engrácia
Alfama
Rua do Castelo
Castelo de São Jorge
Museu da Marioneta
Calçadinha de Santo Estêvão
Calçada de São Vicente
Rua das Escolas Gerais
Rua dos Remédios
Rua do Vigário
Rua dos Caminhos de Ferro
Santa Apolónia
Museu Militar
R. do Jardim do Tabaco
Museu de Artes Decorativas
Miradouro de Santa Luzia
R. do Limoeiro
Rua de São Miguel
R. do Terreiro do Trigo
Rua de São Pedro
Rua da Regueira
Rua das Merceeiras
Rua do Barão
Rua de São João da Praça
R. do Cais D. Santarém
Avenida Infante Dom Henrique
Doca do Terreiro do Trigo
Doca da Marinha
Sé
Tejo

Le Centre du Portugal

Le Centre d'un coup d'œil

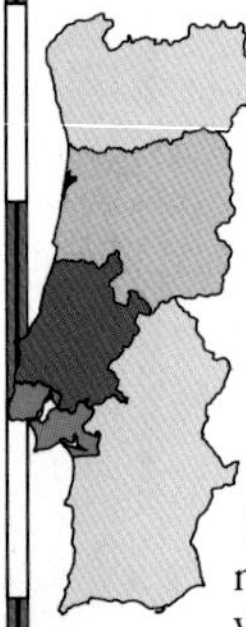

La région entre Lisbonne et Porto compte des chefs-d'œuvre architecturaux et des sites historiques magnifiques, comme les palais de Sintra et de Queluz, et les sites religieux de l'Estremadura. Cette région et la Beira Litoral possèdent des stations balnéaires prisées, mais aussi des villages de pêcheurs pittoresques. L'intérieur des terres, sur les rives du Tage, est voué à l'élevage et à l'agriculture (vigne, fruits, riz). Plus au nord, les Beiras présentent des paysages variés : la ville de Coimbra, les vallées couvertes de vigne de la région de Dão, réputée pour son vin, ainsi que les montagnes désolées et les villes fortifiées de la Beira Alta et de la Beira Baixa. Cette région reculée est dominée par le massif de granit de la Serra da Estrela.

Le monastère de Batalha *(Batalha signifie « bataille »), ou Santa Maria da Vitória, a été construit pour commémorer la victoire sur les Espagnols lors de la bataille d'Aljubarrota en 1385. C'est un édifice gothique remarquable* (p. 182-183).

Alcobaça *est renommée pour son abbaye fondée au XII*[e] *siècle par le roi Afonso Henriques. Le grand dortoir voûté illustre parfaitement l'atmosphère contemplative qui règne dans ce vaste bâtiment cistercien* (p. 178-179).

Sintra, *à l'ouest de Lisbonne, est une ville boisée qui permet d'échapper à la canicule de la capitale. C'est ici que les monarques portugais venaient passer l'été. Le Palácio Nacional regorge de merveilles, comme ce plafond peint décoré de pies* (p. 158-159).

Beira Litor

Estremadura

ESTREMADUR ET RIBATEJC (p. 170–193)

LISBONNE (p. 58–139)

LA CÔTE DE LISBONN (p. 148–169)

0 50 k

Le palácio de Queluz *est un chef-d'œuvre architectural rococo* (p. 164-165). *L'escalier des Lions monte vers le pavillon à colonnes qui porte le nom de son architecte, Jean-Baptiste Robillion.*

◁ **Château des Templiers du convento de Cristo à Tomar, dominant la ville**

Beira Alta

LES BEIRAS
(p. 194–221)

Beira Baixa

ibatejo

La forêt de Buçaco *est un arboretum et un lieu de retraite religieuse. La Via Sacra, qui serpente vers les hauteurs, offre une belle vue depuis le Calvaire* (p. 210).

La Serra da Estrela, *le plus haut massif montagneux du pays, est très contrastée, avec ses pics dépouillés et ses prairies verdoyantes parsemées de cabanes de bergers* (p. 218-219).

L'université de Coimbra *est la plus ancienne et la plus prestigieuse du Portugal* (p. 206-207). *Elle s'étend aujourd'hui bien au-delà du palais royal, qui l'accueillit en 1537 et qui est resté au cœur du campus, avec la capela de São Miguel et l'étonnante bibliothèque.*

Tomar *fut fondé par les Templiers au* XII*e* *siècle, où ces moines-soldats jouèrent un rôle essentiel dans la reconquête du Portugal. Le château des Templiers a été préservé, de même que l'imposante Rotunda, ou oratoire. L'édifice forme le centre du convento de Cristo, qui se construisit autour de l'église d'origine* (p. 184-187) *au cours des siècles.*

Chevaux et taureaux

Cavalier lors de la foire de Golegã

Le dressage classique et la tauromachie sont liés au nom du marquês de Marialva, écuyer du roi de 1770 à 1799. Il rendit célèbres des figures de dressage extrêmement complexes et difficiles, certaines voyant le cheval s'élancer dans les airs comme une ballerine. Lors des courses de taureaux, les cavaliers dans l'arène recourent à l'« art de Marialva » et exécutent généralement quelques figures de dressage pour divertir le public. La patrie traditionnelle de la tauromachie est le Ribatejo. Les courses se déroulent du printemps à l'automne lors de foires annuelles dans des villes comme Santarém, Vila Franca de Xira et Coruche. Au Portugal, la mise à mort du taureau n'a jamais lieu dans l'arène.

Affiche d'une course de taureaux

Ces gardiens de troupeaux *rassemblent les taureaux, montrant leur savoir-faire.*

Le grand João Moura salue la foule de son tricorne lors d'une *tourada.*

La crinière du cheval est magnifiquement tressée de rubans.

LE *CAVALEIRO*

Le cavalier porte un costume traditionnel du XVIIIe siècle, avec l'habit en satin, et monte un cheval richement harnaché. Il doit planter les *farpas* (banderilles) dans l'épaule du taureau. Sa performance est évaluée d'après son style et son courage.

Ce précieux tapis de selle est brodé aux initiales de João Moura.

Ces étriers traditionnels sont élégants et sûrs.

La décoration de la queue, très riche, affiche encore l'influence du style Louis XV.

L'ART ÉQUESTRE TRADITIONNEL

Plaque du centre équestre Lezíria Grande *(p. 192)*

L'Escola Portuguesa de Arte Equestre et les centres hippiques du Ribatejo perpétuent l'art codifié par Marialva. L'école de Lisbonne effectue plusieurs représentations par an, dans tout le pays. Des cavaliers en costumes du XVIIIe siècle exécutent des figures de dressage sur leurs chevaux lusitaniens Alter Real *(p. 296)*. Leurs figures ressemblent à ces illustrations tirées d'un ouvrage de 1790 dédié à Dom João (futur João VI), féru d'équitation.

Le marquês de Marialva fait exécuter une *croupade* à sa monture : le cheval relève s pattes postérieu sous le ventre.

La course de taureaux

La corrida ou *tourada* allie drame et bravoure. Une équipe d'écuyers à pied *(peões de brega)* attirent le taureau avec des capes et le préparent pour le *cavaleiro*. Celui-ci est suivi de huit *forcados*, des volontaires qui tentent de maîtriser le taureau à mains nues lors de la *pega*. À la fin, le taureau est tiré hors de l'arène par des bœufs.

Lors de la cérémonie d'ouverture, *les deux* cavaleiros *s'alignent avec les* forcados, *placés de part et d'autre.*

Le cavaleiro plante les banderilles dans l'épaule du taureau.

Le taureau charge, provoqué par le *cavaleiro* et le cheval. Ses cornes émoussées sont gainées de cuir.

L'entente *entre l'homme et le cheval est parfaite. La plupart des* cavaleiros *montent des lusitaniens, le plus ancien cheval de selle du monde, qui est une monture de guerre courageuse, élégante et puissante. Les partisans de la tauromachie estiment que ce spectacle a permis de préserver cette race de chevaux.*

Le bas des jambes du cheval est bandé.

Le premier *forcado* saisit le taureau à bras le corps en se jetant entre ses cornes.

Un forcado prête main forte au premier, les autres s'apprêtant à intervenir.

Le combat s'achève *avec la* pega *: le chef de file des* forcados *incite le taureau à charger, puis se jette par-dessus sa tête. Les autres tentent de maintenir la bête, pesant de tout leur poids pour l'immobiliser. L'un d'eux tire le taureau par la queue. Huit fois sur dix, les* forcados *sont ballottés, puis tentent à nouveau de relever le défi. La foule rit, mais applaudit leur savoir-faire et leur courage.*

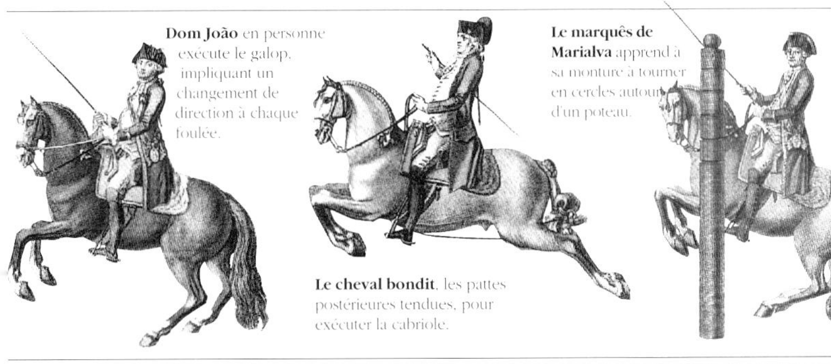

Dom João en personne exécute le galop, impliquant un changement de direction à chaque foulée.

Le cheval bondit, les pattes postérieures tendues, pour exécuter la cabriole.

Le marquês de Marialva apprend à sa monture à tourner en cercles autour d'un poteau.

Cuisine : le Centre du Portugal

Pot en céramique

La gastronomie de la région est extrêmement diversifiée. Les spécialités de l'Aveiro sont le ragoût d'anguille et les *ovos moles (p. 200)*, et le plat des environs de Coimbra est le cochon de lait. Sur les côtes, les fruits de mer sont abondants et variés. À l'intérieur des terres, le chevreau et l'agneau sont servis rehaussés de *colorau* (paprika) et cuits au vin rouge. Le lait de chèvre et de brebis donne quantité de fromages, dont le fameux serra, de la Serra da Estrela. Les melons du Ribatejo sont très sucrés, et le muscat de Setúbal est utilisé pour la table et pour le vin.

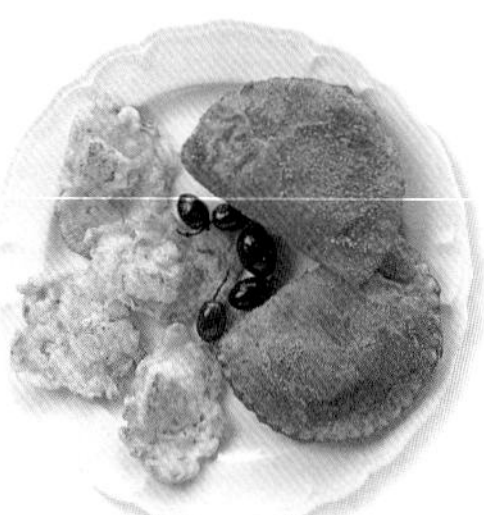

***Les* patanisca s** *sont des croquettes de morue. Ces demi-lunes, des* rissóis, *sont farcies d'une sauce aux fruits de mer.*

***La* sopa de pedra,** *« soupe de pierre », à base de légumes et de viande, est une entrée consistante.*

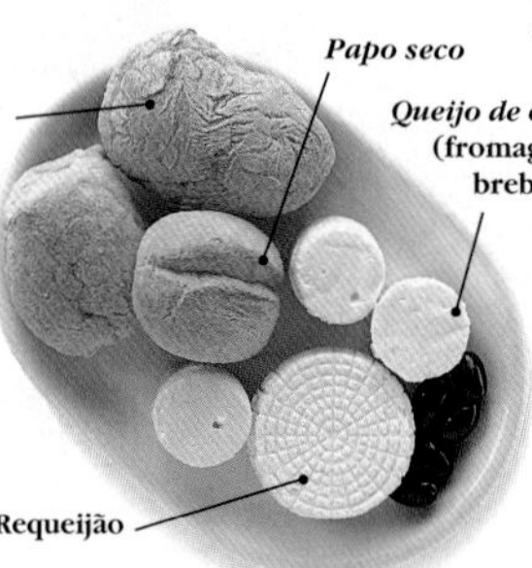

Les fromages frais *de chèvre ou de brebis se dégustent avec différents pains frais. Le* requeijão *est très apprécié.*

***Le* leitão à Bairrada,** *cochon de lait rôti croustillant, est servi froid ou chaud. On en trouve chez les bons traiteurs.*

***Le* bife à café** *est un steak avec une sauce crémeuse et des frites, couronné d'un œuf sur le plat, tel qu'on le sert dans les cafés.*

***Le* frango à piri-piri,** *poulet au piment grillé au feu de bois, est un classique des anciennes colonies africaines.*

***Le* bacalhau à brás,** *très apprécié, est composé de morue, de pommes de terre, d'oignons et d'œuf brouillé.*

Les fromages

La plupart des fromages sont au lait de brebis ou de chèvre, ou des deux. Le meilleur (et le plus cher) est le serra, crémeux, qui durcit et se corse en vieillissant *(p. 215)*. Le rabaçal est un fromage doux de Coimbra, tandis que l'azeitão, produit près de Setúbal, est relevé. Le saloio est apprécié pour son goût laiteux. Les petits fromages sont parfois conservés dans l'huile.

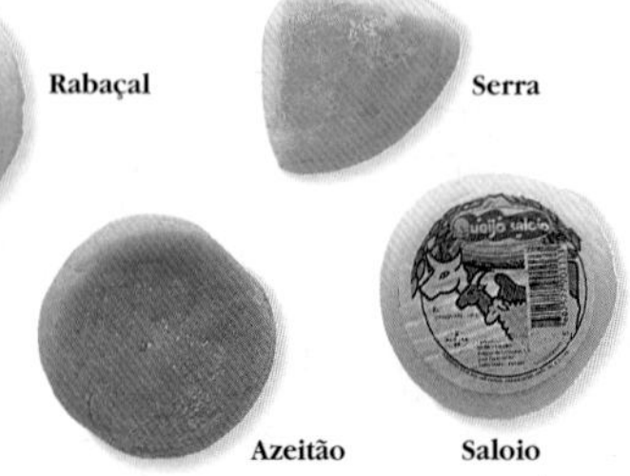

Les fruits de mer, *très abondants, sont succulents. Lisbonne regorge de restaurants de fruits de mer : homards, crevettes, langoustes, huîtres, crabes et araignées de mer y sont présentés avec art. Les menus proposent aussi des régals moins connus, comme les* anatifes. *Les coques et les palourdes se retrouvent dans quantité de plats, notamment le riz aux fruits de mer, l'*arroz de marisco.

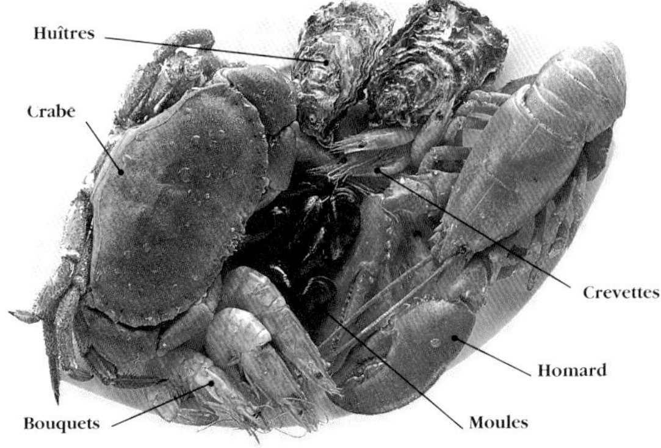

***Dans l'*açorda de marisco,** *les fruits de mer rehaussent une soupe épaisse à base de mie de pain, d'ail et de coriandre.*

***Le* salmonete grelhado,** *rouget grillé, est la spécialité de Setúbal, où il est servi avec une sauce au beurre citronnée.*

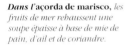

***La* mousse de chocolate,** *préparée avec du chocolat noir de qualité, est excellente.*

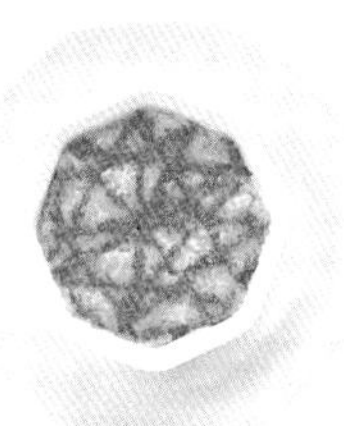

***L'*arroz doce,** *riz au lait, est parfumé aux zestes de citron et à la vanille.*

Les tartelettes, *comme les* pastéis de nata, *sont le plus souvent à base de jaune d'œuf, d'amandes et d'épices, comme la cannelle.*

Les boissons

Le Centre du Portugal produit quantité de vins *(p. 28-29)*, à partir desquels on distille l'*aguardente* (eau-de-vie). Il y a aussi des liqueurs, comme la licor beirão à base d'herbes. Les nombreuses sources de la région donnent de l'eau minérale, notamment la Luso *(p. 209)*. On connaît moins la bière de cette région. Lisbonne possède plusieurs *cervejarias* (brasseries).

Eau-de-vie Velha Reserva

Eau minérale de Luso

Liqueur Beirão

Bière Sagres

TRES

La côte de Lisbonne

À moins d'une heure de voiture de Lisbonne, au nord-ouest, s'étendent les côtes rocheuses de l'Atlantique, les versants boisés de Sintra et des campagnes parsemées de villas et de palais royaux. Au sud, on trouve des plages et des villages de pêcheurs, et les lagunes des estuaires du Tage et du Sado.

Des Phéniciens aux Espagnols, les marchands et les envahisseurs ont marqué la région. L'influence des Maures y est particulièrement visible : leurs forts et leurs châteaux, reconstruits à maintes reprises au cours des siècles, sont visibles sur toute la côte. Lorsque Lisbonne devint la capitale, en 1256, les rois et les nobles portugais bâtirent des palais et des villas d'été à l'ouest de la ville, sur les hauteurs verdoyantes et fraîches de la Serra de Sintra.

Jusqu'à la construction du pont suspendu, en 1966, la rive sud, au-delà du Tage, n'était desservie que par ferry et donc peu fréquentée. Aujourd'hui, les longues plages de la Costa da Caparica, la côte de la région de Sesimbra et même la péninsule reculée de Tróia sont très prisées en été. Heureusement, de vastes réserves naturelles ont été aménagées sur la côte et dans les campagnes.

Malgré l'urbanisation rapide de la région, des petits villages de pêcheurs et d'agriculteurs ont été préservés. Des marchés animés proposent des poissons et des fruits de mer, et Colares et Palmela sont connus pour leurs vins. Dans la Serra da Arrábida, l'élevage des moutons est toujours pratiqué, et le lait de brebis sert à la production d'un fromage, l'azeitão. La principale culture de l'estuaire du Sado est le riz. Les marais salants près d'Alcochete et les carrières de marbre de Pero Pinheiro sont toujours exploités.

La mer est froide et souvent agitée, mais les plages sont très propres. La région permet de pratiquer la planche à voile, la pêche et la plongée au tuba, mais aussi l'équitation et le golf. Il y a même un circuit de formule 1 à Estoril. Les divertissements sont nombreux : festivals de musique et de cinéma, courses de taureaux et foires artisanales proposant poteries et vanneries.

Façades carrelées d'Alcochete, une jolie ville de l'estuaire du Tage

◁ **Bateaux de pêcheurs colorés dans le port de Sesimbra**

À la découverte de la côte de Lisbonne

Au nord du Tage, la ville de Sintra, parsemée de palais anciens, est entourée de collines boisées qu'auréole parfois la brume venue de la mer. Sur la côte, la localité cosmopolite de Cascais ou le village de pêcheurs traditionnel d'Ericeira sont d'excellentes bases pour rayonner dans les environs. Au sud du Tage, la Serra da Arrábida et la côte déchiquetée des environs du cabo Espichel peuvent se visiter depuis le petit port de Sesimbra. À l'intérieur des terres, les réserves naturelles des estuaires du Tage et du Sado sont des havres de paix.

D'un coup d'œil

Alcácer do Sal 18
Alcochete 10
Cabo Espichel 12
Cascais 7
Colares 3
Costa da Caparica 11
Ericeira 2
Estoril 8
Lisbonne p. 58–139
Monserrate 5
Palácio de Mafra 1
Palácio de Queluz p. 164–165 9
Palmela 14
Península de Tróia 17
Serra da Arrábida 15
Sesimbra 13
Setúbal 16
Sintra p. 156–161 6

Excursions
Serra de Sintra 4

Cabo da Roca à la lisière occidentale de la Serra de Sintra

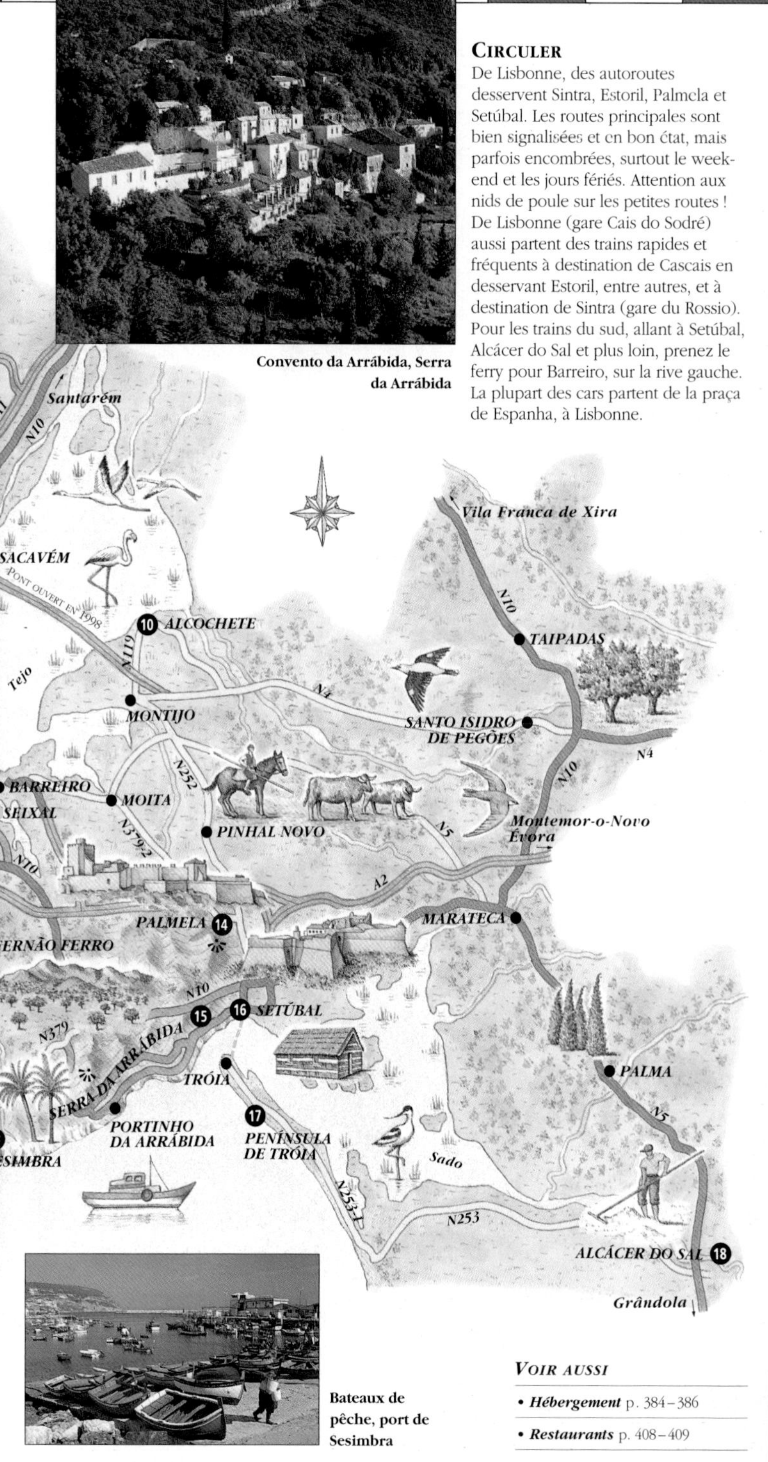

Convento da Arrábida, Serra da Arrábida

Bateaux de pêche, port de Sesimbra

CIRCULER

De Lisbonne, des autoroutes desservent Sintra, Estoril, Palmela et Setúbal. Les routes principales sont bien signalisées et en bon état, mais parfois encombrées, surtout le week-end et les jours fériés. Attention aux nids de poule sur les petites routes ! De Lisbonne (gare Cais do Sodré) aussi partent des trains rapides et fréquents à destination de Cascais en desservant Estoril, entre autres, et à destination de Sintra (gare du Rossio). Pour les trains du sud, allant à Setúbal, Alcácer do Sal et plus loin, prenez le ferry pour Barreiro, sur la rive gauche. La plupart des cars partent de la praça de Espanha, à Lisbonne.

VOIR AUSSI

- ***Hébergement*** p. 384–386
- ***Restaurants*** p. 408–409

Pavement de marbre dans la superbe bibliothèque du palácio de Mafra

Palácio de Mafra ❶

Carte routière B5. Terreiro de Dom João V, Mafra. *061-81 18 88.* *de Lisbonne.* *10 h–13 h, 14 h–17 h 30 mer.–lun.* *Pâques, 1er mai, 25 déc.* *obligatoire.*

L'imposant palais-monastère baroque *(p. 52-53)*, qui domine la petite ville de Mafra, a été construit sous le règne de João V, le roi le plus extravagant du Portugal. Tout commença lorsque le jeune souverain fit le vœu de construire un monastère et une basilique pour avoir un héritier (ou peut-être, disent les mauvaises langues, pour expier une vie de débauche). Le modeste projet initial entamé en 1717 était prévu pour accueillir treize moines franciscains. Puis les richesses issues du Brésil affluèrent dans les caisses du Portugal, et le roi et son architecte formé en Italie, Johann Friedrich Ludwig (1670-1752), conçurent des plans de plus en plus grandioses : 52 000 ouvriers travaillèrent à la construction du site qui, une fois achevé, pouvait accueillir 330 moines. Il comprenait un palais royal et l'une des plus belles bibliothèques d'Europe, ornée de marbre précieux et de bois exotique. La superbe basilique fut consacrée le 22 octobre 1730, jour du 41e anniversaire du roi. Les festivités durèrent huit jours.

Le palais ne fut jamais très apprécié de la famille royale, hormis des amateurs de chasse au sanglier et au cerf dans la *tapada* (réserve de chasse) voisine. La plupart des meubles et œuvres d'art furent emportés au Brésil quand la famille royale fuit l'invasion française, en 1807. Le monastère ne fut abandonné qu'en 1834, après la dissolution des ordres religieux. Quant au palais, il fut délaissé en 1910, lorsque le dernier roi du Portugal, Dom Manuel II, s'enfuit sur le yacht royal ancré au large d'Ericeira.

La chambre à coucher du roi dans le palais royal

Il faut prévoir au moins une heure pour la visite. Elle commence dans les salles du monastère, passe par la pharmacie, avec de superbes bocaux et des instruments médicaux inquiétants, puis mène à l'hospice où seize patients installés dans des loges particulières pouvaient assister à la messe dans la chapelle adjacente sans quitter leur lit.

En haut, de splendides salles de réception s'étendent le long de la façade occidentale du palais. Les appartements du roi sont séparés de quelque 232 m de ceux de la reine. L'imposante façade est agrémentée des tours jumelles de la basilique, couronnée d'un dôme. À l'intérieur, l'église est décorée de marbre aux couleurs contrastées et recèle six orgues du début du XIXe siècle. De magnifiques sculptures baroques, réalisées par l'école de Mafra, ornent le vestibule de la basilique. Cette école fondée par José Ier en 1754 forma quantité de sculpteurs portugais et étrangers, sous la direction de l'Italien Alessandro Giusti (1715-1799). Plus loin, la sala da Caça abrite trophées de chasse et têtes de sangliers. Le trésor le plus précieux de Mafra est l'étonnante bibliothèque, avec son sol en marbre, ses œuvres d'art, ses étagères en bois rococo et ses 36 000 ouvrages reliés en cuir, dont la première édition de l'œuvre du poète Luís de Camões *(p. 46)*, *Os Lusíadas* (1572).

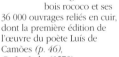

Saint Bruno, vestibule de la basilique de Mafra

Aux environs : Le jeudi matin, le petit bourg de **Malveira,** à 10 km à l'est de Mafra, accueille un grand marché d'alimentation et d'articles ménagers.

À **Sobreiro,** à 6 km à l'ouest de Mafra, la reconstitution d'un village portugais en miniature, Zé Franco, regroupe des maisons, des fermes, une cascade et un moulin à vent, tous minutieusement recréés.

Un tracteur hisse un bateau de pêche hors de l'eau, Ericeira

Ericeira ❷

Carte routière B5. *4 500.*
rua Mendes Leal (061-631 22).
t.l.j.

Ce village de pêcheurs est resté traditionnel, malgré l'afflux de visiteurs qui, l'été, viennent profiter du climat vivifiant, des plages de sable et des fruits de mer. En juillet et en août, lorsque la population passe à 30 000 personnes, les cafés, les restaurants et les bars de la praça da República restent animés tard dans la nuit. Parfois, le drapeau rouge sur la plage indique que la baignade est dangereuse. Les vacanciers partent alors jouer au mini-golf à Santa Marta ou visitent le **Museu da Ericeira,** avec ses maquettes de bateaux et ses équipements de pêche traditionnels.

La vieille ville, aux maisons blanchies à la chaux et aux ruelles pavées, est perchée sur les hauteurs. Le largo das Ribas, au sommet d'une falaise de 30 m, offre une jolie vue sur le port de pêche animé, où les tracteurs ont remplacé les bœufs qui hissaient autrefois les bateaux hors de l'eau. Le 16 août, la fête annuelle des pêcheurs est célébrée par une procession qui se rend au port pour bénir les bateaux.

Le 5 octobre 1910, lorsque la république fut proclamée à Lisbonne, Manuel II, le dernier roi du Portugal *(p. 54-55),* partit en exil depuis Ericeira. Dans la chapelle de Santo António, au-dessus du port, un panneau d'*azulejos* commémore cet événement. Le monarque s'installa à Twickenham, au sud-ouest de Londres, où il mourut en 1932.

Museu da Ericeira

Largo da Misericórdia. *061-625 36.*
juin–sept. : mar.–dim. ; oct.–mai : lun.–sam.(a.-m. seulement). *1er janv., 25 déc.*

Colares ❸

Carte routière B5. *6 500.*
Cabo da Roca, 6 km S.-O. (01-928 00 81).

Ce charmant village du bas de la Serra de Sintra est tourné vers la mer, dont il est seulement séparé par une vallée verdoyante, appelée la várzea de Colares. Une route escarpée mène à ce village paisible, qui regorge de fleurs odorantes, de pins et de châtaigniers. C'est ici qu'est produit le fameux vin de Colares. Les vieilles vignes, qui croissent sur un sol sablonneux, les racines profondément enfouies dans l'argile, furent les seules à survivre à l'épidémie de phylloxéra. L'insecte qui ravagea les vignes dans toute l'Europe en s'attaquant aux racines ne parvint pas à pénétrer le sol sablonneux et dur de la région. Des dégustations de vin sont proposées à l'Adega regional de Colares dans l'alameda de Coronel Linhares de Lima.

AUX ENVIRONS : L'ouest de Colares compte plusieurs stations balnéaires agréables, mais assez peuplées en haute saison. De Banzão, vous pourrez parcourir 3 km dans le vieux tramway inauguré en 1910, qui circule toujours du 1er juillet au 30 septembre, pour rejoindre **Praia das Maçãs.** Juste au nord de Praia se trouve le pittoresque village d'**Azenhas do Mar,** agrippé à la falaise. Au sud s'étend la station balnéaire de **Praia Grande.** Les deux localités possèdent des piscines naturelles taillées dans les rochers, qui se remplissent d'eau de mer à marée haute. **Praia da Adraga** possède un café de plage très agréable. Le soir et hors saison, les pêcheurs installent leurs cannes pour prendre les poissons qu'amène la marée montante.

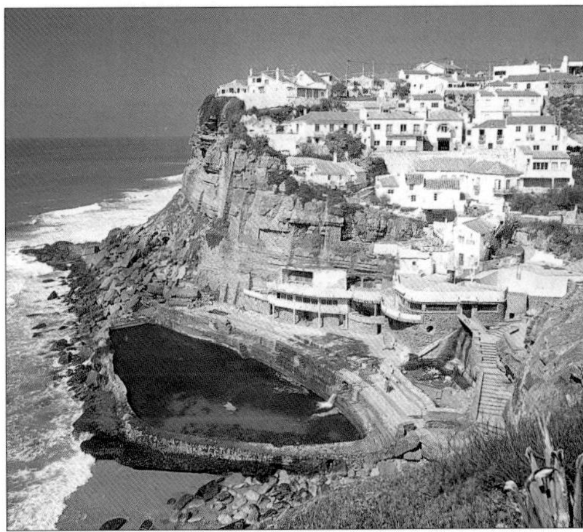

Piscine naturelle d'Azenhas do Mar, près de Colares

La Serra de Sintra ❹

***Azulejos* à Peninha**

Ce circuit au départ de Sintra emprunte un itinéraire spectaculaire dans la montagne boisée. La première partie du trajet, assez difficile, suit des virages en épingle à cheveux sur des routes étroites et escarpées, en assez mauvais état, et traverse des forêts denses et un paysage irréel de rochers géants couverts de mousse, avec une vue époustouflante sur l'Atlantique et l'estuaire du Tage. Après avoir plongé vers la côte déchiquetée et venteuse, l'itinéraire revient sur des petites routes de campagne traversant des villages montagnards et de vastes domaines verdoyants sur le versant nord de la Serra.

La côte atlantique, vue de Peninha

Colares ⑥
Le village de Colares, entouré de jardins et de vignes, est niché au bas des versants boisés de la montagne *(p. 153)*.

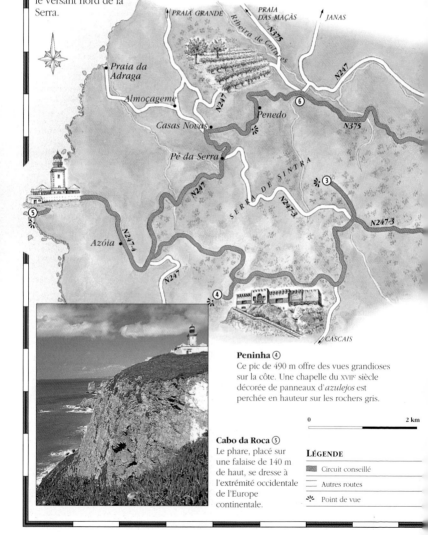

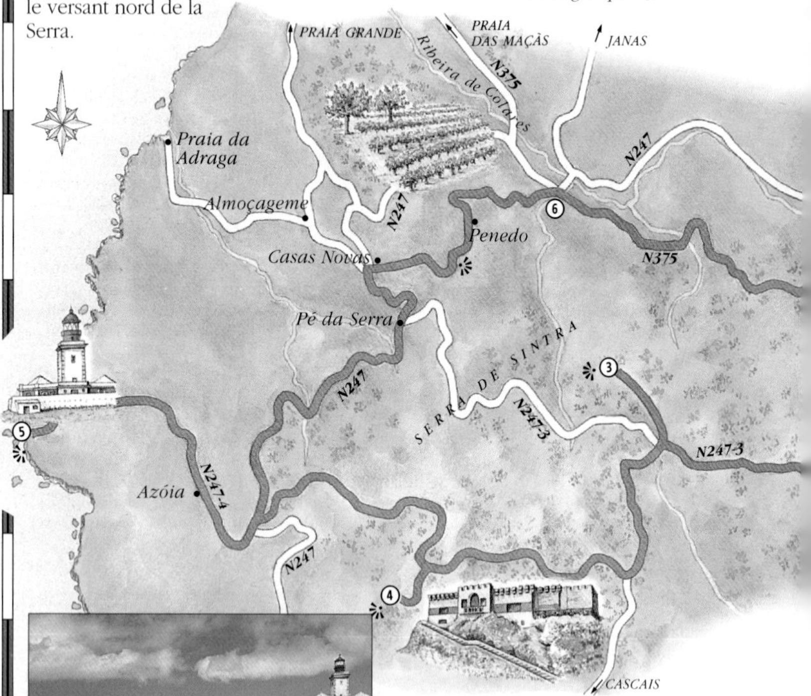

PRAIA GRANDE
PRAIA DAS MAÇÃS
JANAS
Ribeira de Colares
N375
N247
Praia da Adraga
Almoçageme
Penedo
Casas Novas
Pé da Serra
SERRA DE SINTRA
N247-3
N247-4
Azóia
CASCAIS

Peninha ④
Ce pic de 490 m offre des vues grandioses sur la côte. Une chapelle du XVIIe siècle décorée de panneaux d'*azulejos* est perchée en hauteur sur les rochers gris.

0 — 2 km

Cabo da Roca ⑤
Le phare, placé sur une falaise de 140 m de haut, se dresse à l'extrémité occidentale de l'Europe continentale.

LÉGENDE

- Circuit conseillé
- Autres routes
- Point de vue

Seteais ⑧
Cet élégant palais rose qui abrite un hôtel-restaurant de luxe *(p. 386 et 409)* a été bâti au XVIIIe siècle pour le consul hollandais, D. Gildemeester.

CARNET DE ROUTE

Longueur : *36 km.*
Où faire une pause ? *La forêt et le parque da Pena invitent au pique-nique, avec leurs sources d'eau potable et leurs fontaines le long des routes de montagne. Au cabo da Roca, vous trouverez un café, un restaurant et quelques magasins de souvenirs. Colares a plusieurs restaurants et bars très agréables* (p. 444-445).

Monserrate ⑦
Le parc forestier, touffu et frais, et l'élégant palais du XIXe siècle se marient au romantisme de Sintra.

Sintra ①
Du centre de la vieille ville, la route qui grimpe en lacet dépasse de magnifiques *quintas* (propriétés) cachées entre les arbres.

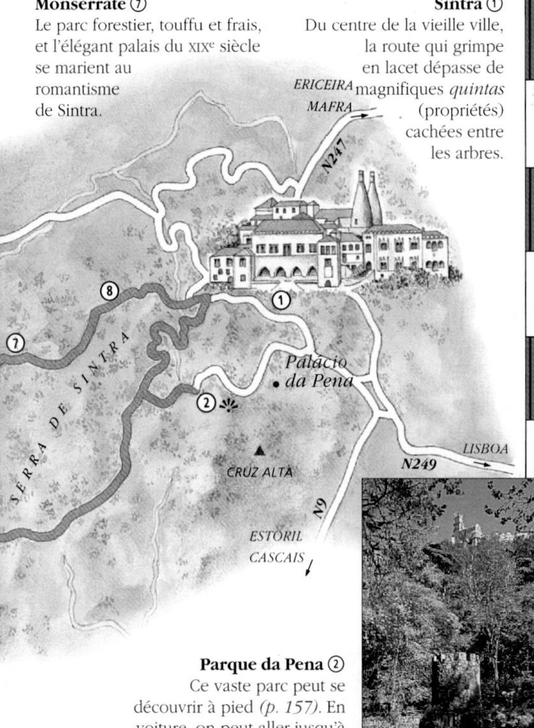

Parque da Pena ②
Ce vaste parc peut se découvrir à pied *(p. 157)*. En voiture, on peut aller jusqu'à Cruz Alta, point culminant de la Serra de Sintra.

Convento dos Capuchos ③
Deux rochers géants gardent l'entrée de ce monastère franciscain, où les moines vivaient dans de minuscules cellules taillées dans le roc et tapissées de liège. La colline dominant ce site isolé offre une belle vue sur la côte.

Palais de Monserrate

Monserrate ❺

Carte routière B5. Route de Monserrate. ☎ *01-923 12 01.* 🚌 *pour Sintra, puis taxi.* ○ *9 h–19 h 30 (oct.–mars : 17 h) t.l.j.* ● *1er janv., Pâques, 1er mai, 25 déc.*

Le jardin sauvage et romantique de ce domaine est une véritable jungle d'arbres exotiques et d'arbustes en fleurs. Entre les essences subtropicales et une vallée de fougères arborescentes, on découvre une cascade, un petit étang et une chapelle en ruine, emprisonnée entre les racines d'un *Ficus* géant. L'histoire de la localité remonte aux Maures, mais elle tire son nom d'une chapelle du XVIe siècle dédiée à Notre-Dame de Montserrat en Catalogne. Le jardin a été aménagé à la fin du XVIIIe siècle par un jeune Anglais fortuné, William Beckford. Ce jardin a été immortalisé par Lord Byron dans *Le pèlerinage de Childe Harold* (1812).

En 1856, le domaine abandonné fut acheté par Sir Francis Cook, qui construisit un palais de style mauresque (aujourd'hui vide) et dota le jardin d'une vaste pelouse, de camélias et d'arbres subtropicaux de toutes provenances. On y trouve un *Metrosidros* géant (arbre australien qui se couvre de fleurs rouges en juillet), des *Arbutus* indigènes (arbousiers dont les fruits rouges servent à distiller un alcool, la *medronheira*), et des chênes-lièges, sur les troncs desquels de petites fougères ont élu domicile.

L'Association des amis de Monserrate travaille à la restauration de la maison et du jardin, laissés à l'abandon.

Sintra ❻

Les sites de Sintra peuvent se visiter en calèche

L'emplacement grandiose de Sintra, sur un versant nord de la Serra, parsemé de ravins boisés et de sources fraîches, en fit un lieu de villégiature très apprécié des rois du Portugal. Les hautes cheminées coniques du Palácio Nacional de Sintra *(p. 158-159)* et le fabuleux palácio da Pena *(p. 160-161),* majestueux sur son pic lorsque la Serra se drape de brume, sont emblématiques de la région. Classée patrimoine mondial de l'humanité par l'Unesco en 1995, Sintra attire des milliers de visiteurs, mais les collines boisées de la région offrent encore quantité de promenades paisibles, particulièrement belles les soirs d'été.

À la découverte de Sintra

La Sintra actuelle se divise en trois parties : Sintra Vila, Estefânia et São Pedro, reliées par un dédale de rues en lacet qui s'étendent sur les collines environnantes. Dans les jolies ruelles pavées de la vieille ville, Sintra Vila, qui s'articule autour du **palácio nacional de Sintra,** se trouvent les musées et le **bureau de poste** carrelé. La **volta do Duche** part de la vieille ville, longe le **parque da Liberdade** et se dirige au nord vers le quartier d'Estefânia et la magnifique **câmara municipal** (mairie) gothique. Au sud et à l'est, le village de São Pedro s'étend sur les versants de la Serra. Un marché s'y tient, un dimanche sur deux, sur la vaste place du marché et dans la rua 1° de Dezembro.

La visite de Sintra à pied implique de longues marches sur les collines escarpées. Une solution plus confortable consiste à prendre une calèche. Le **miradouro da Vigia** à São Pedro permet d'admirer le superbe paysage, de même que la **Casa de Sapa,** un charmant café qui sert des *queijadas,* la spécialité locale *(p. 147).*

Cheminées du palácio nacional de Sintra, au-dessus de la vieille ville

Fonte Mourisca, volta do Duche

Les nombreuses fontaines, que vous découvrirez au gré de vos promenades, ne sont pas uniquement ornementales — les habitants vont encore y remplir leurs bouteilles d'eau de source. Les plus remarquables sont la **Fonte Mourisca** (fontaine maure), aux magnifiques *azulejos,* qui doit son nom à ses fines décorations néo-mauresques, et la **fonte da Sabuga.**

Alfa Romeo, jouet du Museu do Brinquedo

Museu do Brinquedo

Largo Latino Coelho. *01-924 21 71.* *mar.–dim.*

Ce petit musée regorge de jouets venus des quatre coins du monde : avions, voitures et trains modèles réduits, bataillons de soldats, poupées et maisons de poupée, jouets métalliques, voitures et soldats mécaniques. Par temps de pluie, le musée fera le bonheur des adultes nostalgiques.

Museu Regional

Praça da República 23. *01-924 05 91.* *lun.–ven. (sam. et dim. a.-m.).* *Carnaval, 1er mai, 22 déc.–2 janv.*

Le musée occupe deux étages. La galerie d'Art, qui accueille aussi des expositions temporaires, présente une petite collection de peintures et de gravures anciennes de Sintra, notamment deux vues du palácio da Pena de 1860 environ. En haut, le Musée archéologique recèle des objets trouvés dans la région : haches du néolithique, mosaïques romaines, etc.

Castelo dos Mouros

Estrada da Pena. 01-923 51 16. *t.l.j.* *1er janv., 25 déc.*

Dominant la vieille ville, les remparts du château maure construit au VIIIe siècle, pris par Dom Afonso Henriques en 1147, s'étendent au sommet de la Serra. Par beau temps, la vue sur le palácio da Pena au-delà de la vieille ville, sur un pic montagneux et sur la côte, au loin, est superbe. Une chapelle en ruine et une ancienne citerne maure sont cachées dans les murs. Depuis l'église **Santa Maria,** datant du XIIe siècle, un sentier de randonnée escarpé rejoint les bois d'alentour. Suivez les indications qui guident vers le portail vert foncé, là où le sentier commence. Les initiales « DFII » gravées sur le portail rappellent que les murailles furent restaurées par Dom Fernando II *(p. 161)* au XIXe siècle.

Remparts du castelo dos Mouros, perché sur la Serra

Mode d'emploi

Carte routière B5. *23 000.* *avenida Dr Miguel Bombarda.* *praça da República 23 (01-923 11 57).* *2e et 4e dim. du mois à São Pedro.* *Festival de Música (juin–sept.).*

Parque da Pena

Estrada da Pena. *01-924 08 73.* *t.l.j.* *1er janv., 25 déc.*

Un vaste parc entoure le palácio da Pena ; les sentiers serpentent au milieu d'une végétation exotique luxuriante. Cachés dans la verdure, on trouve des belvédères, des folies et des fontaines, ainsi qu'un chalet romantique construit en 1869 par Dom Fernando II pour sa maîtresse. Cruz Alta, qui culmine à 530 m, offre une belle vue sur la Serra et la plaine environnante. Sur un rocher voisin se dresse la statue du baron von Eschwege, architecte du palais et du parc.

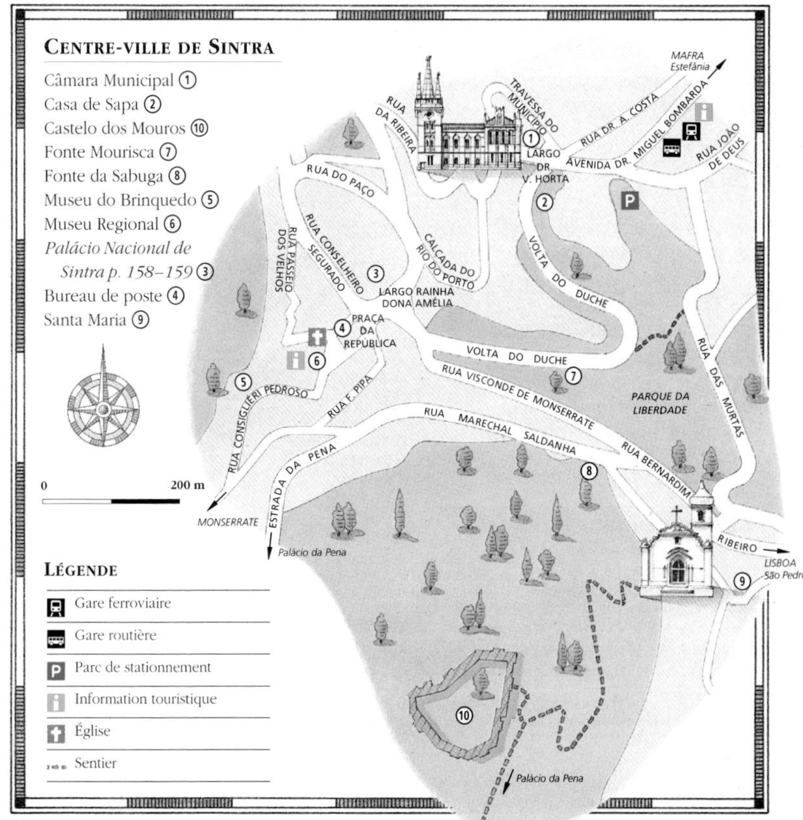

Palácio Nacional de Sintra

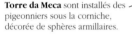

Cygne, sala dos Cisnes

Au cœur de la vieille ville de Sintra (Sintra Vila), deux étranges cheminées coniques dominent le palais royal. La partie principale du palais, avec le bloc central à la sobre façade gothique et les grandes cuisines installées sous les cheminées, a été construite par João Ier à la fin du XIVe siècle, sur un site autrefois occupé par les Maures. Appelé aussi Paço Real, il fut la résidence d'été favorite des rois du Portugal jusqu'en 1880 environ. Les ajouts effectués par le riche Manuel Ier, au début du XVIe siècle, rappellent le style mauresque. La reconstruction progressive du palais a donné naissance à une mosaïque fascinante de différents styles.

★ Sala das Pegas
Le roi João Ier aurait fait exécuter les panneaux du plafond, pour faire taire les dames de la cour, s'adonnant aux commérages.

Torre da Meca sont installés des pigeonniers sous la corniche, décorée de sphères armillaires.

La sala das Galés abrite des expositions temporaires.

★ Sala dos Brasões
Le plafond en coupole est décoré de caissons représentant les blasons (brasões) *de 74 familles nobles portugaises. Le bas des murs est orné de panneaux d'*azulejos *du XVIIIe siècle.*

Le jardim da Preta, un jardin clos

La Sala de Dom Sebastião, la salle d'audience

Chronologie

Xe siècle Le palais devient la résidence du gouverneur maure

1281 Le roi Dinis fait restaurer le palais, alors appelé palácio de Oliva

1495-1521 Restauration importante et ajouts manuélins sous le règne de Manuel Ier

1683 Afonso VI meurt après avoir été emprisonné ici pendant 9 ans

1755 Le palais est endommagé en partie lors du grand séisme

800 | 1000 | 1200 | 1400 | 1600 | 1800

1147 Reconquête chrétienne. Prise du palais par Afonso Henriques

1281-1385 João Ier fait entièrement reconstruire les bâtiments centraux et les cuisines

1755-1880 Maria Pia, grand-mère de Manuel II, dernier occupant royal

VIIIe siècle Construction du premier palais maure

Sirène, Sala das Sereias (v.1660)

1910 Le palais devient monument national

★ Sala dos Cisnes
Le superbe plafond de l'ancienne salle des banquets, peint au XVIIe siècle, est divisé en panneaux octogonaux ornés de cygnes (cisnes).

MODE D'EMPLOI

Largo Rainha Dona Amélia. *01-923 00 85.* *10 h–13 h, 14 h–17 h jeu.–mar. (der. entrée : 30 mn av. ferm.).* *1er janv., Pâques, 1er mai, 29 juin, 25 déc.* *obligatoire.*

Sala das Sereias
La porte de la salle des Sirènes est encadrée des arabesques sophistiquées des azulejos *du XVIe siècle.*

La sala dos Árabes est décorée de beaux *azulejos.*

Les cuisines, installées sous les cheminées coniques, abritent les broches et les ustensiles qui servaient aux banquets royaux.

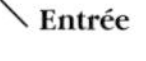

Entrée

Sala dos Archeiros, la salle des Archers

Manuel Ier ajouta les *ajimeces,* fenêtres géminées mauresques avec une colonnette séparant des arcs doubles.

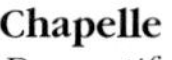

Chapelle
Des motifs mauresques symétriques ornent le plafond en châtaignier et en chêne, du XIVe siècle, et le sol en mosaïque de la chapelle privée.

À NE PAS MANQUER

★ Sala dos Brasões

★ Sala dos Cisnes

★ Sala das Pegas

Sintra : palácio da Pena

Arc de Triton

Sur l'un des plus hauts sommets de la Serra de Sintra se dresse l'étonnant palais de Pena, mélange hétéroclite de styles architecturaux. Il fut construit au XIXe siècle sur les ruines d'un monastère hiéronymite fondé au XVe siècle sur le site de la chapelle de Nossa Senhora da Pena. Ferdinand de Saxe-Cobourg et Gotha, époux de la jeune reine Maria II, chargea un architecte allemand, le baron von Eschwege, de la construction de son palais d'été, rempli de curiosités de tous les pays et entouré d'un parc. À la proclamation de la République, en 1910, le palais fut transformé en musée et conservé en l'état. Comptez au moins une heure et demie pour visiter cet endroit enchanteur.

Arc d'entrée
À l'entrée du palais, un arc surmonté de tourelles crénelées accueille les visiteurs. Le palais affiche ses couleurs d'origine, jaune canari et rouge fraise.

Chambre de Manuel II
Cette salle ovale aux murs rouge vif possède un plafond en stuc. Un portrait de Manuel II est suspendu au-dessus de la cheminée.

Dans la cuisine, les ustensiles en cuivre sont toujours accrochés au mur. Les armoiries de Ferdinand II ornent le service de table.

★ Salle de bal
La vaste salle de bal est somptueusement ornée de vitraux allemands, de précieuses porcelaines orientales et de quatre porteurs de torches enturbannés, grandeur nature, tenant des candélabres géants.

★ Salle arabe
De magnifiques fresques en trompe-l'œil couvrent les murs et le plafond de cette belle salle. L'Orient était l'une des sources d'inspiration du romantisme.

MODE D'EMPLOI

Estrada da Pena, 2 km au S. de Sintra. 01-923 02 27. *d'avenida Dr Miguel Bombarda, Sintra (mi-juil.–mi-sept.) ou taxi.* *10 h–18 h (oct.–mai : 17 h) mar.–dim. (der. entrée : 30 mn av. ferm.).* *1er janv., Pâques, 1er mai, 29 juin, 25 déc.*

★ Retable de la chapelle
L'impressionnant retable en marbre et en albâtre du XVIe siècle est l'œuvre de Nicolas Chantereine. Chaque niche représente une scène de la vie du Christ.

L'arc de Triton, orné de détails néo-manuélins, est gardé par un féroce monstre marin.

Le cloître, dont les tuiles colorées dessinent des motifs, appartient au monastère d'origine.

Entrée

FERDINAND DE SAXE-COBOURG ET GOTHA

Ferdinand fut connu au Portugal sous le nom de Dom Fernando II. Comme son cousin le prince Albert, qui épousa la reine Victoria d'Angleterre, il aimait l'art, la nature et les nouvelles inventions de l'époque. Le prince, très attaché à son pays d'adoption, consacra sa vie aux arts. En 1869, seize ans après la mort de Dona Maria II, Ferdinand épousa sa maîtresse, la comtesse Edla, une chanteuse d'opéra. La construction du palais de Pena, rêve de toute une vie, fut achevée en 1885, l'année de la mort de Ferdinand.

À NE PAS MANQUER

- ★ Salle arabe
- ★ Salle de bal
- ★ Retable

Terrasse de café dans la station balnéaire animée de Cascais

Cascais ❼

Carte routière B5. *30 000.* *rua Visconde da Luz 14 (01-486 82 04).* *mer.*

Ce port utilisé depuis la préhistoire est installé dans une baie de sable protégée, à l'embouchure du Tage. Cascais devint une station balnéaire très en vogue vers 1870, lorsque Luís Ier transforma la citadelle du XVIIe siècle en palais d'été. Une partie du bâtiment abrite aujourd'hui la résidence d'été du président de la République.

Au début du siècle, les bains de mer devinrent à la mode et les familles fortunées construisirent de magnifiques villas de vacances à Cascais. Aujourd'hui, c'est une station balnéaire animée et cosmopolite. La pêche est restée une activité importante et, l'après-midi, la prise du jour est vendue aux enchères près du port. Le **Museu-Biblioteca** du parc Gandarinha se trouve dans l'ancien palais du conde de Castro Guimarães. Superbement installée dans une petite crique, la demeure fut bâtie en 1892, lorsque Cascais était au faîte de sa popularité. Dans les années 20, le comte et son épouse moururent sans héritiers et la maison, avec sa collection éclectique de mobilier indo-portugais, de peintures, d'*azulejos*, de porcelaines et de livres précieux, revint à l'État. La pièce maîtresse de la bibliothèque est un livre illustré du XVIe siècle de Duarte Galvão (1455-1517), les *Chroniques d'Afonso Henriques*. L'une des illustrations peintes à la main, qui représente le siège de Lisbonne en 1147 *(p. 42-43)*, montre la ville du XVIe siècle.

Le petit **Museu do Mar** illustre la vie et l'histoire de Cascais, avec de magnifiques photographies anciennes, des panoramas peints et des objets trouvés dans des épaves dans la région.

Non loin, l'église **Nossa Senhora da Assunção** est décorée de peintures de Josefa de Óbidos *(p. 51)*.

Museu-Biblioteca
Avenida Rei Humberto de Itália. *01-484 08 61.* **Musée** *mar.–dim.* **Bibliothèque** *lun.–ven.* *jours fériés.*

Museu do Mar
Rua Júlio Pereira de Mello. *01-484 08 61.* *mar.–dim.* *jours fériés.*

Aux environs : À la **Boca do Inferno** (Bouche de l'Enfer), à 3 km à l'ouest par la route côtière, la mer s'engouffre dans les crevasses et les grottes dans un fracas assourdissant, faisant jaillir des embruns. Le site est presque caché par le marché et les cafés, mais une petite plate-forme offre une belle vue sur l'arc de pierre et la mer agitée, plus bas.

La superbe plage de sable de **Guincho,** à 10 km plus à l'ouest, est bordée de dunes ponctuées de pins parasols. Un petit fort (aménagé en hôtel) perché sur les rochers domine la mer. Les vagues déferlantes font le bonheur des véliplanchistes et des surfeurs expérimentés. Prudence : les courants sous-marins sont très puissants.

Vue grandiose de la côte battue par les intempéries à la Boca do Inferno, près de Cascais

Estoril ❽

Carte routière B5. *40 000.* *arcadas do Parque (01-466 38 13).*

La prospérité passée de cette station balnéaire est toujours manifeste. Des rois en exil, comme Umberto II, le dernier roi d'Italie, Juan de Bourbon d'Espagne, Charles de Habsbourg de l'Empire austro-hongrois et Carol de Roumanie vinrent s'y installer. Le petit village est devenu une ville élégante, appréciée pour la tenue de conférences.

Été comme hiver, la proximité de la capitale, la douceur du climat et sa fréquentation aristocratique attirent les visiteurs sur la « Riviera portugaise ». Aujourd'hui, de vastes villas, des appartements modernes et des hôtels cinq étoiles bordent la côte, sur la longue promenade derrière la plage, qui relie Estoril à Cascais, à 3 km. Installé dans un site

Plage de sable et promenade bordant la baie d'Estoril

magnifique, au sommet du parc, le casino est flanqué de dattiers majestueux. Les autres distractions sont le golf, avec plusieurs terrains magnifiques, l'équitation et la voile. En septembre, le grondement des formule 1, sur le circuit voisin, envahit les collines.

Palácio de Queluz ❾

Voir p. 164–165.

Alcochete ❿

Carte routière C5. *13 000.* *largo da Misericórdia (01-234 26 31).*

Cette charmante bourgade domine l'estuaire du Tage depuis la rive sud. Le sel a longtemps été l'une des principales exploitations, et des marais salants se trouvent toujours au nord et au sud de la ville. Dans le centre-ville, la statue d'un ouvrier du sel porte l'inscription : « Do sal à revolta e à esperança » (Du sel à la révolte et à l'espoir). À la périphérie d'Alcochete se dresse une statue de Manuel Ier *(p. 46-47)*, né ici le 1er juin 1469 et qui accorda une charte municipale à la ville en 1515.

Statue d'un ouvrier du sel, Alcochete (1985)

Aux environs : La **reserva natural do estuário do Tejo** couvre une vaste zone d'eau, de marais salants et de petites îles dans l'estuaire du Tage. C'est une zone de reproduction pour les oiseaux aquatiques. Pendant les migrations, quantité de flamants se retrouvent ici, venus de Camargue ou de la Fuente de Piedra en Espagne. Des excursions en bateau permettent de les voir, ainsi que d'autres animaux, comme des taureaux et des chevaux sauvages.

Reserva Natural do Estuário do Tejo
Avenida dos Combatentes da Grande Guerra 1. *01-234 17 42.*

Logements à cabo Espichel

Costa da Caparica ⓫

Carte routière B5. *40 000.* *à Cacilhas ou Trafaria, puis bus.* *av. da República 18 (01-290 00 71).*

Ses longues plages de sable bordées de dunes en ont fait une destination de vacances appréciée des Lisboètes qui viennent s'y baigner, lézarder au soleil et s'installer dans les restaurants de fruits de mer et les cafés. En été, un train aux wagons ouverts parcourt un trajet de 10 km sur la côte. Les plages les plus proches de la ville sont familiales, tandis que les plus éloignées plairont aux amateurs de calme. Plus au sud, la **lagoa do Albufeira,** abritée par les pins, possède un centre de planche à voile et un camping.

Cabo Espichel ⓬

Carte routière B5. *de Sesimbra.*

De ce promontoire battu par le vent où la terre s'arrête net, une falaise abrupte plonge dans la mer. Les Romains baptisèrent l'endroit Promontorium Barbaricum, et un phare signale le danger aux marins. L'éperon rocheux offre des vues époustouflantes sur l'océan et sur la côte. Toutefois, la prudence s'impose, car les rafales de vent sont violentes.

C'est ici que se dresse l'impressionnant **santuário de Nossa Senhora do Cabo,** une église du XVIIe siècle. De part et d'autre, de longues rangées de logements pour pèlerins tournés vers l'intérieur forment une cour ouverte. Des peintures baroques, des ex-voto et une fresque peinte sur le plafond ornent l'église abandonnée. La chapelle, derrière l'église, est décorée d'*azulejos* bleu et blanc représentant des scènes de pêche.

L'endroit devint un lieu de pèlerinage populaire au XIIIe siècle lorsqu'un habitant de la région eut une vision de la Vierge sortant de la mer à dos de mule. Les empreintes de sa monture seraient visibles sur le rocher. Quant aux grandes traces sur la praia dos Lagosteiros, sous l'église, il s'agirait d'empreintes de dinosaure fossilisées.

Fleurs de printemps près des marais salants de l'estuaire du Tage

Palácio de Queluz ❾

Sphinx du jardin

En 1747, Dom Pedro, le plus jeune fils de João V, chargea Mateus Vicente de la transformation de son pavillon de chasse en palais d'été rococo. La partie centrale fut construite, avec sa salle de musique et sa chapelle, puis le palais fut de nouveau agrandi après le mariage de Pedro et de la future Maria Ire, en 1760. L'architecte Jean-Baptiste Robillon créa le pavillon portant son nom et le jardin, conçut la salle du trône et réaménagea la salle de musique. Sous le règne de Dona Maria, la famille royale faisait du bateau sur le canal bordé d'*azulejos*.

Couloir des Manches
*Des panneaux d'*azulejos *peints (1784) représentant les continents, les saisons et des scènes de chasse décorent les murs du corredor das Mangas.*

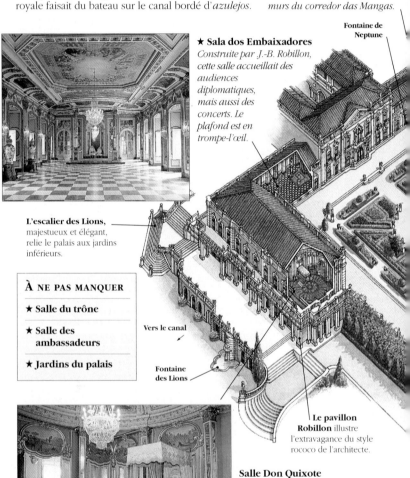

Fontaine de Neptune

★ Sala dos Embaixadores
Construite par J.-B. Robillon, cette salle accueillait des audiences diplomatiques, mais aussi des concerts. Le plafond est en trompe-l'œil.

L'escalier des Lions, majestueux et élégant, relie le palais aux jardins inférieurs.

À NE PAS MANQUER

- ★ Salle du trône
- ★ Salle des ambassadeurs
- ★ Jardins du palais

Vers le canal

Fontaine des Lions

Le pavillon Robillon illustre l'extravagance du style rococo de l'architecte.

Salle Don Quixote
La chambre où Dom Pedro IV (p. 54) *naquit et mourut possède un plafond en coupole et un sol somptueux en bois exotique, qui confère à cette salle carrée une apparence circulaire. Des peintures de Manuel da Costa (1784) illustrent l'histoire de* Don Quixote.

Salle de musique
L'orchestre de Dona Maria Ire, le « meilleur d'Europe » au dire du voyageur anglais William Beckford, y exécutait opéras et concerts. Un portrait de la reine est suspendu au-dessus du piano.

MODE D'EMPLOI

Carte routière B5. Largo do Palácio, Queluz. *01-435 00 39. Queluz, puis 20 mn à pied. à Lisbonne, Colégio Militar. 10 h–13 h, 14 h–17 h mer.–lun. 1er janv., Pâques, 1er mai, 29 juin, 25 déc. Cozinha Velha* (p. 409).

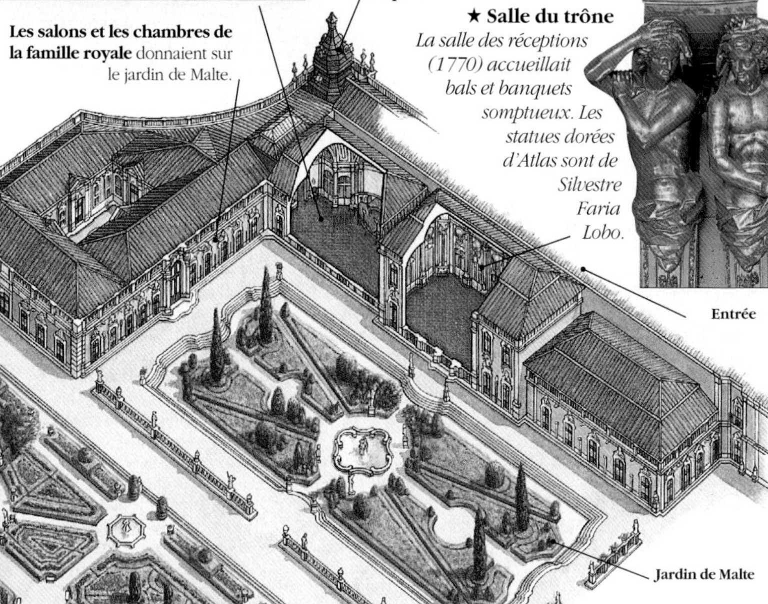

Les salons et les chambres de la famille royale donnaient sur le jardin de Malte.

★ Salle du trône
La salle des réceptions (1770) accueillait bals et banquets somptueux. Les statues dorées d'Atlas sont de Silvestre Faria Lobo.

Le Jardin suspendu, conçu par Robillon, était construit sur des arcs et était plus élevé que les jardins avoisinants.

MARIA IRE (1734–1816)

Dona Maria, première fille du roi José Ier, vécut à Queluz après avoir épousé son oncle Dom Pedro, en 1760. Sérieuse et pieuse, elle remplit consciencieusement son rôle de reine, mais souffrait d'accès de mélancolie fréquents. Lorsque son fils Dom José mourut de la variole, en 1788, elle perdit la raison. Les visiteurs étaient terrorisés à Queluz par les hurlements que lui arrachaient ses hallucinations. Après l'invasion française de 1807, elle suivit son fils Dom João (régent en 1792) au Brésil.

★ Jardins du palais
Les jardins ornés de statues, de fontaines et d'arbres taillés accueillaient des divertissements. Les concerts de la salle de musique se tenaient parfois à l'extérieur.

Sesimbra ⓭

Carte routière C5. 27 000. largo da Marinha 26-7 (01-223 57 43). 1er et 3e ven. du mois.

Une route étroite et escarpée descend vers ce village de pêcheurs, installé dans une baie abritée. Protégée des vents du nord par la Serra da Arrábida, la bourgade est devenue une station balnéaire appréciée des Lisboètes. Elle fut occupée par les Romains, puis par les Maures jusqu'en 1236, où le roi Sancho II *(p. 42-43)* prit les forts. La vieille ville est un dédale de ruelles escarpées, au centre duquel trône le **fort de Santiago** (abritant aujourd'hui la douane), qui domine la mer. De la terrasse, ouverte au public pendant la journée, la vue sur la ville, l'Atlantique et la large plage de sable, qui s'étend de part et d'autre, est magnifique. Sesimbra est une station balnéaire en expansion, où les résidences secondaires se multiplient. Par beau temps, les nombreuses terrasses de cafés sont toujours pleines.

Les bateaux de pêche colorés sont ancrés dans le porto do Abrigo, situé à l'ouest de la ville. Le port est desservi par l'avenida dos Náufragos, qui longe la plage en sortant de la ville. Les grands chalutiers *(traineiras)* prennent surtout des sardines, des daurades, des merlans et des espadons, tandis que les petits bateaux pêchent des poulpes et des calmars. Ne manquez pas, en fin d'après-midi, la vente aux enchères animée qui se tient sur le quai. La prise du jour se déguste dans les excellents restaurants de poisson du bord de mer.

Au-dessus de la ville se dresse le **château maure**. Au XVIIIe siècle, il fut restauré et une église et un cimetière furent ajoutés. Des remparts, la vue est magnifique, surtout au coucher du soleil.

Bateaux de pêche colorés dans le port de Sesimbra

Palmela ⓮

Carte routière C5. 14 000. castelo de Palmela (01-233 21 22). un mar. sur deux.

Le magnifique château de Palmela veille sur la bourgade installée sur le contrefort nord-est de la Serra da Arrábida. De son emplacement stratégique, il domine la plaine ; le soir, il est illuminé. Au XIIe siècle, le château fut pris aux Maures et donné aux chevaliers de l'ordre de Santiago *(p. 43)* par Dom Sancho Ier. En 1423, Dom João Ier transforma le château en monastère pour cet ordre. L'édifice, qui a été restauré, abrite aujourd'hui une *pousada* splendide *(p. 385)*, avec un restaurant installé dans l'ancien réfectoire des moines et une piscine pour les résidents, cachée à l'intérieur des murs.

Des terrasses du château et surtout du haut du donjon du XIVe siècle, la vue panoramique est splendide sur la Serra da Arrábida, au sud, et, par beau temps, sur Lisbonne, au-delà du Tage. Sur la place de la ville, l'église **São Pedro** renferme des *azulejos* du XVIIIe siècle représentant la vie de saint Pierre.

La fête annuelle des vendanges, la *festa das Vindimas,* se déroule en septembre, devant la mairie du XVIIe siècle. Habillés en costumes traditionnels, les villageois foulent le raisin pieds nus, et, le dernier jour, un feu d'artifice est tiré depuis les murs du château.

Vue panoramique sur la Serra da Arrábida depuis le château de Palmela

Serra da Arrábida ⑮

Carte routière C5. Setúbal.
Parque Natural da Arrábida, Praça da República, Setúbal (065-52 40 32).

Le parc naturel d'Arrábida couvre le petit massif montagneux calcaire qui s'étend d'est en ouest le long de la côte, entre Sesimbra et Setúbal. Le parc fut créé pour protéger les superbes paysages sauvages et la grande variété d'oiseaux, de chats sauvages, de blaireaux, etc.

Arrábida, qui vient de l'arabe, signifie lieu de prière. Les collines boisées sont en effet un lieu de retraite paisible et isolé. Les versants abrités, tournés vers le sud, sont couverts de plantes aromatiques, d'arbustes et d'arbres, pins et cyprès entre autres. Des vignes poussent aussi sur ces versants. La ville de **Vila Nogueira de Azeitão** est connue par son vin, en particulier le moscatel de Setúbal.

L'**estrada de Escarpa** (la N379-1) serpente au sommet de la montagne. Une route étroite en lacet conduit à **Portinho da Arrábida,** une crique abritée avec une plage de sable fin aux eaux cristallines, appréciée pour la pêche sous-marine. Les plages de sable de **Galapos** et de **Figueirinha** sont situées plus à l'est sur la côte, en direction de Setúbal. À l'est de Sesimbra, la Serra da Arrábida semble plonger dans la mer, du haut des falaises de Risco, les plus élevées du Portugal continental (380 m).

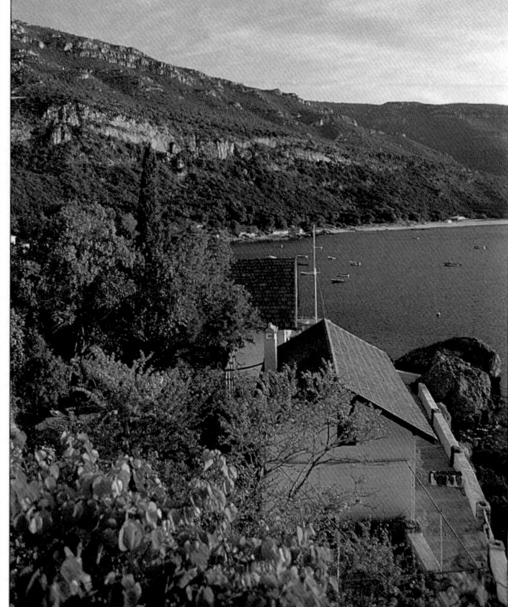

Portinho da Arrábida, sur la magnifique côte de la Serra da Arrábida

Convento da Arrábida

Serra da Arrábida. 01-352 70 02. *sur r.-v. uniquement.*

Caché sur un versant sud de la Serra, ce grand bâtiment du XVIe siècle était un monastère franciscain. Les cinq tours rondes disséminées servaient probablement à la méditation solitaire.

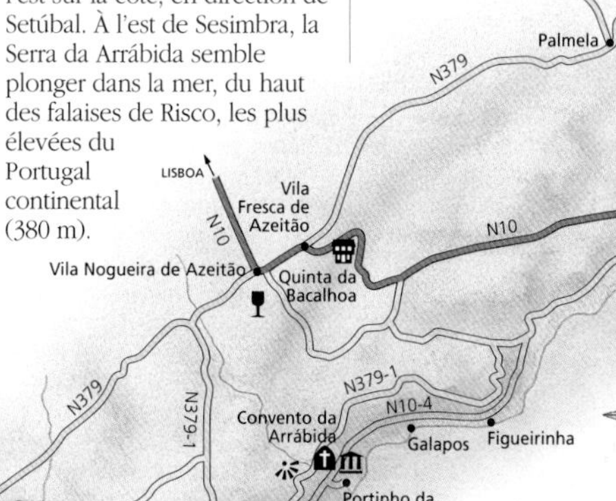

Museu Oceanográfico

Fortaleza de Santa Maria, Portinho da Arrábida. 065-52 40 32. *mar.–ven.*

Le petit fort a été construit par le prince régent Dom Pedro, en 1676, pour protéger les habitants de la région des pirates maures. Il abrite aujourd'hui le Musée océanographique et le centre de Biologie marine, qui présente quantité d'animaux marins en aquarium : oursins, poulpes, étoiles de mer, etc.

Quinta da Bacalhoa

Vila Fresca de Azeitão. *01-218 00 11.* **Jardins** *11 h–13 h lun.–sam.* *jours fériés.* *obligatoire.*

Ce joli manoir caché par une haie a été construit en 1480 dans le style du début de la Renaissance. En 1528, il s'agrandit d'une belle loggia donnant sur un jardin avec une fontaine agrémentée d'arbres taillés. Le jardin, en contrebas, mène à un bassin ornemental et à un pavillon à arcades, avec un panneau en *azulejos* (1565) représentant Suzanne et les Vieillards *(p. 22).* Le domaine, privé, appartient toujours à la même famille depuis 1937.

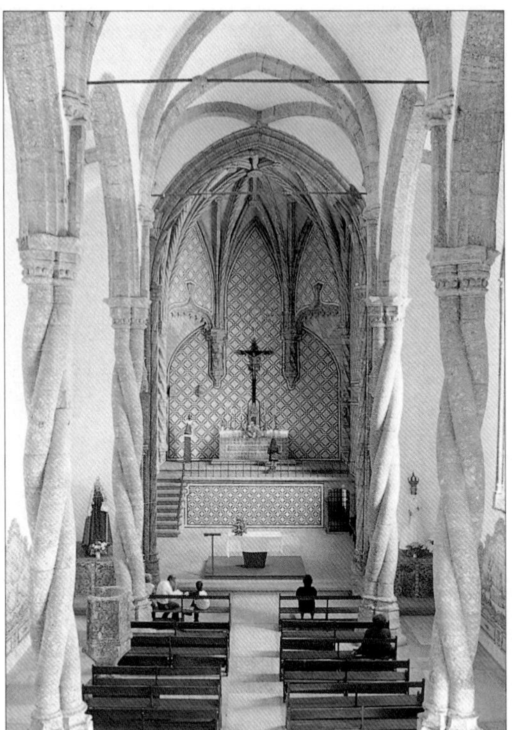

Intérieur manuélin de l'igreja de Jesus, Setúbal

Setúbal ⑯

Carte routière C5. *120 000.* *casa do Corpo Santo, praça do Quebedo (065-53 42 22).*

Quoique cette ville industrielle soit le troisième port du pays, après Lisbonne et Porto, c'est un endroit agréable pour y séjourner quelques jours et pour découvrir la région. Au sud du jardin central et des fontaines se trouvent le port de pêche, la marina et le port des ferries, ainsi qu'un marché couvert animé. Au nord s'étend la vieille ville, avec ses jolies rues piétonnes et ses places.

La cathédrale du XVIe siècle, dédiée à Santa Maria da Graça, est décorée d'*azulejos* du XVIIIe siècle et d'un bel autel. Les noms des rues rendent hommage à deux habitants célèbres de Setúbal : le poète satirique Manuel Barbosa du Bocage (1765-1805) et la cantatrice Luísa Todi (1753-1833). À l'époque romaine, la salaison du poisson était la principale activité. Sous le sol vitré de l'Office du tourisme, au n° 10, travessa Frei Gaspar, on voit des bassins rectangulaires taillés dans la pierre.

Igreja de Jesus

Praça Miguel Bombarda. *065-52 41 50.* *mar.–dim.* **Musée** *mar.–sam.* *jours fériés.*

Au nord de la vieille ville, cette belle église gothique est l'un des trésors architecturaux de Setúbal, créé par l'architecte Diogo Boytac en 1494. L'intérieur spacieux est orné de piliers torsadés taillés dans du calcaire rose d'Arrábida, qui, avec les nervures du toit figurant des cordages, sont les premières manifestations du style manuélin *(p. 20-21)*.

Dans la rua do Balneário, les bâtiments monastiques qui jouxtent l'église abritent un musée présentant quatorze peintures magnifiques illustrant la vie du Christ. Ces œuvres sont attribuées aux disciples de Jorge Afonso (1520-1530), qui fut influencé par l'école flamande.

Museu de Arqueologia e Etnografia

Avenida Luísa Todi 162. *065-393 65.* *mar.–sam.* *jours fériés.*

Le musée expose le produit de fouilles locales : vases de l'âge du bronze, monnaies romaines et amphores servant à transporter du *garum,* une sauce à base de poisson mariné très prisée à Rome. La partie ethnographique présente essentiellement l'art, l'artisanat et les activités du lieu, comme le traitement du sel et du liège au cours des siècles.

Castelo de São Filipe

Estrada de São Filipe. *065-52 38 44.* *t.l.j.*

Ce fort en forme d'étoile a été construit en 1595 par Philippe II d'Espagne *(p. 50-51)* pour surveiller les pirates, les envahisseurs anglais et la population. Un portail imposant et un tunnel mènent à l'intérieur du fort, qui abrite aujourd'hui une *pousada* *(p. 385)* et une petite chapelle avec des scènes de la vie de São Filipe en *azulejos* dus à Policarpo de Oliveira Bernardes *(p. 22)*. De la terrasse, la vue sur la ville et sur l'estuaire du Sado est magnifique.

Bateau de pêche dans la reserva natural do estuário do Sado

AUX ENVIRONS : Setúbal est une excellente base pour découvrir en voiture la **reserva natural do estuário do Sado,** région de laisses de vase, de lagunes et de marais salants avec des forêts de pins, habitée depuis 3500 av. J.-C. Elle est peuplée de loutres, d'oiseaux aquatiques (y compris des cigognes et des hérons) et de quantité de poissons. L'ancien moulin de Mouriscas, à 5 km à l'est de Setúbal, exploite la force marémotrice pour faire tourner des meules. Aujourd'hui, les principales activités sont la riziculture, la pêche et la collecte de la résine des pins autour de la lagune.

Reserva Natural do Estuário do Sado
praça da República, Setúbal (065-52 40 32).

Vue sur Alcácer do Sal et le Sado depuis le château

Península de Tróia ⓱

Carte routière C5. *Tróia.* *Complexo Turístico de Tróia (065-441 51).*

Maison de pêcheur en chaume dans le village de Carrasqueira

Les tours abritant des appartements de vacances dominent la pointe de la péninsule, que l'on rejoint facilement de Setúbal en ferry. La côte se déroule, vers le sud, sur 18 km, avec des plages de sable intactes bordées de dunes et de forêts de pins.

Près de Tróia, dans la lagune, la ville romaine de **Cetóbriga** était renommée pour la salaison du poisson. Les bassins en pierre et les ruines se visitent. Au sud, d'élégantes villas et des clubs de golf sont construits le long de la lagune.

Plus loin, **Carrasqueira** est un ancien village de pêcheurs aux maisons en roseau traditionnelles, aux murs et aux toits de chaume caractéristiques. Les bateaux de pêche étroits, ancrés sur les laisses de vase, sont desservis par des pontons sur pilotis. D'ici à Alcácer do Sal, des forêts de pins bordent la route, et on commence à découvrir les paysages plantés de chênes-lièges, typiques de l'Alentejo.

Cetóbriga
N 253-1. *065-443 18.* *t.l.j.*

Alcácer do Sal ⓲

Carte routière C5. *15 000.* *praça Pedro Nunes (065-62 25 65).* *1er sam. du mois.*

Contournée par la route principale, la vieille ville d'Alcácer do Sal (al-kasr signifie « château » en arabe, do sal « du sel ») est paisiblement installée sur la rive nord du Sado. Un fort s'y dressait déjà au VIe siècle av. J.-C. Les Phéniciens y installèrent un port fluvial, et le château devint plus tard un bastion romain. Reconstruit par les Maures, il fut pris en 1217 par Afonso II. Il abrite désormais une *pousada* *(p. 384)*, d'où l'on peut admirer les toits de la ville et des nids de cigognes.

La localité possède une promenade longeant la rivière, avec des cafés agréables et plusieurs églises anciennes. La petite église d'Espírito Santo abrite aujourd'hui le **Museu Arqueológico** présentant des trouvailles locales. **Santo António,** du XVIIIe siècle, possède une chapelle des onze mille vierges, en marbre. Les arènes accueillent plusieurs manifestations en été et la foire agricole en octobre.

Museu Arqueológico
Igreja do Espírito Santo, praça Pedro Nunes. *065-62 25 65.* *t.l.j.*

Les oiseaux des estuaires

Beaucoup d'oiseaux, comme les échasses blanches, les avocettes, les gravelots à collier interrompu et les perdrix de mer, vivent près de l'eau, sur les laisses de vase et dans les lagunes asséchées des estuaires du Tage et du Sado. Les roseaux abritent des nids et quantité de petits butors, hérons pourpres et busards de roseaux. De septembre à mars, la région de l'estuaire du Tage accueille nombre d'oiseaux sauvages.

L'échasse blanche se nourrit dans les estuaires

Estremadura et Ribatejo

Entre le Tage et la côte s'étend une région vallonnée, l'Estremadura, dont les collines se déroulent jusqu'à des plages de sable et des falaises. Par contraste, le Ribatejo, en bordure du Tage, est une vaste plaine alluviale. Les plus beaux monastères médiévaux du Portugal témoignent du riche passé historique de ces régions.

Le nom d'Estremadura vient du latin *Extrema Durii,* « au-delà du Douro », qui délimitait les royaumes chrétiens du Nord. À mesure que le Portugal s'étendit vers le Sud, au XIIe siècle, les terres reprises aux Maures *(p. 42-43)* furent distribuées aux ordres religieux. L'abbaye cistercienne d'Alcobaça commémore la prise de Santarém par Dom Afonso Henriques, en 1147. Peu après, les Templiers bâtirent leur citadelle à Tomar *(p. 185)*.

Les revendications espagnoles sur le Portugal amenèrent de nouveaux conflits : l'abbaye de Batalha fut construite près du lieu de la victoire de Dom João Ier sur la Castille à Aljubarrota, en 1385. Plus tard, entre 1808 et 1810, les troupes de Napoléon mirent à sac nombre de villes de la région, mais elles furent arrêtées par les défenses de Wellington, les fortifications de Torres Vedras. L'Estremadura connaît aujourd'hui une relative expansion grâce à l'agriculture. La plaine alluviale du Ribatejo (littéralement « rive du Tage ») possède un sol fertile couvert de cultures et de pâturages où paissent chevaux et taureaux.

La région de Tomar et les villes bordant le Tage abritent des industries prospères. Le barrage construit dans les années 40 sur le Zêzere, à Castelo de Bode, ouvrit l'ère de l'énergie hydroélectrique. Avec des villages de pêcheurs comme Nazaré et les plages de sable bordant une vaste pinède, la Pinhal de Leiria, la côte atlantique a la faveur des vacanciers. Les visiteurs affluent aussi à Fátima, le principal sanctuaire du Portugal, où sont célébrées les apparitions de la Vierge (1917).

Affiches annonçant des courses de taureaux, Coruche

◁ **Piliers gothiques austères dans la nef de l'église de l'abbaye cistercienne d'Alcobaça**

Découvrir l'Estremadura et le Ribatejo

Les monuments de l'Estremadura témoignent de son rôle historique déterminant. La ravissante ville de Leiria est une bonne base pour visiter les abbayes de Batalha et d'Alcobaça ou le sanctuaire moderne de Fátima. Tomar est un endroit agréable pour séjourner ou à découvrir depuis Lisbonne dans la journée. Les vacanciers plus oisifs feront du bateau sur le lac du Castelo de Bode ou lézarderont sur les plages de la région. La plaine de Lezíria, dans le Ribatejo, est renommée pour l'élevage de taureaux et de chevaux. Les visiteurs pourront assister à des courses de taureaux, à Santarém, et à des fêtes locales animées.

Les régions d'un coup d'œil

Circuler

Les liaisons par train et par car sont bonnes. De Lisbonne, des excursions d'une journée sont proposées en car, par exemple pour Alcobaça ou Tomar. L'autoroute A1 dessert bien la région dans le sens nord-sud, relayée par des routes transversales, comme l'IP6. La N1 (IC2), plus ancienne, est souvent encombrée. Dans la Lezíria, les routes sont aussi en bon état.

Cabines de plage colorées de São Martinho do Porto

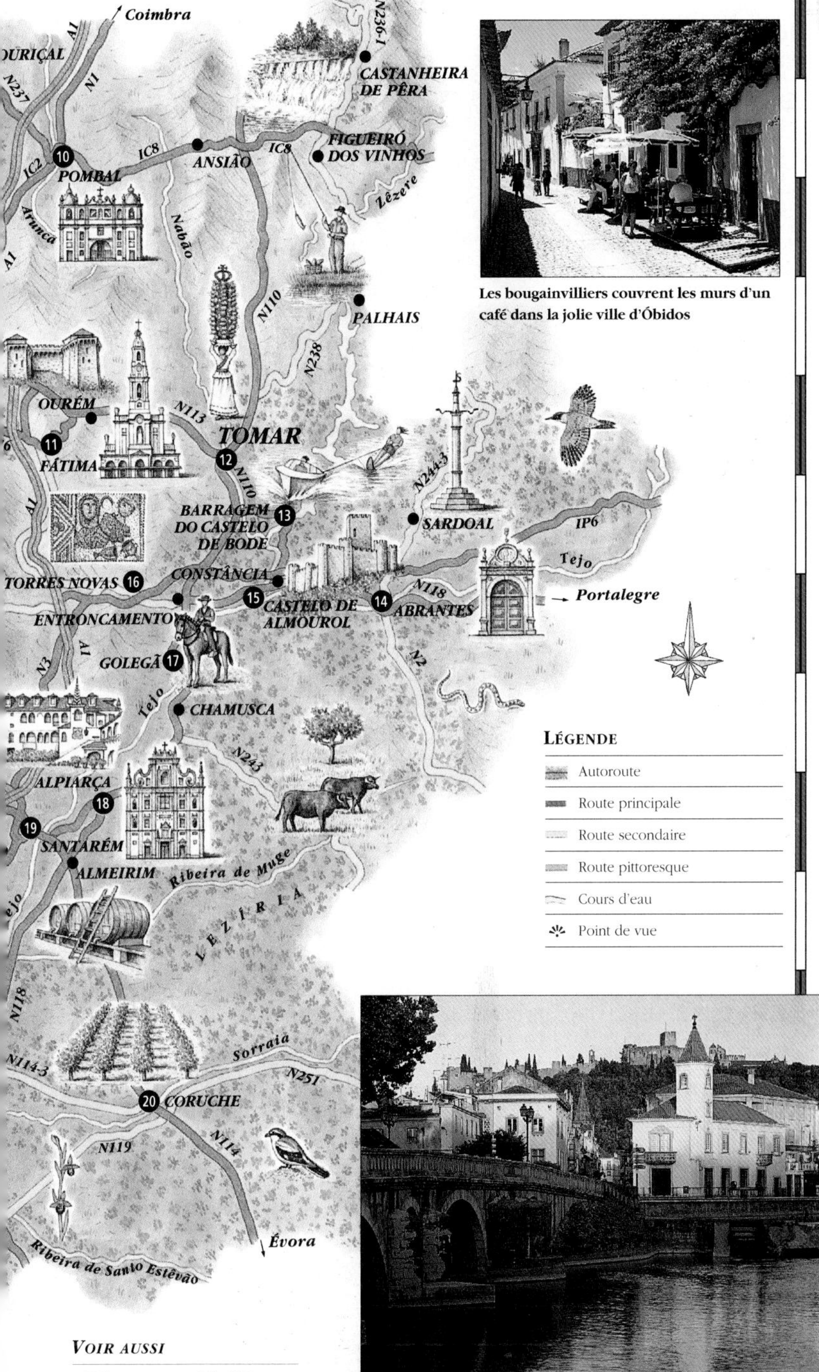

Les bougainvilliers couvrent les murs d'un café dans la jolie ville d'Óbidos

À Tomar, le ponte Velha, un ouvrage Renaissance, enjambe le Nabão, avec le convento de Cristo à l'arrière-plan

VOIR AUSSI

• ***Hébergement*** p. 386–388

• ***Restaurants*** p. 410–411

Îles Berlenga ❶

Carte routière B4. *de Peniche.* *Peniche.*

Cet archipel rocheux, à 12 km des côtes, n'a été habité que par des moines, un gardien de phare et, plus récemment, des scientifiques. L'île principale, Berlenga Grande, est desservie par ferry (comptez une heure environ). Cette réserve naturelle est un lieu de reproduction pour les oiseaux de mer.

Au sud-est de l'île se dresse le **forte de São João Baptista,** du XVIIe siècle. Ce fort pentagonal austère, qui a subi les assauts répétés des pirates et des armées étrangères, abrite aujourd'hui une auberge. Des barques en location permettent de découvrir les récifs et les grottes marines, dont la plus spectaculaire est le **Furado Grande.** Ce long tunnel de 70 m débouche sur la covo do Sonho (grotte du Rêve), entourée de falaises de granit rouge.

Forte de São João Baptista, ilha de Berlenga Grande

Peniche ❷

Carte routière B4. *20 000.* *rua Alexandre Herculano (062-78 95 71).* *jeu. (sauf juil. et déc.).*

Cette petite ville agréable, installée sur une péninsule, est en partie ceinturée de murailles du XVIe siècle. Totalement tributaire de son port, Peniche possède d'excellents restaurants de poisson. Au sud de la ville, la **Fortaleza** du XVIe siècle servit de prison sous Salazar *(p. 56-57).* La forteresse devint célèbre par l'évasion du leader communiste Álvaro Cunhal, en 1960. Elle abrite le **Museu de Peniche** qui propose notamment une visite des sinistres cellules de la prison. Sur le largo 5 de Outubro, **l'igreja da Misericórdia** présente un plafond orné de panneaux peints représentant *La vie du Christ,* du XVIIe siècle, et des panneaux d'*azulejos* de la même époque.

Museu de Peniche
Campo da República. 062-78 18 48. *mar.–dim.* *25 déc.*

Bateaux ancrés dans le vieux port de Peniche

AUX ENVIRONS : À 2 km de Peniche, le **cabo Carvoeiro,** à l'ouest de la péninsule, offre une vue magnifique sur l'océan. Des rochers aux formes étranges émaillent la côte érodée. La chapelle **Nossa Senhora dos Remédios** abrite des faïences du XVIIIe siècle représentant la *Vie de la Vierge,* attribuées à l'atelier d'António de Oliveira Bernardes *(p. 22).*

À 2 km à l'est de Peniche, le village côtier de Baleal possède des plages agréables et fera le bonheur des pêcheurs.

Óbidos ❸

Carte routière B4. *600.* *rua Direita (062-95 92 31).*

Ce village enchanteur aux maisons blanchies à la chaux est entouré de murailles crénelées du XIVe siècle. Óbidos fut offert en cadeau de mariage par le roi Dinis *(p. 44-45)* à son épouse Isabel d'Aragon, en 1282. Óbidos était alors un port important. Au XVIe siècle, la rivière s'était envasée et la localité avait perdu son importance stratégique. Cette localité pittoresque a été joliment restaurée. L'accès à la ville s'effectue par la porte sud, la **porta da Vila,** dont l'intérieur est embelli d'*azulejos* du XVIIIe siècle. La rua Direita mène à la praça de Santa Maria. Là, un *pelourinho* (pilori) manuélin est décoré d'un filet de pêche. Dona Leonor, épouse de João II, choisit cet emblème en l'honneur des pêcheurs qui tentèrent en vain de sauver son fils de la noyade.

En face du pilori, l'église **Santa Maria** est dotée d'un portail Renaissance. C'est ici qu'en 1441 le futur Afonso V, alors âgé de dix ans, épousa sa cousine Isabel de deux ans sa cadette. L'église possède un plafond en bois peint et des *azulejos* du XVIIe siècle. Dans le chœur, le retable représentant *Le mariage mystique de sainte Catherine* (1661) est dû à Josefa de Óbidos *(p. 51)*. L'artiste repose dans l'église **São Pedro** sur le largo de São Pedro. Ses œuvres sont également exposées au **Museu Municipal.**

Le château, reconstruit par Afonso Henriques après la prise de la ville aux Maures en 1148, domine la localité. Aujourd'hui, il abrite une charmante *pousada (p. 387)*. Le chemin de ronde sur les remparts offre une belle vue sur les toits.

Au sud-est, le **santuário do Senhor da Pedra** est un édifice baroque de plan hexagonal, commencé en 1740. La croix de pierre primitive de l'autel est très vénérée.

Maisons blanchies à la chaux d'Óbidos, avec le château en arrière-plan

Museu Municipal

Praça de Santa Maria. *062-95 92 63.* *t.l.j.* *1er janv., 25 déc.*

Un pilori se dresse devant l'igreja de Santa Maria, Óbidos

Caldas da Rainha 4

Carte routière B4. *22 000.* *rua Duarte Pacheco (062-83 10 03).* *lun.*

Caldas da Rainha, littéralement « sources chaudes de la reine », est une ville thermale qui doit sa prospérité aux cures, aux fruits et à la céramique. Dona Leonor, qui valut son nom à la localité, fonda l'hospital da **Misericórdia** sur le largo qui porte son nom. La chapelle de l'hôpital fut ultérieurement transformée en **igreja do Populo,** aménagée en style manuélin par Diogo Boytac *(p. 106-107)*. À l'intérieur, la chapelle de São Sebastião est décorée d'*azulejos* du XVIIIe siècle.

Le marché de la praça da República et les magasins de la rua da Liberdade proposent des céramiques locales, notamment les célèbres majoliques figurant des feuilles de chou *(p. 24-25)*. Le **Museu de Cerâmica** présente des créations humoristiques et religieuses de Rafael Bordalo Pinheiro (1846-1905), caricaturiste-potier.

Museu de Cerâmica

Rua Elídio Amado. *062-231 57.* *mar.–dim.* *jours fériés.*

Aux environs : La **lagune d'eau de mer d'Óbidos** (15 km à l'ouest) est appréciée pour la voile et la pêche.

Óbidos, entouré de remparts médiévaux crénelés, semble tout droit sorti d'un conte de fées ▷

Alcobaça ❺

Le mosteiro de Santa Maria de Alcobaça est un fleuron de l'art cistercien. Monument phare, à jamais attaché au souverain Dom Afonso Henriques et à la Reconquête, l'abbaye fut fondée en 1153. En mars 1147, Dom Afonso Henriques *(p. 42-43)* prit le bastion maure de Santarém. En échange de l'aide apportée lors de la Reconquête, Dom Afonso Henriques donna ce territoire, en 1152, à Bernard de Clairvaux pour y fonder une abbaye. Un premier monastère, qui vit le jour en 1180, fut vite détruit par les Maures ; l'ouvrage ne fut achevé qu'en 1223. Les rois continuèrent à doter le monastère, notamment Dom Dinis, qui construisit le cloître principal.

Sacristie
Feuillages exotiques et pinacles complexes ornent le portail manuélin, attribué à João de Castilho (p. 106).

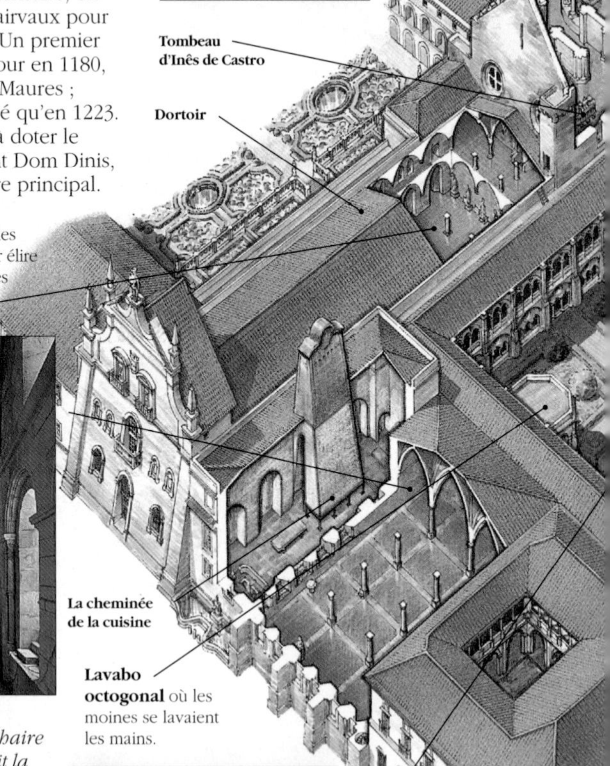

Tombeau d'Inês de Castro

Dortoir

Dans la salle capitulaire, les moines se réunissaient pour élire l'abbé et discuter des affaires concernant le monastère.

Réfectoire et cuisine
Un escalier mène à la chaire où l'un des moines lisait la Bible à haute voix tandis que les autres mangeaient en silence. À côté, dans la grande cuisine, des bœufs étaient rôtis à la broche ; un cours d'eau détourné fournissait la boisson.

La cheminée de la cuisine

Lavabo octogonal où les moines se lavaient les mains.

★ Cloître de Dom Dinis
Aussi appelé cloître du Silence, il fut commandé par le roi Dinis en 1308. Les galeries austères et les colonnettes jumelées reflètent le souci de simplicité cistercien.

À NE PAS MANQUER

- ★ Cloître de Dom Dinis
- ★ Tombeaux de Pedro Ier et d'Inês de Castro

***Mort de saint Bernard*, sculpture en céramique de la fin du XVIIe siècle**

★ Tombeaux de Pedro Ier et d'Inês de Castro
Le gisant de Dom Pedro fait face à celui d'Inês, pour qu'au jour du Jugement dernier il se retrouve les yeux dans les yeux avec son aimée (p. 44-45).

MODE D'EMPLOI

Carte routière C4. Mosteiro de Santa Maria de Alcobaça, praça 25 de Abril, Alcobaça. *062-434 69. de Lisbonne, Coimbra et Leiria. 9 h–19 h (oct.–avr. : 17 h) t.l.j. (der. entrée : 30 mn av. ferm.). Pâques, 1er mai, 25 déc. 11 h le dim.*

Nef centrale
La voûte et les piliers élancés de la nef centrale créent une impression d'harmonie et de dépouillement.

La façade date du XVIIIe siècle. Des statues de marbre des saints Benoît et Bernard flanquent le portail principal.

Entrée principale

Sala dos Reis
Des azulejos *du XVIIe siècle illustrent la fondation de l'abbaye et des statues royales ornent les murs.*

L'ASSASSINAT D'INÊS DE CASTRO

Pour des raisons d'État, Dom Pedro, héritier de Dom Afonso IV *(p. 44-45)*, dut épouser l'infante de Castille, Constança, alors qu'il était tombé amoureux de l'une de ses dames d'honneur, Inês de Castro. À la mort de Constança, Dom Pedro partit vivre à Coimbra avec Inês. Mais, jugeant la famille d'Inês dangereuse pour le royaume, Dom Afonso IV la fit assassiner le 7 janvier 1355 *(p. 203)*. À la mort du roi, Dom Pedro fit arracher le cœur aux meurtriers de sa belle. Révélant son mariage secret avec Inês, Dom Pedro fit exhumer sa dépouille et la fit couronner. Puis il contraignit la cour à baiser la main de la reine morte.

La plage de Nazaré, vue du Sítio

Nazaré 6

Carte routière C4. 10 000. avenida da República 17 (062-56 11 94). ven.

Avec sa belle plage nichée dans une baie bordée de falaises, ce village de pêcheurs est une station balnéaire appréciée, au charme traditionnel. On y voit encore des pêcheurs vêtus de chemises à carreaux et de bonnets noirs et leurs femmes portant des jupons superposés, qui réparent les filets et font sécher du poisson sur la plage. Les bateaux de couleurs vives aux grandes proues, autrefois hissés hors de l'eau par des bœufs, sont toujours utilisés, mais un mouillage leur est désormais réservé au sud de la plage. Le nom de Nazaré viendrait d'une statue de la Vierge rapportée ici au IVe siècle par un moine de Nazareth.

Perché sur la falaise, le Sítio est desservi par un funiculaire. La petite **ermida da Memória** se dresse au bord de la falaise. C'est ici qu'en 1182 la Vierge aurait sauvé le seigneur Dom Fuas Roupinho et son cheval, alors qu'il chassait un cerf qui sauta de la falaise noyée dans la brume. De l'autre côté de la place, l'église **Nossa Senhora de Nazaré,** du XVIIe siècle, possède deux clochers baroques. L'intérieur, tapissé d'*azulejos* du XVIIIe siècle, abrite une peinture anonyme du miracle et une représentation de Notre-Dame de Nazaré. En septembre, la statue est portée vers la mer lors d'une procession traditionnelle, rappelant l'origine de la localité.

L'église baroque Nossa Senhora de Nazaré

Aux environs : São Martinho do Porto, à 13 km au sud de Nazaré, est une plage de sable dans une baie presque fermée. Très sûre, elle est appréciée des familles avec des enfants. L'église wisigothique **São Gião,** à 5 km plus au sud, abrite de belles sculptures.

Porto de Mós 7

Carte routière C4. 6 000. Jardim Principal (044-49 13 23). ven.

Le château, plutôt extravagant, domine la bourgade de Porto de Mós. L'édifice, à l'origine un fort maure, fut reconstruit par différents rois chrétiens. Sa physionomie actuelle, avec ses tourelles vertes coniques et sa ravissante loggia, est l'œuvre des bâtisseurs de Dom Afonso IV, qui l'achevèrent en 1420.

L'église **São João Baptista,** du XIIIe siècle, a conservé son portail roman d'origine. L'église baroque **São Pedro,** richement décorée, est installée dans le jardin public. À l'écart de la praça da República, le **Museu Municipal** présente une collection variée de trouvailles locales : vestiges romains et os de dinosaures, mais aussi *mós* (meules), céramiques et tapis tissés contemporains.

Museu Municipal
Travessa de São Pedro. 044-49 12 02. *mar.–dim.* *jours fériés.*

Âne dans le parque natural das Serras de Aire e Candeeiros

Aux environs : Au sud de Porto do Mós, le **parque natural das Serras de Aire e Candeeiros** s'étend sur 38 900 hectares dans un paysage de calcaire verdoyant. Le parc est un lieu de reproduction pour les craves à bec rouge.

La région est truffée de grandes grottes souterraines avec d'étranges formations rocheuses, des stalactites et des stalagmites. Les plus grandes sont les **grutas de Mira de Aire,** à 17 km au sud-est de Porto de Mós, où des tunnels descendent jusqu'à 110 m sous terre. Au cours de la visite des cavités, vous découvrirez des rochers bizarres, baptisés le « Chapeau chinois » ou la « Méduse » ; elle s'achève par un spectacle d'eau et de lumière.

Grutas de Mira de Aire
Mira de Aire, N 243. 044-44 03 22. *t.l.j.*

Batalha 8

Voir p. 182–183.

Leiria ⑨

Carte routière C4. *13 000.* *Jardim Luís de Camões (044-81 47 48).* *mar. et sam.*

Ville épiscopale depuis 1545, Leiria s'étend dans un joli paysage de campagne sur les bords de la Lis. L'ancienne ville romaine de Collipo fut prise aux Maures par Afonso Henriques *(p. 42-43)* au XIIe siècle. En 1254, Dom Afonso III y tint des Cortes.

Le magnifique **château,** qui domine la ville, compte une bibliothèque et des salles de réunion. Au début du XIVe siècle, le roi Dinis le restaura, le dotant d'un beau donjon, de la torre de Menagem et d'une élégante loggia, et en fit une résidence royale pour lui et son épouse, la reine Isabel d'Aragon. À l'intérieur des remparts, on découvre les murs de granit sombres de l'église gothique **Nossa Senhora da Pena,** privée de toit. De la loggia, la vue porte sur la pinède, la pinhal de Leiria, et sur les toits.

La vieille ville, située au pied du château, est charmante, avec ses minuscules habitations en surplomb, ses ravissantes arcades et la petite église São Pedro, du XIIe siècle, qui s'élève sur le largo de São Pedro. Le portail roman est tout ce qu'il reste de l'église d'origine. La Sé du XVIe siècle, au-dessus de la praça Rodrigues Lobo, possède une élégante nef et, dans le chœur, un retable de 1605 peint par Simão Rodrigues. De l'avenida marquês de Pombal, qui grimpe sur la colline en face du château, un escalier du XVIIIe siècle monte au **santuário de Nossa Senhora da Encarnação,** du XVIe siècle. Le petit intérieur baroque, où les *azulejos* géométriques abondent, abrite également des peintures illustrant la *Vie de la Vierge,* du XVIIe siècle.

Château

Largo de São Pedro. 044-81 39 82.
t.l.j. *1er janv., 25 déc.*

Aux environs : À l'ouest s'étend l'immense **pinhal de Leiria,** la pinède plantée par Dom Dinis afin de fournir du bois pour les bateaux. Cette « cathédrale verte emplie de murmures », selon les paroles du poète Afonso Lopes Vieira (1878-1946), s'étend vers le nord jusqu'à la plage de Pedrogão. **São Pedro de Muel,** à 22 km à l'ouest de Leiria, possède une belle plage.

La côte déchiquetée de l'ouest de Leiria

Pombal ⑩

Carte routière C4. *12 500.* *largo do Cardal (036-232 30).* *lun. et jeu.*

Associée au marquês de Pombal *(p. 52-53),* qui s'y retira en 1777, cette petite ville aux maisons blanchies à la chaux est dominée par l'imposant château bâti en 1171 par les Templiers *(p. 185).*

Le marquis vécut sur l'actuelle praça marquês de Pombal. L'ancienne prison et le *celeiro* (cellier) sont ornés des armoiries de sa famille. L'ancien monastère de Santo António abrite le **Museu Marquês de Pombal,** avec des documents et des œuvres d'art consacrés à ce personnage historique.

Museu Marquês de Pombal

Largo do Cardal. 036-220 01.
lun.–ven. *jours fériés.*

La loggia à arcades et les tours du château veillent sur Leiria

Batalha ❽

Le jeune Nuno Álvares Pereira

L'abbaye dominicaine de Santa Maria da Vitória à Batalha, qui célèbre la victoire d'Aljubarrota en 1385, est le chef-d'œuvre du gothique rayonnant portugais. En effet, Dom João Ier avait fait le vœu d'élever une église magnifique à la Vierge s'il gagnait la bataille. La construction fut entamée en 1388 par l'architecte maître Afonso Domingues, auquel succéda en 1402 David Huguet. Au cours des deux siècles suivants, différents rois y laissèrent leur empreinte : le fils de Dom João, le roi Duarte, commanda un panthéon derrière l'abside ; les chapelles inachevées et les décorations des bâtiments sont des ajouts manuélins. L'abbaye a toujours un rôle militaire : deux soldats inconnus de la Première Guerre mondiale reposent dans le chapitre.

Chapitre
Le Soldat inconnu gît dans le tombeau sous la belle voûte présentant une étoile de nervures due à Huguet.

★ Cloître royal
Les arcades gothiques d'Afonso Domingues et de David Huguet autour du cloître sont ornées de remplages manuélins (p. 20-21), *mettant en harmonie les formes et les décors.*

Le lavabo, où les moines se lavaient les mains avant et après les repas, possède une fontaine construite vers 1450.

Réfectoire

Entrée principale

Portail
Huguet enrichit le portail de motifs religieux et de statues des apôtres, dans le style complexe du gothique tardif.

À NE PAS MANQUER

- ★ **Chapelle**
- ★ **Cloître royal**
- ★ **Chapelles**

★ Chapelles inachevées
Commencé sous Dom Duarte, le mausolée fut abandonné par le roi Manuel Ier pour le monastère des Jerónimos (p. 106-107).

MODE D'EMPLOI

Carte routière C4. Mosteiro de Santa Maria da Vitória, Batalha.
044-964 97. de Lisbonne, Leiria, Porto de Mós et Fátima.
9 h–18 h (oct.–mars : 17 h) t.l.j. 1er janv., Pâques, 1er mai, 24 et 25 déc.

Les vitraux, derrière le chœur, datent de 1514.

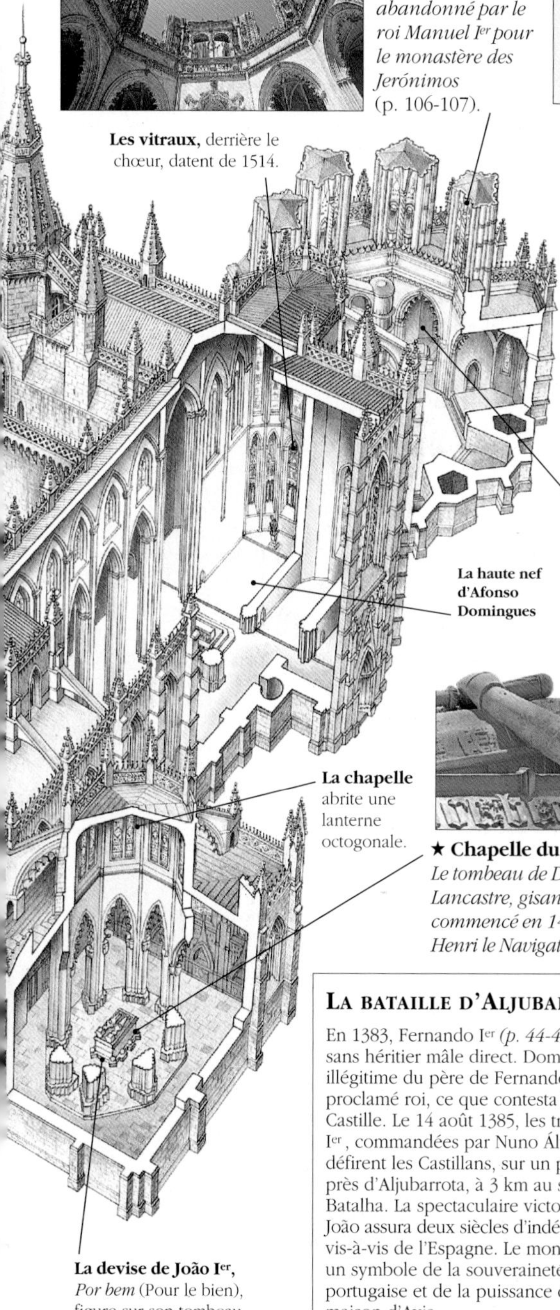

Portail manuélin
La décoration des chapelles inachevées datent, en partie, de Dom Manuel Ier. Ce portail a été sculpté en 1509 par M. Fernandes.

La haute nef d'Afonso Domingues

La chapelle abrite une lanterne octogonale.

★ Chapelle du fondateur
Le tombeau de Dom João Ier et de Philippa de Lancastre, gisant main dans la main, a été commencé en 1426 par Huguet. Leur fils, Henri le Navigateur, repose également ici.

La devise de João Ier, *Por bem* (Pour le bien), figure sur son tombeau.

LA BATAILLE D'ALJUBARROTA

En 1383, Fernando Ier *(p. 44-45)* mourut sans héritier mâle direct. Dom João, fils illégitime du père de Fernando, fut proclamé roi, ce que contesta Juan de Castille. Le 14 août 1385, les troupes de João Ier, commandées par Nuno Álvares Pereira, défirent les Castillans, sur un petit plateau près d'Aljubarrota, à 3 km au sud de Batalha. La spectaculaire victoire de João assura deux siècles d'indépendance vis-à-vis de l'Espagne. Le monastère est un symbole de la souveraineté portugaise et de la puissance de la maison d'Avis.

Armoiries de Dom João Ier

Galerie en calcaire sculpté entourant la grande esplanade de la basilique de Fátima

Fátima ⓫

Carte routière C4. *4 000.* *avenida Dom José Alves Correira da Silva (049-53 11 39).* *sam.*

Le sanctuaire de Fátima est un lieu de pèlerinage comparable à ceux de Lourdes ou de Saint-Jacques-de-Compostelle. La **basilique** néo-baroque, flanquée de statues de saints, est dotée d'une tour de 65 m et d'une esplanade deux fois plus grande que la place Saint-Pierre de Rome.

Le 13 mai et le 13 octobre, des milliers de pèlerins viennent commémorer les apparitions de la Vierge à trois jeunes bergers. Le 13 mai 1917, Lucia Santos, âgée de dix ans, et ses jeunes cousins, Francisco et Jacinta Marta, virent une apparition dans les branches d'un chêne vert. Elle leur demanda de revenir le 13 du mois pendant six mois, et le 13 octobre 70 000 pèlerins s'étaient joints aux enfants. On parla du « miracle du soleil ». Seule Lucia entendit les trois « secrets de Fátima », révélés lors de la dernière apparition. Le premier concernait la paix (la Première Guerre mondiale avait lieu), le deuxième la Russie, et le troisième ne fut jamais divulgué ; il prévoyait une catastrophe si terrible que « les vivants allaient envier les morts ». La basilique, entamée en 1928, abrite les tombeaux de Jacinta et de Francisco. Lucia, qui devint carmélite, vit toujours. Les vitraux représentent les apparitions. Sur l'esplanade, la **capela das Aparições** se dresse sur le lieu même des apparitions. À l'intérieur, on peut voir la balle qui fut tirée sur le pape en 1981. Un chêne vert remplace le chêne des apparitions. Les demeures des enfants ont été préservées dans la **casa dos Pastorinhos.**

L'intense émotion et la ferveur des pèlerins qui s'approchent du sanctuaire à genoux sont saisissantes. Des cierges sont brûlés en offrande pour les miracles accomplis par la Vierge et, lors des messes nocturnes, des milliers de bougies illuminent l'esplanade.

Casa dos Pastorinhos
Aljustrel. *049-53 28 28.*
t.l.j.

Église et clocher de São João Baptista sur la place principale de Tomar

Aux environs : Ourém, qui se trouve à 10 km à peine au nord-est de Fátima, est une citadelle médiévale. Le château fut construit au XVe siècle par Afonso, petit-fils de Nuno Álvares Pereira *(p. 183).* L'igreja Matriz, du XVe siècle, abrite son tombeau. Le nom de la ville viendrait d'Oureana, une jeune Maure qui s'appelait Fátima avant de se convertir par amour pour un chevalier chrétien.

Ce passage secret en ruine reliait les tours du château à Ourém

Tomar ⓬

Carte routière C4. *20 000.* *avenida Dr Cândido Madureira (049-32 24 27).* *ven.*

Fondée en 1157 par Gualdim Pais, le premier grand maître de l'ordre des Templiers au Portugal, la ville est dominée par son château du XIIe siècle, qui abrite le convento de Cristo *(p. 186-187).* La rua Serpa Pinto, une rue commerçante animée, mène à l'église gothique **São João Baptista** sur la praça da República, la place principale. Cette église de la fin du XVe siècle, à l'élégant portail manuélin, est surmontée d'une flèche octogonale. L'intérieur recèle une chaire en pierre sculptée et des peintures du XVIe siècle, comme la *Cène* de Gregório Lopes (1490-1550).

Devant l'église se déroule la spectaculaire festa dos Tabuleiros. Lors de cette fête d'origine païenne célébrée en juillet, tous les deux ou trois ans, des jeunes filles vêtues de blanc portent sur la tête des plateaux où sont empilés des pains et des fleurs.

Non loin, dans la rua Dr Joaquim Jacinto, se dresse l'une des plus vieilles **synagogues** du Portugal, construite entre 1430 et 1460. L'édifice servit pour la dernière fois de lieu de culte en 1497, lorsque Manuel Ier *(p. 46-47)* bannit tous les juifs refusant de se convertir. La synagogue fut successivement une prison, un grenier à foin et un entrepôt. Aujourd'hui, elle abrite un petit musée juif, le **Museu Luso-Hebraico de Abraham Zacuto,** du nom d'un célèbre astronome et mathématicien du XVe siècle.

Plus au sud, l'église São Francisco, du XVIIe siècle, accueille dans ses cloîtres le **Museu dos Fósforos,** un musée des Allumettes présentant la plus grande collection d'Europe, avec plus de 43 000 boîtes provenant de 104 pays.

Sur la rive est du Nabão, non loin de la rua Aquiles da Mota Lima, l'église **Santa Maria do Olival,** du XIIIe siècle, possède un clocher original à trois étages. Restaurée au cours des siècles, l'église a conservé sa façade gothique et sa rosace. L'intérieur renferme les tombeaux de Gualdim Pais (mort en 1195) et d'autres maîtres des Templiers, et une élégante chaire Renaissance. L'église possédait autrefois une importance considérable, puisqu'elle était l'église mère des marins à l'époque des Découvertes.

Chaire, Santa Maria do Olival

En direction du nord, la rua Santa Iria mène à la **capela de Santa Iria,** à côté du **ponte Velha,** du XVe siècle. Cette chapelle Renaissance serait construite à l'endroit où la sainte fut martyrisée au VIIe siècle *(p. 191)*. Un puissant retable de pierre représentant la *Crucifixion* (1536) se dresse au-dessus de l'autel,

Le château veille sur la rua Serpa Pinto, la rue commerçante de Tomar

dans la capela dos Vales. Le **parque do Mouchão,** sur une île, est un lieu de promenade ombragé et agréable. Le cours d'eau fait tourner une roue d'irrigation qui daterait de l'époque romaine. Encore plus au nord, en dépassant l'**ermida de São Gregório,** un bâtiment octogonal du XVIe siècle doté d'un portail manuélin, un long escalier monte à **Nossa Senhora da Piedade,** du XVIIe siècle.

Nossa Senhora da Conceição, une basilique Renaissance construite entre 1530 et 1550, se dresse sur la colline du convento de Cristo. La simplicité de sa façade contraste avec l'intérieur, aux colonnes corinthiennes finement sculptées. L'architecte serait Francisco de Holanda (1517-1584).

Museu Luso-Hebraico de Abraham Zacuto

Rua Joaquim Jacinto. 049-32 26 01. *jeu.–mar.* *jours fériés.*

Museu dos Fósforos

Largo 5 de Outubro. 049-32 26 01. *dim.–ven.* *jours fériés.*

L'ordre du Christ

Au XIIe et au XIIIe siècle, les membres de l'ordre des Templiers, en croisade, aidèrent les Portugais à combattre les Maures. En contrepartie, ils reçurent des terres et acquirent un pouvoir politique. Sous leur houlette, châteaux, églises et villes virent le jour. En 1314, le pape Clément V interdit cet ordre riche et puissant, mais, au Portugal, le roi Dinis le transforma en l'ordre du Christ, qui hérita des biens et des privilèges des Templiers. Les idéaux d'expansion chrétienne connurent une nouvelle heure de gloire lorsqu'Henri le Navigateur, le grand maître, investit la fortune de l'ordre dans les explorations. L'emblème de l'ordre du Christ, la croix carrée, ornait les voiles des caravelles qui traversaient les mers *(p. 46-47)*.

Croix, ordre du Christ

Tomar : Convento de Cristo

Saint Jérôme, portail sud

Fondé en 1162 par le grand maître des Templiers, le couvent du Christ présente toujours des témoignages de ces moines-chevaliers et de l'ordre du Christ *(p. 185)*, qui leur succéda. Sous Henri le Navigateur, grand maître de l'ordre à partir de 1418, des cloîtres virent le jour entre la Charola et la forteresse des Templiers. Mais c'est le règne de Dom João III (1521-1557) qui connut les changements les plus importants. Des architectes comme João de Castilho et Diogo de Arruda construisirent l'église et les cloîtres, foisonnant de décorations manuélines, qui culminent dans la fenêtre sur la face ouest de l'église.

★ Fenêtre manuéline
Cette fenêtre étonnante ruisselle d'une profusion de motifs marins. La sculpture du bas représenterait soit l'architecte (p. 20), *soit un vieux marin.*

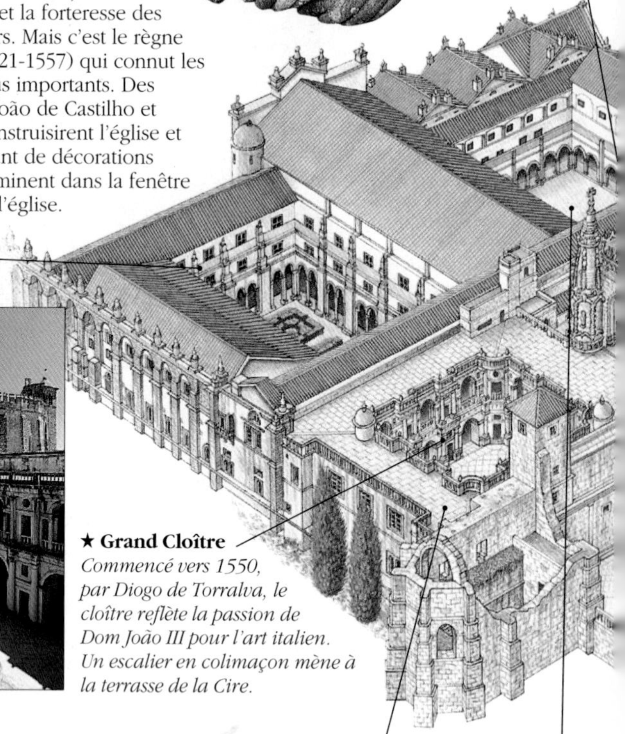

Cloître des Corbeaux, bordé par un aqueduc

★ Grand Cloître
Commencé vers 1550, par Diogo de Torralva, le cloître reflète la passion de Dom João III pour l'art italien. Un escalier en colimaçon mène à la terrasse de la Cire.

Dans le cloître « de la Micha », des miches de pain était distribuées aux pauvres qui venaient mendier au monastère.

La terrasse de la Cire, où séchaient les rayons de miel

La Charola

La Charola du XIIe siècle, l'oratoire des Templiers, est le cœur du monastère. Son plan est inspiré par la rotonde du Saint-Sépulcre de Jérusalem, avec un octogone central formé d'autels. En 1356, Tomar devint le siège de l'ordre du Christ au Portugal. Les décorations de la Charola reflétaient la richesse de l'ordre. Les peintures et les fresques (souvent des scènes bibliques du XVIe siècle) ainsi que les statues dorées sous la coupole byzantine ont été soigneusement restaurées.

L'octogone doré

À la construction de l'église manuéline, un arc fut aménagé sur le côté de la Charola pour la relier à l'église et en faire la principale chapelle.

À NE PAS MANQUER

- ★ **Charola**
- ★ **Fenêtre manuéline**
- ★ **Grand Cloître**

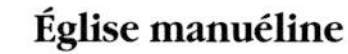

Église manuéline
Commencée par Diogo de Arruda au XVIe siècle, l'église s'étend sur deux niveaux. La voûte à nervures de la partie supérieure porte les emblèmes de Manuel Ier.

Mode d'emploi

Sur la N113, à l'O. de Tomar. *049-31 50 89.* *de Lisbonne, Coimbra et Leiria.* *9 h 15–12 h 30, 14 h–18 h (mai–juin : 17 h 30 ; oct.–avr. : 17 h) t.l.j. (der. entrée : 15 mn av. ferm.).* *1er janv., Pâques, 1er mai, 25 déc.*

★ Charola
L'église des Templiers, appelée parfois la rotonde, est dotée d'un déambulatoire.

Octogone intérieur de la Charola

Cloître du Cimetière
Les pierres tombales des moines pavent le pourtour de ce cloître du XVe siècle, qui fut le premier du couvent.

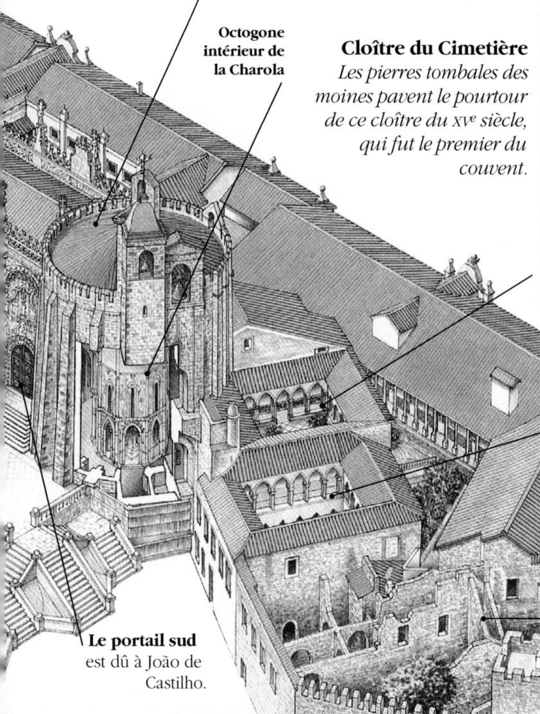

Le cloître des Ablutions a été bâti autour de deux réservoirs, recouverts de fleurs aujourd'hui.

Ruines de l'ancien palais royal

Le portail sud est dû à João de Castilho.

Donjon du château

Entrée

Château des Templiers
En 1160, le grand maître des Templiers le fit ériger sur des terres données à l'ordre par le roi.

Les murailles de la forteresse d'Abrantes, du début du XIIIe siècle

Barragem do Castelo de Bode ⓭

Carte routière C4. *jusqu'au barrage.* *de Castanheira.* *Tomar (049-32 24 27).*

On pense qu'il y avait jadis un « château du bouc » (castelo de bode), qui a donné son nom au grand barrage *(barragem)* installé sur le Zêzere, peu avant le confluent de celui-ci et du Tage. La construction de l'ouvrage, commencée en 1946, permit l'alimentation de la première centrale hydro-électrique du pays. Plus haut, un long lac est niché entre des collines tapissées de forêts et émaillées de petits villages. Cette région isolée est appréciée des amateurs de pêche, de navigation et de sports aquatiques. Les équipements nécessaires sont loués sur les bords du lac. À Castanheira, sur la rive ouest du lac, le Centro Naútico do Zêzere loue canoés, planches à voile et skis nautiques. Les hôtels du bord du lac, comme le paisible Estalagem Lago Azul *(p. 386),* proposent des voiliers. Une petite croisière, avec des haltes sur les plages de sable et les îlots, part de l'hôtel.

Abrantes ⓮

Carte routière C4. *15 000.* *largo 1° de Maio (041-225 55).* *lun.*

Située à un emplacement grandiose, la ville avait une importance stratégique. Elle joua un rôle essentiel lors de la Reconquête *(p. 42-43).* Pendant la guerre napoléonienne *(p. 54),* le général Junot et le duc de Wellington y installèrent tous deux une base. À l'intérieur des murailles, l'église Santa Maria do Castelo, du XVe siècle, abrite aujourd'hui le petit **Museu Lopo de Almeida.** Outre des trouvailles archéologiques locales, il recèle les tombeaux de la famille Almeida, les comtes d'Abrantes. Dans la rua da República, l'église **Misericórdia,** datant de 1584, présente six magnifiques panneaux religieux attribués à Gregório Lopes (1490-1550).

Museu Dom Lopo de Almeida
Rua Capitão Correia de Lacerda.
041-37 17 24. *t.l.j.* *jours fériés.*

Maisons blanchies à la chaux de Constância, dominant le Tage

AUX ENVIRONS : À **Sardoal,** à 8 km au nord d'Abrantes, l'église São Tiago e São Mateus, du XVIe siècle, abrite un saisissant *Couronnement d'épines* dû au maître de Sardoal, un peintre du XVIe siècle. Sur la capela do Espírito Santo, bordant la praça da República, des *azulejos* rendent hommage au poète Gil Vicente, né ici.

À 12 km à l'ouest de Sardoal, la jolie bourgade de **Constância** célèbre la mémoire du poète Luís Vaz de Camões. Renvoyé de la cour pour s'être mal conduit avec une dame, il vécut brièvement ici. Sur la berge de la rivière, la maison du poète, la **Casa Memória de Camões,** se visite.

Casa Memória de Camões
Rua do Tejo. *049-995 53.* *en travaux jusqu'en 1998.*

LUÍS VAZ DE CAMÕES (1524–1580)

L'auteur du poème épique *Os Lusíadas* avait un tempérament de feu qui lui valut bien des ennuis. Banni de la cour, il s'engagea dans l'armée en 1547 et s'embarqua pour l'Afrique du Nord, où il perdit un œil. Emprisonné après une bagarre, il partit servir son pays aux Indes, et son bateau fut le seul de la flotte à résister aux tempêtes. Ces expériences transparaissent à travers la puissance des *Lusiades.* Témoignage unique des Découvertes, ce poème épique narre le voyage de Vasco da Gama aux Indes tout en mêlant événements et légendes de l'histoire du Portugal. Toutefois, Camões passa des années mornes aux Indes en se languissant de Lisbonne. Son poème ne fut publié qu'en 1572.

Statue de Camões, au bord de la rivière, Constância

Castelo de Almourol ⓯

Carte routière C4. 🚌 *à Barquinha, puis taxi.* ◯ *t.l.j. pendant la journée.* **i** *praça da República, Barquinha (049-71 02 75).*

Installé sur une petite île du Tage, le château a été construit en 1171 par Gualdim Pais *(p. 185)*. D'innombrables légendes entourent ce lieu enchanteur. Un roman en vers du XVIe siècle, le *Palmeirim de Inglaterra,* raconte l'histoire de géants et de chevaliers, et du combat du croisé Palmeirim pour la ravissante Polinarda. Le château serait hanté par le fantôme d'une princesse se consumant d'amour pour son esclave maure.

Le château, entouré de remparts et gardé par neuf tours, n'a jamais été pris.

Les murailles de la forteresse d'Abrantes, du début du XIIIe siècle

Torres Novas ⓰

Carte routière C4. 👥 *16 000.* 🚌 **i** *largo do Paço (049-81 29 10).* 🛍 *mar.*

Sous les murs du château se trouvent des rues animées et de belles églises. Lors de la Reconquête, la **forteresse** du XIIe siècle fut le théâtre de combats violents. Aujourd'hui, ses ruines renferment un jardin. Sous le château, l'église **Misericórdia** du XVIe siècle possède un portail Renaissance. L'intérieur est orné d'*azulejos* colorés de 1674. L'**igreja de Santiago,** sur le largo do Paço, a probablement été construite en 1203, mais les *azulejos* et le retable doré, avec une sculpture en bois du jeune Jésus aidant Joseph le charpentier, sont des ajouts du XVIIe siècle.

Au centre, le **Museu Municipal de Carlos Reis** présente des œuvres d'artistes du XIXe siècle et du début du XXe siècle, une Nossa Senhora do Ó gothique du XVe siècle, et des médailles, des bronzes et des céramiques des ruines romaines de Vila Cardílio. Le musée porte le nom du peintre Carlos Reis (1863-1940), natif de la ville.

🏛 Museu Municipal de Carlos Reis
Rua do Salvador. 📞 *049-81 25 35.* ◯ *mar.–dim.* ● *jours fériés.*

Aux environs : Les ruines romaines de **Vila Cardílio,** à 3 km au sud-ouest de Torres Novas, datent du IVe siècle apr. J.-C. et présentent des mosaïques et des thermes superbes. Les **grutas das Lapas,** au nord-est, sont de grandes grottes du néolithique. Entre le Tage et l'Almondo, le petit marécage de la **reserva natural do Paúl de Boquilobo,** à 8 km au sud, est protégé depuis 1981. En hiver, les saules et les plantes aquatiques abritent des oiseaux sauvages. Au printemps, c'est un lieu de reproduction pour les aigrettes et les hérons.

∩ Vila Cardílio
Fin de la N3. ◯ *t.l.j.* ♿

∩ Grutas das Lapas
Rua José Mota e Silva, Lapas. ◯ *t.l.j. (demander la clé à la maison en face).* ♿

Vestiges de l'hypocauste, le système de chauffage souterrain romain à Vila Cardílio, à l'extérieur de Torres Novas

Portail de l'igreja Matriz, Golegã

Golegã ⓱

Carte routière C4. *9 000.*
largo Dom Manuel I (049-943 87).
mer.

Les deux premières semaines de novembre, cette bourgade paisible est prise d'assaut par des milliers de visiteurs qui se retrouvent pour la foire du cheval, la Feira Nacional do Cavalo. La dégustation du vin nouveau, le jour de la Saint-Martin (11 novembre), a lieu pendant la foire, ajoutant encore à l'ambiance festive. Éleveurs et cavaliers se retrouvent pour boire du vin nouveau et de l'*agua-pé* (eau-de-vie).

Au centre de Golegã, l'**igreja Matriz** du XVIe siècle, attribuée à Diogo Boytac *(p. 106-107)*, est dotée d'un magnifique portail manuélin. L'intérieur est paisible. Le petit **Museu de Fotografia Carlos Relvas** est installé dans une élégante maison Art déco, qui était le studio du photographe (1838-1894). Le **Museu de Pintura e Escultura Martins Correia,** dans l'ancienne poste, présente une collection d'art moderne intéressante.

Museu de Fotografia Carlos Relvas
Largo Dom Manuel I. *049-943 87.*
en travaux jusqu'en 1998.

Museu de Pintura e Escultura Martins Correia
Largo da Imaculada Conceição.
049-943 87. *mar.–dim.*
1er janv., 25 déc. *r.-de-c.*

Alpiarça ⓲

Carte routière C4. *8 000.*
rua José Relvas 374 (043-543 54).
mer.

Cette bourgade agréable de la plaine de la Lezíria, à l'est du Tage, est renommée pour ses élevages de chevaux. La belle église paroissiale à deux tours est dédiée à **Santo Eustáquio,** le saint patron de la ville. Construite à la fin du XIXe siècle, elle abrite surtout des peintures du XVIIe siècle, comme le jeune Jésus parlant à un mouton. La croix de pierre de la cour, plus ancienne, date de 1515.

À la lisière sud de la ville, la belle **Casa Museu dos Patudos,** entourée de vignes, est l'ancienne résidence de José Relvas (1858-1929). Collectionneur d'art, diplomate et homme politique, Relvas occupa brièvement le poste de Premier ministre. Ce manoir aux murs blanchis à la chaux dominé par une flèche a été construit par Raúl Lino entre 1905 et 1909. La loggia à colonnes, desservie par un escalier extérieur, est ornée de panneaux d'*azulejos* colorés. Le musée abrite la collection personnelle de Relvas — œuvres d'art et arts décoratifs. Parmi les peintures de la Renaissance, on admirera une *Vierge à l'Enfant et saint Jean* de Léonard de Vinci et une *Mise au tombeau* d'Albrecht Dürer. La collection comprend aussi des œuvres de Delacroix, de Zurbarán, mais aussi d'artistes portugais du XIXe siècle, notamment trente toiles de José Malhôa *(p. 55)*, qui était un ami de Relvas. Celui-ci collectionnait également les porcelaines, les bronzes, le mobilier et les tapis d'Orient, ainsi que des tapis d'Arraiolos anciens. Notez en particulier un exemplaire en soie de toute beauté.

Casa Museu dos Patudos
2 km au S., N118. *043-543 21.* *mer.–dim.* *jours fériés.*

Élégante façade de la quinta da Alorna, un manoir à l'extérieur d'Almeirim

Aux environs : Almeirim, à 7 km au sud, était très apprécié de la maison d'Avis *(p. 46-47)*. Aujourd'hui, les vestiges de ce passé royal sont rares, et les visiteurs y vont plutôt pour déguster la célèbre *sopa de pedra,* ou soupe de pierre *(p. 146)*.

Cette vaste plaine fertile compte quantité d'élevages de bétail et de chevaux. À l'extérieur d'Almeirim, la **quinta da Alorna** est un joli manoir du XIXe siècle entouré d'un jardin agréable et renommé pour son vin.

Loggia ornée d'*azulejos* de la Casa Museu dos Patudos, Alpiarça

Vue du Tage depuis le jardim das Portas do Sol, Santarém

Santarém ⓳

Carte routière C4. *30 000.* *rua Capelo e Ivens 63 (043-39 15 12).* *2e et 4e dim. du mois.*

La capitale du Ribatejo domine le Tage ; elle s'enorgueillit d'un passé glorieux. Sous Jules César, la ville était un centre administratif important, un *praesidium julium*. Elle devint ensuite un bastion maure, Xantarim, du nom de Santa Iria, une religieuse de Tomar *(p. 184-185)* martyrisée au VIIe siècle, dont le corps fut jeté dans la Nabão et, dit-on, réapparut ici sur les rives du Tage. Les rois du Portugal, qui chassèrent les Maures en 1147, appréciaient Santarém, et de nombreuses réunions des *Cortes* s'y tinrent.

Au centre de la vieille ville, sur la praça Sá da Bandeira, la grande **igreja do Seminário** est un édifice baroque construit en 1640 par João IV pour les jésuites, sur le site d'un palais royal. De là, la rua Serpa Pinto, allant vers le sud-est, longe plusieurs édifices plus anciens. La spacieuse **igreja do Marvila,** construite au XIIe siècle et modifiée ultérieurement, possède un portail manuélin. Elle est embellie de magnifiques panneaux d'*azulejos* du début du XVIIe siècle. La **torre das Cabaças** se dresse à 22 m de hauteur, en face du **Museu Arqueológico,** installé dans l'ancienne église romane São João de Alporão. Il abrite quantité d'objets intéressants illustrant le passé romain et maure de la ville. La pièce maîtresse est le tombeau de Duarte de Meneses, gouverneur héroïque de Ceuta, un bastion chrétien au Maroc. Il fut massacré en 1464, lors d'une campagne à Alcácer Quibir *(p. 42-43)*. On dit que le tombeau contient la seule relique que l'on retrouva — à savoir une simple dent.

La rua Serpa Pinto mène à la rua 5 de Outubro, puis au **jardim das Portas do Sol.** Une terrasse offre une vue panoramique de la rivière et des prairies.

En revenant vers la ville, on arrive sur le largo Pedro Álvares Cabral, où l'**igreja da Graça,** du XIVe siècle, est dotée d'une magnifique rosace. L'église recèle la pierre tombale de Pedro Álvares Cabral, qui découvrit le Brésil *(p. 48)*. Plus au sud, dans la rua Braamcamp Freire, l'**igreja do Santíssimo Milagre,** du XIVe siècle, a un intérieur Renaissance décoré d'*azulejos*. Dans la sacristie, un petit flacon de cristal contient, dit-on, du sang du Christ. Cette croyance remonte à une légende du XIIIe siècle, selon laquelle de l'eau bénite destinée à empêcher un mari de battre sa femme se transforma miraculeusement en sang.

Santarém possède des arènes modernes, situées à l'extrémité sud-ouest de la ville. Durant les dix premiers jours de juin, la ville accueille la foire du Ribatejo, la plus grande manifestation agricole du pays, qui s'accompagne de courses de taureaux et de concours de *campinos,* les gardiens de taureaux.

Museu Arqueológico
Rua Conselheiro Figueiredo Leal. *mar.–dim.* *jours fériés.*

Tombeau de Duarte de Meneses dans le Museu Arqueológico, Santarém

Champs et vignobles de la Lezíria, la vallée qui s'étend au-delà de Coruche

Coruche 20

Carte routière C5. 3 500. porto João Felício (043-61 74 88). dernier sam. du mois.

Installé au bord d'une rivière, au cœur du pays de la tauromachie, Coruche domine la Lezíria, la grande plaine à l'est du Tage. Construite sur un site habité depuis le paléolithique, la ville fut rasée par les Maures en 1180.

Dans la rua de Santarém, qui est la rue piétonne centrale, le café **O Coruja** est orné de panneaux d'*azulejos* modernes, représentant des taureaux, les arènes de la ville et des scènes de la vie quotidienne. Un peu plus loin, la rue est bordée par la petite église **São Pedro,** à l'intérieur entièrement tapissé de faïencerie jaune et bleue du XVIIe siècle. Sur le devant d'autel, un panneau d'*azulejos* représente saint Pierre entouré d'oiseaux et d'animaux. Au-dessus de la ville se dresse **Nossa Senhora do Castelo,** une église bleue et blanche du XIIe siècle. De là on jouit d'une superbe vue sur les cultures et les chênes-lièges de la vallée de Sorraia et la Lezíria.

Chœur de l'église São Pedro couvert d'*azulejos*, Coruche

Lâcher de taureaux à Vila Franca de Xira

Vila Franca de Xira 21

Carte routière C5. 20 000. rua Almirante Cândido dos Reis 147 (063-260 53). mer.

Entourée d'industries, cette ville sur les rives du Tage est plus intéressante qu'il n'y paraît. La région est un centre traditionnel d'élevage de taureaux et de chevaux. Deux fois par an, une foule de participants assiste au lâcher de taureaux dans les rues de la ville, à la *tourada* et aux manifestations équestres traditionnelles. La *festa do Colete Encarnado* (une fête animée qui doit son nom au gilet rouge des *campinos,* les gardiens de taureaux du Ribatejo) se déroule début juillet et dure plusieurs jours. Elle s'accompagne de danses folkloriques, de courses de bateaux sur le Tage et de dégustations de sardines grillées. Une fête similaire, la *feira de Outubro,* se tient en octobre. Le petit **Museu Etnográfico** présente les costumes colorés traditionnels des *campinos* et d'autres objets liés à la tauromachie.

Le centre-ville possède un marché couvert datant des années 20, décoré de faïence. Plus à l'est, sur le largo da Misericórdia, de magnifiques *azulejos* du XVIIIe siècle rehaussent le chœur de l'église Misericórdia. Au sud de la ville, le **ponte Marechal Carmona,** construit en 1951, est le seul pont enjambant le Tage entre Santarém et Lisbonne.

Museu Etnográfico
Praça de Touros. 063-230 57. mar.–dim. jours fériés.

Aux environs : À Povos, à 3 km au sud, le **Centro Equestre da Lezíria Grande** propose des démonstrations de dressage, effectuées sur des chevaux lusitaniens *(p. 296).*

Centro Equestre da Lezíria Grande
N1. 063-252 79. mar.–dim. 1er janv., Pâques, 25 déc.

Alenquer ㉒

Carte routière C5. *4 000.* *largo Luís de Camões (063-730 01 00).* *lun. suivant le 2e dim. du mois.*

La vieille ville, Vila Alta, dégringole sur les versants de la colline, au-dessus de la ville nouvelle. Sur la place centrale, la praça Luís de Camões, l'église São Pedro, du XVe siècle, abrite le tombeau de Damião de Góis (1501-1574), un chroniqueur humaniste né ici. Pêro de Alenquer, qui navigua avec Bartolomeu Dias et Vasco da Gama *(p. 48-49)*, est lui aussi natif d'Alenquer. Sur la colline, près d'un château du XIIIe siècle en ruine, l'église du monastère São Francisco a un cloître manuélin et un portail du XIIIe siècle. Fondé en 1222 du vivant du saint, ce fut le premier monastère franciscain du Portugal.

AUX ENVIRONS : À **Meca,** à 5 km au nord-ouest, l'église Santa Quitéria est un lieu de pèlerinage. Tous les ans au mois de mai, des animaux y sont bénis.

Les murs défensifs et le château veillant sur Torres Vedras

Torres Vedras ㉓

Carte routière B5. *30 000.* *rua 9 de Abril (061-31 40 94).* *3e lun. du mois.*

La ville est étroitement liée aux défenses fortifiées construites par le duc de Wellington pour lutter contre les troupes napoléoniennes *(p. 54)*. Au nord de la ville, près du fort de **São Vicente,** les vestiges des fossés et des bastions sont toujours visibles, mais les forts et les ouvrages de terre ont disparu.

Au-dessus de la ville, les murailles restaurées du **château** du XIIIe siècle entourent un jardin ombragé et l'église Santa Maria do Castelo. Sur la praça 25 de Abril, dans la ville, un monument aux morts rend hommage aux victimes de la guerre napoléonienne. En face, le convento da Graça du XVIe siècle abrite le **Museu Municipal.** Une salle consacrée à la guerre napoléonienne présente une maquette des lignes défensives. On remarquera aussi le *Retábulo da Vida da Virgem* du XVe siècle, de l'école flamande. L'église du monastère, l'**igreja da Graça,** recèle un retable doré monumental du XVIIe siècle. Dans le chœur, une niche abrite le tombeau de Gonçalo de Lagos *(p. 320)*.

Derrière la rua 9 de Abril, l'église manuéline **São Pedro** possède un portail avec un dragon ailé exotique accueillant les visiteurs. L'intérieur recèle un plafond en bois peint et des panneaux d'*azulejos* du XVIIIe siècle. Derrière l'église, dans la rua Cândido dos Reis, la fontaine, la **chafariz dos Canos,** date du XVIe siècle.

Museu Municipal
Praça 25 de Abril. *061-31 04 84.* *mar.–dim.* *jours fériés.*

LES LIGNES DÉFENSIVES DE TORRES VEDRAS

Fusil à silex de la guerre napoléonienne

En octobre 1809, Arthur Wellesley (le futur duc de Wellington) fit construire un arc de lignes défensives *(linhas de Torres)* pour protéger Lisbonne de l'invasion napoléonienne. Une fois achevé, le dispositif comprenait plus de 600 canons et 152 redoutes le long de deux lignes reliant la mer au Tage. La première, de 46 km de longueur, reliait l'embouchure de la Sizandra, à l'ouest de Torres Vedras, à Alhandra, au sud de Vila Franca de Xira. La deuxième, située derrière la première, mesurait 39 km. Une troisième ligne, plus courte, devait permettre une retraite et un embarquement éventuels. Les lignes furent construites dans le plus grand secret ; des rivières durent être endiguées, des ouvrages de terre créés, des collines déplacées, mais en moins d'un an la chaîne de forteresses fut achevée. Le 14 octobre 1810, le général Masséna, à la tête de 65 000 hommes, découvrit un paysage totalement changé et devenu imprenable. En novembre, les envahisseurs reculèrent jusqu'à Santarém *(p. 191)*, puis en 1811, affamés et défaits, ils se retirèrent au-delà de la frontière espagnole.

Portrait du duc de Wellington, 1814

LES BEIRAS

Les Beiras qui se déroulent de la frontière espagnole à la mer séparent le Nord, très vert, du Sud aride. Très diversifiée, cette région réunit les sommets de la Serra da Estrela et les marais salants de la Ria de Aveiro, la station balnéaire animée de Figueira da Foz et la ville universitaire de Coimbra, chargée d'histoire.

Les trois provinces des Beiras (littéralement : bords) ne sont pas des hauts lieux du tourisme. Toutefois, par le passé, elles ont joué un rôle marchand et militaire qui a laissé des traces. Les jolies proues des bateaux d'Aveiro servant à récolter les algues, dans la Beira Litoral, sont un héritage phénicien. Dans toute la Beira Baixa, de Castelo Branco aux petits villages granitiques, on trouve des vestiges des occupants du passé. Quant à Viseu, la capitale de la Beira Alta, elle est née à la croisée des routes marchandes empruntées par les Romains.

Les Romains ne s'implantèrent pas aussi solidement ici que plus au sud, mais les ruines de Conimbriga témoignent de l'élégance de la ville qui a donné son nom à Coimbra. À la création du royaume du Portugal *(p. 42)*, le roi Afonso Henriques installa sa cour à Coimbra, qui resta plus d'un siècle la capitale du jeune État.

Les premières heures du royaume et l'indépendance durement acquise ont laissé un héritage de châteaux et de villes fortifiées. Pour se protéger des revendications sur leurs terres de l'Espagne toute proche, les rois du Portugal construisirent une imposante chaîne de forts gardant la frontière orientale. Par exemple, Almeida, aux remparts imprenables, rappelle l'histoire mouvementée du pays. Ces forteresses frontalières jouèrent un rôle déterminant dans la guerre d'indépendance contre l'Espagne, puis contre les troupes napoléoniennes *(p. 54)*. Même Buçaco, véritable havre de paix, fut le théâtre d'un affrontement entre Wellington et Masséna.

Les Beiras produisent quelques merveilles gastronomiques : le fromage de la Serra da Estrela, et la région verdoyante de Bairrada, dans les environs de Mealhada, est renommée pour son cochon de lait, le *leitão*. Les vins, comme le bairrada et le dão *(p. 28-29)*, sont fameux.

Les maisons rayées de couleurs vives, typiques de Costa Nova, installées entre la Ria de Aveiro et la mer

◁ ***Pelourinho*** **(pilori) de pierre dans un coin paisible de Castelo Mendo, l'une des villes frontalières de la Beira Alta**

À la découverte des Beiras

Les Beiras, qui comptent quelques très beaux paysages, regroupent trois régions. La Beira Litoral réunit aussi bien les villages perdus de la Ria de Aveiro que la station balnéaire animée de Figueira da Foz. La majestueuse ville universitaire de Coimbra, à découvrir, est une bonne base pour découvrir la forêt de Buçaco, chargée d'histoire, et les stations thermales.

À l'intérieur des terres, Viseu, la belle capitale de la Beira Alta, est installée sur la route des forteresses de Guarda et Trancoso et des châteaux frontaliers. Le plus haut massif montagneux du pays, la Serra da Estrela, sépare la Beira Alta de la Beira Baixa, que boudent les visiteurs. Pourtant, Monsanto et la petite ville de Castelo Branco méritent un détour.

Belle collection de sculptures au Museu Nacional Machado de Castro à Coimbra

La région

- Almeida 22
- Arganil 14
- Arouca 1
- *Aveiro p. 200–201* 4
- Belmonte 26
- *Buçaco p. 210–211* 12
- Caramulo 17
- Castelo Branco 31
- Celorico da Beira 21
- *Coimbra p. 202–207* 8
- Conimbriga 9
- Figueira da Foz 6
- Guarda 24
- Idanha-a-Velha 30
- Lousã 11
- Luso 13
- Monsanto 29
- Montemor-o-Velho 7
- Oliveira do Hospital 16
- Ovar 3
- Penamacor 28
- Penela 10
- Piódão 15
- Praia de Mira 5
- Sabugal 27
- Santa Maria da Feira 2
- Sernancelhe 19
- *Serra da Estrela p. 218–219* 25
- Trancoso 20
- Viseu 18

Excursions

- Châteaux frontaliers 23

0 25 km

Estivants sur la plage de la station de Figueira da Foz

CIRCULER

Le réseau ferroviaire est bien développé, mais les gares des localités sont souvent excentrées. De Coimbra, des cars desservent la région. Des cars relient également bourgades et villages. Toutefois, le mode de transport le plus pratique reste la voiture. L'autoroute A1 (Porto-Lisbonne) passe près de Coimbra et d'Aveiro, et l'IP5, pittoresque et rapide, relie Aveiro aux hauteurs avoisinantes. Hormis les grands axes, la plupart des routes sont peu encombrées et en bon état, mais on rencontre aussi quelques routes non goudronnées.

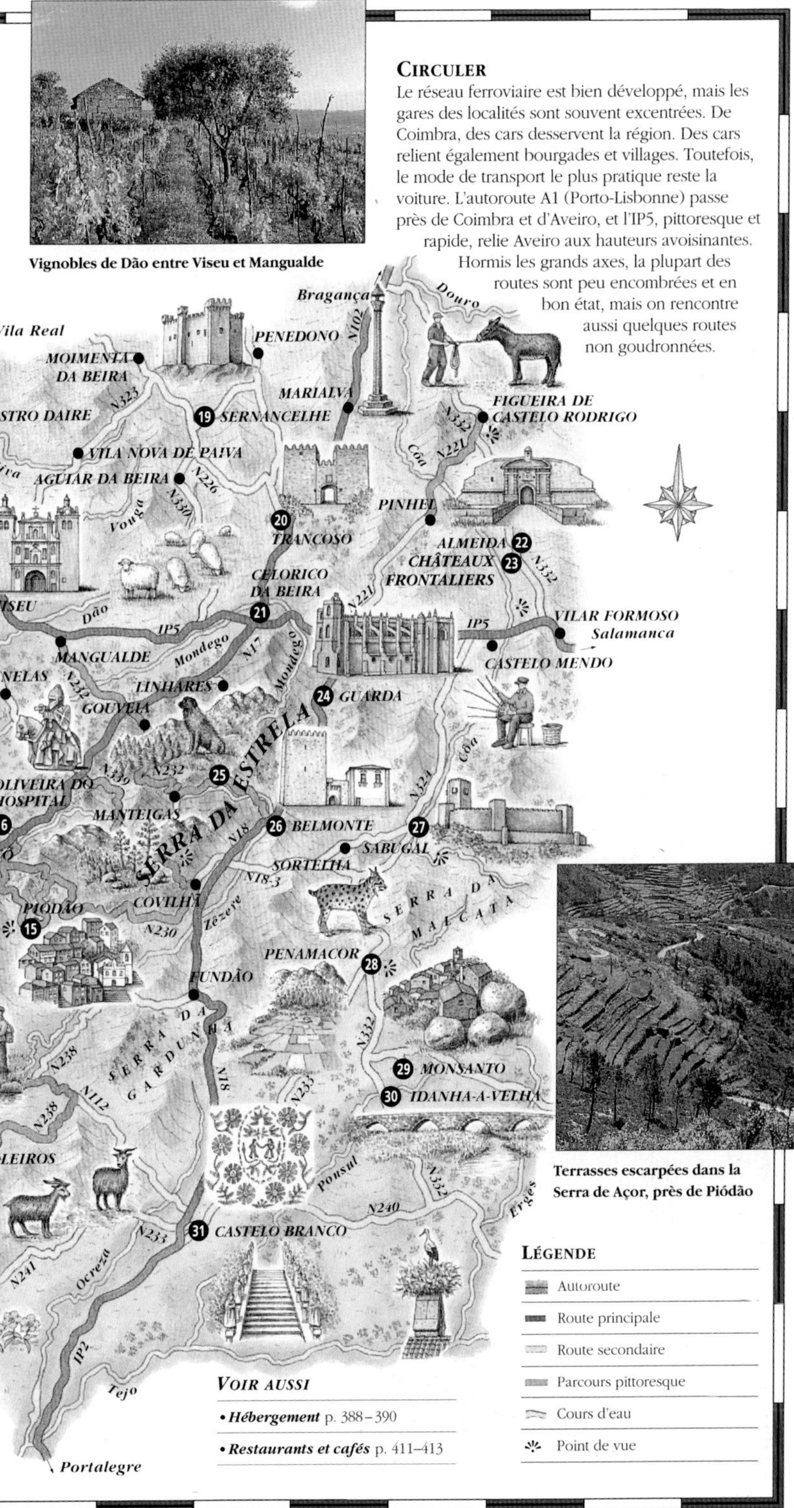

Vignobles de Dão entre Viseu et Mangualde

Terrasses escarpées dans la Serra de Açor, près de Piódão

LÉGENDE

- Autoroute
- Route principale
- Route secondaire
- Parcours pittoresque
- Cours d'eau
- Point de vue

VOIR AUSSI

• ***Hébergement*** p. 388–390

• ***Restaurants et cafés*** p. 411–413

Arouca ❶

Carte routière C2. 2 400. *praça Brandão de Vasconcelos (056-94 35 75).* *5 et 20 du mois.*

Petite bourgade blottie dans une vallée verdoyante, Arouca doit son magnifique **couvent** à sa bienfaitrice, la princesse Mafalda, née en 1195, qui était la fille de Dom Sancho Ier. Lorsqu'un accident coûta la vie à son fiancé, le jeune prince Enrique de Castille, elle entra dans les ordres à Arouca. Le couvent qui l'accueillit devint cistercien et acquit une grande influence. Mafalda mourut en 1256, et sa dépouille fut découverte intacte en 1616 ; elle a été canonisée en 1793.

Depuis plus d'un millénaire, le couvent côtoie l'église, sur la place principale pavée. Au début du XVIIIe siècle, l'église fut somptueusement redécorée : les 104 stalles sculptées du chœur furent surmontées de peintures, dans de superbes panneaux dorés. L'orgue et le retable du chœur sont également richement dorés. L'effigie de santa Mafalda, dans un tombeau en argent et en ébène, possède son propre autel, et ses reliques momifiées reposent sous le tombeau.

Le musée du couvent réunit des ostensoirs en argent, du mobilier et des œuvres d'art religieuses. Une visite guidée du musée est proposée. Le double cloître néo-classique commencé en 1781, le grand réfectoire, la cuisine et le chapitre, qui est tapissé de jolis *azulejos* de Coimbra représentant des scènes rurales, sont également ouverts aux visiteurs.

Convento de Arouca
Largo de Santa Mafalda. *056-94 33 21.* *mar.–dim.* *1er janv., 2 mai, 25 déc.*

Cercueil en argent et en ébène de l'église conventuelle d'Arouca, qui abrite une effigie de santa Mafalda

Santa Maria da Feira ❷

Carte routière C2. *10 000.* *mercado Municipal, avenida das Descobertas (056-37 20 32).* *20 du mois.*

Ville prospère grâce au liège et à ses marchés, Santa Maria da Feira doit son nom à une longue tradition du commerce — un document de 1117 mentionne la « Terra de Santa Maria, un endroit que l'on nomme Feira », du nom des foires qui s'y tenaient. Tous les mois, un immense marché a lieu sur le Rossio pour perpétuer la tradition. De la place, un double escalier mène à l'**igreja dos Lóios,** aux deux clochers symétriques enjolivés de faïence bleue du XVIIe siècle. De l'autre côté, des rues tortueuses conduisent à un escalier décoratif orné d'une fontaine ornementale, qui mène à l'**igreja da Misericórdia** du XVIIIe siècle.

Le château qui couronne une hauteur boisée, au sud de la ville, est digne d'un conte de fées. Reconstruit au XXe siècle, l'édifice respecte toutefois le plan conçu par un habitant de la ville, Fernão Pereira, et son fils. Les deux hommes dotèrent un fort du XIe siècle de créneaux et de tours. Le titre de conde da Feira fut conféré à Pereira, et le château resta la propriété de sa famille jusqu'en 1700. Le château est quasiment vide, mais il en émane toujours un charme inouï.

Le château hérissé de pinacles et de créneaux domine Santa Maria da Feira

Château
Largo do Castelo. *056-37 22 48.* *mar.–dim.*

Ovar ❸

Carte routière C2. *14 000.* *rua Elias Garcia (056-57 22 15).* *mar., jeu. et sam., 3e dim. du mois (antiquités).*

Var, ou O Var, qui vit de la mer et de la Ria de Aveiro *(p. 201),* a donné son nom aux *varinas,* les fameuses poissonnières. Quoiqu'Ovar compte désormais une industrie métallurgique (fonderies et aciéries), on y voit toujours des chars à bœufs.

Beaucoup de petites maisons sont revêtues d'*azulejos,* à l'instar de l'**igreja Matriz** du XVIIe siècle, qui se dresse avec ses deux tours dans l'avenida do Bom Reitor. Dans le centre-ville, la chapelle du Calvaire de la **capela dos Passos** du XVIIIe siècle est rehaussée de sculptures sur bois intégrant un motif de coquillages.

Façades d'Ovar, ornées de la magnifique faïence bleue traditionnelle

Ovar célèbre un carnaval pittoresque, et son *pão-de-ló* (gâteau) est un délice. Le **Museu de Ovar** présente des scènes de la vie quotidienne d'autrefois (costumes régionaux, etc.) et des souvenirs du romancier Júlio Dinis, qui vécut ici.

Museu de Ovar
Rua Heliodoro Salgado 11. *056-57 28 22.* *lun.–sam.* *jours fériés.*

Aveiro 4

Voir p. 200–201.

Praia de Mira 5

Carte routière C3. *5 000.* *praça da República (031-45 85 06).* *11 et 30 du mois.*

Bateau de pêche sur la plage de Praia de Mira

Le tourisme s'est développé récemment sur cette côte adossée à une réserve boisée, la Mata Nacional das Dunas de Mira. Bordé d'un côté par les dunes et l'Atlantique, et de l'autre par la paisible lagune de Barrinha de Mira, Praia de Mira est un joli village de pêcheurs, où l'on voit toujours des bœufs hisser les bateaux de pêche sur la plage. Mais les bateaux de plaisance sont de plus en plus nombreux. En bord de mer, les *palheiros (p. 18)* rayés des pêcheurs passent quasi inaperçus entre les magasins, les bars et les cafés.

Figueira da Foz 6

Carte routière C3. *35 000.* *edifício Atlântico, avenida 25 de Abril (033-22 12 61).* *t.l.j.*

Vivante et cosmopolite, quoique un peu désuète, cette station balnéaire possède une marina animée, un casino et une longue plage incurvée, dont les grandes vagues attirent les surfeurs intrépides.

Le **Museu Municipal Dr Santos Rocha** rassemble une intéressante collection archéologique, mais aussi tapis d'Arraiolos *(p. 301),* armes, éventails et photographies.

La **Casa do Paço,** qui domine la rivière, possède un magnifique intérieur. Ses murs sont revêtus de 8 000 carreaux de faïence de Delft provenant d'un naufrage de la fin du XVIIe siècle. La forteresse triangulaire de **Santa Catarina,** du XVIe siècle, se dresse à l'embouchure du Mondego. Le duc de Wellington en fit un temps sa base, lorsqu'il débarqua en 1808 *(p. 54)* pour débouter les troupes de Napoléon.

Museu Municipal Dr Santos Rocha
Rua Calouste Gulbenkian. *033-245 09.* *mar.–dim.* *jours fériés.*

Casa do Paço
Largo Professor Vitor Guerra. *033-221 59.* *lun.–ven.* *jours fériés.*

Montemor-o-Velho 7

Carte routière C3. *2 600.* *Castelo de Montemor-o-Velho (039-68 03 80).* *1 mer. sur 2.*

Cette jolie bourgade historique est installée sur une colline, en bordure du Mondego. Le **château,** qui défendait Coimbra *(p. 202-207)* et qui date du XIVe siècle, est un ancien bastion maure. Le donjon présente des fragments de constructions romaines. L'église **Santa Maria de Alcaçova,** dans l'enceinte, a été fondée en 1090, puis restaurée au XVe siècle. Ses nefs et ses arcs sont manuélins.

Montemor est le pays natal de Fernão Mendes Pinto (1510-1583), célèbre par ses récits de voyage en Orient. Diogo de Azambuja (mort en 1518), qui aurait navigué avec Christophe Colomb et qui explora les côtes de l'Afrique de l'Ouest, y est enterré. Son tombeau, dû au maître manuélin Diogo Pires, se trouve dans le **convento de Nossa Senhora dos Anjos** sur la place du même nom (demandez la clé à l'Office du tourisme). Sa façade du XVIIe siècle cache un intérieur plus ancien et plus riche, où l'on peut voir des influences manuélines et Renaissance.

Château
Rua do Castelo. *mar.–dim.*

Terrasse de café baignée de soleil au printemps, Figueira da Foz

Aveiro ❹

Tonnelet d'*ovos moles*

Aveiro, qui fut jadis un site portuaire important, s'enorgueillit d'une riche histoire — ses marais salants étaient déjà mentionnés dans le testament de la comtesse Mumadona, en l'an 959. Au XVe siècle, Aveiro tirait ses richesses du sel et de la morue pêchée au large de Terre-Neuve par les *bacalhoeiros*. En 1575, la lagune fut fermée par une tempête et le port s'envasa. La ville déclina peu à peu au bord de la *ria*, la lagune étant devenue malsaine. Ce n'est qu'au XIXe siècle qu'Aveiro retrouva un peu de sa prospérité. La *ria* et ses canaux lui donnent un charme particulier.

Pont enjambant le canal de São Roque

Vieux quartier

Des maisons de pêcheurs sont blotties entre le canal das Pirâmides et le canal de São Roque. Au petit matin, l'animation se concentre autour du **mercado do Peixe,** où le poisson est vendu à la criée.

La rua João de Mendonça, qui longe le canal Central, est bordée de demeures Art nouveau et de *pastelarias* proposant la spécialité d'Aveiro, les *ovos moles*. Ces « œufs mous » sont une pâtisserie à base de jaune d'œuf entourée de sucre, en forme de poisson ou de tonneau. Ils sont vendus en vrac ou en petits tonneaux. La recette originale serait due à des religieuses.

Au-delà du canal Central

Les principaux bâtiments historiques se trouvent au sud du canal Central et de la praça Humberto Delgado. L'**igreja da Misericórdia** de la praça da República, tapissée d'*azulejos,* date du XVIe siècle. La place est aussi bordée par l'imposant **paços do Concelho** (mairie) du XVIIIe siècle. Non loin, en face du musée, la modeste cathédrale **São Domingos** date du XVe siècle. Les Trois Grâces surmontant le portail, sur la façade baroque, sont des ajouts de 1719.

Une courte promenade vers le sud mène à l'**igreja das Carmelitas.** L'intérieur est décoré de *talha dourada* (boiseries sculptées et dorées, caractéristiques du baroque portugais).

Museu de Aveiro

Rua de Santa Joana Princesa.

034-232 97. *mar.–dim.* *jours fériés.*

L'ancien mosteiro de Jesus, fondé en 1458, regorge de souvenirs de santa Joana, fille de Dom Afonso V, qui entra au couvent en 1472. Elle fut canonisée en 1693. Son tombeau ornemental baroque est installé dans le chœur inférieur. Dans la chapelle, les peintures du XVIIIe siècle illustrant sa vie sont plus sobres. La pièce où la sainte mourut en 1490 était consacrée aux travaux d'aiguille. Parmi les œuvres de primitifs portugais, on trouve un magnifique portrait de la princesse en costume de cour.

Le chœur orné de dorures (1725-1729), le cloître du XVe siècle et le réfectoire couvert de faïence font aussi partie du musée. Le tombeau gothique de Dom João de Albuquerque est situé entre le réfectoire et la salle capitulaire.

Ces *moliceiros* colorés utilisés pour la récolte des algues sont ancrés le long du canal Central

Le sel est récolté dans les marais salants de la Ria

Aux environs : À Ílhavo, à 8 km au sud d'Aveiro, le **Museu Marítimo e Regional de Ílhavo,** installé dans un bâtiment moderne, illustre le long passé maritime de la région, avec divers objets : équipements de pêche, coquillages, maquettes de bateaux, etc.

À 4 km plus au sud, une petite pancarte indique le **Museu Histórico da Vista Alegre.** La fabrique de Vista Alegre, bien connue des amateurs de porcelaine *(p. 24),* a été fondée en 1824. La boutique de l'usine propose des articles en porcelaine. Le musée retrace l'histoire de la fabrique et expose des porcelaines, ainsi que quelques verres en cristal, de 1850 à nos jours.

Mode d'emploi

Plan C3. *70 000.* *avenida Dr Lourenço Peixinho.* *avenida Dr Lourenço Peixinho.* *rua João Mendonça 8 (034-236 80).* *14 et 28 du mois.* *juil.–août : Festa da Ria.* *Aveiro– Torreira : un fois par jour (juin–sept.).*

Museu Marítimo e Regional de Ílhavo
Avenida Rocha Madahil. *034-32 17 97.* *mer.–sam., mar. et dim. a.-m.* *jours fériés.*

Museu Histórico da Vista Alegre
Indiqué sur la N109. *034-32 53 65.* *mar.–dim.* *jours fériés.*

Ria de Aveiro

Les cartes anciennes ne mentionnent pas de lagune à cet emplacement. En 1575, une tempête donna naissance à une barre de sable qui bloqua le port. Coupé de la mer, Aveiro se mit à décliner, et sa population fut touchée par une fièvre venant des eaux stagnantes. Ce n'est qu'en 1808 que la *barra nova* relia à nouveau Aveiro à la mer.

Aujourd'hui, la lagune couvre 65 km², sur presque 50 km de long. Elle s'étend depuis Furadouro, au sud, jusqu'à Costa Nova, en longeant les marais salants d'Aveiro et la réserve naturelle de São Jacinto. Le plus élégant des bateaux de la lagune est le *moliceiro.* Ce bateau utilitaire récolte les *moliços* (algues) pour la production d'engrais. Mais les engrais chimiques ont fait chuter la demande en algues, et seuls quelques artisans vivent encore de cette activité. En été, un bateau relie tous les jours Aveiro à Torreira. Les passagers découvrent cette zone sauvage, appelée la Rota da Luz, « route de la lumière », qui se déroule entre les marais salants étincelants, des plages claires et l'océan.

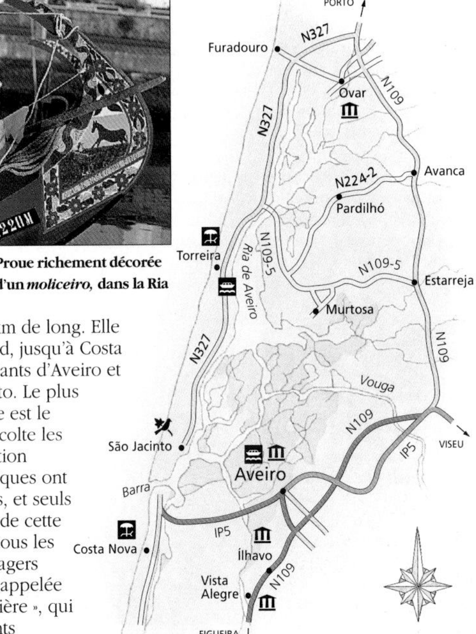

Proue richement décorée d'un *moliceiro,* dans la Ria

0 10 km

Légende

- Autoroute
- Route principale
- Route secondaire
- Autre route
- Itinéraire en bateau
- Marais salants

Bord de mer dans le village de pêcheurs de Torreira

Coimbra 8

Étudiante célébrant mai

Ville natale de six rois et siège de la plus vieille université du Portugal, Coimbra est chère au cœur des Portugais. À l'époque romaine, elle s'appelait Aeminium. Au VIe siècle, l'évêché de Conimbriga *(p. 208)* fut transféré ici, et la ville adopta le nom de Coimbra. La ville fut prise aux Maures en 878, pour retomber entre leurs mains un siècle plus tard, avant d'être libérée par le roi de Castille, Ferdinand le Grand, en 1064. Lorsque Dom Afonso Henriques, premier roi du Portugal, voulut transférer sa capitale au sud de Guimarães en 1139 *(p. 42-43)*, il fit choix de Coimbra, qui conserva ce privilège jusqu'en 1256. Liée aux débuts du royaume du Portugal, Coimbra offre aux visiteurs une profusion de témoignages historiques.

Orientation
Les cathédrales, l'université et le musée se trouvent dans le centre historique, tandis que les boutiques sont installées autour de la praça do Comércio, entourée de rues animées. Mais pour visiter la ville, il vaut mieux partir du largo da Portagem, qui est un bon point de départ pour rayonner. Des promenades sur la rivière partent le long du parque Dr Manuel Braga.

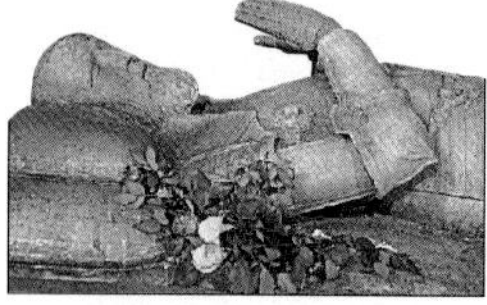
Tombeau de Dom Afonso Henriques, igreja de Santa Cruz

Ville basse
Du largo da Portagem, la rua Ferreira Borges se poursuit jusqu'à la praça do Comércio, où se dresse l'**igreja de São Tiago.** Sa façade, sobre, constraste avec l'intérieur, qui abrite un retable en *talha dourada* (boiseries sculptées et dorées, caractéristiques du baroque portugais).

De cette place, la rua Visconde da Luz vu au nord jusqu'à la praça 8 de Maio et à l'**igreja de Santa Cruz** *(p. 205)*, où reposent Dom Afonso Henriques et son fils, Dom Sancho Ier. L'église faisait partie de l'ancien mosteiro de Santa Cruz, construit en 1131. Les moines du monastère donnaient des cours particuliers aux premiers étudiants de l'université. Au-delà de la praça 8 de Maio, la rua da Sofia doit son nom aux collèges théologiques qui s'y élevaient. Les églises conventuelles, auxquelles ils étaient rattachés, existent toujours : les **igrejas do Carmo** (1597) et **da Graça,** fondée en 1543 par Dom João III. Non loin, le pátio da Inquisição rappelle que Coimbra fut l'un des sièges de l'Inquisition *(p. 51)*.

Terrasses de cafés sur la praça do Comércio, dominée par São Tiago

Le pátio das Escolas, au cœur de l'université

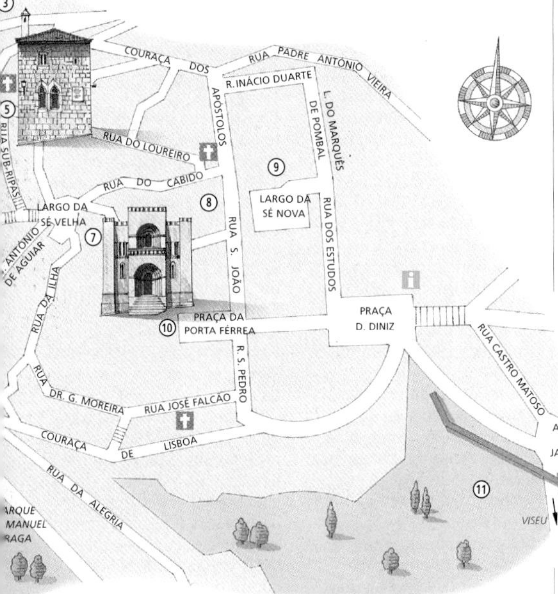

Centre-ville de Coimbra

Arco de Almedina ⑥
Igreja do Carmo ②
Igreja da Graça ①
Jardim Botânico ⑪
Museu Nacional Machado de Castro ⑧
Portugal dos Pequenitos ⑬
Santa Clara-a-Nova ⑫
Santa Clara-a-Velha ⑭
Santa Cruz ③
São Tiago ④
Sé Nova ⑨
Sé Velha ⑦
Torre de Anto ⑤
Université ⑩

Ville haute

À l'écart de la rua Ferreira Borges, l'**arco de Almedina** du XIIe siècle est la porte de la vieille ville (*medina* signifie « ville » en arabe). Des marches mènent à la **torre de Anto,** dont les médaillons et les fenêtres Renaissance sont sortis de l'atelier de Jean de Rouen. La tour abrite aujourd'hui une galerie d'art et d'artisanat.

Dans les ruelles escarpées, on trouve plusieurs *repúblicas,* où des étudiants logent depuis le Moyen Âge. Les deux cathédrales, la **Sé Velha** et la **Sé Nova** *(p. 204),* sont éclipsées par l'**université,** perchée sur la colline *(p. 206-207).* Derrière s'étend la place principale de la ville haute, la praça da República.

Légende

- Gare ferroviaire
- Gare routière
- Embarcadère
- Parc de stationnement
- Information touristique
- Église
- Aqueduc
- Escalier

Mode d'emploi

Carte routière C3. *150 000.* *Coimbra A, avenida Emídio Navarro ; Coimbra B, au N. de la ville, sur N11.* *avenida Fernão de Magalhães.* *largo da Portagem (039-238 86).* *lun.–sam.* *déb. mai : Queima das Fitas ; juin : Feira Medieval ; 1re sem. de juil. (années paires) : Festas da Cidade.*

Au-delà du Mondego

La vue sur le vieux Coimbra mérite que l'on traverse la rivière. Les deux couvents de **Santa Clara** *(p. 205),* sur la rive gauche, sont liés à santa Isabel et à Inês de Castro, l'infortunée maîtresse de Dom Pedro Ier assassinée ici en 1355 *(p. 179).* La légende veut qu'une source, la **fonte dos Amores,** jaillit à l'endroit du meurtre. Elle se trouve dans le jardin de la quinta das Lágrimas du XVIIIe siècle, transformée en hôtel *(p. 389),* au sud de Santa Clara-a-Velha.

L'arco de Almedina, jeté sur les marches menant à la ville haute

À la découverte de Coimbra

Les habitants de Coimbra appellent affectueusement le Mondego « O rio dos poetas », ce qui témoigne de la richesse du passé de leur ville. De l'université *(p. 206-207)*, au sommet de la colline d'Alcaçova, à la ville basse, en passant par les rues étroites et les escaliers, la ville regorge de bâtiments historiques et de merveilles (parfois aussi de voitures). La plupart des sites, assez proches, peuvent se découvrir à pied, et, malgré ses rues escarpées, Coimbra est une ville qui se visite à pied. Au-delà du Mondego, les visiteurs découvriront d'autres sites historiques et un parc à thème original pour les enfants.

La riche façade de la Sé Nova

Sé Velha

Largo da Sé Velha. 039-252 73. sam.–jeu. pour le cloître.

L'ancienne cathédrale, probablement le plus bel édifice roman du pays, célèbre la défaite des Maures, en 1064. Dom Afonso Henriques installa sa capitale à Coimbra et son fils, Dom Sancho Ier, fut couronné dans cette église peu après son achèvement, en 1185.

Dans l'intérieur sobre, des piliers carrés dirigent le regard jusqu'au retable flamboyant au-dessus de l'autel. En bois polychrome et doré, il a été réalisé par des sculpteurs flamands vers 1502 et représente la Nativité, l'Assomption et plusieurs saints. Dans le transept sud, un retable du XVIe siècle est aussi richement décoré, tout comme les fonts baptismaux manuélins, qui seraient dus à Diogo Pires le Jeune.

Le tombeau du premier gouverneur chrétien de la ville, Sisinando (un musulman converti qui mourut en 1091), se trouve dans la salle capitulaire. L'aile nord abrite le tombeau de Dona Vetaça, morte en 1246, dame de compagnie byzantine et professeur de l'épouse du roi Dinis, la reine sainte Isabel *(p. 45)*.

Le retable doré de la Sé Velha

Sé Nova

Largo da Sé Nova. 039-231 38. mar.–sam. jours fériés sauf pour la messe.

L'appellation de « neuve » est toute relative, car l'église a été fondée par les jésuites en 1598 (le colégio das Onze Mil Virgens, collège jésuite adjacent, appartient aujourd'hui à la faculté des sciences). L'ordre des jésuites fut interdit par le marquês de Pombal en 1759 *(p. 52)*, mais leur église devint le siège de l'épiscopat en 1772. Des saints jésuites trônent toujours sur la façade.

L'intérieur, plus spacieux que celui de la Sé Velha, présente une voûte en berceau, avec une coupole. À gauche de l'entrée, les fonts baptismaux octogonaux de style manuélin proviennent de la Sé Velha. Le retable dans le chœur du XVIIe siècle est flanqué de deux orgues du XVIIIe siècle.

Coimbra vue du Mondego, avec le clocher de l'université couronnant la colline d'Alcaçova

Museu Nacional Machado de Castro

Largo Dr José Rodrigues. 039-237 27. mar.–dim. jours fériés.

Les élégantes loggias du XVIe siècle et les ravissantes cours de l'ancien palais épiscopal rassemblent de magnifiques sculptures — Joaquim Machado de Castro (1731-1822) était au demeurant un maître sculpteur. On y trouve un chevalier médiéval tenant une massue, à la mine fort engageante… La collection réunit meubles, habits sacerdotaux et peintures du XIIe au XXe siècle, notamment l'*Assomption de Marie-Madeleine,* du maître de Sardoal. Un élément intéressant du musée est le cryptoportique d'Aeminium, un labyrinthe de passages romains abritant une superbe collection de sculptures et de stèles romaines, d'objets wisigoths et de trouvailles plus anciennes.

Le claustro do Silêncio (cloître du Silence) dans le monastère de Santa Cruz

Santa Cruz

Praça 8 de Maio. 039-229 41. t.l.j. pour le cloître.

Fondés en 1131, l'église et le monastère de Santa Cruz abritent quantité de créations de l'école de sculpture de la ville. Des œuvres de Nicolas Chantereine et de Jean de Rouen ornent le portail de l'église, le portal da Majestade, conçu par Diogo de Castilho en 1523. La salle capitulaire de Diogo Boytac est de style manuélin, tout comme le claustro do Silêncio et les stalles sculptées, en 1518, d'une frise sur le thème des voyages de Vasco da Gama. Les deux premiers rois du Portugal furent enterrés dans le chœur en 1520. Leurs magnifiques tombeaux seraient dus à Chantereine, qui repose ici.

Jardim Botânico

Alameda Dr Júlio Henriques. t.l.j.

Cet immense jardin botanique fut aménagé en 1772, lorsque le marquês de Pombal introduisit l'étude de l'histoire naturelle à l'université de Coimbra.

L'entrée, près de l'aqueduc de São Sebastião, s'ouvre sur 20 hectares plantés de quelque 1 200 végétaux, dont quantité d'espèces exotiques et rares. Ce jardin qui joue toujours un rôle scientifique est aménagé comme un jardin d'agrément, avec une partie plus sauvage dominant le Mondego.

Révisions dans le Jardim botânico

Santa Clara-a-Velha

Santa Clara. en travaux.

Santa Isabel, veuve du roi Dinis, fit reconstruire le couvent de Santa Clara pour s'y retirer. En 1336, elle mourut à Estremoz *(p. 300),* mais elle repose ici. Inês de Castro y fut également enterrée après son assassinat, mais sa dépouille fut transférée à Alcobaça *(p. 178-179)* sur ordre de Dom Pedro.

En raison des crues, Santa Clara finit par être abandonnée en 1677. En 1696, les reliques de santa Isabel furent mises en lieu sûr à Santa Clara-a-Nova. Les ruines de l'église gothique d'origine, submergées de limons depuis la fin du XVIIe siècle, font enfin l'objet d'une rénovation.

Santa Clara-a-Nova

Calçada de Santa Isabel. 039-44 16 74. mar.–ven., sam. matin, dim. a.-m. jours fériés. pour le cloître.

Le « nouveau » couvent a été construit en hauteur entre 1649 et 1677, pour accueillir les clarisses de Santa Clara-a-Velha sur un terrain plus sec. Le bâtiment fut conçu par un professeur de mathématiques, João Turriano. Il abrite aujourd'hui en partie des services de l'armée. Dans l'église baroque, le tombeau en argent de santa Isabel occupe une place d'honneur. Installé en 1696, il a été payé par les habitants de Coimbra. Le tombeau primitif, une simple stèle, se trouve dans le chœur inférieur. Dans les nefs latérales, des panneaux en bois polychrome illustrent sa vie. Le grand cloître, conçu par le Hongrois Carlos Mardel, a été construit en 1733 par Dom João V.

Portugal dos Pequenitos

Santa Clara. 039-44 12 25. t.l.j. 25 déc.

L'ambiance de ce parc de loisirs pour enfants est radicalement différente de celle du reste de Coimbra. Dans un joli parc, un monde miniature permet aux enfants et aux adultes de découvrir des reproductions des célèbres monuments du Portugal, des villages représentatifs de l'architecture régionale et des pagodes et des temples issus des confins de l'ancien empire portugais.

Modèle réduit d'un manoir d'Algarve, Portugal dos Pequenitos

Université de Coimbra

Atlas de la Via Latina

En 1290, le roi Dinis fonda une université qui acquit du renom. Après des allées et venues entre Coimbra et Lisbonne, elle fut installée en 1537 dans le palais royal de Coimbra. Avant que les réformes de Pombal n'élargissent le programme des enseignements, vers 1770, on y étudiait surtout la théologie, la médecine et le droit. Nombre d'écrivains portugais du XIXe siècle, comme Eça de Queirós *(p. 55)*, y ont étudié. Plusieurs bâtiments ont été remplacés dans les années 40, mais les murs des édifices entourant le pátio das Escolas résonnent de sept siècles de cours.

Museu de Arte Sacra
Les quatre salles du musée présentent œuvres d'art religieux, vêtements sacerdotaux, calices et ouvrages de musique sacrée.

★ Capela de São Miguel
L'intérieur date des XVIIe et XVIIIe siècles. Les azulejos, *le plafond décoré et même l'autel maniériste sont éclipsés par le superbe buffet d'orgue, décoré d'angelots célébrant la gloire du baroque.*

Le portail manuélin de la capela de São Miguel a été réalisé par Marcos Pires peu avant sa mort, en 1521.

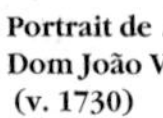
Portrait de Dom João V (v. 1730)

À NE PAS MANQUER

- **★ Biblioteca Joanina**
- **★ Capela de São Miguel**

★ Biblioteca Joanina
La bibliothèque, qui doit son nom à Dom João V, date du début du XVIIIe siècle. Les salles richement rehaussées de dorures et de bois exotique abritent plus de 300 000 ouvrages.

Le clocher, symbole de l'université, est visible de toute la ville. Depuis l'achèvement de la tour en 1733, la plus connue des trois cloches, *a cabra* (la chèvre), a rythmé la vie de générations d'étudiants.

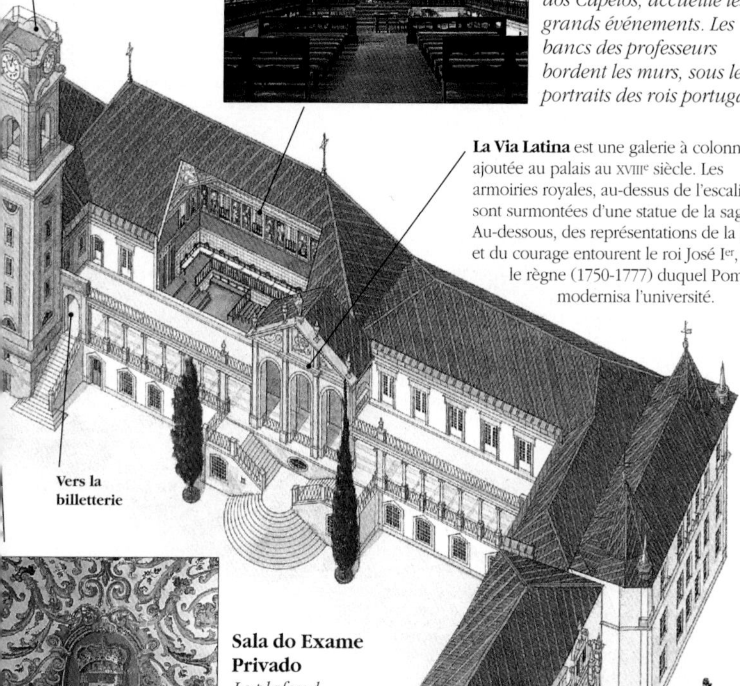

MODE D'EMPLOI

Universidade de Coimbra, largo da Porta Férrea. ☎ *039-410 98 00.* 🚌 *1, largo da Portagem.* ○ *9 h 30–12 h, 14 h–17 h t.l.j.* ● *25 déc.* ♿ *Biblioteca Joanina.* ☕

Sala Grande dos Actos
Cette salle, aussi appelée Sala dos Capelos, accueille les grands événements. Les bancs des professeurs bordent les murs, sous les portraits des rois portugais.

La Via Latina est une galerie à colonnades ajoutée au palais au XVIIIe siècle. Les armoiries royales, au-dessus de l'escalier, sont surmontées d'une statue de la sagesse. Au-dessous, des représentations de la justice et du courage entourent le roi José Ier, sous le règne (1750-1777) duquel Pombal modernisa l'université.

Vers la billetterie

Sala do Exame Privado
Le plafond exubérant, peint par José Ferreira Araújo en 1701, domine une frise de portraits des anciens recteurs.

Porta Férrea
Cette porte en fer (1634) menant au pátio est flanquée de sculptures illustrant les facultés d'origine.

LES TRADITIONS ESTUDIANTINES

À la fondation de l'université, les seules disciplines enseignées étaient le droit canon et le droit civil, la médecine et les lettres — grammaire et philosophie. Pour indiquer la faculté à laquelle ils appartenaient, les étudiants se mirent à porter des rubans de couleur : rouge pour le droit, jaune pour la médecine, bleu foncé pour les lettres. Aujourd'hui, les rites initiatiques, aux origines oubliées, se perpétuent. À la fin de l'année universitaire, les rubans sont brûlés lors de la Queima das Fitas.

Le brûler de rubans, une tradition universitaire

Conimbriga ⑨

Carte routière C3. 2 km au S. de Condeixa-a-Nova. *039-94 11 77.* *de Coimbra.* **Site** *9 h–13 h, 14 h–20 h (sept.–mars : 18 h) t.l.j.* *25 déc.* **Musée** *10 h–13 h, 14 h–19 h (sept.–mars : 18 h) mar.–dim.* *25 déc.* *musée.*

Le plus grand site romain du Portugal *(p. 40-41),* le long de la route qui reliait Lisbonne (Olisipo) et Braga (Bracara Augusta), a fait l'objet de fouilles complètes. Des vestiges indiquent un peuplement romain remontant au IIe siècle av. J.-C., mais c'est sous Auguste, vers 25 av. J.-C., que Conimbriga devint une ville importante ; des thermes, un forum et un aqueduc ont été mis au jour. Les plus beaux édifices datent toutefois du IIe et du IIIe siècle apr. J.-C.

Le site est desservi par la voie romaine qui menait à la ville depuis l'est. Sur la gauche, on voit les vestiges de magasins, de thermes et de deux maisons luxueuses, aux superbes pavements de mosaïque.

Conimbriga comprend l'une des plus grandes villas découvertes dans l'Empire romain d'Occident : la casa de Cantaber, construite autour de bassins ornementaux dans de magnifiques jardins à colonnades, avec ses thermes particuliers et son système de chauffage sophistiqué.

La casa das Fontes, de la première moitié du IIe siècle, est couverte d'un abri protecteur, mais des passerelles permettent de la voir. Ses mosaïques et ses fontaines témoignent de l'art de vivre romain. Les bassins de la ville et des *thermae* de Trajan étaient alimentés par une source située à 3,5 km, via un aqueduc essentiellement souterrain.

Les excavations officielles ont débuté en 1912, mais une grande partie de ce site de 13 hectares reste à explorer. Au IIIe ou au début du IVe siècle, les bâtiments furent pillés de leurs pierres pour construire des murailles défensives contre les Barbares. En 468 apr. J.-C., les Suèves mirent la ville à sac et assassinèrent ses habitants. Les squelettes qui ont été mis au jour pourraient dater de cette époque.

Détail du sol d'une chambre, maison près de l'entrée

À l'écart des ruines, ne manquez pas la visite du musée, qui est intéressant. Vous verrez présentés l'histoire et l'aménagement du site, et exposés des mosaïques, des médailles et des bustes romains, ainsi que des objets celtes plus anciens. Pour vous détendre, vous trouverez également un restaurant et une aire de pique-nique.

Le jardin central de la Casa das Fontes à Conimbriga

Vue de l'église São Miguel dans l'enceinte du château à Penela

Penela ⑩

Carte routière C3. *620.* *largo Marquesa dos Fornos de Algodres (039-56 93 26).* *jeu.*

Le **château** de Penela a été bâti en 1087 par Sisinando, gouverneur de Coimbra, pour défendre la vallée du Mondego. Ses tours offrent de belles vues sur le village et, à l'est, sur la Serra de Lousã. L'église dans l'enceinte du château, **São Miguel,** date du XVIe siècle. Plus bas, dans Penela, **Santa Eufémia,** datée de 1551 au-dessus du portail, possède un chapiteau romain utilisé comme fonts baptismaux.

Aux environs : À 5 km à l'ouest, entre des plantations d'oliviers et de noyers, le village de **Rabaçal** produit un délicieux fromage à base de lait de chèvre et de brebis *(p. 146).* Certaines villageoises affinent toujours le fromage chez elles, dans des pièces sombres.

Lousã ⑪

Carte routière C3. *9 000.* *Câmara Municipal, Rua Dr João Cáceres (039-99 35 02).* *mar. et sam.*

Installée sur les rives boisées de l'Arouce, l'usine à papier de Lousã, fondée en 1716, continue à fonctionner. Le marquês de Pombal *(p. 52)* fit venir d'Italie et d'Allemagne des artisans du papier, qui amenèrent une prospérité dont témoignent les belles

Le château d'Arouce, blotti dans une vallée profonde près de Lousã

demeures du XVIIIe siècle. La plus élégante est le **palácio dos Salazires,** dans la rua Viscondessa do Espinhal. La **Misericórdia,** au portail Renaissance, mérite aussi un coup d'œil.

AUX ENVIRONS : De la bordure de Lousã, une route mène au **castelo de Arouce,** niché au fond d'une vallée, à 3 km au sud. Il aurait été bâti au XIe siècle par le roi Arunce qui fuyait des envahisseurs. Derrière le château de schiste sombre, trois sanctuaires cachés dans un plissement forment le **santuário da Senhora da Piedade.**

Sur la route tortueuse qui se dirige au sud, vers Castanheira de Pêra, une belle vue s'offre sur la vallée boisée. Une route allant vers l'est monte au **Alto do Trevim** (1 204 m), le point culminant de la Serra de Lousã.

Buçaco ⓬

Voir p. 210–211.

Luso ⓭

Carte routière C3. *3 000.* *rua Emídio Navarro (031-93 91 33).* *lun.–sam.*

Au XIe siècle, Luso n'était qu'un petit village lié à un monastère de Vacariça, qui se transforma en station thermale animée au XVIIIe siècle, lorsque les touristes s'intéressèrent à ses sources chaudes. Les eaux thermales, qui jaillissent d'une source sous la **capela de São João,** auraient des vertus thérapeutiques, soignant des maux aussi divers que les maladies circulatoires, les problèmes de tonus musculaire, les affections rénales et les rhumatismes.

La localité compte plusieurs hôtels, un peu décrépits. L'ancien casino est doté d'un élégant hall Art déco. Toutefois, le principal attrait réside dans les installations thermales. Les visiteurs apprécient aussi la proximité de la forêt de Buçaco.

AUX ENVIRONS : Entre Luso et Curia, **Mealhada** est une jolie petite localité, au cœur d'une région connue pour le fameux *leitão,* le cochon de lait *(p. 146).* Dans la région, plusieurs restaurants proposant ce plat font une publicité tapageuse.

Arganil ⓮

Carte routière D3. *3 000.* *avenida das Forças Armadas (035-248 23).* *jeu.*

Une ville romaine appelée Argos se serait élevée ici jadis. Au XIIe siècle, Dona Teresa, mère d'Afonso Henriques *(p. 42-43),* fit don de la bourgade à l'évêché de Coimbra, dont le titulaire acquit également le titre de conde de Arganil. La localité ne présente pas de grand intérêt architectural, hormis l'église **São Gens,** l'igreja Matriz de la rua de Visconde de Frias, qui date probablement du XIVe siècle.

Menino Jesus de Mont'Alto, Arganil

AUX ENVIRONS : Le sanctuaire de Mont'Alto, à 2 km, abrite la **capela do Senhor de Ladeira** qui recèle une curiosité : le Menino Jesus, un Enfant Jésus coiffé d'un bicorne. La figurine est sortie pour les *festas,* mais, pour la voir, on peut aussi demander la clé de la chapelle dans la dernière maison sur la droite.

Curistes à la Fonte de São João, Luso

LES STATIONS THERMALES

L'engouement des Portugais pour les eaux thermales et les vacances-santé a donné naissance à quantité de stations thermales dans la moitié nord du pays, dont plusieurs dans les Beiras, près de Luso. Toutes proposent des installations sportives et des soins pour diverses affections, dans une atmosphère paisible. La plupart des stations ferment en hiver, mais Curia, à 16 km au nord-ouest de Luso, est ouvert toute l'année, offrant soins et détente. Luso produit l'eau minérale la plus connue du pays.

Buçaco ⓬

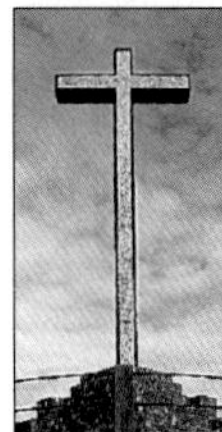

Point de vue de la Cruz Alta

Mi-forêt ancienne, mi-arboretum, la forêt nationale de Buçaco est un endroit magique. Dès le VIe siècle, elle fut un lieu de retraite monastique, et en 1628, les carmes s'y installèrent et entourèrent la forêt d'un mur (l'accès avait été interdit aux femmes par le pape en 1622). Ils aménagèrent des promenades invitant à la contemplation, construisirent des chapelles et plantèrent des arbres. Les végétaux furent placés sous protection pontificale en 1632. Les 105 hectares abritent quelque 700 essences indigènes et exotiques, comme le vénérable « cèdre de Buçaco ». Le monastère a fermé ses portes en 1834, mais la forêt est restée, avec ses promenades ombragées, ses grottes d'ermites et l'étonnant Buçaco Palace Hotel.

★ Fonte Fria
Cette cascade, alimentée par l'une des six sources de la forêt, dévale dans un bassin bordé de magnolias.

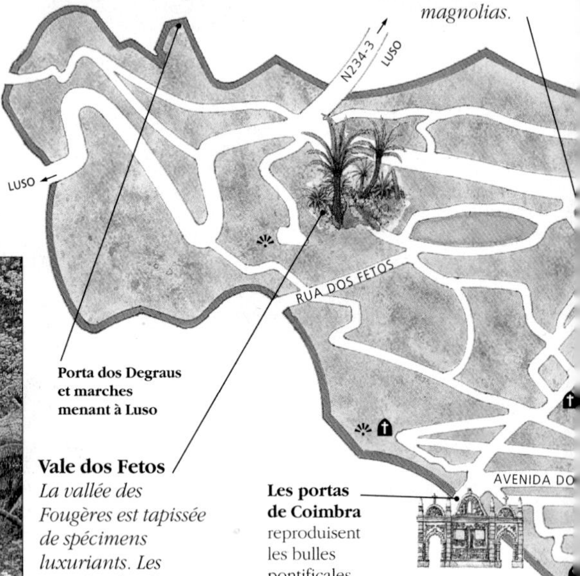

N234-3
LUSO
LUSO
RUA DOS FETOS
AVENIDA DO

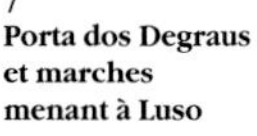

Porta dos Degraus et marches menant à Luso

Vale dos Fetos
La vallée des Fougères est tapissée de spécimens luxuriants. Les superbes fougères arborescentes lui donnent un air tropical.

Les portas de Coimbra reproduisent les bulles pontificales interdisant l'accès du site aux femmes.

Buçaco Palace Hotel

Le roi Carlos, qui commanda la construction de ce bâtiment extravagant en 1888, ne le vit jamais achevé. Son fils, Dom Manuel II, n'y séjourna que brièvement avant de partir en exil, en 1910 *(p. 55)* — notamment pour une escapade amoureuse avec la comédienne française Gaby Deslys. Ce palace, à l'excellente carte des vins, devint le rendez-vous de la haute société. On dit que pendant la Seconde Guerre mondiale, il était fréquenté par des espions. C'est aujourd'hui l'un des plus grands hôtels du pays *(p. 388)*.

La comédienne Gaby Deslys, qui aurait été la maîtresse de Manuel II

Légende

- Mur
- Tracé de la Via Sacra
- P Parc de stationnement
- Chapelle
- Point de vue

À NE PAS MANQUER

- ★ Buçaco Palace Hotel
- ★ Fonte Fria

Monastère
Il ne reste que les cloîtres, la chapelle et des cellules de moines tapissées de liège. Une plaque rappelle que Wellington dormit dans l'une d'elles.

Mode d'emploi

Carte routière C3. 3 km au S.-E. de Luso. *Luso (031-93 91 33).* **Monastère** *sam.–jeu.* **Forêt** *t.l.j.* *pour les véhicules (mai–oct.).* **Museu Militar** Almas do Encarnadouro. *031-93 93 10.* *mar.–dim.* *1er janv., Pâques, 25 déc.* *sauf mer.* *27 sept. : jour anniversaire de la bataille de Buçaco.*

La porta da Rainha fut construite pour Catherine de Bragança, mais sa visite de 1693 fut annulée, et la porte resta close pendant 11 ans.

Le Museu Militar, consacré à la guerre napoléonienne

Eucalyptus de Tasmanie (1876)

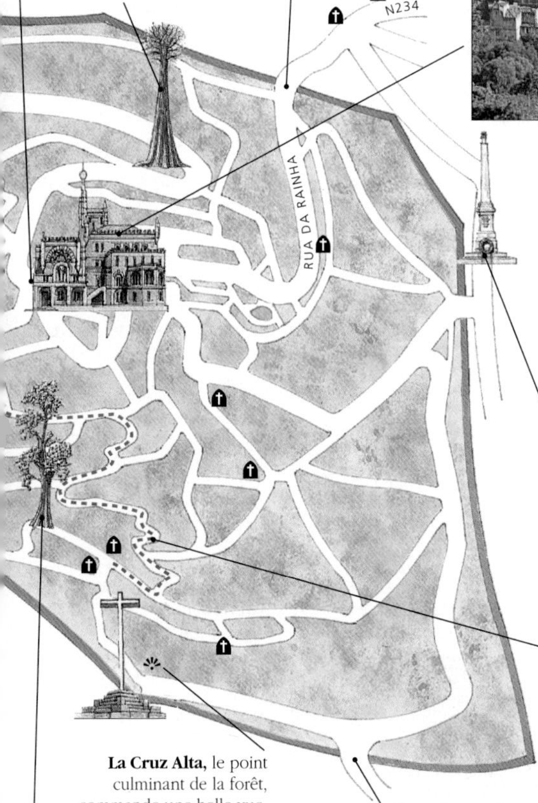

N234

RUA DA RAINHA

★ Buçaco Palace Hotel
Achevé en 1907, le pavillon de chasse néo-manuélin construit par Luigi Manini est décoré de peintures et d'azulejos. Ceux du hall représentent la bataille de Buçaco.

Le monument de la bataille de Buçaco commémore la victoire de Wellington le 27 septembre 1810. Cette bataille décisive arrêta la marche des Français sur Coimbra, comme cela est expliqué dans le Museu Militar voisin.

La Cruz Alta, le point culminant de la forêt, commande une belle vue.

Porta da Cruz Alta

Le cèdre de Buçaco, de 26 m de haut, aurait été planté en 1644.

0 250 m

Via Sacra
Des chapelles, installées par l'évêque de Coimbra en1693 et abritant des personnages, marquent les Stations de la Croix le long du chemin.

Le village de Piódão, fondu dans le décor de granit de la Serra de Açor

Piódão ⓯

Carte routière D3. 60. pour *Coja à 20 km.* *Arganil (035-248 23).*

La Serra de Açor est un lieu d'une beauté désolée, où les villages isolés sont cramponnés à des terrasses escarpées. Piódão est le plus impressionnant de ces hameaux d'ardoise et de schiste sombres. Jusqu'à la fin du XIXe siècle, le village, qui paraît coupé de tout, se trouvait sur la principale route commerciale qui reliait Coimbra à Covilhã. Avec la construction de nouvelles voies de communication, le village sombra dans l'oubli. Il revit aujourd'hui grâce à l'aide de l'Union européenne ; des magasins ouvrent, les maisons affichent à nouveau les peintures traditionnelles et l'**igreja Matriz** blanche se détache dans son décor de pierres noires.

Oliveira do Hospital ⓰

Carte routière D3. *3 500.* *Casa da Cultura, rua do Colégio (038-591 19).* *2e lun. du mois.*

Ces terres appartenaient autrefois aux Hospitaliers, à qui elles furent données en 1120 par la mère d'Afonso Henriques. L'**igreja Matriz** du XIIIe siècle, sur le largo Ribeira do Amaral, rappelle le temps des moines-soldats. L'un des fondateurs de la ville, Domingues Joanes, y repose dans un grand tombeau surmonté d'une statue équestre.

Cette bourgade industrielle animée convient pour explorer les vallées du Mondego et de l'Alva.

Aux environs : À Lourosa, à 12 km au sud-ouest, l'église **São Pedro,** du Xe siècle, est représentative de l'histoire du Portugal : le cimetière mis au jour sous l'église date des Romains, le porche est wisigoth. À l'intérieur, on découvre dix arcs reposant sur des colonnes romaines et une *ajimece* (fenêtre maure).

Caramulo ⓱

Carte routière C3. *1 700.* *avenida Jerónimo Lacerda (032-86 14 37).*

Cette bourgade montagnarde à l'air pur accueillait autrefois des sanatoriums. Aujourd'hui, elle est plus connue pour ses deux musées, installés dans le même bâtiment.

São Pedro de Lourosa, près d'Oliveira do Hospital

La collection d'art de la **Fundação Abel de Lacerda** rassemble des tapisseries flamandes du XVIe siècle, des sculptures, de la porcelaine, de l'argenterie et des ivoires, mais aussi des bronzes égyptiens de 1580 à 900 av. J.-C. La peinture va des primitifs portugais au XXe siècle, avec Chagall, Dalí, Picasso et l'artiste portugaise Maria Helena Vieira da Silva (1908-1992).

La collection du **Museu do Automóvel** est tout aussi éclectique : une Peugeot de 1899 en état de marche, des Bugatti, des Rolls-Royce et une Mercedes-Benz blindée de 1938, commandée par Salazar alors qu'il était Premier ministre *(p. 56-57)* et dont il ne se servit jamais.

Fundação Abel de Lacerda et Museu do Automóvel

Caramulo. *032-86 12 70.* *t.l.j. (fermé parfois plus tôt en hiver).* *Pâques, 24 et 25 déc.*

Aux environs : Du musée, la route serpente au sud-ouest et grimpe vers deux points de vue et des aires de pique-nique, dans la Serra do Caramulo. À 4 km environ, on découvre les prairies de **Cabeça da Neve,** à 970 m, parsemées de fleurs sauvages. Un peu plus loin, une pancarte indique, à l'ouest, la hauteur de **Caramulinho,** couverte d'éboulis (1 074 m).

Viseu 18

Carte routière D3. 19 500.
avenida Calouste Gulbenkian (032-42 20 14). mar.

Cette capitale régionale animée au cœur de la région vinicole du Dão *(p. 29)* possède une vieille ville passionnante. Dès l'époque romaine, Viseu fut un carrefour du nord du pays.

La visite de Viseu révèle rapidement qu'un grand artiste portugais du XVIe siècle vécut ici. Un hôtel, un musée et même un vin portent le nom de Grão Vasco.

Dans l'ouest de la vieille ville, la **porta do Soar de Cima** est un vestige des murs d'origine. Sur le Rossio, la place principale, l'**igreja dos Terceiros de São Francisco** (1773) présente une façade de style italien et un intérieur baroque. La mairie (1887) possède un magnifique escalier et des *azulejos* illustrant l'histoire de la ville. Au nord, la rua Augusto Hilário rend hommage au père du *fado* de Coimbra *(p. 66-67)*, né dans cette rue.

L'élégante façade rococo de l'église de la Misericórdia, Viseu

La façade du XVIIe siècle de la cathédrale de Viseu

Sé

Largo da Sé. 032-42 29 84.
t.l.j. *pour le trésor.*

Au cours des siècles, la cathédrale a subi diverses transformations ; elle a été notamment aménagée dans divers styles, qui se marient étonnamment bien. La façade du XVIIe siècle remplace l'extérieur manuélin d'origine. À l'intérieur, la voûte est soutenue par des nervures torsadées du XVIe siècle s'appuyant sur des colonnes du XIIIe siècle. La chapelle nord recèle de beaux *azulejos* du XVIIIe siècle ; ceux du cloître à deux niveaux datent du siècle précédent. La sacristie présente un plafond peint richement décoré et des *azulejos* à motifs « en tapis » *(p. 22)*. Dans le chœur, les stalles en jacaranda du Brésil contrastent avec un autel moderne, pyramide inversée en granit poli et en acier. Le trésor de la cathédrale recèle un évangéliaire du XIIe siècle et un coffret de Limoges du XIIIe siècle. En face de l'édifice, l'église **Misericórdia** affiche une façade rococo joliment proportionnée.

Museu de Grão Vasco

Largo da Sé. 032-42 20 49.
mar.–dim. *jours fériés.*

L'ancien palais épiscopal du XVIe siècle contigu à la cathédrale abrite le Museu de Grão Vasco, le « grand Vasco » de Viseu. Les peintures de Vasco Fernandes (v. 1475-1540) et des primitifs de l'école de Viseu sont appréciées pour leur naturalisme, leurs décors de paysages, leurs drapés et leur souci du détail. Le traitement de la lumière révèle une nette influence des peintres flamands.

Le niveau supérieur de ce musée de trois étages expose les chefs-d'œuvre qui ornaient autrefois le retable du chœur de la cathédrale. On admirera le monumental *São Pedro,* de Grão Vasco, ainsi que l'*Adoration des Mages,* dans une série de 14 panneaux illustrant la vie du Christ. Dans cette œuvre peinte entre 1503 et 1505, l'un des Rois mages *(p. 48)* est un Indien du Brésil. D'autres panneaux seraient dus à des artistes de l'école de Viseu.

Parmi les chefs-d'œuvre du musée, on compte la *Cène,* de Gaspar Vaz, grand rival de Grão Vasco. Les étages inférieurs rassemblent des œuvres d'artistes portugais du XIXe et du XXe siècle, comme le talentueux Columbano Bordalo Pinheiro.

***São Pedro* (1503-1505) de Vasco Fernandes au Museu de Grão Vasco, Viseu**

Sernancelhe ⓳

Carte routière D2. *1 100.*
avenida das Tilias (054-551 03).
un jeu. sur deux.

De petites maisons blanchies à la chaux se tassent au cœur de cette bourgade des Beiras, fondée au xe siècle. L'**igreja Matriz,** sur la praça da República, au centre, est romane. Vestiges du xiie siècle, les statues en granit des niches de la façade flanquent un portail dont une voussure est ornée d'un demi-cercle d'anges sculptés. De l'autre côté de la place, le pilori est daté de 1554.

La plus grande demeure est le solar dos Carvalhos, derrière l'église. Cet édifice baroque, dont les portails de granit sculptés se détachent sur des murs blancs, abritait la famille noble locale au xviiie siècle. C'est toujours une propriété privée.

Voussure du portail de l'igreja Matriz, Sernancelhe

Sur l'éminence rocheuse dominant la place, il ne reste que quelques vestiges des murs du château, mais une petite maison crénelée y a été construite.

Aux environs : La Serra da Lapa, au sud de Sernancelhe, abrite le **santuário de Nossa Senhora da Lapa.** On raconte qu'une jeune bergère muette trouva une statue de la Vierge sur un rocher et l'emporta chez elle. Sa mère jeta la statue au feu. La fillette se mit alors à parler miraculeusement : « Ne la brûle pas », dit-elle, « c'est la Senhora da Lapa. »

Une chapelle fut construite pour aménager le rocher en sanctuaire, et la statuette, au visage roussi, trône dans une niche ornementale. On y voit quantité d'images et d'offrandes laissées par les pèlerins.

La porte principale menant à la vieille ville de Trancoso

Le château de **Penedono,** perché sur des rochers au milieu de la bourgade, à 17 km au nord-est de Sernancelhe, date au moins du xe siècle. Il est mentionné dans le conte médiéval d'un chevalier, appelé O Magriço, qui partit en Angleterre avec onze autres chevaliers, afin d'y jouter pour douze demoiselles anglaises. Si le château est fermé, la clé se trouve dans le magasin à côté du *pelourinho* (pilori), mais il n'y a pas grand-chose à y voir. Belle vue depuis les murs.

Santuário de Nossa Senhora da Lapa

Quintela da Lapa, 11 km au S.-O. de Sernancelhe. *032-589 93.* *t.l.j.*

Le château de Penedono, près de Sernancelhe, avec ses imposants remparts médiévaux

Trancoso ⓴

Carte routière D2. *6 000.*
avenida Herois de São Marcos (071-911 47). *ven.*

En 1283, le roi Dinis fit don de la ville à Isabel, son épouse *(p. 44-45)*, comme cadeau de mariage. C'est aussi lui qui fit construire les murailles imposantes et qui créa, en 1304, la première foire librement accessible au Portugal. Après 1385, la localité devint un centre commercial animé. Trancoso comptait autrefois une importante communauté juive, et, dans l'ancienne *Judiaria,* on voit des maisons avec une porte large et une porte étroite, qui séparaient la vie domestique du commerce.

Depuis la porte sud, la rua da Corredoura mène à **São Pedro.** Dans l'église, une pierre tombale commémore Gonçalo Anes, qui écrivit vers 1580 sous le nom de Bandarra, les célèbres *Trovas,* prophétisant le retour du jeune roi Sebastião *(p. 107).*

Aux environs : Les ruines qui s'étendent au-dessus du village sont les seuls vestiges de la citadelle médiévale de **Marialva,** située à 24 km au nord-est de Trancoso. Il émane des murs de granit, des fragments de pierre sculptée et du magnifique pilori du xve siècle une atmosphère de splendeur perdue. Probablement fondée par Ferdinand de León et de Castille au xie siècle et fortifiée par Sancho Ier, Marialva aurait été abandonnée par ses habitants pour des terres plus fertiles.

LE SERRA, UN SUCCULENT FROMAGE

Produit avec le lait des brebis de la Serra da Estrela *(p. 218-219),* le serra est le meilleur fromage du Portugal. Fabriqué en hiver, sa préparation reposait autrefois sur la chaleur des mains des femmes qui travaillaient dans des cuisines de granit froides. Traditionnellement, le lait est coagulé avec de la *flor do cardo,* du chardon. Aujourd'hui, une appellation contrôlée garantit la qualité et l'authenticité des produits. Le serra jeune est doux et légèrement coulant, avec une croûte fine. Un affinage plus long permet d'obtenir un fromage plus sec au goût prononcé.

Berger et son troupeau sur les versants de la Serra da Estrela

Celorico da Beira ㉑

Carte routière D3. 3 000.
estrada Nacional 16 (071-721 09).
mar. (marché), déc.–mai. : ven. (marché aux fromages).

Les pâturages entourant Celorico da Beira donnent depuis longtemps le célèbre serra. De décembre à mai, le marché aux fromages de la praça Municipal attire quantité de visiteurs, et tous les ans, au mois de février, Celorico accueille une foire aux fromages animée. Des maisons de granit aux fenêtres manuélines et aux portes gothiques sont tassées dans le vieux centre de Celorico, aux alentours de la rua Fernão Pacheco. Du **château** du Xe siècle, marqué par maints conflits frontaliers, il ne reste qu'une tour et les murs extérieurs. Il est moins spectaculaire vu de près. L'**igreja Matriz,** restaurée au XVIIIe siècle, possède un plafond à caissons peint. Pendant la guerre napoléonienne, l'église servit un temps d'hôpital de fortune.

Almeida ㉒

Carte routière E2. *1 600.*
Portas de São Francisco (071-542 04). *8 et dernier sam. du mois.*

D'imposantes fortifications en forme d'étoile à douze branches gardent cette petite bourgade frontalière délicieusement préservée.

Par le traité d'Alcañices, signé en 1297, les Espagnols reconnurent l'appartenance d'Almeida au Portugal, ce qui n'empêcha pas de nouvelles incursions. L'actuelle place forte rappelant le style de Vauban *(p. 297)* a été construite en 1641 par Antoine Deville, après que Philippe IV d'Espagne eut détruit les défenses protégeant la ville et son château médiéval.

En 1762, Almeida fut à nouveau espagnole. Puis, pendant la guerre napoléonienne, elle passa alternativement entre les mains des Français et des Britanniques. En 1810, un obus français toucha la poudrière, dont l'explosion détruisit le château.

Les **casemates** se visitent. Dans les Portas de São Francisco, un arsenal présente des souvenirs du passé militaire d'Almeida. La ville possède une église paroissiale du XVIIe siècle et une autre, la **Misericórdia,** de la même époque, adjacente à l'un des plus vieux hospices du Portugal. Une promenade sur les murs envahis par l'herbe permet d'admirer la ville.

Les fortifications complexes d'Almeida, bien visibles malgré l'offensive de l'herbe folle et des fleurs sauvages

Excursion : Châteaux frontaliers ㉓

Pour les premiers rois du Portugal, la défense des frontières était une priorité. De nombreux châteaux furent bâtis sous le règne du roi Dinis (1279-1325). Le long de la frontière, les incursions espagnoles étaient fréquentes et les loyautés partagées. Les châteaux étaient donc en permanence assiégés, pris et reconstruits. Les bâtiments préservés témoignent de cette période de conflits. Le paysage est essentiellement désolé et rocheux, surtout dans la Serra da Marofa, mais, près de Pinhel et au-delà de Castelo Mendo, la vallée de la Côa est superbe.

Castelo Rodrigo ②
Ce petit village fortifié est ceinturé de murailles construites en 1296 par le roi Dinis. Le magnifique palais de son seigneur, Cristóvão de Moura, qui pactisa avec les Espagnols, fut incendié à la Restauration, en 1640.

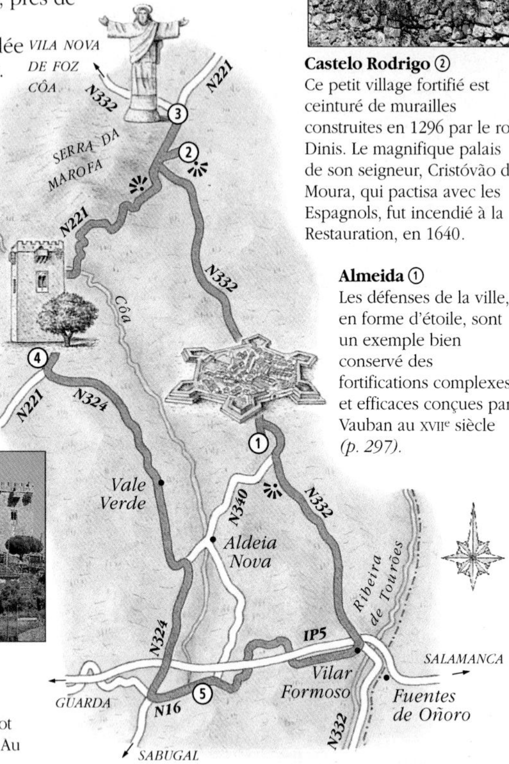

Figueira de Castelo Rodrigo ③
Dès le XVIIIe siècle, Castelo Rodrigo fut abandonné au profit de Figueira, moins isolé, qui est devenue une bourgade renommée pour ses fleurs d'amandiers. Juste au sud, le point culminant de la Serra da Marofa (977 m) est surmonté d'un immense Christ-roi.

Almeida ①
Les défenses de la ville, en forme d'étoile, sont un exemple bien conservé des fortifications complexes et efficaces conçues par Vauban au XVIIe siècle *(p. 297).*

Pinhel ④
Intégré aux défenses de la région depuis l'époque romaine, Pinhel était le pivot d'un réseau de forteresses. Au début du XIVe siècle, le roi Dinis en fit une citadelle imposante. Les murailles ont été bien préservées, ainsi que deux tours. Aujourd'hui, Pinhel est renommé pour son vin.

Castelo Mendo ⑤
Au-delà de la porte principale, il reste peu de chose du château, dont l'emplacement explique aisément son importance stratégique.

CARNET DE ROUTE

Longueur : *115 km.*
Où faire une pause ? *On trouve des cafés partout et des restaurants à Pinhel et Almeida.*
État des routes : *Le circuit emprunte des routes en bon état, mais mieux vaut éviter les raccourcis* (p. 444-445).

LÉGENDE

- Circuit recommandé
- Autres routes
- Frontière espagnole
- Point de vue

0 — 10 km

L'intérieur majestueux de la cathédrale gothique de Guarda

Guarda ㉔

Carte routière D3. 20 000.
rua Infante Dom Henrique (071-22 18 17). 1er et dernier mer. du mois.

Perchée au nord-est de la Serra da Estrela, Guarda est la ville la plus haute du Portugal (1 056 m). Elle fut fondée en 1197 par Sancho Ier pour garder la frontière. Certaines rues de cette ville peu engageante sont animées et intéressantes, mais la grande Sé, aux allures de forteresse, avec ses contreforts, ses pinacles et ses gargouilles, est sans charme. Parmi les grands architectes qui ont œuvré à sa construction (1390-1540), citons Diogo Boytac (de 1504 à 1517) et les bâtisseurs de Batalha *(p. 182-183)*. Par contraste, l'intérieur est gracieux. Les cent personnages sculptés au-dessus du retable du chœur ont été réalisés par Jean de Rouen, en 1552.

Non loin, le **Museu de Guarda** présente des peintures, des objets, des trouvailles archéologiques et une section consacrée au poète de la ville, Augusto Gil (1873-1929).

De la place de la cathédrale, la rua do Comércio descend vers l'église **Misericórdia,** du XVIIe siècle, au portail ornemental. L'intérieur recèle un autel et des chaires baroques. Au nord de la cathédrale, l'église **São Vicente,** du XVIIIe siècle, abrite seize magnifiques panneaux d'*azulejos* représentant la vie du Christ.

Guarda possédait autrefois une communauté juive importante. Une serrurerie de la rua Dom Sancho I pourrait avoir servi de synagogue. On raconte que lors d'une visite à Guarda, João Ier tomba amoureux d'Inês Fernandes, la fille d'un cordonnier juif. Un fils, Afonso, naquit de leurs amours. En 1442, le titre de premier duc de Bragança fut conféré à Afonso, et, 200 ans plus tard, son descendant devint le premier monarque de la lignée des Bragança, João IV *(p. 299)*.

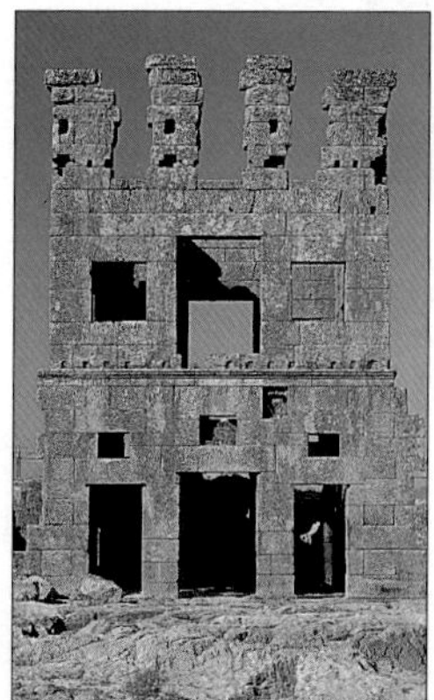

Le Centum Cellas, une construction romaine près de Belmonte

Museu de Guarda

Rua Alves Roçadas 30. *071-21 34 60.* *mar.–dim.* *jours fériés.*

Serra da Estrela ㉕

Voir p. 218–219.

Belmonte ㉖

Carte routière D3. *3 600.*
praça da República 18 (075-91 14 88). *1er et 3e lun. du mois.*

Des siècles durant, Belmonte fut le fief des Cabral, dont le nom est associé à des exploits héroïques. Les ancêtres de Pedro Álvares Cabral, qui découvrit le Brésil en 1500, se battirent à Ceuta *(p. 48)* et à Aljubarrota *(p. 183)*. Fernão, un parent encore plus éloigné appelé le Géant des Beiras, était renommé pour sa force herculéenne. Les armoiries des Cabral, qui comportent une chèvre (cabra), apparaissent sur le château et la chapelle adjacente. Le **château,** commencé en 1266, possède toujours son donjon et une magnifique fenêtre manuéline. **São Tiago,** la petite église voisine, a conservé sa sobriété romane. Les fresques au-dessus de l'autel et la pietà de granit datent du XIIIe siècle. À côté de l'église, la **capela dos Cabrais,** du XVe siècle, recèle les tombeaux familiaux.

Armoiries des Cabral, chapelle de Belmonte

De l'autre côté du village, l'**igreja da Sagrada Família,** de 1940, renferme une statue de Nossa Senhora da Esperança, qui aurait accompagné Cabral lors de sa découverte du Brésil.

Aux environs : Au nord-est de Belmonte, le **Centum Cellas,** une tour romaine, est aussi appelée torre de Colmeal. Les archéologues ont envisagé maintes fonctions pour cet édifice carré à trois étages, de l'auberge à la base militaire en passant par l'habitation ou le temple.

Serra da Estrela ㉕

Fenaison, près de Linhares

La « montagne de l'Étoile » est la plus haute chaîne du Portugal continental, une grande partie de la Serra dépassant 1 500 m d'altitude. Le point culminant, à 1 993 m, est surmonté d'une petite tour de pierre — la Torre — qui l'aide à dépasser le cap des 2 000 m. Seul l'élevage de moutons, qui fournissent de la laine pour l'industrie textile et du lait pour la production de fromage, peut être pratiqué sur le granit du haut de la Serra, et les huttes de bergers en pierre émaillent le paysage. Les sentiers de la réserve naturelle et la flore, étonnante, attirent les randonneurs et les passionnés de botanique, qui, en hiver, cèdent la place aux skieurs, sur les versants des environs de Torre.

Cabeça do Velho
L'érosion du granit a donné des formes étranges comme ce « vieil homme », près de Sabugueiro. Une « vieille femme » lui fait pendant au sud de Seia.

Valezim
compte plusieurs vieux moulins à eau d'un type rare au Portugal. Deux d'entre eux moulent encore le grain.

Seia est l'un des accès au parque natural da Serra da Estrela.

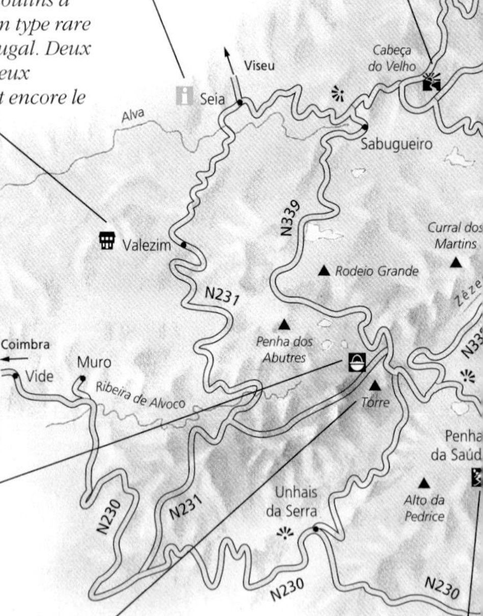

Fromagerie
Le meilleur serra, à la saveur riche (p. 215), *est toujours fabriqué à la main. Les fermiers vendent leurs produits dans des foires ou dans des fromageries comme celle-ci, près de Torre.*

Penhas de Saúde, ancienne station thermale, accueille des skieurs.

Torre
Lorsqu'il y a de la neige, les vacanciers skient, font de la luge ou s'amusent simplement sur les versants sous Torre.

À NE PAS MANQUER

★ **Vallée du Zêzere**

★ **Linhares**

★ Linhares

Gardé par les tours de son château médiéval, Linhares est un véritable musée. Le lieu où était rendue la justice au Moyen Âge a été conservé, de même que beaucoup de maisons du XVe siècle.

MODE D'EMPLOI

Carte routière D3. *praça da República 28, Seia (038-255 06) ; Covilhã (075-32 21 70) ; Gouveia (038-424 11) ; Manteigas (075-98 23 82).* *Covilhã, Guarda.* *pour Covilhã, Seia et Guarda. Service local restreint dans le parc.* *sam. en général.* *fév. : carnaval et foires annuelles aux fromages ; déc. : Santa Luzia.*

LÉGENDE

- Route principale
- Route secondaire
- Information touristique
- Point de vue

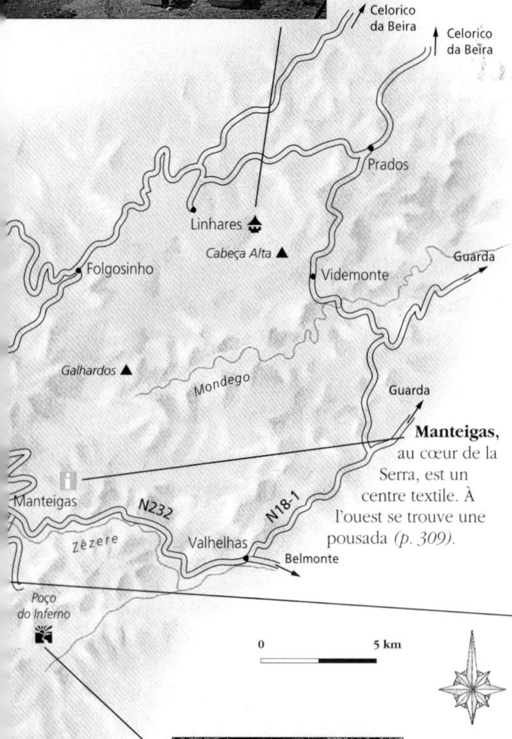

Manteigas, au cœur de la Serra, est un centre textile. À l'ouest se trouve une pousada *(p. 309)*.

★ Vallée du Zêzere

Près de sa source, le Zêzere, un affluent du Tage, traverse une vallée formée par un glacier. Le genêt est utilisé pour couvrir les toits des huttes.

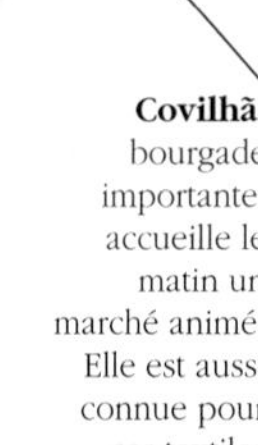

Covilhã, bourgade importante, accueille le matin un marché animé. Elle est aussi connue pour ses textiles tissés avec la laine locale.

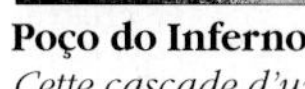

Poço do Inferno

Cette cascade d'une gorge du Leandros est spectaculaire, surtout en hiver, lorsqu'elle gèle.

CHIEN DE BERGER DE LA SERRA

Intelligent et courageux, le berger de la Serra da Estrela réunit toutes les qualités pour survivre dans cette région sauvage. Sa fourrure épaisse le protège de l'hiver, très rigoureux en altitude. Autrefois, sa force lui permettait de défendre les troupeaux contre les loups. Des élevages de chiens de berger de la Serra (qui auraient du sang de loup dans leurs veines) se trouvent près de Gouveia et à l'ouest de Manteigas.

Sabugal 27

Carte routière E3. 2 500.
Câmara Municipal, praça da República (071-601 10 40).
1er jeu. et 3e mar. du mois.

En 1296, la bourgade passa entre les mains du Portugal, et le château fut à nouveau fortifié par le roi Dinis *(p. 44)*. Ses imposantes murailles ponctuées de tours et son donjon pentagonal original ont survécu, malgré les pillages des villageois qui venaient s'y approvisionner en pierres.

Habitée depuis la préhistoire, Sabugal a conservé en partie ses murailles médiévales, renforcées au XVIIe siècle. Une **tour de l'horloge** en granit, reconstruite au XVIIe siècle, se dresse sur la praça da República.

Aux environs : À 20 km plus à l'ouest, **Sortelha** est drapé dans ses murailles. Le donjon du magnifique château du XIIIe siècle offre des vues superbes. En face de l'entrée du château, un pilori du XVIe siècle est surmonté d'une sphère armillaire. La petite citadelle compte des rangées de maisons en granit, dont certaines abritent des restaurants *(p. 413)*.

Les noms des villages voisins, comme **Vila do Touro,** illustrent la passion pour la tauromachie *(p. 144-145)*. La *capeia,* une variante locale, consistait à faire charger le taureau dans une grande fourche de branches.

Le château de Sabugal, avec son donjon original

Penamacor 28

Carte routière D3. 3 200.
rua 25 de Abril (077-943 16).
1er et 3e mer. du mois.

Cette ville frontalière, disputée par les Romains, les Wisigoths et les Maures, fut fortifiée au XIIe siècle par Gualdim Pais, maître de l'ordre des Templiers *(p. 184-185)*. Aujourd'hui, le château domine une bourgade paisible au cœur d'une région faiblement peuplée vouée à la chasse.

De la place principale, la route montant à la vieille ville dépasse l'ancienne mairie, construite sur une arcade médiévale. Plus loin se dressent le **donjon du château,** restauré, et l'**igreja da Misericórdia,** du XVIe siècle, dont le portail manuélin est surmonté de sphères armillaires, emblème de Manuel Ier.

Aux environs : De Penamacor, on découvre la **reserva natural da Serra da Malcata.** Cette réserve boisée de 20 km² est peuplée de loups et de loutres, mais c'est surtout l'un des derniers refuges du lynx d'Espagne. Il est recommandé de s'adresser au centre d'information avant la visite.

Reserva Natural da Serra da Malcata
pour Penamacor ou Sabugal.
rua dos Bombeiros Voluntários, Penamacor (077-944 67). *sur r.-v.*

Les maisons de Monsanto, dominées par d'immenses éboulis de granit

Monsanto 29

Carte routière E3. 1 500.
rua Marquês da Graciosa.
3e sam.

En 1938, Monsanto fut élu « le village le plus portugais du Portugal ». Il fait corps avec le granit sur lequel il est agrippé : ses ruelles se confondent avec la pierre grise, et les maisons se pressent entre d'immenses éboulis. De minuscules jardins jaillissent du granit, et les chiens boivent dans des écuelles… en granit.

Le **château** en ruine fut un peuplement lusitanien fortifié, et son emplacement lui valut maints sièges et batailles. Les voitures ne peuvent accéder au centre, mais la vue à elle seule mérite l'ascension.

On raconte qu'assiégés par les Maures, les villageois affamés conçurent une ruse désespérée. Ils jetèrent par-dessus les murailles leur dernier veau gavé de leurs dernières céréales. Découragés par tant de prodigalité, les Maures abandonnèrent leur siège. En mai, les villageois commémorent cette victoire, avec des chants et des danses.

Idanha-a-Velha ㉚

Carte routière D3. *90.* *rua da Senhora do Almortão, Idanha-a-Nova (077-229 15).*

Ce modeste hameau blotti entre des oliveraies résume l'histoire du Portugal. Des pancartes et des explications discrètes en portugais, en français et en anglais guident les visiteurs dans ce musée vivant.

Le roi wisigoth Wamba serait né ici, et le hameau eut son propre évêque jusqu'en 1199. La physionomie actuelle de la **cathédrale** est due à la restauration du XVIe siècle, mais l'intérieur recèle des pierres romaines sculptées et couvertes d'inscriptions.

Au centre, on découvre un pilori du XVIIe siècle et **l'igreja Matriz,** qui date de la Renaissance. Près d'un pressoir à olives du début du siècle, la **torre dos Templários,** en ruine, est une relique des Templiers, qui étaient établis à Idanha jusqu'au XVIe siècle *(p. 184-185).*

Escalier des Apôtres bordé de statues, jardim Episcopal

Castelo Branco ㉛

Carte routière D4. *35 000.* *Alameda da Liberdade (072-210 02).* *lun.*

Cette jolie ville ancienne, la plus grande localité de la Beira Baixa, est dominée par les vestiges d'un château des Templiers.

Sa principale attraction est l'extraordinaire **jardim Episcopal,** à côté de l'ancien palais épiscopal. Créé au XVIIIe siècle par l'évêque João de Mendonça, son originalité réside dans un foisonnement de statues baroques, souvent étranges. Des saints et des apôtres bordent les chemins, des lions se mirent dans les bassins et des monarques montent la garde le long des balustrades — remarquez la taille des rois espagnols abhorrés qui régnèrent sur le Portugal *(p. 50),* moitié plus petits que les autres… Le paço Episcopal, du XVIIe siècle, abrite le **Museu Francisco Tavares Proença Júnior,** qui rassemble des trouvailles archéologiques, des tapisseries du XVIe siècle et des œuvres de primitifs portugais. Castelo Branco est aussi connu pour ses couvre-lits brodés de soie, les *colchas,* dont le musée présente quelques spécimens.

En face, le convento da Graça, essentiellement du XVIIIe siècle, abrite un **Museu de Arte Sacra,** dont la collection comprend un Christ en ivoire. La rue, qui retourne vers le centre-ville, est bordée d'une croix du XVe siècle, le cruzeiro de São João.

Jardim Episcopal
Rua Bartolomeu da Costa. *t.l.j.* *1er janv., vendredi saint, 25 déc.*

Museu Francisco Tavares Proença Júnior
Rua Bartolomeu da Costa.
072-242 77. *en travaux.*

Museu de Arte Sacra
Rua Bartolomeu da Costa.
072-244 54. *lun.–ven.* *jours fériés.*

Le petit village historique d'Idanha-a-Velha, parmi les oliveraies bordant le Ponsul

CARMELO
ECCE SIGNUM SALUTIS
SALUS IN PERICULIS

Le Nord du Portugal

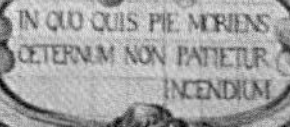

Le Nord d'un coup d'œil

Rurale et sauvage, la région au nord du Douro propose nombre de visites culturelles, de promenades et de sports nautiques. Au-delà de la vallée cultivée du Douro et du fertile Minho se déroule une région reculée au nom évocateur (Trás-os-Montes signifie « derrière les montagnes »), aux étendues solitaires mais émaillées de petites bourgades médiévales. La région entre le Minho et le Douro est le berceau de la nation portugaise. D'ailleurs, des villes historiques et fascinantes comme Porto, Bragança et Braga témoignent du passé.

Le parque nacional da Peneda-Gerês *couvre des vallées boisées et des prairies fleuries. Les fermiers stockent leurs céréales dans de curieux* espigueiros *de pierre* (p. 270-271).

Viana do Castelo, *à l'embouchure de la Lima, est une localité élégante* (p. 274-275). *Les bâtiments imposants de la praça da República, comme le Paços do Concelho (ancienne mairie), illustrent sa prospérité passée.*

Bom Jesus do Monte, *près de Braga, attire pèlerins, pénitents et touristes, qui gravissent tous l'escalier des Cinq Sens* (p. 278-279), *une construction baroque agrémentée de fontaines allégoriques représentant les sens.*

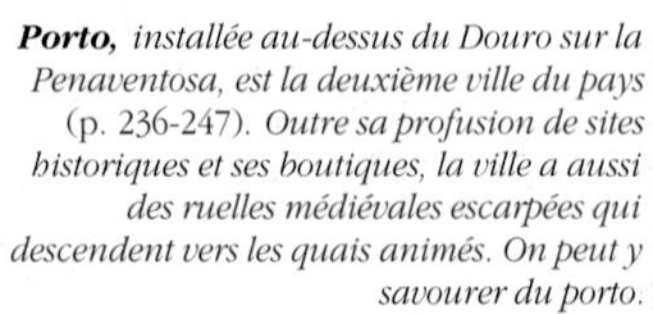

Porto, *installée au-dessus du Douro sur la Penaventosa, est la deuxième ville du pays* (p. 236-247). *Outre sa profusion de sites historiques et ses boutiques, la ville a aussi des ruelles médiévales escarpées qui descendent vers les quais animés. On peut y savourer du porto.*

◁ ***Azulejos*** **de l'igreja do Carmo à Porto, représentant la fondation de l'ordre de Notre-Dame du Mont-Carmel**

La casa de Mateus *est bien connue des amateurs de vin : elle illustre l'étiquette du rosé mateus. Installé sur les collines dominant la vallée du Douro, ce manoir baroque est entouré de magnifiques jardins. Les pinacles qui le hérissent dominent les vergers et les vignobles alentour* (p. 254-255).

Bragança, *capitale du Trás-os-Montes, a donné son nom à la dernière maison royale portugaise, dont le règne fut aussi le plus long. Le donjon et les murailles de cette citadelle isolée du* XII*e* *siècle dominent la vallée de la Fervença* (p. 258-259).

Trás-os-Montes

DOURO ET TRÁS-OS-MONTES
(p. 232–261)

Alto Douro

0 25 km

La magnifique vallée *du Haut Douro est le pays du porto. La visite d'une* quinta, *ou propriété viticole, avec ses vignobles en terrasses qui s'étagent au bord du fleuve, est indispensable* (p. 252-253).

Les fêtes du Nord

Chaque ville, chaque bourgade et chaque village célèbre sa fête en l'honneur d'un saint. Ces manifestations sont essentiellement religieuses, surtout dans le Minho et dans le Nord, très pieux, mais elles sont aussi l'occasion d'oublier les soucis du quotidien. On dit souvent que la meilleure manière de célébrer un saint est de manger, boire, danser et s'amuser, tout en le vénérant. Les célébrations les plus solennelles et spectaculaires de la semaine sainte se tiennent dans le Nord, surtout à Braga *(p. 276-277)*, capitale religieuse du pays.

Habit de fête, semaine sainte

L'allumage des cierges de Pâques, un moment solennel à Braga

PÂQUES

La semaine sainte, dont l'apogée est le dimanche de Pâques, est la principale fête religieuse. À Braga, des processions longent les murailles de la ville pour rejoindre la grande cathédrale, et chaque village célèbre sa fête.

La semaine débute le dimanche des Rameaux : des fidèles tenant des rameaux défilent dans les rues pour commémorer l'entrée du Christ à Jérusalem. Le vendredi saint est très solennel.

D'innombrables processions suivent les quatorze stations de la Croix, et les fidèles font pénitence en commémorant les souffrances du Christ. Dans certains villages, une effigie du Christ ensanglanté est portée dans les rues.

Le dimanche de Pâques, après la messe proclamant la Résurrection, le prêtre fait le tour de son village, tenant un crucifix sur une longue perche, et les paroissiens baisent les pieds du Christ. Tandis que le prêtre boit un verre de vin, les fidèles allument des cierges.

Début mai, la passion du Christ est célébrée à Barcelos *(p. 273)*. Des croix sont érigées le long d'un chemin tapissé de pétales, pour la **festa das Cruzes.**

Procession de la festa das Cruzes, Barcelos

SÃO JOÃO

La Saint-Jean *(23-24 juin)*, qui coïncide avec le solstice d'été, est une des fêtes les plus exubérantes, en particulier à Porto. Les participants mangent, boivent et dansent toute la nuit, faisant mine de se frapper sur la tête avec des tiges d'ail géantes ou avec des marteaux en plastique. Des feux de joie sont allumés, et des feux d'artifice spectaculaires

Marteau de la São João

LES COSTUMES DU MINHO

Les fêtes contribuent, entre autres, à faire vivre les traditions. Les jeunes du Minho portent les mêmes habits que tous les jeunes Européens, mais les jours de fête ils revêtent fièrement l'habit traditionnel. Les costumes du Minho sont très colorés, avec des foulards magnifiquement brodés et des tabliers aux couleurs de chaque village. Des messages d'amour et d'amitié sont cousus sur les poches, et les corsages disparaissent presque sous des couches de bijoux de filigrane.

éclatent au-dessus du Douro. Depuis quelques années, une nouvelle manifestation est venue s'ajouter à la Saint-Jean : la régate annuelle des *barcos rabelos,* les bateaux qui transportaient le porto.

DANSE DES BÂTONS

Ces danses très anciennes sont sans doute associées à des rites de fertilité, et les bâtons ont peut-être remplacés des sabres. Les danseurs, appelés les *pauliteiros,* se produisent encore dans le Trás-os-Montes. La troupe la plus connue vient de Duas Igrejas, près de Miranda do Douro.

Danseurs lors d'une *festa*

ROMARIAS

Toutes les célébrations ou fêtes sont des *festas*. En revanche, le terme de *romaria* implique une dimension religieuse. Dans le Nord, la plupart des *festas* sont ainsi des *romarias*. Elles commencent avec une messe, puis des statues de saints sont portées en procession dans les rues. Des bénédictions sont lancées dans toutes les directions — y compris aux voitures de pompiers et aux ambulances — , suivies d'un arrosage de vin mousseux de raposeira. Beaucoup de *romarias* se déroulent en été ; surtout en août, il est rare que quelques jours se passent sans une fête.

Nossa Senhora da Agonia, Viana do Castelo

L'**Assomption** *(15 août)* est célébrée partout, avec des danses et de la musique. Les *gigantones,* des géants grotesques d'origine pré-chrétienne, se joignent aux processions, tandis que des feux d'artifice illuminent le ciel. Quelques jours plus tard, vers le 20 août, une *romaria* spectaculaire se tient à Viana do Castelo *(p. 274-275)* : **Nossa Senhora da Agonia.** Elle comprend une course de taureaux et un après-midi consacré à une présentation des costumes régionaux, et réunit parfois plus de mille participants. Le soir, des feux d'artifice, tirés depuis le pont, retombent dans la Lima.

Les villageois de São Bartolomeu do Mar, sur la côte à l'ouest de Braga, à la fin de leur *romaria (22-24 août),* trempent leurs enfants dans la mer.

Géants menant un défilé de l'Assomption à Peso da Régua

Costumes et masques étranges portés pour le dia dos Rapazes

NOËL ET L'HIVER

Le soir du réveillon, on déguste *bacalhau* (morue) et porto chaud et épicé, et on échange les cadeaux avant la messe de minuit.

Entre Noël et l'Épiphanie, les petits villageois du Trás-os-Montes revêtent d'incroyables costumes à franges pour le **dia dos Rapazes,** un rite de passage.

Les fêtes s'achèvent avec le **dia de Reis** *(6 janv.),* où l'on déguste le bolo rei, le « gâteau des rois » *(p. 33).*

L'histoire du porto

Le porto a été « inventé » au XVIIe siècle, lorsque des négociants britanniques eurent l'idée d'ajouter de l'eau-de-vie au vin du Douro pour le rendre plus transportable. On découvrit que plus le vin était fort et sucré, plus sa saveur devenait agréable. Au cours des années, les méthodes de vieillissement et d'assemblage ont été affinées, et elles sont perpétuées dans les chais à porto de Vila Nova de Gaia *(p. 247)*. Le négoce du porto est resté en grande partie aux mains des Britanniques.

Barco rabelo (p. 250) **transportant du porto**

La région du porto

Le porto provient exclusivement d'une région délimitée de la haute vallée du Douro. Peso da Régua et Pinhão sont les principaux centres de production, mais la plupart des vignobles appartiennent à des *quintas (p. 252-253)*.

Les différents types de porto

Le porto est une boisson riche et corsée, qui se boit essentiellement en apéritif ou au dessert. Le tawny, plus léger, a une robe plus claire que le rouge et le vintage.

Vintage

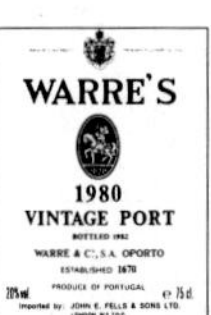

Le vintage, *fleuron de chaque maison de porto, est un vin millésimé obtenu à partir de la récolte des meilleurs cépages. Mis en bouteille après deux ans en fût de chêne, il vieillit dans de grandes bouteilles noires.*

LBV

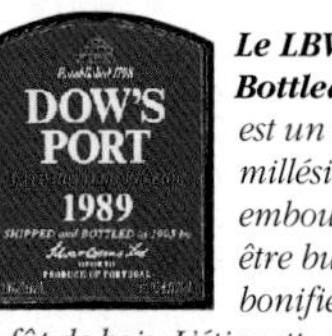

Le LBV (Late Bottled Vintage) *est un vin d'un seul millésime, embouteillé et prêt à être bu, après s'être bonifié 4 à 6 ans en fût de bois. L'étiquette indique le cru et l'année de mise en bouteille.*

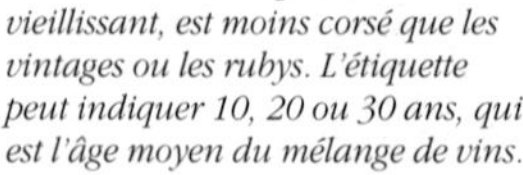

Aged Tawny

Ce porto light, *qui doit son nom à la couleur ambrée qu'il prend en vieillissant, est moins corsé que les vintages ou les rubys. L'étiquette peut indiquer 10, 20 ou 30 ans, qui est l'âge moyen du mélange de vins.*

Tawny

Moins doux *et plus léger que le ruby ou le vintage, le tawny est un blend de vins d'années différentes, vieilli en fût de bois. C'est parfois même un mélange de cépages rouges et blancs.*

Rouge

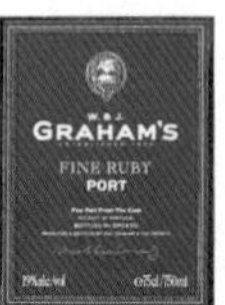

Ce porto fruité *doit son nom à sa couleur rouge sombre. Il vieillit en fût de bois jusqu'à ce qu'il soit prêt à être bu ; les plus jeunes ont à peine 3 ans. Tous sont assemblés à partir de vins d'âges différents.*

Blanc

Les deux portos *blancs — sec et doux — se distinguent des rouges, car ils se boivent frais, et surtout en apéritif. Le porto blanc provient exclusivement de cépages Malvasia blancs.*

Le raisin est récolté dans de grands paniers en osier

L'ÉLABORATION DU PORTO

La saison des viticulteurs du Douro culmine fin septembre. Les vendangeurs, venus des provinces voisines, affluent dans la vallée du Douro. Plus de quarante cépages sont utilisés pour la production du porto.

Le foulage du raisin *dans des cuves en pierres, ou* lagares, *se fait encore au pied dans certaines* quintas. *On pense que cela en améliore la qualité.*

La fermentation *en cuves de ciment ou d'acier est plus courante. Du dioxyde de carbone se forme dans la cuve, faisant remonter le moût fermenté jusqu'au sommet d'un tube. Le gaz s'échappe, et le moût retombe sur les pépins et les peaux, dans un processus qui s'apparente au foulage.*

Lors du processus de fortification, *le moût semi-fermenté est placé dans une deuxième cuve où l'on ajoute de l'eau-de-vie de raisin, pour stopper la transformation des sucres en alcool.*

Des milliers de bouteilles *de vintage Graham's de 1977, l'un des meilleurs millésimes, se bonifient dans les chais de Vila Nova de Gaia.*

Les portos, *à part les vintages, sont vieillis en fûts de chêne dans les chais à porto. Une fois mis en bouteille, ils peuvent être bus sans décantation.*

LE VINTAGE

Les années exceptionnelles, les viticulteurs peuvent « déclarer » leur meilleur vin « vintage », 18 mois après la récolte. Mis en bouteille six mois plus tard, commence alors sa maturation. Les producteurs déclarent un vintage environ trois fois tous les dix ans. La maturation d'un bon vintage est de 15 ans, mais les meilleurs se bonifient indéfiniment. Un vintage doit toujours être décanté avant d'être consommé.

Les vintages suivants peuvent se boire :

1960 Difficile à trouver, mais velouté, moelleux et parvenu à maturité.
1963 Un vintage classique qui a du corps.
1966 Vintage de grande qualité. Difficile à trouver, actuellement à son apogée.
1970 Le meilleur cru. Délicieux aujourd'hui, continue à se bonifier.
1975 Relativement léger, ne devrait pas se bonifier.

Ces vintages ne sont pas encore prêts à être bus :

1977 Un vintage excellent, le deuxième au palmarès des années 70.
1980 Initialement jugé médiocre par les experts, il en a fait changer d'avis plus d'un.
1983 Susceptible de devenir excellent.
1985 Mûrit assez rapidement. À boire dans quelques années.
1991 Déclaré par la plupart des viticulteurs, mais certains estiment que la qualité n'était pas suffisante.
1994 La dernière année déclarée devrait, selon les initiés, être le meilleur vintage de la décennie.

Vintage de 1980

Cuisine : le Nord du Portugal

Noix

Le Minho est la région d'origine du *caldo verde,* un classique, mais aussi de plats à base de poissons. La lamproie et le saumon des rivières de la région sont d'ailleurs très appréciés. La morue *(bacalhau),* très prisée, est quant à elle importée. Les épices, comme le cumin ou la cannelle, relèvent savoureusement nombre de plats. La cuisine robuste du Trás-os-Montes est à l'image des paysages austères : le plus souvent à base de porc, frais ou conservé, et des noix et des haricots secs ajoutent souvent de la consistance aux plats.

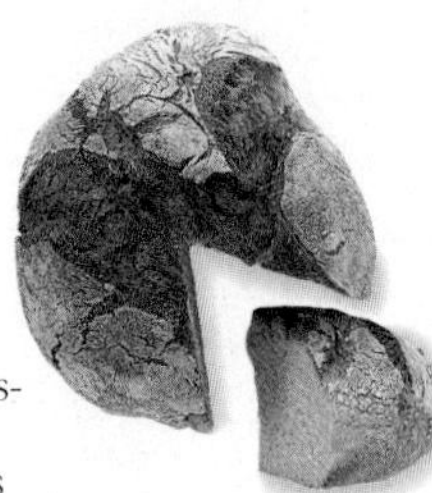

La **broa** *est un pain de maïs compact et doré, à la croûte épaisse.*

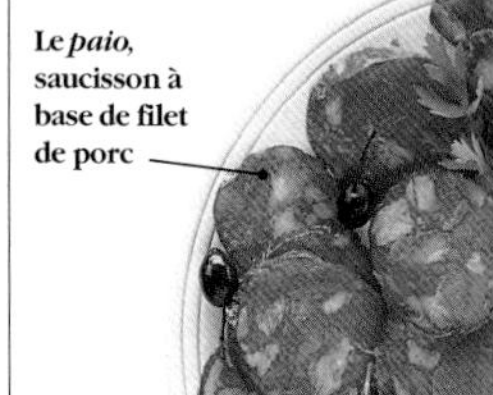

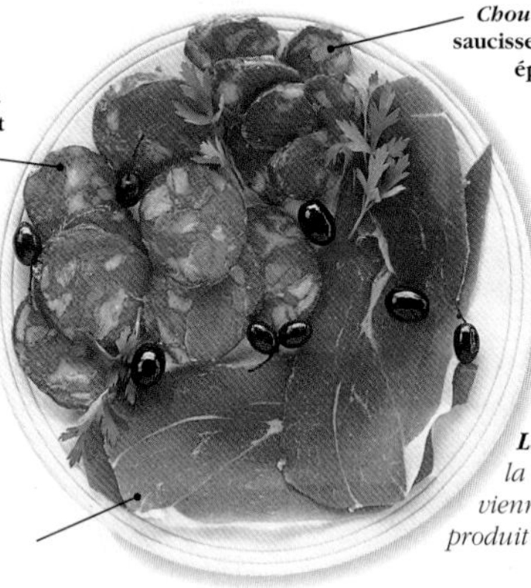

Le *paio,* saucisson à base de filet de porc

***Chouriço,* saucisse très épicée**

Jambon de Lamego

Le **monte,** *du Trás-os-Montes, est un fromage crémeux au lait de vache et de brebis.*

La charcuterie *joue un rôle essentiel dans la cuisine du Nord. Les meilleurs jambons viennent de Lamego, mais le Trás-os-Montes produit d'excellents chouriços.*

Le **bola** *est une pâte à pain qui alterne avec diverses charcuteries pour former une sorte de gâteau.*

Les **pastéis de bacalhau** *sont des beignets qui se mangent froids en amuse-gueule, ou chauds en plat principal.*

Le **caldo verde** *doit sa couleur particulière à son ingrédient principal, la* couve galega, *un chou très vert.*

La **sopa de castanhas piladas,** *spécialité du Trás-os-Montes, contient châtaignes séchées, haricots et riz.*

Le **bacalhau à Gomes de Sá** *vient de Porto. Des couches de morue, de pommes de terre et d'oignons sont couvertes d'œuf.*

La **truta de Barroso** *est une truite farcie au jambon, cuite à la graisse de lard et servie avec des pommes de terre.*

La **feijoada,** *dont il existe des variantes, est un ragoût de haricots rouges ou blancs, de charcuterie et de viande.*

Le **vitela no espeto** *est du filet de veau grillé (ou à la broche) puis recouvert, avec un peu d'huile, pour faire sortir le jus.*

Le **rojões** *est un ragoût de porc épicé au cumin, cuit dans du vin et de l'ail. C'est un plat régional très apprécié.*

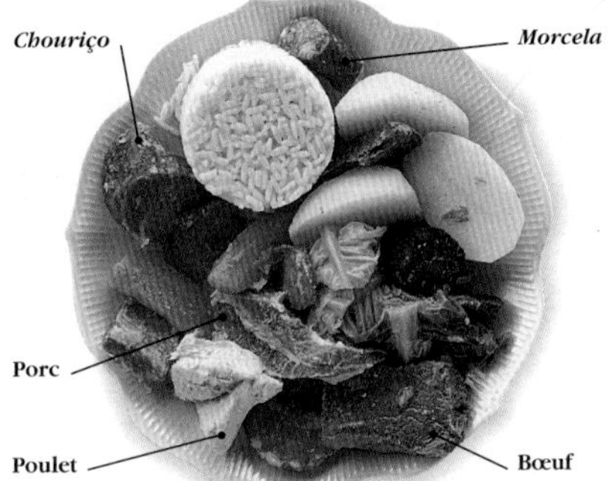

Chouriço

Morcela

Porc

Poulet

Bœuf

Le **cozido à portuguesa** *est un plat national originaire du Trás-os-Montes, où il est dégusté pour le carnaval. Divers légumes, viandes et saucisses sont servis dans leur bouillon.*

Morcela

Farinheira

Ces saucisses *comptent parmi les nombreuses charcuteries utilisées dans des plats comme le* cozido à portuguesa. *La* farinheira *est à base de porc, de vin et de farine, tandis que la* morcela *est une saucisse de sang épicée (délicieuse à la poêle).*

La **sopa dourada,** *une sorte de génoise recouverte d'amandes concassées, vient de Viana do Castelo.*

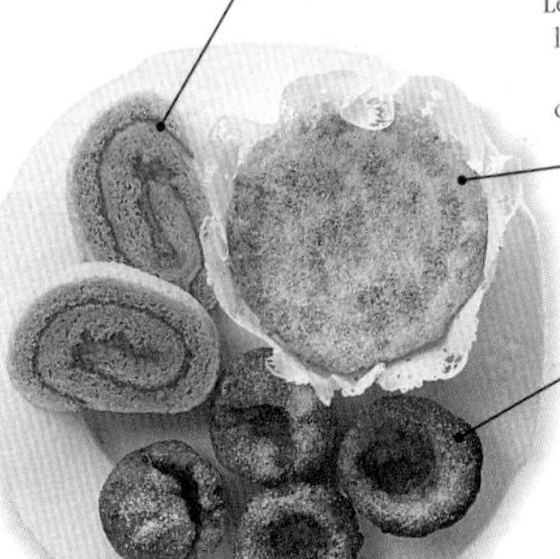

La ***torta de Viana*** est une génoise fourrée de crème sucrée à l'œuf.

Le ***toucinho do céu,*** le « lard céleste », est un gâteau au jaune d'œuf saupoudré de cannelle.

Les ***papos de anjo*** (jabots d'ange) doivent leur nom étrange à leur forme.

Les gâteaux *sont une véritable passion nationale. Les spécialités du Nord sont riches et très sucrées, souvent parfumées à la cannelle.*

Le **pudim Abade de Priscos,** *du nom de l'abbé qui l'inventa, est parfumé au porto, aux épices et au citron.*

LES BOISSONS

Hormis le vin, les cépages du Nord produisent la *bagaceira,* un marc, et l'*aguardente,* de l'eau-de-vie. La région a plusieurs stations thermales, comme Pedras Salgadas, qui donnent d'excellentes eaux minérales.

Eau minérale de Pedras Salgadas

Aguardente

Frisumo
RIA QUINZINHO

DOURO ET TRÁS-OS-MONTES

En chemin vers l'Atlantique et la ville historique de Porto, le Douro, ou « fleuve d'Or », serpente dans des gorges profondes, où s'étagent des milliers de vignobles en terrasses. Au nord-est, les plateaux et les montagnes du Trás-os-Montes, littéralement « derrière les montagnes », constituent la région la plus sauvage du pays.

Dès le IXe siècle av. J.-C., des marchands phéniciens arrivèrent dans l'estuaire du Douro. Bien plus tard, les Romains développèrent Portus et Cale, de part et d'autre du fleuve, avant que les deux noms ne se fondent en un — Portucale —, pour désigner la région entre le Minho et le Douro, qui fut le cœur du royaume du Portugal *(p. 42-43).*

L'estuaire et la côte, le Douro Litoral, regroupent aujourd'hui des ports de pêche, des stations balnéaires et des zones industrielles. À l'embouchure, Portus devint Porto, capitale régionale et deuxième ville du pays. Prospère grâce à des siècles d'échanges, Porto la cosmopolite est à la fois moderne et ancrée dans le passé. Son bord de mer et ses venelles de guingois sont un enchantement. De sa colline, Porto est tournée vers le Douro et, plus loin, vers les chais à porto où se bonifie le précieux nectar.

Les coteaux bordant la rivière sont voués à la culture de la vigne. D'interminables vignobles sont parsemés de propriétés viticoles *(quintas).* Par contraste avec la vallée prospère du Douro, le Trás-os-Montes est isolé et sauvage. Dans le passé, il fut un refuge pour les exilés religieux et politiques, mais la dureté de la vie a dépeuplé la région.

Le Nord, rural, est la région la plus traditionnelle du pays. Cela se manifeste également dans les *festas* locales, qui comptent parmi les plus pittoresques du Portugal *(p. 226-227).* Si l'influence de l'extérieur commence à se faire sentir dans le Trás-os-Montes, le visiteur découvre toujours une région de petits villages paisibles entre des champs de seigle et la lande, où le parque natural de Montesinho s'étend de Bragança à la frontière espagnole.

Vignobles en terrasses tapissant les coteaux entre Pinhão et Alijó, dans la vallée du Haut Douro

◁ **Dans le quartier de Barredo, à Porto, les maisons sont enserrées dans un dédale de ruelles**

À la découverte du Douro et du Trás-os-Montes

Porto offre tant de merveilles à découvrir que peu de visiteurs s'aventurent au-delà. Toutefois, en remontant le cours du Douro, on découvre un paysage de vignobles en terrasses et de *quintas* prospères, vouées au vin et au porto. Outre Porto, les bons points de départ pour découvrir la région sont Peso da Régua et Lamego, ville de pèlerinage.

Le Trás-os-Montes est la région la plus méconnue du Portugal. Sa capitale isolée, Bragança, au riche passé, est installée à la lisière du parque natural de Montesinho. Entre Bragança et Chaves s'étend une région magnifique, à découvrir.

Éminences rocheuses dans le parque do Alvão

La région d'un coup d'œil

Amarante 4
Bragança p. 258–259 17
Casa de Mateus p. 254–255 10
Chaves 14
Cinfães 5
Freixo de Espada à Cinta 22
Lamego 8
Mesão Frio 6
Miranda do Douro 19
Mirandela 16
Mogadouro 20
Murça 15
Porto p. 236–247 1
Parque Natural do Alvão 12
Parque Natural de Montesinho 18
Penafiel 3
Peso da Régua 7
Santo Tirso 2
Serra do Barroso 13
Torre de Moncorvo 21
Vila Real 11

Excursions

Pays du Porto p. 252–253 9

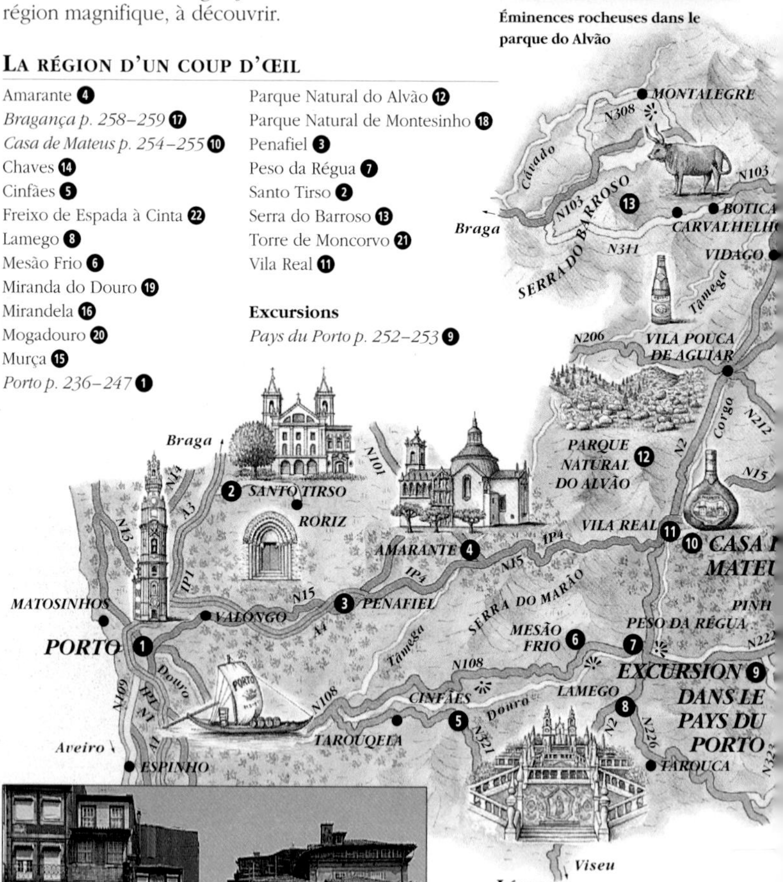

Légende

- Autoroute
- Route principale
- Route secondaire
- Parcours pittoresque
- Cours d'eau
- Point de vue

Le quai de Porto, le cais da Ribeira, au petit matin

Le pays du porto, près de Pinhão, où les vignobles ourlent les rives du Douro

RIO DE ONOR
PARQUE NATURAL DE MONTESINHO
18
Orense
Tuela
N103-7
VINHAIS
17 BRAGANÇA
N232
N103
Zamora
Valladolid
N218
CHAVES
Tuela
N218-1
N213
N206
Sabor
IP4
N206
VALPAÇOS
VIMIOSO
N218
MIRANDA DO DOURO 19
16 MIRANDELA
IP2
IP4
N216
Sabor
DUAS IGREJAS
MURÇA
Tua
N219
SERRA DE MOGADOURO
N213
N102
MOGADOURO 20
N221
VILA FLOR
N215
N214
TUA
IP2
Sabor
N221
Douro
0 25 km
21 TORRE DE MONCORVO
Douro
N220
VILA NOVA DE FOZ CÔA
FREIXO DE ESPADA À CINTA 22
N221
Douro
N102
Guarda

Voir aussi

- *Hébergement* p. 390–393
- *Restaurants* p. 413–416

Circuler

En raison de la circulation, mieux vaut explorer le centre de Porto en bus, en taxi ou à pied. De Porto, les excursions en bateau sont un excellent moyen de découvrir paisiblement les paysages du Douro. Des trains relient Porto aux principales localités du Nord, et desservent aussi la vallée du Douro. Les liaisons sont moins fréquentes à l'intérieur des terres, au-delà de Peso da Régua, mais les excursions le long du Douro sont intéressantes. Dans le Trás-os-Montes, les transports en commun sont limités, et la voiture reste le meilleur moyen de découvrir cette région isolée, surtout depuis que l'IP 4 relie Vila Real à Bragança.

Le Sabor près de Bragança, à la lisière sud du parque natural de Montesinho

Porto ❶

L'aigle et le lion, rotunda da Boavista

Depuis l'époque où les Romains bâtirent un fort là où leur route marchande traversait le Douro, Porto a prospéré grâce au commerce. Prompte à chasser les Maures au XIe siècle et à tirer profit du passage des croisés, la cité a aussi exploité les richesses engendrées par les découvertes maritimes du Portugal, au XVe et au XVIe siècle. Un peu plus tard, le commerce du vin avec les Britanniques remplaça avec succès celui des épices. Bien que Porto soit aujourd'hui un centre industriel, ainsi que la deuxième ville du pays, elle a su mêler son animation commerciale à un charme sans prétention.

Étals de marché, au pied de la cathédrale

Quartier de la cathédrale

La cathédrale *(p. 240)* est juchée sur la partie haute de la ville. Les rues avoisinantes, bordées d'étals animés, regorgent de monuments comme l'église Renaissance Santa Clara *(p. 239)* et la gare de São Bento *(p. 239)* du début du siècle.

Au pied de la cathédrale s'étend le Barredo, un quartier animé qui ne semble pas avoir changé depuis le Moyen Âge. Des maisons ornées de balcons sont agglutinées les unes aux autres et agrippées au versant escarpé. D'ailleurs, certaines ruelles sont de véritables escaliers.

Le linge sèche aux fenêtres dans le quartier de Ribeira

Ribeira

Ce quartier traditionnel, situé au bord de la rivière, est un dédale de ruelles ombragées et d'arcades. Du linge sèche aux fenêtres, et les façades sont pastel ou revêtues d'*azulejos* colorés. Le quartier de Ribeira, animé et convivial, est en cours de rénovation, et il compte de plus en plus de restaurants et de boîtes de nuit.

Cordoaria

Les jardins, appréciés des étudiants de l'université voisine, s'étendent à l'abri de la torre dos Clérigos *(p. 241)*, tandis que les magasins envahissent les rues escarpées.

Marchand de *bacalhau* (morue) dans le quartier de Cordoaria

Vue de l'avenida dos Aliados en direction de la Câmara Municipal

Central et Baixa

Le centre administratif de Porto s'étend le long de l'avenida dos Aliados, qui mène à la Câmara Municipal, l'hôtel-de-ville moderne. Sur cette double avenue, on trouve nombre de banques, bureaux et terrasses de cafés. À l'est, la « Baixa », ou quartier bas, attire les amateurs de shopping, avec ses magasins de cuir et ses bijouteries de la rua de Santa Catarina, piétonne, de la rua Sá da Bandeira, parallèle à la première. Entre ces deux rues se trouve le marché Bolhão, halle couverte sur deux niveaux, animée et originale. On y trouve de tout : des fruits et légumes frais aux appareils ménagers, en passant par les animaux domestiques.

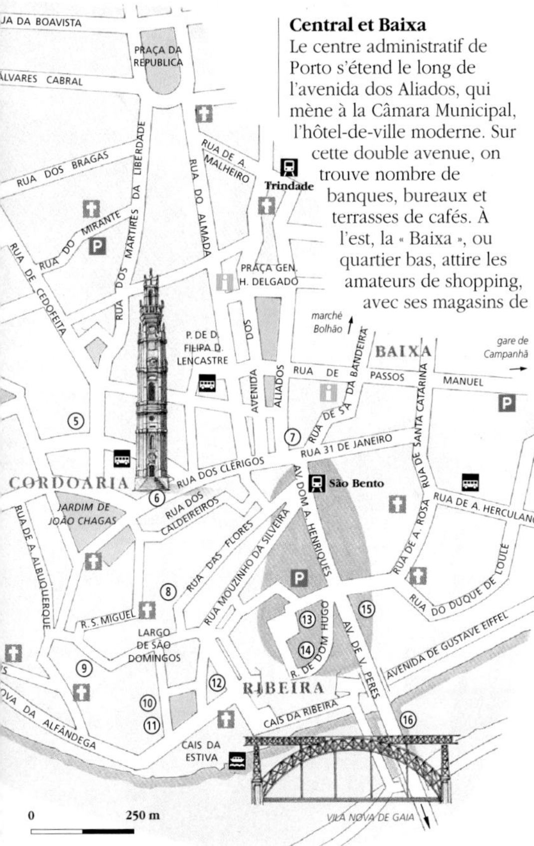

Légende

- Quartier de la cathédrale
- Gare ferroviaire
- Gare routière
- Embarcadère
- Parc de stationnement
- Information touristique
- Église

Mode d'emploi

Plan C2. *300 000.* *Francisco Sá Carneiro 10 km au N. (02-948 21 41).* *nationale : Campanhã (02-56 41 41) ; régionale : São Bento (02-200 27 22) ; trains pour Póvoa de Varzim et Guimarães : Trindade (02-200 52 24).* *praça Dona Filipa de Lencastre ; rua Alexandre Herculano ; praça da Galiza.* *rua Clube dos Fenianos 25 (02-31 27 40) ; rua Infante Dom Henrique 63 (02-200 97 70).* *10–29 juin : Festas da Cidade ; 23–24 juin : São João do Porto.*

Boavista

L'avenida da Boavista est bordée d'hôtels, de logements et de magasins. Sur la rotunda da Boavista, comme on appelle aussi la praça de Mouzinho de Albuquerque, la statue d'un lion (les forces anglo-portugaises) terrassant un aigle (les Français) commémore la fin de la guerre napoléonienne. Au sud se trouve un excellent centre commercial.

Les sites

Casa-Museu Guerra Junqueiro ⑭
Feitoria Inglesa ⑫
Igreja do Carmo ⑤
Igreja dos Clérigos ⑥
Igreja dos Congregados ⑦
Igreja da Misericórdia ⑧
Jardim do Palácio de Cristal ③
Museu de Etnografia e História ⑨
Museu Romântico ②
Museu Soares dos Reis ④
Palácio da Bolsa ⑩
Ponte de Dom Luís I ⑯
Santa Clara ⑮
São Francisco ⑪
São Martinho de Cedofeita ①
Sé ⑬

Fruits et légumes du marché de Bolhão, très animé

Le quartier de la cathédrale pas à pas

Des fouilles archéologiques ont démontré que la Penaventosa, la colline sur laquelle est juchée la cathédrale, était déjà habitée voici 3 000 ans. Haut perchée, la cathédrale est un excellent point de repère pour s'orienter dans la ville, et sa terrasse offre une belle vue. La grande avenida de Vímara Peres, du nom du héros militaire qui expulsa les Maures en 868 apr. J.-C., se déroule vers le sud, en longeant les ruelles escarpées et les escaliers du Barredo. Vers le nord, la vue porte sur la gare São Bento, richement décorée, et le quartier commerçant très animé.

Rua das Flores
Les façades traditionnelles de la rue des Fleurs abritent les meilleurs bijoutiers et orfèvres de la ville.

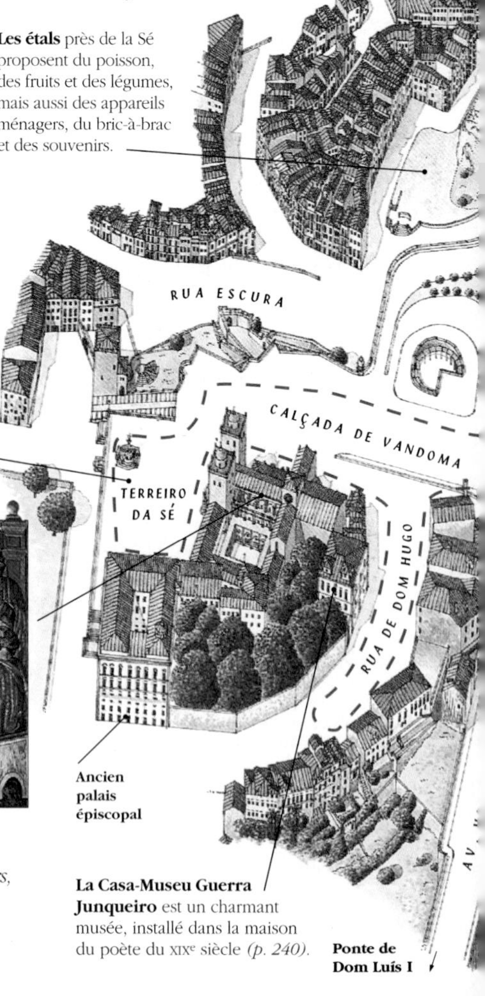

Terreiro da Sé
Cette grande terrasse offre une splendide vue panoramique sur la ville. Un pilori manuélin, doté de crochets, se dresse à un coin.

Les étals près de la Sé proposent du poisson, des fruits et des légumes, mais aussi des appareils ménagers, du bric-à-brac et des souvenirs.

RUA DAS FLORES

R. MOUZINHO D. SILVEIR

RUA ESCURA

CALÇADA DE VANDOMA

TERREIRO DA SÉ

RUA DE DOM HUGO

★ Sé
Bien qu'imposante et un peu austère, la cathédrale recèle quantité de trésors, notamment cette Cène dorée, du XVII*e* *siècle, qui se trouve dans la capela de São Vicente* (p. 240).

Ancien palais épiscopal

La Casa-Museu Guerra Junqueiro est un charmant musée, installé dans la maison du poète du XIXe siècle *(p. 240).*

Ponte de Dom Luís I

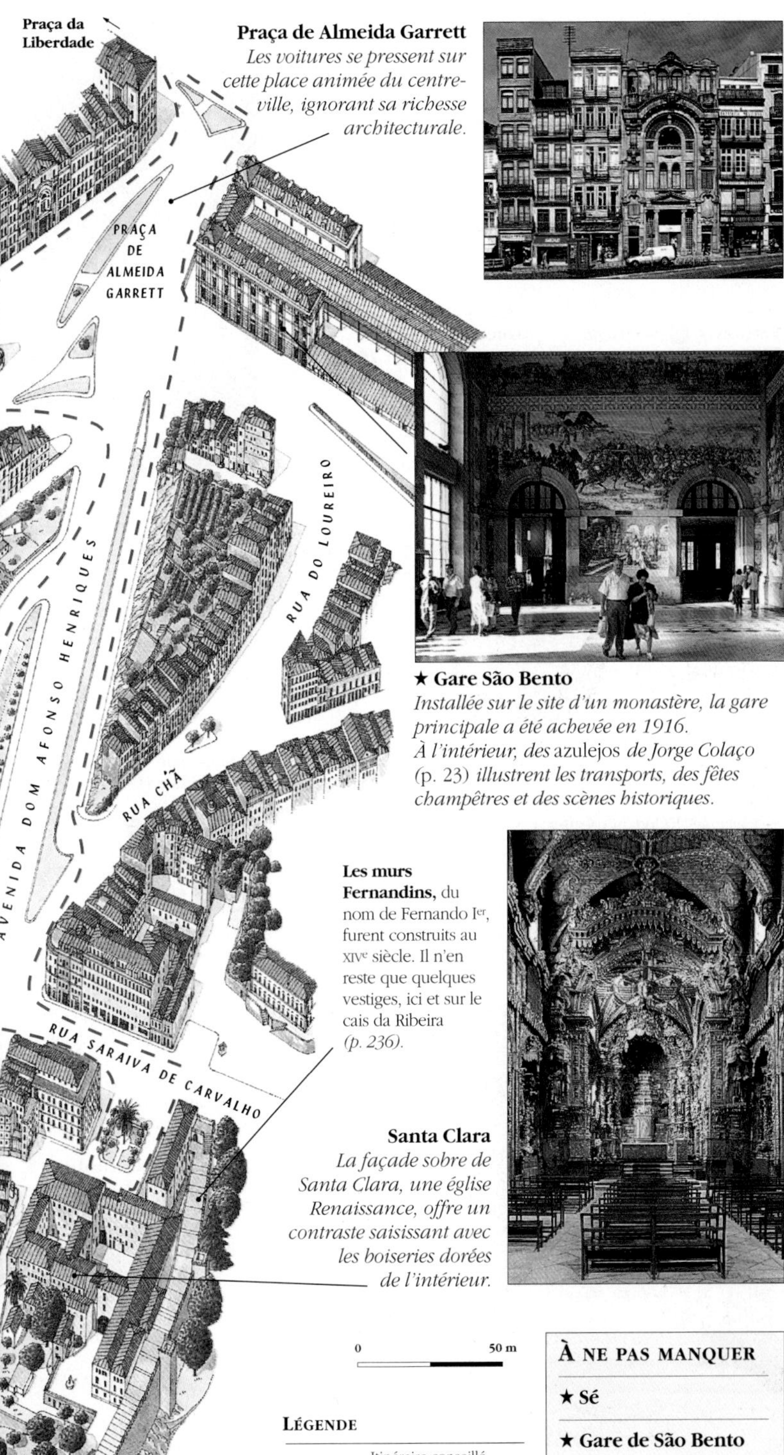

Praça de Almeida Garrett
Les voitures se pressent sur cette place animée du centre-ville, ignorant sa richesse architecturale.

★ Gare São Bento
Installée sur le site d'un monastère, la gare principale a été achevée en 1916. À l'intérieur, des azulejos *de Jorge Colaço* (p. 23) *illustrent les transports, des fêtes champêtres et des scènes historiques.*

Les murs Fernandins, du nom de Fernando Ier, furent construits au XIVe siècle. Il n'en reste que quelques vestiges, ici et sur le cais da Ribeira *(p. 236).*

Santa Clara
La façade sobre de Santa Clara, une église Renaissance, offre un contraste saisissant avec les boiseries dorées de l'intérieur.

Légende

— — — Itinéraire conseillé

À ne pas manquer

★ Sé

★ Gare de São Bento

À la découverte de Porto

La prospérité qui fut celle de Porto dès le XVe siècle se manifeste un peu partout dans la ville. Le commerce de produits importés des colonies portugaises *(p. 48-49)* permit notamment à l'or et aux bois exotiques du Brésil d'inonder les églises. Les marchands aisés dépensèrent sans compter, commandant peintures et *azulejos*. L'extravagante Bourse, le palácio da Bolsa, et l'élégante feitoria Inglesa sont des témoignages plus récents de l'activité commerçante de Porto.

Sé

Terreiro da Sé. *02-31 90 28.* *lun.–sam.* *jours fériés.* *pour les cloîtres.*

Bâtie au XIIe et au XIIIe siècle comme une église-forteresse, la cathédrale a tant été remaniée qu'elle manque d'unité. Le seul vestige intéressant, du XIIIe siècle, est la rosace de la façade ouest. La petite chapelle, à gauche du chœur, abrite un retable en argent, masqué par un mur de plâtre élevé à la hâte à l'arrivée des troupes françaises en 1809. Le transept sud donne accès aux cloîtres, du XIVe siècle, et à la capela de São Vicente. L'élégant escalier du XVIIIe siècle, de Niccoló Nasoni, mène à l'étage, où on verra un superbe panneau d'*azulejos* illustrant des scènes de la vie de la Vierge et des *Métamorphoses* d'Ovide. De là, la vue est superbe.

Les cloîtres gothiques de la face sud de la Sé

Casa-Museu Guerra Junqueiro

Rua de Dom Hugo 32. *02-31 36 44.* *mar.–sam.* *jours fériés.*

La demeure du poète et révolutionnaire Guerra Junqueiro (1850-1923) est une merveille baroque. De la cour, on accède aux salles regroupant la collection privée de Junqueiro : céramiques et meubles portugais, tapisseries flamandes, sculptures anglaises en albâtre, etc. Dans la salle Dom João V, une collection de figurines chinoises est présentée sur des tables élégantes.

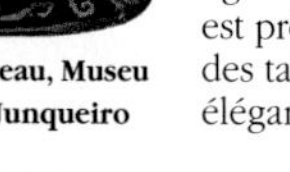

Cruche à eau, Museu Guerra Junqueiro

Feitoria Inglesa

Rua do Infante Dom Henrique 8. *02-200 10 44.*

Construite en 1790, l'« usine anglaise » est le siège de l'association britannique des exportateurs de porto. La visite n'est possible que sur invitation de l'un de ses membres. Un escalier conduit à la salle des Cartes et à une salle de bal majestueuse. Cet établissement a reçu pour la première fois des femmes à dîner en 1843.

Palácio da Bolsa

Rua Ferreira Borges. *02-200 44 97.* *mai–oct. : t.l.j. ; nov.–avr. : lun.–ven.* *jours fériés en hiver.* *obligatoire.*

En 1842, les commerçants de la ville firent construire la Bourse à l'emplacement du monastère de São Francisco. Le tribunal do Comércio est passionnant sur le plan historique. La petite galerie de peinture adjacente a son intérêt, mais le point culminant de la visite est le Salon arabe. Avec ses arabesques bleues et or, ce salon inspiré de l'Alhambra de Grenade est digne de Schéhérazade.

Le splendide Salon arabe, palácio da Bolsa

Museu de Etnografia e História

Largo de São João Novo 11. *02-200 20 10.* *en travaux.*

Installé dans un palais du XVIIIe siècle, le musée est consacré à la vie et aux traditions de la région du Douro. Outre des trouvailles archéologiques et des céramiques locales, il présente des costumes traditionnels, des pièges, des pièces et des curiosités, comme le premier ascenseur de la ville (1910), mais aussi la reconstitution d'une cave à vin et d'un atelier de tissage.

Casa da Misericórdia

Rua das Flores 15. *02-200 09 41.* *lun.–ven.* *jours fériés.*

Cet hospice religieux, le long de l'église, a été fondé au XVIe siècle. Son bien le plus précieux est la magistrale *Fons vitae* (fontaine de vie), don de Manuel Ier vers 1520. L'identité de l'artiste est incertaine : il pourrait s'agir de Van der Weyden ou d'Holbein. L'œuvre représente le roi, sa famille et des nobles devant le Christ crucifié.

L'arbre de Jessé de São Francisco

La représentation de scènes bibliques, sur des vitraux ou par des sculptures sophistiquées, permettait d'enseigner la Bible à une époque où peu de gens savaient lire. La généalogie du Christ, remontant jusqu'aux rois de Judée et d'Israël, était un motif très apprécié. Elle est souvent représentée sous forme d'arbre, de Joseph jusqu'à Jessé. L'arbre de São Francisco, en bois polychrome et doré, a été sculpté entre 1718 et 1721 par F. da Silva et A. Gomes. Ses branches et son tronc, jaillissant de Jessé étendu, soutiennent des personnages expressifs ; au sommet, le Christ entouré de Marie et de Joseph.

Vierge Marie

Jésus-Christ

Joseph

Salomon, qui succéda à son père, David, était connu par sa sagesse. C'est lui qui fit bâtir le temple de Jérusalem.

Jessé est représenté avec des racines jaillissant de son dos. Son plus jeune fils était David, l'adversaire de Goliath, qui devint roi d'Israël et de Judée.

Le roi David, reconnaissable à sa harpe

São Francisco

Rua da Bolsa 7. ☎ 02-200 64 93. ○ lun.–sam. **Catacombes** *○ mai–sept. : lun.–sam.*

Quoique São Francisco date du XIVe siècle, c'est son intérieur, du XVIIIe siècle, qui fascine. Sur le maître-autel, les colonnes et les piliers, plus de 200 kg d'or composent des chérubins, des guirlandes et des animaux gambadant, culminant dans l'arbre de Jessé sur le mur nord. La visite passe par les catacombes et les trésors du monastère, détruit en 1832.

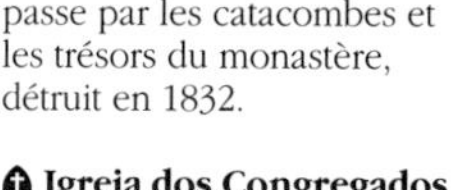

Igreja dos Congregados

Praça de Almeida Garrett. ☎ 02-200 29 48. ○ t.l.j. ● jours fériés (a.-m.). par l'entrée latérale.

Les *azulejos* modernes de la façade de cette église du XVIIe siècle, qui représentent la vie de saint Antoine, sont de Jorge Colaço *(p. 23)*. Ils égayent un peu ce quartier en proie aux embouteillages.

L'intérieur extravagant de São Francisco

Igreja dos Clérigos

Rua São Filipe Néri. ☎ 02-200 17 29. ○ jeu.–mar. **Tour** *○ t.l.j.*

Cette église et sa tour sont l'un des symboles de la ville. Construite au XVIIIe siècle par Niccoló Nasoni, elle fut la première église à intérieur ovale du pays. La grande torre dos Clérigos, qui se dresse à 75 m, reste l'un des plus hauts bâtiments du Portugal. L'ascension vertigineuse des 240 marches en vaut la peine : la vue sur le fleuve, la côte et la vallée du Douro est magnifique.

La torre dos Clérigos offre une vue magnifique

Détail du panneau d'*azulejos* du mur latéral de l'igreja do Carmo

Igreja do Carmo

Rua do Carmo. ☎ *02-200 81 13.* ◯ *t.l.j.* ♿

Ce fleuron de l'architecture baroque portugaise a été construit par José Figueiredo Seixas entre 1750 et 1768. L'un des murs extérieurs est revêtu d'un immense panneau d'*azulejos*. Conçu par Silvestro Silvestri, il représente la fondation légendaire du Carmel, sur le mont Carmel. À côté, l'igreja das Carmelitas, où se mêlent les styles classique et baroque, a été achevée en 1628. Elle fait aujourd'hui partie d'une caserne.

Museu Soares dos Reis

Rua Dom Manuel II. ☎ *02-200 71 10.* ◯ *mar.–dim.* ● *jours fériés.*

L'élégant palais des Carrancas, construit au XVIIIe siècle, a été un atelier textile, un quartier général militaire pendant la guerre napoléonienne et une résidence royale. En 1809, au moment du siège de Porto par les troupes françaises, le maréchal Soult et ses hommes étaient casernés ici, avant d'être évincés, lors d'une attaque surprise menée par Arthur Wellesley, le futur duc de Wellington.

Aujourd'hui, le palais offre un cadre superbe au musée qui porte le nom d'António Soares dos Reis, le grand sculpteur portugais du XIXe siècle. Une place de choix est accordée à l'art portugais. On y voit notamment des œuvres de Frey Carlos, le maître du XVIe siècle, et de l'impressionniste Henrique Pousão. Le musée présente aussi des paysages de Porto du Français Jean Pillement (1728-1808). La pièce maîtresse de la collection de sculptures est *O Desterrado (L'exilé)* par Soares dos Reis, œuvre en marbre (1874).

***O Desterrado* de Soares dos Reis**

Porto vu du fleuve

Le Douro, qui se déroule sur plus de 927 km depuis sa source en Espagne jusqu'à l'Atlantique, est lié à l'histoire de la ville de Porto. On dit qu'Henri le Navigateur *(p. 49)* serait né dans la casa do Infante, au bord de l'eau. Bien de l'eau a coulé sous les ponts depuis que les bateaux chargés de porto ou de richesses d'outre-mer venaient s'amarrer ici, mais la vie de la ville continue à s'articuler autour du fleuve. Une excursion sur le Douro permet de découvrir Porto sous un angle nouveau.

Plusieurs exploitants de vedettes sont installés sous le magnifique pont Dom Luís I, à deux tabliers, qui relie la ville à Vila Nova de Gaia sur la rive gauche. Conçu par un assistant de Gustave Eiffel, il fut inauguré en 1886. Le pont ferroviaire Dona Maria Pia, à l'est, a été construit par Eiffel en personne, en 1877. Trois autres ponts enjambent aujourd'hui le fleuve, notamment le pont da Arrábida, en béton, achevé en 1963.

D'autres départements regroupent terres cuites portugaises, émaux de Limoges, porcelaines, etc. On admirera un buste en argent du XVe siècle de São Pantaleão, saint patron de Porto, et une épée ayant appartenu à Dom Afonso Henriques.

São Martinho de Cedofeita

Rua Aníbal Cunha 193. *02-200 56 20.* *t.l.j.*

Cette petite église de style roman, du XIIe siècle, est la plus ancienne de la ville. Son nom pourrait venir d'une église antérieure, construite très rapidement (*cedo feita* signifie « vite fait ») sur ce site, lorsqu'au VIe siècle saint Martin convertit au christianisme le roi suève Théodomir.

Museu Romântico

Rua de Entre-Quintas 220. *02-609 11 31.* *mar.–sam. et dim. a.-m.* *jours fériés.*

La quinta da Macieirinha fut la résidence du roi Carlo Alberto de Sardaigne (1798-1849) qui, après son abdication, passa ici les deux derniers mois de sa vie. En 1972, l'étage supérieur de la demeure a été

Exposition temporaire, salle de billard du Museu Romântico

transformé en musée. Les pièces qui donnent sur le fleuve, bien proportionnées, présentent avantageusement des meubles français, allemands et portugais délicatement travaillés, ainsi que des tapis, des céramiques et autres objets. Parmi les peintures à l'huile et les aquarelles, on voit des portraits du baron Forrester *(p. 252)* et du poète Almeida Garrett, auteur de théâtre et écrivain portugais.

Au rez-de-chaussée de la quinta da Macieirinha, l'institut du vin de porto exploite le Solar do vinho do Porto. Ce bar original, qui propose plus de 150 variétés de porto, permet de prendre un verre en admirant le Douro.

Jardim do Palácio de Cristal

Rua Dom Manuel II. *t.l.j.*

Inspiré par le Crystal Palace de l'exposition universelle de Londres en 1851, le palais de Cristal a été commencé en 1861. Dans les années 50, la construction en acier et en verre d'origine a été remplacée par le pavillon des Sports, surnommé « la demi-orange ». Il accueille parfois des concerts et, pendant les *festas,* une foire se tient dans les jardins.

Cyclistes dans le jardin du palais de Cristal

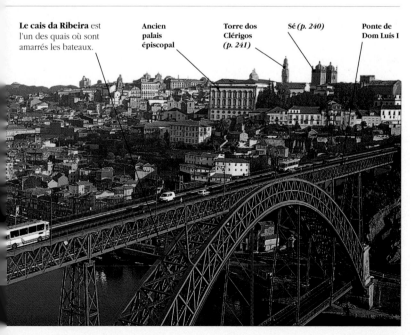

Le cais da Ribeira est l'un des quais où sont amarrés les bateaux.

Ancien palais épiscopal

Torre dos Clérigos *(p. 241)*

Sé *(p. 240)*

Ponte de Dom Luís I

COCK
CÁLEM
DELAFORCE
FERREI
Porto

GRAH M'S
EST.
POR
INTA DOS MALVEDOS
PG1.AL

Porto : En dehors du centre

Les environs de Porto recèlent une foule de centres d'intérêt. En traversant le pont Dom Luís I, on arrive à Vila Nova de Gaia, où se trouvent les chais à porto, et au mosteiro da Serra do Pilar, qui offre une vue magnifique sur la vieille ville. Les banlieues nord et ouest comptent plusieurs sites qui méritent le détour, comme l'église des Hospitaliers, à Leça do Bailio, au nord de Porto, et la casa de Serralves, qui présente de l'art portugais dans un cadre Art déco. Sur la côte, au-delà du château veillant sur l'embouchure, à Foz do Douro, s'étend Matosinhos, renommé pour ses fruits de mer. Les plages, comme celle d'Espinho, sont la principale attraction de la côte sud.

Un ancien tramway de Porto, Museu de Carro Eléctrico

Mosteiro da Serra do Pilar

Serra do Pilar. *02-39 53 85.* *sur r.-v.*

Le chemin qui mène à l'église en rotonde du XVIe siècle est ardu, mais il en vaut la peine. C'est de la terrasse que le futur duc de Wellington prépara l'attaque surprise contre les Français, en 1809. La vue porte sur les chais à porto, en contrebas, la courbe du Douro et la vieille ville, au loin.

Museu do Carro Eléctrico

Alameda Basílio Teles 51. *02-606 40 54.* *mar.–dim.*

Ce musée retrace l'histoire des tramways, qui assuraient l'essentiel des transports en commun. On y voit notamment le N° 22, le premier tramway électrique introduit sur la péninsule ibérique, en 1895, et le N° 8, de 1872, qui était tiré par des mules.

Les excursions spéciales en tramway sont assez chères. Les amateurs pourront tout aussi bien prendre le N° 18, le dernier tramway de Porto, qui part non loin du musée et décrit une courbe vers le nord pour rejoindre Boavista *(p. 236-237).*

Fundação de Serralves

Rua de Serralves 977. *02-617 26 94.* *mar.–ven. (a.-m.), sam. et dim.* *1er janv., 25 déc.*

Avec son architecture épurée de style Art déco, la casa de Serralves constitue un cadre parfait pour présenter l'art contemporain. La fondation, installée dans un splendide jardin, propose également des expositions temporaires, qui donnent un bon aperçu de l'évolution actuelle de l'art portugais.

Casa de Serralves, forum Art déco présentant l'art moderne

Casa-Museu Fernando de Castro

Rua Costa Cabral 716. *02-59 46 25.* *en travaux.*

L'ancienne résidence de Fernando de Castro (1888-1950), homme d'affaires, collectionneur et poète, a été léguée à l'État par sa sœur. Sa collection réunit aussi bien des sculptures religieuses sauvées dans des églises que des œuvres modernes et une peinture de l'Enfant Jésus attribuée à Josefa de Óbidos *(p. 51).* On remarquera aussi les figurines du XIXe et du XXe siècle de Teixeira Lopes père et fils.

AUX ENVIRONS : Les forts de l'embouchure, comme le **castelo da Foz,** à Foz de Douro, et le **castelo do Queijo,** au nord, rappellent que, des siècles durant, la côte et les bateaux étaient menacés par les Espagnols et les pirates.

L'église **Bom Jesus,** près de Matosinhos, a été reconstruite par Niccoló Nasoni au XVIIIe siècle. En juin, des pèlerins viennent y honorer une statue du Christ en bois. Trouvée sur la plage au Xe siècle, elle serait due au disciple Nicodème.

L'**igreja do Mosteiro,** église fortifiée du XIVe siècle à Leça do Bailio, à 8 km au nord de Porto, fut le siège de l'ordre des Hospitaliers au Portugal. Elle est ornée d'arcs gothiques, de chapiteaux sculptés et d'une splendide rosace.

◁ ***Barcos rabelos*** **ancrés sur le quai de Vila Nova de Gaia**

Vila Nova de Gaia

Porto Taylor

Dom Afonso III, en conflit avec l'évêque de Porto sur les péages des bateaux, créa un nouveau port à Vila Nova de Gaia. Mais, en 1253, ils s'entendirent sur un partage des prélèvements. Aujourd'hui, le centre-ville est toujours voué au vieillissement et au transport du porto *(p. 252-253)*. Malgré la levée de la réglementation, en 1987, imposant que le porto ne pouvait être produit qu'ici, la ville a gardé son rôle. Toutes les rues sont bordées de chais (lodges, ou *armazéns*).

***Les visites** permettent de découvrir l'élaboration du porto* (p. 228-229) *et s'achèvent souvent par une dégustation.*

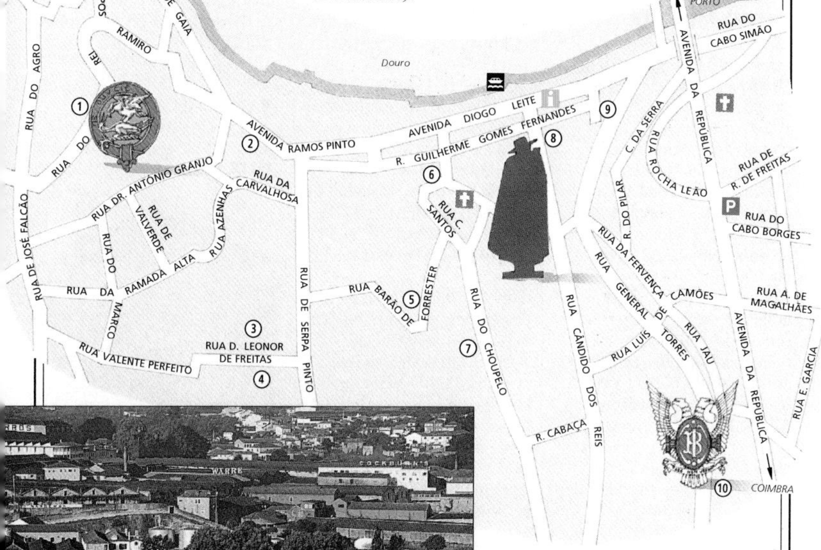

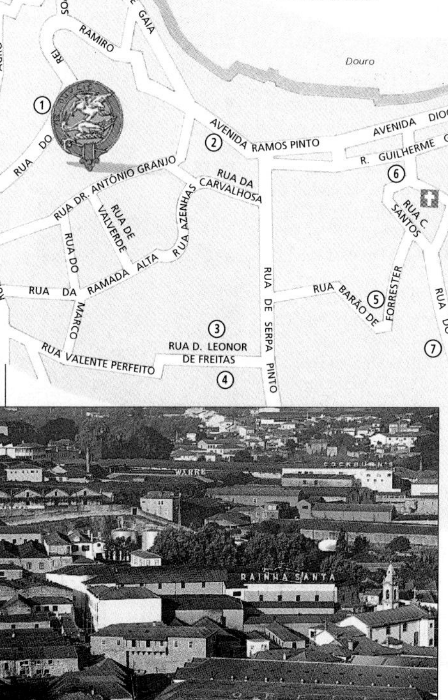

***Les chais** sont omniprésents. Plus de cinquante maisons de porto sont installées ici, assemblant et faisant vieillir la majeure partie du porto consommé dans le monde, sous des toits rouges affichant des noms connus.*

Chais du port

Barros ④	Graham ①
Borges ⑩	Ramos Pinto ⑥
Cálem ⑨	Sandeman ⑧
Cockburn ③	Taylor ⑦
Ferreira ②	Vasconcelos ⑤

Légende

- Embarcadère
- Parc de stationnement
- Information touristique
- Église

0 — 250 m

Découvrir les chais

Visite : Les chais indiqués proposent des visites. Les réservations ne sont généralement pas nécessaires. Contactez-les pour obtenir les horaires. Adresses et numéros de téléphone à l'Office du tourisme, avenida Diogo Leite 242 (02-30 19 02).

Horaires : Variables. Généralement lun.-ven., parfois le week-end ; souvent fermés les jours fériés.

L'ancien monastère São Bento, à Santo Tirso, abrite aujourd'hui une école

Santo Tirso ❷

Carte routière C2. *12 000.* *praça 25 de Abril (052-520 64).* *lun.*

Santo Tirso, surtout connu pour son industrie textile, s'étend au bord de l'Ave. Fondé par les bénédictins au VIIIe siècle, l'ancien monastère de **São Bento** a été reconstruit, puis modifié au XVIIe siècle. Les paires de colonnes du cloître gothique du XIVe siècle sont ornées de chapiteaux richement sculptés. Le cloître abrite aujourd'hui une école d'agriculture et le **Museu Abade Pedrosa,** où vous pourrez voir des trouvailles archéologiques locales : haches de pierre, bracelets de bronze, céramiques, etc.

Museu Abade Pedrosa
Rua Unisco Godiniz. *052-85 60 91.* *mar.–dim.* *jours fériés.*

Sanctuaire Nossa Senhora da Piedade, Penafiel

Aux environs : À Roriz, à 13 km à l'est, l'église romane **São Pedro** domine la vallée de la Vizela. Une date, 1228, est gravée sur le porche, mais on pense qu'une église se dressait ici dès le VIIIe siècle. Une belle rosace orne la façade. À côté se trouvent un joli clocher et les ruines du cloître du monastère.

Sanfins de Ferreira, à 5 km plus à l'est, est le site d'une *citânia,* une citadelle de l'âge du fer, probablement habitée dès le VIe siècle av. J.-C. On peut voir les vestiges d'une vaste muraille protégeant une centaine de huttes. Le site compte également un petit musée. Le gardien, qui vit à côté, vous laissera entrer sans problème les jours fériés.

Sanfins de Ferreira
Sanfins, indiqué depuis la N 209. *055-86 20 29.* *mar.–dim.*

Penafiel ❸

Carte routière C2. *8 000.* *avenida Sacadura Cabral 92 (055-712 561).* *le 10 et le 20 du mois.*

Cette bourgade granitique domine la Sousa. Outre son élégante **igreja Matriz,** de style Renaissance, elle possède aussi un sanctuaire, **Nossa Senhora da Piedade,** construit en 1908 dans un mélange de styles néo-gothique et byzantin. Penafiel est surtout connu comme centre régional de la production de *vinho verde* *(p. 28-29).*

Aux environs : La **quinta da Aveleda,** juste au nord de Penafiel, est l'un des principaux producteurs de *vinho verde* de la région.

Boelhe, à 17 km au sud, mérite un détour pour son église du XIIe siècle, São Gens. Il s'agirait de la plus petite église romane du Portugal (10 m de haut sur 7 m de large et de long). La sobriété de son architecture ajoute encore à son charme.

L'église São Salvador du XIIIe siècle, à **Paço de Sousa,** à 8 km au sud-ouest de Penafiel, abrite le tombeau d'Egas Moniz. Ce personnage d'une loyauté légendaire était le conseiller du premier roi du Portugal, Dom Afonso Henriques (1139-1185).

Quinta da Aveleda
Indiqué depuis la N 115. *055-71 10 41.* *lun.–ven.* *jours fériés.* *obligatoire.*

La petite église São Gens à Boelhe, au sud de Penafiel

Amarante ❹

Carte routière D2. *10 000.* *Alameda Teixeira de Pascoaes (055-43 22 59).* *mer. et sam.*

Cette ville est l'un des joyaux du Nord. Des rangées de demeures du XVIIe siècle, aux balcons en bois peints de couleurs vives, bordent les ruelles, et les terrasses des restaurants dominent la rivière. Les origines de la ville sont mal connues, mais le premier peuplement remonterait à 360 av. J.-C. La ville a presque été totalement incendiée en 1809, après le siège des troupes françaises conduites par le maréchal Soult. São Gonçalo était un saint très populaire né à la fin du XIIe siècle. On raconte quantité d'histoires sur les bals et les fêtes qu'il organisait pour protéger les femmes de la tentation en leur trouvant des maris. Faiseur de mariages, il est associé à la fertilité. Le premier week-end de juin, la festa de São Gonçalo commence par des prières pour trouver un conjoint, puis se poursuit avec des danses, de la musique et des dons de gâteaux de São Gonçalo, de forme phallique.

Lorsque le vieux pont romain, qui enjambait la Tâmega, s'effondra au XIIIe siècle, on dit que São Gonçalo le reconstruisit. L'actuel pont rejoint le **mosteiro de São Gonçalo,** du XVIe siècle. Dans la chapelle, à gauche du chœur, l'image ornant son tombeau, vénérée par des milliers de fidèles souhaitant son intercession, s'est effacée.

Le **Museu de Amadeo de Sousa-Cardoso** présente deux objets curieux, un couple de diables, liés à un culte de fertilité, qui serait antérieur à São Gonçalo. Le *diabo* et la *diaba* sont deux diables de bois noir, qui sont venus remplacer, au XIXe siècle, un couple plus ancien détruit durant la guerre napoléonienne. Cependant, l'évêque de Braga menaça de les brûler, car ils étaient l'objet d'un rite de fertilité. Toutefois, le *diabo* fut tout simplement « châtré ».

Le ponte de São Gonçalo enjambe la Tâmega, Amarante

Le musée présente également une collection d'œuvres de la période cubiste de l'artiste Amadeo de Sousa-Cardoso (1887-1918), l'un des grands peintres portugais du XXe siècle, qui est né à Amarante.

Les amateurs de danses folkloriques ne manqueront pas l'*arraial,* soirée de danse paysanne, qui se tient tous les jeudis et samedis, à Amarante, entre juin et octobre.

Mosteiro de São Gonçalo
Praça da República. 055-42 20 50.
t.l.j.

Museu Amadeo de Sousa-Cardoso
Alameda Teixeira de Pascoaes.
055-43 26 63. *mar.–dim.*
jours fériés.

Cinfães 5

Carte routière D2. *4 000.*
rua Dr Flavio Resende 40 (055-56 22 32). *le 10 et le 26 du mois.*

Cinfães, blotti sous les contreforts de la Serra de Montemuro qui se dresse à plus de 1 000 m, domine le Douro. La ville, entourée de paysages verdoyants, est une porte d'accès vers Lamego et le Haut Douro à l'est *(p. 252-253).* Cinfães est un centre agricole et artisanal, proposant des tissages, des dentelles, de la vannerie et des *rabelos* miniature, ces bateaux qui descendaient la rivière jusqu'à Porto, chargés de porto *(p. 250).*

Aux environs : Tarouquela, situé à 16 km environ à l'ouest, abrite une église du XIIe siècle, **Santa Maria Maior.** Celle-ci possède de belles colonnes romanes qui flanquent le portail. Les différents ajouts ultérieurs, comme le mausolée gothique, datent du XIVe siècle.

Entre Cinfães et Lamego, le village de **Cárquere** compte également une église dédiée à la Vierge. Selon la légende, le jeune Afonso Henriques, futur roi du Portugal, fut guéri à Cárquere par Egas Moniz. Vers 1110, guidé par un rêve, Moniz déterra une statue de la Vierge et fit ériger une église en son honneur. Son jeune protégé guérit alors de façon miraculeuse. L'église actuelle date du XIVe ou du XVe siècle. Son plus beau trésor est une sculpture en ivoire de la Vierge, non datée.

Nossa Senhora de Cárquere, église du XIIe siècle, près de Cinfães

Panneaux du plafond de São Nicolau, igreja Matriz de Mesão Frio

Mesão Frio 6

Carte routière D2. *700.* *avenida José Maria Alpoim (054-89 15 00).* *ven.*

Le village jouit d'un bel emplacement, à l'entrée de la région du porto. Autour, les gradins de la Serra do Marão forment un écran climatique naturel pour les vignobles. Mesão Frio est surtout renommé pour ses vanneries et ses *falachas,* des gâteaux aux châtaignes.

Reconstruite en 1877, l'igreja Matriz **São Nicolau** a conservé son magnifique plafond orné de panneaux peints représentant des portraits de saints, de la fin du XVe siècle. L'Office du tourisme et la mairie sont installés dans les **cloîtres** du XVIIIe siècle d'un ancien monastère franciscain.

À l'ouest du village, la **casa da Rede,** d'un baroque somptueux, s'admire depuis la route, mais ne se visite pas.

Peso da Régua 7

Carte routière D2. *5 500.* *rua da Ferreirinha (054-228 46).* *mer.*

Né au XVIIIe siècle de Peso et de Régua, Peso da Régua, ou Régua, est le principal nœud des transports de la région.

En 1756, Régua fut désignée centre de la région délimitée du porto par le marquês de Pombal. C'est d'ici que partaient les *rabelos,* les bateaux à voile traditionnels chargés de fûts de porto qui traversaient les gorges dangereuses pour rejoindre Vila Nova de Gaia *(p. 247).* Ces bateaux continuèrent à naviguer après 1880, alors que la ligne ferroviaire du Douro était plus rapide et plus sûre. Régua subit à plusieurs reprises des crues graves, qui menacent toujours la ville. Toutefois, la construction de barrages, dans les années 70 et 80, a limité le danger.

Les visiteurs en route pour le pays du porto *(p. 252-253)* ne font qu'une courte halte à Régua. Pourtant, la **casa do Douro,** siège administratif de l'Institut du porto, mérite une visite. Ses vitraux modernes, de Lino António, illustrent l'histoire et l'élaboration du porto. On y voit aussi une belle carte de la vallée du Douro, établie au XIXe siècle par le baron Forrester *(p. 252).*

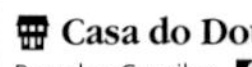

Casa do Douro
Rua dos Camilos. *054-32 38 11.* *lun.–ven.* *jours fériés.*

Aux environs : De belles *quintas,* ces propriétés produisant du porto, s'étendent à perte de vue. L'une des plus proches est la magnifique **quinta da Pacheca,** à Cambres, à 4 km au sud-ouest. Dans un village sur la route de Mesão Frio, l'**Enoteca de Granjão** organise des visites de chais. Sur demande, les visiteurs sont pris à leur hôtel, à la gare ou à la gare routière de Régua.

Enoteca de Granjão
Granjão (sur N 108). *054-32 27 88.* *mar.–dim.* *1er janv., 25 déc.*

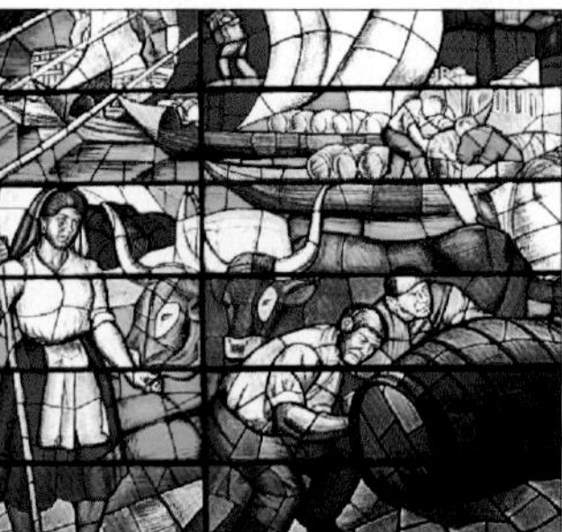

Vitrail de la casa do Douro, représentant des *rabelos,* Peso da Régua

Lamego 8

Carte routière D2. *12 000.* *avenida Visconde Guedes Teixeira (054-620 05).* *jeu.*

Cette jolie bourgade de la région du porto produit aussi d'autres vins, comme le raposeira, un excellent mousseux. La région est également renommée pour ses fruits et ses jambons.

Lamego s'enorgueillit d'avoir accueilli, en 1143, les premières *cortes,* qui reconnurent Dom Afonso Henriques comme le premier roi du Portugal. La ville connut une expansion économique à partir du XVIe siècle, quand elle se tourna vers la production viticole et le textile. Les belles maisons baroques témoignent de cette époque prospère. Lamego est devenue aujourd'hui une importante ville de pèlerinage.

Vignobles de la Serra do Marão, aux environs de Mesão Frio

Le grand escalier menant à Nossa Senhora dos Remédios, Lamego

Nossa Senhora dos Remédios

Monte de Santo Estêvão. *t.l.j.*

Dédiée à l'origine à saint Stéphane, en 1391, une petite chapelle se mit à attirer les pèlerins rendant hommage à la Vierge, et en 1761 Nossa Senhora dos Remédios fut construite sur ce site spectaculaire. Elle est desservie par un double escalier majestueux, semblable au Bom Jesus de Braga *(p. 278-279)*. Ses 686 marches et ses neuf terrasses, décorées d'*azulejos* et d'urnes, montent jusqu'au pátio dos Reis, bordé de figures de granit au pied de l'église. Celle-ci ne présente pas grand intérêt, mais elle offre une belle vue (bien méritée) sur la ville, le Douro et ses affluents.

Début septembre, les pèlerins arrivent par milliers pour la romaria de Nossa Senhora dos Remédios de Lamego *(p. 32)*.

Sé

Largo da Sé. *054-627 66.* *t.l.j.*

La cathédrale gothique, fondée en 1129, a conservé sa tour carrée d'origine. Le reste est le fruit de modifications apportées entre le XVIe et le XVIIIe siècle, y compris un beau cloître Renaissance avec une dizaine d'arcs joliment proportionnés.

Museu de Lamego

Largo de Camões. *054-620 08.*
mar.–dim. *jours fériés.*

L'un des meilleurs musées locaux occupe l'ancien palais épiscopal. L'œuvre maîtresse en est la *Criação dos Animais* (création des animaux), qui fait partie d'une série de panneaux d'autel magistraux, attribués à Grão Vasco, le grand peintre du XVe siècle *(p. 213)*. Parmi les belles tapisseries flamandes du XVIe siècle, on remarquera une Vie d'Œdipe.

Aux environs : À 4 km à l'est, la **capela de São Pedro de Balsemão,** sans doute la plus vieille église du pays, a conservé son sanctuaire wisigothique. Par ailleurs, Afonso Pires, évêque de Porto au XVIe siècle, y repose dans un magnifique tombeau. La statue de Nossa Senhora do Ó, représentant la Vierge enceinte, date du XVe siècle.

À 16 km au sud de Lamego, le monastère **São João de Tarouca,** du XIIe siècle, fut le premier établissement cistercien au Portugal. L'intérieur de l'église est embelli de superbes *azulejos,* du XVIIIe siècle, comme ceux du chœur évoquant la fondation du monastère, et ceux de la sacristie, où aucun des 4 709 carreaux de faïence n'affiche le même motif. L'église recèle un magnifique *Saint Pierre* de Grão Vasco. Le tombeau du comte de Barcelos, fils bâtard du roi Dinis, est orné de scènes de chasse au sanglier.

Au nord-est, **Ucanha** est connu par son péage et son pont fortifiés, vestiges imposants du XIIe siècle.

São João de Tarouca

Indiqué depuis la N 226.
mar.–dim.

L'église du monastère São João de Tarouca, dans son cadre paisible

Le pays du porto ⑨

Bouteilles de Graham's

Le porto qui se bonifie dans les chais de Vila Nova de Gaia *(p. 247)* provient des propriétés viticoles *(quintas)* du Haut Douro *(p. 228-229)*. Des siècles de dur labeur sur le schiste aride ont donné naissance à des milliers de terrasses. Un programme de construction financé par l'Union européenne devrait les rendre accessibles aux tracteurs, facilitant ainsi la tâche des vendangeurs. Beaucoup de *quintas* traditionnelles accueillent des visiteurs. Le début de l'automne est la meilleure période pour découvrir la région : les vendangeurs chantent en travaillant, et fêtent les vendanges, la *vindima*.

Le village de Vale de Mendiz et les vignobles alentour

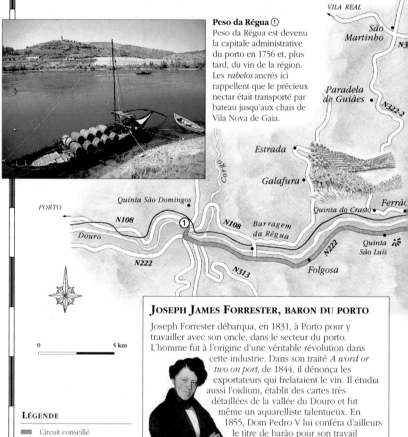

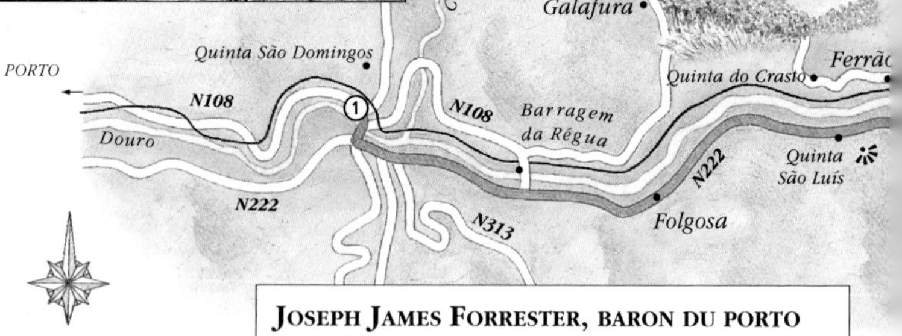

Peso da Régua ①
Peso da Régua est devenu la capitale administrative du porto en 1756 et, plus tard, du vin de la région. Les *rabelos* ancrés ici rappellent que le précieux nectar était transporté par bateau jusqu'aux chais de Vila Nova de Gaia.

VILA REAL
São Martinho
Paradela de Guiães
N322-2
Estrada
Corgo
Galafura
Quinta São Domingos
PORTO
N108
Douro
N222
N108
Barragem da Régua
Quinta do Crasto
Ferrão
Quinta São Luís
N222
N313
Folgosa

0 5 km

Joseph James Forrester, baron du porto

Joseph Forrester débarqua, en 1831, à Porto pour y travailler avec son oncle, dans le secteur du porto. L'homme fut à l'origine d'une véritable révolution dans cette industrie. Dans son traité *A word or two on port*, de 1844, il dénonça les exportateurs qui frelataient le vin. Il étudia aussi l'oidium, établit des cartes très détaillées de la vallée du Douro et fut même un aquarelliste talentueux. En 1855, Dom Pedro V lui conféra d'ailleurs le titre de barão pour son travail considérable. En 1862, le bateau de Forrester fit naufrage à Cachão de Valeira. Tiré vers les profondeurs par sa ceinture pleine d'argent, il périt noyé.

Légende

- Circuit conseillé
- Autres routes
- Voie ferrée
- Point de vue

Pinhão ②
Les *quintas* de la plupart des grands noms du porto se trouvent non loin de cette petite ville, où la gare est décorée de 24 panneaux d'*azulejos*, illustrant des scènes locales et traditionnelles.

CARNET DE ROUTE

Longueur *: 125 km. Après Pinhão, la progression est plus lente sur les routes escarpées.*
Où faire une pause ? *Le trajet le long du Douro offre plusieurs beaux points de vue. Alijó, Régua ou Sabrosa sont de bonnes haltes pour passer la nuit (p. 390-393). Beaucoup de quintas proposent visites et dégustations.*

Sabrosa ③
Installé dans les vignobles, le village, qui domine le cours du Pinhão, compte une profusion de maisons du XVe siècle. C'est d'ailleurs dans l'une d'elles que naquit, vers 1480, Magellan *(p. 48)*.

N212
Sanfins do Douro
Cheires
N322
④
N212
Pinhão
Quinta do Bucheiro
São Mamede de Ribatua
Tua
Quinta do Casal de Celeirós
Vale de Mendiz
N322-3
N214
N214
MIRANDELA
⑤
Douro
Linhares
N323
Quinta da Foz
②
Quinta de la Rosa
Quinta do Castelinho
⑥
N222
Valença do Douro
Quinta do Panascal
Cachão de Valeira
⑦
N222-3
Távora
N222
Tabuaço
VILA NOVA DE FOZ CÔA

Alijó ④
La localité a été fondée officiellement en 1226, mais plusieurs *castros* (forts) de la région témoignent de peuplements beaucoup plus anciens. La *pousada* de barão de Forrester *(p. 390)* porte le nom du réformateur.

São João da Pesqueira ⑦
São Salvador do Mundo, le point de vue de São João da Pesqueira, commande une belle vue sur la vallée et les vignobles, surtout lorsque les amandiers sont en fleurs.

Tua ⑤
Installé dans une région connue par ses oranges et ses figues, Tua est depuis longtemps une étape sur la ligne ferroviaire du Douro. Ces trains peu fréquents sont un moyen agréable d'admirer les vignobles.

Barragem de Valeira ⑥
Jusqu'à la fin du XVIIIe siècle, le Douro n'était pas navigable au-delà de Cachão de Valeira. Cette zone resta dangereuse même lorsque le plus périlleux des rapides fut contourné. C'est ici que mourut le baron Forrester. Les eaux furent finalement maîtrisées en 1976, grâce au barrage de Valeira.

Casa de Mateus ❿

Armoire anglaise du XVIIe siècle, Salon de thé

Le manoir, qui orne l'étiquette du rosé mateus *(p. 28)*, est un fleuron de l'architecture baroque portugaise. Il fut construit au début du XVIIIe siècle, sans doute par Niccoló Nasoni, pour António José Botelho Mourão, le 3e morgado de Mateus. Le manoir est toujours habité par ses descendants, mais les visiteurs peuvent découvrir une partie de la maison, les jardins et acheter les produits du domaine ; le vin de mateus n'en fait pas partie.

La bibliothèque lambrissée de bois recèle des ouvrages précieux

Le manoir
L'extérieur et l'intérieur ont été conçus autour de perspectives soigneusement orchestrées, mais aussi de plusieurs séries d'images en miroir. Le bassin, ajouté dans les années 30, reflète l'imposante façade principale et les deux ailes.

La visite commence dans le hall d'entrée du premier étage, orné de deux chaises à porteurs et d'un superbe plafond en bois. Le Salon de thé recèle, entre autres, une armoire anglaise du XVIIe siècle et une horloge assortie, tandis que le Salon des quatre saisons doit son nom à ses œuvres du XVIIIe siècle. Beaucoup de peintures sont d'ailleurs des contributions personnelles de l'oncle du 4e morgado, archidiacre à Rome, qui est également l'auteur des jardins. La bibliothèque, réaménagée au milieu du XXe siècle, recèle des volumes datant, pour certains, du XVIe siècle. L'ouvrage le plus précieux se trouve toutefois dans le petit musée : un exemplaire du poème épique de Camões *Os Lusíadas (p. 188)*, de 1817, comportant des gravures d'artistes renommés. C'est l'une des éditions limitées publiées par le petits-fils du 3e morgado. Le musée présente également des correspondances de la famille avec des personnalités, comme Frédéric le Grand et le duc de Wellington.

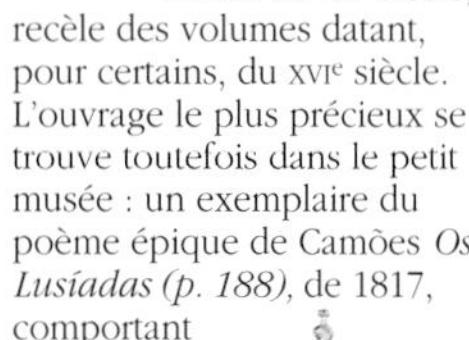
Armoiries du plafond du hall d'entrée

Les jardins
Sous l'escalier de l'entrée, un passage sombre entre les écuries conduit à une cour intérieure et aux jardins. Il ne reste pas grand-chose des jardins originaux aménagés par l'archidiacre, passionné d'horticulture. Les jardins, qui datent pourtant des années 30 et 40, font plutôt penser à une époque plus romantique. Les parterres et les massifs aux dessins complexes composent une tapisserie vivante, qui font parfaitement pendant à la symétrie de la

La façade symétrique de la casa de Mateus, hérissée de pinacles, se reflète dans un bassin rectangulaire

MODE D'EMPLOI

Carte routière D2. Mateus, 3 km au N.-E. de Vila Real. *059-32 31 21.* *pour Vila Real.* *mars–nov. : 9 h–13 h, 14 h–18 h (juil.–sept. : 19 h) t.l.j. ; déc.–fév. : 10 h–13 h, 14 h–17 h t.l.j.* *25 déc.* *obligatoire dans la maison.* *mars–nov.* *juil.–sept. : Encontros de Música.*

Les parterres de fleurs tirés au cordeau de la casa de Mateus

maison. En hiver, les majestueux camélias, vestiges du XIXe siècle, sont le clou du jardin. Toutefois, l'élément qui marque le plus les visiteurs est sans doute l'immense tunnel de cèdres, chef-d'œuvre incontesté de l'art de la taille des arbres. Derrière les jardins s'étendent les vergers et les champs du domaine.

LE TUNNEL DE CÈDRES

Dans le jardin de la casa de Mateus, ce tunnel de cèdres, planté en 1941, mesure 35 m de long et 7,5 m de haut. Les promeneurs traversent cette galerie végétale dense et délicieusement parfumée. Pour le tailler, les jardiniers utilisent de grandes échelles faites sur mesure.

Vila Real ⓫

Carte routière D2. *14 000.* *avenida Carvalho Araújo (059-32 28 19).* *mar. et ven.*

Perchée au-dessus des gorges au confluent du Cabril et du Corgo, Vila Real est une ville commerçante animée. Nœud de communication du Haut Douro, c'est un bon point de départ pour explorer la vallée du Douro au sud et le parque natural do Alvão au nord-ouest. En juin et en juillet, le circuit automobile de Vila Real accueille d'importantes manifestations.

Dans la rue principale, l'avenida Carvalho Araújo, la cathédrale gothique du XVe siècle, la Sé était, à l'origine, l'église d'une confrérie dominicaine. Les autres bâtiments monastiques furent détruits par un incendie au milieu du XIXe siècle, dans des circonstances mystérieuses.

Au sud de l'avenue, une plaque au n° 19 indique le lieu de naissance de Diogo Cão, l'explorateur qui découvrit l'embouchure du Congo en 1482 *(p. 48-49)*.

Non loin, l'**igreja dos Clérigos,** dans la rua da Portela, est aussi appelée capela Nova ou capela de São Pedro. Sa jolie façade baroque est attribuée à Niccoló Nasoni. L'intérieur est embelli d'*azulejos* bleu et blanc.

AUX ENVIRONS : Le petit village de **Bisalhães,** à 6 km à l'ouest, est renommé pour ses terres cuites noires originales *(p. 25)*. On peut en acheter lors de la festa de São Pedro, qui se tient tous les ans à Vila Real, les 28 et 29 juin, de même que de belles broderies d'Agarez, situé non loin.

Parque Natural do Alvão ⓬

Carte routière D1. *pour Ermelo via Campeã.* *praceta do Tronco, Cruz das Almas, Vila Real (059-32 41 38).*

Paysage du parque natural do Alvão

La réserve, qui s'étend sur 72 km² entre le Corgo (affluent du Douro) et la Tâmega, regroupe des plaines verdoyantes et des hauteurs rocheuses culminant à 1 339 m à l'**Alto das Caravelas.** On y voit toujours des faucons, des cincles et des loutres, malgré la réduction de leur habitat et les chasseurs. Entre les hameaux d'**Ermelo** et de **Lamas de Olo,** où le maïs est stocké dans des *espigueiros* *(p. 271)*, l'Olo forme une cascade spectaculaire, les **fisgas d'Ermelo.** Du **Alto do Velão,** au sud-ouest du parc, le panorama de la vallée de la Tâmega est magnifique.

Vila Real vue des gorges du Corgo et du Cabril

Un fermier et son bœuf près de Carvalhelhos, Serra do Barroso

Serra do Barroso ⓭

Carte routière D1. pour Montalegre ou Boticas. praça do Município, Montalegre (076-522 54).

Au sud-est du parque nacional da Peneda-Gerês *(p. 270-271)* s'étend la Serra do Barroso, sauvage et isolée. Mais les paysages de bruyère sont coupés par l'immense barragem do Alto Rabagão, le plus grand réservoir de la région, dû à l'implantation d'une usine hydro-électrique. En effet, l'eau joue un rôle central dans l'économie locale ; les précipitations, importantes, permettent la culture d'une terre pauvre, et les lacs artificiels attirent les visiteurs. La source d'une eau minérale très appréciée jaillit à **Carvalhelhos.**

Non loin, le village de **Boticas** produit une boisson plus originale. L'histoire commence en 1809, lorsque les villageois enterrèrent leurs réserves de vin pour les préserver des envahisseurs français. Une fois l'ennemi parti, ils déterrèrent le vin et constatèrent qu'il s'était bonifié. Les bouteilles furent appelées *mortos* (« morts »), d'où le nom du vin : *vinho dos mortos*. Les bouteilles sont ainsi cachées pour deux ans.

La bourgade principale de la région est **Montalegre,** sur un plateau au nord. Son château du XIVe siècle, en ruine, possède un donjon imposant de 27 m de haut.

L'élevage bovin est pratiqué dans la Serra, et des *chegas dos bois,* combats de bœufs très prisés, opposent les villages. Le combat, qui dure généralement moins d'une demi-heure, s'achève lorsque le plus faible des bœufs bat en retraite.

Chaves ⓮

Carte routière D1. 18 000. terreiro da Cavalaria (076-33 30 29). mer.

Chaves est joliment situé dans une plaine fertile, au bord de la Tâmega. Le nom de Chaves (« clés ») pourrait venir des clés du Nord, données à Nuno Álvares Pereira, héros d'Aljubarrota *(p. 183),* ou bien, ce qui est plus probable mais moins pittoresque, d'une corruption du nom latin « Flaviae ».

Les sources thermales et les gisements d'or ont incité les Romains à fonder sur ce site Aquae Flaviae, en 78 apr. J.-C. Cet emplacement stratégique fut occupé par les Suèves, les Wisigoths et les Maures, avant que les Portugais ne s'y installent définitivement en 1160.

Chaves est connue par son centre historique, ses eaux thermales et son jambon fumé. Les terres cuites noires originales *(p. 25)* sont fabriquées à Nantes, non loin.

La vieille ville s'ordonne autour de la praça de Camões, dominée par le **donjon** du XIVe siècle, seul vestige du château donné à Nuno Álvares Pereira par Dom João Ier. L'**igreja Matriz,** avec son beau portail roman, borde le côté sud de la place. En face, l'église **Misericórdia,** baroque, recèle de magnifiques *azulejos* du XVIIIe siècle. Les grands panneaux attribués à Policarpo de Oliveira Bernardes *(p. 22)* représentent des scènes du Nouveau Testament.

Église Misericórdia de Chaves

Donjon du XIVe siècle du château de Chaves, dans son jardin soigné

Museu Militar et Museu da Região Flaviense

Praça de Camões. 076-33 29 65. mar.–ven., sam. et dim. a.-m. jours fériés. billet combiné.

Le donjon abrite un petit Musée militaire, qui présente, entre autres, armures, uniformes et objets illustrant la résistance de la ville contre l'attaque des royalistes venus d'Espagne, en 1912. Le jardin entourant le donjon, qui regorge de fleurs, présente quelques pièces archéologiques découvertes à Chaves. Toutefois, la plupart d'entre elles se trouvent au Museu da Região Flaviense, situé derrière le donjon, dans le paço dos Duques de Bragança. Le musée abrite divers objets archéologiques locaux, comme des vestiges romains : bornes, médailles, un char à bœufs et un habit de paille porté par les bergers pour se protéger de la pluie et du soleil.

Ponte Romana

Le pont romain à seize arches, qui enjambe la Tâmega, a été achevé vers 100 apr. J.-C., sous Trajan. Chaves, qui servait de relais sur la route reliant Braga à Astorga (au nord-ouest de l'Espagne), connut alors une nette expansion. Sur le pont, des bornes romaines rappellent que les fonds nécessaires à sa construction furent collectés ici.

Sources thermales

Largo Tito Flávio Vespasiano.
076-33 24 45. *t.l.j.*

À quelques minutes de marche du centre jaillit l'une des sources les plus chaudes d'Europe : l'eau sort de terre à 73° C. Les installations thermales attirent vacanciers et curistes *(p. 209)*. L'eau a des vertus curatives pour des maux aussi divers que les rhumatismes, les dysfonctionnements rénaux et l'hypertension.

La gigantesque pedra Bolideira, près de Chaves

Aux environs : Non loin de Soutelo, à 4 km au nord-ouest de Chaves (suivre les indications), se trouve le **rocher d'Outeiro Machado,** de 50 m de long. Il est couvert de hiéroglyphes et de symboles inconnus, qui pourraient être celtiques. Un autre rocher géant, la **pedra Bolideira,** s'étend près de Bolideira, à 16 km à l'est de Chaves. La pierre est fendue en deux. Une légère poussée sur la plus grande partie suffit pour lui imprimer un mouvement de balancier.

Vidago, à 17 km au sud-ouest de Chaves, est connu par ses eaux thermales et son grand hôtel : le Vidago Palace Hotel *(p. 393)*, jadis fréquenté par les rois. Il a été rénové, mais le parc, les lacs et la buvette ont conservé leur charme d'antan.

Église Misericórdia de Murça, avec ses piliers ornés de vigne

Murça ⓯

Carte routière D2. *3 000.*
rua Militão Bessa Ribeiro.
13 et 28 du mois.

Cette bourgade est connue par son miel, son fromage de chèvre et ses saucisses. Sa principale attraction, dans le jardin de la place principale, est sa **porca,** une truie en granit de l'âge du fer, d'une circonférence de 2,8 m *(p. 40)*. La signification de ces animaux, les *berrões*, reste inconnue. Ils pourraient avoir été liés à des rites de fertilité. On trouve également des spécimens plus petits à Bragança, Chaves et ailleurs. La porca de Murça est mise à contribution lors des élections : les partis gagnants la peignent à leurs couleurs.

L'église **Misericórdia,** située dans la rue principale, possède une façade du début du baroque, joliment ornée de motifs de vigne et de raisin.

Mirandela ⓰

Carte routière D1. *8 000.*
praça do Mercado (078-26 57 68).
3, 14 et 25 du mois.

Mirandela possède de jolis jardins, qui descendent jusqu'à la Tua, et un élégant pont romain à vingt arches asymétriques. Bâti pour le passage des soldats et du minerai local, le pont a été reconstruit au XVIe siècle. Il est réservé aux piétons.

Le **Museu Municipal Armindo Teixeira Lopes** présente des sculptures, des gravures et des peintures, dont des vues de Lisbonne et de Mirandela réalisées par l'artiste dont le musée porte le nom.

Le bâtiment de la **mairie,** du XVIIe siècle, appartenait autrefois aux Távoras. Accusés de tentative de régicide en 1759, toute trace de leur présence fut effacée.

Museu Municipal Armindo Teixeira Lopes

Rua Coronel Sarmento Pimente.
078-26 57 68. *lun.–ven. ; mai–oct. : aussi sam. et dim. a.-m.* *jours fériés.*

Aux environs : Romeu est blotti dans une jolie vallée, à 15 km au nord-est. Son **Museu das Curiosidades** réunit divers objets, du début du siècle jusqu'à nos jours. La collection de la famille Menéres comprend des Ford modèle T, des boîtes à musique et des équipements photographiques anciens. Le fameux restaurant Maria Rita *(p. 415)* se trouve à côté.

Museu das Curiosidades

Jerusalém do Romeu. *mar.–dim.* *jours fériés.*

La Tua à Mirandela, avec son pont romain et ses parcs bordant la rivière

Bragança : la citadelle ⓱

Le site accueillit plusieurs forts avant que Fernão Mendes, beau-frère du roi Afonso Henriques, ne fasse construire ici, en 1130, une citadelle, qui fut appelée Brigantia. L'enceinte abrite toujours le château de Dom Sancho Ier, de 1187, avec ses tours de guet, son donjon et la Domus Municipalis pentagonale du XIIe siècle, à côté de l'église Santa Maria.

La ville a donné son nom à la dernière maison royale portugaise, issue d'un fils bâtard de Dom João Ier, qui devint en 1442 le premier duc de Bragança *(p. 299)*.

La citadelle de Bragança, ceinturée de murailles

★ Château
La torre da Princesa accueillit Dona Sancha, l'infortunée épouse de Fernão Mendes, et servit de prison à d'autres femmes.

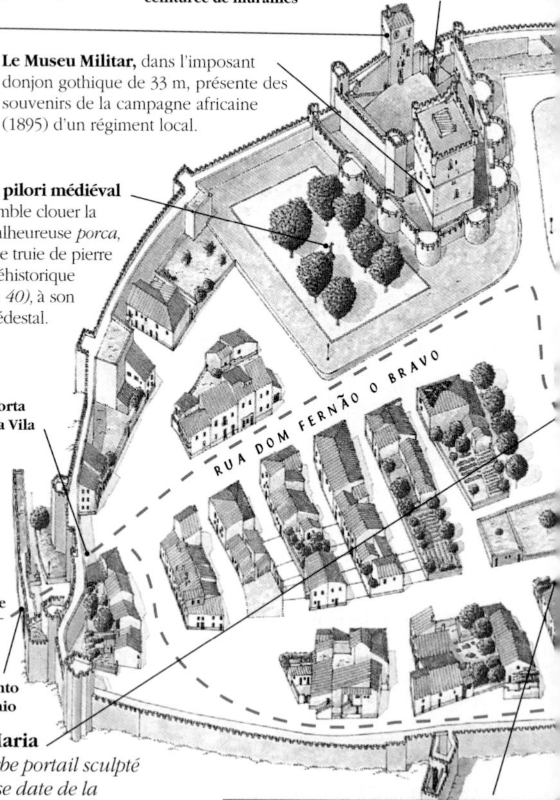

Porta da Traição

Le Museu Militar, dans l'imposant donjon gothique de 33 m, présente des souvenirs de la campagne africaine (1895) d'un régiment local.

Le pilori médiéval semble clouer la malheureuse *porca*, une truie de pierre préhistorique *(p. 40)*, à son piédestal.

Porta da Vila

Vers la ville ←

Porta de Santo António

Santa Maria
Le superbe portail sculpté de l'église date de la restauration du XVIIIe s.

★ Domus Municipalis
C'est le seul vestige d'architecture romane civile au Portugal. Les homens boms (« hommes bons ») y réglaient les litiges. La citerne de la ville se trouvait au-dessous.

À NE PAS MANQUER

★ Château

★ Domus Municipalis

Mode d'emploi

Carte routière E1. *35 000.* *Agência de Viagens e Turismo Sanvitura, avenida João da Cruz.* *avenida Cidade de Zamora (073-38 12 73).* *3, 12 et 21 du mois.* *mi-août : Nossa Senhora das Graças.* **Château** et **Museu Militar** *073-223 78.* *ven.–mer.* *jours fériés.*

Légende

Itinéraire conseillé

0 50 m

Porta do Sol

Maisons de la citadelle

Au XVe siècle, Bragança s'était étendue au-delà de l'enceinte où abondent les petites maisons.

Trouvailles archéologiques aux jardins du Museu Abade de Baçal

Au-delà de la citadelle

Au XVe siècle, Bragança s'était développée sur les rives de la Fervença. Le quartier juif de la rua dos Fornos est un vestige de l'époque, où des juifs d'Espagne et d'Afrique du Nord s'installèrent ici et créèrent l'industrie de la soie.

Cependant, la ville ne parvint pas à surmonter son isolement, même les monarques de Bragança lui préférant Vila Viçosa *(p. 298-299).* Mais l'argent des émigrés, aujourd'hui rentrés au pays, et l'achèvement de l'autoroute reliant Porto à l'Espagne vont sans doute lui donner un nouveau souffle, tout comme la cathédrale inaugurée en 1996 pour le « nouveau millénaire ». Près de la vieille cathédrale, un marché couvert propose délicieux jambons fumés et *alheiras* (saucisses de poulet).

Museu Abade de Baçal

Rua Abílio Bessa 27. *073-33 15 95.* *mar.–dim.* *jours fériés.*

L'abbé de Baçal (1865-1947), dont le musée porte le nom, était un érudit dont les recherches sur l'histoire et les traditions de la région, y compris de sa communauté juive, ont été publiées en onze volumes.

La collection de peintures inclut le *Martyre de saint Ignace*, un triptyque non signé du XVIe siècle, et des aquarelles d'Aurélia de Sousa (1865-1922), avec notamment *À sombra* (À l'ombre). Une autre section présente des costumes de *pauliteiros* colorés *(p. 227)* et des instruments de torture. Le jardin abrite diverses trouvailles archéologiques, comme des *porcas* et des tablettes comportant des inscriptions luso-romaines.

São Bento

Rua de São Francisco.

horaires variables.

Fondée en 1590, l'église possède deux plafonds très différents : dans le chœur, un beau dais à sculptures géométriques d'influence mauresque et, dans la nef, un trompe-l'œil du XVIIIe siècle aux splendides couleurs.

São Vicente

Largo do Principal. *horaires variables.*

C'est ici qu'aurait eu lieu, en 1354, le mariage secret d'Inês de Castro et de Dom Pedro *(p. 179).* L'église d'origine, du XIIIe siècle, a été reconstruite au XVIIe siècle et enrichie de somptueuses dorures. Le panneau d'*azulejos* à droite de la porte principale représente le général Sepúlveda en 1809, exhortant les habitants de Bragança à bouter l'occupant français.

Cette rue du vieux quartier juif dévale jusqu'à la rivière

Les paysages du parque natural de Montesinho

Parque Natural de Montesinho ⓲

Carte routière E1. 🚌 *pour Rio de Onor et Vinhais.* ℹ *bairro Salvador Nunes Teixeira 5, Bragança (073-38 14 44).*

Cette réserve s'étend sur 70 000 hectares entre Bragança et l'Espagne. Dans la Terra Fria (pays froid), les montagnes, qui culminent à 1 481 m, dominent des paysages de bruyère et de genêts, puis des forêts de chênes, d'aulnes et de saules.

À la lisière sud du parc, **Vinhais** commande une magnifique vue sur les paysages sauvages, qui attirent randonneurs, cyclistes et cavaliers. Des locations de VTT et de chevaux sont d'ailleurs proposées sur place.

La population est concentrée dans les plaines, laissant la Serra à des espèces rares comme les loups et les aigles royaux, et aux sangliers, aux loutres et aux faucons.

À **França** et **Montesinho,** quasiment inchangés depuis le Moyen Âge, on voit des maisons en pierre aux balcons en bois et des rues pavées typiques. Des pratiques ancestrales comme la médecine par les plantes et le culte du surnaturel sont restées vivaces. À **Rio de Onor,** l'espagnol et le portugais se sont fondus en un dialecte, le rionorês.

Salle de ferme, Museu da Terra de Miranda

Miranda do Douro ⓳

Carte routière E1. 👥 *3 000.* 🚌 ℹ *largo da Moagem (073-411 32).* 🛒 *1er du mois.*

Cet avant-poste médiéval se dresse en haut des gorges du Douro, à la frontière espagnole. Son emplacement stratégique et la création d'un évêché, en 1545, en firent le centre culturel et religieux du Trás-os-Montes. Toutefois, en 1762, l'explosion de la poudrière, qui fit 400 morts et détruisit le château (il ne reste que le donjon), allait changer le cours de son destin. Cette catastrophe, aggravée par le transfert de l'évêché à Bragança, amorça le long déclin économique de la ville, inversé récemment par les nouveaux liens commerciaux avec la côte et l'Espagne.

La jolie **Sé** à deux tours date du XVIe siècle. Les belles sculptures sur bois du retable, dans le chœur, représentent notamment les Apôtres et la Vierge entourée d'anges. L'élément le plus original est une sculpture en bois de l'Enfant Jésus, dans le transept sud. Le Menino Jesus da Cartolinha représente un enfant qui serait apparu durant un siège des Espagnols, en 1711, pour rassembler les Portugais qui remportèrent miraculeusement la victoire. Des fidèles habillèrent la statue en costume du XVIIe siècle et la coiffèrent, plus tard, d'un haut-de-forme *(cartolinha).*

Le superbe **Museu da Terra de Miranda** abrite notamment des trouvailles archéologiques, des costumes traditionnels et la reconstitution d'une salle de ferme de Mirandês.

🏛 Museu da Terra de Miranda

Largo Dom João III. ☎ *073-411 64.* ○ *mar.–sam. et dim. a.-m.* ● *jours fériés.* 🎫

AUX ENVIRONS : Au sud-ouest, **Duas Igrejas** est connu par sa fameuse danse des bâtons, exécutée par les *pauliteiros* lors de fêtes locales et à l'étranger *(p. 227).* La tradition se perd, mais lors de la festa de santa Bárbara, qui a lieu le troisième dimanche d'août, les danseurs revêtent leurs costumes noir et blanc et s'exécutent au son des tambours et des *gaitas de foles* (cornemuses).

Les pigeonniers de Montesinho

Un pigeonnier, typique des environs de Montesinho

Les pigeons, mets succulent, fournissent également un excellent engrais. Cette région compte nombre de pigeonniers *(pombal)* traditionnels en fer à cheval, aujourd'hui peu utilisés. Les oiseaux, qui nichent dans les compartiments des murs blanchis à la chaux, entrent et sortent par le toit d'ardoises ou de tuiles. Ils sont nourris par une petite porte surélevée.

Mogadouro et son église, vus des ruines du château du XIIIe siècle

Mogadouro 20

Carte routière E2. 3 000.
largo São Francisco de Assis (079-34 13 10).

Hormis la tour, il ne reste que peu de vestiges du château fondé par le roi Dinis et donné aux Templiers en 1297. Cette petite ville de marché, qui paraît assoupie, est connue par son artisanat, et surtout pour ses articles en cuir, en soie, en lin et en laine.

L'**igreja Matriz** du XVIe siècle est dotée d'une tour du XVIIe siècle. Des retables richement dorés du XVIIIe siècle ornent les autels.

Torre de Moncorvo 21

Carte routière E2. 2 500.
rua Manuel Seixas (079-25 22 89). *8 et 23 du mois.*

Moncorvo est renommé pour les amandiers qui fleurissent dans les vallées au début du printemps (les *amêndoas cobertas,* des dragées, se dégustent à Pâques). La ville offre de charmantes promenades dans ses ruelles médiévales. Son nom serait dû à un noble de la région, Mendo Curvo, ou à son corbeau *(corvo).*

L'**igreja Matriz** du XVIe siècle, la plus grande du Trás-os-Montes, abrite un retable du XVIIe siècle représentant la vie du Christ.

AUX ENVIRONS : En 1996, le projet de construction d'un barrage dans la vallée de la Côa, au sud de Moncorvo, a définitivement été abandonné pour préserver la superbe collection de gravures de l'âge de pierre en plein air. Découvertes en 1933, ces œuvres d'art rupestre représentent des taureaux, des chevaux, des poissons et un homme nu, l'homem de Pisco. Des visites du **Parque Arqueológico do Vale do Côa** sont proposées depuis Vila Nova de Foz Côa.

Parque Arqueológico do Vale do Côa
Avenida Gago Coutinho 19a, Vila Nova de Foz Côa. *079-76 43 17.*
mar.–dim. *jours fériés.*

Freixo de Espada à Cinta 22

Carte routière E2. 2 300.
avenida do Emigrante (079-65 33 04). *2e sam. du mois.*

L'étrange nom de « frêne du sabre à la sangle » pourrait venir des armoiries d'un noble espagnol, d'un Wisigoth appelé Espadacinta, ou de la fondation de la ville, au XIVe siècle, par le roi Dinis, ayant attaché son sabre à un frêne.

La **torre do Galo,** heptagonale, est un vestige des fortifications du XIVe siècle. Elle commande une vue magnifique, surtout au printemps, lorsque les amandiers sont en fleurs. La bourgade, qui compte aussi des élevages de vers à soie, attire alors les visiteurs.

L'**igreja Matriz** possède un somptueux portail du XVIe siècle qui mène à une magnifique version miniature du mosteiro dos Jerónimos de Belém *(p. 106-107).* Une belle *Annonciation* forme un panneau du retable, attribué à Grão Vasco *(p. 213).*

L'intérieur orné de l'igreja Matriz à Freixo

Torre do Galo
Praça Jorge Álvares. *mar.–ven.* *jours fériés.*

LE MINHO

Berceau de la nation, la région compte deux villes historiques majeures : Guimarães, la première capitale du Portugal, et Braga, son principal centre religieux. Dans cette région très attachée à ses traditions, l'agriculture prospère grâce aux pluies abondantes qui en font la partie la plus verte du pays.

Deux fleuves baignent cette région verdoyante — le Douro au sud et le Minho au nord — où l'on ne compte plus les vestiges du néolithique, en particulier les forts de pierre *(castros),* perchés sur les collines. D'ailleurs, les Celtes, qui occupèrent le Minho au premier millénaire av. J.-C., les transformèrent en *citânias* (peuplements), comme celui de Briteiros.

Au IIe siècle av. J.-C., les légions romaines qui conquirent la région introduisirent la viticulture et construisirent un réseau routier. Des bornes romaines sont toujours visibles dans le parc national de Peneda-Gerês. Lorsque l'Empire romain se convertit au christianisme, au IVe siècle, Braga devint un centre religieux majeur, ce qu'il est resté. Au Ve siècle, les Romains furent délogés par les Suèves, suivis par les Wisigoths qui durent fuir à leur tour devant l'invasion maure en 711. Le Minho ne fut repris aux Maures qu'au IXe siècle et la région ne gagna de l'importance qu'au XIIe siècle sous Dom Afonso Henriques *(p. 42-43)*. Le premier roi du Portugal installa sa capitale à Guimarães.

Depuis des siècles, les fermes et les terres fertiles du Minho se transmettent de génération en génération, chaque héritier recevant une part de terre. Mais la multiplication des parcelles, trop petites pour être rentables, a entraîné une forte émigration dans les années 60. Néanmoins, l'économie du Minho, où le taux de chômage est élevé, repose sur les petites et moyennes entreprises de la région de Braga et de Guimarães. L'agriculture permet notamment de produire les fameux *vinhos verdes,* ou vins verts. Malgré le développement du tourisme, le Minho est resté très attaché à ses traditions. Les carnavals et les marchés sont omniprésents.

Troupeau traversant un pont, près du palais de Brejoeira, au sud de Monção

Le sanctuaire de Nossa Senhora da Peneda, dans le parque nacional da Peneda-Gerês

À la découverte du Minho

Les deux plus grandes villes de la région, Braga et Guimarães, riches en sites historiques, se trouvent dans le sud du Minho. Braga est un bon point de départ pour rejoindre le Bom Jesus, splendeur baroque, et les ruines de Citânia de Briteiros, site majeur de l'âge du fer. Barcelos, entre Braga et la côte, est connu par son marché hebdomadaire. Vers le nord, la jolie ville de Viana do Castelo est une bonne base pour explorer la côte. À l'intérieur des terres, la pittoresque ville de marché de Ponte de Lima, au bord de la Lima, propose des hébergements en manoir traditionnel, nombreux dans le Minho. Au nord, le fleuve Minho forme la frontière avec l'Espagne, et les villes fortifiées sur les rives offrent une belle vue sur le pays voisin. Au nord-est, les randonneurs et les amateurs de nature apprécieront les magnifiques montagnes du parque nacional da Peneda-Gerês.

Poulain dans le parque nacional da Peneda-Gerês

VOIR AUSSI

- ***Hébergement*** p. 393–394
- ***Restaurants*** p. 416–417

Portail manuélin de l'église paroissiale du XVIe siècle, Vila do Conde

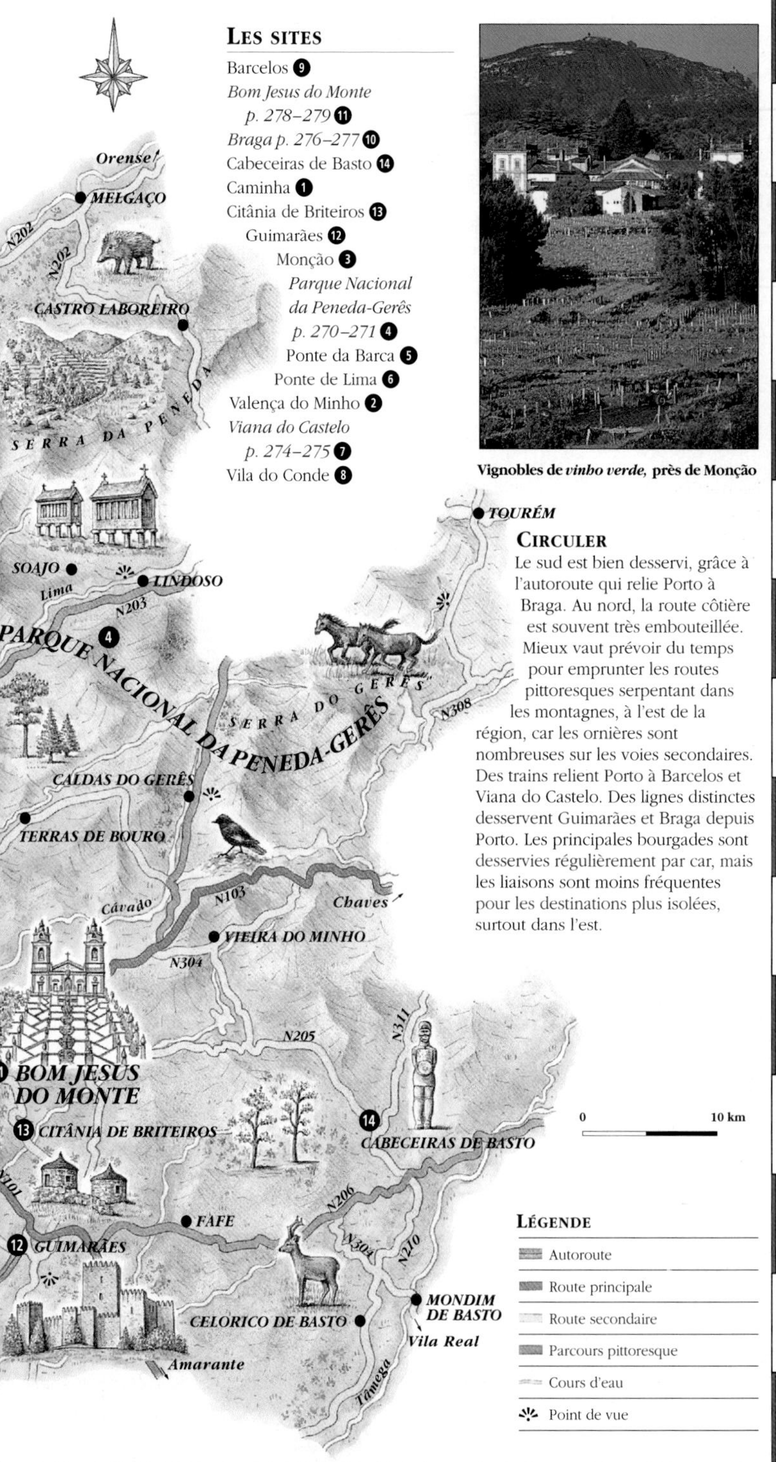

Les sites

Barcelos 9
Bom Jesus do Monte p. 278–279 11
Braga p. 276–277 10
Cabeceiras de Basto 14
Caminha 1
Citânia de Briteiros 13
Guimarães 12
Monção 3
Parque Nacional da Peneda-Gerês p. 270–271 4
Ponte da Barca 5
Ponte de Lima 6
Valença do Minho 2
Viana do Castelo p. 274–275 7
Vila do Conde 8

Vignobles de *vinho verde*, près de Monção

Circuler

Le sud est bien desservi, grâce à l'autoroute qui relie Porto à Braga. Au nord, la route côtière est souvent très embouteillée. Mieux vaut prévoir du temps pour emprunter les routes pittoresques serpentant dans les montagnes, à l'est de la région, car les ornières sont nombreuses sur les voies secondaires. Des trains relient Porto à Barcelos et Viana do Castelo. Des lignes distinctes desservent Guimarães et Braga depuis Porto. Les principales bourgades sont desservies régulièrement par car, mais les liaisons sont moins fréquentes pour les destinations plus isolées, surtout dans l'est.

Légende

- Autoroute
- Route principale
- Route secondaire
- Parcours pittoresque
- Cours d'eau
- Point de vue

Cafés de la praça do Conselheiro Silva Torres, place principale de Caminha

Caminha ❶

Carte routière C1. 2 000. *rua Ricardo Joaquim de Sousa (058-92 19 52). mer.*

Cette bourgade fortifiée offre une belle vue sur l'Espagne. Occupée aux époques celtique et romaine en raison de sa situation, Caminha resta un port important jusqu'au XVIe siècle, où son activité fut transférée à Viana do Castelo. Aujourd'hui, son petit port assure une liaison quotidienne avec A Guarda, en Espagne.

Sur la place principale se dressent la tour de l'Horloge du XVe siècle, la **torre do Relógio,** et le **paços do Concelho** du XVIIe siècle, avec sa jolie loggia. En traversant la place, on passe devant la fontaine Renaissance avant d'arriver au **solar dos Pitas,** du XVe siècle, avec ses sept fenêtres manuélines.

La rua Ricardo Joaquim de Sousa mène à l'**igreja Matriz,** de style gothique. Commencée à la fin du XVe siècle, elle possède un superbe plafond incrusté de panneaux sculptés mudéjars. Les sculptures Renaissance, au-dessus des portes latérales, représentent les apôtres, la Vierge et plusieurs personnages aux poses cavalières, dont un homme au derrière nu tourné vers l'Espagne.

AUX ENVIRONS : À 5 km au sud-ouest de la ville se trouve Foz do Minho, à l'embouchure du Minho. De là, des pêcheurs amènent des groupes (sur rendez-vous) à la forteresse de **Forte da Ínsua,** en ruine.

Vila Nova de Cerveira, à 12 km au nord-est sur la route de Valença, possède un château rénové du XVIe siècle, qui abrite la pousada Dom Dinis *(p. 394)*. L'atmosphère paisible invite à la flânerie dans les ruelles bordées de demeures du XVIIe et du XVIIIe siècle, mais aussi le long de la rivière, où un car-ferry rejoint Goián, en Espagne.

Valença do Minho ❷

Carte routière C1. 3 000. *avenida de Espanha (051-233 74). mer. et 2e dim. du mois.*

Dominant le cours du Minho, Valença est une jolie bourgade frontalière avec deux places fortes à double enceinte en forme de couronnes, reliées par une chaussée. Sous le roi Sancho Ier (1185-1211), la ville fut baptisée *Contrasta,* en raison de son emplacement en face de la ville espagnole de Tui.

Les **forts** qui datent du XVIIe et du XVIIIe siècle ont été conçus selon les principes de Vauban. Les remparts offrent une belle vue sur la Galice. Quoique brièvement occupée par les troupes de Napoléon, en 1807, la ville résista aux bombardements et aux attaques venant de l'autre rive, en 1809.

Les ruelles pavées du vieux quartier sont bordées de magasins de linge de maison, de vannerie, de terre cuite et d'artisanat, destinés aux milliers d'Espagnols qui traversent le pont pour faire leurs achats.

Sur la praça de São Teotónio, la **casa do Eirado** (1448) présente un toit crénelé et des fenêtres du gothique tardif, portant la signature du bâtisseur. La **casa do Poço,** du XVIIIe siècle, possède des fenêtres symétriques et des balcons en fer forgé.

Coin paisible du vieux quartier de Valença do Minho

AUX ENVIRONS : À 5 km à l'est sur la N 101, le **convento de Ganfei,** reconstruit au XIe siècle par un prêtre normand, a conservé de beaux éléments romans, en particulier des motifs de végétaux et d'animaux, et des vestiges de fresques médiévales. Pour visiter la chapelle, demandez la clé dans la maison en face.

Les murs et les remparts entourant Valença do Minho

Monção ❸

Carte routière C1. 2 500.
praça Deu-la-Deu (051-65 27 57).
jeu.

Cette charmante bourgade isolée faisait autrefois partie des forts gardant la frontière, au nord du Minho. Les deux places principales au pavement de mosaïques, bordées de maisons anciennes, sont plantées de châtaigniers et de fleurs.

L'**igreja Matriz** du XIIIe siècle, dans la rua João de Pinho, présente un beau portail roman, orné de fleurs d'acanthe sculptées. À l'intérieur, à droite du transept, le cénotaphe de Deu-la-Deu Martins a été érigé par l'un de ses descendants. Une avenue verdoyante, à l'est, mène aux sources d'eau chaude utilisées pour le traitement des rhumatismes.

La Fête-Dieu, en juin, s'accompagne de la pittoresque festa da Coca, où saint Georges incite le dragon *(coca)* à un combat rituel comique, avant de l'achever.

AUX ENVIRONS : Les *quintas* alentour produisent un excellent *vinho verde (p. 29)*. L'une des propriétés les plus connues est le **palácio de Brejoeira,** un palais néo-classique situé à 5 km au sud.

À 7 km au sud-est de Monção, le monastère **São João de Longos Vales,** de style roman, date du XIIe siècle.

Pont enjambant la Lima, avec Ponte da Barca à l'arrière-plan

Les chapiteaux extérieurs et l'abside intérieure sont décorés de sculptures fantastiques, mais aussi de serpents et de singes. Des visites sont organisées par l'Office du tourisme de Monção.

Melgaço, à 24 km à l'est de Monção, est l'un des accès du parc national de Peneda-Gerês.

Parque Nacional da Peneda-Gerês ❹

Voir p. 270–271.

Ponte da Barca ❺

Carte routière C1. 2 000.
largo da Misericórdia (058-428 99).
un mer. sur deux.

Ponte da Barca (pont du bateau) doit son nom au joli pont du XVe siècle qui remplaça les bateaux transportant les pèlerins. Une promenade dans le centre paisible permet de découvrir le pilori (surmonté d'une sphère et d'une pyramide), les belles arcades et les élégantes demeures du XVIe et du XVIIe siècle. Le jardim dos Poetas (jardin des Poètes) et les parcs bordant la rivière invitent au pique-nique. Le gigantesque marché en plein air, au bord de l'eau, mérite également une visite.

Relief sculpté du tympan de l'église de Bravães

AUX ENVIRONS : L'église du XIIIe siècle de **Bravães,** à 4 km à l'ouest de Ponte da Barca, présente quelques-unes des plus belles sculptures romanes du Portugal. Singes, bœufs et oiseaux de proie agrémentent les colonnes du portail principal, et le tympan représente le Christ en majesté.

Arcos de Valdevez, à 5 km au nord de Ponte da Barca, est blotti sur les rives du Vez, non loin du parc national de Peneda-Gerês. L'église **Nossa Senhora da Lapa** a été bâtie en 1767 par André Soares. Ce chef-d'œuvre baroque est ovale à l'extérieur et octogonal à l'intérieur.

Les amateurs de randonnée demanderont à l'office du tourisme les indications pour emprunter un circuit passant par des points de vue haut perchés et des villages, et partant de **São Miguel,** à 11 km à l'est de Ponte da Barca.

DEU-LA-DEU MARTINS

En 1368, alors que l'armée espagnole assiégeait Monção et l'avait presque réduite à la famine, la vaillante Deu-la-Deu Martins (qui signifie « Dieu l'a donnée ») utilisa les dernières réserves de farine de la cité pour fabriquer des petits pains qu'elle jeta par-dessus les murs. Estimant qu'ils perdaient leur temps à poursuivre le siège d'une ville dont les habitants se permettaient tant de prodigalité, les soldats se retirèrent. Deu-la-Deu figure sur les armoiries de la ville, une miche de pain dans chaque main. Autrefois, des *pãezinhos* (petits pains) *de Deu-la-Deu* étaient faits en son honneur, mais la tradition s'est perdue.

L'héroïque Deu-la-Deu Martins, armoiries de Monção

Vignobles de *vinho verde* près de Monção ▷

Parque Nacional da Peneda-Gerês ❹

Genêt de Peneda

Ce parc naturel, l'un des principaux du pays, s'étend des monts de Gerês, au sud, jusqu'à la chaîne de Peneda et la frontière espagnole, au nord. Créé en 1971, il couvre environ 700 km² de paysages sauvages, avec des pics balayés par les vents et des vallées tapissées de chênes, de pins et d'ifs. Sa faune, très riche, comprend des espèces rares, notamment des loups et des aigles royaux. Dans les villages du parc, la vie quotidienne est restée traditionnelle.

Lamas de Mouro entrée nord du parc possède un centre d'information et propose des hébergements.

Castro Laboreiro est connu pour les chiens de berger qui portent son nom. Le village abrite les ruines d'un château médiéval.

★ Nossa Senhora da Peneda
Entouré d'imposants rochers, ce magnifique sanctuaire est une réplique du Bom Jesus (p. 278-279). *Début septembre, les pèlerins affluent de toute la région.*

Castelo Lindoso, dans le village frontalier de Lindoso, est un beau château rénové du XIIIe siècle qui abrite une galerie d'art.

Soajo
Entouré de versants en terrasses, le village de Soajo est connu pour ses espigueiros. *La fête du village se déroule mi-août.*

Vilarinho das Furnas
Joliment installé dans un paysage rocheux, le réservoir de Vilarinho das Furnas est dû au barrage de l'Homem. On peut se promener sur ses rives, mais aussi s'y baigner.

Caldas do Gerês, connu depuis l'époque romaine pour ses eaux thermales, est un centre d'information et une base pour les excursions.

Melgaço
Lamas de Mo
Castr
Laboreir
Serra da Peneda
Nossa Senhora da Peneda
N202
Mezio
Soajo
Arcos de Valdevez
N304-1
Lindos
Lima
Entre Ambos-os-Rios
Albufeira de Vilarinh das Furnas
Campo do Gerês
Braga
0 5 km
Braga

Monastère de Pitões das Júnias
Les ruines du monastère, bâti en 1147, s'étendent à 3 km environ au sud de la route menant au village de Pitões das Júnias.

Mode d'emploi

Carte routière C1. de Braga à Caldas do Gerês ; d'Arcos de Valdevez à Soajo et Lindoso ; de Melgaço à Castro Laboreiro et Lamas de Mouro. Caldas do Gerês : sur la route principale (053-39 11 81) ; Lamas do Mouro : à côté du camping ; Arcos de Valdevez : rua Padre Manuel Himalaia (058-653 38). Informations sur les campings, les randonnées et le trekking à dos de poneys disponibles à ces bureaux et à Montalegre (p. 256). **Castelo Lindoso** mar.–dim. jours fériés.

Inverneiras à Sedra
Certains villages pratiquent toujours la transhumance, les maisons d'hiver étant quittées pour les brandas, *abris de pierre situés haut dans les montagnes.*

★ Voie romaine
Le long de la vallée de l'Homem, on aperçoit par endroits des tronçons de la route qui reliait Braga à Astorga, en Espagne.

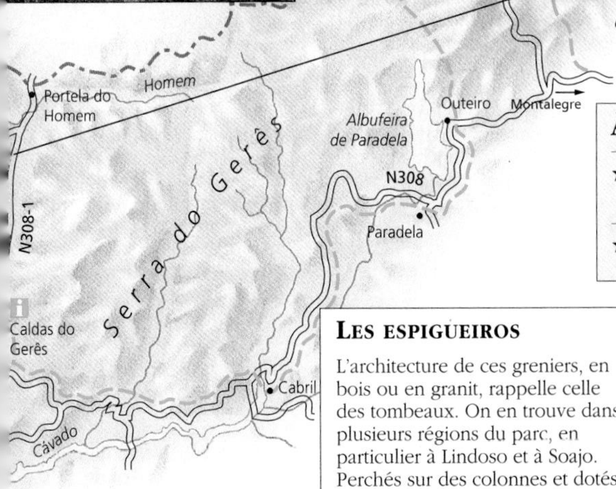

Rodeiro
Sedra
Tourem
Pitões das Júnias
Portela do Homem
Homem
Outeiro
Montalegre
Albufeira de Paradela
N308
Paradela
N308-1
Serra do Gerês
Caldas do Gerês
Cabril
Cávado

À ne pas manquer

★ **Nossa Senhora da Peneda**

★ **Voie romaine**

Légende

Route
Sentier de grande randonnée
Frontière espagnole
Information touristique
Point de vue

Les espigueiros

L'architecture de ces greniers, en bois ou en granit, rappelle celle des tombeaux. On en trouve dans plusieurs régions du parc, en particulier à Lindoso et à Soajo. Perchés sur des colonnes et dotés de lamelles d'aération, ils permettent ainsi la conservation du blé et des céréales à la bonne hygrométrie, hors de portée des poules et des rongeurs. Surmontés d'une croix ou d'une pyramide, les *espigueiros* ont peu changé depuis le XIXe siècle.

***Espigueiro* à Lindoso**

Ponte de Lima ❻

Carte routière C1. 3 200.
praça da República (058-94 23 35).
un lun. sur deux.

Cette jolie bourgade, qui doit son nom au pont qui enjambait la Lima — large et sablonneuse —, joua un rôle-clé, au Moyen Âge, dans la défense du Minho contre les Maures.

Le **pont** romain n'a conservé que cinq arches de pierre d'origine, les autres ayant été reconstruites ou rénovées aux XIVe et XVe siècles. L'église Santo António, du XVe siècle, abrite le **Museu dos Terceiros,** un musée d'Art sacré recélant de belles sculptures.

Les vestiges des fortifications médiévales comprennent l'ancienne tour, qui servait de prison, et le **palácio dos Marqueses de Ponte de Lima,** du XVe siècle, l'actuelle mairie.

Le marché est installé sur la rive gauche de la rivière. À la mi-septembre, les visiteurs affluent à Ponte de Lima pour les *feiras novas* (fêtes nouvelles), qui mêlent célébration religieuse et marché folklorique.

Sculpture de pierre, Museu dos Terceiros

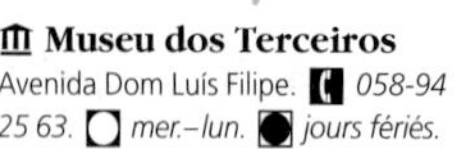

Museu dos Terceiros
Avenida Dom Luís Filipe. 058-94 25 63. mer.–lun. jours fériés.

Viana do Castelo ❼

Voir p. 274–275.

L'ancien dortoir du mosteiro de Santa Clara, Vila do Conde

Vila do Conde ❽

Carte routière C2. 21 000.
rua 25 de Abril (052-64 27 00). ven.

À l'âge des Découvertes, Vila do Conde fut un centre de construction navale prospère. Aujourd'hui, c'est un port de pêche paisible, dont le principal centre d'intérêt est le **mosteiro de Santa Clara,** fondé en 1318. Le dortoir du XVIIIe siècle abrite un centre d'éducation surveillée pour adolescents. Toutefois, l'église et les cloîtres sont ouverts au public. L'église gothique, qui comporte des ajouts Renaissance, recèle les tombeaux du fondateur du couvent, Dom Afonso Sanches (fils du roi Dinis), et de son épouse. Non loin se trouvent les vestiges de l'imposant **aqueduc** de 5 km, construit entre 1705 et 1714, qui repose sur 999 arches.

Au cœur du centre historique, la praça Vasco da Gama possède un pilori original, en forme de bras brandissant une épée — mise en garde éloquente pour les malfaiteurs. L'**igreja Matriz** du XVIe siècle, dont le portique manuélin superbement décoré est attribué à João de Castilho, borde la place, près du pilori.

La ville est connue par ses dentelles au fuseau *(rendas de bilros)*. À l'**escola de Rendas** (école de dentellerie), on peut voir les dentellières à l'ouvrage et acheter leurs créations. Le bâtiment abrite aussi le Museu de Rendas (musée de la Dentelle).

Mosteiro de Santa Clara
Largo Dom Afonso Sanches. 052-63 10 16. lun.–ven. jours fériés.

Escola de Rendas
Rua de São Bento 70. 052-64 30 70. mi-juin–sept. : t.l.j. ; oct.–mi-juin : lun.–ven. jours fériés.

AUX ENVIRONS : Póvoa de Varzim, à 3 km au nord, est une station balnéaire avec des plages de sable, des divertissements et une vie nocturne animée.

À Rates, à 10 km au nord-est, l'église **São Pedro de Rates,** du XIIIe siècle, présente un portail surmonté de statues de saints finement sculptées, et une rosace. À Rio Mau, l'église **São Cristóvão de Rio Mau** a été achevée en 1151. Au-dessus du portail, un évêque (ou saint Augustin) est entouré de ses aides.

Le pont romain de Ponte de Lima, qui mène à l'église Santo António

LA LÉGENDE DU COQ DE BARCELOS

Un pèlerin galicien qui quittait Barcelos pour rejoindre Saint-Jacques-de-Compostelle fut accusé d'avoir volé un propriétaire terrien et condamné à mort par pendaison. Dans une ultime tentative pour sauver sa vie, le prisonnier demanda un entretien au juge, qui s'apprêtait à manger un coq rôti. Le Galicien déclara qu'en signe de son innocence, le coq allait se redresser dans le plat et chanter. Le juge écarta le plat et ignora la requête. Au moment de la pendaison, le coq se redressa et chanta. Réalisant son erreur, le juge se précipita au gibet, pour constater que le Galicien avait survécu grâce à un nœud desserré. La légende veut que des années plus tard, le Galicien revint pour sculpter le cruzeiro de Senhor do Galo, aujourd'hui au Museu Arqueológico de Barcelos.

Coq de Barcelos

Miracle de la faux de Saint Benoît, *azulejos*, Nossa Senhora do Terço

Barcelos ❾

Carte routière C1. *10 000.* *Torre de Menagem, largo da Porta Nova (053-81 18 82).* *jeu.*

Cette jolie ville fluviale, capitale régionale de l'artisanat et de la céramique, est la patrie du célèbre coq, qui est devenu l'emblème national. Fondé à l'époque romaine, Barcelos acquit une forte influence politique au XVe siècle, lorsqu'elle devint la résidence du premier duc de Bragança. C'est aujourd'hui un centre agricole prospère, dont la principale attraction est la feira de Barcelos, gigantesque marché hebdomadaire qui se tient sur le campo da República. On y trouve de tout, des vêtements au bétail. Les amateurs de terres cuites n'auront que l'embarras du choix.

Au nord de la place se dresse **Nossa Senhora do Terço,** l'église du XVIIIe siècle d'un ancien couvent bénédictin. L'extérieur sobre contraste avec l'intérieur magnifiquement décoré d'*azulejos* illustrant la vie de saint Benoît.

À l'angle sud-ouest de la place, l'**igreja do Senhor da Cruz** est couronnée d'un magnifique dôme. L'église fut construite vers 1705 à l'endroit où, deux siècles plus tôt, un cordonnier, João Pires, eut une vision miraculeuse d'une croix gravée dans le sol. Début mai, la festa das Cruzes (fête des Croix) commémore l'événement. Des fleurs sont alors répandues par milliers dans les rues, pour accueillir une procession qui se rend à l'église. La fête s'accompagne de danses, d'une magnifique présentation de costumes folkloriques et de feux d'artifice.

Les autres bâtiments historiques sont regroupés dans un coin paisible, près du pont de granit du XVe siècle jeté sur le Cávado. Construit en 1448, le **solar dos Pinheiros,** qui est une propriété privée, est une belle demeure de la rua Duques de Bragança. Le personnage barbu sculpté sur la tour sud est appelé le barbadão (barbu). Ce juif entra dans une telle colère lorsque sa fille eut un enfant d'un gentil (le roi João Ier) qu'il jura de ne plus se raser.

Un beau pilori gothique se dresse en face du palais des Comtes, ou paço dos Condes, qui fut détruit par le séisme de 1755. Ses ruines accueillent le **Museu Arqueológico** qui présente, en plein air, des croix de pierre, des blasons sculptés, des sarcophages et le célèbre cruzeiro do Senhor do Galo, une croix commémorant la légende du coq de Barcelos. À côté, l'**igreja Matriz,** au roman mâtiné de gothique, date du XIIIe siècle. Elle est ornée d'une admirable rosace et, à l'intérieur, d'*azulejos* du XVIIIe siècle. Le **Museu de Olaria,** non loin, retrace l'histoire de la céramique.

Museu Arqueológico
Largo do Município. *053-82 47 41.* *t.l.j.*

Museu de Olaria
Rua Cónego J. Gaiolas. *053-82 47 41.* *mar.–dim.* *1er janv., Pâques, 15 août, 1er nov., 25 et 26 déc.*

Pilori du XVIe siècle sur la terrasse dominant le Cávado, Barcelos

Jeudi

Viana do Castelo pas à pas ❼

Viana do Castelo est installée sur un joli site, dans l'estuaire de la Lima. Au XVe siècle, elle devint un centre de pêche important. Au XVIe siècle, elle fournit des bateaux et des navigateurs pour les grandes Découvertes maritimes. C'est d'ici que João Velho prit la mer pour explorer le Congo et qu'Álvares Fagundes partit pêcher à Terre-Neuve. Le commerce avec l'Europe et le Brésil apporta des richesses qui permirent de bâtir les nombreuses demeures de style manuélin, Renaissance ou baroque. Aujourd'hui, les ruelles tortueuses et les petites places du centre, à découvrir à pied, constituent le principal attrait.

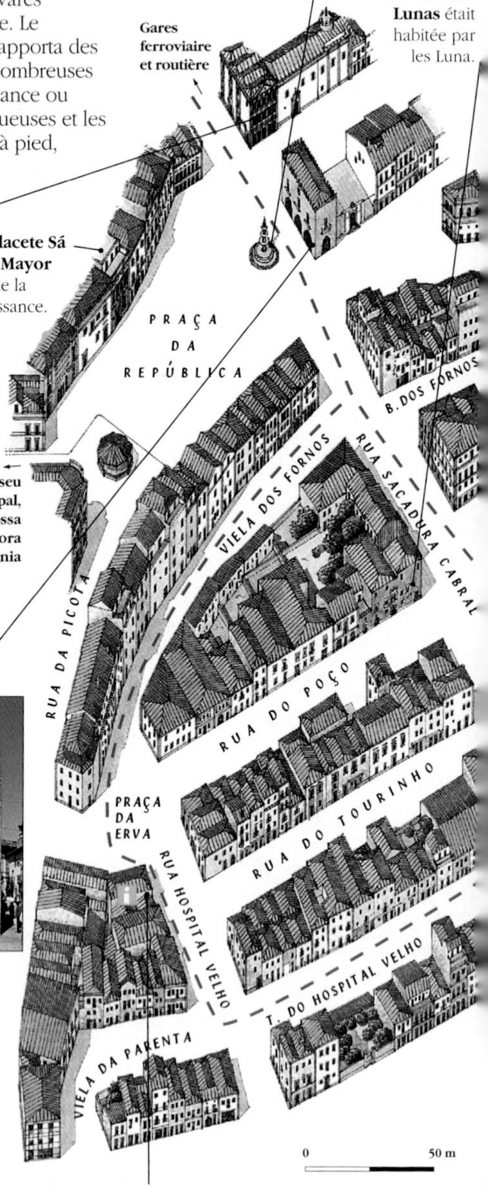

La fontaine, construite en 1553 par João Lopes le Vieux, est le point de mire de la place.

La casa dos Lunas était habitée par les Luna.

Gares ferroviaire et routière

Le palacete Sá Sotto Mayor date de la Renaissance.

Museu Municipal, Nossa Senhora da Agonia

Misericórdia
Les arcades de ce superbe bâtiment Renaissance, de 1598, sont soutenues par de magnifiques caryatides.

★ Praça da República
Les arches gothiques du paços do Concelho, l'ancienne mairie, dominent la place principale. Parmi les motifs manuélins, on voit les armoiries de Dom João III.

À NE PAS MANQUER

★ Sé

★ Praça da República

L'hospital Velho, qui fut un hospice pour les pèlerins, abrite aujourd'hui l'Office du tourisme de l'Alto Minho.

0 — 50 m

LÉGENDE

– – – Itinéraire conseillé

MODE D'EMPLOI

Carte routière C1. 25 000.
largo da Estação.
avenida Capitão Gaspar de Castro. edifício do Hospital Velho (058-82 26 20) ; Castelo de Santiago da Barra (058-82 02 71).
ven. 2e dim. de mai : Festa das Rosas ; mi-août : Romaria de Nossa Senhora da Agonia.

Casa da Praça, une belle demeure baroque

La casa de João Velho, du XVe siècle, aurait appartenu au célèbre navigateur.

★ Igreja Matriz
Le portail ouest de la cathédrale du XVe siècle, une véritable forteresse, est orné de reliefs gothiques représentant les apôtres.

Praça da República, pivot de la vie quotidienne de Viana

À la découverte de Viana do Castelo

Viana do Castelo, qui est à la fois un port de pêche actif et une station balnéaire, est dominé par le pic du monte de Santa Luzia. La ville accueille des fêtes animées et possède un artisanat florissant.

Museu Municipal

Largo de São Domingos. 058-82 03 77. mar.–dim. jours fériés. nouvelle aile seulement.

Le Museu Municipal de Viana, installé dans le palacete dos Barbosas Maciéis, du XVIIIe siècle, présente céramiques, mobilier, pièces archéologiques et peintures. Dans l'une des salles de l'étage supérieur, les murs sont tapissés d'*azulejos* représentant des allégories des continents. La chapelle en est ornée d'autres signée par Policarpo de Oliveira Bernardes *(p. 22)*, du XVIIIe siècle. On y voit un magnifique cabinet indo-portugais du XVIIe siècle, incrusté d'ivoire, et des faïences de Porto, venant de Massarelos, délicatement travaillées au pinceau.

Céramique du XIXe siècle, Museu Municipal

Nossa Senhora da Agonia

Campo de Nossa Senhora da Agonia. 058-240 67. t.l.j.

Au nord-ouest du centre, la chapelle Nossa Senhora da Agonia, du XVIIIe siècle, recèle une statue de Notre-Dame-de-la-Douleur *(agonia)*. La chapelle, dont la façade et l'autel sont dus à André Soares, attire une foule de fidèles pour la *romaria* de Nossa Senhora da Agonia, qui se tient en août et dure trois jours *(p. 227)*. La statue est alors portée en procession dans la ville, entre les célébrations.

AUX ENVIRONS : Pour jouir de vues exceptionnelles, les visiteurs empruntent la route qui zigzague jusqu'à **Monte de Santa Luzia,** à 3 km au nord du centre-ville (un funiculaire part à intervalles réguliers de la gare). La basilique, achevée en 1926 et inspirée du Sacré-Cœur de Paris, est un lieu de pèlerinage sans intérêt particulier. Toutefois, l'ascension au sommet du dôme offre des vues magnifiques. Derrière l'église, on peut se promener sur des sentiers de forêt ou découvrir l'imposante *pousada* de Santa Luzia *(p. 394)*. De là, une courte marche conduit au sommet de la colline, où s'étendent des vestiges celtibères *(citânia)*.

La belle plage, **Praia do Cabedelo,** qui se trouve au sud de la ville, est accessible par la route, en empruntant le pont, ou par le ferry (compter 5 minutes de trajet) qui part du quai de l'avenida dos Combatentes da Grande Guerra. Au nord, **Vila Praia de Âncora** est une autre station balnéaire appréciée.

Braga ⑩

Appelée Bracara Augusta à l'époque romaine, Braga s'enorgueillit d'une longue histoire comme centre religieux et commerçant. Au XIIe siècle, la ville devint le siège des archevêques du Portugal et la capitale religieuse du pays. Bien qu'elle ait perdu de l'influence au XIXe siècle, elle est restée la capitale spirituelle du pays, et la ville principale du Minho. Il n'est donc pas étonnant que Braga accueille des fêtes religieuses hautes en couleurs. La Semana santa (semaine sainte) est célébrée par des processions solennelles et spectaculaires. Les églises, les majestueuses demeures du XVIIIe siècle et les jolis jardins font le charme du centre de Braga. La fête de São João, en juin, s'accompagne de danses, de foires et de feux d'artifice.

Notre-Dame-au-Lait, symbole de la ville

La façade ouest de la Sé, avec son porche du XVe siècle

À la découverte de Braga

Le centre historique commence **praça da República,** où se dresse la **torre de Menagem** du XIVe siècle, unique vestige des fortifications d'origine. Une courte promenade mène à la rua do Souto, une rue piétonne étroite bordée de magasins et de cafés élégants, comme le **café Brasileira.** Vers la fin de la rue, on arrive à la **Sé,** l'impressionnante cathédrale. D'autres églises méritent aussi une visite, comme la petite **capela dos Coimbras,** du XVIe siècle, et **Santa Cruz,** église baroque du XVIIe siècle. Quantité de belles demeures datent de l'époque baroque, comme le **palácio do Raio** et la **Câmara Municipal** (mairie). Les deux bâtiments sont attribués à un architecte du XVIIIe siècle, André Soares da Silva.

La façade ornée d'*azulejos* bleus, du palácio do Raio aussi appelé casa do Mexicano

Sé

Rossio da Sé. *t.l.j.*

Museu de Arte Sacra *053-233 17.* *t.l.j.*

La construction de la cathédrale a été entamée au XIIe siècle, lorsqu'Henri de Bourgogne décida d'ériger une église sur le site d'une maison du culte plus ancienne, détruite au VIe siècle. Le bâtiment, qui a subi maints changements, notamment l'ajout d'un porche à la fin du XVe siècle, affiche aujourd'hui toute une palette de styles, du roman au baroque. On admirera, près du portail ouest, la chapelle qui abrite le tombeau du XVe siècle du premier fils de Dom João Ier *(p. 46-47),* Dom Afonso, qui mourut enfant. Le chœur supérieur, avec ses stalles de bois sculptées, et le buffet d'orgue baroque doré méritent aussi un coup d'œil.

La cathédrale abrite le **Museu de Arte Sacra,** qui réunit une riche collection d'objets liturgiques, de statues, de sculptures et d'*azulejos*.

La cour et le cloître comptent plusieurs chapelles, notamment la capela dos Reis, qui recèle les tombeaux des fondateurs, Henri de Bourgogne et son épouse, Dona Teresa, ainsi que la dépouille de Dom Lourenço Vicente, archevêque au XIVe siècle.

De la rua de São João, on peut admirer la statue de Nossa Senhora do Leite (Notre-Dame-au-Lait), symbole de Braga, abritée par un baldaquin gothique.

Antigo Paço Episcopal

Praça Municipal. *053-61 22 34.*

Bibliothèque *lun.–ven.*

Non loin de la cathédrale se trouve l'ancien palais épiscopal. Les façades datent du XIVe , du XVIIe et du XVIIIe

Le jardim de Santa Bárbara, près des murs de l'antigo paço episcopal

siècle, mais l'intérieur fut ravagé par le feu au XVIIIe siècle. Le palais abrite une bibliothèque et les archives. À côté s'étend un jardin, le jardin de Santa Bárbara.

Palácio dos Biscainhos

Rua dos Biscainhos. 053-21 76 45. *mar.–dim.* *1er janv., Pâques, 1er mai, 24 juin, 25 déc.*

À l'ouest du centre-ville se dresse le palácio dos Biscainhos. Construite au XVIe siècle puis remaniée, cette demeure possède de magnifiques jardins et des salons aux plafonds en stuc. Elle abrite le Museu Etnográfico e Artístico (Musée ethnographique et artistique) qui présente du mobilier portugais et étranger. Remarquez le sol pavé à rainures, permettant aux voitures attelées d'entrer dans le bâtiment afin d'y déposer les invités et continuer jusqu'aux écuries.

Aux environs : À 3,5 km au nord-ouest de Braga, la chapelle **São Frutuoso de Montélios,** très sobre, est l'un des rares exemples conservés d'architecture pré-romane au Portugal. Construite vers le VIIe siècle, elle fut détruite par les Maures et reconstruite au XIe siècle. À 4 km à l'ouest du centre de Braga, sur la route de Barcelos, se trouve l'ancien **mosteiro de Tibães** bénédictin. Ce superbe complexe architectural du XIe siècle, avec ses jardins et ses cloîtres, a été reconstruit au XIXe siècle. Il est en cours de réaménagement pour accueillir un centre historique.

À Falperra, à 6 km au sud-est de Braga, l'église **Santa Maria Madalena** a été conçue par André Soares da Silva en 1750. Elle est renommée pour la richesse de son extérieur, peut-être la plus belle manifestation du rococo portugais.

Mode d'emploi

Carte routière C1. *160 000.* *largo da Estação.* *praça da Galiza.* *avenida da Liberdade 1 (053-225 50).* *mar.* *sem. sainte (sem. avant Pâques) ; 23–24 juin : Festa de São João.*

São Frutuoso de Montélios

Av. São Frutuoso. *mar.–dim. (oct.–mars : mer.–dim.).* *jours fériés.*

Mosteiro de Tibães

Lugar de Tibães. 053-62 26 70. *mar.–dim.* *1er janv., Pâques, 1er mai, 25 déc.* *pour le musée.*

Les écuries du palácio dos Biscainhos

Centre-ville de Braga

- Antigo Paço Episcopal ⑤
- Câmara Municipal ③
- Capela dos Coimbras ⑧
- Jardim de Santa Bárbara ⑥
- Marché ①
- Palácio dos Biscainhos ②
- Palácio do Raio ⑩
- Santa Cruz ⑨
- Sé ④
- Torre de Menagem ⑦

Légende

- Gare routière
- Parc de stationnement
- Information touristique
- Église

0 — 250 m

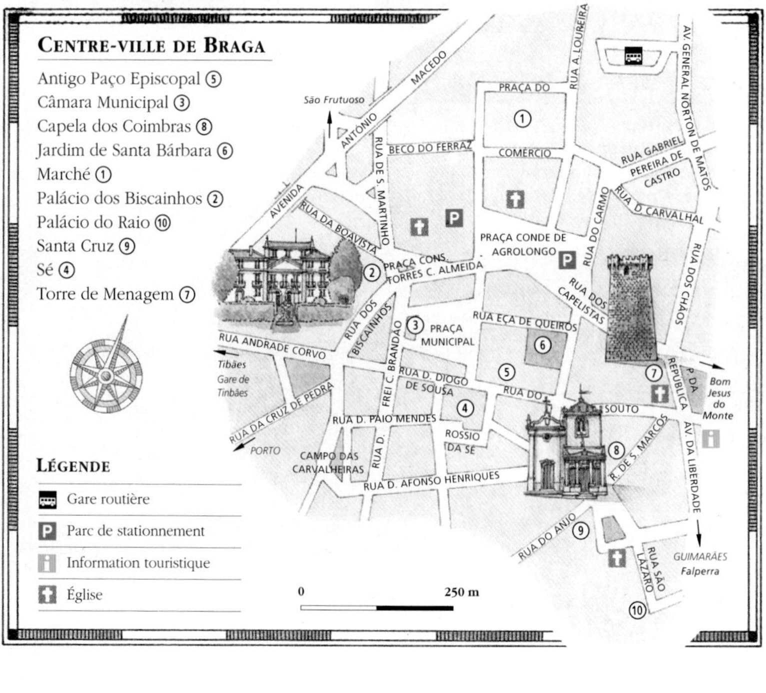

Bom Jesus do Monte ⓫

Fontaine de l'escalier des Trois Vertus

Sur un versant boisé, à l'est de Braga, se dresse le sanctuaire religieux le plus étonnant du pays. En 1722, l'archevêque de Braga conçut l'immense escadaria (escalier) baroque de Bom Jesus, pour desservir le petit sanctuaire existant. Mais l'escalier et l'église du même nom ne furent achevés qu'en 1811 par Carlos Amarante. La partie basse comprend une voie sacrée escarpée avec des chapelles illustrant les quatorze stations du chemin de croix. L'escadório dos Cinco Sentidos, au centre, représente les cinq sens, avec des fontaines murales et des statues de personnages bibliques, mythologiques et symboliques. Il est suivi par l'escalier des Trois Vertus, lui aussi allégorique.

Au sommet, l'esplanade offre une superbe vue et permet d'accéder à l'église. Non loin se trouvent plusieurs hôtels, un café et un lac caché entre les arbres où on peut faire du bateau. Lieu de pèlerinage, le sanctuaire est devenu attraction touristique.

★ Escadaria
Le granit de l'escalier est souligné par les murs blanchis à la chaux. Les marches représentent une élévation spirituelle.

Portail d'entrée
Au pied de l'escalier géant se dresse un portail affichant les armoiries de Dom Rodrigo de Moura Teles, l'archevêque qui commanda l'ouvrage.

★ Funiculaire
Le funiculaire (elevador) *hydraulique date de 1882. Il permet de monter à la terrasse, à côté de l'église, en trois minutes.*

L'Hotel do Elevador *(p. 393)* se trouve près du sommet du funiculaire.

L'église de Bom Jesus a été construite sur le site d'un sanctuaire du XVe siècle. Devant s'élèvent les statues de huit personnes qui ont condamné le Christ, comme Hérode et Pilate.

Chapelle de la descente de la croix, *qui abrite aussi des personnages composant une scène du chemin de croix.*

L'escalier des Cinq Sens est orné de cinq fontaines représentant respectivement la vue, l'ouïe, l'odorat, le goût et le toucher.

Les statues, les symboles et les inscriptions reprennent le thème des sens.

Escalier des Trois Vertus
Le dernier tronçon représente l'acquisition de la Foi, de l'Espérance et de la Charité, symbolisées par des fontaines et des allégories.

Chapelle de Simon le Cyrénéen

Chapelle de la couronne d'épines

Fontaine des Cinq Plaies du Christ
Les fontaines installées à différentes étapes de la longue ascension symbolisent l'eau de la vie et la purification du corps et de l'esprit. Dans la fontaine au pied de l'escalier des Cinq Sens, de l'eau coule des cinq besants de l'écusson du Portugal, qui symbolisent les plaies du Christ.

MODE D'EMPLOI

Carte routière C1. 5 km à l'E. de Braga. *053-67 66 36.* *funiculaire pour le sommet.* *t.l.j.* *t.l.j. sauf sam.*

À NE PAS MANQUER

★ **Escadaria**

★ **Funiculaire**

Guimarães ⓬

La ville, entourée de collines, est considérée comme le berceau de la nation portugaise. Lorsque Dom Afonso Henriques se proclama roi du pays, en 1139 *(p. 42-43)*, il choisit Guimarães pour capitale. La silhouette de son château figure sur l'écusson du Portugal. Les ruelles étroites du quartier médiéval bien préservé, au centre, se prêtent parfaitement à une visite à pied. La rua de Santa Maria, une rue pavée bordée de maisons anciennes ornées de magnifiques statues, part de la place principale, le largo da Oliveira, et dépasse le paço dos Duques pour monter jusqu'au château. Pour revivre l'animation qui régnait ici au Moyen Âge, on visitera la ville la première semaine d'août lors des festas Gualterianas, un festival d'art et costumes médiévaux.

Chandelier baroque, paço dos Duques

Castelo de São Miguel

Rua Conde Dom Henrique. *053-41 22 73.* *t.l.j.* *1er janv., 25 avr., 1er mai, 25 déc.*

Le grand donjon carré, entouré de huit tours crénelées, domine la ville. Construit au Xe siècle pour contrer les attaques des Maures et des Normands, il fut agrandi deux siècles plus tard par Henri de Bourgogne. Il s'agirait du lieu de naissance de Dom Afonso Henriques. Les fonts baptismaux où il aurait été baptisé sont préservés dans la minuscule église romane **São Miguel.**

Paço dos Duques

Rua Conde Dom Henrique. *053-41 22 73.* *t.l.j.* *1er janv., 25 avr., 1er mai, 25 déc.*

De style architectural bourguignon, le paço dos Duques, construit au XVe siècle par Dom Afonso (le premier duc de Bragança), rappelle les nombreux voyages que le souverain effectua en Europe. Le palais tomba en désuétude lorsque les Bragança s'installèrent à Vila Viçosa *(p. 298-299)*. Mais en 1933 *(p. 56-57)*, l'édifice fut rénové pour devenir une résidence officielle de Salazar.

Dans le palais, un petit musée rassemble des tapis persans, des tapisseries flamandes et des peintures, comme le magnifique *O coreiro pascal* (Agneau pascal), de Josefa de Óbidos *(p. 51)*. Hommage original aux exploits maritimes du Portugal, le plafond en châtaignier de la salle des banquets imite la coque retournée d'une caravelle.

Les remparts imposants entourant le donjon du castelo de São Miguel

Museu de Alberto Sampaio

Rua Alfredo Guimarães. *053-41 24 65.* *mar.–dim.* *1er janv., Pâques, 1er mai, 25 déc.*

Installé dans le cloître et les salles voisines de Nossa Senhora da Oliveira, ce musée présente des œuvres d'art religieux, des *azulejos* et des céramiques de la région. Les pièces maîtresses du musée sont la tunique que João Ier portait à la bataille d'Aljubarrota, en 1385 *(p. 183)*, et un retable en argent du XIVe siècle, avec un triptyque de la Visitation, de l'Annonciation et de la Nativité, qui aurait été pris au roi d'Espagne. La salle de Santa Clara recèle des sculptures dorées ornant autrefois le couvent Santa Clara, qui abrite aujourd'hui la mairie.

Largo da Oliveira, au cœur de la vieille ville

Nossa Senhora da Oliveira

Largo da Oliveira. *053-41 61 44.* *t.l.j.*

Cet ancien monastère fut fondé par Dom Afonso Henriques, puis l'église fut restaurée par Dom João Ier, pour remercier Notre-Dame de l'Olivier de la victoire d'Aljubarrota *(p. 183)*. La tour manuéline date, quant à elle, de 1515. En face se dresse le padrão do Salado, un sanctuaire gothique du XIVe siècle supportant une croix. Il rappelle la légende qui donna son nom à l'église et à la place. Un olivier fut planté pour alimenter en huile la lampe de l'autel, mais il dépérit. En 1342, une croix fut placée sur l'arbre qui reprit vie. L'arbre actuel, planté pour perpétuer la tradition, ne date que de 1985.

Mode d'emploi

Carte routière C1. 60 000. *avenida Dom João IV.* *alameda Mariano Felgueiras.* *praça de São Tiago (053-51 51 23).* *ven.* *1er week-end en août : Festas Gualterianas.*

Museu Martins Sarmento

Rua Paio Galvão. *053-41 59 69.* *mar.–dim.* *jour fériés.*

Le musée porte le nom de l'archéologue qui mit au jour des sites de l'âge du fer, comme Citânia de Briteiros. Il est installé dans le cloître gothique du couvent São Domingos, du XIVe siècle. Spécialisé dans la préhistoire, le musée abrite des pièces archéologiques, ethnologiques et numismatiques. On y voit deux guerriers lusitaniens en granit, un char à bœufs votif en bronze et les pedras Formosas, deux blocs de pierre sur lesquels sont gravés des personnages. La pièce la plus remarquable est le colosse de Pedralva, un personnage de pierre de 3 m de haut.

São Francisco

Largo de São Francisco. *053-51 79 26.* *mar.–dim.* *jours fériés.*

Bâtie en 1400 en style gothique, l'élégante église São Francisco a été reconstruite au XVIIIe siècle. Son chœur est tapissé de magnifiques *azulejos* du XVIIIe siècle, représentant des scènes de la vie de saint Antoine.

Aux environs : Fondé en 1154, l'ancien monastère **Santa Marinha da Costa** se dresse à 5 km au sud-est de Guimarães. Il abrite une *pousada* *(p. 379)* renommée. Seuls les jardins et la chapelle sont ouverts au public.

Fontaine de pierre Renaissance du monastère Santa Marinha da Costa

Huttes reconstruites sur le site de l'âge du fer de Citânia de Briteiros

Citânia de Briteiros 13

Carte routière C1. 15 km au N. de Guimarães, en partant de la N 101. *053-41 59 69.* *de Guimarães et Braga.* *mai–sept. : 9 h–19 h 30 t.l.j. ; oct.–avr. : 9 h–18 h t.l.j.*

Le peuplement de l'âge du fer de Citânia de Briteiros est un site archéologique majeur. Les vestiges de 150 maisons de pierre ont été mises au jour par Martins Sarmento au XIXe siècle. Seules quelques-unes ont été restaurées.

Le site fut habité par des Celtibères entre le IVe siècle av. J.-C. et le IVe siècle apr. J.-C., mais il fut probablement sous domination romaine à compter de 20 av. J.-C. Un réseau de chemins permet de découvrir, entre autres, les citernes souterraines, les rues pavées, les égouts. Le Museu Martins Sarmento de Guimarães présente plusieurs objets provenant de ce site.

Cabeceiras de Basto 14

Carte routière D1. 17 000. *paços do Concelho, Praça da República (053-66 22 16).* *lun.*

Les Terras de Basto, qui furent un refuge durant l'invasion maure, s'étendent à l'est de Guimarães. Des *bastos,* qui représenteraient des guerriers celtes, ont été trouvés en différentes lieux, où ils servaient à délimiter des territoires. La principale attraction de la ville est le **mosteiro de Refojos.** Cette construction baroque, couronnée d'un dôme de 33 m, est entourée de statues des apôtres et surmontée d'une statue de l'archange Michel. La ville possède aussi le plus beau *basto,* affublé d'une tête française installée par des soldats en guise de plaisanterie, pendant la guerre napoléonienne.

Le basto de Cabeceiras de Basto

Aux environs : La région, qui se couvre de fleurs au printemps, est appréciée des randonneurs. Bien d'autres villages sont intéressants à visiter. **Mondim de Basto,** qui domine la Tâmega à 25 km au sud de Cabeceiras, est une bonne base pour faire l'ascension du **mont Farinha** (966 m), le point culminant de la région. La montée au sommet de l'église Nossa Senhora da Graça vaut la peine, pour le panorama des alentours.

Au-delà de la Tâmega, **Celorico de Basto** a un petit château et plusieurs manoirs privés installés aux environs. Mais certains, comme la **casa do Campo** *(p. 393),* font partie du réseau du Turismo de Habitação *(p. 376)* et proposent un hébergement.

Le Sud du Portugal

Le Sud du Portugal d'un coup d'œil

Au sud du Tage, les champs de blé et les plaines desséchées de l'Alentejo s'étendent à perte de vue. La région possède un riche héritage, remontant jusqu'à la préhistoire. Toutefois, les visiteurs d'Elvas, de Beja ou d'Évora, classée patrimoine de l'Humanité, ne seront pas gênés par l'afflux des touristes — jusqu'à la côte sud. En effet, beaucoup de vacanciers ne connaissent du Portugal que les stations balnéaires de l'Algarve. Toutefois, les centres-villes historiques, comme celui de Faro, et l'arrière-pays plus paisible méritent aussi d'être découverts.

Évora, *ville universitaire, possède des monuments remontant jusqu'aux Romains. Les arcades blanches et les magnifiques balcons de fer forgé rappellent que pendant plus de 450 ans, jusqu'en 1165, Évora fut habitée par les Maures* (p. 302-305).

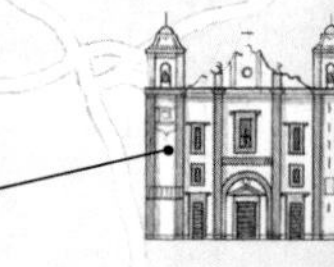

Beja *prospéra sous les Maures. Son musée est installé dans un ancien couvent décoré d'azulejos, comme ceux de la salle capitulaire* (p. 311).

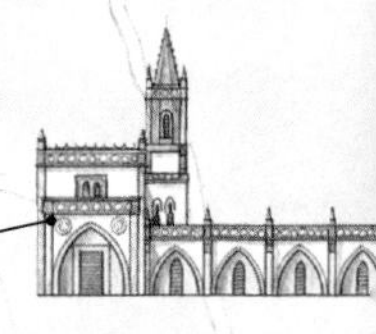

Baixo Alentejo

Lagos, *la principale ville de l'ouest de l'Algarve, compte de jolies plages, comme Praia de Dona Ana, qui attirent quantité de vacanciers* (p. 320-321).

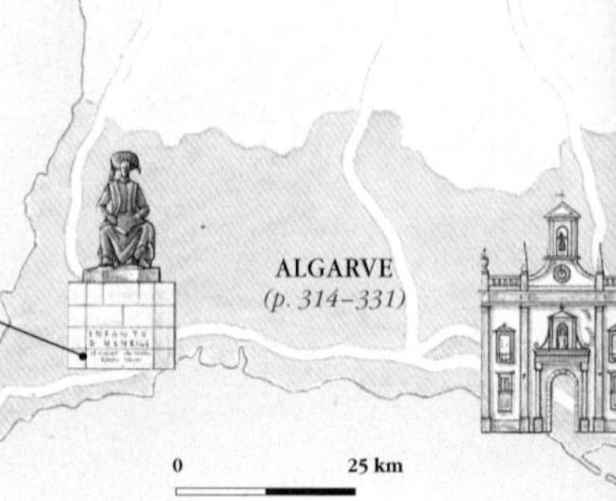

◁ **La plage de sable et les eaux calmes de la station balnéaire d'Albufeira**

***Marvão,** proche de l'Espagne, est haut perché sur la Serra de São Mamede, telle une forteresse miniature. Les murailles de granit, qui entourent la bourgade, se confondent avec la pierre. Elles ont protégé Marvão au cours de siècles de conflits* (p. 294).

Alto Alentejo

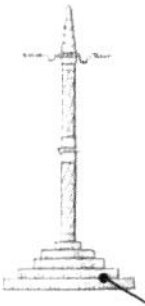

***Elvas** a des fortifications parfaitement préservées* (p. 297). *Au centre de la vieille ville, cernée de murailles, la praça da República, pavée de mosaïques, est dominée par l'ancienne cathédrale.*

ALENTEJO
(p. 290–313)

***Vila Viçosa** devint le siège des ducs de Bragança au XVe siècle. Ils y bâtirent leur vaste paço Ducal* (p. 298-299), *devant lequel trône une statue équestre en bronze du 8e duc, qui devint en 1640 le roi João IV.*

***Faro,** avec son aéroport international, est la porte de l'Algarve. La ville est pourtant boudée par bien des visiteurs, malgré le charme de son centre historique, situé près du port. Au printemps, le parfum des fleurs des orangers* (p. 326-328) *embaume la ville.*

Les plages de l'Algarve

Bain de soleil sur la plage

Tournée vers l'Afrique du Nord au sud et exposée à l'Atlantique à l'ouest, la côte est très variée. Le Barlavento (côté du vent) comprend les côtes ouest et sud, presque jusqu'à Faro. Autour du promontoire de Sagres, les plages sont bordées de hautes falaises. Sur la côte ouest, nombre de plages sont peu fréquentées, car la mer est plus froide et plus agitée que sur la côte sud, avec des courants dangereux. Entre Sagres et Lagos s'égrène un chapelet de belles criques, ponctuées de grottes et dominées par des stations balnéaires bondées. À l'est de Faro, le Sotavento (côté sous le vent) a de longues plages de sable baignées d'eaux calmes et chaudes.

Arrifana ①

La jolie plage incurvée d'Arrifana, blottie au pied de falaises élevées, est l'une des plus belles de la côte ouest. La route qui la dessert offre une vue magnifique *(p. 318)*.

Castelejo ②

Cette longue plage de sable fin, isolée et calme, n'est desservie que par une piste, à emprunter à deux-roues, en voiture ou en jeep *(p. 319)*.

Beliche ③

Installée au « bout du monde », Beliche est abritée par le cabo de São Vicente. La plage de sable est bordée de grottes et de formations rocheuses fascinantes *(p. 320)*.

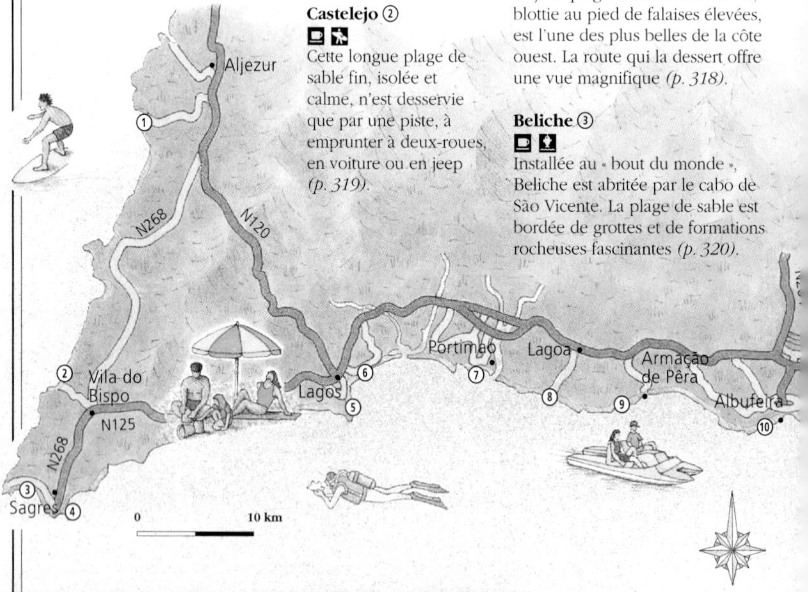

LÉGENDE

Autoroute

Route principale

Route secondaire

Légende des symboles, voir 2e rabat.

Martinhal ④

Cette étendue de sable abritée, à l'est de Sagres, est appréciée pour les sports aquatiques. La plage propose du parachute ascensionnel, du ski nautique et de la planche à voile *(p. 320)*.

Dona Ana ⑤

Cette petite crique sur la route de Ponta da Piedade est l'une des plus jolies plages de l'Algarve, mais elle est bondée en été. À ne pas manquer : la visite en bateau des cavernes et des grottes *(p. 321)*.

Ilha de Tavira ⑪

En été, des bateaux partent de Quatro Águas pour Ilha de Tavira. Les eaux tournées vers la côte sont calmes, tandis que les plages du côté de l'océan sont appréciées des véliplanchistes et des nageurs *(p. 330)*.

Meia Praia ⑥

Cette étendue de sable abritée de 4 km est l'une des plus longues plages de l'Algarve. Facilement accessible par la route, elle est aussi desservie, en été, par bateau depuis Lagos *(p. 321)*.

Carvoeiro ⑧

Ce village de pêcheurs a une crique minuscule. Une promenade le long des falaises ou un trajet en bateau vous amène à de magnifiques plages de sable qui invitent à la baignade et à la plongée avec tuba.

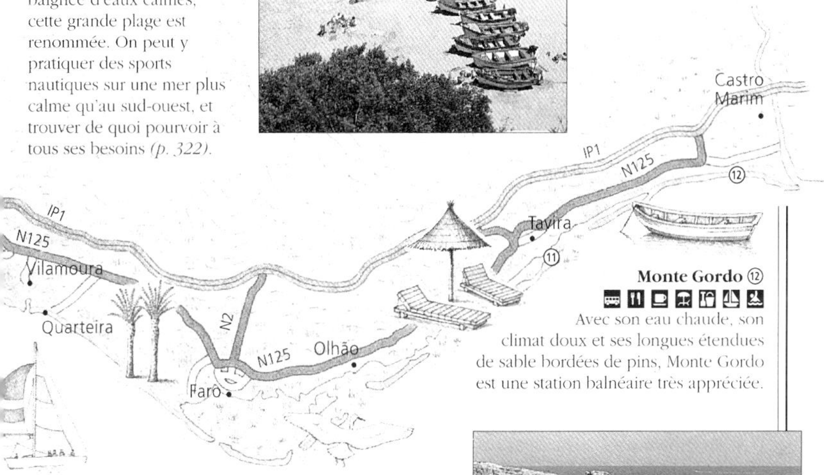

Praia da Rocha ⑦

Bordée de falaises et baignée d'eaux calmes, cette grande plage est renommée. On peut y pratiquer des sports nautiques sur une mer plus calme qu'au sud-ouest, et trouver de quoi pourvoir à tous ses besoins *(p. 322)*.

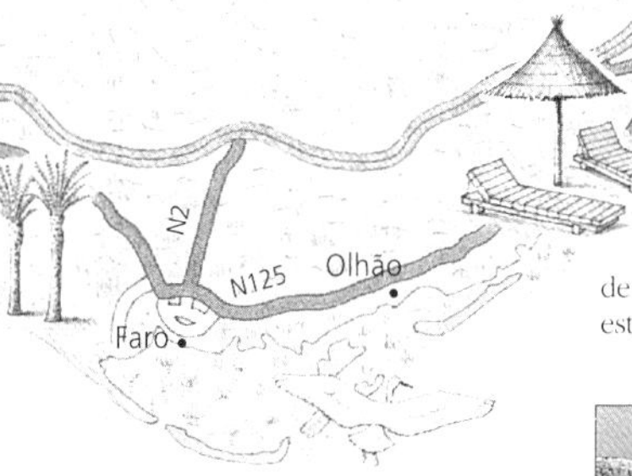

Monte Gordo ⑫

Avec son eau chaude, son climat doux et ses longues étendues de sable bordées de pins, Monte Gordo est une station balnéaire très appréciée.

Senhora da Rocha ⑨

Senhora da Rocha, qui doit son nom à la chapelle de son promontoire oriental, compte trois petites plages protégées, blotties au pied des falaises. Comme nombre de plages de la région, elles sont desservies par des marches abruptes.

São Rafael ⑩

Cette petite plage, appréciée pour son sable fin et son eau peu profonde, offre de multiples cavernes et formations rocheuses. Si vous n'êtes pas en voiture, un chemin descend depuis l'arrêt de bus sur la route principale *(p. 323)*.

Cuisine : le Sud du Portugal

Poivrons

Tous les fruits de mer sont succulents, mais le thon et les sardines sont exceptionnels. À l'intérieur des terres, le poisson cède la place au chevreau, à l'agneau et au cochon nourri de glands, mitonnés en délicieux ragoûts cuits avec du vin local. Cette cuisine recourt beaucoup à la *cataplana*, un plat qui se scelle, où les aliments cuisent dans leur jus. Toute la région produit quantité d'amandes, d'oranges, de figues et d'olives.

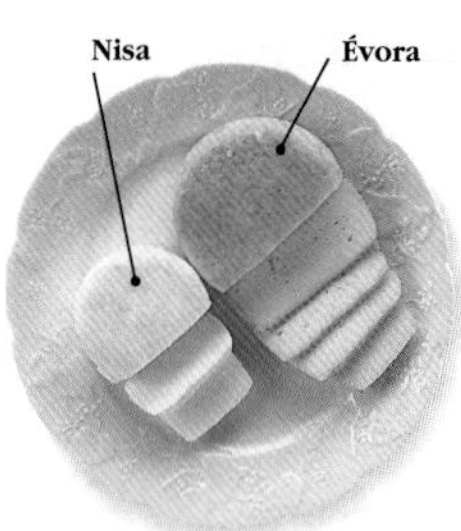

Les fromages de brebis *sont fabriqués dans tout l'Alentejo. Parmi les meilleurs : l'Évora et le Nisa, piquant.*

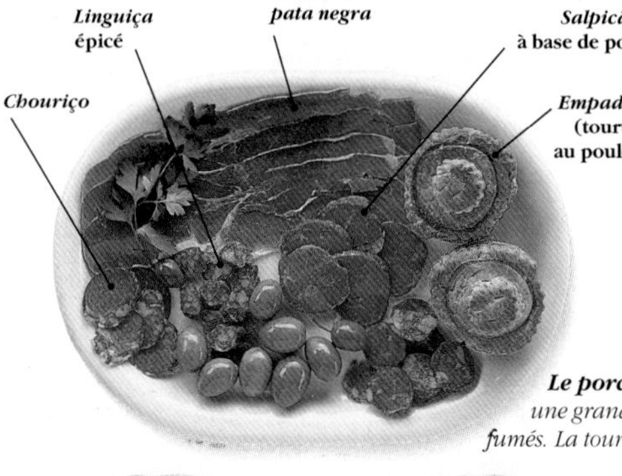

Le pão alentejano, *pain qui accompagne la plupart des repas, entre aussi dans la préparation de certains plats.*

Le porc *est très utilisé dans l'Alentejo, qui produit une grande variété de saucisses et de jambons fumés. La tourte au poulet est une spécialité d'Évora.*

La sopa alentejana, *à l'ail, à la coriandre et à l'huile d'olive, est une soupe à base de pain, avec un œuf poché.*

Le gaspacho, *toujours servi froid, est une soupe de tomates à l'ail, au concombre, au poivron et à l'huile d'olive.*

La salada mista *est composée de salade, de tomates et d'oignons assaisonnés à l'huile et au vinaigre.*

L'atum de cebolada, *un plat de l'Algarve, est un steak de thon frais, cuit sur un lit d'oignons avec une sauce tomate.*

Les sardinhas assadas, *sardines grillées, sont une véritable institution en bord de mer ; en été, ce plat est un régal.*

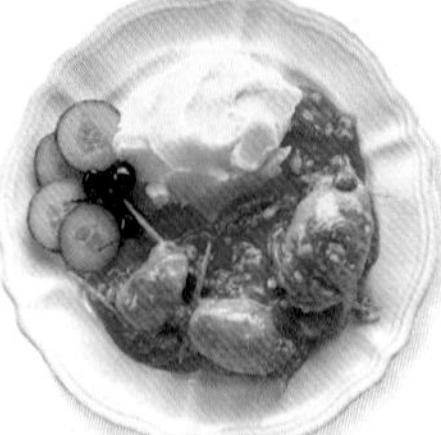

Les lulas cheias *sont des calmars farcis de charcuteries et de riz, puis cuits avec de l'oignon et de la tomate.*

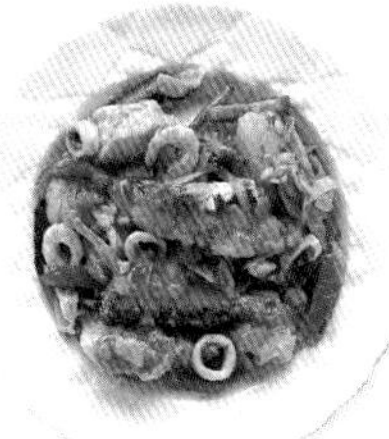

La caldeirada *est un ragoût à base de différents poissons et de pommes de terre, très apprécié dans le Sud.*

Le porco à alentejana, *qui marie le porc aux palourdes, est souvent cuit dans une* cataplana, *qui conserve les saveurs.*

Le borrego ensopado, *très répandu dans l'Alentejo, est un ragoût d'agneau servi sur du pain, pour absorber le jus.*

Le coelho em vinho *est un plat régional à base de lapin, où la viande est cuite dans du vin, très apprécié dans tout le Portugal..*

Le cabrito assado *est du chevreau rôti au paprika, à l'ail, au vin et à la graisse de porc qui garde la viande juteuse.*

L'huile d'olive *est présente dans la plupart des plats.*

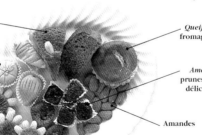

Bolo podre **(« gâteau pourri »), gâteau au miel sombre et épicé**

Queijada, **gâteau au fromage de l'Alentejo**

Doces de amêndoa, **pâte d'amandes**

Ameixas de Elvas, **prunes d'Elvas, ou de délicieux pruneaux**

Figos cheios, **figues fourrées aux amandes**

Amandes

Figues séchées

Les douceurs *du Sud reflètent la richesse de la récolte de figues et d'amandes de l'Algarve.*

Les fruits

Le climat convient à la culture des fruits, surtout du raisin et des agrumes. L'Algarve produit les meilleurs figues, oranges et fraises du pays.

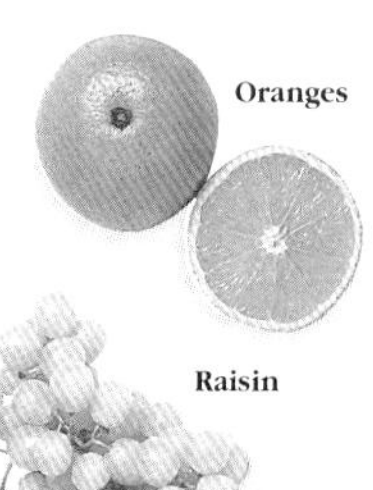

Les liqueurs

Les meilleurs vins du Sud proviennent de l'Alentejo *(p. 28-29)*, et l'Algarve donne deux liqueurs locales : l'*amarguinha* aux amandes amères, délicieuse sur de la glace, et la *medronheira*, faite avec le fruit de l'arbousier.

Amarguinha, **un alcool d'amandes**

Medronheira, **liqueur sucrée au miel**

L'Alentejo

Installé entre le Tage et l'Algarve, l'Alentejo couvre quasiment un tiers du Portugal. Cette région écrasée par le soleil offre aux visiteurs ses vastes plaines vallonnées tapissées de blé doré et d'oliviers argentés, ses villages blancs, ses mégalithes et ses châteaux, sans oublier ses grands espaces et sa tranquillité.

Des cercles de pierres, des dolmens et d'autres vestiges de l'âge de pierre émaillent les plaines de l'Alentejo, surtout autour d'Évora, joyau historique au centre du pays.

À l'instar de Beja, Vidigueira et d'autres villes, Évora a été fondée par les Romains, qui appréciaient cette terre au-delà du Tage (*além Tejo*) pour ses champs de blé. Pour combattre l'aridité du sol, ils introduisirent des systèmes d'irrigation ingénieux. D'immenses propriétés agricoles, où étaient cultivées des céréales pour l'Empire romain, furent créées. Ces propriétés, ou *latifúndios,* existent toujours, et certaines sont aujourd'hui gérées comme des coopératives.

Outre les céréales, les vastes plaines fournissent du liège et des olives — Elvas est connu pour ses olives et ses prunes *(p. 289)*. Les vignobles des environs de Reguengos et de Vidigueira donnent des vins puissants, et l'Alentejo possède plusieurs régions viticoles délimitées *(p. 28-29)*. Depuis son entrée dans la Communauté européenne, en 1986, le Portugal s'est modernisé et a effectué d'importants investissements, mais la région est toujours faiblement peuplée, avec dix pour cent seulement de la population. La propriété des terres a toujours constitué un problème dans la région, et le communisme y compte de nombreux partisans — les Alentejans furent de fervents défenseurs de la révolution de 1974 *(p. 57)*.

Nombre de villes et de villages portent les traces de la longue présence maure, qui transparaît à travers les maisons blanches cubiques. Au nord et à l'est, les plaines cèdent la place aux paysages rocheux, parsemés de villages fortifiés et de terres où paissent les moutons.

Maison alentejane d'Odemira, avec les décors bleus traditionnels typiques de la région

Chênes-lièges et oliviers entrecoupant les champs de blé des plaines de l'Alentejo

À la découverte de l'Alentejo

Installée au cœur de l'Alentejo, la ville d'Évora, avec son centre historique exceptionnel, est un point de départ idéal pour explorer cette belle région. Au nord-est se trouvent les villes blanches d'Estremoz et Vila Viçosa, où le marbre local a donné de fabuleuses façades, et Alter do Chão, la patrie du cheval royal portugais, l'Alter Real. Plus près de la frontière espagnole, objet de nombreux conflits, les villes et les villages sont toujours protégés par d'imposantes fortifications. À mesure qu'on progresse vers le sud, l'héritage maure est de plus en plus manifeste, et devient omniprésent à Beja et Mértola.

La côte ouest possède des plages agréables, avec de longues étendues, en partie préservées du tourisme.

Le cromlech d'Almendres, site préhistorique dans les environs d'Évora

La région d'un coup d'œil

- Alandroal 10
- Alter do Chão 6
- Arraiolos 14
- Beja 23
- Campo Maior 7
- Castelo de Vide 4
- Crato 5
- Elvas 8
- Estremoz 12
- *Évora p. 302–305* 16
- Évoramonte 13
- Marvão 2
- Mértola 28
- Monsaraz 18
- Montemor-o-Novo 15
- Moura 21
- Portalegre 3
- Redondo 11
- Santiago do Cacém 24
- Serpa 22
- Serra de São Mamede 1
- Sines 25
- Viana do Alentejo 19
- Vidigueira 20
- Vila Nova de Milfontes 26
- *Vila Viçosa p. 298–299* 9
- Zambujeira do Mar 27

Excursions

- Région des mégalithes 17

Fáti
MONTARGIL
Ribeira da Raia
N114
N2
VENDAS NOVAS
N4
15
IP7
MONTEMOR-O-NOVO
Lisboa
Lisboa

25 SINES
ALVALADE
ALJUSTRE
N120-1
PORTO CORVO

CASTRO VE
OURIQUE
ZAMBUJEIRA DO MAR
ODEMIRA
N120
Mira
27
SANTA CLARA-A-VE
Barragem de Santa Clara
IP2
Lagos

Les fermes et les vergers de la région fertile du nord de l'Alentejo, vus d'Estremoz

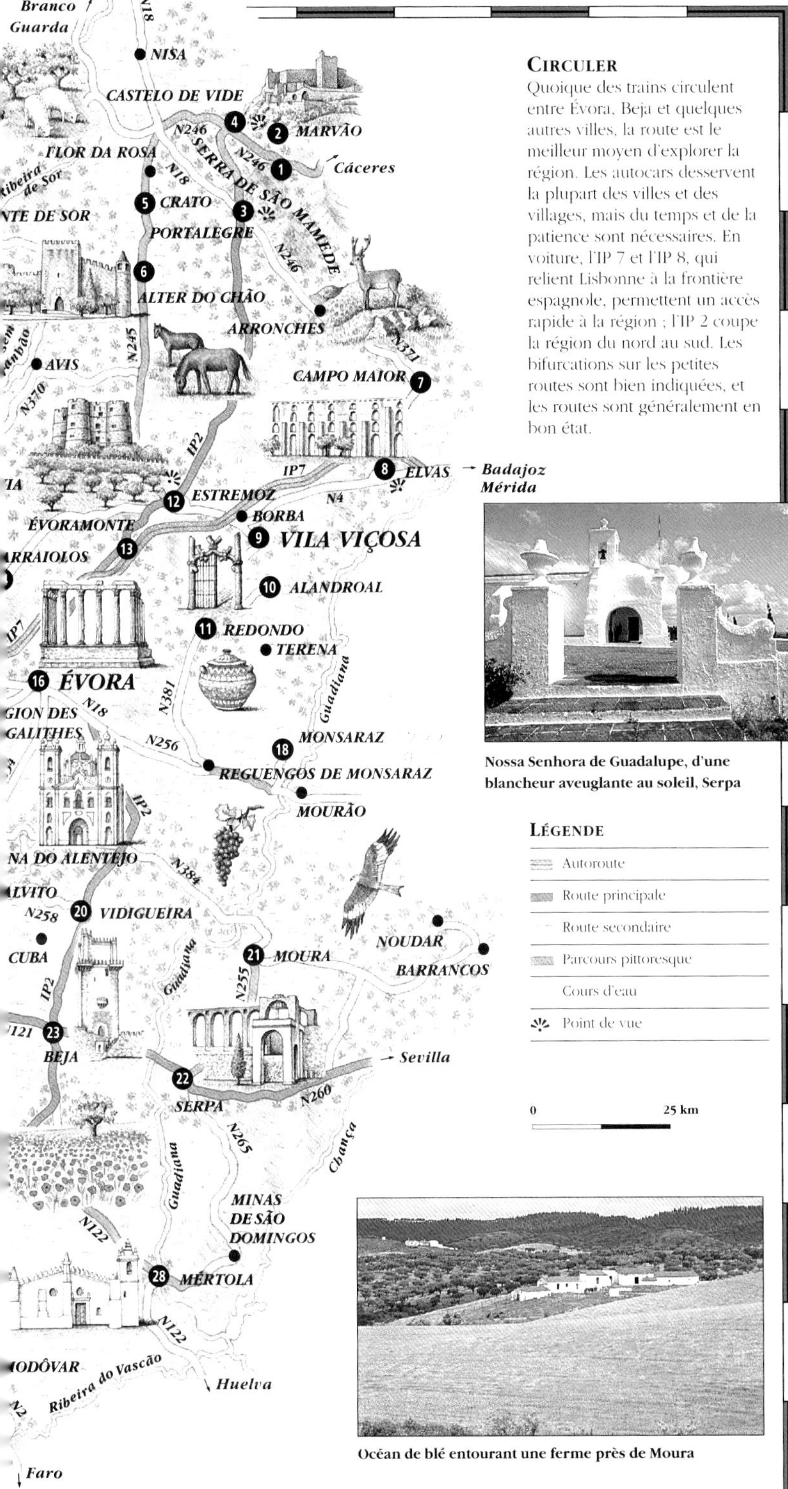

Circuler

Quoique des trains circulent entre Évora, Beja et quelques autres villes, la route est le meilleur moyen d'explorer la région. Les autocars desservent la plupart des villes et des villages, mais du temps et de la patience sont nécessaires. En voiture, l'IP 7 et l'IP 8, qui relient Lisbonne à la frontière espagnole, permettent un accès rapide à la région ; l'IP 2 coupe la région du nord au sud. Les bifurcations sur les petites routes sont bien indiquées, et les routes sont généralement en bon état.

Nossa Senhora de Guadalupe, d'une blancheur aveuglante au soleil, Serpa

Légende

- Autoroute
- Route principale
- Route secondaire
- Parcours pittoresque
- Cours d'eau
- Point de vue

0 25 km

Océan de blé entourant une ferme près de Moura

Serra de São Mamede ❶

Carte routière D4. *pour Portalegre.* *Portalegre.*

La diversité géologique et le climat de ces montagnes isolées, serrées entre l'Atlantique et la Méditerranée, expliquent la richesse de la faune et de la flore. En 1989, 320 km² ont été classés *parque natural*. Des vautours fauves et des aigles de Bonelli y vivent, ainsi que des cerfs et des sangliers. Les cours d'eau sont peuplés de loutres et de batraciens. La réserve abrite aussi l'une des plus grandes populations de chauve-souris d'Europe.

Le vide apparent de la Serra est trompeur ; la présence de nombreux mégalithes indique que l'endroit était habité à la préhistoire, comme en témoignent les peintures rupestres que l'on voit au sud de la réserve, dans la Serra de Cavaleiros et la Serra de Louções. Marvão domine la ville romaine d'Amaia (São Salvador de Aramenha), et des routes romaines desservent toujours les jolis villages blancs, offrant des vues magnifiques.

De Portalegre, la route grimpe sur 15 km pour atteindre le Pico de São Mamede (1 025 m). Une petite route conduit au sud à Alegrete, un village fortifié couronné d'un château du XIVe siècle en ruine.

Moutons dans les pâturages de la Serra de São Mamede

Marvão ❷

Carte routière D4. *270.* *rua Dr Matos Magalhães (045-931 04).* *jeu.*

Ce paisible hameau médiéval jouit d'un site spectaculaire, perché à 862 m face à l'Espagne. Ses murailles du XIIIe siècle et ses contreforts du XVIIe siècle en font une forteresse inexpugnable. Aux Romains, qui baptisèrent l'affleurement Herminius Minor, succédèrent les Maures — le nom actuel vient sans doute de Marvan, le chef maure évincé à grand-peine en 1166.

Les murailles entourent des maisons blanchies à la chaux, une *pousada* *(p. 395)* et l'**igreja Matriz** du XVe siècle. La rua do Espírito Santo passe devant l'ancienne maison du gouverneur (qui abrite aujourd'hui une banque), avec son balcon en fer forgé du XVIIe siècle, et une fontaine baroque, avant de rejoindre le **château.**

Construit par le roi Dinis vers 1299, il domine le village. Ses murailles, qui renferment deux citernes et un donjon, offrent une magnifique vue sur la Serra de São Mamede au sud et à l'ouest, et sur la frontière espagnole à l'est.

Dans l'ancienne église Santa Maria est installé le **Museu Municipal,** qui a conservé le maître-autel et qui présente une collection ethnologique, mais aussi des trouvailles archéologiques, allant du paléolithique à l'époque romaine.

Museu Municipal
Largo de Santa Maria. 045-931 04. *t.l.j.* *25 déc.*

Vue sur la plaine depuis le château de Marvão

Portalegre ❸

Carte routière D4. *15 000.* *estrada de Santana 25 (045-284 53).* *mer. et sam. (alimentation) ; 2e mer. du mois (vêtements).*

Cette ville d'origine romaine se dresse à un emplacement stratégique. Fortifiée par le roi Dinis *(p. 44-45)*, elle acquit le statut de cité en 1550.

Au XVIe et au XVIIe siècle, l'industrie du textile, de la tapisserie et de la soie apporta une prospérité qui se reflète dans les belles demeures Renaissance et baroques de la rua 19 de

Junho, la rue principale de la vieille ville. Près du Rossio, la place principale de la ville nouvelle, un ancien monastère jésuite abrite la dernière manufacture de tapisseries. La production du liège est une autre tradition de Portalegre.

La **Sé** se dresse sur les hauteurs. Construite en 1556, elle se dota d'une façade baroque et de pinacles jumeaux au XVIIIe siècle. L'intérieur, de la fin de la Renaissance, recèle des peintures d'artistes portugais anonymes et la sacristie est ornée de panneaux d'*azulejos* bleu et blanc, du début du XVIIe siècle, représentant des scènes de la vie de la Vierge et la fuite de la Sainte Famille en Égypte.

La demeure voisine, du XVIIIe siècle, accueille le petit **Museu Municipal,** dont la collection éclectique réunit art religieux et céramiques portugaises.

La maison du poète et dramaturge José Régio (1901-1969) se trouve près de la praça da República. Elle abrite aujourd'hui le **Museu José Régio** et présente l'art populaire, ainsi que la reconstitution d'une cuisine alentéjane.

Museu Municipal
Rua José Maria da Rosa.
045-33 06 16. mer.–lun. jours fériés.

Museu José Régio
Rua José Régio. 045-236 25.
mar.–dim. jours fériés.

Castelo de Vide 4

Carte routière D4. 3 000.
rua Bartolomeu A. da Santa 81 (045-913 61). ven. (vêtements).

Étalée sur un versant vert de la Serra de São Mamede, cette jolie bourgade thermale, appréciée des Romains, est bien préservée. La ville basse, autour de la praça Dom Pedro V, a conservé son église baroque, **Santa Maria,** sa mairie et son pilori du XVIIIe siècle, ainsi que de jolies demeures. Sur le largo Frederico Laranjo jaillit l'une des sources aux vertus curatives, la **fonte da Vila,** une fontaine de pierre sculptée coiffée d'un baldaquin à piliers. Plus haut s'étend la **Judiaria,** quartier dédaléen. On y trouve une **synagogue** du XIIIe siècle et de belles portes gothiques. La plus vieille chapelle de la ville, **Salvador do Mundo,** sur l'estrada de Circunvalação, date du XIIIe siècle. Elle abrite une très belle *Fuite en Égypte* du XVIIIe siècle.

Crucifix, Museu José Régio, Portalegre

Dans la ville haute, la petite **Nossa Senhora da Alegria** recèle une profusion d'*azulejos* polychromes aux motifs floraux, du XVIIe siècle. Elle s'élève à l'intérieur des murs du **château,** auquel la ville doit son nom. Ce dernier fut reconstruit en 1310 par le roi Dinis, qui y négocia son mariage avec Isabelle d'Aragon, puis gravement endommagé par une explosion, en 1705.

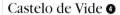

Le monastère crénelé de Flor da Rosa près de Crato, qui abrite une *pousada*

Toits de tuiles, Castelo de Vide

Crato 5

Carte routière D4. 2 000.
rua 5 de Outubro (045-971 61). 3e jeu. du mois.

Les modestes maisons coiffées d'immenses cheminées de Crato ne laissent pas deviner son passé glorieux. Donné par Dom Sancho II aux Hospitaliers, Crato devint le siège de cet ordre puissant en 1350. Dom Manuel Ier et Dom João III y célébrèrent leurs noces, et le neveu de Dom João III en fut le grand prieur.

En 1662, les forces espagnoles mirent à sac et incendièrent la ville, qui ne s'en remit jamais. Le château des Hospitaliers est resté en ruine, et sur la praça do Município, le **varanda do Grão-Prior** du XVe siècle marque l'entrée de ce qui fut la résidence du grand prieur.

La rua de Santa Maria mène à l'**igreja Matriz,** remaniée depuis le XIIIe siècle. Dans le chœur, des *azulejos* illustrent des scènes de pêche, de chasse et de voyages.

AUX ENVIRONS : Au nord de Crato se trouvent le monastère et l'église de **Flor da Rosa.** Construit en 1356 par le grand prieur de Crato, le père de Nuno Álvares Pereira *(p. 183)*, le monastère a été restauré. Aujourd'hui, une *pousada* y est installée *(p. 395)*. Dans la salle à manger, se voit une tapisserie représentant le monastère entouré de pins.

Alter do Chão 6

Carte routière D4. 2 700. *palácio do Álamo, largo Barreto Caldeira (045-61 00 04).* *1er jeu. du mois.*

Les Romains créèrent Elteri (ou Eltori) en 204 av. J.-C., mais sous l'empereur Hadrien ses habitants furent accusés de déloyauté et la localité fut rasée. Elle ne revit le jour qu'au XIIIe siècle.

Le **château** à cinq tours avec son portail gothique, construit en 1359 par Dom Pedro Ier, domine la bourgade. Ses murs imposants contrastent avec la place du marché fleurie, le largo Doze Melhores de Alter, à son pied.

Au nord-ouest du château, plusieurs rues sont bordées de jolies demeures baroques. L'élégant **palácio do Álamo,** du XVIIIe siècle, où est installé l'Office du tourisme, contient une galerie d'art et une bibliothèque.

Château

Largo Barreto Caldeira. *juin–sept. : horaires variables.*

AUX ENVIRONS : Alter est renommé pour la **coudelaria de Alter,** haras fondé en 1748 pour élever des Alter Real. Avec ses écuries blanches et ocre, aux couleurs royales, le domaine s'étend sur 300 hectares.

Le **ponte de Vila Formosa,** à six arches, enjambe la Seda, à 12 km à l'ouest. La voie romaine reliant Lisbonne à Mérida empruntait ce pont.

Coudelaria de Alter

4 km au N.-O. de la ville. *045-623 51.* *mar.–dim.*

La capela dos Ossos, macabre et saisissante, Campo Maior

Campo Maior 7

Carte routière E5. *8 500.* *rua Major Talaya 104 (068-68 89 96).* *2e sam. du mois.*

Selon la légende, la bourgade acquit son nom lorsque trois familles s'établirent sur le *campo maior,* le « champ principal ». Le roi Dinis fortifia la ville en 1310, et la monumentale porta da Vila fut ajoutée en 1646.

En 1732, un éclair mit le feu à une poudrière, détruisant la citadelle et faisant 1 500 victimes. Les morts auraient servi à la construction de la **capela dos Ossos,** recouverte d'ossements humains. Datée de 1766, elle comporte une inscription sur la mort, réalisée à l'aide de clavicules.

Au mois de septembre, pour la festa das Flores, les rues sont décorées de fleurs en papier.

Capela dos Ossos

Largo do Regala. *068-686 168.* *t.l.j. (si fermé, demander au prêtre).*

Elvas 8

Carte routière D5. *15 000.* *praça da República (068-62 22 36).* *un lun. sur deux.*

Cette ville étendue, située à 12 km de l'Espagne, est à l'origine d'une importante circulation transfrontalière. Les fortifications de la vieille ville sont parmi les mieux préservées d'Europe. À l'intérieur des murailles, l'architecture et les noms des rues rappellent que cinq siècles durant la ville fut aux mains des Maures.

Elvas fut libérée de ceux-ci en 1230, mais durant six siècles les attaques des Espagnols alternèrent avec la signature de traités de paix.

Malgré son passé mouvementé, Elvas est aujourd'hui surtout associée, dans l'esprit des Portugais, aux prunes d'Elvas *(p. 289).*

Ces roses égayent une rue d'Elvas

L'Alter Real, le cheval des rois

La plupart des lusitaniens sont gris, mais les Alter Real (« real » signifie royal) sont bais ou alezans. Désireux de créer un cheval portugais de qualité, le roi José (1750-1777) fit importer des juments andalouses, dont on tira le bel Alter Real. La statue de la praça do Comércio, à Lisbonne *(p. 65),* représente Dom José chevauchant Gentil, son Alter préféré. Le haras prospéra jusqu'aux guerres napoléoniennes (1807-1815), où les vols de chevaux et des croisements anarchiques causèrent le déclin du cheval royal. En 1930, il avait presque disparu, mais des années d'efforts ont permis de renouveler la race.

Les fortifications d'Elvas

Une promenade sur les remparts offre une belle vue sur la vieille ville et permet d'admirer la conception judicieuse des fortifications. Reposant sur les principes de Vauban, un ensemble de bastions pentagonaux et de ravelins avancés forme une étoile à plusieurs branches, protégeant les murailles sous tous les angles. Les vestiges datent surtout du XVIIe siècle, où les fortifications tinrent à distance les Espagnols lors de la guerre d'Indépendance *(p. 50-51)*. Elvas servit également de base à Wellington pour assiéger Badajoz, au-delà du Guadiana.

Deux forts satellites préservés révèlent la position stratégique d'Elvas : le **forte de Santa Luzia** (1641-1687), au sud-est, et le **forte de Graça** du XVIIIe siècle, au nord.

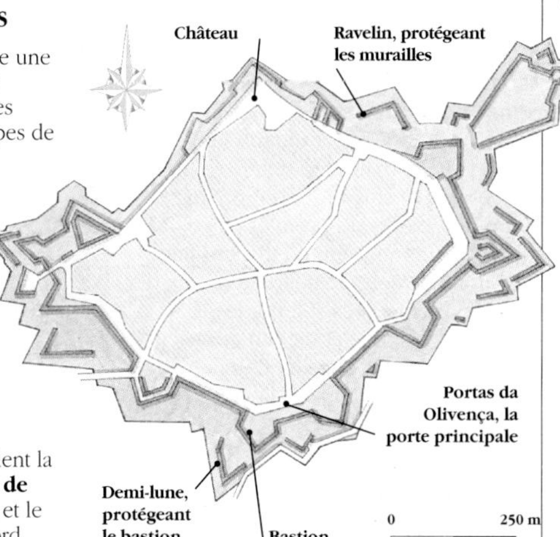

Château

Parada do Castelo. *t.l.j.*

Le château d'origine romano-mauresque, qui domine les rues escarpées, a été reconstruit pour Dom Sancho II, en 1226. Il subit maints remaniements, surtout sous le règne de Dom Dinis, puis, à la fin du XVe siècle, sous celui de Dom João II, dont les armoiries ornées d'un pélican figurent au-dessus de l'entrée. Le grand donjon date de 1488. Jusqu'à la fin du XVIe siècle, le château fut la résidence des maires d'Elvas.

Nossa Senhora da Assunção

Praça da República. *068-62 59 97.* *lun.–ven.* *jours fériés.*

L'église, construite au début du XVIe siècle par Francisco de Arruda, à qui on doit aussi l'aqueduc, fut la cathédrale jusqu'en 1882. Quoique modifiée plusieurs fois, son majestueux portail sud manuélin a été préservé. Les *azulejos* de la nef datent du XVIIe siècle.

Museu Arqueológico et Biblioteca

Largo do Colégio. *068-62 24 02.* *t.l.j. (bibliothèque : lun.–sam.).* *1er janv., Pâques, 25 déc.* *pour le musée.*

Le Musée archéologique, installé depuis 1880 dans l'ancien collège des jésuites, présente une collection allant d'objets préhistoriques à des cruches à eau romaines. La bibliothèque rattachée au musée, desservie par un porche original couvert d'*azulejos,* abrite plus de 50 000 livres, dont quelques ouvrages anciens rares.

Nossa Senhora dos Aflitos

Largo do Pelourinho. *mar.–dim.* *jours fériés.*

La sobriété apparente de cette petite église du XVIe siècle cache bien la richesse de l'intérieur. Son plan octogonal provient d'une église des Templiers antérieure, mais son attrait vient surtout des colonnes de marbre et des magnifiques *azulejos* jaune et bleu ajoutés au XVIIe siècle, qui tapissent les murs et montent jusqu'à la coupole.

Derrière l'église, la porta da Alcáçova est un vestige des fortifications maures. À côté, le pilori du largo de Santa Clara, toujours doté de crochets, est sculpté de motifs manuélins.

Le largo de Santa Clara avec son pilori

Arches du grand aqueduc

Aqueduto da Amoreira

Jusqu'au XVIe siècle, le puits d'Alcalá était la seule source d'eau potable. Lorsqu'il commença à se tarir, les habitants conçurent le projet d'un aqueduc pour transporter l'eau de la source d'Amoreira, à 8 km. Les travaux qui commencèrent en 1498 ne furent achevés qu'en 1622. Les grands contreforts circulaires et les arcs de l'architecte Francisco de Arruda traversent toujours la vallée et approvisionnent en eau la fontaine du largo da Misericórdia. L'aqueduc compte 843 arches au total et par endroits cinq étages. Certaines parties dépassent 30 m.

Vila Viçosa : Paço Ducal

Le luxueux palais de Vila Viçosa, dont la construction fut entamée par Dom Jaime en 1501, fut la résidence favorite des ducs de Bragança. Quand le 8e duc devint roi, en 1640, une grande partie du mobilier le suivit à Lisbonne, mais les appartements du premier étage, de la sala de Cabra-Cega, où avaient lieu les parties de colin-maillard, à la sala de Hércules, sont restés splendides. Les salles du roi Carlos et de son épouse, plus intimes, sont quasiment telles que le souverain les a laissées la veille de son assassinat, en 1908.

Chapelle
Malgré plusieurs modifications, la chapelle a conservé son plafond à caissons et d'autres éléments du XVIe siècle. C'est ici que le 3 décembre 1640, le 8e duc apprit qu'il allait devenir roi.

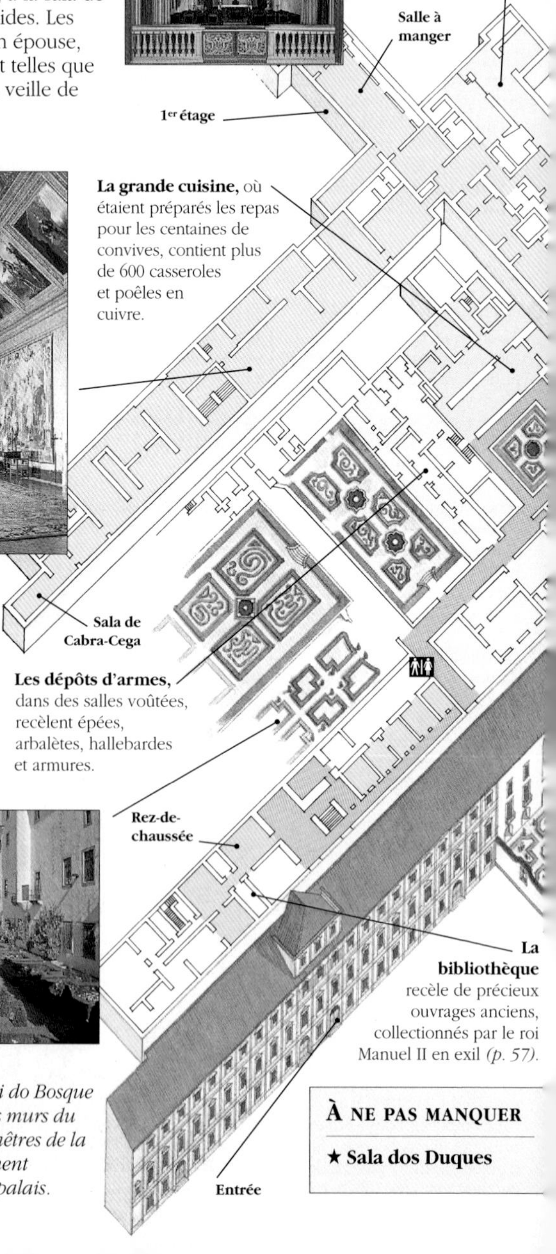

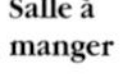

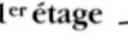

La grande cuisine, où étaient préparés les repas pour les centaines de convives, contient plus de 600 casseroles et poêles en cuivre.

★ Sala dos Duques
Le plafond de la salle des Ducs est orné des portraits de tous les ducs de Bragança, réalisés par l'Italien Domenico Dupra (1689-1770). Sur les murs, des tapisseries de Bruxelles représentent la vie d'Achille.

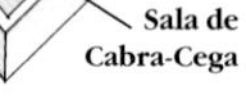

Les dépôts d'armes, dans des salles voûtées, recèlent épées, arbalètes, hallebardes et armures.

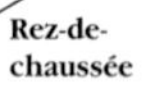

Jardins
Le jardim da Duquesa et celui do Bosque sont en partie entourés par les murs du palais, mais on les voit des fenêtres de la salle à manger. Leur agencement géométrique fait pendant au palais.

La bibliothèque recèle de précieux ouvrages anciens, collectionnés par le roi Manuel II en exil *(p. 57)*.

Entrée

À NE PAS MANQUER

★ Sala dos Duques

Mode d'emploi

Terreiro do Paço. 068-986 59. avr.–sept. : 9 h–13 h et 15 h–17 h 30 mar.–dim. (18 h sam. – dim.) ; oct.–mars : 9 h–13 h et 14 h 30–17 h mar.–dim. (14 h–17 h sam. – dim.) (der. entrée : 1 h av. ferm.). jours fériés. obligatoire.

Légende du plan

- Appartements royaux
- Bibliothèque
- Chapelle
- Dépôts d'armes
- Cuisine
- Trésor
- Circulations et services

Suivez le guide !

La visite guidée, d'environ une heure, passe dans les appartements royaux, la cuisine, les dépôts d'armes, le trésor et la bibliothèque. L'accès au musée des Carrosses, côté nord du palais, s'effectue avec un billet différent. Certaines parties peuvent être fermées pour travaux et certaines salles closes sans préavis.

Vila Viçosa ❾

Carte routière D5. 10 000. praça da República (068-88 11 01). mer.

Après l'expulsion des Maures, en 1226, cette ville installée sur une colline fut baptisée Val Viçosa — « vallée fertile ». Au XVe siècle, elle devint la résidence de campagne des ducs de Bragança. Lorsque le 8e duc devint roi, Vila Viçosa fut agrandie pour recevoir les nobles et les ministres. Les maisons imposantes en marbre blanc témoignent de ce passé royal.

La ville fourmille de souvenirs des Bragança. La façade du **paço Ducal,** de plus de 110 m, domine la face ouest du terreiro do Paço. Les visiteurs du palais franchissent la **porta do Nó,** un portail en marbre et en schiste formant des nœuds, le symbole des Bragança.

Sur la place, la statue équestre de Dom João IV est tournée vers l'**igreja dos Agostinhos** (fermée au public). Fondée en 1267 et reconstruite au XVIIe siècle, elle devait être la dernière demeure des ducs, mais la plupart des monarques de la maison de Bragança, malgré leur attachement à Vila Viçosa, reposent à Lisbonne, à São Vicente de Fora *(p. 72)*.

Vue du château de Vila Viçosa, en direction du paço Ducal

Sur le côté sud de la place, le **convento das Chagas** abrite les tombeaux des épouses des Bragança. Fondé en 1530 par la deuxième femme du 4e duc, le couvent a été transformé en *pousada.*

Longeant le paço Ducal, un mur de 18 km entoure la **tapada real,** ou chasse royale. Le terreiro do Paço est dominé par le **château,** bâti par le roi Dinis, qui fut la résidence des Bragança jusqu'en 1461.

Non loin, l'église **Nossa Senhora da Conceição,** du XIVe siècle, abrite une Vierge gothique, qui viendrait d'Angleterre. Durant les *cortes* de 1646, Dom João IV la couronna pour en faire la sainte patronne du royaume, après quoi plus aucun monarque ne porta de couronne.

Château

Avenida Duques de Bragança. 068-981 28. mar.–dim. jours fériés.

La porta do Nó ornée de nœuds sculptés, symbole des Bragança

La maison royale de Bragança

Catherine, née à Vila Viçosa en 1638

Afonso, fils bâtard de Dom João Ier, fut fait en 1442 duc de Bragança, premier membre d'une dynastie influente. Dom Fernando, le 3e du nom, fut exécuté en 1483 par son cousin, Dom João II. Dom Jaime, le 4e, enferma son épouse dans le château de Bragança *(p. 258)* avant de la tuer à Vila Viçosa. C'est lui qui commença la construction du palais de Vila Viçosa. C'est à contrecœur que le 8e duc monta sur le trône *(p. 50)*.

Les Bragança régnèrent sur le Portugal pendant 270 ans, accumulant les richesses et forgeant des alliances (Catherine, fille de Dom João IV, épousa Charles II d'Angleterre), mais la consanguinité affaiblit la lignée royale *(p. 165)*. Le dernier monarque, Dom Manuel II, partit en exil en 1910, deux ans après l'assassinat de son père et de son frère par des Républicains. Le duc actuel se consacre paisiblement à l'agriculture, près de Viseu.

Alandroal, entouré de chênes-lièges

Alandroal ⑩

Carte routière D5. *2 100.* *rua de Olivença (068-441 50).* *mer.*

La petite bourgade, blottie autour des ruines du château, a été construite par les chevaliers d'Avis, qui s'y installèrent en 1220. Une plaque indique que le **château,** dont les vestiges sont maigres, fut achevé en 1298. L'**igreja Matriz,** entre les murs, date du XVIe siècle.

L'église **Misericórdia,** près des murailles, contient de magnifiques *azulejos* qui seraient dus à Policarpo de Oliveira Bernardes (1695-1778).

Aux environs : Terena, à 10 km au sud, est connue par ses terres cuites. Quant au sanctuaire de **Nossa Senhora de Boa Nova,** du XIVe siècle, il recèle des fresques de 1706, représentant des saints et des rois portugais. Pour y accéder, adressez-vous à la maison en face de l'église.

Le marbre, or blanc de l'Alentejo

Le Portugal est le 2e exportateur de marbre du monde, et même l'Italie, le principal producteur, lui en achète. Environ 90 % du marbre, soit plus de 500 000 tonnes par an, provient des carrières des environs d'Estremoz. Le marbre d'Estremoz et de Borba, non loin, est blanc ou rose, tandis que celui de Viana do Alentejo est vert. Cette roche est utilisée depuis l'époque romaine. Dans des villes comme Évora *(p. 302-305)* et Vila Viçosa *(p. 298-299)*, tout, des palais aux modestes pas des portes, resplendit d'« or blanc ».

Carriers travaillant d'énormes blocs de marbre près d'Estremoz

Redondo ⑪

Carte routière D5. *3 600.* *praça da República (066-991 12).* *2e jeu. du mois.*

Cette bourgade médiévale, au centre d'une région viticole *(p. 29)*, est renommée pour ses terres cuites. Des entreprises familiales produisent des cruches à eau de style romain, des cocottes et des jattes *(p. 25)*. Elles sont vendues dans les petites maisons blanches qui montent vers le **château,** fondé par le roi Dinis.

Aux environs : À 10 km au nord s'élève le **convento de São Paulo,** bâti en 1376. Catherine de Bragança y vécut après la mort de son époux, Charles II d'Angleterre. Le bâtiment, qui a conservé ses magnifiques *azulejos* datant du XVIe au XVIIIe siècle, abrite aujourd'hui un hôtel de luxe *(p. 396)*.

Estremoz ⑫

Carte routière D5. *8 000.* *praça da República 26 (068-33 35 41).* *sam.*

Bastion important lors de la guerre de Restauration *(p. 50)*, puis durant la guerre des Deux Frères *(p. 54)*, Estremoz est perché sur une colline.

La ville haute médiévale, blottie entre d'imposants remparts, est dominée par un donjon de marbre du XIIIe siècle, appelé la **torre das Três Coroas,** tour des Trois Couronnes, en hommage aux trois rois — Dom Sancho II, Dom Afonso III et Dom Dinis — sous le règne desquels il fut construit. Le château voisin, bâti pour Dona Isabel, a été restauré et accueille une *pousada (p. 395)*. La reine sainte Isabel *(p. 45)* y mourut d'ailleurs en 1336. À noter, la **capela da Rainha Santa,** qui est tapissée d'*azulejos* illustrant sa vie.

Le marché hebdomadaire, qui se tient sur le Rossio, offre un aperçu vivant de la vie locale. De l'autre côté de la place se trouvent les vestiges du palais du roi Dinis et le **Museu Municipal,** où sont exposés des objets archéologiques, ainsi que des reconstitutions de salles et une collection de *bonecos* — figurines en terre cuite *(p. 25)*.

Museu Municipal
Largo Dom Dinis. *068-33 20 71.* *mar.–dim.* *jours fériés.*

Capela da Rainha Santa
Pousada da Rainha Santa, largo Dom Dinis. *avr.–sept. : mar.–dim.* *jours fériés.*

Évoramonte ⓭

Carte routière D5. *1 000.* *Junta de Freguesia (068-951 51).*

« Cordage » de pierre ornant les murs du château d'Évoramonte

Au-dessus du n° 41 de l'unique rue d'Évoramonte, une plaque rappelle qu'ici, le 26 mai 1834, Dom Miguel céda le trône, mettant fin au conflit l'opposant à son frère aîné *(p. 54)*.

Le superbe **château,** dont les murs sont enserrés dans des « cordages » de pierre, a remplacé un bâtiment plus ancien détruit en 1531. Ses murs du XVIe siècle ont fait l'objet d'une « restauration » à grand renfort de béton, fort controversée.

Château
mer.–lun. *jours fériés.*

Arraiolos ⓮

Carte routière D5. *2 400.* *praça Lima e Brito (066-421 05).* *sam. (alimentation), 1er sam. du mois (grand marché).*

La fondation d'Arraiolos vers 300 av. J.-C. serait due aux Celtes ou peut-être à des tribus locales. Le **château,** du XIVe siècle, semble écrasé par les imposantes murailles de la ville et l'**igreja do Salvador.** Les maisons, basses et blanches, sont ornées d'une décoration bleue pour chasser le diable. Derrière la rue principale, on voit de nombreuses brodeuses de tapis colorés en laine. Ces tapis fameux ornent d'innombrables demeures portugaises. Cet artisanat aurait été introduit par les Maures. Parmi ces tapis, très recherchés, ceux à motifs floraux du XVIIIe siècle sont les plus précieux. Dans un autre registre, la **câmara Municipal** présente une belle collection d'ouvrages d'époques différentes.

Câmara Municipal
Praça Lima e Brito. *066-421 05.* *lun.–ven.* *jours fériés.*

Aux environs : Pavia, à 18 km au nord, possède une minuscule chapelle bâtie dans un dolmen, l'anta de São Dinis. Si elle est fermée, demandez les clefs au café à côté.

Vue d'ensemble de la nef de l'igreja Matriz à Montemor-o-Novo

Montemor-o-Novo ⓯

Carte routière C5. *7 000.* *largo Calouste Gulbenkian (066-823 45).* *2e sam. du mois.*

Montemor a été fortifié par les Romains, puis par les Maures. C'est d'ailleurs le guerrier musulman al-Mansur qui a donné son nom à la rivière voisine, l'Almançor. Reprise aux Maures sous Dom Sancho Ier, la ville reçut sa première charte en 1203. Les ruines du **château** couronnent la colline.

Largo São João de Deus s'élève l'**igreja Matriz** du XVIIe siècle. L'ordre des Hospitaliers de Saint-Jean-de-Dieu, fondé par le saint, naquit des soins qu'il prodiguait aux malades, surtout aux enfants trouvés et aux prisonniers.

Le **Museu de Arqueologia** est installé dans un ancien couvent. Outre des pièces archéologiques, il abrite des outils agricoles, allant de vieilles pompes de ferme aux instruments servant à travailler le liège.

Museu de Arqueologia
Convento de São Domingos, largo Professor Dr Banha de Andrade. *066-802 35.* *mar.–dim.* *1er janv., 25 déc.*

Le château et l'igreja do Salvador dominent Arraiolos

Évora pas à pas ⓰

La ville d'Évora, ceinturée de murailles, se dresse dans la plaine de l'Alentejo. Elle se développa sous les Romains et prospéra durant le Moyen Âge comme foyer d'enseignement et centre artistique. Évora fut une résidence appréciée des monarques, jusqu'à l'annexion du Portugal par l'Espagne en 1580. Son influence diminua encore après la fermeture de l'université jésuite, au XVIIIe siècle. Aujourd'hui, les étudiants emplissent à nouveau les rues, se mêlant aux visiteurs. L'héritage d'Évora a été reconnu officiellement en 1986, lorsqu'elle fut déclarée patrimoine mondial de l'humanité par l'UNESCO.

★ Temple romain
Ce temple, qui aurait été dédié à la déesse Diane, a été construit au IIe ou au IIIe siècle apr. J.-C. Il servit successivement d'arsenal, de théâtre et d'abattoir, avant d'être mis en valeur en 1870.

Rua 5 de Outubro
Ces magasins vendent de l'artisanat, allant de chaises peintes au liège sculpté.

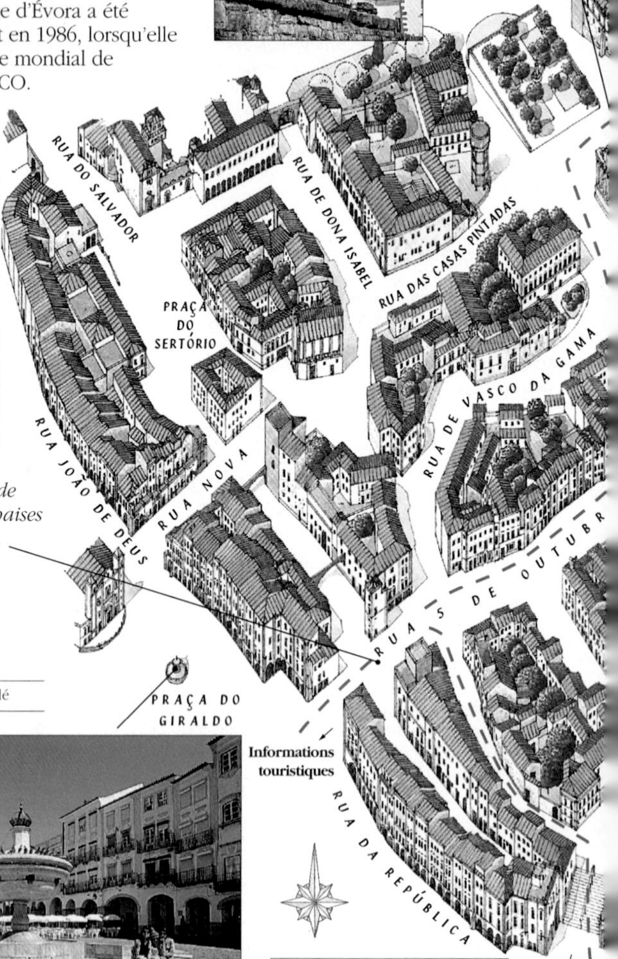

0 50 m

Légende

— — — Itinéraire conseillé

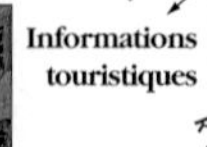

Praça do Giraldo
Sur la place principale, une fontaine (1571) a remplacé une construction en marbre, qui recevait l'eau de l'aqueduc de la ville (p. 305).

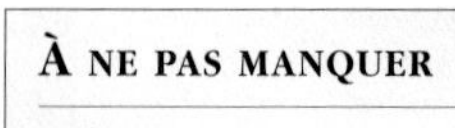

À NE PAS MANQUER

- ★ Sé
- ★ Temple romain
- ★ Museu d'Évora

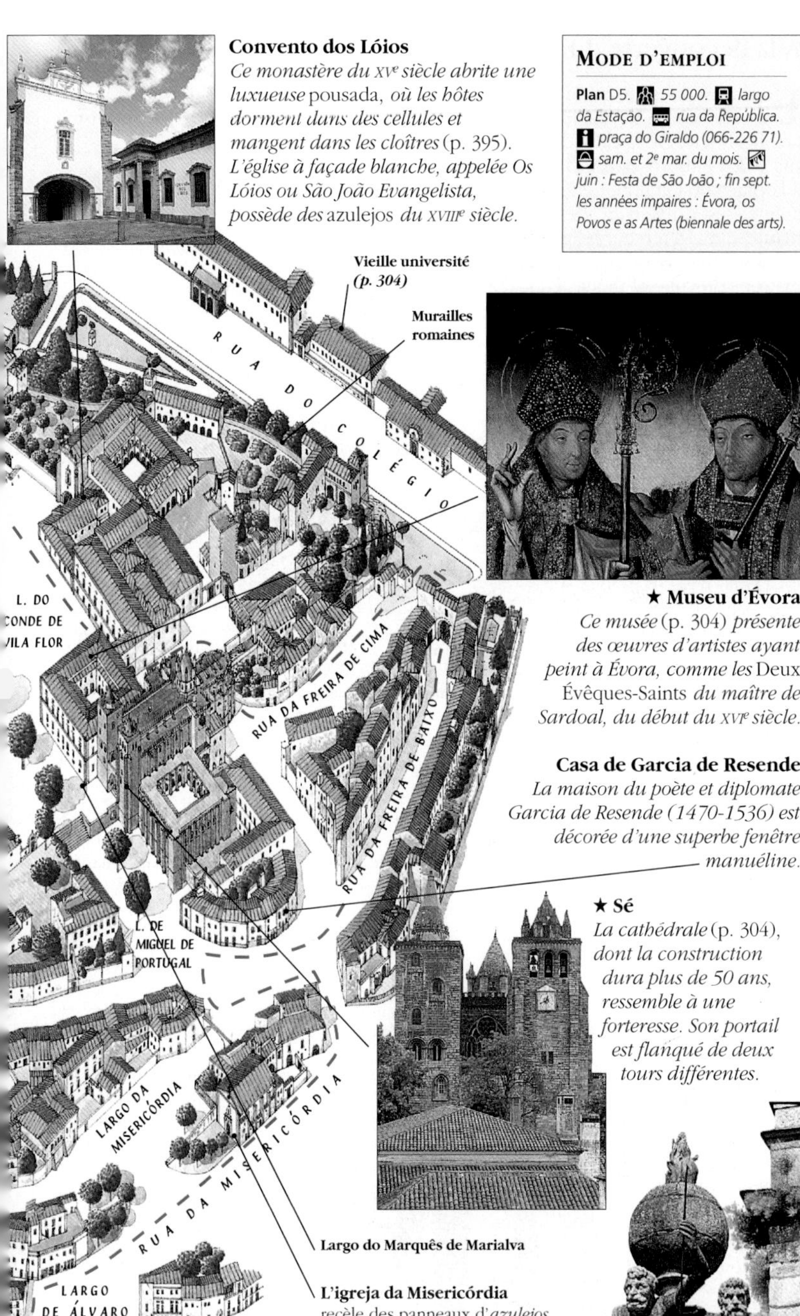

Convento dos Lóios
Ce monastère du XVe *siècle abrite une luxueuse* pousada, *où les hôtes dorment dans des cellules et mangent dans les cloîtres* (p. 395). *L'église à façade blanche, appelée Os Lóios ou São João Evangelista, possède des* azulejos *du* XVIIIe *siècle.*

Mode d'emploi

Plan D5. 55 000. largo da Estaçao. rua da República. praça do Giraldo (066-226 71). sam. et 2e mar. du mois. juin : Festa de São João ; fin sept. les années impaires : Évora, os Povos e as Artes (biennale des arts).

★ Museu d'Évora
Ce musée (p. 304) *présente des œuvres d'artistes ayant peint à Évora, comme les* Deux Évêques-Saints *du maître de Sardoal, du début du* XVIe *siècle.*

Casa de Garcia de Resende
La maison du poète et diplomate Garcia de Resende (1470-1536) est décorée d'une superbe fenêtre manuéline.

★ Sé
La cathédrale (p. 304), *dont la construction dura plus de 50 ans, ressemble à une forteresse. Son portail est flanqué de deux tours différentes.*

L'igreja da Misericórdia
recèle des panneaux d'*azulejos* du début du XVIIIe siècle *(p. 22).*

Nossa Senhora da Graça
Au-dessus de la façade palladienne de l'église du XVIe *siècle, quatre personnages athlétiques, surnommés* Os Meninos, *« les enfants », portent des globes.*

À la découverte d'Évora

Enserrées dans des murailles romaines, médiévales et du XVIIe siècle, les ruelles d'Évora sont une merveille architecturale. De la cathédrale, une promenade dans la rua 5 de Outubro, bordée de boutiques d'artisanat, mène à la praça do Giraldo. Cette place principale, fort animée, est ornée d'arcades qui affichent une influence mauresque. La ferveur religieuse se traduit par le nombre et la diversité de ses églises — plus de vingt maisons du culte et monastères, dont une chapelle d'ossements. Dans un registre plus gai, les restaurants sont excellents, et la promenade est agrémentée par la lecture des noms de rues évocateurs, comme la ruelle de l'homme non rasé ou la rue du tailleur de la comtesse.

***Azulejos* de la vieille université, représentant Aristote instruisant Alexandre**

Sé

Largo do Marquês de Marialva. *066-269 10. t.l.j. (musée mar.–dim.). cloître et musée.*

Santa Maria, dont la construction commença en 1186, fut consacrée en 1204 et achevée en 1250. Le style roman s'y mêle au gothique. Entre les deux tours asymétriques, l'une à tourelles et l'autre couronnée d'un cône bleu, de magnifiques sculptures des apôtres flanquent le portail. Le maître-autel et le chœur en marbre du XVIIIe siècle sont dus à J. F. Ludwig, l'architecte du monastère de Mafra *(p. 52-53)*. Le portail Renaissance du transept nord est de Nicolas Chantereine. Des statues des évangélistes montent la garde à chaque coin des cloîtres.

La pièce la plus étonnante du trésor est une Vierge en ivoire du XIIIe siècle, dont le corps se transforme en triptyque illustrant des scènes sculptées de la vie de la Vierge.

Sculptures des apôtres ornant l'entrée gothique de la Sé

Museu de Évora

Largo do Conde de Vila Flor. *066-226 04. mar.–dim. certains jours fériés.*

Ce palais du XVIe siècle abrite aujourd'hui le Musée régional. Sa collection recouvre aussi bien des colonnes romaines que des sculptures modernes en marbre. Parmi ces pièces, une belle fenêtre mauresque qui ornait l'ancienne mairie et une frise de pierre provenant probablement du temple romain. À l'étage supérieur, on remarquera en particulier la *Vie de la Vierge*, un polyptyque flamand en treize panneaux du XVIe siècle, et des œuvres du Maître de Sardoal, comme les *Deux Évêques-Saints* et une *Nativité*.

Vieille université

Largo dos Colegiais. *066-255 72. lun.–sam. jours fériés.*

Avec la création du Colégio do Espírito Santo jésuite, Évora devint un lieu d'enseignement. Inaugurée en 1559 par le cardinal Henrique, frère de Dom João III, l'université dut fermer ses portes en 1759, lors du bannissement des jésuites par Pombal *(p. 53)*.

L'établissement, aujourd'hui intégré à l'université d'Évora, possède un magnifique cloître et de beaux *azulejos* — dans les salles de classe, ils représentent des scènes d'étude, comme le cours de Platon (1744-1749). La chapelle baroque du XVIIIe siècle, qui abrite aujourd'hui la Sala dos Actos, sert aux cérémonies de remise des diplômes.

Praça do Giraldo

La place principale est bordée, à l'ouest, de gracieuses arcades mauresques. Le nom de Giraldo viendrait, dit-on, de Geraldo Sem-Pavor (sans peur), qui chassa les Maures en 1165 pour le roi Afonso Henriques. La place fut également le théâtre d'événements sanglants ; en 1483, Dom João II y assista à la décapitation de son beau-frère, le duc de Bragança, et, en 1573, des hérétiques y furent brûlés par ordre de l'Inquisition. Aujourd'hui, c'est avant tout un lieu convivial, surtout les jours de marché.

São Francisco

Praça 1° de Maio. *066-245 21. t.l.j. Capela dos Ossos.*

L'élément le plus fascinant de cette église du XVe siècle est la Capela dos Ossos, la chapelle créée au XVIIe siècle contenant les ossements de 5 000 moines. Deux corps, dont celui d'un enfant, sont suspendus à une chaîne, et à l'entrée on peut lire : *Nós ossos que aqui estamos, pelos vossos esperamos* (Nous, les os qui gisons en ce lieu, attendons les vôtres).

Le largo da Porta de Moura, avec son étonnante fontaine Renaissance

Largo da Porta de Moura
L'entrée ouest de la place est gardée par les vestiges d'une porte maure. La casa Soure, surmontée d'un dôme, et les arcades géminées du belvédère de la casa Cordovil, de l'autre côté, révèlent une influence arabe. La fontaine centrale, avec sa sphère futuriste, date étonnamment de 1556. Au sud de la place, le portail du convento do Carmo est orné du nœud qui indique qu'il appartenait autrefois aux Bragança *(p. 299)*.

Jardim Público
t.l.j.
Le jardin public d'Évora est installé sur le site du grandiose palácio de Dom Manuel, construit pour Dom Afonso V (1438-1481) et embelli par les rois successifs. Il accueillit de somptueux banquets et cérémonies, mais tomba en ruine et finit par disparaître en 1895. Il n'en reste que la magnifique galeria das Damas, une reconstruction d'une galerie et d'un pavillon bâtis pour Dom Manuel Ier (1495-1521).

Murailles
Les fortifications forment deux cercles concentriques incomplets. L'anneau romain intérieur, dont il ne reste que des fragments, daterait du Ier siècle apr. J.-C. Les deux tours, des ajouts maures et médiévaux, ont donné son nom au largo da Porta de Moura entourant une porte arabe.

De nouvelles murailles furent construites au XIVe siècle. Achevées sous Dom Fernando Ier, elles comptaient quarante tours et dix portes.

Lorsque Dom João IV accéda au trône en 1640 *(p. 50)*, d'imposantes fortifications furent bâties sur cet anneau extérieur, en prévision des attaques espagnoles. La crainte des attaques était justifiée, et les murs résistèrent à bien des assauts des Espagnols, qui assiégèrent la ville en 1663. Ce sont ces murailles qui sont les plus visibles aujourd'hui.

Arches de l'aqueduc d'Évora du XVIe siècle

Aqueduto da Água de Prata
L'aqueduc d'Évora, au nom évocateur d'« eau d'argent », a été construit entre 1531 et 1537 par le grand architecte Francisco de Arruda. Ce chef-d'œuvre est même décrit dans *Os Lusíadas,* de Luís de Camões *(p. 188)*. À l'origine, il permettait le transport de l'eau jusqu'à la praça do Giraldo. Mais, à l'instar des murailles, il fut endommagé au XVIIe siècle, pendant la Restauration. Toutefois, un tronçon de 9 km a été préservé au nord-ouest. La rua Cândido dos Reis offre une belle vue de l'ouvrage.

Les Romains dans l'Alentejo

Lorsque les Romains occupèrent la Lusitanie *(p. 40-41)*, ils transformèrent l'Alentejo en un vaste champ de blé : le nom de la ville principale lui-même — Ebora Cerealis (Évora) — l'on atteste. Les *latifúndios,* de grandes propriétés créées par les Romains, se sont maintenues jusqu'à nos jours, tout comme les mines de cuivre et de fer romaines. L'utilisation du marbre est attestée depuis cette époque, et des vestiges romains sont éparpillés dans toute la région, en particulier à Évora et Beja *(p. 311)*, mais aussi dans des sites plus isolés, comme São Cucufate, près de Vidigueira *(p. 310)*, et Miróbriga, près de Santiago do Cacém *(p. 312)*.

Pont romain enjambant l'Odivelas, près de Vidigueira

Excursion : les mégalithes ⓱

D'après les archéologues, les *pedras talhas,* ou pierres taillées, des environs d'Évora dateraient de 4000 à 2000 av. J.-C. Leur symbolisme reste néanmoins mystérieux. Les dolmens seraient des sépultures pour les hommes du néolithique, enterrés avec leurs biens. Les grands menhirs phalliques dressés dans les oliveraies font penser à des rites de fertilité, tandis que les cromlechs, pierres taillées disposées en groupes, avaient sans doute une signification religieuse. Mais on rencontre davantage de mégalithes à l'est, près de Monsaraz. Vous pourrez admirer des trouvailles de la région au musée de Montemor-o-Novo *(p. 301).*

Menhir d'Almendres ②
Cette pierre solitaire de 2,5 m, à l'écart d'un cromlech, se dresse dans une oliveraie, derrière de grands conteneurs de la Cooperativa Agrícola.

Cromlech d'Almendres ③
Ces 95 pierres elliptiques dessinant un ovale seraient un sanctuaire voué à un culte du soleil. Le chemin qui y mène est indiqué depuis la N 114.

Évora ①
Plus de 150 sites mégalithiques ont été découverts dans les environs d'Évora *(p. 302-305).*

Grutas do Escoural ⑥
Découvertes en 1963, ces grottes recèlent des peintures réalisées voici 15 000 à 20 000 ans.

Dolmen de Zambujeiro ④
Le plus grand dolmen du Portugal possède un passage d'entrée de 14 m menant à une salle bâtie avec d'énormes rochers. Le dolmen est situé à l'écart de la route venant de Valverde.

Dolmen-chapelle de São Brissos ⑤
Cette petite chapelle, derrière Brissos, a été créée à partir d'un *anta,* ou dolmen. On en trouve une autre à Pavia *(p. 301).*

Légende

- Circuit recommandé
- Autres routes

0 — 5 km

Carnet de route

Longueur : *80 km.*
Accès aux sites : *Escoural est le seul site gardé. Les grottes ferment à l'heure du déjeuner, le lundi et à d'autres moments. L'accès s'effectue souvent par de simples pistes, et les indications ne sont pas toujours claires* (p. 444-445).

Course de taureaux dans les ruelles de Monsaraz

Monsaraz ⓲

Carte routière D5. 150. *largo Dom Nuno Álvares Pereira (066-551 36).*

Cette minuscule bourgade médiévale domine le Guadiana. Reprise aux Maures en 1167 par l'intrépide Geraldo Sem-Pavor, la ville fut remise aux Templiers. Proche de la frontière, elle resta néanmoins exposée aux attaques espagnoles ; mais, en 1381, elle subit un assaut inattendu. Des soldats du comte de Cambridge, allié du Portugal, attaquèrent Monsaraz, furieux de ne pas être payés et de voir rompues les fiançailles du comte et de la fille de Dom Fernando Ier.

L'accès principal s'effectue par l'imposante porta da Vila. La rua Direita, rue principale, mène au château. Construit par Dom Afonso III et Dom Dinis au XIIIe siècle pour défendre la frontière, il fut renforcé au XVIIe siècle. Le donjon offre une vue magnifique. La cour de garnison, à son pied, sert d'arènes à l'occasion.

L'**igreja Matriz** du XVIe siècle mérite une visite, pour ses grands autels dorés et ses colonnes peintes. Les maisons du XVIIe et du XVIIIe siècle de la rue sont écussonnées. Le paço da Audiência, un bâtiment gothique abritant le Museu de Arte Sacra, présente une collection de vêtements sacerdotaux, de sculptures et de livres religieux. Une fresque originale, *O bom e o mau juiz* (le bon et le mauvais juge), rappelle que l'édifice abritait autrefois un tribunal.

Museu de Arte Sacra

Largo Dom Nuno Álvares Pereira. *en travaux.*

Aux environs : À 16 km à l'ouest, **Reguengos de Monsaraz** est installé au cœur de l'une des régions viticoles délimitées de la région *(p. 29)*. Son église, du XIXe siècle, Santo António, a été construite en style néo-gothique flamboyant par l'architecte des arènes de Lisbonne *(p. 120)*.

Plusieurs mégalithes se dressent près de Monsaraz. Le spectaculaire **menhir d'Outeiro,** de 5,6 m de haut, et le **menhir de Bulhôa,** comportant des inscriptions étranges, sont indiqués depuis Telheiro, au nord de Monsaraz. À 4 km au sud se trouve le **cromlech de Xerez,** un menhir encadré de pierres plus petites.

Mourão, situé 8 km plus loin, se signale par les grandes cheminées ajourées de ses petites maisons. Le château du XIVe siècle domine le Guadiana.

Viana do Alentejo ⓳

Carte routière D6. 3 500. *rua Brito Camacho 13 (066-931 06). 2e et der. jeu. du mois.*

Depuis l'époque romaine, les sources de Viana do Alentejo dispensent de l'eau, au cœur de l'Alentejo aride. La construction du **château** débuta en 1313, sur les plans du roi Dinis. La hauteur du mur extérieur fut calculée précisément pour protéger les soldats des attaques des lanciers. Les tours cylindriques dénotent une influence maure et les remaniements ultérieurs datent essentiellement du règne de Dom João II.

Seuls les créneaux et les pinacles de l'**igreja Matriz,** du XVIe siècle, font écho aux murailles du château. Le portail manuélin sculpté s'ouvre sur un intérieur majestueux, à trois nefs.

Une promenade de dix minutes vers l'est mène à l'église **Nossa Senhora de Aires,** du XVIIe siècle. À l'intérieur, le baldaquin doré du chœur contraste avec les ex-voto dépouillés des pèlerins.

Aux environs : À 10 km au sud s'élève le château de style maure d'**Alvito,** bâti en 1482 pour le barão de Alvito. Il abrite aujourd'hui une *pousada (p. 395).*

Les toits bas et les cheminées ajourées de Mourão, près de Monsaraz

Course de taureaux au pied du donjon du château de Monsaraz ▷

Les vignobles des environs de Vidigueira dans la lumière du soir

Vidigueira 20

Carte routière D6. 2 800.
praça da República (084-431 02).
2e sam. du mois.

On ignore souvent que Vasco da Gama était conde de Vidigueira. Sa dépouille, qui repose au mosteiro dos Jerónimos *(p. 106-107)*, se trouva, de 1539 à 1898, dans le convento do Carmo. Une statue, peu réussie, de l'explorateur se dresse sur la place fleurie qui porte son nom. Le principal intérêt de cette bourgade est l'église **Misericórdia** de 1620, ainsi que la tour de l'horloge, datant de l'époque de Vasco da Gama. Les excellents vins de Vidigueira en font l'un des grands centres viticoles de l'Alentejo.

Aux environs : Un site romain extraordinaire, **São Cucufate,** du nom d'un monastère ultérieur, est situé à 4 km à l'ouest. On peut voir une voûte qui appartenait à une villa du IVe siècle. Par ailleurs, des fouilles ont mis au jour les bains d'une maison du IIe siècle, avec un pressoir à vin, un réservoir et un temple.

Moura 21

Carte routière D6. 12 000.
largo de Santa Clara (085-249 02).
1er sam. du mois.

La ville porte le nom de Salúquia, la fille d'un gouverneur maure, qui se serait précipitée du haut de la tour du château lorsqu'elle apprit la mort de son fiancé. Dans le vieux quartier maure, les ruelles étroites sont bordées de maisons basses blanchies à la chaux.

Après la Reconquête, au XIIe siècle, la ville, par sa situation géographique, resta exposée aux attaques espagnoles. En 1657, pendant la Restauration *(p. 50-51)*, elle fut en grande partie détruite, à l'exception du **château** du XIIIe siècle. Mais ce dernier ne résista pas à l'attaque espagnole de 1707 ; il ne reste aujourd'hui que des vestiges du donjon et des murs.

Près du château, **Nossa Senhora do Carmo,** fondé en 1251, fut le premier couvent de carmes du pays. Son cloître de deux étages révèle des influences gothique et Renaissance, et les fresques du plafond du chœur datent du début du XVIIIe siècle.

Vue sur le quartier maure de Moura

Serpa 22

Carte routière D6. 4 800.
largo Dom Jorge de Melo 2-3 (084-537 27). der. mar. du mois.

Dans les paysages paisibles d'oliviers, les murailles imposantes de Serpa sont une surprise. À côté de la monumentale **porta de Beja** se trouve une *nora,* ou roue hydraulique arabe. Prise aux Maures en 1232, Serpa résista à la domination étrangère jusqu'à la brève occupation espagnole de 1707. Aujourd'hui, Serpa est devenue une bourgade agricole, qui produit un succulent fromage de brebis. Les jolies places et les ruelles bordées de maisons blanches sont dominées par le **château** d'origine maure, reconstruit à la fin du XIIIe siècle. Dans la rua de Ladeira, le **convento de Santo António,** du XVe siècle, est connu par ses *azulejos* du XVIIIe siècle.

La porta de Beja, Serpa

Aux environs : Serpa n'est qu'à 35 km de la frontière. Les Maures, et plus tard les Espagnols, tentèrent de contrôler la région, avant de la céder au Portugal en 1295. Tours de guet et forteresses, témoignage de ces longues périodes de conflits, s'éparpillent sur les collines. Par exemple, le fort de **Noudar** a été construit en 1346. Même dans cet endroit reculé, des vestiges d'habitations pré-romaines ont été découverts.

À **Barrancos,** à la frontière, on parle un étonnant mélange d'espagnol et de portugais. Goûtez la spécialité du lieu : la *perna preta* (jambe noire), jambon de cochons noirs.

Lettres d'amour d'une religieuse

Fenêtre de Mariana

Les *Lettres portugaises*, publiées en français en 1669, sont un chef-d'œuvre de la littérature. Ces lettres d'amour passionnées auraient été écrites par une religieuse, Mariana Alcoforado, abandonnée par son amant français, le marquis de Chamilly, qui participa à la guerre de Restauration. L'authenticité des lettres a été mise en doute, mais l'histoire de la religieuse est restée — Matisse fit même son portrait imaginaire. Les visiteurs du couvent de Nossa Senhora da Conceição de Beja admirent toujours la « fenêtre de Mariana ».

Beja ㉓

Carte routière D6. 18 000. rua Capitão João Francisco de Sousa 25 (084-236 93). 1er et 3e lun. du mois.

Capitale du Baixo Alentejo, Beja est une ville majeure aux plans historique et social. C'est aussi un centre de production de blé, d'olives et de liège. Son histoire commence au temps de l'Empire romain, lorsqu'elle devint capitale régionale et fut baptisée Pax Julia par Jules César après qu'il eut conclu en ce lieu la paix avec les Lusitaniens *(p. 40)*. La praça da República est d'ailleurs installée sur le site du forum romain. Mais ce sont les Maures qui donnèrent à la cité son nom actuel.

Plus récemment, Beja a été le théâtre de luttes contre l'oppresseur. En 1808, les soldats français mirent la ville à sac et massacrèrent ses habitants. Bien plus tard, en 1962, au temps de Salazar *(p. 56-57)*, le général Delgado y mena un soulèvement infructueux.

Depuis le donjon, la vieille ville, avec ses ruelles étroites, s'étend au sud-est jusqu'au couvent de São Francisco, du XIIIe siècle, qui abrite une magnifique *pousada* *(p. 395)*.

Museu Regional Rainha Dona Leonor

Largo da Conceição. 084-32 33 51. *mar.–dim.* *jours fériés.*
Ce musée, installé dans l'ancien convento de Nossa Senhora da Conceição, présente surtout des peintures et des écussons. L'édifice est un mélange architectural étonnant, avec un portail d'église gothique, des fenêtres manuélines et une magnifique chapelle baroque. Ses *azulejos* sont particulièrement beaux, comme les carreaux de faïence hispano-arabes de la salle capitulaire et ceux du début du XVIe siècle, dans le cloître. À l'étage, on verra une salle d'archéologie locale et la « fenêtre de Mariana ».
Un petit ossuaire en marbre recèle les ossements de la première abbesse du couvent.

Torre de Menagem

Largo do Lidador. 084-32 21 01. *mar.–dim.* *jours fériés.*
Le donjon, emblème de la ville, délimite le vieux quartier au nord-ouest. Créé par le roi Dinis à la fin du XIIIe siècle, il se dresse à 36 m. La montée des 183 marches vaut la peine pour le magnifique panorama des environs.

Donjon de Beja, emblème de la ville

Museu Visigótico

Largo de Santo Amaro. 084-32 14 65. *mar.–dim.* *jours fériés.* *billet commun avec le Museu Regional.*
Derrière le donjon se trouve la plus vieille église de Beja, Santo Amaro, dont les colonnes rappellent son origine wisigothique. Elle sert d'espace d'exposition au Museu Regional et présente une collection de cette période lointaine mais importante de l'histoire portugaise.

Aux environs : Les vestiges de la luxueuse **villa romaine** de Pisões, à 10 km au sud-ouest, datent du Ier siècle apr. J.-C. Les fouilles sont loin d'être achevées, mais des mosaïques, des fragments de murs décorés, des bains, une piscine et un hypocauste ont été mis au jour.

Villa romaine

Herdade de Almocreva, estrada de Aljustrel (suivre les indications). *t.l.j.*

La salle capitulaire de l'ancien couvent de Beja abrite le Museu Regional

Igreja Matriz, Santiago do Cacém

Santiago do Cacém ㉔

Carte routière C6. *6 000.* *largo do Mercado (069-82 66 96).* *2e lun. du mois.*

Le château maure a été reconstruit par les Templiers *(p. 184-185)*, en 1157. Les murailles qui entourent le cimetière de l'**igreja Matriz** offrent un beau panorama de la Serra de Grândola. La place principale est bordée de demeures du XVIIIe siècle, bâties par de riches propriétaires fuyant la canicule de la plaine.

Le **Museu Municipal** a conservé des cellules de l'époque où il abritait une prison, sous Salazar. On y voit, entre autres, des pièces romaines de Miróbriga.

Museu Municipal

Largo do Município. 069-82 73 75. *mar.–ven., sam. et dim. (après-midi seulement).* *jours fériés.*

Aux environs : À l'est, le site de la ville romaine de **Miróbriga** s'étend sur une colline. Un forum, deux temples, des thermes et un cirque pouvant accueillir 25 000 spectateurs ont été mis au jour.

Miróbriga

Indiqué depuis la N 121. *069-238 03.* *mar.–dim.* *jours fériés.*

Sines ㉕

Carte routière C6. *9 300.* *Jardim das Descobertas (069-63 44 72).* *1er jeu. du mois.*

La ville natale de Vasco da Gama *(p. 108)* est devenue un grand port industriel et pétrolier. Passé la zone industrielle, on rejoint la vieille ville, avec ses plages de sable, mais il n'est pas toujours possible d'échapper au halo de pollution.

Le modeste **château** médiéval, dominant la plage, a été restauré au XVIe siècle par le roi Manuel Ier. C'est ici que Vasco da Gama, le fils de l'*alcaide-mor*, le maire, serait né en 1469. Un musée consacré au grand navigateur devrait bientôt s'installer dans le donjon du château. Une statue moderne de Vasco da Gama est tournée vers la baie.

Le **Museu Arqueológico** présente de superbes bijoux, peut-être d'origine phénicienne, trouvés non loin de là.

Museu Arqueológico

Rua Francisco Luís Lopes 38. *069-63 23 30.* *mar.–dim.* *jours fériés.*

Aux environs : Au nord et au sud se déroulent de belles plages. À 10 km au sud, **Porto Covo** est un village pittoresque avec un fort dominant une crique. Plus au sud, et à quelques minutes de bateau, se dresse l'**ilha do Pessegueiro,** l'île du pêcher. Dépouillé d'arbres et venteux, l'îlot, qui abrite les ruines d'un fort, est moins romantique que son nom ne le laisse supposer.

Deux lagunes bleues, la **lagoa de Santo André** et la **lagoa de Melides,** sont plus attrayantes. À 20 km au nord de Sines, elles attirent quantité de campeurs, mais les amateurs de solitude y trouvent aussi de grands espaces.

Maisons présentant la décoration bleue traditionnelle à Porto Covo, au sud de Sines

Vila Nova de Milfontes ㉖

Carte routière C6. *3 200.* *rua Vasco Mantas (083-965 99).* *2e et 4e sam. du mois à Brenheiras.*

L'endroit où la Mira se jette dans la mer est l'un des endroits les plus charmants de la côte ouest. Cette station balnéaire modeste et sans prétention offre quantité d'hébergements. Le petit château dominant la baie, qui protégeait autrefois la côte des pirates, abrite un hôtel. Le fleuve paisible contraste avec les jolies plages où viennent se briser de grandes vagues, qui attirent en été les surfeurs.

Aux environs : À 10 km au sud s'étend la plage d'**Almograve,** adossée à d'impressionnantes falaises.

La côte ensoleillée près de Vila Nova de Milfontes

Zambujeira do Mar ㉗

Carte routière C7. 1 000. rua Miramar (083-611 44).

Ce village solitaire est installé sur une étroite bande de terre qui sépare l'Alentejo de l'Atlantique. Ses falaises sombres rehaussent encore la blancheur de sa jolie plage. Aux familles qui viennent traditionnellement y passer le dimanche sont venus se joindre récemment des campeurs et des touristes aventureux.

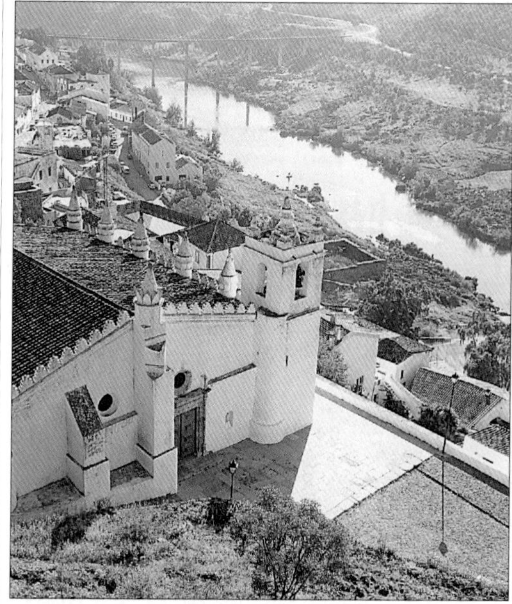

L'église originale de style mauresque domine le Guadiana à Mértola

Mértola ㉘

Carte routière D6. 1 200. largo Vasco da Gama (086-625 73). 1er jeu. du mois.

Cette jolie bourgade est une *vila museu,* une ville-musée, où des *núcleos* présentent des découvertes de différentes époques. L'Office du tourisme fournit des détails sur chaque *núcleo.*

Les origines de Mértola remontent aux Phéniciens, qui fondèrent sur le Guadiana un port fluvial prospère, utilisé plus tard par les Romains et les Maures. Le **Núcleo Romano,** découvert sous la mairie, présente essentiellement des objets de l'époque romaine.

La période post-romaine est présentée dans le **Núcleo Visigótico,** ainsi que dans la **basilique** paléochrétienne, dont les ruines bordent la voie romaine menant à Beja *(p. 311).* L'héritage laissé par plusieurs siècles de domination maure est visible au **Núcleo Islâmico,** qui réunit une magnifique collection d'art islamique : céramiques, pièces et bijoux.

L'**igreja Matriz,** qui était autrefois une mosquée, est unique au Portugal, car elle a été très peu modifiée. Parmi les caractéristiques arabes, on remarquera en particulier le plan à cinq nefs, ainsi que les quatre arcs en fer à cheval et un *mihrab,* ou niche à prière.

Sur la colline, le **château** en ruine, dont le donjon date de 1292, domine Mértola. Le site commande une belle vue sur la vallée du Guadiana.

Aux environs : Les mines de cuivre de **Minas de São Domingos,** à 16 km à l'est, furent la principale source d'emploi de la région entre 1858 et 1965, date à laquelle le filon s'épuisa. Les mineurs vivaient et travaillaient dans des conditions épouvantables. Aujourd'hui, la population du village est passée de 6 000 à 800 personnes. Seuls le réservoir et les alentours verdoyants parviennent à égayer l'atmosphère de ville fantôme qui y règne. Autour de Mértola, 600 km² de la vallée sauvage du Guadiana ont été classés **parque natural,** séjour des cigognes noires, des pies bleues et des milans royaux.

Le liège, matériau polyvalent

Les chênes-lièges approvisionnent une industrie prospère. C'est Dom Pérignon, le moine-vigneron, qui remit, au XVIIe siècle, les bouchons de liège au goût du jour. Grand producteur de liège, le Portugal compte presque 7 000 km² de plantations et produit environ 30 millions de bouchons par jour. Ce matériau sert aussi à réaliser des récipients alimentaires, étanches et isolants, traditionnels.

La récolte du liège exige un savoir-faire spécifique ; elle est effectuée en été, tous les dix ans, sur des arbres arrivés à maturité. En attendant que la nouvelle écorce repousse, les arbres arborent une belle couleur rouge.

Chêne-liège rouge écorcé dans une plantation de l'Alentejo

L'Algarve

Bordée au nord par des montagnes, l'Algarve jouit d'un climat, d'une culture et de paysages très différents du reste du Portugal. Son littoral superbe et son climat doux toute l'année, dû à la mer chaude et aux courants atmosphériques venus d'Afrique du Nord, en font une destination très prisée.

Le sol fertile de l'Algarve, ses promontoires stratégiques et ses rivières attirent les visiteurs depuis l'époque phénicienne. Cinq siècles de domination arabe, à partir de 711, ont laissé des traces, qui se manifestent dans l'architecture, les cheminées ajourées, les *azulejos,* les orangeraies et les amandiers. Les noms de lieu commençant par Al sont également d'origine maures ; par exemple, Al-Gharb (« l'ouest ») désignait la bordure occidentale de l'empire musulman. Lorsque l'Algarve fut reprise par les chrétiens, en 1249, les souverains portugais prirent le titre de rois « du Portugal et des Algarves », distinguant la région du reste du pays. Toutefois, c'est l'Algarve qui mit le Portugal en vue au XVe siècle, lorsqu'Henri le Navigateur *(p. 49)* créa une école de navigation à Sagres, ouvrant ainsi l'ère des explorations.

Son destin allait basculer en 1755, car l'épicentre du séisme *(p. 62-63)* se trouvait au sud de Lagos, alors capitale de la région. Quasiment toutes les localités furent détruites ou gravement endommagées, ce qui explique le faible nombre de bâtiments antérieurs au séisme.

Depuis l'ouverture de l'aéroport de Faro, dans les années 60, le tourisme est devenu la principale activité de la région. Quelques zones du littoral sud-ouest abritent aujourd'hui des tours aménagées pour recevoir des touristes toute l'année. Néanmoins, toute la façade ouest, exposée à l'Atlantique, et les lagunes, à l'est de Faro, sont encore peu touristiques. Les excursions à l'intérieur des terres, vers le joli village d'Alte ou la localité frontalière d'Alcoutim, à l'est, rappellent que, par endroits, la vie rurale traditionnelle se poursuit en Algarve.

Assiettes de céramique colorées devant une boutique d'artisanat local, Alte

◁ **Promenade sur la praia da Rocha, près de Portimão**

Découvrir l'Algarve

L'Algarve est un véritable enchantement toute l'année. En été, la côte entre Faro et Lagos attire des milliers de visiteurs, mais même près de stations balnéaires très fréquentées, on échappe facilement à la foule. Délaissé par les touristes, Faro mérite pourtant une visite. Pittoresque, Tavira est une base idéale pour découvrir les lagunes de l'est, tandis que Lagos permet de rejoindre les plages de la côte sud-ouest. De paisibles villages, entourés d'une végétation luxuriante, émaillent les collines. On fera d'agréables promenades dans la Serra de Monchique.

Versants boisés entourant le grand lac créé par le barrage de Bravura, au nord de Lagos

Odemira
ODECEIXE
Beja
Ourique
N120
Ribeira de Seixe
MONCHIQUE 3
1 ALJEZUR
N267
SERRA DE MONCHIQUE
2
N264
CALDAS DE MONCHIQUE
N124
N268
SERRA DE ESPINHAÇO DE CÃO
Barragem da Bravura
N266
CARRAPATEIRA
10 SILVES
N124
N125
Arade
N269
ALVOR 8
9 PORTIMÃO
N125
SERRA DO
4 VILA DO BISPO
N125
7 LAGOS
PONTA DA PIEDADE
5 CABO DE SÃO VICENTE
6 SAGRES

LÉGENDE

- Autoroute
- Route principale
- Route secondaire
- Parcours pittoresque
- Cours d'eau
- Point de vue

Bateaux de pêche colorés dans le port de Sagres

une des jolies criques de sable, près d'Albufeira

La région d'un coup d'œil

Circuler

L'IP 1, qui relie Albufeira à l'Espagne, permet de décharger la N 125, très encombrée en été. Des routes bifurquent vers les plages, les bourgades côtières et l'arrière-pays. Les localités principales sont desservies par le train, un peu lent. Un inconvénient : les gares sont parfois excentrées. Les cars pour les stations balnéaires et l'intérieur sont fiables, mais lents.

Voir aussi

- ***Hébergement*** p. 396–399
- ***Restaurants*** p. 418–421

Maison chaulée et cheminée ajourée de Cacela Velha

Paysage vu du château maure d'Aljezur

Aljezur ❶

Carte routière 7C. *2 500.*
largo do Mercado (082-982 29).
3e lun. du mois.

Ce village est dominé par un **château maure,** que l'on rejoint par le vieux quartier. Quoiqu'en ruine, il a conservé sa citerne et ses tours, et il offre une belle vue sur la Serra de Monchique.

L'**igreja Matriz,** reconstruite en grande partie après le séisme de 1755 *(p. 62-63),* abrite un beau retable néo-classique, de 1809 environ, qui proviendrait de l'atelier de José da Costa de Faro.

Aux environs : D'Aljezur, on explore facilement les plages sauvages de la côte ouest. Mais une voiture est indispensable. La **praia de Arrifana,** à 10 km au sud-ouest, et la **praia de Monte Clérigo,** à 8 km au nord-ouest, sont adossées à des falaises et exposées aux courants de l'océan. Située à la limite de l'Alentejo, la **praia d'Odeceixe** est une crique protégée, très appréciée des surfeurs.

Serra de Monchique ❷

Carte routière 7C. *Monchique.*
Monchique.

Cette chaîne de montagnes volcanique, qui sépare l'Algarve du nord du Portugal, assure à la région son climat doux méridional. Son point culminant est Fóia, à 902 m. Toutefois, cet endroit est moins joliment boisé que **Picota,** deuxième sommet de la chaîne, qui se dresse à 773 m. De Monchique, une magnifique randonnée — paysages agrémentés de châtaigniers et de champs de fleurs sauvages — permet de rejoindre ce pic (distance : 4 km). La vue, spectaculaire, porte sur Ponta de Sagres *(p. 320)* et la chaîne de montagnes. À pied ou en voiture, on découvre une végétation très riche : rhododendrons, mimosa, châtaigniers, pins, chênes-lièges, etc., dans des vallées où les parcelles de terres fertiles sont cultivées en terrasses. Récemment ont été plantés des eucalyptus, choisis pour leur croissance rapide, mais très inflammables. Ils sont responsables, en partie, des incendies qui ravagent régulièrement la Serra.

De Nave, un trajet de 68 km sur la N 267 rejoint Aljezur, à l'ouest, en traversant une partie de la Serra. Les beaux paysages sont un mélange de forêts et de landes, rendus fertiles par l'eau abondante. Sittelles et pics épeichettes peuplent les chênes-lièges.

Les montagnes de la Serra de Monchique dominent des champs de fleurs sauvages

Monchique ❸

Carte routière 7C. *7 000.*
rua Dom Francisco Gomes do Avelar (082-928 71). *2e ven. du mois.*

Portail manuélin de l'igreja Matriz de Monchique

Cette petite ville de marché est connue pour son altitude (458 m) et son panorama, ainsi que pour ses meubles en bois, notamment les chaises pliantes, qui dateraient de l'époque romaine.

L'**igreja Matriz,** du XVIe siècle, dans la rua da Igreja derrière la place principale, présente un étonnant portail manuélin, dont les colonnes torses s'achèvent par des nœuds ornementaux. Au-dessus de la ville se trouve un monastère en ruine, **Nossa Senhora do Desterro.** Les maigres vestiges de cet établissement franciscain, fondé en 1632 par Dom Pero da Silva, méritent néanmoins une visite, au moins pour le panorama du pic de Picota.

Aux environs : À 6 km au sud, **Caldas de Monchique** est une ravissante petite station thermale sur les contreforts boisés de la Serra, qui permet d'agréables promenades.

Les eaux chaudes aux vertus curatives sont renommées depuis l'époque romaine. Bien que Dom João II soit mort peu après en avoir bu, en 1495, leur réputation est restée intacte. En été, on vient y soigner des troubles dermatologiques, digestifs et rhumatismaux. Les bars servent également l'eau-de-vie locale, la *medronheira*.

La place principale ombragée possède un grand centre artisanal.

Vila do Bispo ❹

Carte routière 7C. 7 000. Câmara Municipal (082-661 06). 1er jeu. du mois.

La « ville de l'évêque » est une bourgade paisible, où les foules et l'agitation du centre de l'Algarve paraissent bien lointaines. Son nom remonte au XVIIe siècle, époque à laquelle elle fut donnée à l'évêché de Faro. L'église **Nossa Senhora da Conceição** recèle un bel intérieur décoré du sol au plafond d'*azulejos* du XVIIIe siècle. Le plafond, quant à lui, est en bois peint, et un retable baroque date de 1715.

Aux environs : Les plages de la région sont intactes. Depuis le village, on peut accéder à la **praia do Castelejo,** à 5 km à l'ouest, par une piste qui traverse des landes. Située au pied des falaises, cette grande plage a de belles vagues. Mais les plus intrépides parcourront les 6 km les séparant de la **torre d'Aspa,** un obélisque à 156 m de hauteur offrant une vue spectaculaire sur l'océan. Attention ! La piste est en mauvais état ; mieux vaut effectuer les deux derniers kilomètres à pied.

Retable baroque de Nossa Senhora da Conceição, Vila do Bispo

Le promontoire du cabo de São Vicente s'avance dans l'Atlantique

Cabo de São Vicente ❺

Carte routière 7C. pour Sagres, puis taxi. phare (082-642 34).

Les Romains baptisèrent ce cap venteux, à la pointe sud-ouest de l'Europe, *Promontorium Sacrum* (promontoire sacré). Au Moyen Âge, il passait pour le bout du monde. Avec ses falaises de 60 m de hauteur tournées vers l'Atlantique, il offre un spectacle impressionnant. Les vagues ont créé de longues plages de sable et creusé des grottes profondes dans les falaises.

Depuis le XVe siècle, le cabo de São Vicente est un point de repère pour les navigateurs, et son phare, d'une portée de 95 km, serait le plus puissant d'Europe. Depuis plus longtemps encore, l'endroit est associé à la religion. Selon la légende, la dépouille de saint Vincent aurait échoué ici, au IVe siècle. Le prince Henri le Navigateur *(p. 49)* y aurait vécu une grande partie de sa vie ; mais toute trace de la vila do Infante a disparu. Plusieurs grandes batailles navales se sont déroulées au large du cap, comme la défaite de la flotte espagnole face aux amiraux britanniques Jervis et Nelson, en 1797.

De Sines au nord à Burgau à l'est, la côte est classée réserve naturelle depuis 1988. Des aigles de Bonelli, des crécerelles, des cigognes blanches, des hérons et d'autres oiseaux s'y reproduisent. Une colonie de loutres de mer vit également dans la réserve.

Thym parfumé, près du cabo de São Vicente

Fleurs de l'ouest de l'Algarve

Les promontoires du cabo de São Vicente et de Sagres sont connus des botanistes pour leurs fleurs aux couleurs et aux parfums exceptionnels, qui se montrent de février à mai. Le climat, la roche et l'isolement de ces lieux ont donné une apparence chétive à la végétation locale. On y trouve une grande diversité d'espèces, comme des cistes, un œillet endémique, des genièvres, des narcisses, de la lavande, de la réglisse sauvage, des scilles et quantité d'autres végétaux magnifiques.

L'immense rosa dos Ventos de Ponta de Sagres

Sagres ❻

Carte routière 7C. 3 500. praça Central. 1er ven. du mois.

Hormis son port pittoresque, Sagres n'a pas grand-chose à offrir. C'est surtout une bonne base pour découvrir les magnifiques plages *(p. 286)* et les péninsules isolées à l'ouest de la ville. Henri le Navigateur *(p. 49)* construisit une forteresse sur ce promontoire battu par les vents et, dit-on, une école de navigation, ainsi qu'un atelier naval. C'est d'ici qu'il réalisa son rêve « de voir ce qu'il y avait au-delà des Canaries et du cap Bojador… et de se lancer dans la découverte de choses cachées aux hommes ». Entre 1419 et 1460, il investit toute son énergie, ainsi que l'argent de l'ordre du Christ *(p. 185)*, dans les expéditions, envoyant ses marins parcourir les océans inconnus.

En 1434, Gil Eanes, de Lagos, fut le premier navigateur à doubler le redoutable cap Bojador, dans la région du Sahara occidental. Il ouvrit ainsi la côte ouest de l'Afrique aux explorateurs *(p. 48-49)*.

Il ne reste que peu de vestiges de la forteresse d'origine du prince Henri. La gigantesque rose des vents, la **rosa dos Ventos,** de 43 m de diamètre, qui lui aurait servi, existe toujours. C'est lui également qui fit construire la chapelle **Nossa Senhora da Graça.** Tout le site, tourné vers le cabo de São Vicente et l'océan Atlantique, est fascinant.

Aux environs : Sagres permet d'atteindre plusieurs plages magnifiques. Certaines, comme **Telheiro,** à 9 km à l'ouest de Sagres, et **Ponta Ruiva,** à 2 km sur la côte ouest, sont accessibles uniquement en voiture. Plus près de Sagres, **Beliche** est étonnamment abritée ; **Tonel,** installée à la pointe du promontoire, a de belles vagues, et **Martinhal,** à 1 km à l'est, a une école de sports nautiques.

Lagos ❼

Carte routière 7C. 20 000. largo Marquês de Pombal (082-76 30 31). 1er sam. du mois.

Installé dans l'une des plus grandes baies de l'Algarve, Lagos est une ville attrayante et animée. Au VIIIe siècle, elle fut conquise par les Arabes, dont les fortifications furent étendues au XVIe siècle. Une partie bien préservée des murs et une porte se trouvent près de la rua do Castelo dos Governadores, où se dresse un monument au navigateur Gil Eanes.

Arche mauresque menant à l'av. dos Descobrimentos, Lagos

Initiées par Henri le Navigateur, dont la statue scrute la mer, les découvertes du XVe siècle *(p. 48-49)* ont fait de Lagos un important centre naval. À la même époque s'ouvrit un chapitre terrible de l'histoire, avec l'arrivée des premiers esclaves, amenés du Sahara en 1441 par Nuno Tristão, explorateur d'Henri le Navigateur. Une plaque indique l'endroit du premier **marché aux esclaves** d'Europe, dans la rua da Senhora da Graça. La ville fut la capitale de l'Algarve entre 1576 et 1756. En raison des importants dommages provoqués par le séisme de 1755 *(p. 62-63)*, le centre est surtout composé de beaux bâtiments du XVIIIe et du XIXe siècle. Les habitants de Lagos continuent à vivre de la pêche, ce qui a permis à la ville de rester indépendante du tourisme.

São Gonçalo, Santa Maria, Lagos

Située à l'est de la ville, la jolie marina, récente, est le premier mouillage sûr de la côte sud pour les bateaux arrivant de l'Atlantique.

Forte Ponta da Bandeira

Avenida dos Descobrimentos.
082-76 14 10. mar.–dim. jours fériés.

En bord de mer se dresse la forteresse du XVIIe siècle qui défendait l'entrée du port. Ses remparts imposants offrent de belles vues sur la ville et la baie.

Santa Maria

Praça Infante Dom Henrique.
082-76 27 23. mar.–dim.

L'église paroissiale de Lagos, du XVIe siècle, a conservé son portail Renaissance. On remarquera la statue de São Gonçalo de Lagos, un fils de pêcheur né en 1360, qui devint moine augustin et prédicateur et qui composa de la musique religieuse.

Santo António

Rua General Alberto Silveira. 082-76 23 01. mar.–dim. jours fériés.

Cette église du XVIIIe siècle est un joyau d'architecture locale. Le bas des murs est tapissé d'*azulejos* bleu et blanc, et le reste est orné de boiseries sculptées, dorées et peintes, fleuron du baroque exubérant. Des chérubins, des animaux, des fleurs et des scènes de pêche et de chasse entourent huit panneaux peints représentant les miracles de saint Antoine.

Une statue du saint se dresse au-dessus de l'autel, entourée de piliers dorés et d'arcs ornés d'anges et de vigne. Saint Antoine était le patron et le commandant honoraire du régiment local. Selon la légende, cette statue accompagna le régiment lors de la guerre napoléonienne (1807-1811) *(p. 54)*.

Près de l'autel se trouve le tombeau de Hugh Beatty, un colonel irlandais qui commanda le régiment de Lagos durant les guerres contre l'Espagne, au XVIIe siècle.

Museu Regional

Rua General Alberto Silveira. 082-76 23 01. mar.–dim. jours fériés.

Près de l'église Santo António, un musée ethnographique éclectique expose de l'artisanat local, divers objets, des costumes traditionnels et une étrange collection de monstres, tel un chevreau à huit pattes. Le conservateur fournit des explications aux visiteurs.

Rochers de grès ocre de la plage de la praia de Dona Ana, Lagos

AUX ENVIRONS : Le **ponta da Piedade,** un promontoire qui protège la baie de Lagos au sud, possède de magnifiques formations rocheuses, ainsi que des grottes et de calmes eaux cristallines. Accessible par la route et par la mer, cet endroit, superbe au coucher du soleil, mérite d'être découvert. La plus jolie plage est **praia de Dona Ana,** située à 25 minutes à pied du centre-ville. La **praia do Camilo,** qui s'étend au-delà de la pointe du promontoire, est souvent moins fréquentée. La longue **Meia Praia** s'étend sur 4 km à l'est de Lagos. Des autocars partent régulièrement du centre-ville.

À 10 km au nord de Lagos, on peut rejoindre l'immense réservoir du **barragem de Bravura.**

Alvor 8

Carte routière 7C. *7 000.* *Portimão (082-236 95).* *1er mar. du mois.*

Cette jolie localité de pêcheurs, appréciée des vacanciers, déploie tout son charme en basse saison. Elle fut un port romain, puis une ville maure, appelée Al-Bur. Au XVIe siècle, elle connut une nouvelle prospérité, mais elle fut endommagée lors du séisme de 1755. Les pierres du château maure furent alors utilisées pour rebâtir la ville.

L'église **Divino Salvador,** du XVIe siècle, possède un portail manuélin sculpté de feuilles, de lions et de dragons. La voussure extérieure ressemble à un tentacule de pieuvre.

L'église Divino Salvador dominant des maisons blanchies à la chaux et le port d'Alvor

Nossa Senhora da Conceição, Portimão

Portimão ❾

Carte routière 7C. *40 000.* *largo 1° de Dezembro 33 (082-236 95).* *1er lun. du mois.*

Cette ville importante n'est pas renommée pour sa beauté, mais son port a une riche histoire. Les Romains s'y installèrent, attirés par le port naturel du grand estuaire du Rio Arade.

Le centre, du XVIIIe siècle, permet de faire des achats et compte un grand marché animé. Il s'étend autour de la **rua Vasco da Gama,** piétonne, aux nombreux magasins spécialisés dans les articles en cuir. Dans la rua Diogo Tomé, l'église **Nossa Senhora da Conceição** est installée sur une petite hauteur. Reconstruite après le séisme de 1755 *(p. 62-63),* elle conserve néanmoins quelques vestiges de sa constuction d'origine au XIVe siècle, comme le portail aux chapiteaux sculptés. L'intérieur recèle des panneaux d'*azulejos* du XVIIe et du XVIIIe siècle. Les bancs du largo 1° de Dezembro sont décorés de faïences multicolores du XIXe siècle. Le front de mer est toujours animé, et des restaurants servent des sardines et du loup de mer frais.

Aux environs : À 3 km au sud s'étend la **praia da Rocha,** une série de criques de sable entre des rochers rouges et ocre. La **fortaleza da Santa Catarina,** un château construit au XVIe siècle pour protéger Portimão et Silves, se dresse à l'extrémité orientale. De là, on a une superbe vue sur la jolie plage bordée de falaises de 70 m de hauteur et dominée par plusieurs hôtels. En effet, les complexes hôteliers se multiplient, et, en pleine saison, la plage est bondée.

Silves ❿

Carte routière 7C. *10 000.* *rua 25 de Abril 26–28 (082-44 22 55).* *3e lun. du mois.*

L'emplacement de Silves en a fait un site fortifié parfait. Les Romains y construisirent un château, mais c'est sous la domination maure que la ville connut une grande prospérité, devenant Xelb, la capitale maure. Au XIIe siècle, le géographe arabe Idrisi loua sa beauté et ses figues « superbes et succulentes ». Dans l'Al-Gharb maure, Silves fut un foyer culturel renommé, où vivaient des poètes, des orateurs et des historiens, jusqu'à la prise de la ville par l'ordre de Santiago en 1242 *(p. 42-43).*

Silves fut prospère jusqu'au XVe siècle, où l'Arade s'envasa. Aujourd'hui, son économie repose en grande partie sur les oranges et les citrons. Les murs rouges de l'imposant château, installé en hauteur, dominent la ville.

Une paisible rue pavée de Silves

Château

Castelo de Silves. *082-44 56 24.* *t.l.j.*

Le château de grès rouge date essentiellement de l'époque maure, mais il servit aussi de forteresse chrétienne et, plus récemment, de prison. C'est ici que se dressait le palais des Verandahs, la résidence d'Al-Mu'tamid.

Les imposants remparts polygonaux offrent une vue magnifique de la ville et des environs. À l'intérieur des murs, la grande **cisterna da Moura Encantada** (citerne de la Maure enchantée), qui est voûtée, contenait les réserves d'eau de la ville.

Le château et la ville de Silves se dressent dans une vallée fertile plantée d'orangers

Sé

Largo da Sé. t.l.j. jours fériés.

La cathédrale construite sur le site d'une mosquée date du XIIIe siècle, mais elle a beaucoup été modifiée. Dans le chœur, la lumière, qui pénètre par des fenêtres ornées de vitraux, vient éclairer la statue de Nossa Senhora da Conceição, du XIVe siècle. En face de la Sé, l'église **Misericórdia,** du XVIe siècle, possède un portail latéral manuélin et un retable Renaissance.

Museu Arqueológico

Rua das Portas de Loulé. *082-44 48 32.* *t.l.j.* *jours fériés.*

Installé en bas de la colline de la cathédrale, le musée a ouvert en 1990. Il présente des outils de l'âge de pierre et de l'âge du fer, des chapiteaux romains sculptés, des instruments chirurgicaux du Ve au VIIe siècle, une ancre du XIIIe siècle et des céramiques du XVIIIe siècle. Le musée est aménagé autour de sa pièce maîtresse, un puits-citerne arabe du XIIe siècle environ, découvert en 1980. Un escalier descend à 15 m, jusqu'au fond du puits.

AUX ENVIRONS : La **Cruz de Portugal,** une croix en granit du XVIe siècle, se trouve à 1 km à l'est. Elle aurait été donnée à la ville par Dom Manuel Ier, lors du transfert de la dépouille de Dom João II de la cathédrale de Silves à Batalha *(p. 182-183).* Une face représente la Crucifixion, l'autre une Pietà.

Cruz de Silves

Albufeira ⓫

Carte routière 7C. *20 000.* *rua 5 de Outubro (089-51 21 44).* *1er et 3e mar. du mois.*

Il n'est pas surprenant que cette charmante ville de pêcheurs, qui domine une plage protégée, soit devenue la capitale touristique de l'Algarve. Les Romains, qui l'appréciaient aussi, y construisirent un château. Les Arabes appelèrent la ville Al-Buhar (le château sur la mer) et la firent prospérer grâce aux échanges avec l'Afrique du Nord. Les chevaliers de Santiago *(p. 43)* la prirent au XIIIe siècle, mais le manque à gagner commercial qui s'en suivit manqua de ruiner la ville. En 1833, elle fut incendiée par des partisans de Dom Miguel, pendant la guerre des Deux Frères *(p. 54).* Le centre-ville est en grande partie piéton, notamment le plus vieux quartier, autour de la rua da Igreja Velha, où certains bâtiments ont encore des arcs mauresques. L'église São Sebastião, sur la praça Miguel Bombarda, a un portail manuélin. La rua 5 de Outubro passe sous un tunnel pour mener à la **praia dos Barcos,** appréciée des pêcheurs. De la **praia de São Rafael,** à 2 km à l'ouest d'Albufeira, jusqu'à la **praia da Oura,** à l'est, la région est ponctuée de criques de sable, entre des rochers ocre.

Bateaux de pêche colorés sur la plage d'Albufeira

Alte ⓬

Carte routière 7C. *500.* *Junta de Freguesia (089-682 00).* *3e jeu. du mois.*

Perché sur une colline, Alte est l'un des plus jolis villages d'Algarve. L'arrivée par l'est, sur la N 124, est la plus pittoresque. Le point de mire de ce village blanc est **Nossa Senhora da Assunção,** du XVIe siècle, avec son portail manuélin, ses fonts baptismaux et son beau retable doré célébrant l'Assomption. La chapelle São Sebastião est décorée de rares *azulejos* sévillans du XVIe siècle.

De l'église, une promenade de 10 minutes à pied mène à une rivière bien indiquée, l'Alte, sur laquelle se penchent des arbres, et à une source, la **Fonte Grande.** L'endroit est parfait pour pique-niquer. À 700 m environ du village, sur les versants escarpés, on trouve un moulin (transformé en restaurant) et une cascade, la **queda do Vigário.**

L'une des nombreuses cheminées ajourées ornant les toits d'Alte

Vilamoura 13

Carte routière C7. 9 000.
avenida Engenheiro João Meireles (089-31 47 54).

La côte entre Faro et Lagos compte d'innombrables hôtels et villas, et Vilamoura devrait devenir le premier complexe de loisirs d'Europe. Ses 1 600 hectares comportent trois terrains de golf, des courts de tennis, un centre hippique, des installations de pêche et de tir, et même une petite piste d'atterrissage. Les hôtels et les immeubles s'étendent encore, et le complexe, déjà bien avancé, devrait être achevé en l'an 2000.

La vie s'articule autour de la **marina,** bordée de restaurants, de cafés et de magasins. C'est une excursion divertissante, et il paraît que l'on y trouve même des Portugais qui viennent y passer le dimanche après-midi… À l'est s'étend la **Praia da Marina,** bondée. On peut aussi visiter les ruines romaines de **Cerro da Vila,** non loin, qui datent du Ier siècle apr. J.-C. et comptent des thermes et une maison ornée de mosaïques représentant des poissons.

Cerro da Vila

Avenida Cerro da Vila. 089-38 00 88. t.l.j. (sept.–mars : lun.–ven.).

L'élégante marina de Vilamoura où sont ancrés hors-bord et yachts luxueux

Panneaux d'*azulejos* du XVIIIe siècle et l'autel de São Lourenço, Almancil

Almancil 14

Carte routière D7. 2 000.
Loulé. 1er et 4e dim. du mois.

À l'extérieur du village, de peu d'intérêt touristique, se trouve l'une des merveilles de l'Algarve, l'**igreja Matriz de São Lourenço,** du XVIIIe siècle. L'intérieur décoré de panneaux d'*azulejos* est un chef-d'œuvre. L'église a été dédiée par les habitants de la région à saint Laurent, qui avait exaucé leurs prières demandant de l'eau.

Les innombrables *azulejos* bleu et blanc, probablement réalisés par des maîtres artisans de Lisbonne, recouvrent la coupole, les murs du chœur et de la nef, et la voûte. Les panneaux des murs représentent des scènes de la vie de saint Laurent : d'un côté de l'autel, on le voit guérissant deux aveugles et, de l'autre, distribuant de l'argent aux pauvres. Le long des arches de la nef, les scènes montrent le saint parlant au pape Sixte II, exposant sa foi à l'empereur romain Valérien et refusant d'abandonner sa croyance. L'histoire culmine avec son martyre. Sur le dernier panneau, à droite, le saint placé sur un gril pour être brûlé est réconforté par un ange. La voûte de la nef représente le *Couronnement de saint Laurent,* tandis que la coupole est ornée de trompe-l'œil décoratifs d'une qualité exceptionnelle. Les derniers *azulejos* ont été posés en 1730. Le retable, d'environ 1735, est dû à Manuel Martins. À noter que le séisme de 1755 *(p. 62-63)* n'a fait tomber que cinq *azulejos* de la voûte.

La Saint-Laurent est célébrée le 10 août. Au XVIIIe siècle, les fidèles affluaient à l'église non seulement pour leur dévotion au saint, mais aussi pour la magnificence des célébrations, des danses et des chants.

Loulé 15

Carte routière D7. 20 000.
edifício do Castelo (089-46 39 00). sam.

Loulé est une ville de marché et un centre artisanal agréable. Le clocher de l'église São Clemente révèle les origines maures de la localité. Le **château,** lui aussi d'origine maure, fut reconstruit au XIIIe siècle. Des vestiges des murailles s'offre une vue d'ensemble de la ville.

Au cœur de celle-ci, au sud de la praça da República, se trouve le marché animé, couronné d'un dôme rose. Le samedi, lorsque se tient aussi le marché en plein air des gitans, le quartier est particulièrement vivant. De la rua 9 de Abril à l'igreja Matriz, on peut voir des artisans sculpter du bois, tisser des chapeaux, réaliser des dentelles, décorer de la sellerie et peindre des terres cuites et des *azulejos*.

Sur le largo da Silva, l'**église São Clemente,** du XIIIe siècle, a été sérieusement endommagée par trois séismes, dont le dernier remonte à 1969, mais la triple nef, délimitée par des arcs gothiques, a été préservée. Deux jolies chapelles latérales datent du début du XVIe siècle. La capela de Nossa Senhora da Consolação est entièrement décorée de superbes panneaux d'*azulejos* bleu et blanc. La capela de São Brás possède une arche manuéline et un retable baroque bleu et or.

Les autres églises intéressantes sont l'**igreja da Misericórdia,** dans l'avenida Marçal Pacheco, avec un portail manuélin, et la chapelle **Nossa Senhora da Conceição,** proche de la praça da República, avec un retable baroque (1745) de Miguel Nobre de Faro.

AUX ENVIRONS : Nossa Senhora da Piedade, une chapelle du XVIe siècle perchée sur une colline, à 2 km à l'ouest de Loulé, est décorée d'*azulejos*. Derrière se dresse une église moderne du même nom, qui ne devint jamais un lieu de culte très fréquenté. Elle offre une belle vue.

Fontaine décorée d'*azulejos* du patamar da Casa do Presépio, Estoi

Estoi ⓰

Carte routière D7. 4 300. Faro (089-80 36 04). t.l.j.

Ce village paisible compte deux curiosités, séparées l'une de l'autre par quelques minutes de marche mais par 1 800 ans d'histoire. Non loin de la place principale se trouve le **palácio de Estoi,** un joli palais rococo, création d'un noble qui mourut peu après le début des travaux, vers 1845. Le palais fut racheté plus tard par un autre noble de la région, qui l'acheva en 1909. En reconnaissance de l'argent et de l'énergie investis dans l'ouvrage, il fut fait vicomte d'Estoi. Les travaux furent supervisés par l'architecte Domingos da Silva Meira, qui était passionné de sculpture.

Le palais appartient aujourd'hui au conseil municipal de Faro. L'intérieur, débauche de pastel et de stucs, est restauré petit à petit.

Façade rococo rose du palácio de Estoi

Jardins du palais

Rua do Jardim. 089-972 82. mar.–sam. jours fériés.

Les jardins parsemés d'orangers et de palmiers méritent une visite. Sur la terrasse basse se dresse la casa de Cascata, un pavillon orné d'*azulejos* bleu et blanc, qui abrite une copie des *Trois Grâces* de Canova. La principale terrasse, plus haut, le patamar da Casa do Presépio, possède un grand pavillon avec des vitraux, des fontaines ornées de nymphes et des niches tapissées d'*azulejos* représentant des scènes pastorales.

Détail de la mosaïque de poissons de la piscine romaine, Milreu

Milreu

N 2-6. mar.–dim. jours fériés.

De l'autre côté de la place principale, une promenade de dix minutes mène au deuxième site d'Estoi, le complexe romain de Milreu, du Ier ou du IIe siècle apr. J.-C. Ce fut certainement une grande ferme, transformée au IIIe siècle en une luxueuse villa.

Des mosaïques représentant des poissons ornent toujours la piscine, le long des quartiers d'habitation, mais la plupart des trouvailles archéologiques ayant pu être déplacées se trouvent au Museu Municipal de Faro (*p. 327*). Les vestiges d'un temple révèlent l'importance de la villa, qui pourrait avoir appartenu à un riche patricien. Le temple a été transformé en basilique chrétienne au Ve siècle.

Faro 17

Capitale de l'Algarve depuis 1756, Faro a souvent changé de physionomie par suite des invasions successives et du séisme de 1755. Le village de pêcheurs préhistorique devint un port et un centre administratif important à l'époque romaine, appelé Ossonoba. Pris aux Maures par Dom Afonso III en 1249, Faro prospéra jusqu'en 1596, avant d'être mis à sac et incendié par le comte d'Essex, favori d'Élisabeth Ire d'Angleterre. La nouvelle ville née des cendres fut ravagée par le séisme de 1755 *(p. 62-63)*. Bien qu'il reste des vestiges des vieilles murailles, les plus beaux bâtiments datent surtout de la fin du XVIIIe et du XIXe siècle.

Crucifix en *azulejos,* chapelle de Nossa Senhora do Pé da Cruz

Statue de Dom Francisco Gomes de Avelar, largo da Sé

À la découverte de la vieille ville

Le centre est agréable et s'explore aisément à pied. Il s'étend du petit port vers la vieille ville, au sud-est, qui est en partie ceinturée de murailles et dont l'accès s'effectue par l'**arco de Vila.** Cet arc a été construit au XIXe siècle à l'emplacement d'un portail de château médiéval, pour l'évêque Dom Francisco Gomes do Avelar, qui avait entrepris de remanier la ville. Le portique est d'origine maure, et une statue de saint Thomas d'Aquin, saint patron de Faro, veille sur le site. Au cœur de la vieille ville, le largo da Sé est une place paisible, plantée d'orangers. Elle est bordée par l'élégant séminaire du XVIIIe siècle et le **paço Episcopal** (palais épiscopal), fermé au public. Une autre porte d'origine maure, l'arco do Repouso, permet de rejoindre, à l'extérieur, l'église **São Francisco,** du XVIIIe siècle, superbement décorée d'*azulejos*. Plus au nord, Nossa Senhora do Pé da Cruz, du XVIIe siècle, contient de belles peintures représentant des scènes de la Genèse. À l'arrière se trouve une intéressante chapelle extérieure, ou *humilhadero.*

Sé

Largo da Sé. *089-80 66 32.*
t.l.j. *jours fériés.*

La première église de Faro, construite à l'emplacement d'une mosquée, a été détruite lors d'une attaque anglaise, en 1596. La base du clocher, son portail médiéval et deux chapelles ont été préservés. La longue reconstruction s'est traduite par un mélange de styles Renaissance et baroque.

Vers 1640, un bâtiment plus majestueux vit le jour, avec un chœur décoré d'*azulejos,* et la capela de Nossa Senhora dos

Orangers bordant le palais épiscopal du XVIIIe siècle, largo da Sé

Prazeres, parée de magnifiques sculptures dorées. L'époustouflant orgue, qui date du XVIIIe siècle, est orné de motifs chinois. Son vaste registre s'étend du son d'une corne au chant du rossignol. De grands organistes européens sont venus jouer sur l'orgue de la cathédrale.

Museu Municipal

Largo Dom Afonso III. *089-82 20 42.* *lun.–ven.* *jours fériés.*

Depuis 1973, le musée est installé dans l'ancien couvent Nossa Senhora da Assunção, fondé pour les clarisses par Dona Leonor, sœur de Dom Manuel Ier. Son emblème, un filet de pêche, orne le portique. Diverses trouvailles archéologiques y sont présentées, en partie dans le ravissant cloître Renaissance de deux étages construit en 1540. La collection comprend notamment des sculptures et

Le chœur du XVIIe siècle, Sé de Faro

des statues romaines, médiévales et manuélines. La pièce la plus intéressante est toutefois le vaste pavement de mosaïques romaines, qui représente un magistral portrait du dieu Neptune (IIIe siècle apr. J.-C.).

Mode d'emploi

Carte routière D7. *40 000.* *5 km au S.-O.* *largo da Estação.* *avenida da República.* *rua da Misericórdia 8 (089-80 36 04).* *t.l.j.* *7 sept. : Dia da Cidade.*

Museu Marítimo

Rua da Comunidade Lusiada. *089-80 36 01.* *lun.–ven. (a.-m.).* *jours fériés.*

Le Museu Marítimo est installé dans la capitainerie. Sa curieuse petite collection maritime comprend essentiellement des maquettes de bateaux depuis l'époque des Découvertes *(p. 46-49)*, dont une *nau* à voiles carrées, prototype du galion. On y voit la *São Gabriel* de Vasco da Gama, le vaisseau amiral de son voyage aux Indes en 1498. Le musée présente aussi des méthodes de pêche traditionnelles utilisées dans la région.

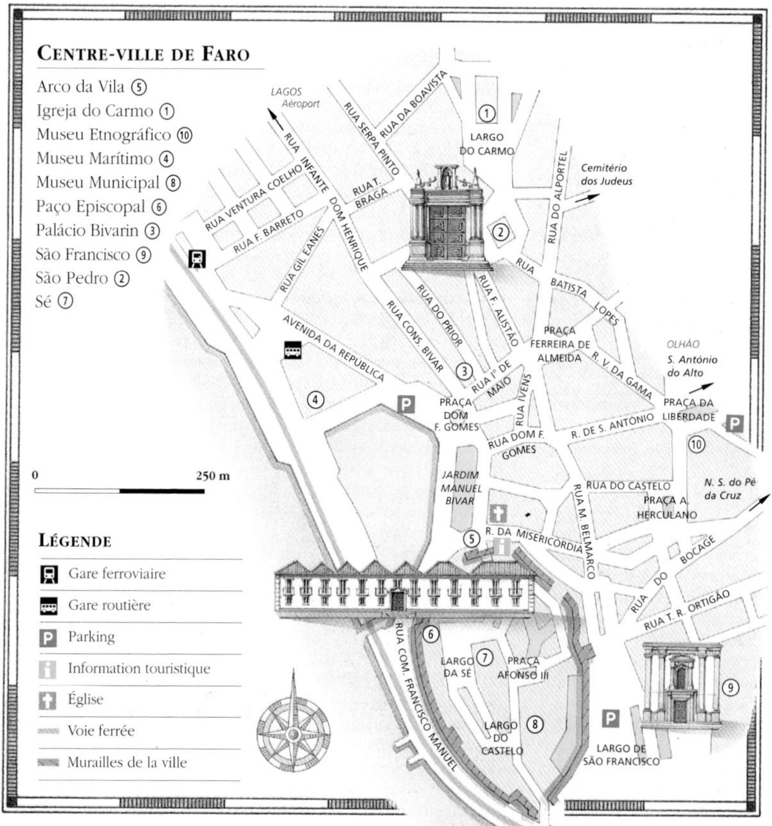

Centre-ville de Faro

- Arco da Vila ⑤
- Igreja do Carmo ①
- Museu Etnográfico ⑩
- Museu Marítimo ④
- Museu Municipal ⑧
- Paço Episcopal ⑥
- Palácio Bivarin ③
- São Francisco ⑨
- São Pedro ②
- Sé ⑦

0 250 m

Légende

- Gare ferroviaire
- Gare routière
- Parking
- Information touristique
- Église
- Voie ferrée
- Murailles de la ville

À la découverte de Faro
Le centre animé, autour de la rua de Santo António, est un élégant quartier piéton avec des magasins, des bars et des restaurants. Entre ce quartier et le largo do Carmo se dressent de beaux édifices du XVIIIe siècle, comme le **palácio Bivarin.** Un marché se tient le matin sur le largo de Sá Carneiro, au nord. De là, on montera à l'**ermida de Santo António do Alto,** d'où le panorama de Faro, de la mer et des marais salants est superbe.

Museu Etnográfico
Praça da Liberdade 2. *089-276 10.* *lun.–ven.* *jours fériés.*
Le musée offre un aperçu de la vie traditionnelle en Algarve, avec des céramiques, des métiers à tisser et de la sellerie décorative. Des photographies illustrent les techniques agricoles du passé, recourant aux ânes et aux bœufs. On y voit également la charrette du dernier marchand d'eau d'Olhão, utilisée jusqu'en 1974.

L'imposante façade à deux tours de l'igreja do Carmo, édifice baroque

Igreja do Carmo
Largo do Carmo. *089-82 44 90.* *lun.–ven.* *Capela dos Ossos.*
La construction de la façade a commencé en 1713. À l'intérieur, la décoration est résolument baroque. Le moindre détail est couvert d'or du Brésil. Contraste lugubre, la capela dos Ossos (chapelle des Os), de 1816, présente des murs tapissés de crânes et de grands os provenant du cimetière. Elle rappelle que la vie est éphémère.

Somptueuse décoration baroque du retable de São Pedro

São Pedro
Largo de São Pedro.
089-80 54 73. *t.l.j.*
L'église paroissiale est dédiée au saint patron des pêcheurs. Restaurée avec des colonnes de style italien après le séisme de 1755, elle a néanmoins gardé des décorations baroques d'origine, comme le retable (1689).

La chapelle du Santíssimo Sacramento contient un éblouissant retable (v. 1745) orné d'un bas-relief de la Cène et une sculpture de sainte Anne enseignant la lecture à la Vierge. L'autel de la capela das Almas est entouré de magnifiques *azulejos* (v. 1730) représentant la Vierge et d'autres saints tirant des âmes du purgatoire.

Cemitério dos Judeus
Estrada da Penha. *082-41 67 10.* *lun.–ven. (matin).* *jours fériés.*
À l'extrémité nord-ouest de la ville s'étend le cimetière créé pour la communauté juive installée ici au XVIIIe siècle par le marquês de Pombal *(p. 52-53)* pour relancer l'économie. Le cimetière est aménagé selon le plan séfarade traditionnel, les enfants reposant près de l'entrée, les femmes au centre et les hommes au fond. Il fut utilisé de 1838 à 1932, où 60 familles vécurent dans la région. Aujourd'hui, la communauté juive de Faro est pour ainsi dire inexistante.

Olhão 18

Carte routière D7. *15 000.* *largo da Lagoa (089-71 39 36).* *t.l.j. (poissons) ; sam.*

Olhão est voué à la pêche depuis le Moyen Âge. C'est aujourd'hui un grand port de pêche et une conserverie de thon et de sardine. En 1808, le village acquit le statut de ville, lorsque 17 pêcheurs traversèrent l'Atlantique sans cartes, pour transmettre au roi João VI, exilé à Rio de Janeiro, la nouvelle que les soldats de Napoléon avaient été chassés.

La place d'Olhão, les maisons blanchies à la chaux avec leurs toits plats en terrasse et les cheminées massives rappellent l'architecture maure. La plus belle vue s'offre du clocher de l'église paroissiale, **Nossa Senhora do Rosário,** sur la praça da Restauração. Cette dernière fut construite entre 1681 et 1698 grâce aux dons des pêcheurs. En 1758, le prêtre de la paroisse nota d'ailleurs la grande dévotion des pêcheurs à « Notre-Dame du Rosaire dans leur affliction et pour se protéger du danger en mer, surtout en été, lorsque des pirates nord-africains naviguent au large de la côte ». Le gardien laisse entrer les visiteurs par la porte donnant sur la nef. À l'arrière de l'église se trouve une chapelle extérieure, **Nossa Senhora dos Aflitos.**

De là, les ruelles piétonnes descendent vers le front de mer, bordé de

Chapelle Nossa Senhora dos Aflitos, derrière l'église paroissiale d'Olhão

La grande lagune du parque natural da Ria Formosa

magasins, où se tient un marché animé et pittoresque. Sur le marché aux poissons couvert, la prise arrivée le matin est vendue bruyamment, et le samedi des étals bordent le quai, où les fermiers des environs vendent fruits, noix, miel et poulets vivants.

Boutique de vannerie locale, Olhão

Aux environs : À l'extrémité est du quai, des bateaux transportent les visiteurs vers les îles d'**Armona** (15 mn), **Culatra** (30 mn) et **Farol** (45 mn). Ces bancs de sable, qui appartiennent au Parque Natural da Ria Formosa, protègent la ville et constituent d'excellentes plages, en particulier sur la face tournée vers l'océan.

Parque Natural da Ria Formosa ⓳

Carte routière D7. *Quinta de Marim, Quelfes (089-70 41 34). sur la N 125. de Faro, Olhão et Tavira.*

Le parc naturel, qui s'étend de la praia de Faro à Cacela Velha *(**p. 331**)*, longe 60 km de côte. Il a été créé en 1987 pour préserver l'écosystème menacé par l'urbanisme sauvage, l'extraction de sable et la pollution, dus au développement massif du tourisme. La zone des lagunes, avec ses marécages, ses marais salants et ses îlots, est protégée de la mer par une chaîne d'îles, qui sont en réalité des dunes de sable dépassant de la mer. Des ouvertures entre ces îles permettent aux marées de pénétrer dans la lagune et de se retirer.

Les eaux chaudes et riches en nutriments regorgent de fruits de mer, comme des huîtres, des coques et des palourdes. Ces coquillages y sont aussi élevés, et représentent 80 % des exportations de mollusques. La douceur du climat et la richesse du milieu en poisson attirent quantité d'oiseaux sauvages, mais aussi serpents, crapauds et caméléons.

La **quinta de Marim,** à 3 km environ à l'est d'Olhão, est un centre d'information sur l'environnement. Plusieurs projets sont installés sur ses 60 ha de dunes et de pinèdes, dont une ferme restaurée, un moulin à marée et un centre d'accueil pour les oiseaux blessés. Un élevage a permis de préserver de l'extinction le chien d'eau portugais, aux pattes palmées, très utilisé autrefois par les pêcheurs. À l'extrémité orientale du parc, on trouve des bassins romains où l'on salait le poisson avant de le transporter.

Quinta de Marim

Quelfes. *089-70 41 34. t.l.j. 1er janv., 25 déc.*

Les oiseaux aquatiques de la Ria Formosa

C'est un lieu de reproduction pour les hérons garde-bœufs et pourpres, les nettes rousses. Dans les zones plus sèches, on trouve des perdrix de mer et des gravelots à collier interrompu. D'autres espèces, comme le canard siffleur et le bécasseau variable, hivernent ici. Mais le symbole du parc est la poule sultane, très rare.

Le héron garde-bœuf *s'installe souvent sur le dos des bovins, pour y picorer mouches et insectes.*

La poule sultane *est un parent foncé de la poule d'eau. Elle court très vite, grâce à ses longues pattes, mais elle vole mal.*

La nette rousse *est un canard aux couleurs vives, du centre de l'Europe.*

Maisons coiffées de toits pyramidaux, les « telhados de quatro águas », au bord de la Gilão à Tavira

Tavira ⓴

Carte routière D7. *10 000.* *rua da Galeria 9 (081-225 11).* *3e lun. du mois.*

Cette jolie ville, aux églises anciennes et aux belles demeures ornées de balcons en filigrane, s'étend sur les deux rives du Gilão, reliées par un pont d'origine romaine. L'ouvrage faisait partie de la voie romaine reliant Castro Marim et Faro *(p. 326-328).* L'ascension de Tavira commença avec les Maures. Elle fut prise en 1242 par Dom Paio Peres Correia, après l'assassinat, lors d'une trêve, de sept de ses chevaliers par les Maures. La proximité des côtes marocaines explique l'importance de Tavira, reconnue formellement en 1282 par le roi Dinis, qui conféra aux marins de la ville les mêmes droits qu'à ceux de Lisbonne. La ville devint une base idéale pour contrôler les pirates et soutenir les positions portugaises en Afrique du Nord.

Tavira prospéra jusqu'au XVIe siècle, où commença un lent déclin, renforcé par une épidémie de peste (1645-1646) et l'envasement du port. La pêche au thon devint une activité majeure, mais les bancs de poissons se déplacèrent et la ville dut trouver d'autres ressources. Elle se tourna alors vers le tourisme, sans que sa physionomie ou son ambiance en pâtissent.

La plus belle vue s'offre du haut des murs du **château maure,** dans le vieux centre arabe. De là, on voit parfaitement les « telhados de quatro águas » (toits des quatre eaux) à quatre faces, qui bordent la rua da Liberdade. Ces toits pyramidaux auraient été inventés à Tavira, probablement pour permettre aux pluies torrentielles de s'évacuer rapidement. Des murs du château, la tour de l'horloge voisine de l'église **Santa Maria do Castelo** sert de point de repère. L'église est installée à l'emplacement d'une mosquée, qui fut la plus grande de l'Algarve. Sa façade a conservé un portail et des fenêtres gothiques. L'intérieur, restauré au XIXe siècle, recèle les tombeaux de Dom Paio Peres Correia et des sept chevaliers. Santa Maria do Castelo est la seule église de Tavira qui reste ouverte en dehors des services religieux. Sous le château, l'église **Nossa Senhora da Graça,** aux jolies arcades, a été construite en 1568 pour l'ordre des augustins.

L'architecture Renaissance se découvre en montant vers le château, avec l'**igreja da Misericórdia** (1541-1551), au ravissant portail surmonté de saint Pierre et saint Paul, et le **palácio da Galeria** (expositions temporaires). La rua da Liberdade et la rua José Pires Padinha foisonnent de maisons du XVIe siècle. La rivière est bordée de demeures du XVIIIe siècle, surtout sur la rive orientale, près du pont romain. Une promenade sur la rua do Cais mène au marché.

Plage de l'ilha de Tavira, l'une des nombreuses îles de la côte est de l'Algarve

Château maure

Alto de Santa Maria. *t.l.j.*

AUX ENVIRONS : L'**ilha de Tavira,** de 11 km sur 500 m, est agréable pour la baignade. En été, c'est un endroit très apprécié, desservi par ferry depuis Quatro Águas, à 2 km au sud-est de Tavira. Cette zone, qui fait partie du parc naturel de Ria Formosa *(p. 329),* est appréciée des ornithologues.

Cacela Velha ㉑

Carte routière D7. 50. *Junta de Vila Nova de Cacela (081-95 12 28).*

On atteint ce hameau perché sur une falaise en traversant des champs et des oliveraies. Cet endroit paisible est épargné par le tourisme. De jolies maisons de pêcheurs bleues et blanches sont agglutinées autour d'une église du XVIIIe siècle blanchie à la chaux et des vestiges d'un fort.

La plage, protégée par une bande de sable, est parsemée de bateaux de pêche. Les Phéniciens, puis les Maures, s'installèrent dans ce joli site protégé, qui fut ensuite pris par les chevaliers de Santiago *(p. 43)* en 1240.

Maisons blanches, Cacela Velha

Castro Marim ㉒

Carte routière D7. 4 000. *praça 1° de Maio 2 (081-53 12 32).*

Castro Marim, qui domine le Guadiana, attire les « visiteurs » depuis l'Antiquité. Les Phéniciens, les Grecs et les Romains s'y installèrent. Le site était également la porte d'entrée de l'Al-Gharb maure. Plus tard, différents rois chrétiens lui accordèrent des privilèges, pour accroître la population de ce lieu stratégique. L'endroit fut un sanctuaire pour ceux qui fuyaient l'Inquisition *(p. 51)*. Le **château** aux tourelles rondes est d'origine maure. Mais les murailles sont un ajout du XIIIe siècle.

Château maure et l'église Misericórdia désaffectée, Castro Marim

AUX ENVIRONS : Les *salinas* des environs font aujourd'hui partie de la **reserva natural do Sapal,** créée en 1975, qui abrite une faune et une flore précieuses. La zone humide de 2 090 ha, au sud de Castro Marim, regroupe des marécages et des marais salants avec quantité de plantes et d'animaux, comme des flamants, des cigognes blanches (qui construisent ici leurs grands nids désordonnés) et des échasses blanches.

Alcoutim ㉓

Carte routière D7. 1 300. *praça da República (081-461 79).*

Ce ravissant petit village est situé à 15 km de la limite de l'Alentejo et sur le Guadiana, frontière naturelle avec l'Espagne. Le trajet sur la N 122-2, qui longe parfois le Guadiana, offre de magnifiques vues sur les paysages et, au-delà de la rivière, sur l'Espagne. La taille de la localité n'est pas à l'image de son histoire. Ce port fluvial jouissant d'un emplacement stratégique a été pris par les Phéniciens, les Grecs, les Romains et les Maures, qui y restèrent jusqu'à la Reconquête, en 1240. C'est ici qu'en 1371, le roi Fernando Ier signa la paix d'Alcoutim avec Enrique II de Castille, sur un bateau à mi-chemin d'Alcoutim et de Sanlúcar de Guadiana, en Espagne. À la fin du XVIIe siècle, la bourgade se fit une nouvelle réputation : elle devint un lieu de contrebande du tabac d'Espagne.

Les murs du **château** du XIVe siècle commandent une belle vue sur le village et son cadre idyllique. Près de la place principale se dresse **San Salvador,** une église du XVIe siècle qui est un modèle de sobriété.

AUX ENVIRONS : Des bateaux de pêcheurs proposent une jolie excursion de 15 km, jusqu'à **Foz de Odeleite,** en traversant des vergers et des orangeraies. À Álamo, on peut voir un barrage romain.

Sur le Guadiana, Sanlúcar en Espagne vu d'Alcoutim

LES ÎLES PORTUGAISES

Les îles d'un coup d'œil

Jadis avant-postes éloignés d'un empire maritime, Madère et les Açores sont aujourd'hui desservies par avion depuis le Portugal continental. Avec leur flore subtropicale et leurs montagnes, Madère (Madeira) et Porto Santo, à 650 km des côtes africaines, sont des destinations de vacances prisées. Les Açores s'égrènent plus à l'ouest, près de la dorsale médio-atlantique. Le climat y est plus tempéré, et les volcans y ont façonné des paysages lunaires et des cratères verdoyants.

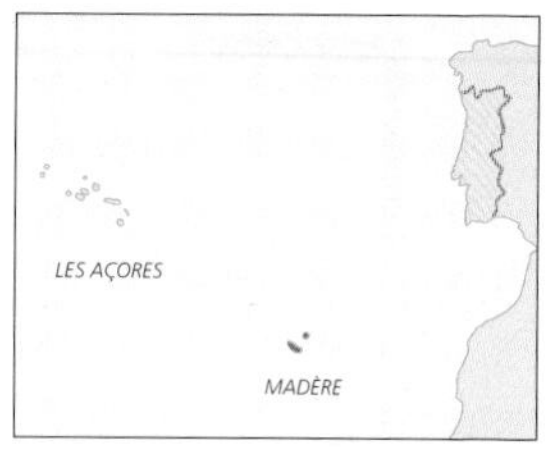

Terceira, *île relativement plane, est renommée pour ses courses de taureaux originales, appelées* « touradas à corda ». *Sur la côte sud, l'église São Mateus, flanquée de deux tours, domine le port de São Mateus. Elle date du début du siècle.*

Corvo

Flores

LES AÇORES
(p. 358–371)

Graciosa

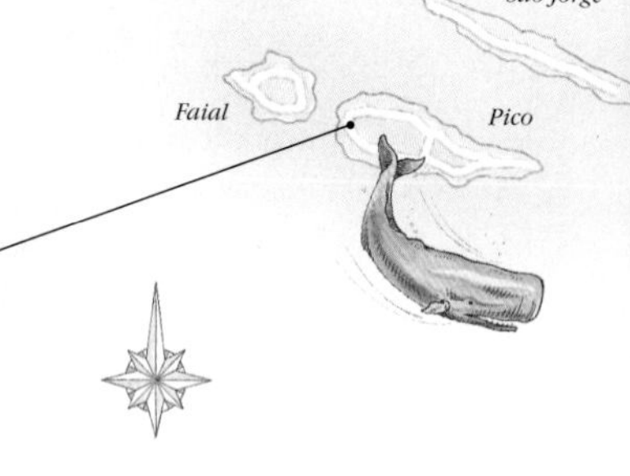

Pico *est le sommet d'un volcan aux flancs abrupts jaillissant de la mer. Au bas des versants qui plongent vers l'océan, les champs sont sillonnés de murs de pierres sèches, construits en basalte volcanique noir.*

◁ **Les pâturages verdoyants se déroulent vers les cônes volcaniques et la mer, à Faial**

MADÈRE
(p. 340–357)

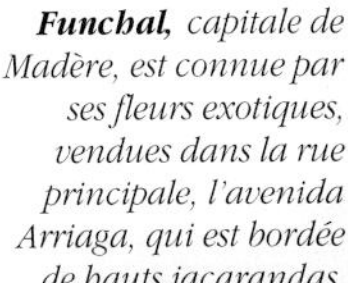

Funchal, *capitale de Madère, est connue par ses fleurs exotiques, vendues dans la rue principale, l'avenida Arriaga, qui est bordée de hauts jacarandas.*

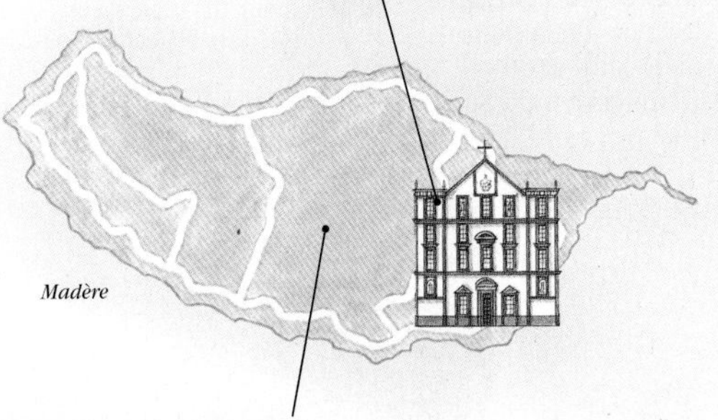

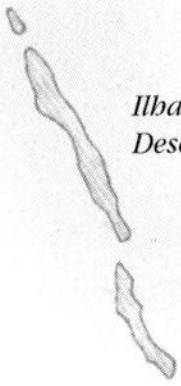

Ilhas Desertas

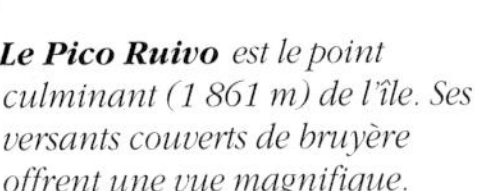

Le Pico Ruivo *est le point culminant (1 861 m) de l'île. Ses versants couverts de bruyère offrent une vue magnifique.*

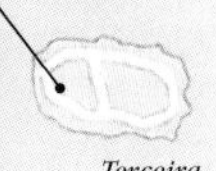

São Miguel *est renommé pour ses bassins d'eau minérale chaude, aux vertus thérapeutiques. À Caldeira das Furnas, à l'ouest, des sources de boue jaillissent en bouillonnant.*

Santa Maria

Paysages et fleurs de Madère

Echium fastuosum

Le climat doux et humide de Madère se traduit par la présence d'une flore très riche. À première vue, les fleurs et la végétation semblent parfaitement intégrées à leur environnement, mais les botanistes avisés décèlent rapidement l'étrange assortiment de plantes issues des quatre coins du monde. Au cours des derniers siècles, quantité de fleurs de la région du Cap, en Afrique du Sud, et de plantes exotiques d'Amérique du Sud ont été introduites ici.

Jardins de Madère

Le climat subtropical et le mélange de plantes endémiques et importées donnent naissance à des jardins qui font pâlir d'envie tous les horticulteurs du monde. Les espaces verts, comme le jardin botanique de Funchal *(p. 346)*, regorgent de couleurs toute l'année. Voici quelques végétaux étonnants.

Fleur de magnolia

Sur la côte

Beaucoup de régions côtières sont bordées de falaises spectaculaires, comme ici à Ponta de São Lourenço *(p. 350)*. Malgré le climat sec et le sol rocheux, on y trouve une flore variée, importée ou indigène.

Champs et bord des chemins

Un système d'irrigation reposant sur des canaux appelés *levadas*, comme celui-ci près de Curral das Freiras *(p. 354)*, permet aux insulaires de cultiver des zones ingrates. Les bordures des terres agricoles sont souvent fleuries.

***La figue des Hottentots**, plante côtière originaire d'Afrique du Sud.*

Le **Lampranthus spectabilis** *est un végétal sud-africain qui fleurit sur la côte, de mai à juillet.*

***Les dattiers des Canaries** sont répandus, surtout sur la côte sud, plus ensoleillée.*

***Les mimosas** se développent bien dans les parties boisées de l'île, où ils fleurissent en hiver.*

***Le clianthe** donne de grandes fleurs originales, en mars et en avril.*

*L'***Hibiscus syriacus,** *qui vient du Moyen-Orient, fleurit de juin à octobre.*

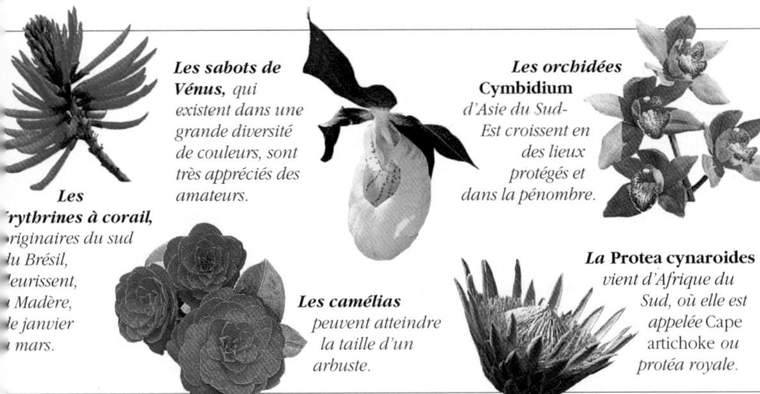

Les ’rythrines à corail, *›riginaires du sud ›lu Brésil, ’eurissent, ı Madère, ›le janvier ı mars.*

Les sabots de Vénus, *qui existent dans une grande diversité de couleurs, sont très appréciés des amateurs.*

***Les orchidées* Cymbidium** *d'Asie du Sud-Est croissent en des lieux protégés et dans la pénombre.*

Les camélias *peuvent atteindre la taille d'un arbuste.*

***La* Protea cynaroides** *vient d'Afrique du Sud, où elle est appelée* Cape artichoke *ou protéa royale.*

’UR LES HAUTEURS

›a vue qu'offre le sommet du Pico Ruivo, point ›ulminant de l'île *(p. 354),* est spectaculaire. Les ›auteurs abritent davantage d'espèces ›ndémiques que les plaines.

CULTURES EN TERRASSES

Les plantations, comme ces bananiers près de Calheta *(p. 356),* sont installées sur des terrasses creusées dans la montagne. Elles sont destinées à la consommation locale ou à l'exportation.

L'Isoplexis sceptrum, *qui porte des fleurs jaunes, est un arbuste indigène de Madère.*

Les fleurs de genêt *sont appréciées des insectes pollinisateurs.*

Le genévrier *est un arbuste à feuilles épineuses couvert de baies rouges.*

Les châtaigniers, *qui croissent bien sur cette île, fournissent en automne une récolte abondante.*

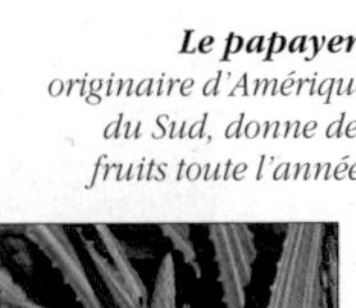

Le papayer, *originaire d'Amérique du Sud, donne des fruits toute l'année.*

Cet aloès, *aux feuilles piquantes, est utilisé pour délimiter les plantations.*

Les Açores, des îles volcaniques

Située de part et d'autre de la dorsale médio-atlantique, l'archipel des Açores est le fruit de vingt millions d'années d'activité volcanique. À mesure que les plaques de la croûte terrestre se sont écartées, des éruptions volcaniques ont entraîné la formation d'une chaîne de montagnes sous l'Atlantique. Par endroits, la dorsale est coupée par des failles perpendiculaires, appelées failles transformantes. La roche en fusion (magma) a traversé ces failles, formant les Açores. Les paysages spectaculaires de ces îles, qui ont émergé voici moins de cinq millions d'années, sont toujours en cours de formation.

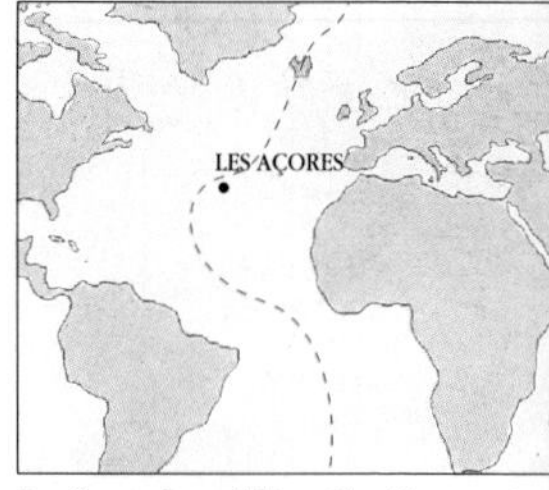

***La dorsale médio-atlantique** est une ligne de volcans sous-marins qui traverse l'Atlantique.*

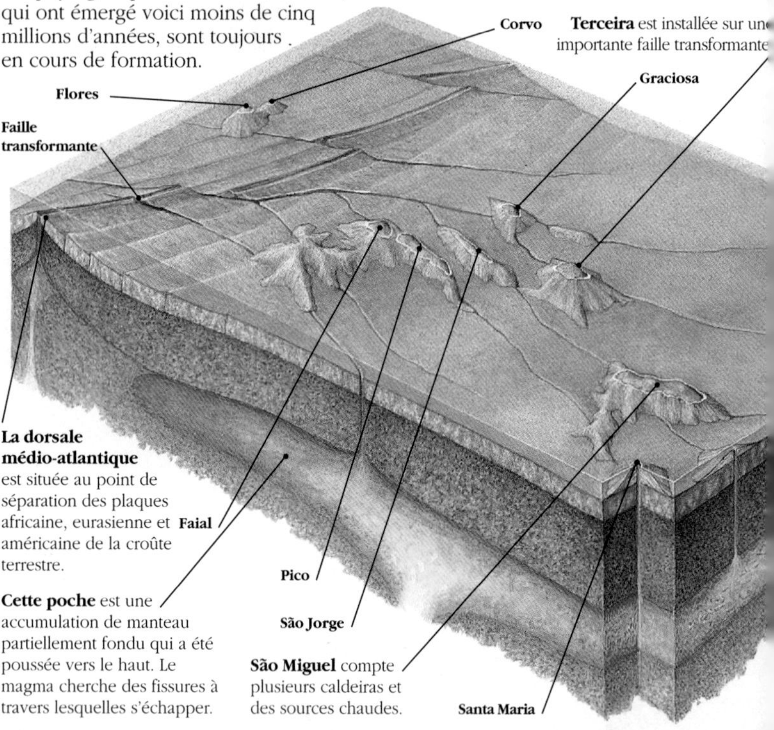

Corvo

Terceira est installée sur une importante faille transformante

Graciosa

Flores

Faille transformante

La dorsale médio-atlantique est située au point de séparation des plaques africaine, eurasienne et américaine de la croûte terrestre.

Faial

Pico

São Jorge

Cette poche est une accumulation de manteau partiellement fondu qui a été poussée vers le haut. Le magma cherche des fissures à travers lesquelles s'échapper.

São Miguel compte plusieurs caldeiras et des sources chaudes.

Santa Maria

Les ressources volcaniques

L'archipel dispose d'importantes ressources naturelles. Les sources chaudes, les matériaux de construction solides et les sols fertiles sont le fruit de son activité volcanique. Le climat humide et tempéré entraîne une lente décomposition de la roche volcanique, donnant une terre fertile. Les sols les plus anciens accueillent une luxuriante végétation et se prêtent bien à l'agriculture. Ce n'est pas le cas des plus récents.

***Ces maisons de pierre,** à Pico, sont bâties avec le basalte omniprésent, qui fait un excellent matériau de construction.*

***À Furnas (São Miguel),** les sources d'eau sulfureuse et de boue sont utilisées pour les bains et à des fins curatives.*

Dépassant des nuages, *le Pico Alto, toujours en activité, domine l'île de Pico, qui est le sommet d'un gigantesque volcan sous-marin. Culminant à 2 350 m au-dessus du niveau de la mer, le Pico Alto est la plus haute montagne du Portugal.*

GÉOLOGIE DES AÇORES

Les Açores sont établies sur des failles transformantes, qui sont des fissures de la croûte terrestre coupant la dorsale médio-atlantique, à travers lesquelles s'échappe le magma. Les éruptions successives ont formé des centaines de montagnes sous-marines, dont les neuf îles des Açores sont les plus hautes. Elles ont émergé grâce au renflement de la poche de manteau sous la croûte océanique, qui soulève le fond de la mer et le rapproche de la surface.

Croûte océanique mince

Océan Atlantique

Le manteau supérieur, couche de roche dense, forme avec la croûte la lithosphère, plaques semi-rigides en mouvement.

Le manteau inférieur est une couche de roche partiellement fondue qui entoure le noyau central.

Les murs de pierres sèches *en lave basaltique abritent la vigne et protègent le sol de l'érosion, à Pico. Le sol volcanique, relativement récent, convient à peu de cultures, hormis la vigne.*

FORMATION D'UNE CALDEIRA

Une caldeira est un grand cratère qui se forme durant ou après une éruption, quand le toit de la chambre magmatique s'effondre sous le poids du volcan. L'eau qui s'accumule dans la cuvette de la caldeira crée parfois un lac.

Caldeira das Sete Cidades sur l'île de São Miguel

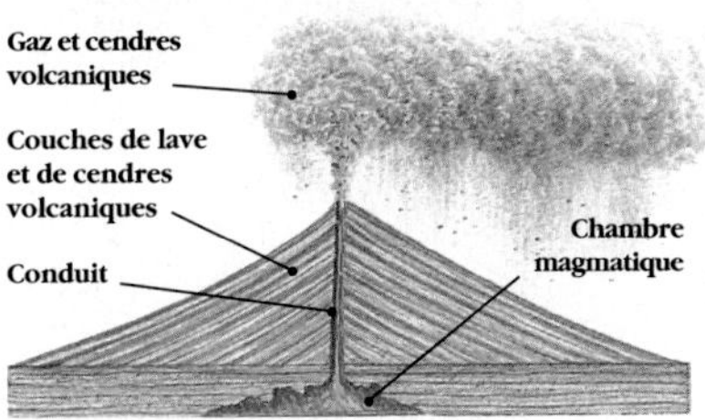

Volcan en activité. La chambre magmatique, sous le cône, est remplie de roche en fusion. La pression fait remonter dans le conduit le magma qui est expulsé à la surface, causant une éruption.

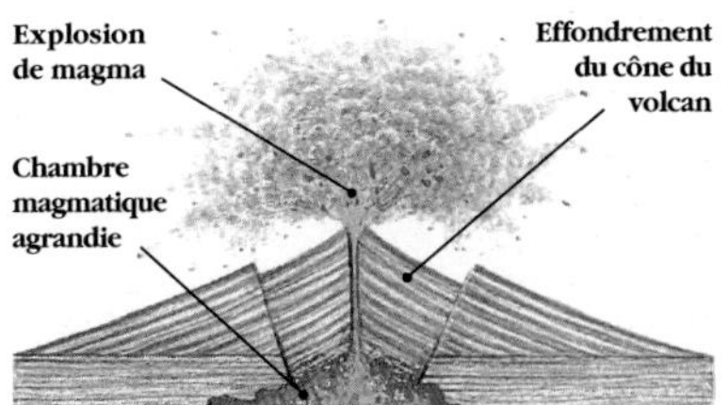

À mesure que le magma est expulsé, le niveau baisse dans la chambre magmatique. Le cratère sommital s'effondre alors sous son propre poids, formant une cuvette caractéristique, ou caldeira.

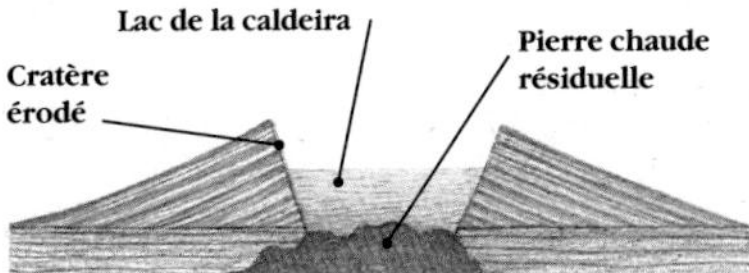

Lorsque le volcan est éteint et érodé, la caldeira peut se remplir d'eau et former un lac. La pierre chaude résiduelle, près de la chambre magmatique, continue parfois à chauffer l'eau du fond du lac.

MADÈRE

Madère (Madeira) est une île subtropicale paradisiaque d'origine volcanique, qui est radicalement différente du Portugal continental. Dotée d'un climat clément qui, dans la journée, ne varie guère que de quelques degrés au-dessus ou au-dessous de 20° C, elle est agréable toute l'année.

L'archipel n'est qu'un petit point dans l'Atlantique, à 608 km du Maroc et à presque 1 000 km de Lisbonne. Néanmoins, Madère et Porto Santo figuraient déjà sur une carte génoise de 1351. Personne ne les revendiqua jusqu'en 1418, où João Gonçalves Zarco fut entraîné dans l'Atlantique par une violente tempête, alors qu'il explorait la côte africaine. Il arriva sain et sauf à Porto Santo, où il planta le drapeau portugais avant de rentrer à Lisbonne. Un an après, il entreprit un nouveau voyage d'exploration financé par Henri le Navigateur *(p. 49)*. En 1420, il passa l'hiver à Porto Santo, puis il mit le cap sur les terres auréolées de brume qui se détachaient à l'horizon. Il accosta sur une belle île boisée (*madeira* signifie bois), riche en eau douce. Sept ans plus tard, une colonie de pionniers y mettait à profit le sol fertile et le climat chaud pour cultiver la canne à sucre. Les insulaires firent fortune avec l'« or blanc » et des esclaves furent amenés pour travailler la terre et aménager les terrasses et les canaux d'irrigation *(levadas)* qui existent toujours. Malgré l'inclinaison du sol, le moindre arpent de terre y est exploité, et la vigne, les bananes et les fleurs exotiques jouent un rôle déterminant dans l'économie locale.

« Oiseau de paradis » (*Strelitzia reginae*)

À la fin du XIXe siècle, Madère devint une villégiature hivernale très prisée. Le lancement de vols commerciaux, en 1964, permit aux touristes de découvrir Madère. Aujourd'hui, l'île est appréciée des randonneurs, des passionnés de botanique et des amateurs de soleil, bien qu'elle soit privée des plages de sable de Porto Santo, l'île sœur.

Maisons triangulaires typiques de Santana, sur la côte nord de Madère

◁ **Chemin traversant les spectaculaires paysages de montagne du Pico do Arieiro**

À la découverte de Madère

Funchal est la capitale de l'île et sa seule grande localité. C'est ici que se trouvent la plupart des musées et bâtiments historiques, ainsi que les meilleurs hôtels, restaurants et magasins. Les cultures se trouvent surtout sur la côte sud, ensoleillée et fertile. La côte nord, plus fraîche et humide, compte davantage de pâturages. L'arrière-pays, volcanique et montagneux, est resté sauvage, et certaines parties ne sont accessibles qu'à pied. Le Pico Ruivo, le plus haut sommet, est très apprécié des randonneurs.

Terrasses près de Boa Ventura, entre Santana et São Vicente

Vue au petit matin sur les toits de Funchal, avec les montagnes à l'arrière-plan

CIRCULER

Le seul aéroport international, Santa Catarina, se trouve à Santa Cruz, à 18 km au nord-est de Funchal. De la capitale partent des cars vers toutes les régions de l'île. Toutefois, leurs itinéraires ne sont pas conçus pour les touristes. Les voitures de location offrent plus d'indépendance ; Madère ne mesure en effet que 19 km du nord au sud et 56 km d'est en ouest. Cependant, sur cette île montagneuse, les temps de transport sont longs. L'île voisine de Porto Santo est desservie par avion, de Santa Cruz, ou par ferry, reliant Funchal à Porto Abrigo *(p. 444-445)*.

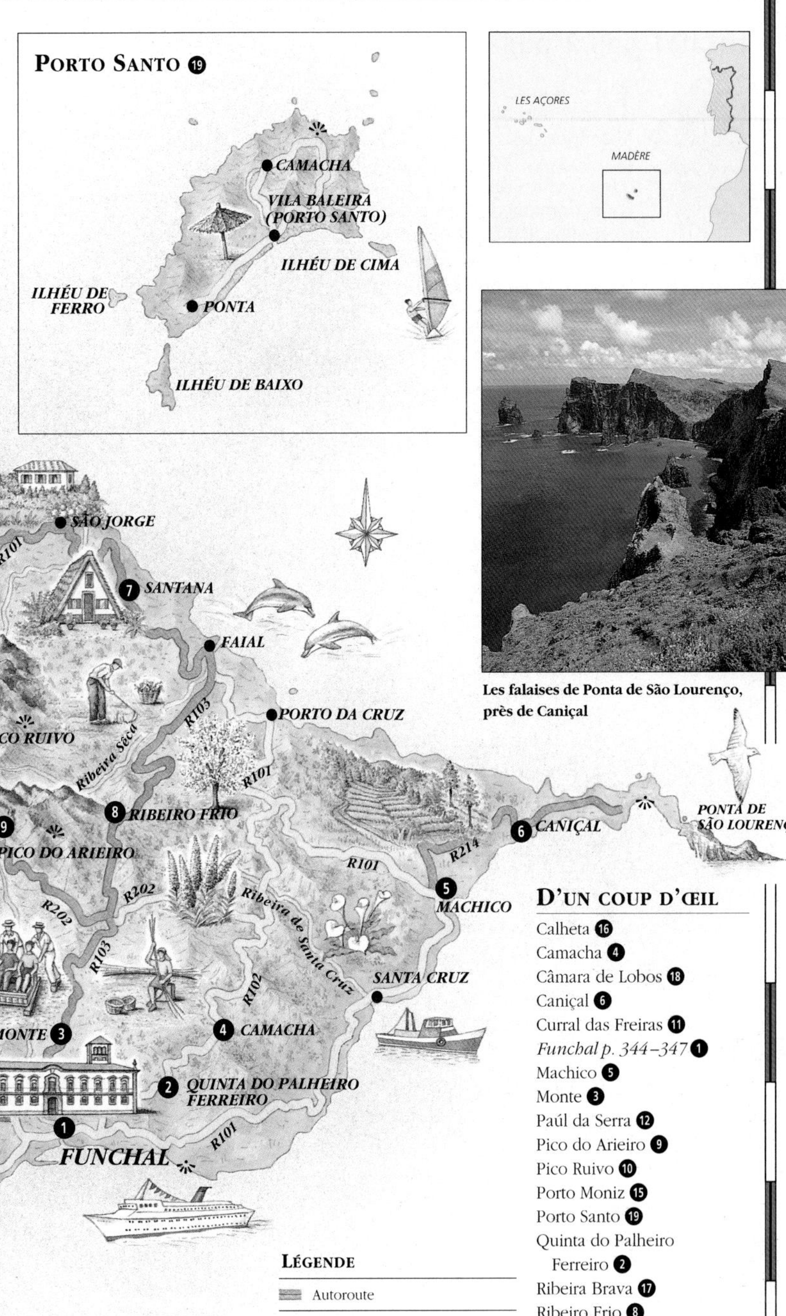

Les falaises de Ponta de São Lourenço, près de Caniçal

D'UN COUP D'ŒIL

LÉGENDE

- Autoroute
- Route
- Parcours pittoresque
- Cours d'eau
- Point de vue

VOIR AUSSI

- ***Hébergement*** p. 399–400
- ***Restaurants*** p. 421–423

Funchal pas à pas

Le profond port naturel de Funchal a attiré les colons au XVe siècle. Le cœur historique de la localité domine toujours le port, avec de beaux bâtiments officiels et d'imposantes demeures du XVIIIe siècle aux cours ombragées et aux balcons en fer forgé. Funchal est souvent appelé la « petite Lisbonne », avec ses rues pavées escarpées, ses portes en basalte noir sculpté et l'atmosphère de splendeur qui y règne.

***Azulejos*, palácio do Governo Regional, avenida M. Arriaga**

L'igreja do Colégio (église collégiale) a été fondée par les jésuites en 1574. L'extérieur sobre contraste avec le maître-autel décoré, encadré de bois sculpté et doré (1641-1660).

La rua da Carreira et la rua do Surdo sont bordées d'élégantes maisons d'origine, ornées de balcons.

Église São Pedro

Le Museu Municipal abrite un aquarium, très apprécié des enfants.

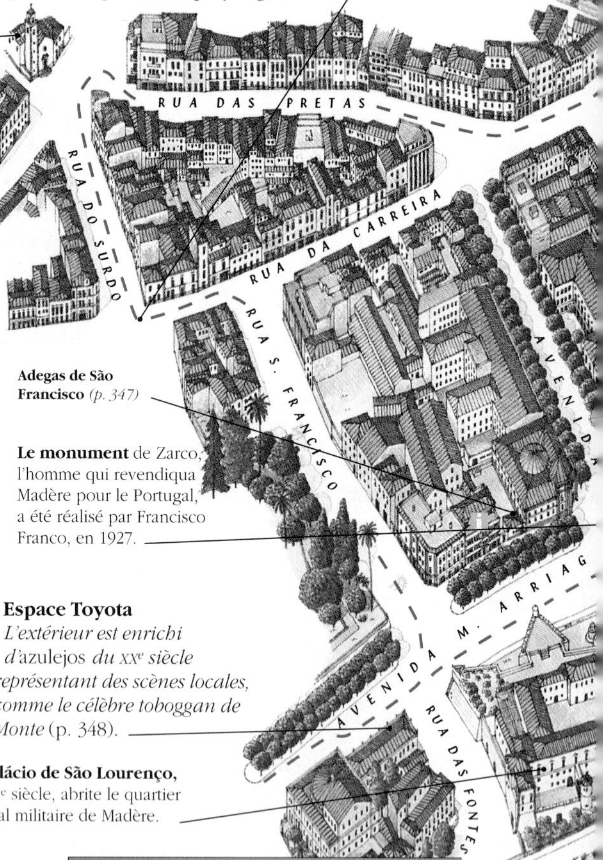

RUA DAS PRETAS

RUA DO SURDO

RUA DA CARREIRA

RUA S. FRANCISCO

AVENIDA M. ARRIAGA

AVENIDA

RUA DAS FONTES

Adegas de São Francisco *(p. 347)*

Le monument de Zarco, l'homme qui revendiqua Madère pour le Portugal, a été réalisé par Francisco Franco, en 1927.

Espace Toyota
*L'extérieur est enrichi d'*azulejos *du XXe siècle représentant des scènes locales, comme le célèbre toboggan de Monte* (p. 348).

Le palácio de São Lourenço, du XVIe siècle, abrite le quartier général militaire de Madère.

0 50 m

Marina
Bordée de restaurants de fruits de mer, la marina de l'avenida do Mar invite à la promenade du soir. Le môle offre une belle vue.

Avenida do Mar

À NE PAS MANQUER

★ **Sé**

★ **Praça do Município**

Câmara Municipal
La cour de la mairie, demeure du XVIIIe siècle, est ornée d'une fontaine représentant Léda et le cygne. *Un petit musée y retrace l'histoire de Funchal en photographies.*

Mode d'emploi

120 000. Santa Catarina 18 km au N.-E. Porto do Funchal. rua do Esmeraldo 50. avenida M. Arriaga 16 (091-22 90 57). lun.–sam. avr. : fête des fleurs ; mi-sept. : fête du vin ; 31 déc. : feu d'artifice.
Museu Municipal Rua da Moraria 31. *091-22 97 61. mar.–dim. 25 déc., 1er janv.*

Le Museu de Arte Sacra réunit art religieux, peintures flamandes, habits sacerdotaux brodés et statues *(p. 346)*.

★ Praça do Município
Des pierres noires et blanches pavent le sol de cette jolie place. La câmara Municipal se dresse du côté nord-est.

RUA JOÃO TAVIRA

RUA DO ALJUBE

RUA DA ALFÂNDEGA

Arrêt de bus

Rua do Aljube
Le long de la Sé, des marchands vendent des fleurs exotiques très colorées.

Palácio do Governo Regional

L'Alfândega Velha (ancienne douane), construite en 1477, accueille désormais le parlement régional.

★ Sé
São Tiago (saint Jacques) est l'un des nombreux personnages dorés ornant les magnifiques stalles en bois sculptées de la cathédrale du XVe siècle (p. 346).

Légende

– – – Itinéraire conseillé

À la découverte de Funchal

Funchal se divise en trois parties : à l'ouest s'étend le quartier touristique, avec les principaux hôtels ; à l'est, la Zona Velha, la vieille ville, est un dédale d'anciennes maisons de pêcheurs, dont certaines abritent des restaurants animés. Le centre-ville *(p. 344-345)* compte des bâtiments historiques et de beaux magasins. L'avenida do Mar, promenade du bord de mer, relie ces trois quartiers. Funchal est parcouru par trois cours d'eau, qui s'écoulent toutefois dans des canaux en béton et qui sont cachés par des treillages, couverts de bougainvilliers écarlates et violets.

Sé

Largo da Sé. *091-22 81 55.*
t.l.j.

La cathédrale, achevée en 1514, est l'un des rares bâtiments d'origine quasiment conservés en l'état. Vers 1490, le roi Manuel Ier *(p. 46-49)* envoya Pêro Anes construire la cathédrale de la colonie.

Le plafond et les stalles du chœur sont remarquables. Toutefois, ils sont difficiles à observer dans l'obscurité. Le transept sud, où filtre assez de lumière pour éclairer les motifs complexes, est le meilleur endroit pour admirer le plafond de bois en marqueterie. Les stalles représentent des saints, des prophètes et des apôtres en habits du XVIe siècle. Les décorations des accoudoirs et des sièges illustrent la vie locale : un chérubin porte un régime de bananes, un autre une outre remplie de vin.

Tour de l'horloge, Sé de Funchal

Museu de Arte Sacra

Rua do Bispo 21. *091-22 89 00.*
mar.–sam. et dim. matin. *jours fériés.*

Les marchands de Madère, qui s'enrichirent avec le commerce du sucre, s'efforcèrent d'assurer leur salut en commandant pour leurs églises des peintures, des statues, des habits sacerdotaux brodés et des livres de cantiques enluminés. Ce musée installé dans l'ancien palais épiscopal, qui date de 1600, réunit une vaste collection contenant quelques chefs-d'œuvre, comme la croix processionnelle de style gothique tardif, don du roi Manuel Ier , et des œuvres religieuses de grands artistes flamands du XVe et du XVIe siècle. Certaines comprennent des portraits de leurs donateurs. *Saint Jacques et saint Philippe* est un tableau du XVIe siècle représentant Simão Gonçalves de Câmara, petit-fils de Zarco *(p. 341).*

Le jardin à la française, aux motifs complexes, du Jardim Botânico

Lions sculptés de style manuélin, jardin de la quinta das Cruzes

Quinta das Cruzes

Calçada do Pico 1. *091-74 13 88.*
mar.–dim. *jours fériés.*

On dit que Zarco, qui revendiqua Madère pour le Portugal *(p. 341),* construisit sa maison à l'emplacement de la quinta. L'élégante demeure du XIXe siècle abrite le musée des Arts décoratifs, meublé comme une maison de marchand, avec des tentures murales en soie indiennes, des buffets de style Regency et des tapis d'Orient. Le sous-sol présente des meubles faits de caisses en acajou, utilisées au XVIIe siècle pour transporter le sucre, puis transformées en coffres et en armoires à la fin du commerce du sucre.

Le jardin est parsemé de vieilles tombes et de vestiges architecturaux, comme deux fenêtres de 1507 sculptées de cordages, de personnages et de lions, dans une variante madérienne du style manuélin *(p. 20-21).*

Convento de Santa Clara

Calçada de Santa Clara. *091-74 26 02.* *lun.–ven.*

En face de la quinta se trouve le convento de Santa Clara, fondé en 1496 par João Gonçalves de Câmara, un petit-fils de Zarco. Ce dernier repose sous le maître-autel et son beau-fils, Martim Mendes Vasconcelos, est enterré à l'arrière de l'église. D'éblouissants *azulejos* du XVIIe siècle couvrent les murs.

Jardim Botânico

Quinta do Bom Sucesso, caminho do Meio. *t.l.j.* *25 déc.*

Ouvert au public en 1960, il présente des végétaux de toutes les régions du monde : cactées du désert, orchidées des forêts tropicales, protéas sud-africaines et dragonniers endémiques. Il réunit des jardins à la française, de paisibles bassins à carpes et des zones plus sauvages.

Adegas de São Francisco

Avenida M. Arriaga 28. 091-22 30 65. lun.–ven., sam. matin. jours fériés. obligatoire.

Dans les cours pavées du chai de Saint-François, les visiteurs sont accueillis par l'odeur du bois et du madère. Certains édifices de ce dédale réunissant des ateliers de tonneliers, de chais et de salons de dégustation datent du XVIIe siècle, alors que le site appartenait à la confrérie franciscaine. On peut y découvrir des vins de plus de 150 ans, ainsi que des crus plus récents (et moins chers). La visite guidée comprend la découverte des étuves où « cuit » le vin de Madère *(p. 349)*.

Dégustation de vin de Madère à l'adegas de São Francisco

Mercado dos Lavradores

Rua Dr Fernão Ornelas. 091-22 25 84. lun.–sam. jours fériés.

Horticulteurs, vanniers, fermiers et pêcheurs de toute l'île viennent vendre leurs produits au mercado dos Lavradores. Ce marché couvert, installé sur trois niveaux autour d'une cour, est plein d'animation. Les vendeurs font goûter aux passants des morceaux de mangue ou d'autres délices. Au sous-sol, des tables en marbre sont couvertes de grands morceaux de thon et de poisson-épée à la peau noire, aux grands yeux et aux dents acérées.

Le vendredi, le marché déborde dans les rues de la Zona Velha (vieille ville), l'ancien quartier des pêcheurs, où se trouvent aujourd'hui des petits magasins et des terrasses de cafés et de bars. Les maisons simples à l'extrémité orientale de la rua Dom Carlos Ier, piétonne, dateraient du XVe siècle. La petite chapelle Corpo Santo, bâtie au XVIe siècle par des pêcheurs, en l'honneur de leur patron, saint Pierre, serait la plus vieille de Funchal.

Maison et jardin de la quinta do Palheiro Ferreiro

Fortaleza de São Tiago

Rua do Portão de São Tiago. 091-22 64 36. **Musée** mar.–dim. jours fériés.

Sur le front de mer se dresse la fortaleza de São Tiago, construite en 1614 et remaniée en 1767. L'édifice restauré récemment, avec ses passages et ses escaliers, offre de magnifiques vues sur Funchal. Il abrite le musée d'Art contemporain.

Quinta do Palheiro Ferreiro ❷

Palheiro Ferreiro. 091-79 24 22. 9 h–12 h 30 lun.–ven. 1er janv., Pâques, 1er mai, 25 déc.

Cette quinta, qui a le plus beau jardin de Madère, est un but de visite indispensable pour les amateurs de fleurs. Un paysagiste français a aménagé ces jardins au XVIIIe siècle pour le riche comte de Carvalhal, qui a également fait construire l'élégante demeure (fermée aux visiteurs) dominant le jardin et la chapelle baroque. Le domaine a été acheté en 1885 par les Blandy, une famille anglo-madérienne installée depuis longtemps sur l'île, ce qui explique le nom de jardin de Blandy. Des espèces végétales d'Afrique du Sud, de Chine et d'Australie ont été introduites ici, composant un espace alliant le formalisme de la fin du XVIIIe siècle au style anglais, avec quantité d'herbacées. On trouve aussi des espèces originaires de zones tempérées et tropicales. Outre son intérêt horticole, le jardin est un endroit paisible, riche en contrastes entre la régularité du Ladies' Garden et l'aspect sauvage et tropical du ravin qualifié d'« Inferno » (Enfer).

Poissonnier débitant des darnes de thon, mercado dos Lavradores, Funchal

Les murs blancs de Nossa Senhora do Monte contrastent avec le basalte

Monte ❸

10 000. Caminho de Ferro 182 (091-78 25 55).

Monte est très prisé des visiteurs depuis la fin du XIXe siècle, où un chemin de fer à crémaillère fut construit pour transporter, depuis Funchal, les passagers des paquebots sur les hauteurs. Pour descendre, ils empruntaient le célèbre **toboggan de Monte.** Le chemin de fer a fermé en 1939, mais la gare et un viaduc sont restés, faisant aujourd'hui partie du **jardim do Monte.** Une courte promenade à travers le jardin mène à l'église **Nossa Senhora do Monte,** qui domine la capitale. Cet édifice à deux tours a été construit en 1818 à l'emplacement d'une chapelle bâtie en 1470 par Adam Gonçalves Ferreira (Adam et sa sœur jumelle Ève sont les premiers enfants nés à Madère).

Le 15 août (Assomption), les pèlerins rendent hommage à la Vierge du Monte, la sainte patronne de l'île. Des pénitents gravissent alors à genoux les 74 marches de l'église. Ils vénèrent une petite statue de la Vierge, conservée dans le tabernacle en argent du maître-autel, qui aurait été donnée par la Vierge en personne à une bergère de l'île, au XVe siècle.

À gauche de la nef, une chapelle abrite la dépouille du dernier empereur des Habsbourg, Charles Ier. Déposé en 1918, il partit en exil à Madère, où il mourut en 1922.

Les « conducteurs » de toboggans, coiffés de chapeaux de paille, attendent les passagers près du caminho do Monte, proposant la descente (trajet payant) jusqu'à Livramento et Funchal. Depuis les marches de l'église, après le coin des conducteurs, les indications « Jardim do Monte » sur la gauche mènent à l'entrée des magnifiques jardins aménagés en 1894, qui font le bonheur des enfants, avec leur débauche de chemins, de ponts, de folies, de fontaines, de cascades et de cygnes noirs apprivoisés. Ils s'étendent sur 7 hectares, plantés d'espèces locales, de protéas sud-africaines, de végétaux japonais et chinois, d'azalées, de camélias et d'orchidées.

Jardim do Monte

Caminho do Monte 174.
091-78 23 39. lun.–sam.
limité.

Le toboggan de Monte

Installés dans un traîneau en osier monté sur des patins en bois, les passagers parcourent en 20 minutes les 4 km séparant Monte de Funchal. Tous les ans, ils sont des milliers à effectuer ce trajet, fascinés par cette expérience qu'Hemingway qualifiait de « grisante ». Un siège rembourré amortit les chocs, et les passagers sont transportés en toute sécurité par les conducteurs, installés derrière le traîneau, qui le poussent et le dirigent, freinant avec leurs bottines à semelles en caoutchouc. Ce mode de transport date d'environ 1850.

Sur le célèbre toboggan de Monte

Vannier de Camacha réalisant une table

Camacha ❹

9 000. Câmara Municipal, Sítio da Igreja (091-92 24 66).

La majeure partie de la vannerie vendue à Funchal est réalisée à Camacha et aux environs. La seule attraction de ce village plongé dans une douce torpeur est un grand magasin de vannerie : cadres, bois de lit, berceaux, fauteuils, etc. On y voit des artisans à l'ouvrage, pliant l'osier autour d'un cadre pour réaliser divers objets, allant de la corbeille à linge au cache-pot. Une arche de Noé remplie de couples d'animaux est exposée à l'étage du milieu, de même qu'un galion, toutes voiles déployées, illustrant le savoir-faire des vanniers locaux.

Le vin de Madère

Bouteille de madère

À compter du XVIe siècle, les navires qui faisaient escale à Madère embarquèrent du vin, dont les vitamines et les matières minérales évitaient le scorbut aux marins. On s'aperçut alors que le voyage sous l'équateur améliorait nettement la saveur du nectar. On commença à transporter du vin simplement pour le faire chauffer par le soleil des Tropiques. Cependant, au XVIIIe siècle, une méthode artificielle fut mise au point. Ce procédé, appelé *estufagem,* est toujours utilisé. Le vin « cuit » pendant six mois à la chaleur du soleil, avec l'aide d'étuves, puis il est conservé encore six mois environ, à 40-50 °C, avant d'être fortifié à l'eau-de-vie locale. Le cépage est essentiel, car il détermine le caractère du breuvage. Les quatre grandes variétés utilisées donnent des madères différents, à déguster avec toutes sortes de plats.

Fabrication de tonneaux, Funchal

Les quatre types de madère

Le sercial *est produit avec du raisin cultivé à 800 m d'altitude. Ce vin sec ambré se boit frais, en apéritif ou servi avec du potage ou du poisson. Un sercial de qualité a au moins huit ans d'âge.*

Le verdelho, *à base de raisin blanc cultivé à 400-600 m d'altitude, est un vin ambré demi-sec, qui se déguste notamment avec de la viande. Plus doux que le sercial, il est délicieux avec des gâteaux.*

Les tonneaux *des adegas de São Francisco* (p. 347)*, où le madère est chauffé, exigent des réparations fréquentes, tout comme les planchers.*

Les fûts de verdelho *vieillissent après l'ajout d'eau-de-vie. Le vintage, millésimé, doit passer au moins vingt ans en fût et deux ans en bouteille.*

Le bual *est un vin sombre et riche, au goût subtil de noisette, fait avec du raisin cultivé à moins de 400 m. Ce vin demi-doux se consomme comme le porto. Il accompagne à merveille fromages et desserts.*

Le malmsey *est fait avec le cépage malvasia, qui est cultivé dans des vignobles protégés par des falaises, dont le rôle est d'absorber la chaleur et de réchauffer le raisin la nuit. Ce vin réputé, riche et sombre, se boit en digestif.*

Du madère millésimé *de toutes les décennies, depuis le milieu du XIXe siècle, est disponible. Toutefois, la plus vieille bouteille date de 1772.*

Machico 5

22 000. Forte do Amparo, rua Dr José A. Almada (091-96 22 89). lun.–ven. (poissons).

La localité tirerait son nom de Robert Machim, un marchand anglais qui enleva une aristocrate, Anne de Hertford. Pris dans une tempête, les deux amants échouèrent à Madère, où ils moururent. Ils furent enterrés dans l'île. Le reste de l'équipage répara le bateau et rentra à Lisbonne. Leur récit incita Henri le Navigateur *(p. 49)* à envoyer João Gonçalves Zarco *(p. 341)* à la recherche de cette mystérieuse île boisée.

Machico est la deuxième localité de Madère depuis le début de la colonisation, où l'île fut divisée en deux régions : Zarco régnait sur l'ouest depuis Funchal, tandis que Tristão Vaz Teixeira dominait l'est depuis Machico. Son emplacement et son port permirent à Funchal de s'ériger en capitale, alors que Machico devenait une paisible bourgade agricole.

L'**igreja Matriz,** largo do Município, date du XVe siècle. Le maître-autel est surmonté d'une statue de la Vierge, don de Dom Manuel Ier *(p. 46-49),* de même que les trois colonnes en marbre utilisées pour la construction du portail sud, de style gothique. À l'intérieur, la capela de São João Baptista présente un bel exemple d'architecture en pierre de style manuélin. Son arc est décoré des armoiries de Teixeira, avec un phénix jaillissant des flammes.

Maître-autel de la capela dos Milagres, Machico

Sur le largo dos Milagres, après la rivière Machico, se trouve la **capela dos Milagres** (chapelle des Miracles), de 1815. Elle a été bâtie à l'emplacement de la première église de l'île, où auraient été enterrés Machim et Anne de Hertford. Cet édifice, de 1420, fut détruit par une tempête en 1803, mais son crucifix du XVe siècle fut retrouvé en mer. Tous les ans, le 8 octobre, Machico célèbre le retour de sa croix par une procession.

Bateaux de pêche hissés sur la plage de Caniçal

Vue du promontoire à ponta de São Lourenço, à l'est de Caniçal

Caniçal 6

5 000. serrado da Igreja (091-96 17 55).

Caniçal fut le centre baleinier de Madère. C'est ici qu'ont été tournées des scènes du film *Moby Dick* (1956) de John Huston. La chasse à la baleine n'a été abandonnée qu'en 1981. Depuis, les eaux de Madère sont un sanctuaire pour les mammifères marins. Les pêcheurs travaillent désormais pour la Société de protection des mammifères marins, aidant les biologistes à comprendre les migrations des baleines.

Le siège de la société abrite aujourd'hui le **Museu da Baleia** (musée de la Baleine), qui présente une vidéo de 45 minutes sur la chasse à la baleine, commentée par des pêcheurs à la retraite.

Sur la plage rocailleuse de Caniçal, vous verrez sans doute des pêcheurs de thon réparer leur bateau coloré.

Museu da Baleia

Largo da Lota. 091-96 14 07. mar.–dim. jours fériés.

Aux environs : La pointe orientale de Madère, **ponta de São Lourenço,** possède de spectaculaires falaises de 180 m de hauteur, battues par les vagues. Les sentiers qui serpentent de l'une à l'autre, où des fleurs poussent dans des creux protégés, ravissent les randonneurs. Le paysage privé d'arbres contraste avec l'intérieur boisé de l'île.

De la route de Caniçal à Ponta de São Lourenço, la baie de **Prainha,** la seule plage de sable naturelle de l'île, est indiquée.

Santana 7

10 500. Câmara Municipal, sítio do Serrado (091-57 21 13).

Santana (du nom de sainte Anne, la mère de la Vierge) compte plus de cent maisons triangulaires à toit de chaume, dont plusieurs, restaurées et peintes de couleurs vives, sont ouvertes au public. Les collines dominant la vaste vallée sont parsemées d'étables elles aussi triangulaires et à toit de chaume. Les vaches sont attachées pour éviter qu'elles ne s'aventurent sur les chemins étroits, risquant de se blesser ou d'abîmer les cultures.

Dans la vallée, on cultive des fruits, des légumes et de l'osier, utilisé par les vanniers de Camacha *(p. 348)*.

Ribeiro Frio 8

45. de Funchal.

Pont enjambant une *levada* entre Ribeiro Frio et Balcões

Ribeiro Frio est un endroit ravissant avec deux restaurants, un magasin et un élevage de truites, installé sur la « rivière froide » qui a donné son nom à la localité. L'élevage, dans un joli jardin, est le point de départ de deux très belles randonnées de *levadas* *(p. 355)*. L'itinéraire de 12 km, qui rejoint **Portela** (sur la droite en descendant, en dépassant le restaurant), traverse des paysages de montagne spectaculaires. Attention ! il est réservé aux randonneurs expérimentés, en raison des longs tunnels et des passages proches du vide.

Lever de soleil sur les montagnes, vu du Pico de Arieiro

La promenade de 20 minutes partant sur la gauche (en descendant) vers **Balcões** (balcons) est plus facile. L'endroit offre une vue panoramique au-delà de la vallée de l'Ametade, jusqu'au Penha de Águia (rocher de l'aigle).

Pico do Arieiro 9

pour Camacha, puis taxi. **Pousada do Pico do Arieiro** 091-23 01 10 (réservations : 091-76 56 58).

De Funchal, l'ascension du Pico do Arieiro, troisième montagne de l'île (1 810 m), demande environ 30 minutes en voiture. Le trajet traverse des paysages escarpés, couverts d'eucalyptus et de lauriers. À 900 m environ, on dépasse les nuages pour rester quelques minutes dans la brume, voire parfois la pluie, avant de déboucher dans un paysage de roches volcaniques baigné de soleil. Au sommet, la vue porte sur les nuages de la vallée et les montagnes hérissées de pics aiguisés. Par temps dégagé, on voit le Pico Ruivo *(p. 354)*, relié au Pico do Arieiro par un sentier de 10 km. Depuis la pousada do Pico do Arieiro, installée au sommet, ne manquez pas le lever du soleil, extraordinaire.

Les maisons triangulaires de Santana

Constructions simples bâties avec deux cadres en bois en forme de A, ces maisons triangulaires qu'on ne trouve qu'ici possèdent un intérieur lambrissé en bois et un toit de chaume. Elles sont mentionnées pour la première fois au XVIe siècle, mais la plupart d'entre elles ont moins de cent ans. Aujourd'hui, portes et fenêtres sont souvent peintes en rouge, jaune ou bleu. Sur cette île où le climat est doux toute l'année, on cuisine et on mange à l'extérieur. Ces maisons triangulaires servent essentiellement à se protéger de la pluie et à dormir. Dans ces intérieurs étonnamment spacieux, la salle de séjour est située en bas, tandis que l'on dort à l'étage.

Vue panoramique des montagnes, depuis le sommet du Pico Ruivo

Pico Ruivo ⑩

pour Santana ou Faial, puis taxi pour Achada do Teixeira, puis à pied.

La plus haute montagne de Madère, le Pico Ruivo (1 861 m), n'est accessible qu'à pied. La meilleure solution consiste à emprunter un sentier bien balisé qui part d'Achada do Teixeira et qui conduit au sommet en 45 mn.

On peut également suivre un sentier partant du haut du Pico do Arieiro *(p. 351)*, extrêmement spectaculaire, dans des paysages de montagne époustouflants. Cet itinéraire de 10 km, qui s'effectue en deux ou trois heures, ne convient qu'aux randonneurs expérimentés et bien équipés. Les personnes sujettes au vertige éviteront de prendre ce sentier qui franchit des passages étroits, avec le vide de part et d'autre.

Curral das Freiras ⑪

3 000. Câmara de Lobos (091-94 20 71).

Curral das Freiras (« refuge des religieuses ») doit son nom aux religieuses du couvent de Santa Clara, qui se réfugièrent ici lorsque des pirates attaquèrent Funchal, en 1566. On découvre la localité d'un point de vue appelé l'**eira do Serrado,** perché à 800 m au-dessus du village.

Le site est entouré de toutes parts de pics montagneux. Jusqu'en 1959, seul un sentier escarpé en zigzag y menait. Mais aujourd'hui, des tunnels routiers rendent le voyage plus facile, et ils permettent également aux habitants de transporter leurs produits à la capitale.

Les châtaigniers qui poussent à profusion aux environs servent à confectionner du pain aux châtaignes, délicieux tiède lorsqu'il sort du four, et de la *licor de castanha,* une liqueur du même fruit. Les cafés du village permettent de goûter à ces deux spécialités.

Paúl da Serra ⑫

pour Canhas, puis taxi.

Moutons sur le vaste plateau du paúl da Serra, à l'est de Rabaçal

Le Paúl da Serra (« marécage élevé ») est un vaste plateau marécageux, qui s'étend sur 17 km de long et 6 km de large. La plaine contraste avec les montagnes déchiquetées du reste de Madère. Des turbines à vent y produisent l'électricité alimentant le nord de l'île. Seuls des ajoncs et de l'herbe y croissent, et le sol volcanique spongieux est un réservoir naturel pour l'eau de pluie. L'eau traverse la roche, alimentant des sources qui approvisionnent le système de *levadas*.

LES *LEVADAS*

Madère est doté d'un système d'irrigation unique, qui permet de distribuer les pluies abondantes du nord de l'île dans le sud sec et ensoleillé. L'eau de pluie, stockée dans des lacs et des réservoirs, et les sources alimentent un réseau de *levadas* qui sillonne l'île. Ces canaux transportent l'eau pour irriguer plantations de bananiers, vignobles et jardins maraîchers. Le réseau compte au total 2 150 km de canaux, dont certains datent du XVIe siècle. Les sentiers d'entretien qui longent les canaux permettent d'accéder à des endroits reculés, inaccessibles par la route.

***Levada* do Risco, l'un des nombreux sentiers de randonnée**

◁ **Versants en terrasses entourant le village de Curral das Freiras**

Randonnées de Rabaçal ⓭

Desservi par une route étroite depuis le paúl da Serra, Rabaçal est le point de départ de deux randonnées longeant des *levadas*. La première fait l'aller-retour à la cascade de Risco en 30 minutes, la seconde est une randonnée plus difficile de 2 à 3 heures menant à Vinte e Cinco Fontes (25 sources), un site magnifique.

Carnet de route

Longueur : *Ces deux randonnées peuvent se combiner en un itinéraire circulaire de 8 km (environ 3 h 30).*

Nota : *Les levadas sont glissantes et très étroites. Par endroit, le sentier ne fait que 30 cm de large, mais les canaux, à hauteur de taille, fournissent un appui.*

Levada da Rocha Vermelha ⑥
Le sentier escarpé qui descend vers la plus basse traverse un paysage montagneux.

25 Fontes ⑤
Une promenade de 30 mn mène à une zone couverte de mousse et de fougères, avec des cascades.

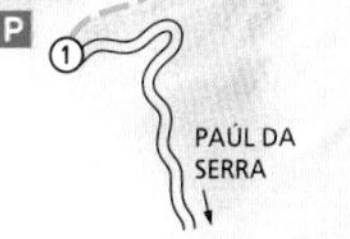

Ribeira da Janela ④
Traversez le pont, puis entamez la montée escarpée sur la gauche.

Rabaçal ①
Au départ de cette excursion, on trouve un parking et un lieu d'accueil offrant de belles vues, avec des tables de pique-nique. Le chemin balisé qui descend sur la droite conduit à la levada do Risco.

Cascade de Risco ③
Dans cet endroit magnifique, une cascade dévale depuis les hauteurs rocailleuses, tombant dans la verte vallée de Risco, beaucoup plus bas.

Levada do Risco ②
Le tracé, qui mène à la cascade, est ombragé par de grandes fougères couvertes de lichens pendants.

Légende

- Randonnée
- Route
- Cours d'eau
- Levada
- P Parc de stationnement

0 — 250 m

Les sobres fonts baptismaux en pierre du baptistère, igreja Matriz de São Vicente

São Vicente ⓮

8 000. Câmara Municipal, Vila de São Vicente (091-84 21 35).

Au cours des années, cette bourgade agricole a prospéré en incitant les voyageurs explorant la côte nord à y faire une halte.

Les peintures du plafond de l'**igreja Matriz,** du XVIIe siècle, qui représentent saint Vincent bénissant la localité, permettent de découvrir la physionomie du village avant son développement. Le saint apparaît également sur le maître-autel, magnifiquement sculpté et doré, bénissant un bateau.

Autour de l'église, les rues piétonnes sont bordées de boutiques, de bars et de magasins vendant des gâteaux, comme la spécialité de Madère, le *bolo de mel,* « gâteau de miel », en réalité à base de mélasse et de fruits.

São Vicente est le point de départ de la route côtière gagnant au nord-ouest Porto Moniz, l'un des trajets les plus spectaculaires de l'île. La route étroite, taillée dans les falaises, traverse des tunnels et des cascades. Seize ans furent nécessaires pour construire, sans machines, cette route de 19 kilomètres.

Un seul village, **Seixal,** borde cette route isolée. Sur la côte parfois assaillie par les tempêtes de l'Atlantique, Seixal est niché dans un endroit remarquablement protégé, où des vignobles en terrasses donnent un excellent vin.

Porto Moniz ⓯

4 000. Porto, Vila Porto Moniz (091-85 25 94).

Quoique Porto Moniz ne soit qu'à 75 km de Funchal, les visiteurs qui arrivent de la capitale ont l'impression d'avoir accompli un long voyage pour rejoindre ce village côtier isolé, à la pointe nord-ouest de Madère.

Porto Moniz est entouré d'une mosaïque de petits champs, protégés de l'air salé de l'Atlantique par des barrières en bruyère et en fougères séchés. Outre son charme pittoresque, Porto Moniz possède également des piscines naturelles dans les rochers, desservies par des chemins en béton, où les baigneurs pagaient ou barbotent dans l'eau réchauffée par le soleil, tout en se faisant éclabousser par les embruns des vagues se brisant sur les rochers voisins.

Les piscines naturelles, remplies d'eau chaude, de Porto Moniz

Calheta ⓰

3 500. Vila da Calheta (091-82 25 39).

Régimes de bananes de Calheta

Établie entre des vignobles et des plantations de bananiers, Calheta est également le centre de l'industrie de la canne à sucre de Madère. L'odeur sucrée du jus de canne, extrait et transformé en rhum dans l'**usine** (meilleure période de visite : mars-avril), flotte dans tout le village.

L'**igreja Matriz,** à la physionomie moderne, date en réalité de 1430. Elle contient un grand tabernacle en ébène et en argent, don de Dom Manuel Ier *(p. 46-47),* et un beau plafond en bois.

Usine

Vila da Calheta. *091-82 22 64.* *t.l.j.* *jours fériés.*

Aux environs : À **Loreto,** à 2 km à l'est, l'église, du XVe siècle, présente un portail sud de style manuélin et un plafond à motifs géométriques. **Lombo dos Reis** se trouve à l'extérieur d'Estreito da Calheta, à 3 km de Calheta. Là, la capela dos Reis Magos (chapelle des Rois Mages) contient une sculpture d'autel flamande : l'*Adoration des Mages,* du XVIe siècle.

Une partie de la magnifique plage de sable de Porto Santo

Ribeira Brava ⓱

13 500. Forte de São Bento (091-95 16 75). t.l.j.

Ribeira Brava est une agréable station balnéaire de la côte sud ensoleillée, avec une plage de galets et un port de pêche desservi par un tunnel à l'est de la ville. Située sur la place principale, **São Bento** est l'une des églises les plus authentiques de Madère. Quoique restaurée, elle a conservé des éléments du XVIe siècle, notamment les fonts baptismaux en pierre sculptée et une chaire décorée d'animaux comme des loups, une peinture flamande de la *Nativité* dans la chapelle latérale et une statue en bois de la Vierge au-dessus du maître-autel. La tour de l'horloge est coiffée d'un beau toit de tuiles.

Tour de l'horloge de São Bento

Câmara de Lobos ⓲

15 000. Câmara Municipal, largo da República (091-94 21 08). lun.–sam.

Ce village de pêcheurs a été peint à plusieurs reprises par un hôte illustre, Winston Churchill, lors de ses séjours à Madère, dans les années 50. Des bars et des restaurants portent son nom, et une plaque marque l'endroit, sur la route principale à l'est du port, où l'homme d'État installait son chevalet. La ville n'a guère changé depuis cette époque. C'est l'un des principaux ports de pêche du poisson-épée *(peixe espada)*, que l'on trouve sur tous les menus. Les longues lignes sont amorcées avec du poulpe pour pêcher ce poisson rare qui vit à 800 m de profondeur. Les pêcheurs vivent dans les maisons basses du port. Leur minuscule **chapelle,** du XVe siècle, a été reconstruite en 1723. La chapelle dédiée à saint Nicolas, le saint patron des marins, est décorée de scènes illustrant sa vie, ainsi que de représentations éloquentes de noyades et de naufrages.

AUX ENVIRONS : Perché à 589 m au-dessus de la mer, le **cabo Girão,** à 10 km à l'ouest de Câmara de Lobos, est la deuxième plus grande falaise de bord de mer d'Europe.

Porto Santo ⓳

5 000. avenida Henrique Vieira de Castro, Vila Baleira (091-98 23 61). lun.–sam., dim. matin.

Les visiteurs arrivant par avion à Madère survolent l'île de Porto Santo, située à 37 km au nord-est de Madère. Du port de Funchal, un ferry parcourt un trajet mouvementé pour rejoindre Porto Abrigo, près de Vila Baleira, capitale de Porto Santo. L'île est également desservie par hélicoptère ou par avion de la TAP (Air Portugal). Les Madériens viennent y trouver la seule chose qui fait défaut à leur île : une plage de sable de 9 km, qui se déroule sur toute la côte sud. Cette étendue et ses eaux conviennent parfaitement aux sports nautiques, notamment la planche à voile, la plongée avec tuba, la voile et la plongée sous-marine.

Le seul site historique de l'île est la **casa de Colombo** (maison de Christophe Colomb), qui se trouve derrière Nossa Senhora da Piedade à Vila Baleira. La maison en pierre brute a été restaurée pour le 500e anniversaire de la découverte de l'Amérique par Colomb. Cartes, peintures et gravures illustrent la vie du navigateur.

Casa de Colombo
Travessa da Sacristia, Vila Baleira.
091-98 34 05. lun.–ven. et sam. matin. jours fériés.

CHRISTOPHE COLOMB À PORTO SANTO

Des documents historiques attestent la présence du navigateur en 1478, probablement pour le compte de marchands de sucre de sa ville natale, Gênes. Venu à Porto Santo pour rencontrer Bartolomeu Perestrelo, gouverneur de l'île, il fit la connaissance de Filipa Moniz, fille de Perestrelo, qu'il épousa en 1479. Mais sa jeune épouse mourut en couches. On ne sait rien d'autre de la visite de Colomb, ce qui n'a pas empêché les insulaires d'identifier sa maison.

***Christophe Colomb,* de Ridolfo Ghirlandaio (1483-1561)**

LES AÇORES

En plein Atlantique, à 1 300 km du Portugal continental, ces neuf îles séduisent par leurs paysages volcaniques spectaculaires, leur flore riche et leur mode de vie paisible. Autrefois totalement sauvages et isolées, ces îles sont appréciées des passionnés de randonnée, de voile et de solitude.

Les explorateurs portugais découvrirent la première île de l'archipel, Santa Maria, en 1427. Les Açores doivent leur nom aux buses que les explorateurs prirent pour des vautours *(açores)*. Au XVe et au XVIe siècle, elles furent peuplées par des colons portugais et flamands, qui introduisirent l'élevage, la culture du maïs et la vigne.

Chapelle d'*império*, Pico

Les Açores ont tiré profit de leur emplacement. Entre 1580 et 1640, alors que le Portugal était sous domination de l'Espagne *(p. 50-51)*, les ports d'Angra do Heroísmo, à Terceira, et de Ponta Delgada, à São Miguel, ont prospéré grâce au commerce fructueux avec le Nouveau Monde. Au XIXe siècle, les baleiniers américains venaient s'y approvisionner. Enfin, au XXe siècle, l'archipel accueillit des compagnies de câbles transatlantiques, des observatoires météorologiques et plusieurs bases militaires aériennes. Aujourd'hui, la plupart des Açoriens vivent de l'industrie laitière ou de la pêche au thon. Cependant, l'archipel entretient des liens étroits avec le Portugal continental et avec l'importante communauté açorienne qui se trouve aux États-Unis et au Canada. Beaucoup d'émigrés rentrent dans leur île natale pour les fêtes traditionnelles, notamment les *festas* du Saint-Esprit. Doté de rares plages et d'un climat capricieux, l'archipel a réussi, pour le moment, à échapper au tourisme de masse. Les visiteurs y vont essentiellement pour explorer les montagnes vertes sillonnées d'hortensias bleus et se reposer dans des ports paisibles, aux rues pavées et aux églises baroques. Ces confins « exotiques » de l'Union européenne sont devenus une région autonome du Portugal, où la vie suit son cours paisiblement.

Petits bateaux de pêche sur le quai de Lajes, sur la côte sud de Pico

◁ **Prairies closes de murets descendant vers la mer, avec les deux ilhéus das Cabras au fond, Terceira**

À la découverte des Açores

L'archipel, disséminé sur 650 km, est composé de trois groupes d'îles. À l'est, on trouve Santa Maria et São Miguel, la plus grande, où est établie la capitale régionale, Ponta Delgada. Les principales localités du groupe central, qui compte cinq îles, sont Horta (Faial), où les bateaux traversant l'Atlantique font escale, et Angra do Heroísmo (Terceira), ville cosmopolite et animée. De là, les visiteurs peuvent rejoindre les autres îles du groupe, à savoir São Jorge, Graciosa et Pico, dominé par un volcan culminant à 2 350 m. Plus à l'ouest s'étendent Flores et Corvo, deux îles isolées, balayées par les intempéries.

Voilier transatlantique amarré dans la belle marina de Horta, Faial

D'un coup d'œil

Corvo 9
Faial 7
Flores 8
Graciosa 4
Pico 6
Santa Maria 2
São Jorge 5
São Miguel p. 362–363 1
Terceira 3

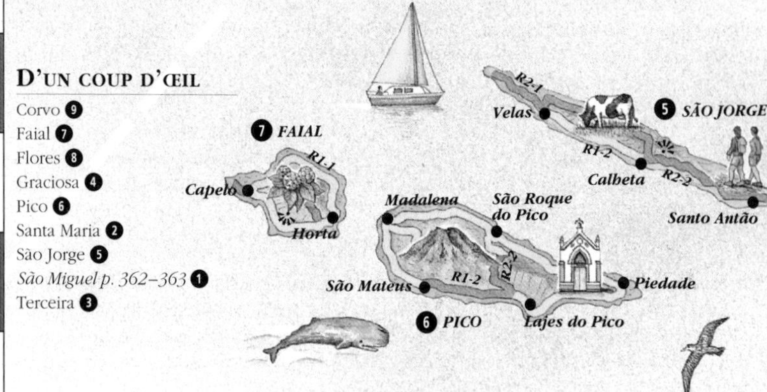

Les rochers volcaniques noirs de Pico

0 25 km

Légende

Route
Parcours pittoresque
Point de vue

Voir aussi

• ***Hébergement*** p. 400–401
• ***Restaurants*** p. 423

CIRCULER

São Miguel, Faial et Terceira ont des aéroports internationaux, et la SATA assure des vols intérieurs pour toutes les îles. En été, des ferries desservent les cinq îles du groupe central plusieurs fois par semaine. Flores et Corvo sont reliés quotidiennement, mais il n'y a pas de liaison entre Santa Maria et São Miguel. Tous les ferries sont tributaires du temps. Les liaisons par autocar, conçues pour les insulaires, ne sont pas très utiles aux touristes. Mieux vaut louer une voiture, possible sur toutes les îles, excepté Corvo *(p. 447)*.

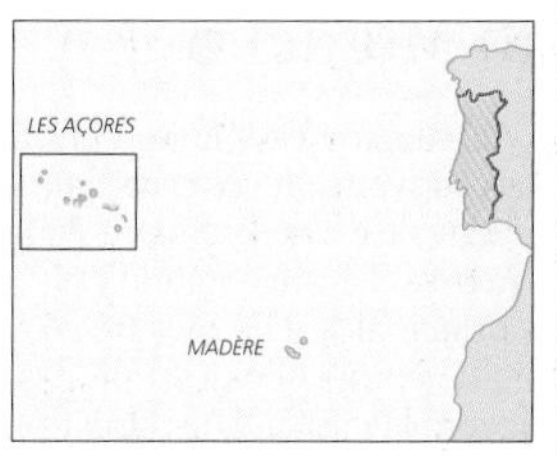

Angra do Heroísmo, capitale de Terceira

L'élégant front de mer de Ponta Delgada, São Miguel

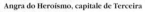

São Miguel ❶

Avec sa capitale à la riche histoire, ses champs verdoyants et ses paysages volcaniques, l'*ilha verde* (île verte) est une première étape idéale pour découvrir les Açores. La plus grande et la plus peuplée des neuf îles principales, elle mesure 65 km de long et était à l'origine composée de deux îles distinctes. Ponta Delgada, la capitale, est une bonne base pour effectuer des excursions sur la côte ou pour visiter les lacs des cratères et les sources thermales fumantes de l'intérieur.

Les portes de la ville donnent sur la place centrale de Ponta Delgada

Ponta Delgada

Bordées d'une multitude d'églises, de couvents et de belles demeures blanches, les rues pavées de la capitale rappellent le temps prospère où le port était une escale de ravitaillement entre l'Europe et le Nouveau Monde *(p. 48-49)*. Son centre névralgique, la praça de Gonçalo Velho Cabral, à arcades, portant le nom du premier gouverneur de l'île, en 1444, est tournée vers la mer. Elle est dominée par trois arches imposantes, de 1783, qui marquaient l'entrée de la ville. Au nord, sur le largo da Matriz, se dresse l'église paroissiale **São Sebastião.** Fondée en 1533, elle a un superbe portail sculpté, de style manuélin, en calcaire. La sacristie est décorée d'*azulejos* et de beaux meubles du XVIIe siècle en jacaranda du Brésil.

Une courte promenade à l'est conduit à la praça 5 de Outubro, plantée d'arbres, qui est dominée par le **forte de São Bras.** Cette forteresse Renaissance, dominant la mer, a été restaurée au XIXe siècle. La place est aussi bordée par l'immense **convento da Esperança,** qui accueille les importantes festivités de Santo Cristo dos Milagres, le cinquième dimanche après Pâques. Une statue du Christ, vêtu d'un habit rouge richement orné d'or et de diamants, ouvre la procession dans les rues. Elle se trouve dans l'église inférieure, avec des reliquaires, des ostensoirs et des bijoux. Des *azulejos* colorés du XVIIIe siècle, d'António de Oliveira Bernardes *(p. 22)*, ornent le chœur.

Le principal musée des Açores, le **Museu Carlos Machado,** est installé dans l'ancien monastère Santo André. Sa collection illustre deux activités essentielles des Açores, la pêche et l'agriculture. Les tableaux de Domingos Rebelo (1891-1975), avec des scènes de la vie açorienne, sont particulièrement intéressants. Le département d'histoire naturelle présente des animaux naturalisés, des poissons, des squelettes et une grande maquette en relief de l'île.

Museu Carlos Machado

Rua João Moreira. ☎ *096-238 14.* ◯ *mar.–dim.* ● *jours fériés.*

Ouest de l'île

Le nord-ouest est dominé par un immense cratère volcanique mesurant 12 km de circonférence, la **caldeira das Sete Cidades.** Par endroits, ses parois abruptes plongent de 300 m, tels des rideaux de verdure. Le meilleur lieu pour l'admirer, lorsqu'il n'est pas plongé dans les nuages, est le point de vue de **Vista do Rei,** d'où un sentier part vers l'ouest pour faire le tour du cratère. Au fond se trouvent le petit village de Sete Cidades et trois lacs vert sombre, séparés par une étroite bande de terre. Le cratère se serait formé vers 1440, lorsqu'une éruption détruisit le pic volcanique qui se dressait à l'ouest de l'île. Les descriptions des colons, qui parlaient d'une montagne brûlée, contrastent avec la végétation luxuriante actuelle. La localité principale de la côte nord est **Ribeira Grande.** Elle possède une petite **Casa da Cultura** (maison de la Culture), installée dans le solar de São Vicente. Des *azulejos* du XVIe au XXe siècle y sont exposés. D'autres salles présentent l'artisanat et la vie rurale des insulaires.

Casa da Cultura

Rua Vicente Ferreira 10, Ribeira Grande. ☎ *096-47 21 18.* ◯ *lun.–ven.* ● *jours fériés.* **Don.**

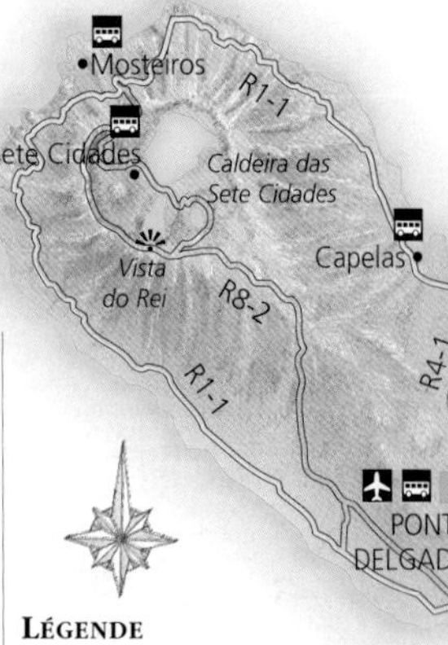

Légende

- Route principale
- Autre route
- Point de vue

Les eaux turquoise du lac occupant le cratère, lagoa do Fogo

Mode d'emploi

125 000. 6 km à l'O. de Ponta Delgada. avenida Infante Dom Henrique, Ponta Delgada. avenida Infante Dom Henrique, Ponta Delgada (096-257 43). 5e dim. après Pâques : Santo Cristo dos Milagres (Ponta Delgada) ; Festas do Espírito Santo (p. 366) ; 29 juin : São Pedro Cavalcade (Ribeira Grande).

Est de l'île

Le **lagoa do Fogo,** « lac de feu », s'est formé dans les montagnes du centre lors d'une éruption volcanique, en 1563. Par beau temps, ses plages de sable isolées sont un lieu de pique-nique agréable. Plus à l'est, la ville thermale de **Furnas** est l'endroit idéal pour observer l'activité géothermique qui se déroule sous la surface des Açores *(p. 338-339).* Éparpillées autour de la bourgade, les **caldeiras das Furnas** permettent aux visiteurs de voir les geysers fumants et les sources chaudes bouillonnantes, utilisées pour les soins thermaux. Au XVIIIe siècle, Thomas Hickling, un riche marchand de Boston, aménagea à Furnas les jardins du magnifique **parque Terra Nostra.** Étendus sur 12 hectares, ils comprennent des hibiscus, des hortensias et une piscine remplie d'eau chaude couleur moutarde.

Le sol volcanique de la rive nord du **lagoa das Furnas,** à 4 km au sud, est si chaud que les insulaires viennent y faire cuire le *cozido (p. 231).* Ce pot-au-feu mijote pendant cinq heures dans une grande marmite enfouie.

À l'extrémité orientale de São Miguel s'étend une zone aux vallées profondes, de toute beauté. Deux belvédères parfaitement entretenus, le **miradouro do Sossego** et le **miradouro da Madrugada,** ont des jardins magnifiques. Le second permet d'admirer le lever du soleil, magnifique.

Caldeiras das Furnas

À l'écart de la R1-1. 096-543 85. t.l.j.

Jardins parfaitement entretenus, miradouro da Madrugada

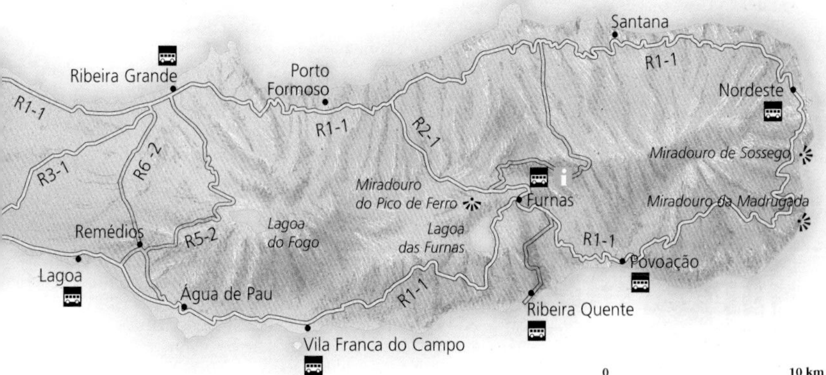

La grande baie de São Lourenço, Santa Maria

Santa Maria ❷

6 000. 3 km au N.-O. de Vila do Porto. Vila do Porto. rua Dr Luís Bettencourt, Vila do Porto. aeroporto de Santa Maria, Vila do Porto (096-863 55). Festas do Espírito Santo (p. 366) *; 15 août : Nossa Senhora da Assunção (Vila do Porto).*

Santa Maria, à 55 km au sud de São Miguel, fut la première île de l'archipel découverte par les Portugais, vers 1427. Cette île, de 18 km de long, a des paysages très variés, avec des plages de sable et des campagnes paisibles, et le climat le plus chaud des Açores.

La capitale, **Vila do Porto,** au sud, est composée d'une longue rue principale qui descend vers un petit port. À l'ouest, on trouve un plateau sec et plat, avec une longue piste d'atterrissage datant de la Seconde Guerre mondiale. Au nord, le village de pêcheurs d'**Anjos** possède une statue commémorant la visite en 1493 de Christophe Colomb, qui rentrait du Nouveau Monde. À côté, la petite chapelle **Mãe de Deus,** blanchie à la chaux, est le plus vieil édifice des Açores.

Au centre, le **Pico Alto,** culminant à 590 m, commande, par beau temps, une belle vue sur l'est, verdoyant et vallonné. Vers la côte est, le village de **Santo Espírito** possède une belle église, Nossa Senhora da Purificação, dont la façade baroque est décorée de lave noire. Plus au nord, le cratère éventré de la **baía de São Lourenço,** couvert de vigne, abrite une agréable station balnéaire.

Nossa Senhora da Purificação rehaussée de basalte noir à Santo Espírito, Santa Maria

Terceira ❸

60 000. 3 km au N.-O. de Praia da Vitória. Praia da Vitória, Angra do Heroísmo. avenida 1° de Maio, Angra do Heroísmo. rua Direita, Angra do Heroísmo (095-233 93). Festas do Espírito Santo (p. 366) *; 2 der. sem. de juin : Festas de São João.*

La « troisième » île découverte en 1427 est la plus moderne des cinq que comprend le groupe central, en raison notamment de la présence de la base aérienne américaine, qui est installée à Lajes depuis la Seconde Guerre mondiale. Terceira est surtout réputée pour ses courses de taureaux originales, les *touradas à corda* (course de taureaux à la corde), qui se tiennent du printemps à l'automne. Un taureau, attaché à une corde tenue par des participants, est lâché dans les rues et provoqué. L'île est aussi connue pour ses chapelles colorées dédiées au culte du Saint-Esprit *(p. 366)*. L'intérieur est couvert de pâturages, alors que la côte est bordée de lave noire.

***Tourada à corda,* où le taureau est provoqué avec des parapluies**

Angra do Heroísmo

Cette ville cosmopolite a été classée patrimoine mondial de l'Humanité par l'UNESCO en 1983. Durant plus de trois siècles, ce port en plein Atlantique fut une étape entre l'Europe, l'Amérique et l'Afrique. C'est ici qu'en 1499 Vasco da Gama *(p. 108)* enterra son frère Paulo, après leur premier voyage aux Indes. Au début du XVIIe siècle, le port accueillit de nombreux bateaux espagnols chargés de trésors des Amériques. Maria II accola « *de heroísmo* » au nom de la

La cathédrale, du XVIe siècle, au centre d'Angra do Heroísmo, capitale de Terceira

ville, pour l'héroïsme dont Angra fit preuve durant les luttes libérales du XIXe siècle *(p. 54-55)*. Malgré les ravages du séisme de 1980, la richesse passée de la ville se lit dans ses jolies rues bordées d'églises et de demeures à balcon.

Vous découvrirez la vue la plus spectaculaire du port du haut du **Monte Brasil,** cratère volcanique situé à l'ouest de la baie. À côté se dresse le **castelo de São João Baptista,** fort construit durant la période où le Portugal était sous la domination espagnole *(p. 50-51)* pour y conserver des objets précieux. Il est toujours utilisé par l'armée. Le panorama est également magnifique de l'**alto da Memória,** à l'extrémité sud de la rua São João de Deus, d'où l'on voit bien les deux tours de la **Sé** du XVIe siècle (restaurée après un incendie en 1983). Un chemin descend jusqu'au **jardim Municipal,** qui appartenait autrefois au convento de São Francisco, du XVe siècle, l'actuel **Museu de Angra do Heroísmo.** Ce musée est consacré à l'histoire des Açores et de la ville en particulier. On y découvre armures, cartes, peintures et sculptures.

Museu de Angra do Heroísmo
Ladeira de São Francisco. *095-231 47.* *mar.–dim. (sam. et dim. le matin seulement).* *jours fériés.*

Saint Jean-Baptiste, Museu de Angra

Le tour de l'île
L'intérieur de cette grande île ovale est verdoyant, avec des collines boisées et des terres agricoles, tandis que le centre témoigne de son origine volcanique : la **caldeira de Guilherme Moniz** est un cratère érodé de 3 km de large. Non loin, l'**algar do Carvão,** conduit de volcan, est tapissé de mousse ruisselante d'eau. On y pénètre pour découvrir une grotte souterraine. Plus à l'ouest, les **furnas do Enxofre** sont des geysers fumants, où les vapeurs de soufre se cristallisent et donnent naissance à des formations colorées.

Deux points de vue dominent l'île : à l'ouest, une route bordée d'hortensias bleus monte en serpentant vers la **Serra de Santa Bárbara** pour rejoindre un vaste cratère, à 1 022 m, tandis qu'à l'est, la **Serra do Cume,** à 545 m, domine l'aéroport et **Praia da Vitória.** Ce port possède une vaste baie avec une plage de sable. Il doit son nom à une victoire remportée, en 1581, sur les Espagnols qui tentaient de prendre l'île à Baía da Salga, à 10 km au sud, et se trouvèrent face à un troupeau lâché sur la rive. Sur la côte nord, **Biscoitos** (biscuits) tire son nom des amas de lave semblables à des biscuits qui bordent la mer. Des piscines naturelles se sont formées entre les rochers. La région est aussi renommée pour son vin, et les paysages sont couverts d'un damier d'enclos *(curraletas)* entourés de murs de pierre, qui protègent la vigne. Le plaisant **Museu do Vinho** explique les méthodes simples utilisées pour produire le *verdelho,* un vin riche jadis exporté à la cour de Russie. On peut y déguster et y acheter les crus d'aujourd'hui.

Algar do Carvão
À l'écart de la R5-2. *095-229 92.* *t.l.j. (oct.–mars : sur demande).*

Museu do Vinho
Canada do Caldeiro, Biscoitos. *095-984 04.* *t.l.j.* *1er janv., 25 déc.*

Champs entourés de murets en pierre, au nord-est de Terceira, près de Praia da Vitória

Les fêtes du Saint-Esprit

Les fêtes qui rythment la vie de l'archipel renforcent le sentiment d'appartenance à une communauté. Les Açoriens vivant en Amérique du Nord et au Portugal continental reviennent dans leur île natale, accompagnés de leur famille, pour y célébrer les *festas*,en particulier les traditionnelles fêtes associées au Saint-Esprit : *festas do Espírito Santo*. Introduites aux Açores par les premiers colons portugais, qui invoquaient le Saint-Esprit pour les protéger des catastrophes naturelles, ces fêtes présentent un rituel quasiment inchangé. Un « empereur », souvent un enfant, est couronné dans l'église paroissiale. Muni d'un sceptre et d'un plat en argent symbolisant le Saint-Esprit, il préside les festivités qui se déroulent les sept dimanches suivant Pâques. Le septième dimanche, la Pentecôte, jour où l'Esprit Saint est descendu sur les apôtres, est célébrée une grande fête.

L'« empereur » couronné : une fillette

La distribution de pain, *pour la fête du Saint-Esprit, doit son origine à la reine sainte Isabel* (p. 45) *qui donnait de la nourriture aux pauvres. Le dernier jour des festivités, le septième dimanche après Pâques, la soupe du Saint-Esprit est distribuée avec du pain aux personnes réunies devant l'*império *local.*

LES *IMPÉRIOS* DU SAINT-ESPRIT

Império **à fenêtres gothiques, Terra Chã, Terceira (1954)**

Império **ornementé, São Sebastião, Terceira (1918)**

Império **sobre, Praia da Vitória, Terceira (1861)**

Les cérémonies s'articulent autour d'une petite chapelle, ou *império* (empire), utilisée pour la distribution de la soupe du Saint-Esprit. La couronne, le sceptre et le plat de l'empereur sont présentés sur l'autel, le dernier jour des festivités. À Terceira, où ce culte est vivace, la plupart des 58 *impérios* sont peints de couleurs vives au printemps. Les fêtes de village, qui réunissent jusqu'à 500 insulaires, sont célébrées avec des danses, des fanfares, des décorations de fleurs et souvent avec une *tourada à corda,* où un taureau, attaché à une corde, est lâché dans les rues.

Couronne d'empereur exposée dans un *império* de São Miguel

Char à bœufs traditionnel, Graciosa

Graciosa ❹

5 500. 2 km à l'O. de Santa Cruz da Graciosa. praia de São Mateus. praça Fontes Pereira de Melo, Santa Cruz (095-725 09). Festas do Espírito Santo ; août : Santo Cristo.

Les principales activités de l'île « gracieuse », l'une des plus paisibles de l'archipel, sont l'agriculture et la viticulture. Cette île plane ne mesure que 12 kilomètres de long. On y voit toujours des chars à bœufs et des charrues. La capitale, **Santa Cruz da Graciosa,** sur la côte nord, possède un quai très simple, bordé de maisons blanchies à la chaux avec des balcons en fer forgé et des fenêtres ovales. Le petit **Museu Etnográfico** réunit une collection hétéroclite : jouets, :malles-cabines, ustensiles de cuisine, pressoirs à vin, meubles et objets envoyés par des émigrés d'Amérique du Nord. À côté, un bâtiment abrite un baleinier *(p. 368-369).*

Le pittoresque monte de Ajuda, situé derrière la ville, est couronné par une chapelle fortifiée du XVIe siècle, **Nossa Senhora da Ajuda,** décorée notamment d'*azulejos* du XVIIIe siècle. Non loin, on peut voir une petite *vigia* (vigie de baleinier),qui est tournée vers la mer.

Au sud-est, à **Furna do Enxofre,** principal site de l'île, les visiteurs accèdent au cœur d'un cratère volcanique. Au fond se trouve une immense grotte, avec un lac profond aux eaux sulfureuses. Des orifices permettent de voir bouillonner un liquide grisâtre derrière les rochers. En fin de matinée, le soleil entre dans la grotte et l'illumine. Au-dessus de la grotte, à **Furna Maria Encantada,** un tunnel naturel traverse la roche et mène au bord du cratère. De là, la vue sur l'île est magnifique. Au pied du volcan, **Carapacho** propose des soins grâce aux eaux géothermiques de l'île.

Museu Etnográfico
Rua das Flores, Santa Cruz. *095-724 29.* *t.l.j. (oct.–mars : lun.–ven.).* *jours fériés.* *r.-d.-c.*

Furna do Enxofre
2 km à l'E. de Luz, suivre indications pour la caldeira. *ven.–mer.*

Intérieur baroque de Santa Bárbara à Manadas, São Jorge

São Jorge ❺

11 000. *7 km à l'E. de Velas.* *Velas et Calheta.* *rua Dr José Pereira 1, Velas (095-422 14).* *23 avr. : Festa de São Jorge ; Festas do Espírito Santo ; juil. : Semana Cultural de Velas (Velas).*

Cette île montagneuse s'étend sur 56 km de long et seulement 8 km de large. Sur la côte nord, des falaises abruptes, de 480 m de hauteur, plongent dans la mer. Au cours des siècles, elles se sont effondrées par endroits, créant des bandes de terre appelées *fajãs.* C'est sur ces promontoires côtiers que les premiers colons flamands s'installèrent au XVe siècle. Aujourd'hui, beaucoup d'habitants de l'île vivent de la production d'un délicieux fromage, le *queijo de São Jorge,* exporté en Europe continentale. Toutefois, le tourisme vert se développe et nombre de visiteurs viennent pour faire des randonnées entre les *fajãs.* L'itinéraire le plus prisé, au nord-est de l'île, descend sur 10 km, de la Serra do Topo à la *fajã* dos Cubres.

La plupart des localités — comme la capitale, **Velas,** et **Calheta** — sont établies sur la côte sud, moins escarpée. À Calheta, le petit **Museu de São Jorge** présente de magnifiques pains confectionnés pour les fêtes du Saint-Esprit, un pressoir à miel, des outils agricoles et des sculptures religieuses. **Manadas,** à l'ouest de Calheta, abrite l'église **Santa Bárbara,** du XVIIIe siècle, qui possède un bel intérieur sculpté et peint. À **Urzelina,** 2 km plus à l'ouest, le clocher d'une église ensevelie sous la lave en 1808 dépasse du sol. À **Sete Fontes,** dans l'ouest, vous trouverez une agréable aire de pique-nique boisée. Par temps dégagé, le sommet du **Pico da Velha,** non loin, offre une superbe vue sur les îles centrales.

Museu de São Jorge
Rua José Azevedo da Cunha, Calheta. *095-463 23.* *lun.–ven.* *jours fériés.*

Falaises spectaculaires de la côte nord de São Jorge

Pico 6

15 500. 8 km à l'E. de Madalena. Madalena. avenida Machado Serpa, Madalena. rua Maria Goulart Duarte, Madalena (092-62 35 24). 22 juil. : Santa Maria Madalena ; Festas do Espírito Santo (p. 366) ; 19–25 août : Festa dos Baleeiros.

C'est depuis les îles voisines du groupe central que le Pico, la plus haute montagne du Portugal, apparaît le plus majestueusement. On voit alors jaillir ce pic volcanique de l'Atlantique, culminant à 2 350 m pour former le sommet de la plus longue chaîne de montagne du monde, la dorsale médio-atlantique *(p. 338-339)*.

Maison et puits rustiques en pierre de lave noire, à Pico

La capitale, **Madalena,** est un port qui fait face à Horta, capitale de Faial. Un ferry assure régulièrement la traversée de 7 kilomètres entre les deux îles, permettant une excursion d'une journée. L'entrée du port est gardée par deux rochers, Em Pé (debout) et Deitado (couché), sur lesquels se sont installées des colonies d'oiseaux.

Beaucoup de visiteurs viennent à Pico pour faire l'ascension de la montagne qui, en hiver, est souvent couronnée de neige. Des nuages auréolent fréquemment le sommet. C'est pourquoi il est recommandé de faire cette ascension ardue en compagnie d'un guide. Une autorisation étant nécessaire, contactez l'Office du tourisme pour plus de renseignements. L'autre attraction de Pico, en été, est l'observation des baleines. De

Le sommet du volcan de Pico

Sur les traces des baleines

Chaque été, quantité de baleines et de dauphins rejoignent les eaux des Açores, où la chasse à la baleine est interdite depuis 1984. Au XIXe siècle, les baleiniers américains y faisaient escale pour recruter du personnel et, vers 1870, les Açoriens se consacrèrent également à cette activité. Installés dans des *vigias* sur les falaises, des observateurs donnaient des indications codées, à l'aide de drapeaux, sur l'emplacement des cétacés, que seuls les habitants de leur village pouvaient décrypter. Depuis l'interdiction de la chasse dans les années 80, les Açoriens se sont convertis à l'observation et à la protection des cétacés.

***Les scrimshaws** sont des dents ou des os de cachalots gravés, souvent ornés de scènes de chasse à la baleine. Ce spécimen du Museu do Scrimshau à Faial* (p. 370) *représente un* canoa, *bateau étroit pouvant contenir 14 hommes.*

***L'observation des baleines** s'effectue depuis des bateaux, rapides et sûrs, qui permettent d'approcher les mammifères marins. On peut aussi les voir depuis les* vigias, *des tours d'observation qui sont installées sur le rivage. Des excursions sont proposées depuis Pico et Faial* (p. 370).

Lajes do Pico, des bateaux embarquent des petits groupes pour des excursions de trois heures, organisées par l'**Espaço Talassa.** Les bateaux sont guidés par les messages radio des observateurs qui scrutent la mer depuis les anciennes *vigias* (vigies). Le **Museu dos Baleeiros,** également à Lajes, présente des bateaux, des outils et des objets en os de baleine. Les cétacés étaient dépecés dans une immense usine au nord de l'île, à São Roque do Pico. Fermée en 1981, la **fábrica da Baleia** a été préservée. On y voit encore les cuves où le blanc de baleine était transformé en huile.

Pico est bordé d'une route côtière, qui permet de faire tranquillement le tour de cette île sauvage. De petites éruptions, survenues au cours des siècles, ont couvert, en partie, le paysage de coulées de lave noires, baptisées *mistérios* (mystères) par les insulaires. La lave a été utilisée pour bâtir maisons et murs de pierre. Par endroits, notamment aux environs de **Cachorro,** sur la côte nord, la lave érodée a formé de curieuses arches dans la mer.

Le fameux vin *verdelho* de Pico, proche d'un vin de Madère *(p. 349),* était exporté autrefois sur le continent. Récemment, la viticulture a connu un regain, avec de nouveaux vins rouges et blancs, comme les *Terras da Lava*. On peut désormais consommer autre chose que le *vinho de cheiro* (vin d'odeur).

Espaço Talassa
Rua do Saco, Lajes. *092-67 20 10.* *mars–oct. : t.l.j.*

Museu dos Baleeiros
Rua dos Baleeiros, Lajes. *092-67 22 76.* *mar.–dim.* *jours fériés.*

Fábrica da Baleia
Rua do Poço, São Roque do Pico. *092-64 20 96.* *t.l.j. (oct.–mars : lun.–ven.).* *jours fériés.* *limité.*

La côte ouest de Pico, avec Faial à l'arrière-plan

Faune marine des Açores

Plus de vingt espèces de cétacés vivent dans les eaux açoriennes. Ces animaux à sang chaud suivent les courants du Gulf Stream pour se nourrir dans ces eaux pures et riches en nourriture. On voit souvent des dauphins fendant les vagues à grande vitesse. Toutefois, les mammifères les plus impressionnants sont les cachalots. Ces animaux sociables plongent à une grande profondeur pour attraper des poulpes géants et vivent en groupes familiaux. Comme les dauphins et les baleines, ils remontent à la surface pour respirer. C'est à ce moment que l'on peut les apercevoir.

Dauphins tachetés de l'Atlantique, nageurs rapides et élégants

Les cachalots *sont les plus grandes baleines à dents. On peut les voir sauter hors de l'eau, sortir la tête pour observer ce qui se passe alentour ou se frotter les uns aux autres.*

Les globicéphales noirs, *ou dauphins pilotes, se reconnaissent à leur souffle, lançant un jet jusqu'à 1 m de haut.*

Les dauphins de Risso *ont une tête ramassée. Les plus âgés ont souvent le corps couvert de cicatrices blanches.*

Les grands dauphins, *ou souffleurs, sont les plus connus. Ces animaux joueurs adorent fendre les vagues.*

Les carets, *tortues qui naissent sur les plages de Floride, apprécient les eaux açoriennes.*

Yachts transatlantiques dans la marina d'Horta, Faial, avec le Pico à l'arrière-plan

Faial ❼

16 000. 10 km au S.-O. d'Horta. Horta. rua Vasco da Gama, Horta. rua Vasco da Gama, Horta (092-222 37). Festas do Espírito Santo (p. 366) ; *1er–2e dim. d'août : Semana do Mar (Horta).*

Faial fut colonisé par les Flamands au XVe siècle, puis prospéra grâce au port d'Horta, qui devint une escale pour les bateaux et, plus récemment, pour les hydravions transatlantiques. Cette île, appréciée des amateurs de voile, est renommée pour la douceur de son climat et pour ses haies d'hortensias, qui sillonnent l'île ; ils fleurissent en juin et en juillet.

Horta

Blottie dans une vaste baie, la capitale de Faial fut durant des siècles un lieu de mouillage pour les caravelles, les clippers et les hydravions. Le capitaine Cook, qui s'y arrêta en 1775, admira les belles maisons et les magnifiques jardins d'Horta. Aujourd'hui, les équipages de bateaux traversant l'Atlantique peignent leur « carte de visite » sur le quai de la marina et fêtent leur arrivée au **Peter's Café Sport.** C'est depuis ce bar célèbre que la société **Baleia à Vista** propose des excursions en mer pour observer dauphins et baleines *(p. 368-369)*. Au-dessus du café, le **Museu do Scrimshau** réunit os et dents de cachalots gravés, dont certains datent de 1884 *(p. 368)*.

Le **Museu da Horta** présente des meubles anciens, des portraits, des objets maritimes et des photographies anciennes du port, éclipsés par de minuscules sculptures de bateaux et des scènes de la vie quotidienne, réalisées dans de la moelle de figuier blanche par Euclides Silveira da Rosa (1910-1979).

« Carte de visite » d'un bateau sur le quai d'Horta, Faial

Baleia à Vista
Peter's Café Sport, Rua T. Valadim 9. 092-318 37. t.l.j.

Museu do Scrimshau
Peter's Café Sport, rua T. Valadim 9. 092-318 37. t.l.j.

Museu da Horta
Palácio do Colégio, largo Duque A. de Bolama. 092-233 48. *mar.–dim.* *1er janv., Pâques, 1er mai, 25 déc.*

Paysage couvert de cendres volcaniques à Capelinhos, extrémité ouest de Faial

Le tour de l'île

Deux points de vue dominent Horta : le pic volcanique du **monte da Guia,** au sud, et le **miradouro da Espalamaca,** gardé par une grande statue de Nossa Senhora da Conceição, au nord. Si les nuages le permettent, la visite de la **caldeira do Cabeço Gordo** (15 km de trajet), au centre de l'île, en vaut la peine. Ce cratère mesure 2 km de large et 400 m de profondeur. La randonnée autour de la dépression offre une belle vue.

Le **vulcão dos Capelinhos,** à l'extrémité occidentale, est un autre site naturel. L'éruption volcanique, survenue en 1957 et en 1958, entraîna la quasi-disparition d'un phare, dont seul le sommet émerge des cendres. Autour s'étend un paysage lunaire et désolé, qui a servi de décor à un film « post-nucléaire » allemand. L'**Exposição Fotográfica** retrace cette longue éruption et explique l'activité géologique de la région. On y voit aussi cette zone toute noire se couvrir à nouveau de vie et les formations de lave créées lors de l'éruption.

Exposição Fotográfica
Canto do Capelo. 092-951 65. *t.l.j. (oct.–mars : mar.–dim.).* *1er janv., 24, 25 et 31 déc.*

Flores 8

2 000. 1 km au N. de Santa Cruz. Lajes. rua da Conceição, Santa Cruz. rua Dr Almas da Silveira, Santa Cruz (092-523 69). Festas do Espírito Santo (p.366) ; 24–26 juin : Festas de São João ; 19–22 juil. : Festa do Emigrante (Lajes).

Souvent isolée par les tempêtes, l'île des « fleurs » est un endroit reculé et romantique, qui ne fut pas habité de façon permanente avant le XVIe siècle. Repaire de pirates guettant les galions espagnols chargés d'or qui mettaient le cap sur l'Europe, Flores fut, en 1591, le théâtre d'une bataille épique entre le bateau d'un capitaine de frégate anglais, Sir Richard Grenville, et une flotte de bateaux espagnols.

La plus occidentale des îles, extrêmement montagneuse, s'étend sur 17 km. Elle doit son nom à sa multitude de fleurs. En été, cette île sauvage attire les passionnés de randonnée. La capitale, **Santa Cruz,** possède un intéressant musée, le **Museu das Flores,** installé dans un ancien couvent franciscain. Il présente des trouvailles issues de naufrages, des terres cuites, des meubles et des outils agricoles, ainsi que des cannes à pêche et une guitare en os de cachalot. L'église conventuelle **São Boaventura,** de 1641, recèle un beau chœur sculpté en bois de cèdre. La moitié sud de l'île est la plus pittoresque. Les vallées verdoyantes et profondes sont ponctuées de pics spectaculaires, de lacs de cratères et de grottes. Le paisible **lagoa Funda** (lac profond), à 25 km au sud-ouest de Santa Cruz, est un grand lac de cratère, situé au pied d'une montagne. De la route principale, à l'ouest du lac, on voit les étranges formations rocheuses verticales de la **rocha dos Bordões,** formée de basalte solidifié.

La route en lacet continue vers le nord. À mesure qu'elle descend vers la côte ouest, elle offre une vue magnifique sur la vallée verte et le village de **Fajãzinha.** La station de **Fajã Grande,** entourée de falaises, est un bon point de départ pour les randonnées. Des cascades impressionnantes plongent dans la mer, du haut de falaises élevées. Une courte promenade au nord de la ville mène à la **cascata da Ribeira Grande,** une chute d'eau qui se divise en petites cascades avant de tomber dans un bassin.

Hortensias couvrant les montagnes de Flores

Museu das Flores

Largo da Misericórdia, Santa Cruz. 092-521 59. mar.–dim. (oct.–avr. : mar.–ven.). jours fériés.

Corvo 9

370. Vila Nova. rua da Matriz, Vila Nova. Câmara Municipal, rua J. da Bola, Vila Nova (092-561 15). Festas do Espírito Santo (p. 366) ; 3e dim. de juil. : Sagrada Família.

La plus petite île des Açores, qui s'étend à 24 kilomètres au nord-est de Flores, ne compte qu'une minuscule localité, **Vila Nova,** avec deux taxis et un seul agent de police. Corvo est le sommet d'un volcan sous-marin, le Monte Gordo. Le **lagoa do Caldeirão,** un splendide cratère vert, est situé à son extrémité nord. Le bord du lac est desservi par la route. Puis un sentier abrupt descend 300 m plus bas, au fond du cratère parsemé de lacs paisibles abritant des îles. Une mosaïque de champs entourés de murs de pierres couvre, en partie, les versants.

L'île de Corvo vue du rivage rocheux de Flores

Les bonnes adresses

Hébergement

Le Portugal offre un large éventail de possibilités d'hébergement allant de l'hôtel de luxe et du palais réaménagé à la pension familiale. La plupart des hôtels sont situés à Lisbonne, Porto, sur les côtes de l'Algarve ou de l'Estoril. En dehors de ces régions, ils se font plutôt rares. Mais il existe d'autres modes d'hébergement, entre autres dans des bâtiments historiques. La réservation est cependant recommandée en raison du nombre de chambres limité. On peut également loger chez l'habitant ou louer un appartement équipé d'une cuisine aussi bien en ville qu'à la campagne, où les possibilités se multiplient pour satisfaire tous les goûts : fermes aménagées, centres de vacances. Quel que soit votre choix, les chambres sont toujours moins chères hors saison. À Lisbonne, on passe facilement de l'hôtel de luxe à la pension, sans grand choix intermédiaire. Nous vous proposons aux pages 380 à 401 notre sélection, toutes catégories de prix et de styles confondus.

Portier du luxueux Hotel da Lapa, à Lisbonne *(p. 382)*

Classement des hôtels

Les hôtels varient considérablement en qualité, prix et services. Comme on l'a dit ci-dessus, ils sont concentrés à Lisbonne et sur les côtes de l'Estoril et de l'Algarve ; on en trouve pour tous les budgets. Pour le reste du pays, les possibilités d'hébergement, en plus de l'hôtel, ne manquent pas.

L'*albergaria* (auberge), généralement située dans le centre-ville, propose un hébergement dans un environnement agréable et convivial à des prix généralement inférieurs à ceux d'un hôtel de même qualité. L'équivalent rural de l'*albergaria* est l'*estagalem* ; elle se présente souvent comme une ancienne demeure de caractère restaurée dans son domaine. Les résidences hôtelières modernes sont des meublés équipés d'une cuisine, qui proposent parallèlement des services hôteliers : restaurant, bar ou piscine. Ce type d'hébergement présente une grande souplesse à un bon prix ; il convient tout particulièrement aux familles. Ces résidences hôtelières sont concentrés dans les stations balnéaires sur les côtes de l'Algarve et de l'Estoril.

Chambre au York House Hotel, à Lisbonne, un couvent du XVIe siècle converti en hôtel *(p. 382)*

Les *pousadas*

Ce sont des auberges de campagne gérées par l'État. Il y en a environ une quarantaine dans le pays et deux à Madère *(p. 378-379)*.

Séjourner dans une *pousada* est une excellente manière de savourer l'histoire du Portugal, ses paysages et sa culture, d'autant plus qu'elles se distinguent par leur grand confort. On en trouve de deux catégories : les établissements de charme et les « régionales ». Les premières sont des monuments historiques, parmi lesquels on rencontre notamment d'anciens palais au riche passé historique. Les secondes sont situées dans des endroits présentant un intérêt particulier ou dans un cadre exceptionnel (parcs ou réserves) et peuvent aller du plus traditionnel au plus moderne.

Hotel Almansor à Carvoeiro, en Algarve *(p. 397)*

Chaînes hôtelières

Deux chaînes se partagent l'hôtellerie de grand luxe. Fondée en 1917, celle des superbes **Hotéis Alexandre de Almeida** est la plus ancienne du Portugal. Le

◁ **Pousada de Palmela, le petit déjeuner est servi sous les glycines**

groupe s'enorgueillit du Buçaco Palace, une splendide retraite de la monarchie portugaise. Les **Hotéis Tivoli** sont installés dans sept palais réaménagés à Lisbonne, Sintra, Coimbra et Porto.

Dans une catégorie moins luxueuse, les **Choice Hotels** gèrent deux chaînes modernes : les Comfort Hotels, qui conviennent mieux aux personnes handicapées, et les Quality Suites, qui offrent plus de commodités et de services. La chaîne **Best Western** propose des logements individuels de caractère, combinés avec des services hôteliers de qualité. Les hôtels **Ibis** disposent de chambres agréables, climatisées et standardisées d'un hôtel à l'autre.

LES *PENSÕES*

Les pensions offrent un hébergement de qualité (toutes les prestations hôtelières, y compris les repas) à des prix intéressants. Dans leur version de base, elles proposent des chambres simples avec accès à une salle de bains à l'étage. Dans leur version luxueuse (quatre étoiles), elles rivalisent avec les grands hôtels pour la qualité du service et le confort. Si la *pensão* n'offre que la chambre et le petit déjeuner, on l'appelle *residencial.*

LES CATÉGORIES

Les hébergements sont classés en cinq catégories allant de une à cinq étoiles. Ce classement dépend du confort offert, mais ne présage en rien la qualité du cadre ni du service. Mais ce système est parfois déroutant, car la qualité varie d'un type de logement à l'autre. Par exemple, une pension trois étoiles est souvent plus confortable qu'un hôtel deux étoiles.

Vue depuis le palácio de Seteais, à Sintra, transformé en hôtel *(p. 386)*

LES PRIX

Les établissements sont libres de fixer leurs tarifs, mais tous doivent être clairement affichés. Il est possible de négocier, surtout en basse saison. En règle générale, le prix d'une chambre individuelle tourne autour de 60 à 75 % de celui d'une chambre double. Les prix les plus élevés se rencontrent sur les côtes de l'Algarve et de l'Estoril, à Madère et dans les Açores, mais ils chutent dans le Centre. Les pousadas pratiquent trois tarifs : de juillet à septembre le plus élevé, d'avril à juin un prix moyen, de novembre à mars le plus bas.

AGENCES NATIONALES DE TOURISME

La réservation s'impose surtout en haute saison, car les hébergements dans les stations balnéaires, en particulier en Algarve et sur la côte de l'Estoril, sont pris d'assaut par les voyagistes européens.

On peut réserver des *pousadas* par l'intermédiaire de l'**Office national du tourisme portugais** *(p. 426-427)*, l'**Enatur.** La réservation s'impose pour les résidences rurales en raison du nombre limité de chambres. On peut réserver une chambre en s'adressant directement aux associations des propriétaires citées p. 377 ou en passant par une agence de voyages. On peut vous demander une caution, et le séjour minimal est fixé à trois jours. Le Portugal dispose de peu de motels ; les automobilistes doivent rester en ville ou réserver leurs gîtes ruraux à l'avance. La **Direcção Geral do Turismo** (Office de tourisme d'État) publie deux guides annuels disponibles à l'Office du tourisme : *Guia do Alojamento Turístico* (guide officiel de l'hébergement touristique) et *Turismo no Espaço Rural* (guide officiel du tourisme rural).

Reid's Palace Hotel, à Funchal *(p. 400)*

Caso de Campo, manoir situé à Celorico de Basto *(p. 393)*

Logement rural

Trois formules sont proposées par *Turismo no Espaço Rural* (TER) pour séjourner dans une famille à la campagne. Les propriétés doivent être enregistrées auprès de l'Office du tourisme pour bénéficier du logo TER.

Dans la formule proposée par l'*Associação de Turismo de Habitação,* les visiteurs sont reçus comme les hôtes des propriétaires, dans leur château ou manoir. La plupart de ces demeures se trouvent dans le Minho, quelques-unes à Madère et aux Açores. Les prix dépendent de leur degré de confort. *Turismo rural* (TR) propose des habitations construites selon les styles régionaux, alors qu'*Agroturismo* (AT) offre des chambres dans des fermes d'exploitation et les visiteurs peuvent se joindre aux travaux. Nombre de propriétés sont hors des sentiers battus et il est important de bien se renseigner sur l'itinéraire avant de s'y rendre.

Chaque propriété affiliée à ces organismes est représentée par l'une des trois associations de propriétaires, **ANTER, PRIVETUR** et **TURIHAB,** et chacune d'elles, peut vous fournir des renseignements.

Stations balnéaires

Les stations balnéaires sont situées sur les côtes de l'Algarve et de l'Estoril. Le meilleur moyen de réserver est de s'adresser à une agence de voyages. Hors saison, on peut obtenir des remises intéressantes.

Le village de tourisme, ou *Aldeamento Turístico,* est une particularité des régions de stations balnéaires telles que l'Algarve. Ces complexes se composent d'appartements individuels bien meublés et offrent nombre d'installations sportives. En outre, ils peuvent offrir des équipements (piscines), des services (supermarchés), des lieux (restaurants, bars) qui les rendent très attractifs ; parfois la plage est à proximité. Leur classement est le suivant : luxe (L), première classe (1ª), deuxième classe (2ª).

Les *Apartamentos Turísticos* (appartements touristiques) n'offrent pas les avantages hôteliers des villages de tourisme, mais conviennent mieux aux amateurs de calme et d'indépendance. Ce sont, en général, des habitations modernes bien équipées, classés selon les catégories précitées, construites à cet effet dans les stations balnéaires.

Le luxueux Marinotel, station balnéaire de Vilamoura, en Algarve *(p. 399)*

Salle à manger de la Casa de Esteiró, hébergement rural à Caminha *(p. 393)*

Auberges de jeunesse et chambres

Les *pousadas de Juventude* se trouvent le long de la côte. Vingt-deux sont continentales et deux insulaires (Açores). Elles sont ouvertes toute l'année, mais il est recommandé de réserver pour l'été. Il faut présenter une carte en cours de validité de la FUAJ (Fédération Unie des Auberges de Jeunesse). Certaines possèdent des aménagement pour les handicapés. Pour plus d'informations, contactez **Movijovem,** le bureau central de l'association portugaise des auberges de jeunesse.

Au moins aussi bon marché que les auberges de jeunesse mais offrant plus d'intimité, les *quartos* louées dans des appartements sont également intéressantes. Vous pourrez consulter la liste des chambres disponibles dans tous les offices du tourisme locaux.

LE CAMPING ET LE CARAVANING

Il y a plus de cent campings agréés, la plupart situés le long de la côte, bien souvent dans des lieux très séduisants. En général, ils sont petits et calmes ; le plus grand se trouve à Albufeira, en Algarve. L'agence **Orbitur** gère une chaîne de camping nationale.

En règle générale, il faut s'acquitter d'une somme par personne et par tente, et d'un supplément pour les douches et le parking. L'Office du tourisme fournit tous les renseignements, ainsi que la liste des campings. Les gestionnaires de terrains exigent de plus en plus la carte de camping internationale. Vous pourrez l'obtenir auprès de la **Fédération française de camping et caravaning** (FFCC). Cette carte fournit une assurance de responsabilité civile, des remises sur les prestations touristiques et les séjours hors saison, entre autres.

Terrain de camping de São Miguel, près d'Odemira, en Alentejo

LES ENFANTS

Les enfants sont très bien accueillis dans ce pays qui a le sens de la famille. Nombre d'hôtels accordent aux enfants de moins de 8 ans une remise de 50 % pour le logement et les repas.

PERSONNES HANDICAPÉES

La liste des hôtels équipés et un fascicule contenant des informations utiles sont fournis par l'Office du tourisme. Les campings et les auberges de jeunesse offrant des services adaptés sont répertoriés par les organismes concernés et dans le guide publié par le **Secretariado Nacional de Reabilitação.**

CARNET D'ADRESSES

CHAÎNES HÔTELIÈRES

Best Western
Portugal ☎ *0505-397 93 81. (Numéros verts.)*

Choice Hotels
Portugal ☎ *0500-11 66. (Numéros verts.)*

Hotéis Alexandre de Almeida
Rua Dr Álvaro de Castro 73, 1600 Lisbonne.
☎ *01-793 10 24 .*
FAX *01-793 04 45.*

Hotéis Tivoli
Avenida da Liberdade 185, 1250 Lisbonne.
☎ *01-353 01 81.*
FAX *01-357 94 61.*

IBIS
Groupe Accor Résinter, 2, rue de la Mare-Neuve, 91021 Évry Cedex.
☎ *01 60 77 27 27.*
FAX *01 69 91 05 63.*

AGENCES NATIONALES DE TOURISME

Direcção-Geral de Turismo
Avenida António Augusto de Aguiar 86, 1050 Lisbonne.
☎ *01-357 50 15.*
FAX *01-357 52 20.*

Enatur S.A.
Avenida Santa Joana Princesa 10, 1070 Lisbonne.
☎ *01-848 90 70.*
FAX *01-848 92 57.*

Direcção Regional de Turismo dos Açores
Casa do Relógio Colónia Alemã, 9900 Horta, Açores.
☎ *092-238 01.*
FAX *092-220 04.*

Direcção Regional de Turismo da Madeira
Avenida Arriaga 18, 9000 Funchal.
☎ *091-22 90 57.*
FAX *091-23 21 51.*

HÉBERGEMENT RURAL

ANTER
Associação Nacional de Turismo no Espaço Rural, Travessa Megue 4, 1°, 7000 Évora.
☎ *&* FAX *066-74 45 55.*

PRIVETUR
Associação Portuguesa de Turismo de Habitação, Largo das Pereiras, 4990 Ponte de Lima.
☎ *&* FAX *58-74 14 93.*

TURIHAB
Associação de Turismo de Habitação, Praça de República, 4990 Ponte de Lima.
☎ *058-74 16 72.*
FAX *058-74 14 44.*

AUBERGES DE JEUNESSE

Movijovem
Pousadas de Juventude, Avenida Duque d'Avila 137, 1050 Lisbonne.
☎ *01-313 88 20.*
FAX *01-352 86 21.*

CAMPING ET CARAVANING

Fédération française de camping et caravaning
78, rue de Rivoli, 75004 Paris.
☎ *01 42 72 84 08.*
FAX *01 42 72 70 21.*

Portugal : Camping et Caravanning Albufeira
Estrada de Ferreiras, 8200 Albufeira, Algarve.
☎ *089-58 95 05.*
FAX *089-58 76 33.*

Orbitur Intercambio de Turismo
Rua Diogo de Couto 1, 8°, 1100 Lisbonne.
☎ *01-815 48 71.*
FAX *01-814 80 45.*

PERSONNES HANDICAPÉES

Secretariado Nacional de Reabilitação
Avenida Conde de Valbom 63,1050 Lisbonne.
☎ *01-793 65 17.*
FAX *01-796 51 82.*

Les pousadas

Symbole d'une *pousada*

Dans les années 40, les Portugais décidèrent d'établir un réseau national d'auberges, gérées par l'État, présentant une « hospitalité conforme au style et aux traditions régionales ». Ainsi sont nées les *pousadas*. Souvent situées dans des lieux pittoresques, elles ont, pour la plupart, moins de trente chambres et, de ce fait, offrent un service de qualité et personnalisé, ainsi qu'un grand confort. Sur la carte sont indiquées 35 pousadas, décrites aux pages 380 à 401.

***La pousada da Ria,** près du port d'Aveiro, possède 19 chambres, le plus souvent avec balcon, donnant sur la lagune de la Ria de Aveiro* (p. 388).

***La pousada de São Pedro,** à 13 km au sud-est de Tomar, fut construite dans les années 40 pour héberger les ingénieurs travaillant sur le barrage de Castelo de Bode. Donnant sur le Zêzere (en bas du barrage), cette pousada a rouvert en 1993 après d'importants travaux* (p. 386).

***La pousada do Castelo,** située à Óbidos, est abritée dans le donjon d'un magnifique palais restauré et allie subtilement une ambiance médiévale avec des aménagements modernes. Le restaurant est recommandé* (p. 387).

***La pousada de Palmela** a une histoire illustre, un intérieur élégant et une vue majestueuse sur le village de Palmela et sur l'Atlantique. Une conversion réussie d'un monastère où siégeaient, au XIIIe siècle, les chevaliers de l'ordre de Santiago* (p. 385).

***La pousada do Infante** jouit d'une belle situation, perchée sur une falaise dans le village de Sagres, au point le plus au sud-ouest de l'Europe. Sa terrasse offre une belle vue sur l'Atlantique* (p. 399).

Valen do Mir
Vila Nova de Cerveira
Viana do Castelo
Condeixa-a-Nova
Batalha
ESTREMADURA ET RIBATEJO
Queluz
LISBONNE
CÔTE DE LISBONN
Setúba
Santiago do Cacém
Santa Clar a-Vell
ALGARVE

Santa Marinha da Costa, *l'une des plus anciennes pousadas du Portugal, occupe un superbe monastère médiéval près de la ville de Guimarães* (p. 393).

La pousada de Barão de Forrester *tire son nom de J. J. Forrester, qui joua un rôle important dans la production du porto. Elle bénéficie d'un emplacement calme au milieu des vignobles à Alijó* (p. 390).

0 50 km

MINHO
Vieira do Minho
Bragança
DOURO ET TRÁS-OS-MONTES
Miranda do Douro
Amarante
Almeida
Caramulo
Guarda
Oliveira do Hospital
Monsanto
LES BEIRAS
Marvão
Crato
Sousel
Elvas
Alvito
Serpa
ALENTEJO
São Brás de Alportel

La pousada da Rainha Santa Isabel *domine la ville d'Estremoz et ses alentours. Au* XIIIe *siècle, la demeure du roi Dinis et de sa femme, la reine Isabel, occupait le site* (p. 395).

La pousada dos Lóios, *à Évora, un ancien monastère du* XVe *siècle, jouxte les vestiges d'un temple romain consacré à Diane. La façade néo-classique date du milieu du* XVIIIe *siècle. L'élégante salle à manger est installée dans l'ancien cloître.*

La pousada de São Francisco *se trouve au cœur de Beja, ancienne ville romaine, située au centre des plaines ensoleillées, au sud de l'Alentejo. Des vestiges d'un couvent franciscain du* XIIIe *siècle font partie de cet édifice, transformé en* pousada *en 1994* (p. 394).

Choisir un hôtel

Les établissements présentés ici ont été choisis dans un large éventail de prix pour la qualité de leurs prestations ou leur emplacement. Chaque hôtel est brièvement décrit, en soulignant certains éléments susceptibles d'influencer votre choix. Utilisez les repères de couleur indiquant les régions concernées.

Lisbonne

Hôtel	Prix	Cartes bancaires	Restaurant	Jardin	Piscine	Nombre de chambres
Bairro Alto : *Camões* Travessa do Poço da Cidade 38, 1° E, 1200. **Plan** 7 A3. & FAX *01-346 40 48.* Situé au cœur du Bairro Alto, cet hôtel clair et spacieux possède des chambres confortables. Ambiance accueillante.	$					18
Bairro Alto : *Borges* Rua Garrett 108, 1200. **Plan** 7 A4. *01-346 19 51.* FAX *01-342 66 17.* Le Borges se distingue par sa décoration raffinée et son emplacement agréable, dans le quartier chic du Chiado.	$$	AE DC MC V				100
Bairro Alto : *Suíço Atlântico* Rua da Glória 3–19, 1250. **Plan** 7 A2. *01-346 17 13.* FAX *01-346 90 13.* Caché dans une petite rue, l'hôtel offre des chambres spacieuses. Au plafond des pièces communes courent des arcades et des poutres de bois.	$$	AE DC MC V				90
Baixa : *Alegria* Praça da Alegria 12, 1250. **Plan** 4 F1. *01-347 55 22.* FAX *01-347 80 70.* Située dans un square ombragé et doté d'une fontaine centrale, cette petite pension a des chambres propres et confortables.	$					25
Baixa : *Beira Minho* Praça da Figueira 6, 2° E, 1100. **Plan** 7 B3. *01-346 18 46.* FAX *01-886 78 11.* Cette petite pension aux installations simples offre une belle vue sur le Bairro Alto.	$					24
Baixa : *Norte* Rua dos Douradores 159, 1100. **Plan** 7 B3. *01-887 89 41.* Située près de la praça da Figueira, cette pension dispose de peu d'équipements, mais les chambres sont confortables et propres. TV	$					36
Baixa : *Restauradores* Praça dos Restauradores 13, 4°, 1250. **Plan** 7 A2. *01-347 56 60.* Petite pension très simple et installée au quatrième étage d'un bâtiment bien situé, dans le centre animé de la ville.	$					30
Baixa : *Coimbra e Madrid* Praça da Figueira 3, 3°, 1100. **Plan** 7 B3. *01-342 17 16.* FAX *01-342 32 64.* Bien que simple et austère, cette pension offre, depuis certaines de ses chambres, une vue magnifique sur le Castelo de São Jorge.	$$					36
Baixa : *Duas Nações* Rua da Vitória 41, 1100. **Plan** 7 B4. *01-346 07 10.* FAX *01-347 02 06.* L'hôtel se trouve en plein cœur da Baixa. Les chambres donnant sur la rua Augusta sont très bruyantes. Ambiance sympathique. TV	$$	AE DC MC V				66
Baixa : *Florescente* Rua das Portas de S. Antão 99, 1150. **Plan** 7 A2. *01-342 66 09.* FAX *01-342 77 33.* Pour une pension, les chambres sont très bien équipées. La rue est renommée pour ses restaurants à la fois nombreux et excellents. TV	$$	AE MC V				70
Baixa : *Internacional* Rua da Betesga 3, 1100. **Plan** 7 B3. *01-346 64 01.* FAX *01-347 86 35.* Bien situé entre la praça da Figueira et le Rossio, cet hôtel offre des chambres modernes et spacieuses. Les clients peuvent se relaxer dans la salle de télévision ainsi qu'au bar. TV	$$	AE DC MC V				53
Baixa : *Nova Goa* Rua do Arco do Marquês de Alegrete 13, 1100. **Plan** 7 C3. *01-888 11 37.* FAX *01-886 78 11.* Tout près de la praça da Figueira, cette pension ressemble aux nombreuses autres du quartier : propre, confortable et plutôt simple. TV	$$					42

Les prix correspondent à une nuit en chambre double, petit déjeuner compris :
- $ moins de 7 000$00
- $$ 7–12 000$00
- $$$ 12–20 000$00
- $$$$ 20–30 000$00
- $$$$$ plus de 30 000$00.

Restaurant
L'hôtel possède un ou plusieurs restaurants ouverts pour le déjeuner et le dîner.

Jardin
Hôtel disposant d'un jardin ou d'une grande terrasse.

Piscine
Piscine intérieure ou à ciel ouvert.

Cartes bancaires
Un symbole indique que les cartes American Express (AE), Diner's Club (DC), Master Card/Access (MC), Visa (V) sont acceptées.

	Cartes bancaires	Restaurant	Jardin	Piscine	Nombre de chambres
Baixa : *Portugal* $$ Rua João das Regras 4, 1100. **Plan** 7 C3. *01-887 75 81.* FAX *01-886 73 43.* La façade simple de cet hôtel, situé près de la rua Martim Moniz, cache un intérieur élégant au décor raffiné d'autrefois.	AE DC MC V				58
Baixa : *Roma* $$ Travessa da Glória 22a, 1°, 1250. **Plan** 7 A2. *01-346 05 57.* FAX *01-346 05 57.* L'emplacement de cette pension, près de l'av. da Liberdade, est idéal pour faire les boutiques et visiter la ville. Le bar est ouvert 24 h sur 24.	AE MC V				24
Baixa : *Metrópole* $$$ Praça Dom Pedro IV 30, 1100. **Plan** 7 B3. *01-346 91 64.* FAX *01-346 91 66.* Cet hôtel, charmant et élégant, occupe un immeuble construit au début du siècle et rénové dans un style qui rappelle les années 20. On peut y acheter les fameux vins de Buçaco *(p. 210).*	AE DC MC V				36
Baixa : *Avenida Palace* $$$$ Rua 1° de Dezembro 123, 1200. **Plan** 7 B3. *01-346 01 51.* FAX *01-342 28 84.* Doté d'une superbe façade néo-classique, l'hôtel jouit d'une situation centrale idéale. L'intérieur, somptueux, a conservé des détails de la décoration d'origine. Tout confort.	AE DC MC V				100
Baixa : *Orion Eden* $$$$ Praça dos Restauradores 24, 1250. **Plan** 7 A2. *01-321 66 00.* FAX *01-321 66 66.* Moderne, il comporte appartements et studios avec cuisine privée. Trois studios ont été aménagés pour les handicapés.	AE DC MC V			●	137
Baixa : *Tivoli Jardim* $$$$ Rua J. César Machado, 1250. **Plan** 4 F1. *01-353 99 71.* FAX *01-355 65 66.* Cet hôtel chic offre des chambres avec toilettes spacieuses et mini-bars. Une insolite piscine ronde agrémente le jardin derrière l'hôtel ; bonnes installations de sport réservées aux clients.	AE DC MC V	●	■	●	119
Baixa : *Sofitel Lisboa* $$$$$ Av. da Liberdade 123–5, 1250. **Plan** 4 F1. *01-342 92 02.* FAX *01-342 92 22.* Confortable et moderne, le Sofitel possède un piano-bar attrayant, Le Molière, situé près du hall d'entrée.	AE DC MC V	●			170
Baixa : *Tivoli Lisboa* $$$$$ Av. da Liberdade 185, 1250. **Plan** 4 F1. *01-353 01 81.* FAX *01-357 94 61.* Grand hôtel élégant aux chambres modernes ; les suites sont particulièrement spacieuses. Le grand hall central est à deux niveaux.	AE DC MC V	●	■	●	300
Campo Pequeno : *Lar do Areeiro* $ Praça Francisco Sá Carneiro 4, r.-d.-c, 1000. **Plan** 6 E1. *01-849 31 50.* Pension propre et confortable, proche de l'avenida de Roma, une artère commerçante. Bon rapport qualité-prix.	MC V				43
Castelo : *Ninho das Águias* $ Costa do Castelo 74, 1100. **Plan** 7 C3. *01-886 70 08.* Le « nid d'aigle » se dresse près des murs du Castelo de São Jorge. Un aigle empaillé indique l'entrée de la terrasse, d'où la vue est magnifique.			■		16
Entrecampos : *Quality Hotel Lisboa* $$$$ Campo Grande 7, 1700. *01 795 75 55.* FAX *01-795 75 00.* Cet hôtel agréable est surtout fréquenté par des hommes d'affaires. Centre de remise en forme, salle de sports et jacuzzi.	AE DC MC V	●			83
Estefânia : *Caravela* $ Rua Ferreira Lapa 38, 1150. **Plan** 6 D4. *01-353 90 11.* Les chambres gardent un peu l'atmosphère d'autrefois. Chacune est équipée d'une ligne directe. Bar et salle de télévision.	AE DC MC V				45

Les prix correspondent à une nuit en chambre double, petit déjeuner compris :
- $ moins de 7 000$00
- $$ 7–12 000$00
- $$$ 12–20 000$00
- $$$$ 20–30 000$00
- $$$$$ plus de 30 000$00.

Restaurant
L'hôtel possède un ou plusieurs restaurants ouverts pour le déjeuner et le dîner.

Jardin
Hôtel disposant d'un jardin ou d'une grande terrasse.

Piscine
Piscine intérieure ou à ciel ouvert.

Cartes bancaires
Un symbole indique que les cartes American Express (AE), Diner's Club (DC), Master Card/Access (MC), Visa (V) sont acceptées.

	Cartes bancaires	Restaurant	Jardin	Piscine	Nombre de chambres
Estefânia : *Sol Lisboa* $$$$ Av. Duque de Loulé 45, 1050. **Plan** 5 C4. *01-353 21 08.* FAX *01-353 18 65.* Cet hôtel possède 84 suites bien équipées, avec cuisine, ainsi qu'une petite galerie et, sur le toit, une piscine avec sauna.	AE DC MC V	●	■	●	84
Graça : *Mundial* $$$ Rua Dom Duarte 4, 1100. **Plan** 7 B3. *01-886 31 01.* FAX *01-887 91 29.* Hôtel bien situé, près de la praça da Figueira. Les chambres sont simples mais confortables. Belle vue sur la ville depuis le restaurant.	AE DC MC V	●	■		147
Graça : *Senhora do Monte* $$$ Calçada do Monte 39, 1100. **Plan** 7 D1. *01-886 60 02.* FAX *01-887 77 83.* Cette *albergaria*, un peu éloignée des sentiers battus, mérite le détour. Si les chambres sont assez simples, la vue est exceptionnelle, surtout depuis le jardin et le café sur le toit.	AE DC MC V		■		28
Lapa : *As Janelas Verdes* $$$$ R. das Janelas Verdes 47, 1200. **Plan** 4 D3. *01-396 81 43.* FAX *01-396 81 44.* Cette agréable pension, envahie par le lierre, est installée dans une résidence du XVIIIe siècle ayant appartenu au grand romancier portugais Eça de Queirós *(p. 55)*. Décor néo-classique, patio charmant et paisible.	AE DC MC V		■		17
Lapa : *Hotel da Lapa* $$$$ R. do Pau da Bandeira 4, 1200. **Plan** 3 C3. *01-395 00 05.* FAX *01-395 06 65.* Hôtel élégant dans le quartier des ambassades. Chaque chambre dans l'aile dite « du Palais » est décorée dans un style unique, allant du néo-classique à l'Art déco.	AE DC MC V	●	■	●	94
Lapa : *York House* $$$$ Rua das Janelas Verdes 32, 1200. **Plan** 4 D4. *01-396 24 35.* FAX *01-397 27 93.* Pension ravissante installée dans un couvent du XVIIe siècle. Ses chambres élégantes, au sol de parquet ou de terre cuite et aux meubles anciens raffinés, sont disposées autour d'un patio ombragé.	AE DC MC V	●	■		34
Rato : *13 da Sorte* $ Rua do Salitre 13, 1100. **Plan** 4 F1. *01-353 18 51.* FAX *01-353 18 51.* Cette pension jouit d'une excellente situation et offre plusieurs suites. Du café-terrasse, « La gaivota » (La mouette), la vue est splendide.	DC MC V				24
Rato : *Amazónia* $$$ T. da Fábrica dos Pentes 12–20, 1250. **Plan** 5 B5. *01-387 70 06.* FAX *01-387 90 90.* Proche du centre-ville, cet hôtel a un certain cachet et possède des pièces communes élégantes. Chambres spacieuses. Piano-bar.	AE DC MC V		■	●	192
Rato : *Altis* $$$$ Rua Castilho 11, 1250. **Plan** 4 F1. *01-314 24 96.* FAX *01-354 86 96.* Ce vaste hôtel offre toutes les commodités, notamment une salle de sports bien équipée et une piscine intérieure. Rôtisserie sur le toit.	AE DC MC V	●	■	●	303
Rato : *Lisboa Plaza* $$$$ Travessa do Salitre 7, 1250. **Plan** 4 F1. *01-346 39 22.* FAX *01-347 16 30.* Hôtel construit en 1953 et situé près de la praça da Alegria. Son décor traditionnel est dû au décorateur Graça Viterbo.	AE DC MC V	●			112
Rato : *Ritz Intercontinental* $$$$$ Rua R. da Fonseca 88, 1093. **Plan** 5 B5. *01-383 20 20.* FAX *01-383 17 83.* Hôtel renommé, élégant et confortable, le Ritz dispose de plusieurs chambres avec balcon dominant le parque Eduardo VII.	AE DC MC V	●	■		284
Rotunda : *Castilho* $ Rua Castilho 57, 1250. **Plan** 4 F1. *01-386 08 22.* FAX *01-386 29 10.* Bon rapport qualité-prix pour cette pension aux installations satisfaisantes. Chambres confortables, dont quelques-unes avec plusieurs lits.	MC V				25

Rotunda : *Jorge V* $$ Rua Mouzinho da Silveira 3, 1250. **Plan** 5 C5. *01-356 25 25.* FAX *01-315 03 19.* L'hôtel, confortable et bien situé, propose des chambres avec balcon. Bon rapport qualité-prix. Il vaut mieux réserver à l'avance.	AE DC MC V				49
Rotunda : *Britânia* $$$ Rua R. Sampaio 17, 1100. **Plan** 5 C5. *01-315 50 16.* FAX *01-315 50 21.* L'architecte Cassiano Branco a construit, en 1944, le bâtiment qui abrite cet hôtel ravissant avec beau hall d'entrée en marbre.	AE DC MC V				30
Rotunda : *Capitol* $$$ Rua Eça de Queirós 24, 1050. **Plan** 5 C4. *01-353 68 11.* FAX *01-352 61 65.* Hôtel confortable, proche de l'avenida do Duque de Loulé. Les chambres donnant sur le marché peuvent être bruyantes tôt le matin.	AE DC MC V	●			57
Rotunda : *Diplomático* $$$ Rua Castilho 74, 1250. **Plan** 5 B5. *01-386 20 41.* FAX *01-386 21 55.* Les chambres sont spacieuses et les installations modernes. Thé, café ou chocolat sont servis dans les chambres.	AE DC MC V	●	■		90
Rotunda : *Le Méridien Lisboa* $$$$$ Rua Castilho 149, 1070. **Plan** 5 B4. *01-383 09 00.* FAX *01-383 32 31.* Perché sur une des sept collines de la ville, au-dessus du parque Eduardo VII, l'hôtel a des chambres confortables avec une belle vue.	AE DC MC V	●			330
Rotunda : *Nacional* $$$ Rua Castilho 34, 1250. **Plan** 5 B5. *01-355 44 33.* FAX *01-356 11 22.* Cet hôtel avec sa façade en verre ne manque pas d'intérêt. Chambres et suites (2) confortables. De très bonnes installations.	AE DC MC V				61
Rotunda : *Rex* $$$ Rua Castilho 169, 1070. **Plan** 5 B4. *01-388 21 61.* FAX *01-388 75 81.* À deux pas du parque Eduardo VII. Sur le toit, un restaurant offre une belle vue. Buffet pour le petit déjeuner.	AE DC MC V	●			36
Rotunda : *Veneza* $$$ Avenida da Liberdade 189, 1250. **Plan** 5 C5. *01-352 67 00.* FAX *01-352 66 78.* Cet hôtel, spacieux et confortable, abrite un escalier ouvragé et des peintures murales modernes dues à Pedro Luíz-Gomez.	AE DC MC V				36
Saldanha : *Marisela* $ Rua Filipe Folque 19, r.-d.-c., 1050. **Plan** 5 C3. *01-353 32 05.* FAX *01-316 04 23.* Tout près des jardins du parque Eduardo VII, dans une rue calme, cette pension offre des chambres simples mais convenables.	AE MC V	●			34
Saldanha : *Horizonte* $$ Av. António A. de Aguiar 42, 1050. **Plan** 5 B4. *01-353 95 26.* FAX *01-353 84 74.* Bon rapport qualité-prix compte tenu de son emplacement. Les chambres en façade donnent sur l'avenida da Liberdade et sont bruyantes.	AE DC MC V				53
Saldanha : *VIP* $$ Rua Fernão Lopes 25, 1000. **Plan** 5 C3. *01-352 19 23.* FAX *01-315 87 73.* Situé au-dessus des boutiques dans un quartier animé, le VIP possède des chambres simples et propres, mais le décor est un peu démodé.	AE DC MC V	●			54
Saldanha : *Impala* $$$ Rua Filipe Folque 49, 1050. **Plan** 5 C3. *01-314 89 14.* FAX *01-357 53 62.* Toutes les chambres constituent des suites ayant chacune salon, cuisine, bar et réfrigérateur.	AE DC MC V				26
Saldanha : *Príncipe* $$$ Avenida Duque de Ávila 201, 1050. **Plan** 5 B3. *01-353 61 51.* FAX *01-353 43 14.* La plupart des chambres de cet hôtel moderne ont un balcon. Un petit bar et un salon se trouvent près du hall d'entrée.	AE DC MC V	●			67
Saldanha : *Real Parque* $$$$$ Avenida L. Bivar 67, 1050. **Plan** 5 C3. *01-357 01 01.* FAX *01-357 07 50.* Cet hôtel moderne est installé dans une petite rue calme. Sept chambres sont aménagées pour les handicapés.	AE DC MC V	●			153
Saldanha : *Sheraton Lisboa* $$$$$ Rua L. Coelho 1, 1069. **Plan** 5 C3. *01-357 57 57.* FAX *01-354 71 64.* Bien situé, le Sheraton propose des chambres spacieuses, un centre de communications et un centre de remise en forme.	AE DC MC V	●		●	384

Légende des symboles, voir rabat de couverture

Les prix correspondent à une nuit en chambre double, petit déjeuner compris :
($) moins de 7 000$00
($)($) 7–12 000$00
($)($)($) 12–20 000$00
($)($)($)($) 20–30 000$00
($)($)($)($)($) plus de 30 000$00.

Restaurant
L'hôtel possède un ou plusieurs restaurants ouverts pour le déjeuner et le dîner.
Jardin
Hôtel disposant d'un jardin ou d'une grande terrasse.
Piscine
Piscine intérieure ou à ciel ouvert.
Cartes bancaires
Un symbole indique que les cartes American Express (AE), Diner's Club (DC), Master Card/Access (MC), Visa (V) sont acceptées.

Le littoral de Lisbonne

Hôtel	Prix	Cartes bancaires	Restaurant	Jardin	Piscine	Nombre de chambres
Alcácer do Sal : *Pousada de Vale do Gaio* Torrão, 7595. **Carte routière** C5. *065-66 96 10.* FAX *065-66 45 45.* Cette *pousada*, située au bord d'un lac, offre calme et intimité. Belles promenades dans la campagne.	($)($)	AE DC MC V	●			14
Carcavelos : *Praia Mar* Rua Gurué 16, 2775. **Carte routière** B5. *01-457 31 31.* FAX *01-457 31 30.* Ravissant, cet hôtel moderne a des chambres spacieuses et confortables. Belle vue sur la plus grande plage de sable de la côte de l'Estoril. Les célèbres vins de Buçaco *(p. 210)* y sont en vente.	($)($)($)	AE DC MC V	●	■	●	148
Cascais : *Palma* Avenida Valbom 15, 2750. **Carte routière** B5. *01-483 77 97.* FAX *01-483 79 22.* Petite pension proche du centre de Cascais et de la plage de Rainha. Chambres de taille réduite mais confortables.	($)($)	AE DC MC V		■	●	9
Cascais : *Baía* Avenida Marginal, 2750. **Carte routière** B5. *01-483 10 33.* FAX *01-483 10 95.* Emplacement superbe pour cet hôtel moderne avec vue sur la grande plage de sable, parallèle à l'avenida Marginal.	($)($)($)	AE DC MC V	●	■	●	113
Cascais : *Casa da Pérgola* Avenida Valbom 13, 2750. **Carte routière** B5. *01-484 00 40.* FAX *01-483 47 91.* Cette pension, de style méditerranéen, offre des chambres avec des plafonds en stuc et des sols de marbre. Fermé de nov. à la semaine sainte.	($)($)($)			■		11
Cascais : *Cidadela* Avenida 25 de Abril, 2750. **Carte routière** B5. *01-482 76 00.* FAX *01-486 72 26.* À deux pas du centre-ville, la Cidadela est entourée de jardins. La plupart de ses chambres ont une vue spectaculaire sur la baie.	($)($)($)	AE DC MC V	●	■	●	128
Cascais : *Albatroz* Rua F. Arouca 100, 2750. **Carte routière** B5. *01-483 28 21.* FAX *01-484 48 27.* Construit au XIXe siècle pour les séjours de la famille royale du Portugal, l'Albatroz est perché sur les rochers, en bord de mer. La décoration somptueuse rivalise avec un service impeccable.	($)($)($)($)($)	AE DC MC V	●	■	●	40
Cascais : *Estoril Sol* Parque de Palmela, 2750. **Carte routière** B5. *01-483 28 31.* FAX *01-483 22 80.* L'hôtel possède, entre autres, une piscine d'eau de mer et un centre de remise en forme avec bain turc. Belle vue sur la baie.	($)($)($)($)($)	AE DC MC V	●		●	310
Costa da Caparica : *Praia do Sol* Rua dos Pescadores 12a, 2825. **Carte routière** B5. *01-290 00 12.* FAX *01-290 25 41.* Dans une station balnéaire très fréquentée, cet hôtel propose des chambres bien meublées, près de la plage, à des prix intéressants.	($)($)	AE DC MC V				53
Costa da Caparica : *Costa da Caparica* Av. Gen. Delgado 47, 2825. **Carte routière** B5. *01-291 03 10.* FAX *01-291 06 87.* Un hôtel à l'entrée insolite en forme de demi-cercle, donnant sur la plage. Sept chambres aménagées pour les handicapés.	($)($)($)	AE DC MC V	●		●	353
Ericeira : *Vilazul* Calçada da Baleia 10, 2655. **Carte routière** B5. *061-868 00 00.* FAX *061-629 27.* À 500 m de la mer, cette pension claire et spacieuse offre une vue panoramique depuis la terrasse et certaines chambres.	($)($)	AE DC MC V	●	■		21
Estoril : *São Cristóvão* Av. Marginal 7079, 2765. **Carte routière** B5. *01-468 09 13.* FAX *01-468 09 13.* Une belle vue depuis cette pension charmante, abritée dans une ancienne villa de caractère de l'avenida Marginal, près de l'Atlantique.	($)($)			■		14

ESTORIL : *Hotel Alvorada* $$$
Rua de Lisboa 3, 2675. **Carte routière** B5. *01-468 00 70.* FAX *01-468 72 50.*
Hôtel récemment rénové, à quelques minutes à pied de la plage. Chambres claires et bien équipées. Personnel aimable.
AE DC MC V — 54

ESTORIL : *Hotel de Inglaterra* $$$
Rua do Porto 1, 2765. **Carte routière** B5. *01-468 44 61.* FAX *01-468 21 08.*
Cette belle demeure du début du XXe siècle offre plusieurs chambres avec balcon donnant sur la baie ou sur les collines de Sintra.
AE DC MC V — 52

ESTORIL : *Lennox Country Club* $$$
Rua Eng. P. de Sousa 5, 2765. **Carte routière** B5. *01-468 04 24.* FAX *01-467 08 59.*
Estalagem avec jardins verdoyants et vue panoramique. Parfait pour les joueurs de golf : même le bar ressemble à un club-house.
AE DC MC V — 34

ESTORIL : *Palácio* $$$$$
Rua do Parque, 2765. **Carte routière** B5. *01-468 04 00.* FAX *01-468 48 67.*
Hôtel élégant, superbement situé entre la mer et le casino. Doté d'un parcours de golf 18 trous et de courts de tennis.
AE DC MC V — 162

GUINCHO : *Estalagem Muchaxo* $$$
Praia do Guincho, 2750. **Carte routière** B5. *01-487 02 21.* FAX *01-487 04 44.*
Cette *estalagem* au charme rustique, avec poutres apparentes et murs de briques, abrite une piscine d'eau de mer taillée dans la falaise.
AE DC MC V — 24

GUINCHO : *Hotel do Guincho* $$$$
Praia do Guincho, 2751. **Carte routière** B5. *01-487 04 91.* FAX *01-487 04 31.*
Perchée sur une falaise en bord de mer, cette ancienne forteresse a gardé ses plafonds voûtés et son décor médiéval.
AE DC MC V — 31

GUINCHO : *Senhora da Guia* $$$$
Estrada do Guincho, 2750. **Carte routière** B5. *01-486 92 39.* FAX *01-486 92 27.*
Une *estalagem* installée dans un manoir paisible et confortable, dont le domaine est doté d'une piscine d'eau de mer.
AE DC MC V — 42

MAFRA : *Castelão* $$
Avenida 25 de Abril, 2640. **Carte routière** B5. *061-81 20 50.* FAX *061-516 98.*
La situation de ce petit hôtel, propre et confortable, est idéale pour visiter le splendide monastère de Mafra.
AE DC MC V — 35

MONTE ESTORIL : *Comfort Hotel* $$$
Rua Belmonte 1, 2765. **Carte routière** B5. *01-468 02 02.* FAX *01-468 11 17.*
Hôtel moderne à 2 km au nord d'Estoril, avec belle vue sur la mer. Salon de dégustation de glaces et solarium.
AE DC MC V — 48

PAÇO D'ARCOS : *Sol Palmeiras* $$$$
Avenida Marginal, 2780. **Carte routière** B5. *01-441 66 21.* FAX *01-443 07 68.*
Cet ancien manoir du XIXe siècle possède plusieurs chambres avec vue sur l'estuaire du Tage.
AE DC MC V — 35

PALMELA : *Pousada de Palmela* $$$$
Castelo de Palmela, 2950. **Carte routière** C5. *01-235 12 26.* FAX *01-233 04 40.*
Une *pousada* tranquille, installée dans les murs d'un château fort du XIIe siècle. Chambres aux murs blanchis à la chaux.
AE DC MC V — 28

QUELUZ : *Pousada da Dona Maria I* $$$$
L. do Palácio Nacional, 2745. **Carte routière** B5. *01-435 61 58.* FAX *01-435 61 89.*
Jadis réservée au personnel du palais de Queluz, du XVIIIe siècle, la « Tour de l'horloge » est devenue une *pousada* impressionnante.
AE DC MC V — 26

SESIMBRA : *Hotel do Mar* $$$$
R. Gen. Delgado 10, 2970. **Carte routière** C5. *01-223 33 26.* FAX *01-223 38 88.*
Cet hôtel de plusieurs étages, construit au flanc d'une falaise, est entouré de jardins luxuriants. Suite présidentielle avec piscine privée.
AE DC MC V — 169

SETÚBAL : *IBIS Setúbal* $$
N10, Vale de Rosa, 2910. **Carte routière** C5. *065-77 22 00.* FAX *065-77 24 47.*
Situé dans des jardins paisibles, cet hôtel allie confort et bon rapport qualité-prix, compte tenu des services offerts.
AE DC MC V — 102

SETÚBAL : *Pousada de São Filipe* $$$$
Castelo de Setúbal, 2900. **Carte routière** C5. *065-52 38 44.* FAX *065-53 25 38.*
Pousada aménagée dans un château construit en 1590 par le roi Philipe II d'Espagne *(p. 50)* et offrant une belle vue sur l'estuaire.
AE DC MC V — 14

Légende des symboles, voir rabat de couverture

Les prix correspondent à une nuit en chambre double, petit déjeuner compris :
- $ moins de 7 000$00
- $$ 7–12 000$00
- $$$ 12–20 000$00
- $$$$ 20–30 000$00
- $$$$$ plus de 30 000$00.

RESTAURANT
L'hôtel possède un ou plusieurs restaurants ouverts pour le déjeuner et le dîner.

JARDIN
Hôtel disposant d'un jardin ou d'une grande terrasse.

PISCINE
Piscine intérieure ou à ciel ouvert.

CARTES BANCAIRES
Un symbole indique que les cartes American Express (AE), Diner's Club (DC), Master Card/Access (MC), Visa (V) sont acceptées.

Hôtel	Cartes bancaires	Restaurant	Jardin	Piscine	Nombre de chambres
SINTRA : *Residencial Sintra* $$ T. dos Avelares 12, 2710. **Carte routière** B5. ☎ & FAX *01-923 07 38.* Située dans le quartier résidentiel de São Pedro, à l'est du centre-ville, cette agréable pension a beaucoup de caractère.	MC V		■	●	10
SINTRA : *Central* $$$ Praça da República 35, 2710. **Carte routière** B5. ☎ *01-923 09 63.* Excellente situation de cet hôtel face au Palácio Nacional. Ses meubles massifs et sa peinture écaillée lui prêtent un charme suranné.	AE MC V	●	■		10
SINTRA : *Tivoli Sintra* $$$ Praça da República, 2710. **Carte routière** B5. ☎ *01-923 35 05.* FAX *01-923 15 72.* L'un des atouts de cet hôtel moderne, qui occupe un angle de la place principale, est la vue qu'il offre sur la vallée. Bar et boutique.	AE DC MC V	●			75
SINTRA : *Caesar Park* $$$$$ Estr. da Lagoa Azul, Linhó, 2710. **Carte routière** B5. ☎ *01-924 90 11.* FAX *01-924 90 07.* Ce complexe luxueux est doté d'un parcours de golf 18 trous, conçu par R. T. Jones, et d'un centre de remise en forme.	AE DC MC V	●	■	●	174
SINTRA : *Palácio de Seteais* $$$$$ R. B. du Bocage 8, 2710. **Carte routière** B5. ☎ *01-923 32 00.* FAX *01-923 42 77.* Cet hôtel élégant est aménagé dans un ravissant palais du XVIIIe siècle, proche de la ville. Intérieur décoré avec goût. Jardin d'arbres taillés.	AE DC MC V	●	■	●	30
L'ESTREMADURA ET LE RIBATEJO					
ABRANTES : *Hotel de Turismo* $$ Largo de Santo António, 2200. **Carte routière** C4. ☎ *041-212 61.* FAX *041-252 18.* Cet hôtel aux couleurs vives se trouve dans un lieu très agréable, entouré de jolis jardins.	AE DC MC V	●	■	●	41
BALEAL : *Casa das Marés* $$ Peniche, 2520. **Carte routière** B4. ☎ *062-76 92 55.* Cette pension occupe un promontoire qui offre une vue plongeante sur la mer. Petit déjeuner servi sur une terrasse dominant une anse.			■		12
BARRAGEM DO CASTELO DE BODE : *Estalagem Lago Azul* $$$ Lago Azul, Ferreira do Zêzere, 2240. **Carte routière** C4. ☎ *049-36 16 54.* FAX *049-36 16 64.* Bien située au bord d'un lac, cette *estalagem* propose courts de tennis et bateaux à voile. Chambres fonctionnelles.	AE DC MC V	●	■	●	20
BARRAGEM DO CASTELO DE BODE : *Pousada de São Pedro* $$$$ Castelo de Bode, Tomar, 2300. **Carte routière** C4. ☎ *049-38 11 59.* FAX *049-38 11 76.* Établissement agréable donnant sur le Zêzere et offrant des chambres simples mais meublées avec goût. Cuisine régionale excellente.	AE DC MC V	●	■		25
BATALHA : *Pousada do Mestre Afonso Domingues* $$$ L. do Mestre A. Domingues 6, 2440. **Carte routière** C4. ☎ *044-962 60.* FAX *044-962 47.* Situé près de Batalha, connue par son abbaye *(p. 182-183)*, cet établissement jouit d'une situation privilégiée. Belles chambres.	AE DC MC V	●	■		21
CALDAS DA RAINHA : *Caldas Internacional* $$ Rua Dom F. Rego 45, 2500. **Carte routière** B4. ☎ *062-83 23 07.* FAX *062-84 44 82.* Un sol carrelé à motifs orne la réception de cet hôtel moderne, situé à proximité du centre-ville.	AE DC MC V	●	■	●	83
CONSTÂNCIA : *Quinta Santa Bárbara* $$ 2250. **Carte routière** C4. ☎ *049-992 14.* FAX *049-993 73.* Ce splendide manoir du XVe siècle a été transformé en hôtel de caractère. Chambres confortables au décor rustique. Le restaurant occupe l'ancien réfectoire aux voûtes gothiques de pierre.	MC V	●	■	●	7

Établissement	Prix	Cartes	●	■	●	Chambres
Fátima : *Verbo Divino* Praça Paulo VI, 2495. **Carte routière** C4. *049-53 30 43.* FAX *049-53 22 63.* L'hôtel accueille les pèlerins de Fátima. Il fut construit pour subvenir aux besoins des Missionnaires de la parole divine. TV P	$	MC V	●	■		208
Fátima : *Dom Gonçalo* Rua Jacinto Marto 100, 2495. **Carte routière** C4. *049-53 30 62.* FAX *049-53 20 88.* Située près du sanctuaire, cette agréable *estalagem* possède des jardins agréables et bien entretenus. TV P	$$	DC MC V	●	■		42
Golegã : *Casa da Azinhaga* Azinhaga, 2150. **Carte routière** C4. *049-951 46.* FAX *049-951 46.* Ce manoir classique, à 7 km au sud de Golegã, rendez-vous des amateurs de chevaux, propose des chambres confortables. Ambiance agréable. P	$$$			■	●	7
Leiria : *Leiriense* Rua A. de Albuquerque 8, 2400. **Carte routière** C4. *044-82 30 54.* FAX *044-82 30 73.* Pension propre, accueillante et charmante, cachée dans une rue étroite d'un vieux quartier de Leiria. TV	$	MC V				24
Leiria : *Dom João III* Avenida Dom João III, 2400. **Carte routière** C4. *044-81 25 00.* FAX *044-81 22 35.* Les chambres modernes et bien équipées de cet hôtel offrent une belle vue sur la splendide loggia du château ainsi que sur la rivière Liz. TV P	$$	AE DC MC V	●			64
Lourinhã : *Estalagem da Areia Branca* Praia da Areia Branca, 2530. **Carte routière** B4. *061-41 24 91.* FAX *061-41 31 43.* Cet établissement confortable est perché sur les falaises qui dominent la plage d'Areia Branca. Diverses installations sportives. TV P	$$$	AE DC MC V	●	■	●	29
Nazaré : *Mar Bravo* Praça S. Oliveira 70, 2450. **Carte routière** C4. *062-55 11 80.* FAX *062-55 39 79.* Cette *albergaria*, située au cœur de Nazaré, offre une vue panoramique sur cette ville pittoresque et sur la plage. Chambres avec balcon. TV P	$$$	AE DC MC V	●			16
Óbidos : *Rainha Santa Isabel* Rua Direita, 2510. **Carte routière** B4. *062-95 93 23.* FAX *062-95 91 15.* Aménagé dans les murs de l'enceinte de la ville, cet établissement propose des chambres lambrissées et décorées d'*azulejos*. TV	$$	AE DC MC V				20
Óbidos : *Estalagem do Convento* Rua D. José D'Ornelas, 2510. **Carte routière** B4. *062-95 92 14.* FAX *062-95 91 59.* Couvent transformé avec goût en *estalagem*. Les chambres élégantes sont meublées dans le style traditionnel. Certaines ont une vue admirable.	$$$	AE MC V	●	■		31
Óbidos : *Pousada do Castelo* Paço Real, 2510. **Carte routière** B4. *062-95 91 05.* FAX *062-95 91 48.* Cette magnifique *pousada* occupe un ancien château royal du XVe siècle. Réservez bien à l'avance, car ce lieu est très fréquenté. TV	$$$$	AE DC MC V	●	■		9
Peniche : *Hotel Vasco da Gama* Rua José Estevão 23, 2520. **Carte routière** B4. *062-78 19 02.* FAX *062-78 98 07.* Situé dans le centre-ville, cet hôtel confortable se trouve à quelques pas de la forteresse, du port de pêche et des principales églises. TV P	$	AE DC MC V	●	■		13
Santarém : *Casa de Nossa Senhora da Assunção* Azóia de Baixo, 2000. **Carte routière** C4. *043-42 92 64.* Séduisante pension de famille, située au cœur de la ville. Les chambres, meublées dans le style traditionnel, donnent sur une cour intérieure. P	$$			■		3
Santarém : *Vitória* R. 2º Visconde de Santarém 21, 2000. **Carte routière** C4. *043-225 73.* FAX *043-282 02.* Cet établissement modeste mais bien situé est commode pour visiter la ville. Chambres petites, mais confortables et propres. TV	$$	MC V	●			25
São Martinho do Porto : *Americana* Rua Dom J. Saldanha 2, 2460. **Carte routière** B4. *062-98 91 70.* FAX *062-98 93 49.* Cette pension est proche de la plage de sable, lieu ombragé et surtout fréquenté par les familles. Chambres agréables. TV	$	AE MC V	●			25
São Pedro de Muel : *Mar e Sol* Avenida da Liberdade, 2430. **Carte routière** C4. *044-59 91 82.* FAX *044-59 94 11.* Situé dans une station balnéaire fréquentée, au bord de la mer, cet hôtel modeste propose des chambres avec vue sur la mer. TV P	$$	AE DC MC V	●	■		63

Les prix correspondent à une nuit en chambre double, petit déjeuner compris :
$ moins de 7 000$00
$$ 7–12 000$00
$$$ 12–20 000$00
$$$$ 20–30 000$00
$$$$$ plus de 30 000$00.

Restaurant
L'hôtel possède un ou plusieurs restaurants ouverts pour le déjeuner et le dîner.
Jardin
Hôtel disposant d'un jardin ou d'une grande terrasse.
Piscine
Piscine intérieure ou à ciel ouvert.
Cartes bancaires
Un symbole indique que les cartes American Express (AE), Diner's Club (DC), Master Card/Access (MC), Visa (V) sont acceptées.

	Cartes bancaires	Restaurant	Jardin	Piscine	Nombre de chambres
Tomar : *Santa Iria* $$ Parque do Mouchão, 2300. **Carte routière** C4. & FAX *049-32 12 38.* Situé sur une île dans un parc, à proximité de plusieurs sites historiques, cet établissement élégant jouit d'un emplacement idéal. TV P	AE MC V	●	●		13
Tomar : *Hotel dos Templários* $$$ L. Cândido dos Reis 1, 2300. **Carte routière** C4. *049-32 17 30.* FAX *049-32 21 91.* Dominant la rivière Nabão, cet hôtel, proche du centre-ville, dispose de cours de tennis, d'une salle de sports et d'un centre de remise en forme. TV P	AE DC MC V	●	●	●	174
Vila Franca de Xira : *Lezíria Parque* $$$ N10, 2600, Povos. **Carte routière** C5. *063-266 70.* FAX *063-269 90.* Bel hôtel, situé près de l'autoroute A1, qui relie Lisbonne à Porto. Splendide vue sur le Tage. TV P	AE DC MC V	●	●	●	71

Les Beiras

	Cartes bancaires	Restaurant	Jardin	Piscine	Nombre de chambres
Almeida : *Morgado* $ Bairro de São Pedro, 6350. **Carte routière** E2. *071-544 12.* Cette pension moderne, propre et confortable, est située au voisinage de la forteresse d'Almeida. Bon rapport qualité-prix. TV P		●	●		12
Almeida : *Pousada da Senhora das Neves* $$$ Rua da Muralha, 6350. **Carte routière** E2. *071-542 83.* FAX *071-543 20.* *Pousada* aménagée dans les remparts en forme d'étoile qui entourent la ville. Certaines chambres ont un lit à baldaquin. TV P	AE DC MC V	●			21
Aveiro : *Arcada* $$ Rua Viana do Castelo 4, 3800. **Carte routière** C3. *034-230 01.* FAX *034-218 86.* Installé dans un bâtiment à arcades de style néo-classique, donnant sur le canal central, l'Arcada a du caractère. Tout confort. TV	AE DC MC V				49
Aveiro : *Pomba Branca* $$$ Rua L. G. de Carvalho 23, 3800. **Carte routière** C3. *034-225 29.* FAX *034-38 18 44.* Cet hôtel agréable est doté d'une loggia donnant sur un jardin subtropical. Son intérieur confortable est décoré de lambris. TV P	AE DC MC V	●	●		50
Aveiro : *Pousada da Ria* $$$ Bico do Muranzel, Torreira, 3870. **Carte routière** C3. *034-483 32.* FAX *034-483 33.* Cette *pousada* moderne bénéficie d'un emplacement tranquille, au bord de la ria d'Aveiro. Nombreuses chambres avec balcon donnant sur la lagune, où sont amarrés des bateaux au décor typique *(moliceiros).* TV P	AE DC MC V	●	●	●	19
Buçaco : *Palace Hotel do Buçaco* $$$$ Mealhada, 3050. **Carte routière** C3. *031-93 01 01.* FAX *031-93 05 09.* Situé dans une forêt luxuriante, cet hôtel splendide, de style néo-manuélin, fut construit comme pavillon de chasse pour les derniers rois du Portugal. Belles chambres, parfois décorées d'*azulejos.* TV P	AE DC MC V	●	●		64
Caramulo : *Pousada de São Jerónimo* $$$ 3475. **Carte routière** C3. *032-86 12 91.* FAX *032-86 16 40.* Cette *pousada* moderne, envahie par le lierre et haut perchée dans la Serra do Caramulo, propose des chambres bien meublées. TV P	AE DC MC V	●	●	●	12
Castelo Branco : *Rainha Dona Amélia* $$$ Rua de Santiago 15, 6000. **Carte routière** D4. *072-32 63 15.* FAX *072-32 63 90.* Bien situé, dans le centre-ville, à proximité des sites historiques, cet hôtel moderne et agréable offre des chambres confortables. TV P	AE MC V	●	●		64
Castro Daire : *Montemuro* $ Termas do Carvalhal, 3600. **Carte routière** D2. *032-311 54.* FAX *032-311 12.* Situé dans les montagnes, entre Viseu et le Douro, cet hôtel moderne offre des possibilités de chasse, de pêche et de canoë. TV P	AE DC MC V	●	●		80

Établissement	Cartes				Chambres
CELORICO DA BEIRA : *Mira Serra* $$ Bairro de S. Eufémia, 6360. **Carte routière** D3. *071-726 04.* FAX *071-74 13 82.* Comme le suggère son nom, cet hôtel attrayant et agréable a une vue magnifique sur la Serra da Estrela. TV P	AE DC MC V	●	■		42
COIMBRA : *Internacional* $ Avenida Emídio Navarro 4, 3000. **Carte routière** C3. *039-255 03.* Commode par sa proximité avec la gare, cette pension, accueillante bien que très simple, domine le Mondego. TV					22
COIMBRA : *Bragança* $$ Largo das Ameias 10, 3000. **Carte routière** C3. *039-221 71.* FAX *039-361 35.* Hôtel de style quelque peu démodé mais très confortable, situé au cœur de Coimbra. Les suites ont des salles de bains en marbre. TV P	MC V	●			83
COIMBRA : *Astória* $$$ Av. Emídio Navarro 21, 3000. **Carte routière** C3. *039-220 55.* FAX *039-220 57.* L'Astória, de style Art déco, a gardé son charme d'antan. Chambres meublées avec goût ayant vue sur le Mondego. TV	AE DC MC V	●	■		64
COIMBRA : *Tivoli Coimbra* $$$ Rua João Machado 5, 3000. **Carte routière** C3. *039-269 34.* FAX *039-268 27.* Cet hôtel moderne, situé au cœur du centre-ville, possède un très bon centre de remise en forme doté d'un bain turc ; massage et gymnase. TV P	AE DC MC V	●		●	100
COIMBRA : *Quinta das Lágrimas* $$$$ Santa Clara, 3000. **Carte routière** C3. *039-44 16 15.* FAX *039-44 16 95.* Ce manoir du XVIIIe siècle est connu par sa « Fontaine d'amour », lieu de rencontre entre Dom Pedro et Inês de Castro *(p. 179).* TV P	AE DC MC V	●	■	●	39
CONDEIXA-A-NOVA : *Pousada de Santa Cristina* $$$ Rua Francisco Lemos, 3150. **Carte routière** C3. *039-94 40 25.* FAX *039-94 30 97.* Cette *pousada* moderne, nichée dans ses jardins, est une bonne étape pour visiter Coimbra et les ruines romaines de Conimbriga. TV P	AE DC MC V	●	■	●	45
COVILHÃ : *Hotel Serra da Estrela* $$$ Penhas da Saúde, 6200. **Carte routière** D3. *075-31 38 09.* FAX *075-32 37 89.* Hôtel situé dans la Serra da Estrela, proposant des bungalows et des installations pour la pratique de l'équitation et des sports d'hiver. TV P	AE DC MC V	●	■	●	40
CURIA : *Curia Palace Hotel* $$$ Tamengos, 3780. **Carte routière** C3. *031-51 21 31.* FAX *031-51 55 31.* Un élégant palais de style Art nouveau, entouré de jardins bien entretenus. Court de tennis, mini-golf, chapelle. TV P	AE DC MC V	●	■	●	114
FIGUEIRA DA FOZ : *Hotel Costa de Prata* $ Largo Coronel Galhardo 1, 3080. **Carte routière** C3. *033-266 20.* FAX *033-266 10.* Dominant la mer, cet hôtel au décor gai possède un bar et une salle de petit déjeuner avec vue panoramique.					70
FIGUEIRA DA FOZ : *Casa da Azenha Velha* $$ Caceira de Cima, 3080. **Carte routière** C3. *033-250 41.* FAX *033-297 04.* Cet hôtel accueillant a des chambres spacieuses, ainsi qu'un hall chauffé par une cheminée. Bicyclettes réservées aux clients. TV P			■	●	6
GUARDA : *Solar de Alarcão* $$$ Rua Dom Miguel de Alarcão 25-27, 6300. **Carte routière** D3. *071-21 43 92.* Un *turismo de habitação* dans une belle maison de granit qui date de 1686. Les chambres sont meublées d'antiquités. Chapelle. TV P			■		3
LUSO : *Astória* $ Rua Emídio Navarro, 3050. **Carte routière** C3. *031-93 91 82.* Vous apprécierez cette petite pension, ses chambres simples mais confortables et son bar à l'atmosphère sympathique.	AE MC V	●			8
LUSO : *Grande Hotel de Luso* $$$ Rua dos Banhos, 3050. **Carte routière** C3. *031-93 04 50.* FAX *031-93 03 50.* Cet hôtel, à la fois élégant et raffiné, domine l'horizon de cette station thermale. Installations sportives. TV P	AE DC MC V	●	■	●	143
MANGUALDE : *Casa d'Azurara* $$$ Rua Nova 78, 3530. **Carte routière** D3. *032-61 20 10.* FAX *032-62 25 75.* Construite au XVIIIe siècle, cette *estalagem* est nichée dans ses jardins et dotée de nombreuses particularités intéressantes. TV P	AE DC MC V	●	■		15

Légende des symboles, voir rabat de couverture

Les prix correspondent à une nuit en chambre double, petit déjeuner compris :
- $ moins de 7 000$00
- $$ 7–12 000$00
- $$$ 12–20 000$00
- $$$$ 20–30 000$00
- $$$$$ plus de 30 000$00.

RESTAURANT
L'hôtel possède un ou plusieurs restaurants ouverts pour le déjeuner et le dîner.

JARDIN
Hôtel disposant d'un jardin ou d'une grande terrasse.

PISCINE
Piscine intérieure ou à ciel ouvert.

CARTES BANCAIRES
Un symbole indique que les cartes American Express (AE), Diner's Club (DC), Master Card/Access (MC), Visa (V) sont acceptées.

	Cartes bancaires	Restaurant	Jardin	Piscine	Nombre de chambres
MANTEIGAS : *Pousada de São Lourenço* $$$ Penhas Douradas, 6260. **Carte routière** D3. Tél. *075-98 24 50.* FAX *075-98 24 53.* Établissement traditionnel en granite, haut perché dans la Serra da Estrela. Idéal pour les randonneurs et ceux qui cherchent un lieu isolé.	AE DC MC V	●			22
MONSANTO : *Pousada de Monsanto* $$$ Rua da Capela 1, 6060. **Carte routière** D3. Tél. *077-344 71.* FAX *077-344 81.* Cette *pousada* est située dans un village en granit où les maisons sont construites à flanc de coteaux.	AE DC MC V	●			10
OLIVEIRA DO HOSPITAL : *Pousada de Santa Bárbara* $$$ Povoa das Quartas, 3400. **Carte routière** D3. Tél. *038-595 51.* FAX *038-596 45.* Le décor traditionnel et la cheminée ajoutent au charme rustique de cette *pousada*. Vue sur la Serra da Estrela, couronnée de neige.	AE DC MC V	●	■	●	16
SABUGUEIRO : *Casas do Cruzeiro* $$ Apartado 85, 6270 Seia. **Carte routière** D3. Tél. *038-228 25.* FAX *038-252 82.* Caché dans un village situé dans la vallée de la Serra da Estrela, cet établissement dispose de cottages en granit. Cuisine familiale.		●			26
VISEU : *Grão Vasco* $$ Rua Gaspar Barreiros, 3510. **Carte routière** D3. Tél. *032-42 35 11.* FAX *032-42 64 44.* Au cœur du centre-ville, cet hôtel confortable au décor traditionnel est entouré de jardins agréables.	AE DC MC V	●	■	●	115

DOURO ET TRÁS-OS-MONTES

	Cartes bancaires	Restaurant	Jardin	Piscine	Nombre de chambres
ALIJÓ : *Pousada de Barão de Forrester* $$$ Rua José Rufino, 5070. **Carte routière** D2. Tél. *059-95 92 15.* FAX *059-95 93 04.* Située au cœur de la région de Porto, cette *pousada* tire son nom de James Forrester (1809-1862), défenseur anglais du « vin pur » *(p. 252)*. Installations sportives, dont des courts de tennis.	AE DC MC V	●	■	●	21
AMARANTE : *Pousada de São Gonçalo* $$$ Serra do Marão, 4600. **Carte routière** D2. Tél. *055-46 11 13.* FAX *055-46 13 53.* Cette *pousada* se trouve au milieu d'une pinède. Sa disposition insolite, en forme de demi-cercle, commande une belle vue sur les collines.	AE DC MC V	●			15
BRAGANÇA : *Classis* $$ Av. José da Cruz 102, 5300. **Carte routière** E1. Tél. *073-33 16 31.* FAX *073-234 58.* Pension agréable, moderne et confortable, à quelques pas du centre-ville. Très bon rapport qualité-prix.	AE DC MC V				20
BRAGANÇA : *Estalagem do Caçador* $$$ Largo Manuel Pinto de Azevedo, Macedo de Cavaleiros, 5340. **Carte routière** E1. Tél. *078-42 63 56.* FAX *078-42 63 81.* Située dans la Serra de Nogueira, au sud-ouest de Bragança, cette plaisante auberge de campagne possède un intérieur au charme certain.	AE DC MC V	●		●	24
BRAGANÇA : *Pousada de São Bartolomeu* $$$ Estrada do Turismo, 5300. **Carte routière** E1. Tél. *073-33 14 93.* FAX *073-234 53.* *Pousada* très fréquentée, avec vue panoramique sur la ville. Son mobilier en bois et ses murs de pierre ajoutent à son charme rustique.	AE DC MC V	●	■	●	28
CHAVES : *Aquae Flaviae* $$$ Praça do Brasil, 5400. **Carte routière** D1. Tél. *076-330 90 00.* FAX *076-330 90 10.* Cet hôtel moderne, qui domine l'horizon de Chaves, est doté d'un centre de remise en forme et d'un institut de beauté.	AE DC MC V	●	■	●	170
CINFÃES : *Casa do Rebolfe* $$ Porto Antigo, 4690. **Carte routière** D2. Tél. & FAX *055-56 23 34.* Cette maison du XVIIIe siècle, transformée en hôtel accueillant, est située à l'est de Cinfães, près de Porto Antigo, au bord du Douro.			■	●	5

Espinho : *Praiagolfe* $$$ Rua 6, 4500. **Carte routière** C2. *02-731 33 85.* FAX *02-731 33 97.* Cet hôtel, bien situé près de la vaste plage de sable, offre à l'étage un centre de remise en forme. Belle vue sur la mer. TV P	AE DC MC V	●	■	●	139
Lamego : *Hotel do Parque* $$ Parque N. S. dos Remédios, 5100. **Carte routière** D2. *054-621 05.* FAX *054-652 03.* L'hôtel occupe une maison blanchie à la chaux, proche du sanctuaire. Les chambres, de style rustique, donnent sur une forêt de châtaigniers. TV P	AE DC MC V	●	■		28
Lamego : *Casa de Santo António* $$ Britiande, 5100. **Carte routière** D2. *054-69 93 46.* FAX *054-69 93 46.* Cet ancien manoir du XVII^e siècle, converti en logis rural, possède une chapelle décorée d'*azulejos.* P	AE	●	■		4
Lamego : *Villa Hostilina* $$ Almocave, 5100. **Carte routière** D2. *054-623 94.* FAX *054-65 51 94.* Installé dans une ferme du XIXe siècle, cet établissement au charme rustique offre un centre de remise en forme et des courts de tennis. TV P		●	■	●	8
Mesão Frio : *Casa do Além* $$ Oliveira, 5040. **Carte routière** D2. *054-32 19 91.* FAX *054-32 19 91.* Construit dans les années 1920, ce manoir d'un cru de porto est désormais une *quinta,* tenue par une famille. Le décor est d'époque. P		●	■	●	4
Miranda do Douro : *Pousada de Santa Catarina* $$$ 5210. **Carte routière** E1. *073-412 55.* FAX *073-410 65.* Les chambres spacieuses de cette *pousada,* jadis résidence des ingénieurs, offrent une paisible vue sur le barrage de Mirando do Douro. TV P	AE DC MC V	●	■		12
Murça : *Miradouro* $ Curvas de Murça, 5090. **Carte routière** D2. *059-524 61.* Idéalement située, cette pension propre et simple jouit d'une vue splendide. Bon rapport qualité-prix. TV P	V	●	■		13
Peso da Régua : *Império* $ Av. Vasques Osório 8, 5050. **Carte routière** D2. *054-32 01 20.* FAX *054-32 14 57.* Au cœur du pays du porto, cette pension moderne se trouve à proximité du port de Peso da Régua. Belle vue sur le Douro. TV P	AE DC MC V				33
Pinhão : *Casa das Pontes* $$ Quinta da Foz, 5085. **Carte routière** D2. *054-723 53.* FAX *054-723 54.* Parmi les vignobles de Quinta da Foz, la Casa das Pontes propose un logis à la campagne. Dégustation de vins et tour des caves. P	AE DC MC V		■		4
Porto : *Santa Cruz* $ Rua Santa Catarina 876, 4000. **Carte routière** C2. *02-31 71 99.* Caractère et style signalent cette *albergaria* très simple. Chambres avec vue splendide sur le centre-ville. Bon rapport qualité-prix. TV	AE V	●	■	●	17
Porto : *Hotel da Bolsa* $$ Rua F. Borges 101, 4050. **Carte routière** C2. *02-202 67 68.* FAX *02-31 88 88.* Bien situé pour visiter les boutiques et découvrir la ville, l'hôtel se distingue par sa jolie façade. Chambres bien meublées. TV	AE DC MC V				36
Porto : *Nave* $$ Av. Fernão de Magalhães 247, 4300. **Carte routière** C2. *02-57 61 31.* FAX *02-56 12 16.* Bien placé, cet hôtel moderne se trouve à quelques minutes à pied du centre-ville. Les chambres ont été rénovées récemment. TV P	AE DC MC V	●	■		81
Porto : *Malaposta* $$ Rua da Conceição 80, 4050. **Carte routière** C2. *02-200 62 78.* FAX *02-200 62 95.* Cet hôtel moderne est situé dans une petite rue tranquille du centre-ville. Bon rapport qualité-prix. TV	AE DC MC V				37
Porto : *Pensão dos Aliados* $$ Rua Elísio de Melo 27, 4000. **Carte routière** C2. *02-200 48 53.* FAX *02-200 27 10.* Cette agréable pension, située dans le centre-ville, est installée dans un bâtiment historique classé. Chambres bien équipées. TV	DC MC V				38
Porto : *São José* $$ Rua da Alegria 172, 4000. **Carte routière** C2. *02-208 02 61.* FAX *02-32 04 46.* Situé dans une rue fréquentée, proche du centre-ville, où les hôtels abondent, le São José a son style. Ambiance agréable. TV P	AE DC MC V				43

Légende des symboles, voir rabat de couverture

Les prix correspondent à une nuit en chambre double, petit déjeuner compris :
- $ moins de 7 000$00
- $$ 7–12 000$00
- $$$ 12–20 000$00
- $$$$ 20–30 000$00
- $$$$$ plus de 30 000$00.

RESTAURANT
L'hôtel possède un ou plusieurs restaurants ouverts pour le déjeuner et le dîner.

JARDIN
Hôtel disposant d'un jardin ou d'une grande terrasse.

PISCINE
Piscine intérieure ou à ciel ouvert.

CARTES BANCAIRES
Un symbole indique que les cartes American Express (AE), Diner's Club (DC), Master Card/Access (MC), Visa (V) sont acceptées.

	Cartes bancaires	Restaurant	Jardin	Piscine	Nombre de chambres
PORTO : *Boa-Vista* $$$ Esplanada do Castelo 58, 4100. **Carte routière** C2. *02-618 00 83.* FAX *02-617 38 18.* Comme le suggère son nom, cet hôtel offre une vue splendide sur la mer. Un tram emmène les clients dans le centre-ville.	AE MC V	●	■	●	39
PORTO : *Mercure da Batalha* $$$ Praça da Batalha 116, 4000. **Carte routière** C2. *02-200 05 71.* FAX *02-200 24 68.* Cet hôtel, agréable et bien situé, possède une terrasse offrant une vue panoramique. Chambres aménagées pour les handicapés.	AE DC MC V	●	■		149
PORTO : *Internacional* $$$ Rua do Almada 131, 4050. **Carte routière** C2. *02-200 50 32.* FAX *02-200 90 63.* Séjourner ici n'est pas sans intérêt. Vous trouverez un certain charme au décor, curieux mélange de baroque et de moderne.	AE DC MC V	●			35
PORTO : *São João* $$$ Rua do Bonjardim 120, 4000. **Carte routière** C2. *02-200 16 62.* FAX *02-31 61 14.* Petit mais impeccable, cet hôtel au décor évoquant les années 50 est situé dans une rue commerçante qui rejoint le centre-ville.	AE DC MC V	●			14
PORTO : *Dom Henrique* $$$$ Rua G. de Azevedo 179, 4000. **Carte routière** C2. *02-200 57 55.* FAX *02-201 94 51.* Situé en plein cœur de la ville, cet hôtel a vingt-deux étages, dont un est réservé aux non-fumeurs. Bar avec vue panoramique.	AE DC MC V	●			112
PORTO : *Infante de Sagres* $$$$$ P. Dona F. de Lencastre 62, 4050. **Carte routière** C2. *02-200 81 01.* FAX *02-31 49 37.* Ce bel hôtel du centre-ville se distingue par ses pièces communes décorées d'antiquités, son atmosphère raffinée et ses chambres très confortables. Services offerts en accord avec ses cinq étoiles.	AE DC MC V	●	■		74
PORTO : *Ipanema Park* $$$$$ R. de Serralves 124, 4150. **Carte routière** C2. *02-610 41 74.* FAX *02-610 28 09.* Dans cet élégant hôtel, chaque chambre offre une vue soit sur la ville, soit sur l'Atlantique. Nombreuses installations, dont un centre de remise en forme proposant piscine intérieure et hydrothérapie.	AE DC MC V	●		●	281
PORTO : *Porto Sheraton* $$$$$ Av. da Boavista 1269, 4150. **Carte routière** C2. *02-606 88 22.* FAX *02-609 14 67.* Cet hôtel élégant propose toutes sortes d'installations modernes, dont un centre de remise en forme.	AE DC MC V	●		●	250
PORTO : *Tivoli Porto Atlântico* $$$$ Rua A. L. Vieira 66, 4100. **Carte routière** C2. *02-609 49 41.* FAX *02-606 74 52.* Moderne, le Tivoli Porto est situé dans la banlieue prospère de Boavista. Chambres confortables avec balcon.	AE DC MC V		■	●	58
SABROSA : *Quality Inn Sabrosa* $$ Avenida dos Combatentes da Grande Guerra, Casa dos Barros, 5060. **Carte routière** D2. *059-93 02 40.* FAX *059-93 02 60.* Le Quality Inn est installé dans un hôtel particulier du XVIIe siècle auquel on a ajouté une nouvelle aile. Tout confort.	AE DC MC V	●	■	●	50
SANTO TIRSO : *Quinta da Picaria* $$ Guimarei, 4780. **Carte routière** C2. *052-89 12 97.* Cette ferme propose des chambres attrayantes et décorées dans un style traditionnel. Une base idéale pour rester en dehors de la ville.			■		4
TORRE DE MONCORVO : *Brasília* $$ N220, 5160. **Carte routière** E2. *079-25 42 56.* FAX *079-25 42 55.* Cette pension, propre, bien entretenue, est commodément située sur la route principale. Tout confort.	AE DC MC V	●	■	●	29

VIDAGO : *Vidago Palace Hotel* $$$ 5425. **Carte routière** D1. *076-973 58.* FAX *076-973 59.* Ce magnifique hôtel du début du siècle, à la façade imposante, est entouré d'une forêt. À l'intérieur trône un bel escalier encadré par des colonnes en marbre. Les chambres ne manquent pas de charme. TV P	AE DC MC V	●	■	●	91
VILA REAL : *Casa Agrícola da Levada* $$ Timpiera, 5000. **Carte routière** D2. *059-32 21 90.* FAX *059-34 69 55.* Bâtie en 1922 par l'architecte Raúl Liria, cette charmante maison de style Art déco propose des chambres élégantes. Beau rosier. TV P		●	■	●	8
VILA REAL : *Mira Corgo* $$ Av. 1° de Maio 78, 5000. **Carte routière** D2. *059-32 50 01.* FAX *059-32 50 06.* Le moderne Mira Corgo est décoré avec goût et offre, depuis sa terrasse, une superbe vue du profond ravin et de la rivière en contrebas. TV P	AE DC MC V	●	■	●	166
MINHO					
BARCELOS : *Quinta de Santa Comba* $$ Freguesia da Várzea, Lugar de Crujães, 4750. **Carte routière** C1. *053-83 21 01.* Un splendide manoir construit au XVIIIe siècle, en granit et avec poutres de bois. Élégant, il a cependant un charme rustique. P		●	■	●	9
BOM JESUS DO MONTE : *Hotel do Elevador* $$$ Tenões, Braga, 4700. **Carte routière** C1. *053-66 11 14.* FAX *053-67 66 79.* L'hôtel tire son nom de l'ascenseur à mécanisme hydraulique, du XIX^e siècle, qui transporte les visiteurs jusqu'au sanctuaire. TV P	AE DC MC V	●	■		24
BRAGA : *Comfort Inn* $$ N14, Ferreiros, 4700. **Carte routière** C1. *053-67 38 65.* FAX *053-67 38 72.* Cet hôtel, situé à deux pas du centre-ville, mérite que l'on s'y arrête. Tout confort. TV P	AE DC MC V	●	■		72
BRAGA : *Dona Sofia* $$ L. São João do Souto 131, 4700. **Carte routière** C1. *053-231 60.* FAX *053-61 12 45.* Jouxtant une petite place agrémentée d'une fontaine, cet hôtel moderne se trouve dans le centre-ville, à proximité de la cathédrale. TV P	MC V	●			34
BRAGA : *Largo da Estação* $$ Largo da Estação 13, 4700. **Carte routière** C1. *053-21 83 81.* FAX *053-768 10.* Situé tout près du centre-ville et de la gare, cet hôtel propose quelques chambres équipées de jacuzzi. TV P	AE DC MC V	●	■		51
BRAGA : *Turismo de Braga* $$$ Praceta João XXI, 4710. **Carte routière** C1. *053-61 22 00.* FAX *053-61 22 11.* Dominant une petite place du centre-ville, ce grand hôtel offre une vue panoramique. Parmi les installations proposées, un solarium. TV P	AE DC MC V	●	■	●	132
CAMINHA : *Casa de Esteiró* $$$ Vilarelho, 4910. **Carte routière** C1. *058-92 13 56.* FAX *058-72 13 33.* Cette maison du XVIIIe siècle, rénovée, est chauffée par une cheminée. Location d'appartements possible. Le jardin est très agréable. TV P	AE DC MC V		■		3
CELORICO DE BASTO : *Casa do Campo* $$$ Molares, 4890. **Carte routière** D1. *055-36 12 31.* FAX *055-36 12 31* Un portail de granit orne l'entrée de cette maison du XVII^e siècle. Son jardin aux camélias est l'un des plus anciens du genre au Portugal. P	AE MC V	●	■	●	8
GUIMARÃES : *Hotel de Guimarães* $$$ Rua E. Almeida, 4810. **Carte routière** C2. *053-51 58 88.* FAX *053-51 62 34.* Situé dans le centre-ville, cet hôtel moderne est bien équipé : centre de remise en forme, sauna et salon de massage. TV P	AE DC MC V	●	■	●	72
GUIMARÃES : *Pousada de Nossa Senhora da Oliveira* $$$ Rua de Santa Maria, 4800. **Carte routière** C2. *053-51 41 57.* FAX *053-51 42 04.* Cet hôtel particulier, situé dans la vieille ville, possède beaucoup de charme avec son plafond aux poutres apparentes, ses fauteuils d'époque recouverts de cuir et ses tableaux anciens. TV P	AE DC MC V	●			15
GUIMARÃES : *Pousada de Santa Marinha da Costa* $$$$ Lugar da Costa, 4810. **Carte routière** C2. *053-51 44 53.* FAX *053-51 44 59.* Cet ancien monastère, du XIIe siècle, a été soigneusement réaménagé pour abriter cette belle *pousada*. Les *azulejos* qui ornent les somptueuses chambres sont d'époque. TV P	AE DC MC V	●	■		51

Légende des symboles, voir rabat de couverture

Les prix correspondent à une nuit en chambre double, petit déjeuner compris :

- $ moins de 7 000$00
- $$ 7–12 000$00
- $$$ 12–20 000$00
- $$$$ 20–30 000$00
- $$$$$ plus de 30 000$00.

Restaurant
L'hôtel possède un ou plusieurs restaurants ouverts pour le déjeuner et le dîner.

Jardin
Hôtel disposant d'un jardin ou d'une grande terrasse.

Piscine
Piscine intérieure ou à ciel ouvert.

Cartes bancaires
Un symbole indique que les cartes American Express (AE), Diner's Club (DC), Master Card/Access (MC), Visa (V) sont acceptées.

	Cartes bancaires	Restaurant	Jardin	Piscine	Nombre de chambres
Ponte de Lima : *Casa de Sabadão* $$ Arcozelo, 4990. **Carte routière** C1. *058-94 19 63.* Charmante maison de campagne entourée de vignes. Parmi les logements proposés, un appartement installé dans un ancien moulin.			■		4
Póvoa de Varzim : *Grande Hotel Sopete da Póvoa* $$ L. do Passeio Alegre, 4490. **Carte routière** C2. *052-61 54 64.* FAX *052-61 55 56.* Cet hôtel élégant se trouve dans le centre-ville, à côté du casino dominant la plage. Pour les amateurs de golf, le parcours d'Estrela est accessible à prix réduit aux clients de l'établissement. TV	AE DC MC V	●			92
Valença do Minho : *Vale Flores* $ Esplanada, 4930. **Carte routière** C1. *051-82 41 06.* FAX *051-82 41 29.* Située dans un quartier moderne, en dehors des remparts de la ville, cette pension est propre, pratique et bon marché. TV	AE DC MC V				32
Valença do Minho : *Casa do Poço de Valença* $$$ T. da Gaviarra 4, 4930. **Carte routière** C1. *051-82 52 35.* FAX *051-82 54 69.* Cette maison de caractère, installée dans un fort à la Vauban, possède un intérieur moderne et un mobilier ancien. TV	AE	●	■		7
Valença do Minho : *Pousada de São Teotónio* $$$ Baluarte do Socorro, 4930. **Carte routière** C1. *051-82 42 42.* FAX *051-82 43 97.* Les chambres de cette petite *pousada* typique offrent une belle vue sur la vallée, de Minho jusqu'à Tuy, en Espagne. TV	AE DC MC V	●	■		16
Viana do Castelo : *Calatrava* $$ Rua M. Fiúza Júnior 157, 4900. **Carte routière** C1. *058-82 89 11.* FAX *058-82 86 37.* Pension située tout près du centre ancien, dans un décor d'autrefois. Propre et bien entretenue. TV	AE DC MC V				15
Viana do Castelo : *Casa dos Costa Barros* $$ Rua de São Pedro 22–28, 4900. **Carte routière** C1. *058-243 83.* FAX *058-243 83.* Cette maison agréable, datant du XVIe siècle, est tenue par la même famille depuis 1765. Son intérieur est élégant, et ses fenêtres sont en pierre sculptée. TV	MC V				10
Viana do Castelo : *Hotel do Parque* $$$ Praça da Galiza, 4900. **Carte routière** C1. *058-82 86 05.* FAX *058-82 86 12.* Situé près de la vieille ville, cet hôtel accueillant, avec jardin, possède un restaurant installé sur le toit d'où la vue est très belle. TV	AE DC MC V	●	■	●	124
Viana do Castelo : *Pousada de Santa Luzia* $$$ Monte de S. Luzia, 4990. **Carte routière** C1. *058-82 88 89.* FAX *058-82 88 92.* Cet établissement somptueux, bien situé sur une hauteur de la ville, est entouré de pins et d'eucalyptus. TV	AE DC MC V	●	■	●	48
Vieira do Minho : *Pousada de São Bento* $$$$ Caniçada, 4850. **Carte routière** D1. *053-64 71 90.* FAX *053-64 78 67.* Cet ancien pavillon de chasse, envahi par le lierre, est situé dans la réserve naturelle du parque nacional de Peneda-Gerês. L'intérieur, au décor rustique, est tranquille et reposant. TV	AE DC MC V	●	■	●	29
Vila do Conde : *Motel Sant'Ana* $$$ Azurara, 4480. **Carte routière** C2. *052-64 17 17.* FAX *052-64 26 93.* Proche de l'aéroport de Porto, ce motel bénéficie d'une situation idéale, au bord de l'Ave. Véritable complexe de style club sportif, situé à la campagne, il propose des appartements bien équipés et un sauna. TV	AE DC MC V	●	■	●	34
Vila Nova de Cerveira : *Pousada Dom Dinis* $$$ Terreiro, 4920. **Carte routière** C1. *051-79 56 01.* FAX *051-79 56 04.* Installé dans les murs d'un château médiéval, cet établissement charmant et calme offre des chambres spacieuses et agréables. TV	AE DC MC V	●	■		28

ALENTEJO

Hôtel	Cartes				Chambres
ALVITO : *Pousada do Castelo de Alvito* $$$$ Apartado 9, 7920. **Carte routière** D6. *084-483 43.* FAX *084-483 83.* Cette ancienne forteresse du XV^e^ siècle possède de belles voûtes gothiques dans la salle à manger et des fenêtres de style manuélin. Dans le jardin, tranquille, on peut apercevoir des paons. TV	AE DC MC V	●	■	●	20
BEJA : *Hotel Melius* $$ Av. Fialho de Almeida, 7800. **Carte routière** D6. *084-32 18 22.* FAX *084-32 18 25.* Situé dans la partie médiévale de la ville (au sud), cet hôtel agréable et confortable présente un bon rapport qualité-prix. TV P	AE DC MC V	●	■		60
BEJA : *Pousada de São Francisco* $$$$ L. Dom N. Álvares Pereira, 7800. **Carte routière** D6. *084-32 84 41.* FAX *084-32 91 43.* Cet ancien couvent franciscain, tout blanc, fondé en 1268, a été transformé en une *pousada* somptueuse. TV P	AE DC MC V	●	■	●	35
CASTELO DE VIDE : *Garcia d'Orta* $$$ Estrada de São Vicente, 7320. **Carte routière** D4. *045-911 00.* FAX *045-912 00.* Cet hôtel au confort moderne est à la fois agréable et discret. Le restaurant propose une bonne cuisine régionale. TV P	AE DC MC V	●	■	●	53
CRATO : *Pousada de Flor da Rosa* $$$$ Flor da Rosa, 7430. **Carte routière** D4. *045-99 72 10.* FAX *045-99 72 12.* L'ancien couvent de Santa Maria Flor da Rosa abrite cette *pousada* élégante dont l'architecture est pour beaucoup dans son succès. TV	AE DC MC V	●	■	●	24
ELVAS : *Elxadai Parque* $$ N4, Varche, 7353. **Carte routière** D5. *068-62 13 97.* FAX *068-62 19 21.* Situé à l'ouest d'Elvas, ce complexe hôtelier est bien équipé : installations sportives variées, centre d'équitation. Plan d'eau. TV P	AE DC MC V	●	■	●	41
ELVAS : *Pousada de Santa Luzia* $$$ Avenida de Badajoz, 7350. **Carte routière** D5. *068-62 21 94.* FAX *068-62 21 27.* Voici la plus ancienne *pousada,* ouverte en 1942 près de l'aqueduc. Elle propose piscine et courts de tennis. Décor agréable. TV P	AE DC MC V	●	■	●	25
ELVAS : *Quinta de Santo António* $$$ 7353. **Carte routière** D5. *068-62 84 06.* FAX *068-62 50 50.* Cette *estalagem* est dotée d'un beau jardin du XVIIIe siècle. Ses bâtiments attrayants offrent des chambres de style rustique. TV P	AE DC MC V	●	■	●	30
ESTREMOZ : *Pousada da Rainha Santa Isabel* $$$$ Largo Dom Dinis, 7100. **Carte routière** D5. *068-33 20 76.* FAX *068-33 20 79.* Cette belle *pousada* est installée dans le château d'Estremoz, datant du XIII^e^ siècle. Le décor des chambres, avec ses lits à baldaquin et ses armoiries, est de styles XVII^e^ et XVIII^e^. TV	AE DC MC V	●	■	●	33
ÉVORA : *IBIS Évora* $$ Quinta da Tapada, Muralha, 7000. **Carte routière** D5. *066-74 46 20.* FAX *066-74 46 32.* Cet hôtel moderne est situé tout près des murs qui entourent la vieille ville. Très simple, il dispose cependant de tout le confort. TV P	AE DC MC V	●			87
ÉVORA : *Évorahotel* $$$ N114, Quinta do Cruzeiro, Apartado 93, 7001. **Carte routière** D5. *066-73 48 00.* FAX *066-73 48 06.* Situé aux alentours de la vieille ville, cet hôtel moderne, tout confort, vous plaira. Chambres avec balcon. TV P	AE DC MC V	●	■	●	114
ÉVORA : *Solar Monfalim* $$$ Largo da Misericórdia 1, 7000. **Carte routière** D5. *066-220 31.* FAX *066-74 23 67.* En plein cœur de la vieille ville, cette résidence datant de la Renaissance offre des chambres bien meublées. Ambiance très agréable. TV P	MC V	●			26
ÉVORA : *Pousada dos Lóios* $$$$ L. do Conde de Vila Flor, 7000. **Carte routière** D5. *066-240 51.* FAX *066-272 48.* Cette belle *pousada* occupe un monastère du XV^e^ siècle. Les anciennes cellules des moines ont été transformées en chambres élégantes. TV P	AE DC MC V	●	■	●	32
MARVÃO : *Pousada de Santa Maria* $$$ Rua 24 de Janeiro 7, 7330. **Carte routière** D4. *045-932 01.* FAX *045-934 40.* Cette charmante *pousada,* au décor typique, est installée dans une maison blanchie à la chaux. Personnel aimable. TV P	AE DC MC V	●			29

Légende des symboles, voir rabat de couverture

Les prix correspondent à une nuit en chambre double, petit déjeuner compris :
Ⓢ moins de 7 000$00
ⓈⓈ 7–12 000$00
ⓈⓈⓈ 12–20 000$00
ⓈⓈⓈⓈ 20–30 000$00
ⓈⓈⓈⓈⓈ plus de 30 000$00.

Restaurant
L'hôtel possède un ou plusieurs restaurants ouverts pour le déjeuner et le dîner.
Jardin
Hôtel disposant d'un jardin ou d'une grande terrasse.
Piscine
Piscine intérieure ou à ciel ouvert.
Cartes bancaires
Un symbole indique que les cartes American Express (AE), Diner's Club (DC), Master Card/Access (MC), Visa (V) sont acceptées.

Hôtel	Cartes bancaires	Restaurant	Jardin	Piscine	Nombre de chambres
Mértola : *Casa das Janelas Verdes* Ⓢ Rua Dr M. Gomes 38–40, 7750. **Carte routière** D6. ☎ *086-621 45.* Situé dans le centre-ville, cet hôtel est installé dans une maison blanchie à la chaux. Équipements de sports nautiques au bord du Guadiana.	AE DC MC V		■		3
Redondo : *Convento de São Paulo* ⓈⓈⓈⓈ Aldeia da Serra, 7170. **Carte routière** D5. ☎ *066-99 91 00.* FAX *066-99 91 04.* Monastère transformé en hôtel élégant, situé dans un lieu sauvage, la Serra Ossa. Les chambres sont ornées d'*azulejos.* La terrasse est agrémentée d'une fontaine baroque. TV P	AE DC MC V	●	■	●	21
Santa Clara-a-Velha : *Pousada de Santa Clara* ⓈⓈⓈ Barragem de Santa Clara, 7665. **Carte routière** C7. ☎ *083-982 50.* FAX *083-984 02.* Cette *pousada* paisible qui domine un grand lac est idéale pour pratiquer sports nautiques, randonnée et chasse. TV P	AE DC MC V	●	■	●	19
Santiago do Cacém : *Pousada de São Tiago* ⓈⓈⓈ Estrada de Lisboa, 7540. **Carte routière** C6. ☎ *&* FAX *069-224 59.* Envahie par le lierre, cette *pousada* ressemble à une villa. Commode pour découvrir la région. TV P	AE DC MC V	●	■	●	8
Santiago do Cacém : *Quinta da Ortiga* ⓈⓈⓈ IP8, Apartado 67, 7540. **Carte routière** C6. ☎ *069-228 71.* FAX *069-220 73.* Cette ferme agréable, comprenant 4 hectares de terrain et des écuries, est située au nord de la ville, à proximité de la mer. TV P	AE DC MC V	●	■	●	11
Serpa : *Pousada de São Gens* ⓈⓈⓈ Alto de São Gens, 7830. **Carte routière** D6. ☎ *084-537 24.* FAX *084-533 37.* *Pousada* moderne, perchée au sommet d'une colline dominant la ville, d'où la vue sur les vastes plaines est splendide. TV P	AE DC MC V	●	■	●	18
Sousel : *Pousada de São Miguel* ⓈⓈⓈ Serra de São Miguel, 7470. **Carte routière** D5. ☎ *068-55 11 60.* FAX *068-55 11 55.* Cette *pousada* charmante est idéale si vous recherchez tranquillité et activités campagnardes. Pêche et chasse possibles. TV P	AE DC MC V	●	■		32
Vila Nova de Milfontes : *Moinho da Asneira* ⓈⓈ Quinta do Rio Mira, 7645. **Carte routière** C6. ☎ *083-961 82.* Ce manoir, juché sur la colline, propose chambres et cottages, qui dominent l'estuaire de la Mira, non loin de la plage. P	AE DC MC V	●	■	●	40
Vila Viçosa : *Casa de Peixinhos* ⓈⓈⓈ 7160. **Carte routière** D5. ☎ *068-984 72.* FAX *068-881 48.* Ce bâtiment du XVIIIe siècle offre des chambres spacieuses, peintes en ocre et en rouge. La terrasse est agrémentée de statues baroques. P			■		8
ALGARVE					
Albufeira : *Alfagar* ⓈⓈⓈⓈ Alfagar, Semina Balaia, 8200. **Carte routière** C7. ☎ *089-54 10 07.* FAX *089-54 27 70.* Ce complexe hôtelier, perché sur une falaise, propose des appartements avec accès à la plage. P	AE DC MC V	●	■	●	210
Albufeira : *Falésia* ⓈⓈⓈⓈ Pinhal do Concelho, praia da Falésia, 8200. **Carte routière** C7. ☎ *089-50 12 37.* FAX *089-50 12 70.* Situé sur la plage de Falésia, cet hôtel offre des chambres claires et spacieuses. Le hall est décoré de plantes suspendues. TV P	AE MC V	●	■	●	169
Albufeira : *Montechoro* ⓈⓈⓈⓈ Av. Dr F. Sá Carneiro, 8200. **Carte routière** C7. ☎ *089-58 94 23.* FAX *089-58 99 47.* Cet hôtel moderne, entouré de jardins, a du cachet. Il dispose de bonnes installations sportives et d'un centre de remise en forme. TV P	AE DC MC V	●	■	●	362

ALBUFEIRA : *Sheraton Algarve Pine Cliffs* $$$$$ Apartado 644, 8200. **Carte routière** C7. ☎ *089-50 01 00.* FAX *089-50 19 50.* L' hôtel est doté d'un ascenseur pour accéder directement à la plage. Installations sportives. Les chalets sont ornés d'*azulejos.*	AE DC MC V	●	■	●	215
ALJEZUR : *O Palazim* $ N120, Aldeia Velha, 8670. **Carte routière** C7. ☎ *082-982 49.* Pension de famille, installée dans un beau bâtiment, dotée d'une terrasse qui offre une belle vue. Le salon est décoré d'*azulejos.*			■		12
ALMANCIL : *Quinta dos Rochas* $$$ Fonte Coberta, Caixa Postal 600-A, 8135. **Carte routière** D7. ☎ *089-39 31 65.* FAX *089-39 91 98.* Cette petite *quinta,* à proximité de la plage, offre tout le confort. Atmosphère familiale, calme et paisible.			■	●	8
ALMANCIL : *Quinta do Lago* $$$$$ 8135. **Carte routière** D7. ☎ *089-39 66 66.* FAX *089-39 63 93.* Cet hôtel chic propose des chambres agréables avec vue sur l'océan, ainsi que des installations sportives variées, notamment un centre de remise en forme et un parcours de golf.	AE DC MC V	●	■	●	141
ALTE : *Alte* $$$ Montinho, 8100. **Carte routière** C7. ☎ *089-685 23.* FAX *089-686 46.* Hôtel tranquille et charmant, éloigné de la côte. Ses jardins agréables offrent une vue exceptionnelle. Une navette est réservée aux clients voulant se rendre à la plage.	AE DC MC V	●	■	●	25
ALVOR : *Alvor Praia* $$$$ Praia dos Três Irmãos, 8500. **Carte routière** C7. ☎ *082-45 89 00.* FAX *082-45 89 99.* Ce complexe hôtelier de luxe bénéficie d'une situation idéale. Ses jardins descendent jusqu'à la plage. Piscine d'eau de mer chauffée.	AE DC MC V	●	■	●	198
ARMAÇÃO DE PÊRA : *Vila Vita Parc* $$$$$ Apartado 196, 8365. **Carte routière** C7. ☎ *082-31 53 10.* FAX *082-31 53 39.* Cet hôtel, situé sur une belle étendue de la côte, est entouré de jardins tropicaux. Luxueux, il offre un accès direct à la plage.	AE DC MC V	●	■	●	182
CARVOEIRO : *Colina Sol* $$$ Vale de Centianes, Praia do Carvoeiro, 8400. **Carte routière** C7. ☎ *082-35 80 64.* FAX *082-35 86 51.* Ce complexe hôtelier de style néo-mauresque et ses jardins dominent la mer.	AE MC V	●	■	●	124
CARVOEIRO : *Almansor* $$$$ Praia Vale Covo, 8400. **Carte routière** C7. ☎ *082-35 80 26.* FAX *082-35 87 70.* L'emplacement de cet hôtel, qui domine une anse, est exceptionnel. À marée basse, on peut accéder à la plage par un escalier.	AE DC MC V	●	■	●	293
ESTÓI : *Monte do Casal* $$$ Cerro do Lobo, 8000. **Carte routière** D7. ☎ *089-915 03.* FAX *089-913 41.* L'élégant Monte do Casal propose des appartements individuels dans un beau jardin, avec des eucalyptus et des bougainvillées.	DC MC V	●	■	●	13
FARO : *Alnacir* $$ Estr. Senhora da Saúde 24, 8000. **Carte routière** D7. ☎ *089-80 36 78.* FAX *089-80 35 48.* Hôtel moderne et bien entretenu, l'Alnacir se trouve dans une rue calme, près du centre-ville. Quelques chambres avec balcon.	AE DC MC V				53
FARO : *Casa de Lumena* $$ Praça A. Herculano 27, 8000. **Carte routière** D7. ☎ *089-80 19 90.* FAX *089-80 40 19.* Cette vieille maison a des chambres agréables, meublées avec goût, ainsi qu'un bar dans la cour. Ambiance détendue et sympathique.	AE DC MC V	●	■		8
FARO : *Hotel Faro* $$ Praça Dom F. Gomes 2, 8100. **Carte routière** D7. ☎ *089-80 32 76.* FAX *089-80 35 46.* Situé près de la vieille ville, l'hôtel propose des chambres correctes. La terrasse, installée au premier étage, domine le petit port.	AE DC MC V		■		52
FARO : *Hotel Eva* $$$$ Av. da República 1, 8000. **Carte routière** D7. ☎ *089-80 33 54.* FAX *089-80 23 04.* Hôtel moderne et confortable, avec des boutiques et un coiffeur. Demandez une chambre dominant la marina pour apercevoir l'océan, à l'horizon.	AE DC MC V	●	■	●	148

Légende des symboles, voir rabat de couverture

Les prix correspondent à une nuit en chambre double, petit déjeuner compris :
$ moins de 7 000$00
$$ 7–12 000$00
$$$ 12–20 000$00
$$$$ 20–30 000$00
$$$$$ plus de 30 000$00.

Restaurant
L'hôtel possède un ou plusieurs restaurants ouverts pour le déjeuner et le dîner.
Jardin
Hôtel disposant d'un jardin ou d'une grande terrasse.
Piscine
Piscine intérieure ou à ciel ouvert.
Cartes bancaires
Un symbole indique que les cartes American Express (AE), Diner's Club (DC), Master Card/Access (MC), Visa (V) sont acceptées.

	Cartes bancaires	Restaurant	Jardin	Piscine	Nombre de chambres
Lagoa : *Parque Algarvio* $$ Sítio do Carmo, N125, 8400. **Carte routière** C7. *082-522 65.* FAX *082-522 78.* Malgré son emplacement (près de l'autoroute), l'hôtel a du charme. Les chambres entourent la piscine. Bon rapport qualité-prix.	AE DC MC V	●	■	●	42
Lagos : *Rubi-Mar* $ Rua da Barroca 70, 8600. **Carte routière** C7. *082-76 31 65.* FAX *082-76 77 49.* Cet hôtel accueillant, tenu par des Anglais, domine la mer. Le petit déjeuner, copieux, est servi dans les chambres.	AE DC MC V				8
Lagos : *Belavista da Luz* $$$ Praia da Luz, 8600. **Carte routière** C7. *082-78 86 55.* FAX *082-78 86 56.* Hôtel bien équipé, dominant la praia da Luz. Parmi les installations, un centre de remise en forme et une aire de jeux pour enfants.	AE DC MC V	●	■	●	45
Lagos : *Hotel de Lagos* $$$ Rua A. C. dos Santos, 8600. **Carte routière** C7. *082-76 99 67.* FAX *082-76 99 20.* Ce complexe hôtelier dispose de cinq restaurants, d'un centre de remise en forme et d'une discothèque. Barbecues sur la plage en été.	AE DC MC V	●	■	●	317
Lagos : *Marina Rio* $$$ Av. dos Descobrimentos, Apartado 388, 8600. **Carte routière** C7. *082-76 98 59.* FAX *082-76 99 60.* *Albergaria* moderne et plaisante, située dans la partie est de Lagos. Belle vue sur la marina.	MC V		■	●	36
Loulé : *Loulé Jardim* $$ Praça Manuel da Arriaga, 8100. **Carte routière** D7. *089-41 30 95.* FAX *089-46 31 77.* Cet ancien hôtel particulier de style classique donne sur une place calme et ombragée. Piscine sur le toit.	AE DC MC V	●	■	●	52
Monchique : *Abrigo da Montanha* $$ Estrada da Fóia, 8550. **Carte routière** C7. *082-921 31.* FAX *082-936 60.* Cette *estalagem,* en pierre brute et en bois, est idéale pour les vacances et convient pour les randonnées dans la Serra de Monchique.	AE DC MC V	●	■	●	16
Monte Gordo : *Vasco da Gama* $$$ Avenida Infante Dom Henrique, 8900. **Carte routière** D7. *081-51 13 21.* FAX *081-51 16 22.* Construit sur la plage, cet hôtel a des chambres spacieuses, toutes avec balcon. Aire de jeux et piscine pour les enfants.	AE DC MC V	●	■	●	168
Portimão : *Bela Vista* $$$ Avenida Tomas Cabreira, 8500. **Carte routière** C7. *082-240 55.* FAX *082-41 53 69.* Ce bel hôtel domine la praia da Rocha, lieu très fréquenté. Bien meublé et décoré, avec des canapés confortables et des *azulejos.*	AE DC MC V	●	■		14
Portimão : *Le Méridien* $$$$$ Caixa Postal 146, 8502. **Carte routière** C7. *082-41 54 15.* FAX *082-41 50 00.* Hôtel qui plaira aux amateurs de golf. Entouré d'un jardin verdoyant, il a des installations conçues pour l'entraînement, et des championnats ont lieu sur son parcours de golf.	AE DC MC V	●	■	●	196
Quarteira : *Estalagem da Cegonha* $$ Centro Hípico de Vilamoura, 8125. **Carte routière** D7. *089-30 25 77.* FAX *089-32 26 75.* Cette *estalagem,* envahie par les fleurs, propose des chambres rustiques et bien équipées. Centre d'équitation réservé aux clients.	AE DC MC V	●	■		9
Sagres : *Navegante* $$$ Rua Infante D. Henrique, 8650. **Carte routière** C7. *082-643 54.* FAX *082-643 60.* L'hôtel, construit sur le promontoire de Sagres, offre une vue splendide. Les chambres, très confortables, sont de véritables appartements.	AE DC MC V	●	■	●	56

ALENTEJO

Établissement	Cartes				
ALVITO : *Pousada do Castelo de Alvito* $$$$ Apartado 9, 7920. **Carte routière** D6. *084-483 43.* FAX *084-483 83.* Cette ancienne forteresse du XVe siècle possède de belles voûtes gothiques dans la salle à manger et des fenêtres de style manuélin. Dans le jardin, tranquille, on peut apercevoir des paons. TV P	AE DC MC V	●	■	●	20
BEJA : *Hotel Melius* $$ Av. Fialho de Almeida, 7800. **Carte routière** D6. *084-32 18 22.* FAX *084-32 18 25.* Situé dans la partie médiévale de la ville (au sud), cet hôtel agréable et confortable présente un bon rapport qualité-prix. TV P	AE DC MC V	●	■		60
BEJA : *Pousada de São Francisco* $$$$ L. Dom N. Álvares Pereira, 7800. **Carte routière** D6. *084-32 84 41.* FAX *084-32 91 43.* Cet ancien couvent franciscain, tout blanc, fondé en 1268, a été transformé en une *pousada* somptueuse. TV P	AE DC MC V	●	■	●	35
CASTELO DE VIDE : *Garcia d'Orta* $$$ Estrada de São Vicente, 7320. **Carte routière** D4. *045-911 00.* FAX *045-912 00.* Cet hôtel au confort moderne est à la fois agréable et discret. Le restaurant propose une bonne cuisine régionale. TV P	AE DC MC V	●	■	●	53
CRATO : *Pousada de Flor da Rosa* $$$$ Flor da Rosa, 7430. **Carte routière** D4. *045-99 72 10.* FAX *045-99 72 12.* L'ancien couvent de Santa Maria Flor da Rosa abrite cette *pousada* élégante dont l'architecture est pour beaucoup dans son succès. TV	AE DC MC V	●	■	●	24
ELVAS : *Elxadai Parque* $$ N4, Varche, 7353. **Carte routière** D5. *068-62 13 97.* FAX *068-62 19 21.* Situé à l'ouest d'Elvas, ce complexe hôtelier est bien équipé : installations sportives variées, centre d'équitation. Plan d'eau. TV P	AE DC MC V	●	■	●	41
ELVAS : *Pousada de Santa Luzia* $$$ Avenida de Badajoz, 7350. **Carte routière** D5. *068-62 21 94.* FAX *068-62 21 27.* Voici la plus ancienne *pousada,* ouverte en 1942 près de l'aqueduc. Elle propose piscine et courts de tennis. Décor agréable. TV P	AE DC MC V	●	■	●	25
ELVAS : *Quinta de Santo António* $$$ 7353. **Carte routière** D5. *068-62 84 06.* FAX *068-62 50 50.* Cette *estalagem* est dotée d'un beau jardin du XVIIIe siècle. Ses bâtiments attrayants offrent des chambres de style rustique. TV P	AE DC MC V	●	■	●	30
ESTREMOZ : *Pousada da Rainha Santa Isabel* $$$$ Largo Dom Dinis, 7100. **Carte routière** D5. *068-33 20 76.* FAX *068-33 20 79.* Cette belle *pousada* est installée dans le château d'Estremoz, datant du XIIIe siècle. Le décor des chambres, avec ses lits à baldaquin et ses armoiries, est de styles XVIIe et XVIIIe. TV	AE DC MC V	●	■	●	33
ÉVORA : *IBIS Évora* $$ Quinta da Tapada, Muralha, 7000. **Carte routière** D5. *066-74 46 20.* FAX *066-74 46 32.* Cet hôtel moderne est situé tout près des murs qui entourent la vieille ville. Très simple, il dispose cependant de tout le confort. TV P	AE DC MC V	●			87
ÉVORA : *Évorahotel* $$$ N114, Quinta do Cruzeiro, Apartado 93, 7001. **Carte routière** D5. *066-73 48 00.* FAX *066-73 48 06.* Situé aux alentours de la vieille ville, cet hôtel moderne, tout confort, vous plaira. Chambres avec balcon. TV P	AE DC MC V	●	■	●	114
ÉVORA : *Solar Monfalim* $$$ Largo da Misericórdia 1, 7000. **Carte routière** D5. *066-220 31.* FAX *066-74 23 67.* En plein cœur de la vieille ville, cette résidence datant de la Renaissance offre des chambres bien meublées. Ambiance très agréable. TV P	MC V	●			26
ÉVORA : *Pousada dos Lóios* $$$$ L. do Conde de Vila Flor, 7000. **Carte routière** D5. *066-240 51.* FAX *066-272 48.* Cette belle *pousada* occupe un monastère du XVe siècle. Les anciennes cellules des moines ont été transformées en chambres élégantes. TV P	AE DC MC V	●	■	●	32
MARVÃO : *Pousada de Santa Maria* $$$ Rua 24 de Janeiro 7, 7330. **Carte routière** D4. *045-932 01.* FAX *045-934 40.* Cette charmante *pousada,* au décor typique, est installée dans une maison blanchie à la chaux. Personnel aimable. TV P	AE DC MC V	●			29

Légende des symboles, voir rabat de couverture

Les prix correspondent à une nuit en chambre double, petit déjeuner compris :
- $ moins de 7 000$00
- $$ 7–12 000$00
- $$$ 12–20 000$00
- $$$$ 20–30 000$00
- $$$$$ plus de 30 000$00.

RESTAURANT
L'hôtel possède un ou plusieurs restaurants ouverts pour le déjeuner et le dîner.

JARDIN
Hôtel disposant d'un jardin ou d'une grande terrasse.

PISCINE
Piscine intérieure ou à ciel ouvert.

CARTES BANCAIRES
Un symbole indique que les cartes American Express (AE), Diner's Club (DC), Master Card/Access (MC), Visa (V) sont acceptées.

	Cartes bancaires	Restaurant	Jardin	Piscine	Nombre de chambres
MÉRTOLA : *Casa das Janelas Verdes* $ Rua Dr M. Gomes 38–40, 7750. **Carte routière** D6. *086-621 45.* Situé dans le centre-ville, cet hôtel est installé dans une maison blanchie à la chaux. Équipements de sports nautiques au bord du Guadiana.	AE DC MC V		■		3
REDONDO : *Convento de São Paulo* $$$$ Aldeia da Serra, 7170. **Carte routière** D5. *066-99 91 00.* FAX *066-99 91 04.* Monastère transformé en hôtel élégant, situé dans un lieu sauvage, la Serra Ossa. Les chambres sont ornées d'*azulejos.* La terrasse est agrémentée d'une fontaine baroque.	AE DC MC V	●	■	●	21
SANTA CLARA-A-VELHA : *Pousada de Santa Clara* $$$ Barragem de Santa Clara, 7665. **Carte routière** C7. *083-982 50.* FAX *083-984 02.* Cette *pousada* paisible qui domine un grand lac est idéale pour pratiquer sports nautiques, randonnée et chasse.	AE DC MC V	●	■	●	19
SANTIAGO DO CACÉM : *Pousada de São Tiago* $$$ Estrada de Lisboa, 7540. **Carte routière** C6. & FAX *069-224 59.* Envahie par le lierre, cette *pousada* ressemble à une villa. Commode pour découvrir la région.	AE DC MC V	●	■	●	8
SANTIAGO DO CACÉM : *Quinta da Ortiga* $$$ IP8, Apartado 67, 7540. **Carte routière** C6. *069-228 71.* FAX *069-220 73.* Cette ferme agréable, comprenant 4 hectares de terrain et des écuries, est située au nord de la ville, à proximité de la mer.	AE DC MC V	●	■	●	11
SERPA : *Pousada de São Gens* $$$ Alto de São Gens, 7830. **Carte routière** D6. *084-537 24.* FAX *084-533 37.* *Pousada* moderne, perchée au sommet d'une colline dominant la ville, d'où la vue sur les vastes plaines est splendide.	AE DC MC V	●	■	●	18
SOUSEL : *Pousada de São Miguel* $$$ Serra de São Miguel, 7470. **Carte routière** D5. *068-55 11 60.* FAX *068-55 11 55.* Cette *pousada* charmante est idéale si vous recherchez tranquillité et activités campagnardes. Pêche et chasse possibles.	AE DC MC V	●	■		32
VILA NOVA DE MILFONTES : *Moinho da Asneira* $$ Quinta do Rio Mira, 7645. **Carte routière** C6. *083-961 82.* Ce manoir, juché sur la colline, propose chambres et cottages, qui dominent l'estuaire de la Mira, non loin de la plage.	AE DC MC V	●	■	●	40
VILA VIÇOSA : *Casa de Peixinhos* $$$ 7160. **Carte routière** D5. *068-984 72.* FAX *068-881 48.* Ce bâtiment du XVIIIe siècle offre des chambres spacieuses, peintes en ocre et en rouge. La terrasse est agrémentée de statues baroques.			■		8
ALGARVE					
ALBUFEIRA : *Alfagar* $$$$ Alfagar, Semina Balaia, 8200. **Carte routière** C7. *089-54 10 07.* FAX *089-54 27 70.* Ce complexe hôtelier, perché sur une falaise, propose des appartements avec accès à la plage.	AE DC MC V	●	■	●	210
ALBUFEIRA : *Falésia* $$$$ Pinhal do Concelho, praia da Falésia, 8200. **Carte routière** C7. *089-50 12 37.* FAX *089-50 12 70.* Situé sur la plage de Falésia, cet hôtel offre des chambres claires et spacieuses. Le hall est décoré de plantes suspendues.	AE MC V	●	■	●	169
ALBUFEIRA : *Montechoro* $$$$ Av. Dr F. Sá Carneiro, 8200. **Carte routière** C7. *089-58 94 23.* FAX *089-58 99 47.* Cet hôtel moderne, entouré de jardins, a du cachet. Il dispose de bonnes installations sportives et d'un centre de remise en forme.	AE DC MC V	●	■	●	362

ALBUFEIRA : *Sheraton Algarve Pine Cliffs* $$$$$ Apartado 644, 8200. **Carte routière** C7. *089-50 01 00.* FAX *089-50 19 50.* L' hôtel est doté d'un ascenseur pour accéder directement à la plage. Installations sportives. Les chalets sont ornés d'*azulejos.* TV P	AE DC MC V	●	■	●	215
ALJEZUR : *O Palazim* $ N120, Aldeia Velha, 8670. **Carte routière** C7. *082-982 49.* Pension de famille, installée dans un beau bâtiment, dotée d'une terrasse qui offre une belle vue. Le salon est décoré d'*azulejos.* TV P			■		12
ALMANCIL : *Quinta dos Rochas* $$$ Fonte Coberta, Caixa Postal 600-A, 8135. **Carte routière** D7. *089-39 31 65.* FAX *089-39 91 98.* Cette petite *quinta,* à proximité de la plage, offre tout le confort. Atmosphère familiale, calme et paisible. TV P			■	●	8
ALMANCIL : *Quinta do Lago* $$$$$ 8135. **Carte routière** D7. *089-39 66 66.* FAX *089-39 63 93.* Cet hôtel chic propose des chambres agréables avec vue sur l'océan, ainsi que des installations sportives variées, notamment un centre de remise en forme et un parcours de golf. TV P	AE DC MC V	●	■	●	141
ALTE : *Alte* $$$ Montinho, 8100. **Carte routière** C7. *089-685 23.* FAX *089-686 46.* Hôtel tranquille et charmant, éloigné de la côte. Ses jardins agréables offrent une vue exceptionnelle. Une navette est réservée aux clients voulant se rendre à la plage. TV P	AE DC MC V	●	■	●	25
ALVOR : *Alvor Praia* $$$$ Praia dos Três Irmãos, 8500. **Carte routière** C7. *082-45 89 00.* FAX *082-45 89 99.* Ce complexe hôtelier de luxe bénéficie d'une situation idéale. Ses jardins descendent jusqu'à la plage. Piscine d'eau de mer chauffée. TV P	AE DC MC V	●	■	●	198
ARMAÇÃO DE PÊRA : *Vila Vita Parc* $$$$$ Apartado 196, 8365. **Carte routière** C7. *082-31 53 10.* FAX *082-31 53 39.* Cet hôtel, situé sur une belle étendue de la côte, est entouré de jardins tropicaux. Luxueux, il offre un accès direct à la plage. TV P	AE DC MC V	●	■	●	182
CARVOEIRO : *Colina Sol* $$$ Vale de Centianes, Praia do Carvoeiro, 8400. **Carte routière** C7. *082-35 80 64.* FAX *082-35 86 51.* Ce complexe hôtelier de style néo-mauresque et ses jardins dominent la mer. P	AE MC V	●	■	●	124
CARVOEIRO : *Almansor* $$$$ Praia Vale Covo, 8400. **Carte routière** C7. *082-35 80 26.* FAX *082-35 87 70.* L'emplacement de cet hôtel, qui domine une anse, est exceptionnel. À marée basse, on peut accéder à la plage par un escalier. TV P	AE DC MC V	●	■	●	293
ESTÓI : *Monte do Casal* $$$ Cerro do Lobo, 8000. **Carte routière** D7. *089-915 03.* FAX *089-913 41.* L'élégant Monte do Casal propose des appartements individuels dans un beau jardin, avec des eucalyptus et des bougainvillées. P	DC MC V	●	■	●	13
FARO : *Alnacir* $$ Estr. Senhora da Saúde 24, 8000. **Carte routière** D7. *089-80 36 78.* FAX *089-80 35 48.* Hôtel moderne et bien entretenu, l'Alnacir se trouve dans une rue calme, près du centre-ville. Quelques chambres avec balcon. TV P	AE DC MC V				53
FARO : *Casa de Lumena* $$ Praça A. Herculano 27, 8000. **Carte routière** D7. *089-80 19 90.* FAX *089-80 40 19.* Cette vieille maison a des chambres agréables, meublées avec goût, ainsi qu'un bar dans la cour. Ambiance détendue et sympathique.	AE DC MC V	●	■		8
FARO : *Hotel Faro* $$ Praça Dom F. Gomes 2, 8100. **Carte routière** D7. *089-80 32 76.* FAX *089-80 35 46.* Situé près de la vieille ville, l'hôtel propose des chambres correctes. La terrasse, installée au premier étage, domine le petit port. TV P	AE DC MC V		■		52
FARO : *Hotel Eva* $$$$ Av. da República 1, 8000. **Carte routière** D7. *089-80 33 54.* FAX *089-80 23 04.* Hôtel moderne et confortable, avec des boutiques et un coiffeur. Demandez une chambre dominant la marina pour apercevoir l'océan, à l'horizon. TV	AE DC MC V	●	■	●	148

Légende des symboles, voir rabat de couverture

Les prix correspondent à une nuit en chambre double, petit déjeuner compris :
$ moins de 7 000$00
$$ 7–12 000$00
$$$ 12–20 000$00
$$$$ 20–30 000$00
$$$$$ plus de 30 000$00.

RESTAURANT
L'hôtel possède un ou plusieurs restaurants ouverts pour le déjeuner et le dîner.
JARDIN
Hôtel disposant d'un jardin ou d'une grande terrasse.
PISCINE
Piscine intérieure ou à ciel ouvert.
CARTES BANCAIRES
Un symbole indique que les cartes American Express (AE), Diner's Club (DC), Master Card/Access (MC), Visa (V) sont acceptées.

	Cartes bancaires	Restaurant	Jardin	Piscine	Nombre de chambres
LAGOA : *Parque Algarvio* $$ Sítio do Carmo, N125, 8400. **Carte routière** C7. *082-522 65.* FAX *082-522 78.* Malgré son emplacement (près de l'autoroute), l'hôtel a du charme. Les chambres entourent la piscine. Bon rapport qualité-prix. TV P	AE DC MC V	●	■	●	42
LAGOS : *Rubi-Mar* $ Rua da Barroca 70, 8600. **Carte routière** C7. *082-76 31 65.* FAX *082-76 77 49.* Cet hôtel accueillant, tenu par des Anglais, domine la mer. Le petit déjeuner, copieux, est servi dans les chambres. TV	AE DC MC V				8
LAGOS : *Belavista da Luz* $$$ Praia da Luz, 8600. **Carte routière** C7. *082-78 86 55.* FAX *082-78 86 56.* Hôtel bien équipé, dominant la praia da Luz. Parmi les installations, un centre de remise en forme et une aire de jeux pour enfants. TV P	AE DC MC V	●	■	●	45
LAGOS : *Hotel de Lagos* $$$ Rua A. C. dos Santos, 8600. **Carte routière** C7. *082-76 99 67.* FAX *082-76 99 20.* Ce complexe hôtelier dispose de cinq restaurants, d'un centre de remise en forme et d'une discothèque. Barbecues sur la plage en été. TV P	AE DC MC V	●	■	●	317
LAGOS : *Marina Rio* $$$ Av. dos Descobrimentos, Apartado 388, 8600. **Carte routière** C7. *082-76 98 59.* FAX *082-76 99 60.* *Albergaria* moderne et plaisante, située dans la partie est de Lagos. Belle vue sur la marina. TV P	MC V		■	●	36
LOULÉ : *Loulé Jardim* $$ Praça Manuel da Arriaga, 8100. **Carte routière** D7. *089-41 30 95.* FAX *089-46 31 77.* Cet ancien hôtel particulier de style classique donne sur une place calme et ombragée. Piscine sur le toit. TV P	AE DC MC V	●	■	●	52
MONCHIQUE : *Abrigo da Montanha* $$ Estrada da Fóia, 8550. **Carte routière** C7. *082-921 31.* FAX *082-936 60.* Cette *estalagem*, en pierre brute et en bois, est idéale pour les vacances et convient pour les randonnées dans la Serra de Monchique. P	AE DC MC V	●	■	●	16
MONTE GORDO : *Vasco da Gama* $$$ Avenida Infante Dom Henrique, 8900. **Carte routière** D7. *081-51 13 21.* FAX *081-51 16 22.* Construit sur la plage, cet hôtel a des chambres spacieuses, toutes avec balcon. Aire de jeux et piscine pour les enfants. TV P	AE DC MC V	●	■	●	168
PORTIMÃO : *Bela Vista* $$$ Avenida Tomas Cabreira, 8500. **Carte routière** C7. *082-240 55.* FAX *082-41 53 69.* Ce bel hôtel domine la praia da Rocha, lieu très fréquenté. Bien meublé et décoré, avec des canapés confortables et des *azulejos*. TV P	AE DC MC V	●	■		14
PORTIMÃO : *Le Méridien* $$$$$ Caixa Postal 146, 8502. **Carte routière** C7. *082-41 54 15.* FAX *082-41 50 00.* Hôtel qui plaira aux amateurs de golf. Entouré d'un jardin verdoyant, il a des installations conçues pour l'entraînement, et des championnats ont lieu sur son parcours de golf. TV P	AE DC MC V	●	■	●	196
QUARTEIRA : *Estalagem da Cegonha* $$ Centro Hípico de Vilamoura, 8125. **Carte routière** D7. *089-30 25 77.* FAX *089-32 26 75.* Cette *estalagem*, envahie par les fleurs, propose des chambres rustiques et bien équipées. Centre d'équitation réservé aux clients. TV P	AE DC MC V	●	■		9
SAGRES : *Navegante* $$$ Rua Infante D. Henrique, 8650. **Carte routière** C7. *082-643 54.* FAX *082-643 60.* L'hôtel, construit sur le promontoire de Sagres, offre une vue splendide. Les chambres, très confortables, sont de véritables appartements. TV P	AE DC MC V	●	■	●	56

SAGRES : *Pousada do Infante* $$$$ Sagres, 8650. **Carte routière** C7. *082-642 22.* FAX *082-642 25.* Cette *pousada*, qui tire son nom d'Henri le Navigateur *(p. 49)*, est bien placée sur le promontoire de Sagres, qui domine l'océan. TV P	AE DC MC V	●	■	●	39
SÃO BRÁS DE ALPORTEL : *Pousada de São Brás* $$$ Poço dos Ferreiros, 8150. **Carte routière** D7. *089-84 23 05.* FAX *089-84 17 26.* Cette paisible *pousada* est établie dans un manoir au nord de Faro. La vue, splendide, embrasse les collines et la mer. TV P	AE DC MC V	●	■	●	33
TAVIRA : *Convento de Santo António* $$$ Atalaia 56, 8800. **Carte routière** D7. *081-32 56 32.* Cette charmante maison, blanchie à la chaux, offre des chambres luxueuses disposées autour d'une terrasse ombragée. P		●	■	●	7
TAVIRA : *Quinta do Caracol* $$$ São Pedro, 8800. **Carte routière** D7. *081-224 75.* FAX *081-231 75.* Cette maison du XVIIe siècle blanchie à la chaux est entourée des vastes jardins de la *quinta*. De là, on peut explorer la côte et l'arrière-pays vallonné de l'est de l'Algarve. P	AE DC MC V		■	●	7
VILA DO BISPO : *Os Gambozinos* $$ Praia do Martinhal, 8650. **Carte routière** C7. *082-643 18.* FAX *082-643 48.* Cet hôtel attrayant construit sur la presqu'île sauvage de Sagres borde la plage de Martinhal, fréquentée par les surfeurs. P		●	■		17
VILAMOURA : *Atlantis* $$$$$ Quarteira, 8125. **Carte routière** C7. *089-38 99 77.* FAX *089-38 99 62.* Cet hôtel moderne, au cachet certain, propose plusieurs installations : courts de tennis, centre d'équitation, etc. Vue sur la mer. TV P	AE DC MC V	●	■	●	305
VILAMOURA : *Marinotel* $$$$$ 8126. **Carte routière** C7. *089-38 99 88.* FAX *089-38 98 69.* Ce grand hôtel possède plusieurs installations sportives et une suite présidentielle. Vue sur la marina et l'océan. TV P	AE DC MC V	●	■	●	385
VILA REAL DE SANTO ANTÓNIO : *Guadiana* $$$ Avenida da República 94, 8900. **Carte routière** D7. *081-51 14 82.* FAX *081-51 14 78.* Situé dans le centre-ville, cet hôtel particulier du XIXe siècle transformé en hôtel bien décoré offre une belle vue sur le Guadiana. TV P	AE DC MC V	●	■		40
MADÈRE					
CANIÇO : *Roca Mar* $$$ Caixa Postal 23, 9125. *091-93 43 34.* FAX *091-93 40 44.* Le Roca Mar, perché sur une falaise, possède des chambres avec balcon donnant sur la mer. Spectacles le soir, installations sportives. Une navette pour Funchal est mise à la disposition des clients. TV P	AE DC MC V	●	■	●	103
CANIÇO : *Quinta Splendida* $$$$ Sítio da Vargem, 9125. *091-93 40 27.* FAX *091-93 46 88.* Cette villa, véritable complexe hôtelier, est établie dans les jardins d'une demeure du XVI^e^ siècle. Ses chambres sont meublées avec goût. TV P	AE DC MC V	●	■	●	111
FUNCHAL : *Monte Carlo* $$ Calçada da Saúde 10, 9000. *091-22 61 31.* FAX *091-22 61 34.* Cet hôtel installé dans un beau bâtiment a du caractère et offre une vue exceptionnelle depuis les chambres en façade. On y accède en montant à pied par une pente raide depuis le centre-ville. P	AE DC MC V	●	■	●	53
FUNCHAL : *Residencial Santa Clara* $$ Calçada do Pico 16b, 9000. *091-74 21 94.* FAX *091-74 32 80.* Situé à cinq minutes à pied du centre-ville, ce petit hôtel calme possède un bel intérieur. Vue sur la mer et les montagnes.			■	●	14
FUNCHAL : *Windsor* $$ Rua das Hortas 4c, 9000. *091-23 30 81.* FAX *091-23 30 80.* Hôtel moderne et sympathique, situé dans un dédale de ruelles. La plupart des chambres donnent sur une cour. Petite piscine sur le toit. TV P	AE DC MC V	●	■	●	67
FUNCHAL : *Quinta da Penha de França* $$$ Rua Penha de França 2, 9000. *091-22 90 87.* FAX *091-22 92 61.* Cette belle demeure aux chambres imposantes, donnant sur un jardin clos, vous impressionnera par son côté majestueux.	AE DC MC V	●	■	●	73

Les prix correspondent à une nuit en chambre double, petit déjeuner compris :
- $ moins de 7 000$00
- $$ 7–12 000$00
- $$$ 12–20 000$00
- $$$$ 20–30 000$00
- $$$$$ plus de 30 000$00.

RESTAURANT
L'hôtel possède un ou plusieurs restaurants ouverts pour le déjeuner et le dîner.

JARDIN
Hôtel disposant d'un jardin ou d'une grande terrasse.

PISCINE
Piscine intérieure ou à ciel ouvert.

CARTES BANCAIRES
Un symbole indique que les cartes American Express (AE), Diner's Club (DC), Master Card/Access (MC), Visa (V) sont acceptées.

	Cartes bancaires	Restaurant	Jardin	Piscine	Nombre de chambres
FUNCHAL : *Quinta Bela Vista* $$$$ Caminho Avista Navios 4, 9000. ☎ *091-76 41 44.* FAX *091-76 41 43.* Située à 15 mn en voiture du centre-ville, cette demeure du XIXe siècle est décorée de meubles d'époque. Service impeccable.	AE DC MC V	●	■	●	67
FUNCHAL : *Quinta Perestrelo* $$$$ Rua do Dr Pita 3, 9000. ☎ *091-76 37 20.* FAX *091-76 37 77.* Demeure construite vers 1850 et entourée d'un jardin bien entretenu. Chambres luxueuses avec de beaux meubles d'époque.	AE DC MC V	●	■	●	30
FUNCHAL : *Casino Park* $$$$$ Quinta da Vigia, 9000. ☎ *091-23 31 11.* FAX *091-22 98 75.* L'hôtel le plus animé de Madère, conçu par Oscar Niemeyer (architecte de Brasília, capitale de Brésil). Chambres confortables, avec vue sur le port. Casino, cinéma, cabaret et discothèque.	AE DC MC V	●	■	●	375
FUNCHAL : *Reid's Palace Hotel* $$$$$ Estrada Monumental 139, 9000. ☎ *091-700 71 71.* FAX *091-700 71 77.* Cet hôtel chic attire de nombreuses personnalités. Le décor, et surtout les lustres de la salle à manger, rappelle celui d'un château. Vue splendide depuis la falaise. Piscines entourées de palmiers.	AE DC MC V	●	■	●	168
FUNCHAL : *Savoy* $$$$$ Rua Imperatriz D. Amelia 108–112, 9000. ☎ *091-22 20 31.* FAX *091-22 31 03.* Un atout pour cet hôtel réside dans la discrétion de son service. Diverses installations, dont un centre de sports nautiques.	AE DC MC V	●	■	●	336
PICO DO ARIEIRO : *Pousada do Pico do Arieiro* $$$ Santana, 9230. ☎ *091-23 01 10.* FAX *091-22 86 11.* Cette *pousada* est située sur le sommet de l'une des plus grandes montagnes de Madère. À l'aube, elle offre une vue sensationnelle.	AE DC MC V	●	■	●	21
PORTO MONIZ : *Residencial Orca* $ Vila Porto Moniz, 9270. ☎ *091-85 33 59.* FAX *091-85 33 20.* Juste devant cet hôtel se brisent les vagues de l'Atlantique, laissant entre les rochers des petits plans d'eau où l'on peut se baigner.	AE DC MC V	●	■		12
PORTO SANTO : *Porto Santo* $$$ Campo de Baixo, 9400. ☎ *091-98 23 81.* FAX *091-98 26 11.* Le meilleur hôtel de Porto Santo compense le manque d'attractions de l'île par toutes sortes d'installations sportives.	AE DC MC V	●	■	●	97
RIBEIRA BRAVA : *Brava Mar* $$ Rua Comandante Camacho de Freitas, 9350. ☎ *091-95 22 20.* FAX *091-95 11 22.* L'emplacement de cet hôtel moderne est idéal pour explorer la partie ouest de l'île. Chambres avec balcon. Personnel aimable.	AE DC MC V	●	■	●	70
SERRA DE ÁGUA : *Pousada dos Vinháticos* $$ Ribeira Brava, 9350. ☎ *091-95 23 44.* FAX *091-95 25 40.* Réservez bien à l'avance dans cette *pousada* charmante, fréquentée par les randonneurs et située dans un bois près du col d'Encumeada.	AE DC MC V	●	■		21
LES AÇORES					
CORVO : *Casa de Hóspedes* $ Estrada para o Caldeirão, Vila do Corvo, 9980. ☎ *092-561 30.* Mis à part les hôtels particuliers privés, il n'y a qu'ici que l'on peut se loger sur la petite île de Corvo. Chambres propres et simples.			■		5
FAIAL : *Estalagem Santa Cruz* $$$ Rua Vasco da Gama, Horta, 9900. ☎ *092-230 21.* FAX *092-239 06.* L'ancienne forteresse, bâtie au XVIe siècle pour défendre Horta, est devenue un hôtel confortable. Meubles d'époque.	AE DC MC V	●	■		25

Hôtel	Prix	Cartes				Chambres
Faial : *Fayal* Rua Cônsul Dabney, Horta, 9900. *092-221 81.* FAX *092-221 89.* Construit dans les années 20 pour les poseurs du câble transatlantique, ce complexe est maintenant un hôtel prestigieux du centre-ville. TV P	$$$	AE DC MC V	●	■	●	114
Faial : *Quinta das Buganvílias* Castelo Branco, Horta, 9900. *092-932 55.* FAX *092-937 43.* *Quinta* tenue par une famille et située à proximité de l'aéroport. Rosiers, vergers et serres pleines de fleurs. TV P	$$$	MC V		■		10
Flores : *Ocidental* Sítio do Boqueirão, Santa Cruz, 9970. *092-521 42.* FAX *092-523 53.* L'aménagement intérieur est fonctionnel. Chambres simples avec balcon donnant sur la mer. TV P	$$		●	■	●	36
Graciosa : *Santa Cruz* L. Barão de Gaudalupe, S. Cruz da Graciosa, 9880. *095-723 45.* FAX *095-728 28.* Cet hôtel, à l'ambiance agréable, est situé sur une place calme du centre-ville. Réservez bien à l'avance, car il est difficile de se loger à Graciosa. TV	$$			■		19
Pico : *L'Escale de l'Atlantic* Calhau Piedade, Piedade, 9930. *092-66 62 60.* FAX *092-66 62 60.* Cet hôtel très original se trouve à l'extrémité orientale de l'île. Le décor de ses chambres est chic. ● *déc.–janv.* P	$$		●	■		5
Pico : *Pico* Rua dos Biscoitos, Madalena, 9950. *092-62 23 92.* FAX *092-62 22 92.* Hôtel moderne et bien équipé. De quelques-unes de ses chambres, on peut apercevoir l'impressionnant sommet noir de l'île. TV	$$$	AE MC V	●	■	●	68
Santa Maria : *Praia de Lobos* Rua M, Vila do Porto, 9580. *096-822 77.* FAX *096-824 82.* Chic, accueillant et bien géré, cet hôtel est situé dans le centre-ville. Installations modernes. TV	$$	AE MC V	●			34
São Jorge : *Estalagem das Velas* Relvão, Velas, 9800. *095-426 33.* FAX *095-427 36.* L'unique hôtel moderne situé sur l'île se trouve dans les alentours de Velas. Ses chambres sont agréables avec leur balcon donnant sur la mer. TV P	$$$	AE DC MC V		■		24
São Miguel : *Solar de Lalém* Estrada de São Pedro, Maia, 9625. *096-44 20 04.* FAX *096-44 21 64.* Beau manoir construit sur la côte nord au XIXe siècle et meublé dans un style simple par les propriétaires. P	$$		●	■	●	10
São Miguel : *Casa Nossa Senhora do Carmo* Rua do Pópulo Decima 220, Livramento, 9500. *096-64 20 48.* FAX *096-64 20 38.* Cette *quinta,* isolée à l'est de Ponta Delgada, a été soigneusement restaurée. Chambres meublées en style d'époque. ● *nov.–déc.* P	$$$		●	■		5
São Miguel : *São Pedro* L. Almirante Dunn, Ponta Delgada, 9500. *096-222 23.* FAX *096-62 93 19.* Situé près du port, le São Pedro, construit en 1812, a conservé un décor d'époque. TV P	$$$	AE DC MC V	●	■	●	26
São Miguel : *Bahia Palace* Água d'Alto, Vila Franco do Campo, 9680. *096-525 61.* FAX *096-526 15.* Fréquentés par des hommes d'affaires, ce complexe hôtelier est situé sur la côte sud. Installations sportives et salles de conférences. TV P	$$$$	AE DC MC V	●	■	●	101
Terceira : *Beira Mar* L. Miguel Corte-Real, Angra do Heroísmo, 9700. *095-251 88.* FAX *095-62 82 48.* Ce petit hôtel, qui domine le port, est bien placé pour découvrir le quartier de la vieille ville. TV	$$$	AE MC V	●	■	●	23
Terceira : *Quinta do Martelo* Canada do Martelo 24, A. do Heroísmo, 9700. *095-64 28 41.* FAX *095-64 28 41.* Les chambres de l'hôtel, situé en pleine campagne, sont ornées d'objets d'artisanat. Le restaurant propose des spécialités régionales. TV P	$$$	AE MC V	●	■	●	10
Terceira : *Quinta da Nasce-Água* Vinha Brava, Angra do Heroísmo, 9700. *095-62 85 01.* FAX *095-62 85 02.* Cette *quinta* somptueuse et moderne domine l'Angra do Heroísmo. Grands jardins, courts de tennis et mini-golf. TV P	$$$	AE MC V	●	■	●	13

Légende des symboles, voir rabat de couverture

Restaurants

Pour les Portugais, la dégustation des fruits de mer, des palourdes aux langoustes, et du poisson, des sardines au thon, de l'espadon au *bacalhau* (morue séchée), est un plaisir rare. Le long des plages s'alignent les restaurants servant les poissons frais du jour. Mais ce sont aussi des amateurs de viande ; goûtez au chevreau rôti ou au cochon de lait. La plupart des restaurants affichent des prix raisonnables et ne lésinent pas sur la quantité. Lisbonne et l'Algarve regorgent de petits restaurants bon marché aussi bien que de restaurants de type international. Les indications pratiques qui suivent sur les divers types de restaurants vous aideront à découvrir la gastronomie portugaise.

Enseigne avec un cochon de lait rôti, à Mealhada ***(p. 412)***

Serveur du Palácio de Seteais, près de Sintra ***(p. 409)***

Les différents types de restaurants

Il y en a de toutes sortes et à tous les prix. Parmi les plus raisonnables, la *tasca* (taverne), parfois une simple salle avec une demi-douzaine de tables. Ces établissements ont une clientèle de quartier, ce qui peut être un bon motif de choix. La *casa de pasto* propose un repas complet (entrée, plat, dessert) dans une vaste salle, alors que le restaurant classique offre une carte beaucoup plus variée. La *marisqueira,* qu'on trouve le long de la côte, est spécialisée dans le poisson frais et les fruits de mer. La *churrasqueira,* formule très populaire venue du Brésil, ne propose que de la viande rôtie à la broche. La *cervejaria,* quant à elle, est le lieu idéal pour consommer une bière ou un en-cas. En règle générale, les restaurants des hôtels sont de bonne qualité. Les *pousadas (p. 378-379)* constituent un réseau de restauration privilégiant les spécialités régionales.

Enseigne du Maria Rita ***(p. 415)***

L'intérieur somptueux de la Cozinha Velha, à Queluz ***(p. 407)***

L'heure des repas

Le déjeuner est servi entre 12 h et 14 h, et les restaurants sont alors bondés. Le dîner est servi entre 19 h et 22 h dans la plupart des endroits, mais parfois plus tard dans les grandes villes, notamment à Lisbonne et Porto, et en Algarve. Une autre solution pour souper en soirée consiste à combiner le dîner avec un spectacle dans une maison de fado *(p. 66-67),* ouverte de 22 h 30 à 3 ou 4 h du matin.

Réserver une table

Les bons restaurants sont souvent bondés ; il est donc recommandé de réserver, surtout en haute saison. Peu de restaurants sont équipés pour accueillir les personnes handicapées, mais si vous réservez à l'avance, on vous choisira une table d'accès facile.

Le menu

Certains restaurants, surtout dans les lieux touristiques, proposent un *ementa turística,* un menu à prix abordable qui est renouvelé tous les jours, café et boissons compris (un verre de vin, une bière ou une boisson non alcoolisée). Cette formule permet de faire un repas complet à un bon prix, sans surprise désagréable. L'*almoço* (déjeuner) comporte

Du Veau, spécialité régionale, chez Gabriela, à Sendim *(p. 415)*

deux plats : un plat de résistance, une entrée ou un dessert. Pour découvrir une spécialité régionale, tentez le *prato do dia* (plat du jour).

Les plats mijotés, comme les poissons en cocotte ou le *porco Alentejana* (porc aux palourdes), sont servis dans le plat, pour permettre aux clients de partager, comme c'est le cas avec un grand poisson, tel que le bar, vendu au poids. Un plat peut constituer le repas de deux personnes ; il faut alors commander une *meia dose* (demi-part). Attention ! Dès que vous choisissez une table, le serveur vous apporte un assortiment d'entrées (olives, fromages, beignets de morue, etc.). Non comprises dans le menu, ces entrées sont facturées en sus.

La cuisine végétarienne

Il existe peu de restaurants végétariens, mais vous n'aurez pas beaucoup de problèmes en puisant dans les menus : salades, soupes, fruits de saison, notamment le melon et la pastèque, fromages traditionnels accompagnés de pains délicieux.

Vins et boissons

Ne quittez pas le Portugal sans avoir dégusté ses deux plus célèbres vins : le porto *(p. 252-253)* et le madère *(p. 349)*. Découvrez les vins locaux, qui peuvent réserver d'agréables surprises, ou demandez la carte des vins et faites votre choix parmi les nombreux vins du pays *(p. 28-29)*. La Sagres et la Super Bock sont de bonnes bières et les eaux minérales sont appréciables ; elles se présentent *com gás* (pétillantes) ou *sem gás* (plates).

Dans un café au bord de la mer, à Póvoa de Varzim, dans le Minho

Cafés et pâtisseries

Les cafés jouent un rôle important dans la vie quotidienne, qu'il s'agisse de simples salles blanches et modernes ou, au contraire, de splendides établissements décorés de miroirs, où l'on peut s'asseoir et bavarder, ou encore rester des heures à lire le journal. Ils constituent de parfaits lieux de rendez-vous, où l'on peut grignoter un morceau. À toute heure de la journée, le café est le lieu idéal pour une pause. Ne manquez pas les *pastelarias* (pâtisseries), car les gâteaux sont excellents *(p. 147, 231 et 289)*.

Les prix

Dans tous les restaurants, on paie le couvert et il convient de laisser un pourboire de 10 % quand le service n'est pas compris. Vérifiez à l'avance si les cartes de crédit sont acceptées.

Les enfants

En dehors des restaurants chic, les enfants sont en général les bienvenus. D'ailleurs, on voit souvent des familles au complet déjeuner le week-end. Presque tous les restaurants servent des portions réduites.

Fumeurs/non-fumeurs

Fumer est autorisé dans les lieux publics, sauf en cas d'affichage d'un *Proíbido fumar*. Les zones non-fumeurs sont extrêmement rares dans les restaurants.

Déguster un café

Le café, boisson très appréciée au Portugal, est préparé de toutes sortes de façons. Le plus répandu est le petit café noir concentré, servi comme un « espresso » dans une petite tasse. À Lisbonne ou dans le sud du pays, commandez *uma bica* ; ailleurs, demandez tout simplement *um café*. Un café fort s'appelle *uma italiana* ; pour une version plus douce et parfumée, demandez *uma carioca*. *Uma meia de caleite* est un café au lait. Un café noisette s'appelle *um garoto escuro,* et *um garoto claro* est un crème. Demandez *um galão* si vous aimez votre café crème très blanc.

Uma bica *Um galão*

Choisir un restaurant

Les restaurants présentés ont été choisis, toutes catégories confondues, pour leur bon rapport qualité-prix, la qualité de leur cuisine ou l'attrait de leur emplacement. Les repères de couleur correspondent au code utilisé dans les chapitres consacrés aux différentes régions décrites dans le guide.

Lisbonne

Restaurant	Cartes bancaires	Service tardif	Tables en terrasse	Bonne carte des vins
Alcântara : *Espalha Brasas* $$$ Doca de Santo Amaro, Armazém 12. **Plan 3 A5.** *01-396 20 59.* La cuisine, légère, est servie dans une ambiance conviviale. Plats du jour et cocktails. Animation musicale l'été. *midi (août) ; dim.*	AE DC MC V	■	●	■
Alfama : *Hua-Ta-Li* $$ Rua dos Bacalhoeiros 109–115a. **Plan 7 C4.** *01-887 91 70.* Grand restaurant chinois situé près des docks. Plats classiques de riz et de nouilles. Service rapide et efficace.		■		
Alfama : *Lautasco* $$ Beco do Azinhal 7 (à la hauteur de rua de São Pedro). **Plan 8 E4.** *01-886 01 73.* Décor rustique de bois avec des lustres confectionnés à l'aide de roues de chariot. Le Lautasco sert une cuisine traditionnelle. *dim ; 20 déc.–15 janv.*	AE DC MC V	■	●	
Alfama : *Sol Nascente* $$ Rua de São Tomé 86. **Plan 8 D3.** *01-886 16 33.* Situé dans la rue principale, ce restaurant a une belle vue sur le Tage. Tentez le riz aux fruits de mer ou le porc aux palourdes. *lun.*	AE DC MC V	■	●	
Alfama : *Senhor Leitão do Arco da Conceição* $$ Rua dos Bacalhoeiros 4. **Plan 7 C4.** *01-886 98 60.* Comme son nom le suggère, ce restaurant séduisant, orné d'antiquités, est spécialisé dans la préparation du porcelet rôti. *dim.* *mar., jeu. et ven.*	AE MC V	■	●	
Alfama : *Gargalhada Geral* $$$ Costa do Castelo 7. **Plan 7 C3.** *01-886 14 10.* Ce restaurant avec bar, qui fait partie du complexe artistique du Chapitô *(p. 64)*, est animé. Cuisine imaginative. Belle vue sur le port. *dim.*	AE DC MC V	■	●	■
Alfama : *Casa do Leão* $$$$ Castelo de São Jorge. **Plan 8 D3.** *01-888 01 54.* Installé sous une aile du castelo de São Jorge, avec des voûtes de briques, ce restaurant propose un service impeccable et une cuisine traditionnelle. Prenez place à l'extérieur pour profiter de la vue. *mer.–ven.*	AE DC MC V		●	■
Alfama : *Faz Figura* $$$$ Rua do Paraíso 15b. **Plan 8 F2.** *01-886 89 81.* Un petit restaurant offrant, depuis la terrasse couverte, une vue panoramique sur le fleuve et la ville. Parmi les spécialités, les plats *cataplana (p. 288)* et les *picanhas* (grillades au feu de bois). *sam. midi ; dim.*	AE DC MC V		●	■
Almada : *Atira-te ao Rio* $$$ Cais do Jinjal 69–70. *01-275 13 80.* Allez contempler Lisbonne de l'autre côté du Tage en dégustant ses spécialités brésiliennes. Orchestre de samba ven. et sam. *lun.*		■	●	■
Bairro Alto : *Ali-A-Papa* $$$ Rua da Atalaia 95. **Plan 4 F2.** *01-347 21 16.* Ce restaurant nord-africain sert du couscous et des kebabs tout en proposant une bonne sélection de plats végétariens.	MC V	■		
Bairro Alto : *Bota Alta* $$$ Travessa da Queimada 37. **Plan 7 A3.** *01-342 79 59.* Les murs de ce restaurant attrayant sont décorés de peintures très originales. Le menu est composé de plats traditionnels portugais. *sam. midi ; dim.*	AE DC MC V			
Bairro Alto : *Casanostra* $$$ Travessa do Poço da Cidade 60. **Plan 7 A3.** *01-342 59 31.* Restaurant italien au décor vert, blanc et noir qui propose une carte de six pages de spécialités pour composer votre menu. *lun.*	AE DC MC V	■		

Prix moyens par personne pour un repas comprenant trois plats et une demi-bouteille de vin de la maison, taxes et service compris.

$ moins de 2 000$00
$$ 2 000–3 000$00
$$$ 3 000–4 500$00
$$$$ 4 500–6 000$00
$$$$$ plus de 6 000$00

Service tardif
La cuisine reste ouverte après 22 h, et on sert le plus souvent jusqu'à 23 h.

Tables en terrasse
Tables à l'extérieur, dans un jardin ou sur une terrasse, souvent avec une vue agréable.

Bonne carte des vins
Le restaurant propose un vaste choix de vins de qualité.

Cartes bancaires
Un symbole indique que les cartes American Express (AE), Diner's Club (DC), Master Card Access (MC), Visa (V) sont acceptées.

Restaurant	Cartes bancaires	Service tardif	Tables en terrasse	Bonne carte des vins
Bairro Alto : *El Último Tango* $$$ **Rua Diário de Notícias 62. Plan 7 A4.** *01-342 03 41.* Dans ce restaurant argentin, les grillades au feu de bois emportent les suffrages. Cocktails intéressants à découvrir. *dim. ; 2 sem. en juin ; 2 sem. en oct.*	MC V	■		■
Bairro Alto : *Canto do Camões* $$$$ **Travessa da Espera 38. Plan 7 A4.** *01-346 54 64.* Le décor d'*azulejos* représente des scènes de fado. Cuisine traditionnelle et internationale, d'une saveur plutôt scandinave. *dim. (nov.–mars).*	AE DC MC V	■		
Bairro Alto : *Massima Culpa* $$$$ **Rua da Atalaia 35–7. Plan 4 F2.** *01-342 01 21.* Restaurant au décor simple proposant un menu varié d'*antipasti* et de pâtes dans une ambiance italienne. *midi ; mer.*	AE DC MC V	■		■
Bairro Alto : *Pap'Açorda* $$$$$ **Rua da Atalaia 57. Plan 4 F2.** *01-346 48 11.* Ce restaurant, dont la salle est grande et claire, est renommé pour l'*açorda de mariscos* (plats de fruits de mer). Le menu est typiquement portugais. *lun. midi ; dim. ; 2 sem. en juil. ; 2 sem. en oct.*	AE DC MC V	■		■
Bairro Alto : *Tavares* $$$$$ **Rua da Misericórdia 37. Plan 7 A4.** *01-342 11 12.* Tavares, le plus ancien restaurant de Lisbonne (1784), maintient sa réputation avec des plats comme le blanc de perdreau, servi sur des toasts avec du foie gras, et ses filets de bar en gratin à la sauce crevette. *sam. ; dim. midi.*	AE DC MC V	■		■
Baixa : *Casa do Alentejo* $$ **Rua das Portas de Santo Antão 58. Plan 7 A2.** *01-346 92 31.* Ce restaurant est spécialisé dans la cuisine de l'Alentejo, comme l'*açorda alentejana* (panade à la coriandre). *1er–19 août.*				
Baixa : *Paris* $$ **Rua dos Sapateiros 126. Plan 7 B4.** *01-346 97 97.* Ouvert depuis un demi-siècle, le Paris propose une carte à la fois française et galicienne. Tentez le steak d'espadon ou le porc à l'alentenjana.	AE DC MC V			
Baixa : *Lagosta Real* $$$ **Rua das Portas de Santo Antão 37. Plan 7 A2.** *01-342 39 95.* Cassolettes de coquilles Saint-Jacques, langoustes, fruits de mer et poissons grillés sont les spécialités de la maison.	AE DC MC V	■	●	■
Baixa : *Ribadouro* $$$$ **Rua do Salitre 2–12. Plan 4 F1.** *01-354 94 11.* Très fréquenté, ce café-restaurant sert de magnifiques plateaux de coquillages.	AE DC MC V	■		■
Baixa : *Solar dos Presuntos* $$$$ **Rua das Portas de Santo Antão 150. Plan 7 A2.** *01-342 43 53.* À l'entrée, le séduisant étalage de poissons et de crustacés attire les clients. Des caricatures de footballeurs connus décorent les murs. *dim. ; 1 sem. en juin ; 1 sem. en oct.*	AE DC MC V	■		
Baixa : *Gambrinus* $$$$$ **Rua das Portas de Santo Antão 23–5. Plan 7 A2.** *01-342 14 66.* La cuisine est délicieuse et le service impeccable. La carte des vins affiche un grand choix de portos millésimés. *1er mai.*	AE DC MC V	■		■
Belém : *São Jerónimo* $$$$ **Rua dos Jerónimos 12. Plan 1 C4.** *01-364 87 97.* Ce restaurant, élégant et spacieux, décoré dans le style des années 30, propose une carte française et portugaise comprenant de la raie à la sauce de pêche et du canard aux noix dans une sauce à base de vin. *sam. midi ; dim.*	AE DC MC V			■

Prix moyens par personne pour un repas comprenant trois plats et une demi-bouteille de vin de la maison, taxes et service compris.

$ moins de 2 000$00
$$ 2 000–3 000$00
$$$ 3 000–4 500$00
$$$$ 4 500–6 000$00
$$$$$ plus de 6 000$00

SERVICE TARDIF
La cuisine reste ouverte après 22 h, et on sert le plus souvent jusqu'à 23 h.

TABLES EN TERRASSE
Tables à l'extérieur, dans un jardin ou sur une terrasse, souvent avec une vue agréable.

BONNE CARTE DES VINS
Le restaurant propose un vaste choix de vins de qualité.

CARTES BANCAIRES
Un symbole indique que les cartes American Express (AE), Diner's Club (DC), Master Card Access (MC), Visa (V) sont acceptées.

Restaurant	Prix	Cartes bancaires	Service tardif	Tables en terrasse	Bonne carte des vins
BELÉM : *Vela Latina* Doca do Bom Sucesso. **Plan 1 B5.** *01-301 71 18.* Ce restaurant au bord de l'eau, dispose d'un bar et d'une terrasse donnant sur la Torre de Belém. La spécialité de la maison est le *cataplana rica do mar* (poêlée de fruits de mer). ● *dim.*	$$$$	AE DC MC V	■	●	■
BELÉM : *O Nobre* Rua das Mercês 71a–b. **Plan 2 D3.** *01-362 21 06.* Sur la route de Belém, ce restaurant propose une carte variée : soupe de crabe, gibier en civet, porc rôti aux raisins. ● *sam. ; dim. midi.*	$$$$$	AE MC V	■		■
CAMPO PEQUENO : *Chimarrão* Campo Pequeno 79. **Plan 5 C1.** *01-793 97 60.* Ce restaurant brésilien est spécialisé dans les viandes grillées servies à *rodízio* (à volonté), accompagnées de salade et de haricots noirs.	$$$$	AE DC MC V	■		■
CAMPO PEQUENO : *António Clara – Clube dos Empresários* Avenida da República 38. **Plan 5 C1.** *01-796 63 80.* Les petites salles de ce restaurant faisaient partie autrefois des appartements d'un bel hôtel particulier. La carte propose plutôt une cuisine française. ● *dim.*	$$$$$	AE DC MC V			■
CHIADO : *Tágide* Largo da Academia Nacional de Belas Artes 18–20. **Plan 7 B5.** *01-342 07 20.* Cet élégant restaurant offre une vue superbe sur le Tage et des plats délicieux, comme le saumon mariné, le poulpe cuit dans une sauce au vin rouge ou le perdreau à la sauce au porto. ● *sam. midi ; dim.*	$$$$$	AE DC MC V			■
ENTRECAMPOS : *A Gondôla* Avenida de Berna 64. **Plan 5 B2.** *01-797 04 26.* Ce restaurant propose un large choix de plats, tels que la truite farcie ou le porc rôti, ainsi que des spécialités italiennes. ● *sam. soir ; dim.*	$$$	MC V		●	■
ESTEFÂNIA : *Espiral* Praça da Ilha do Faial 14a–b. **Plan 6 D3.** *01-357 35 85.* Installé dans un patio, ce restaurant végétarien propose un menu riche et varié, des fruits frais pressés et des vins artisanaux. ● *1er janv. ; 1er mai.* *ven. et sam.*	$	AE DC MC V			
ESTEFÂNIA : *Clara Restaurante* Campo dos Mártires da Pátria 49. **Plan 6 D5.** *01-885 30 53.* Restaurant spacieux et luxueux installé dans un hôtel particulier, au sol vert carrelé, entouré d'un jardin en terrasse avec une fontaine. La carte, excellente, est essentiellement française. ● *sam. midi ; dim. ; 1er–15 août.*	$$$$$	AE DC MC V	■	●	■
ESTRELA : *Xêlê Bananas* Praça das Flores 29. **Plan 4 E2.** *01-395 25 15.* Situé près du Parlement, ce restaurant au décor tropical de palmiers et de bananiers artificiels propose des combinaisons originales : morue aux bananes, *cherne* (mérou) aux pommes ou porc rôti aux nectarines. ● *sam. midi ; dim.*	$$$	AE DC MC V	■		■
ESTRELA : *Conventual* Praça das Flores 45. **Plan 4 E2.** *01-60 91 96.* La carte est assez tentante avec ses petites anguilles frites et sa langue de bœuf à la sauce à l'œuf. Beau décor. ● *sam. midi ; dim.*	$$$$	AE DC MC V	■		■
GRAÇA : *Via Graça* Rua Damasceno Monteiro 9b. **Plan 8 D1.** *01-887 08 30.* La vue sur le castelo de São Jorge et la Baixa est magnifique. La cuisine portugaise, traditionnelle, est bien présentée. ● *sam. midi ; dim.*	$$$	AE DC MC V	■		■
LAPA : *Café d'Arte* Rua das Janelas Verdes, Museu de Arte Antiga. **Plan 4 D4.** *01-396 41 51.* Une bonne occasion de combiner la visite du musée avec un repas servi dans un décor superbe au bord du fleuve. ● *midi (juin–août) ; lun. ; mar.*	$	MC V		●	

Lapa : *Picanha* — $$$
Rua das Janelas Verdes 96. **Plan 4 D4.** *01-397 54 01.*
Ce restaurant ne sert que des *picanhas* (grillades au feu de bois) accompagnées de pommes de terre, riz, salade ou haricots. *sam. ; dim. midi.*
| | | | ■ |

Lapa : *Restaurante Virtual* — $$$
Rua da Esperança 100. **Plan 4 E3.** *01-397 64 51.*
Situé dans une petite rue calme, le Virtual a du style. La carte, abordable, propose suprême de canard, lotte et crevettes à l'ail. *sam. ; dim.*
| AE DC MC V | ■ | | ■ |

Lapa : *Sua Excelência o Conde* — $$$$
Rua do Conde 34. **Plan 4 D3.** *01-60 36 14.*
Le patron peut réciter son menu en cinq langues. Plats portugais classiques servis dans une atmosphère décontractée. *sam. et dim. midi ; mer. ; sept.*
| AE MC V | ■ | ● | ■ |

Lapa : *York House* — $$$$
Rua das Janelas Verdes 32. **Plan 4 D4.** *01-396 24 35.*
Ce charmant hôtel-restaurant, aux murs couverts d'*azulejos*, propose des menus variés. Profitez de la terrasse, couverte de fleurs, à l'ombre d'un palmier.
| AE DC MC V | | ● | ■ |

Lapa : *Embaixada Restaurant* — $$$$$
Hotel da Lapa, Rua do Pau da Bandeira 4. **Plan 3 C3.** *01-395 00 05.*
Le restaurant est aussi raffiné que l'hôtel dont il fait partie. Il propose un buffet à midi et le dimanche un brunch ou le *cozido* (pot-au-feu).
| AE DC MC V | | | ■ |

Rato : *Os Tibetanos* — $$
Rua do Salitre 117. **Plan 4 F1.** *01-314 20 38.*
Installé dans un centre bouddhiste tibétain, ce restaurant végétarien a beaucoup de caractère. Menu tibétain délicieux et bon marché. *dim.*
| AE MC V | | ● | |

Rato : *Casa da Comida* — $$$$$
Travessa das Amoreiras 1. **Plan 5 B5.** *01-388 53 76.*
Ce restaurant raffiné possède un charmant patio. Le menu, exquis, comprend notamment caviar, chèvre, canard et faisan. *sam. midi ; dim.*
| AE DC MC V | ■ | ● | ■ |

Rotunda : *Restaurante 33A* — $$$$
Rua Alexandre Herculano 33. **Plan 5 C5.** *01-354 60 79.*
Le 33A dispose d'un petit salon, dont le décor rustique contribue à créer une ambiance campagnarde. Cuisine traditionnelle. *sam. midi ; dim.*
| AE DC MC V | ■ | ● | ■ |

Rotunda : *Pabe* — $$$$$
Rua do Duque de Palmela 27a. **Plan 5 C5.** *01-353 74 84.*
Le Pabe, avec sa façade à colombage, dégage une atmosphère médiévale accentuée par les poutres et les tables de cuivre. Bonnes grillades.
| AE DC MC V | ■ | | ■ |

Rotunda : *O Terraço* — $$$$$
Hotel Tivoli Lisboa, Avenida da Liberdade 185. **Plan 4 F1.** *01-353 01 81.*
Vous apprécierez ce restaurant qui sert à midi un menu spécial et original, renouvelé tous les jours, et une cuisine internationale le soir.
| AE DC MC V | ■ | ● | ■ |

Saldanha : *António* — $$
Rua Tomás Ribeiro 63. **Plan 5 C3.** *01-353 87 80.*
Ce restaurant est une bonne halte pour le déjeuner. La cuisine est sans prétention, et le menu affiche steak frites ou poulet rôti. *le soir ; dim.*
| MC V | | ● | |

Olaias : *Navegadores* — $$$
Altis Park Hotel, Avenida Engenheiro Arantes e Oliveira. *01-846 08 66.*
Situé au nord-est du centre-ville, ce restaurant sert un superbe buffet — salades, poissons fumés ou spécialités portugaises — à un prix raisonnable.
| AE DC MC V | | | ■ |

Saldanha : *O Polícia* — $$$
Rua Marquês Sá da Bandeira 112a. **Plan 5 B3.** *01-796 35 05.*
Ce restaurant agréable tire son nom du père du propriétaire, qui était policier. Le menu change tous les jours. Bar attrayant. *sam. soir ; dim.*
| MC V | | | |

Saldanha : *Café Creme* — $$$$
Avenida Conde de Valbom 52a. **Plan 5 B2.** *01-796 43 60.*
Attrayant, ouvert et aéré, le Café Creme propose un grand choix de pâtes, salades, morue, bœuf et plats grillés. *sam. midi ; dim.*
| AE DC MC V | ■ | | ■ |

Xabregas : *D'Avis* — $$$
Rua do Grilo 98. *01-868 13 54.*
Parmi les spécialités, goûtez la morue à la coriandre, les *migas* (côtelettes de porc dans une panade). *dim ; 2 sem. en août.*
| DC MC V | ■ | | ■ |

Légende des symboles, voir rabat de couverture

Prix moyens par personne pour un repas comprenant trois plats et une demi-bouteille de vin de la maison, taxes et service compris.

$ moins de 2 000$00
$$ 2 000–3 000$00
$$$ 3 000–4 500$00
$$$$ 4 500–6 000$00
$$$$$ plus de 6 000$00

Service tardif
La cuisine reste ouverte après 22 h, et on sert le plus souvent jusqu'à 23 h.

Tables en terrasse
Tables à l'extérieur, dans un jardin ou sur une terrasse, souvent avec une vue agréable.

Bonne carte des vins
Le restaurant propose un vaste choix de vins de qualité.

Cartes bancaires
Un symbole indique que les cartes American Express (AE), Diner's Club (DC), Master Card Access (MC), Visa (V) sont acceptées.

Le littoral de Lisbonne

	Cartes bancaires	Service tardif	Tables en terrasse	Bonne carte des vins
Cascais : *Dom Manolo* $ Avenida Marginal 11. **Carte routière** B5. *01-483 11 26.* Goûtez la spécialité de la maison : le *frango no churrasco* (poulet à la broche). Les *pastéis de bacalhau* (beignets de morue) sont divins. *janv.*		■	●	
Cascais : *O Dragão* $$ Rua Frederico Arouca 72. **Carte routière** B5. *01-486 86 31.* Ce restaurant chinois propose poulet aux amandes, bœuf chop-souy, et porc à la sauce aigre-douce. Vue sur la mer. *lun. ; 2 sem. en nov.*	AE DC MC V			
Cascais : *Estrela da India* $$ Rua Freitas Reis 15b. **Carte routière** B5. *01-484 65 40.* Restaurant indien sans prétention, à l'écart du front de mer, il propose divers plats végétariens et des plats à emporter. *lun.*	MC V		●	
Cascais : *Casa Velha* $$$ Avenida Valbom 1. **Carte routière** B5. *01-483 25 86.* Dans un décor marin avec un bateau au centre de la salle, la Casa Velha a toujours une table réservée pour le président. Menu régional. *mer.*	AE DC MC V	■	●	■
Cascais : *Novomar* $$$ Beco Torto 1. **Carte routière** B5. *01-484 42 96.* Grand choix de poissons et de crustacés. Demandez les spécialités : *cataplana à moda de Cascais* (poêlée de poissons et crustacés cuits dans leur jus), *caldeirada à Novomar* (sorte de bouillabaisse maison). *mer. (oct.–mars).*	AE DC MC V	■	●	■
Cascais : *Reijos* $$$ Rua Frederico Arouca 35. **Carte routière** B5. *01-483 03 11.* Dans une rue commerçante animée, le Reijos propose un grand choix de poissons grillés et de fruits de mer. On peut aussi goûter le jambon fumé, le rôti de bœuf ou les côtelettes de porc aux champignons à la crème. *dim. ; déc.*	AE DC MC V	■	●	■
Cascais : *Eduardo's* $$$$ Largo das Grutas 3. **Carte routière** B5. *01-483 19 01.* Situé dans un coin tranquille, Eduardo's sert un menu mi-belge, mi-portugais, dont plusieurs plats flambés. *mer.*	AE MC V	■	●	■
Cascais : *O Pescador* $$$$$ Rua das Flores 10b. **Carte routière** B5. *01-484 60 37.* Un restaurant de bord de mer connu, décoré de vieux bateaux, de filets et des photos des personnalités qui l'ont fréquenté. Spécialités de poissons. *dim.*	AE MC V	■	●	■
Ericeira : *O Barco* $$$ Rua Capitão João Lopes 14. **Carte routière** B5. *061-627 59.* Parmi les spécialités de la mer, goûtez la *feijoada de marisco* (coquillages aux haricots) et les fruits de mer au curry. Très jolie vue. *jeu. ; déc.*	AE MC V			■
Estoril : *Pinto's* $$ Arcadas do Parque 18b. **Carte routière** B5. *01-468 72 47.* À proximité de l'hôtel Palácio, le Pinto est à la fois un bar, une cafétéria et un restaurant. Il sert des pizzas, ainsi qu'une grande variété de fruits de mer.	AE DC MC V	■	●	
Estoril : *Four Seasons* $$$$$ Hotel Palácio Estoril, Rua do Parque. **Carte routière** B5. *01-468 04 00.* Restaurant luxueux avec poutres apparentes et sièges de cuir. Goûtez à ses gambas flambées au pernod ou à la sauce hollandaise.	AE DC MC V			■
Guincho : *Estalagem Muchaxo* $$$$ Praia do Guincho. **Carte routière** B5. *01-487 02 21.* Dominant Cabo da Roca, le Muchaxo est un restaurant de fruits de mer. La spécialité est le homard à la sauce tomate, crème et porto. *sam. et dim.*	AE DC MC V			■

GUINCHO : *Porto de Santa Maria* $$$$$
Estrada do Guincho. **Carte routière B5.** ☎ *01-487 02 40.*
On peut composer son menu en faisant son choix dans l'aquarium ou sur l'étal de marbre où sont présentés les plus beaux spécimens. ● *lun.* ▤ ♿
AE MC DC V

MONTE ESTORIL : *O Sinaleiro* $
Avenida de Sabóia 595. **Carte routière B5.** ☎ *01-468 54 39.*
Excellente cuisine appréciée par les habitués du coin. Essayez les *escalopes à Zíngara* (à la sauce madère). ● *mer. ; 2 sem. en avr. et oct.* ♿
AE MC V

MONTE ESTORIL : *O Festival* $$$$
Avenida de Sabóia 515d. **Carte routière B5.** ☎ *01-468 85 63.*
La cuisine est excellente. Laissez-vous tenter par le canard à l'orange ou la matelote. ● *lun. ; mar. midi ; janv.* ▤ ♿
MC V

PAÇO D'ARCOS : *La Cocagne* $$$$
Avenida Marginal (Curva dos Pinheiros). **Carte routière B5.** ☎ *01-441 42 31.*
La Cocagne a un décor raffiné et offre une vue grandiose sur l'océan. Le service est impeccable et les plats, surtout français, sont délicieux. ▤ ♿
AE DC MC V

PALMELA : *Pousada de Palmela* $$$
Pousada de Palmela, Castelo de Palmela. **Carte routière C5.** ☎ *01-235 12 26.*
Ce restaurant, installé dans le réfectoire d'un monastère du XVe siècle, propose des plats délicieux, comme la truite farcie. ▤ ♫ *ven. et sam.* ♿
AE DC MC V

PORTINHO DA ARRÁBIDA : *Beira-Mar* $$$
Portinho da Arrábida. **Carte routière C5.** ☎ *01-218 05 44.*
Régalez-vous avec l'*arroz de tamboril* (riz à la lotte) ou *de marisco* (riz aux fruits de mer), dans un cadre somptueux. ● *mer. (oct.–mars) ; 15 déc.–15 janv.* ♿
AE DC MC V

QUELUZ : *Cozinha Velha* $$$$$
Largo Palácio Nacional de Queluz. **Carte routière B5.** ☎ *01-435 07 40.*
Occupant les cuisines du palais royal de Queluz, ce restaurant est connu pour ses plats traditionnels, comme le porc aux palourdes. ▤ ♫ ♿
AE DC MC V

SESIMBRA : *Ribamar* $$
Avenida dos Náufragos 29. **Carte routière C5.** ☎ *01-223 48 53.*
Situé au bord de la mer, le Ribamar offre une vue magnifique. Il propose des spécialités originales comme le poisson aux algues ou le velouté d'oursins. ▤ ♿
AE MC V

SETÚBAL : *Copa d'Ouro* $$
Rua João Soveral 12. **Carte routière C5.** ☎ *065-52 37 55.*
Le menu de poissons est grandiose : *caldeirada à setubalense* (bouillabaisse) ou *cataplana de cherne* (poêlée de mérou cuit dans son jus). ● *mar. ; sept.* ▤
AE MC V

SETÚBAL : *Pousada de São Filipe* $$$
Pousada de São Filipe, Castelo de São Filipe. **Carte routière C5.** ☎ *01-848 46 02.*
Le restaurant fait partie de la *pousada* qui domine Setubal. Parmi les spécialités, goûtez le velouté de potiron ou les filets de porc aux aromates. ▤
AE DC MC V

SINTRA : *Tulhas Bar* $$
Rua Gil Vicente 4–6. **Carte routière B5.** ☎ *01-923 23 78.*
Ce restaurant rustique, égayé par des *azulejos* jaune et bleu, sert une délicieuse cuisine, dont des escalopes de veau à la sauce madère. ● *mer.* ▤
AE DC MC V

SINTRA : *Solar de São Pedro* $$$
Praça Dom Fernando II 12, São Pedro de Sintra. **Carte routière B5.** ☎ *01-923 18 60.*
Goûtez les spécialités françaises et portugaises : crêpes aux langoustines ou *açorda de marisco* (panade à la coriandre et aux fruits de mer). ● *mer.* ▤ ♿
AE MC V

SINTRA : *Panorâmico* $$$$
Hotel Tivoli Sintra, Praça da República. **Carte routière B5.** ☎ *01-923 35 05.*
Dominant la vallée verdoyante de Sintra, ce restaurant sert un plat du jour différent chaque soir, et dispose d'un menu. ▤ ♿
AE DC MC V

SINTRA : *Restaurante Palácio de Seteais* $$$$$
Avenida Barbosa du Bocage 8, Seteais. **Carte routière B5.** ☎ *01-923 32 00.*
Aménagé dans un palais du XVIIIe siècle transformé en hôtel, ce restaurant propose un menu international et portugais, renouvelé quotidiennement. ▤ ♫ ♿
AE DC MC V

VILA FRESCA DE AZEITÃO : *Oh Manel!* $$
Largo Dr Teixeira 6a. **Carte routière C5.** ☎ *01-219 03 36.*
Restaurant tenu par une famille avec un bon rapport qualité-prix. Les spécialités sont le cabillaud à la crème et la *feijoada de gambas*. ● *dim. ; oct.* ▤
MC V

Légende des symboles, voir rabat de couverture

Prix moyens par personne pour un repas comprenant trois plats et une demi-bouteille de vin de la maison, taxes et service compris.

- $ moins de 2 000$00
- $$ 2 000–3 000$00
- $$$ 3 000–4 500$00
- $$$$ 4 500–6 000$00
- $$$$$ plus de 6 000$00

SERVICE TARDIF
La cuisine reste ouverte après 22 h, et on sert le plus souvent jusqu'à 23 h.

TABLES EN TERRASSE
Tables à l'extérieur, dans un jardin ou sur une terrasse, souvent avec une vue agréable.

BONNE CARTE DES VINS
Le restaurant propose un vaste choix de vins de qualité.

CARTES BANCAIRES
Un symbole indique que les cartes American Express (AE), Diner's Club (DC), Master Card Access (MC), Visa (V) sont acceptées.

L'ESTREMADURA ET LE RIBATEJO

Restaurant	Cartes bancaires	Service tardif	Tables en terrasse	Bonne carte des vins
ABRANTES : *O Pelicano* $$ Rua Nossa Senhora da Conceição 1. **Carte routière C4.** ☎ *041-223 17.* O Pelicano propose une cuisine régionale, en particulier les *migas con entrecosto* (côtelettes de porc dans une panade). Bon rapport qualité-prix. ▤	MC V	■	●	■
ALCOBAÇA : *Trindade* $$ Praça Dom Afonso Henriques 22. **Carte routière C4.** ☎ *062-423 97.* Laissez-vous tenter par les spécialités : sole meunière et *frango na púcara* (poulet cuit dans un plat de terre). ● *3 sem. en nov.* ▤	AE MC V	■	●	■
ALMEIRIM : *Toucinho* $$$ Rua Timor 20. **Carte routière C4.** ☎ *043-522 37.* Ce restaurant familial est réputé pour sa cuisine du terroir. Goûtez au pain fait maison et à la véritable *sopa de pedra (p. 146).* ● *jeu. ; août.* ▤ ♿				■
BARRAGEM DO CASTELO DE BODE : *São Pedro* $$$ Pousada de São Pedro. **Carte routière C4.** ☎ *049-38 11 59.* Installé dans une *pousada* des années 50, le São Pedro sert une cuisine régionale, notamment le chevreau braisé aux haricots blancs. ▤	AE DC MC V			■
BATALHA : *Mestre Afonso Domingues* $$$$ Largo Mestre Afonso Domingues. **Carte routière C4.** ☎ *044-962 60.* Situé dans une *pousada* qui porte le nom de l'architecte du monastère avoisinant, ce restaurant propose une cuisine du terroir : porc frit aux fanes de navets. ▤	AE DC MC V		●	■
CALDAS DA RAINHA : *Pateo da Rainha* $$ Rua Camões 39. **Carte routière B4.** ☎ *062-356 58.* Placé sur la route principale, ce restaurant au décor de bois et de cuir sert des viandes grillées, des poissons frais, notamment de la lotte. ● *lun.* ▤	AE DC MC V	■		■
CALDAS DA RAINHA : *A Lareira* $$$ Rua da Lareira, Alto do Nobre. **Carte routière B4.** ☎ *062-234 32.* Caché dans une pinède, ce restaurant concocte des plats traditionnels, comme l'*ensopado de enguias* (ragoût d'anguilles) et les *perdizes à Lareira* (perdrix aux châtaignes, aux fruits et aux légumes), ainsi que des desserts maison. ▤ ♿	MC V	■		■
FÁTIMA : *Dom Gonçalo* $$$ Rua Jacinta Marto 100. **Carte routière C4.** ☎ *049-53 30 62.* Le Dom Gonçalo fait partie d'un charmant hôtel, situé près du sanctuaire. Sa spécialité est le filet de poisson accompagné de riz aux crevettes. ▤ ♿	AE DC MC V			■
FÁTIMA : *Tia Alice* $$$$ Rua do Adro. **Carte routière C4.** ☎ *049-53 17 37.* Un des meilleurs restaurants de la région. Les spécialités sont le riz Trás-os-Montes et le riz au canard ; le service est remarquable. ● *lun. ; dim. soir ; juil.* ▤	AE MC V			■
LEIRIA : *Tromba Rija* $$$$$ Rua Professores Portelas 22, Marrazes. **Carte routière C4.** ☎ *044-85 50 72.* Ce restaurant renommé sert des entrées délicieuses. Parmi les plats, on relève les *ovos verdes* (spécialité à base d'œufs) et, en hiver, la *sopa de pedra* (soupe de haricots). ● *lun. midi ; dim. ; 8–31 août.* ♫ *ven. et sam.*	AE DC MC V	■		■
NAZARÉ : *Beira-Mar* $$ Avenida da República 40. **Carte routière C4.** ☎ *062-56 13 58.* Le Beira-Mar propose, entre autres spécialités, la *parrilhada de mariscos* (poissons grillés au beurre d'ail et au citron). ● *déc.–fév.* ♿	AE DC MC V		●	■
ÓBIDOS : *O Alcaide* $$ Rua Direita. **Carte routière B4.** ☎ *062-95 92 20.* Dans un décor rustique, goûtez au *coelho à Alcaide* (civet de lièvre) ou au *bacalhau à Alcaide.* ● *lun. ; nov.*	AE DC MC V		●	■

Óbidos : *Castelo* $$$$

Paço Real. **Carte routière B4.** *062-95 91 05.*

Le Castelo fait partie d'une *pousada* installée dans un château. Les plats sont délicieux, en particulier le jambon fumé aux asperges, le chevreau rôti et le *trouxas de ovos* (rouleaux sucrés aux œufs).

AE DC MC V

Peniche : *Estelas* $$$$

Rua Arquitecto Paulino Montês 21. **Carte routière B4.** *062–78 24 35.*

Estelas propose une grande variété de poissons et de viandes. Essayez la salade de poulpes ou les brochettes de lotte. *mer. ; 2 sem. en sept.*

AE MC V

Peniche : *Marisqueira Cortiçais* $$$$

Porto d'Areia Sul. **Carte routière B4.** *062-78 72 62.*

Fréquenté par les Portugais, ce restaurant donne sur la mer. Il est spécialisé dans les plats de poissons et les crustacés. *mer. (sept.–juin) ; 2 sem. en sept.*

AE DC MC V

Santarém : *Central* $$

Rua Guilherme de Azevedo 32. **Carte routière C4.** *043-223 03.*

Ce restaurant Art déco, ouvert depuis 1933, est surtout fréquenté par une clientèle du coin. Tentez le *bife à Central* (steak à la sauce moutarde). *dim.*

AE MC V

Santarém : *Mal Cozinhado* $$

Campo Emílio Infante da Câmara. **Carte routière C4.** *043-235 84.*

Parmi les spécialités, goûtez le *bacalhau com magusto* (morue au bouillon de viande et de légumes). *dim. (juil.–août).*

AE DC MC V

São Martinho do Porto : *A Casa* $$$

Avenida Marginal, Casa Azul. **Carte routière B4.** *062-98 96 33.*

Ce restaurant de poissons et de fruits de mer est situé dans une ravissante station balnéaire offrant une belle vue sur la baie.

AE DC MC V

Tomar : *A Bela Vista* $$

Fonte do Choupo 3–6. **Carte routière C4.** *049-31 28 70.*

Découvrez les spécialités, notamment le chevreau rôti et la *caldeirada* (sorte de matelote). Belle vue sur la rivière et le château. *lun. soir ; mar. ; nov.*

Tomar : *Calça Perra* $$$

Rua Pedro Dias 59. **Carte routière C4.** *049-32 16 16.*

Restaurant charmant situé dans le quartier historique de la ville. Parmi les spécialités, goûtez les grillades et le riz au canard. *mar.*

MC V

Torres Vedras : *O Pátio do Faustino* $

Largo do Choupal. **Carte routière B5.** *061-243 46.*

Ce restaurant rustique, décoré de meubles anciens et d'amphores romaines, sert essentiellement du poisson grillé. Atmosphère sympathique. *dim. soir.*

Vila Franca de Xira : *O Redondel* $$$

Praça de Touros Palha Blanco. **Carte routière C5.** *063-229 73.*

Le haut plafond voûté donne à ce restaurant une élégance particulière. Cuisine traditionnelle du Ribatejo, dont l'*açorda de sável* (panade d'alose). On peut commander à l'avance des plats végétariens. *lun.*

AE DC MC V

Les Beiras

Almeida : *A Tertúlia* $

Bairro de São Pedro. **Carte routière E2.** *071-542 84.*

Parmi les spécialités, délicieuses, goûtez le *bacalhau à Tertúlia* (morue aux pommes de terre et oignons) ou le chevreau en daube. *ven.*

Almeida : *Senhora das Neves* $$$

Pousada da Senhora das Neves. **Carte routière E2.** *071-542 83.*

Ce restaurant fait partie de la *pousada* du fort d'Almeida. Au menu, morue revenue à l'huile d'olive et chevreau rôti, entre autres.

AE DC MC V

Aveiro : *Marisqueira O Mercantel* $$

Rua António Santos Lé 16. **Carte routière C3.** *034-280 57.*

Propose des spécialités de poisson et de crustacés, mais aussi quelques plats de viande. Vue romantique sur le canal. *lun.*

AE MC V

Aveiro : *Cozinha do Rei* $$$

Rua Doutor Manuel Neves 66. **Carte routière C3.** *034-268 02.*

Une des meilleures tables d'Aveiro. Il vaut mieux réserver à l'avance. La carte comprend, entre autres, du loup rôti et les *ovos moles* d'Aveiro (sorte de dessert de jaunes d'œufs, cuits dans un sirop).

MC V

Prix moyens par personne pour un repas comprenant trois plats et une demi-bouteille de vin de la maison, taxes et service compris.

- $ moins de 2 000$00
- $$ 2 000–3 000$00
- $$$ 3 000–4 500$00
- $$$$ 4 500–6 000$00
- $$$$$ plus de 6 000$00

Service tardif
La cuisine reste ouverte après 22 h, et on sert le plus souvent jusqu'à 23 h.

Tables en terrasse
Tables à l'extérieur, dans un jardin ou sur une terrasse, souvent avec une vue agréable.

Bonne carte des vins
Le restaurant propose un vaste choix de vins de qualité.

Cartes bancaires
Un symbole indique que les cartes American Express (AE), Diner's Club (DC), Master Card Access (MC), Visa (V) sont acceptées.

Restaurant	Cartes bancaires	Service tardif	Tables en terrasse	Bonne carte des vins
Buçaco : *Palace Hotel do Buçaco* $$$$$ Palace Hotel do Buçaco. **Carte routière C3.** ☎ *031-93 01 02.* Le décor manuélin de la salle à manger est incroyable et le balcon ouvragé unique *(p. 210)*. La carte comporte du cabillaud au gratin et du cochon de lait rôti de Barriada. Les fameux vins de Buçaco sont mis en bouteille ici. ▤ ♿	AE DC MC V		●	■
Caramulo : *São Jerónimo* $$$ Pousada de São Jerónimo, N230. **Carte routière C3.** ☎ *032-86 12 91.* Situé dans une petite *pousada* au sud de Caramulo, le São Jerónimo propose des plats consistants comme le ragoût de chevreau ou le poulpe grillé. ▤ ♿	AE DC MC V			■
Castelo Branco : *Praça Velha* $$$$$ Praça Luís de Camões 17. **Carte routière D4.** ☎ *072-32 86 40.* Ancien grenier de la vieille ville transformé par des architectes et des décorateurs, le Praça Velha propose une cuisine ambitieuse qui allie la tradition à la créativité dans ses plats de viande ou de poisson. ● *lun.*	AE DC MC V		●	■
Coimbra : *Adega Paço do Conde* $ Rua Paço do Conde 1. **Carte routière C3.** ☎ *039-256 05.* Ce restaurant bon marché a beaucoup de charme. Presque tout — viandes, volaille, poissons et encornets — est cuit à la broche. ● *dim.* ▤ ♿	DC MC V		●	
Coimbra : *Democrática* $ Travessa Rua Nova 5. **Carte routière C3.** ☎ *039-237 84.* Difficile à dénicher, ce restaurant mérite le détour. La salle du fond, garnie de longs bancs, est très appréciée des étudiants. Sa spécialité est l'*arroz de polvo* (riz aux poulpes). On sert aussi longtemps qu'il y a des clients. ● *dim.* ♿	AE DC MC V	■		
Coimbra : *L'Amphitryon* $$$ Avenida Emídio Navarro 21. **Carte routière C3.** ☎ *039-220 55.* L'Amphitryon installé dans la salle à manger circulaire, au décor des années 20, de l'hôtel Astória. Spécialités françaises et portugaises. ▤ ♿	AE DC MC V	■	●	■
Coimbra : *O Trovador* $$$ Largo da Sé Velha 15–17. **Carte routière C3.** ☎ *039-254 75.* Situé dans le quartier historique, le Trovador propose des plats régionaux, comme le *chanfana* (ragoût de chèvre dans une sauce au vin). ● *dim.* ▤ ♿	MC V	■		■
Condeixa-a-Nova : *Santa Cristina* $$$ Rua Francisco de Lemos. **Carte routière C3.** ☎ *039-94 40 25.* Ce restaurant se trouve dans une *pousada* bien située ; idéal pour visiter les ruines de Conimbriga. Parmi les spécialités : chevreau aux fanes de navets, seiches aux haricots et poulet rôti à la sauce au poivre. ▤ ♿	AE DC MC V		●	■
Guarda : *O Telheiro* $$$ N16. **Carte routière D3.** ☎ *071-21 13 56.* Situé dans un parc national, à 1,5 km au nord de Guarda, O Telheiro est spécialisé dans les plats grillés. ▤ ♿	AE DC MC V		●	■
Luso : *O Cesteiro* $ Rua José Duarte Figueiredo. **Carte routière C3.** ☎ *031-93 93 60.* Le Cesteiro sert une cuisine du terroir : *chanfana* (ragoût de chèvre au vin), cochon de lait rôti ou cabillaud. Décor agréable. ▤ ♿	MC V		●	■
Manteigas : *São Lourenço* $$$$ N232, Penhas Douradas. **Carte routière D3.** ☎ *075-98 24 50.* Situé dans une *pousada* perchée dans la Serra da Estrela, le São Lourenço propose des spécialités, dont la soupe aux choux et haricots rouges. ▤	AE DC MC V			■
Mealhada : *Pedro dos Leitões* $$$ N1, Sernadelo. **Carte routière C3.** ☎ *031-220 62.* Une halte commode pour les voyageurs. La spécialité ici est le *leitão* (cochon de lait rôti) cuit dans un four au feu de bois et servi avec des frites. ● *lun.* ▤ ♿	AE MC V	■		■

MONSANTO : *Monsanto* $$$
Pousada de Monsanto, Rua da Capela. **Carte routière** E3. *077-344 71.*
Le Monsanto sert des plats régionaux comme la soupe de fèves à la coriandre, les calmars en sauce ou le lapin au riz.
AE DC MC V

MONTEMOR-O-VELHO : *Ramalhão* $$$
Rua Tenente Valadim 24. **Carte routière** C3. *039-68 94 35.*
Dînez dans ce manoir du XVIe siècle, et laissez-vous tenter par une *ensopado de engulas* (ragoût d'anguilles). *dim. soir, lun. ; oct.*
MC V

OLIVEIRA DO HOSPITAL : *Pousada Santa Bárbara* $$$
Pousada de Santa Bárbara, Póvoa das Quartas. **Carte routière** D3. *038-595 51.*
Ce restaurant fait partie d'une *pousada* de montagne qui donne sur la Serra da Estrela. Goûtez aux truites.
AE DC MC V

SORTELHA : *Alboroque* $$
Rua da Mesquita. **Carte routière** D30. *071-681 29.*
À la carte : marcassin, *caldeirada de cabrito* (pot-au-feu de chevreau), *coelho bravo* (civet de lapin). Belle vue sur le château. *lun.*

TRANCOSO : *O Museu* $$
Largo de Santa Maria. **Carte routière** D2. *071-918 10.*
Ce restaurant élégant aux murs de pierre est situé dans l'enceinte même du château. Son chevreau rôti est très demandé. *lun. ; 15–30 sept.*

VISEU : *Casablanca* $$
Avenida Emídio Navarro 70–72. **Carte routière** D3. *032-42 22 39.*
Situé dans le centre historique de la ville, le Casablanca est décoré de jolis *azulejos*. On y sert surtout du poisson et des crustacés. *lun.*
AE DC MC V

VISEU : *Churrascaria Santa Eulália* $$$
N2, Repeses. **Carte routière** D3. *032-262 83.*
Laissez-vous tenter par les brochettes de poisson ou la *feijoada de marisco* (haricots et fruits de mer).
AE DC MC V

VISEU : *Ó Cortiço* $$$
Rua Augusto Hilário 47. **Carte routière** D3. *032-42 38 53.*
La carte de spécialités est surprenante, comme lorsqu'elle recommande le *bacalhau podre apodrecido na adega* (morue pourrie du cellier).
AE DC MC V

DOURO ET TRÁS-OS-MONTES

ALIJÓ : *Barão de Forrester* $$$
Rua José Ruffino. **Carte routière** D2. *059-95 94 67.*
Restaurant de charme dans une *pousada* de la région vinicole du porto. Menu régional comprenant de la daurade et des poires au muscadet.
AE DC MC V

AMARANTE : *O Almirante* $$
Rua António Carneiro. **Carte routière** D2. *055-43 25 66.*
L'atmosphère est chaleureuse et conviviale et la nourriture excellente. Ses spécialités sont le gratin de colin et le porc aux champignons.
AE MC V

AMARANTE : *São Gonçalo* $$$
Pousada de São Gonçalo, Ansiães. **Carte routière** D2. *055-46 11 13.*
Le São Gonçalo offre une vue spectaculaire sur la vallée, surtout au coucher du soleil. La carte propose des plats régionaux comme la truite farcie de jambon et le porc aux châtaignes, ainsi que des desserts alléchants.
AE DC MC V

AMARANTE : *Zé da Calçada* $$$
Rua 31 de Janeiro. **Carte routière** D2. *055-42 20 23.*
La spécialité est le *bacalhau à Zé da Calçada* (morue cuite au four avec des pommes de terre). Belle vue sur la rivière Tâmega. *24 déc.*

BRAGANÇA : *Solar Bragançano* $$
Praça da Sé 34. **Carte routière** E1. *073-238 75.*
Meublé avec goût, le Solar Bragançano occupe un hôtel particulier sur la place principale. Tentez le gibier, la *perdiz com uvas* (perdrix aux raisins) ou le *faisão com castanhas* (faisan aux châtaignes).
AE DC MC V

CHAVES : *Leonel* $$
Campo da Roda. **Carte routière** D1. *076-231 88.*
Fréquenté par des habitués, ce restaurant au décor simple propose une bonne cuisine. Essayez la morue cuite au four ou les côtelettes de porc grillées. *lun. ; 2 sem. en juil. ; 2 sem. en nov.*
AE DC MC V

Légende des symboles, voir rabat de couverture

Prix moyens par personne pour un repas comprenant trois plats et une demi-bouteille de vin de la maison, taxes et service compris.
$ moins de 2 000$00
$$ 2 000–3 000$00
$$$ 3 000–4 500$00
$$$$ 4 500–6 000$00
$$$$$ plus de 6 000$00

SERVICE TARDIF
La cuisine reste ouverte après 22 h, et on sert le plus souvent jusqu'à 23 h.

TABLES EN TERRASSE
Tables à l'extérieur, dans un jardin ou sur une terrasse, souvent avec une vue agréable.

BONNE CARTE DES VINS
Le restaurant propose un vaste choix de vins de qualité.

CARTES BANCAIRES
Un symbole indique que les cartes American Express (AE), Diner's Club (DC), Master Card Access (MC), Visa (V) sont acceptées.

Restaurant	Cartes bancaires	Service tardif	Tables en terrasse	Bonne carte des vins
CHAVES : *Carvalho* $$$ Alameda Tabolado, Bloco 4. **Carte routière** D1. ☎ *076-217 27.* Joli restaurant de deux salles avec un jardin, d'où l'on a une belle vue. Découvrez le chevreau rôti ou l'*arroz de fumeiro* (riz aux viandes fumées). ● *jeu.* ▤ ♿	AE DC MC V			■
CINFÃES : *Varanda de Cinfães* $$ Rua General Humberto Delgado 20–22. **Carte routière** D2. ☎ *055-56 12 36.* Ce petit restaurant fréquenté par des habitués sert des plats traditionnels, comme l'agneau rôti ou le cabillaud cuit au four. ● *sam. (janv.–mars).*				
ESPINHO : *Terraço Atlântico* $$$ Praia Golfe Hotel, Rua 6. **Carte routière** C2. ☎ *02-731 33 85.* Peu de restaurants offrent sur l'océan une vue panoramique comme celle-là. Les plats de poisson sont majoritaires dans le menu. La carte des vins propose un vaste choix de vins régionaux, rouges et blancs. ▤	AE DC MC V			■
GIMONDE : *Dom Roberto* $$$ N218. **Carte routière** D2. ☎ *073-38 13 02.* Ce petit restaurant rustique aux murs de pierre est situé au bord de la rivière, à 7 km à l'est de Bragança. On y vient de loin pour goûter à l'excellent gibier et au chevreau rôti. ▤ ♿	AE DC MC V	■	●	■
LAMEGO : *O Tonel* $ Estrada de Arneirós. **Carte routière** D2. ☎ *054-621 61.* Restaurant convivial, O Tonel propose de bons plats, notamment du cabillaud au four et des brochettes. ● *lun. ; 1er–15 août.*				■
LAMEGO : *Restaurante Turisserra* $$$$ Complexo Turístico Turissera, Serra das Meadas. **Carte routière** D2. ☎ *054-65 61 98.* Charmant restaurant de trois salles dans un village à 6 km au nord de Lamego. On y sert une bonne cuisine traditionnelle portugaise. Profitez de la vue sur le Douro et les collines environnantes.	AE DC MC V			■
LEÇA DA PALMEIRA : *O Chanquinhas* $$$ Rua de Santana 243. **Carte routière** C2. ☎ *02-995 18 84.* Ce restaurant est installé dans un beau manoir. Les poissons et les desserts sont excellents. ● *dim. ; 2 sem. en août.* ▤	AE DC MC V	■	●	■
LEÇA DA PALMEIRA : *Boa Nova* $$$$ Praia Leça da Palmeira. **Carte routière** C2. ☎ *02-995 17 85.* Un restaurant moderne avec vue sur la mer construit par le grand architecte Siza Vieira. Essayez la sole au four ou le bar. ● *dim.* ▤	AE DC MC V	■		■
MIRANDA DO DOURO : *Balbina* $ Rua Rainha Dona Catarina 12. **Carte routière** E1. ☎ *073-423 94.* Les hommes politiques connus côtoient les habitués. On y vient pour la cuisine traditionnelle, comme le *bife à Mirandesa* (steak à la Mirandesa).		■		■
MIRANDA DO DOURO : *Buteko* $ Largo Dom João III. **Carte routière** E1. ☎ *073-412 31.* Le Buteko, situé dans le centre historique de la ville, propose des spécialités, comme la *posta Mirandesa* (tranche de veau grillée). ● *dim. ; 2 sem. en janv.* ▤	AE MC V			
MURÇA : *Miradouro* $$ Pensão Miradouro, Curvas de Murça. **Carte routière** D2. ☎ *059-524 61.* La carte, écrite à la main, change tous les jours. Vous y trouverez de la morue Miradouro, du chevreau et du cochon de lait rôti. ● *mar. ; 15–30 sept.* ▤ ♿	MC V		●	
PESO DA RÉGUA : *Varanda da Régua* $$ Lugar da Boavista, Loureiro. **Carte routière** D2. ☎ *054-33 69 49.* Vous apprécierez la vue panoramique de ce petit restaurant familial au nord de Régua. Cuisine portugaise, notamment chevreau rôti et cabillaud au four. ▤	MC V			

Porto : *Cardápio* $$
Rua Comércio do Porto 197. **Carte routière C2.** *02-208 84 53.*
Goûtez au *bacalhau com gambas* (morue aux gambas), à l'*arroz de pato* (riz au canard) ou au *bife de pimenta* (steak pimenté). *sam. et dim. midi ; lun.*
AE DC MC V

Porto : *Bule* $$
Rua de Timor 128. **Carte routière C2.** *02-617 93 76.*
Le Bule donne sur un charmant jardin, qui offre une vue plongeante sur la mer. Buffet de hors-d'œuvre délicieux. *dim. ; 2 premières sem. d'août.*
MC V

Porto : *Chez Lapin* $$
Rua dos Canastreiros 42. **Carte routière C2.** *02-200 64 18.*
Ce restaurant au décor rustique propose poissons et fruits de mer, ainsi qu'une spécialité portugaise qui change chaque jour.
AE DC MC V

Porto : *Tripeiro* $$
Rua de Passos Manuel 195. **Carte routière C2.** *02-200 58 86.*
« Mangeur de tripes » est le sobriquet donné aux habitants de Porto et à ce restaurant qui les prépare. On y trouve également du poisson. *dim.*
AE DC MC V

Porto : *Adega Vila Meä* $$$
Rua dos Caldeireiros 62. **Carte routière C2.** *02-208 29 67.*
Ce restaurant familial sert un menu spécial chaque jour, ainsi que des spécialités, comme le poulpe au four ou le chevreau rôti. *dim. ; 3 sem. en août.*

Porto : *Casa Aleixo* $$$
Rua da Estação 216. **Carte routière C2.** *02-57 04 62.*
Tenu par la même famille depuis 1948, ce restaurant convivial propose une cuisine, copieuse, de très bonne qualité. *dim. ; août.*
AE MC V

Porto : *Dom Tonho* $$$
Cais da Ribeira 13–15. **Carte routière C2.** *02-200 43 07.*
Un des nombreux restaurants qui bordent le quai historique de la ville, à l'ombre du pont Dom Luís. Sélection de plats portugais mis au goût du jour.
AE DC MC V

Porto : *Mercearia* $$$
Cais da Ribeira 32. **Carte routière C2.** *02-200 43 89.*
Le Mercearia offre un service impeccable, une excellente cuisine portugaise et un menu spécial différent chaque jour. Atmosphère agréable.
AE DC MC V

Porto : *Taverna do Bebobos* $$$
Cais da Ribeira 21–5. **Carte routière C2.** *02-31 35 65.*
Vous y trouverez une véritable atmosphère de taverne et une cuisine délicieuse, surtout le riz aux poulpes. *lun. ; 20 déc.–10 janv.*
MC V

Porto : *Dom Manoel* $$$$
Avenida Montevideu 384. **Carte routière C2.** *02-617 23 04.*
Situé dans un ancien manoir qui donne sur l'océan, le Dom Manoel propose des *parrilhadas mistas* (poisson et fruits de mer grillés). *dim. ; 8–24 août.*
AE DC MC V

Porto : *Portucale* $$$$$
Albergaria Miradouro, Rua da Alegria 598. **Carte routière C2.** *02-57 07 17.*
Ce restaurant renommé présente un large choix de viandes, poissons et gibier. La vue sur les alentours est spectaculaire.
AE DC MC V

Romeu : *Maria Rita* $$
Rua da Capela. **Carte routière E1.** *078-931 34.*
Situé dans un hôtel particulier, le Maria Rita a un décor rustique. Tentez la soupe aux saucisses épicées et le canard au riz. *lun. ; mer. soir.*
MC V

Sendim : *Gabriela* $$$
Largo da Praça 27. **Carte routière E2.** *073-731 80.*
Ce restaurant est fier de son chef, Alice, qui est apparue sur les écrans de la télévision portugaise. Le Gabriela est joliment décoré avec des boiseries.
AE DC MC V

Torre de Moncorvo : *O Artur* $$
O Lugar do Rebentão, Carviçais. **Carte routière E2.** *079-931 84.*
Restaurant convivial situé à la sortie de Torre. On y sert la *posta Mirandesa* (épaisse tranche de veau grillée), le cabillaud au four et le chevreau rôti.
AE MC V

Vila Nova de Gaia : *Boucinha* $$$
Avenida Vasco da Gama, Oliveira do Douro. **Carte routière C2.** *02-782 77 64.*
Cet excellent restaurant est installé dans une ancienne *quinta*. Goûtez le *cherne grelhado* (perche grillée) arrosé d'un vin du pays. *lun.*
AE DC MC V

Légende des symboles, voir rabat de couverture

Prix moyens par personne pour un repas comprenant trois plats et une demi-bouteille de vin de la maison, taxes et service compris.

$ moins de 2 000$00
$$ 2 000–3 000$00
$$$ 3 000–4 500$00
$$$$ 4 500–6 000$00
$$$$$ plus de 6 000$00

SERVICE TARDIF
La cuisine reste ouverte après 22 h, et on sert le plus souvent jusqu'à 23 h.

TABLES EN TERRASSE
Tables à l'extérieur, dans un jardin ou sur une terrasse, souvent avec une vue agréable.

BONNE CARTE DES VINS
Le restaurant propose un vaste choix de vins de qualité.

CARTES BANCAIRES
Un symbole indique que les cartes American Express (AE), Diner's Club (DC), Master Card Access (MC), Visa (V) sont acceptées.

VILA REAL : *Espadeiro* $$
Avenida Almeida Lucena. **Carte routière D2.** *059-32 23 02.*
Les plats régionaux sont bien accommodés. Bons vins du terroir. Les spécialités sont le chevreau, la morue à l'Espadeiro et les pieds de porc grillés. ● *mer.*

VILA REAL : *Cozinha do Vale* $$$
Casa de Campeã, Torgueda. **Carte routière D2.** *059-97 96 04.*
Dans la pittoresque vallée de Campeã, à 8 km de Vila Real, ce restaurant moderne propose des plats et des vins régionaux.

MINHO

ARCOS DE VALDEVEZ : *Adega Regional Grill* $$$
N101, Quinta de Silvares. **Carte routière C1.** *058-661 22.*
Situé au nord d'Arcos, l'Adega sert une cuisine traditionnelle soignée. Goûtez le rôti de veau ou le *cozido à portuguesa* (sorte de pot-au-feu). ● *lun. ; 15 – 30 oct.*

BARCELOS : *Bagoeira* $$
Avenida Sidónio Pais 495. **Carte routière C1.** *053-81 12 36.*
Le Bagoeira, très fréquenté, sert des spécialités régionales, comme le chevreau rôti et le canard au riz, généreusement servies.

BARCELOS : *Dom António* $$
Rua Dom António Barroso 87. **Carte routière C1.** *053-81 22 85.*
Ce restaurant au décor rustique est situé dans le centre-ville. La spécialité de la maison est le *bife na pedra* (steak grillé).

BRAGA : *Abade de Priscos* $$
Praça Mouzinho Albuquerque (Campo Novo) 7. **Carte routière C1.** *053-766 50.*
Donnant sur la place animée derrière l'Université catholique, ce restaurant a un menu au choix très large, allant du curry de gambas au lapin ou au veau braisé. ● *lun. midi ; dim. ; 2 sem. en juil. ou août.*

BRAGA : *Ignácio* $$
Campo das Hortas 4. **Carte routière C1.** *053-61 32 35.*
Ignácio a du caractère. Vous apprécierez les plats régionaux, servis dans un décor d'époque. ● *mar. ; 2 sem. en avr. ; 2 sem. en sept.*

BRAGA : *São Frutuoso* $$
Rua Costa Gomes 168, Real. **Carte routière C1.** *053-62 33 72.*
Restaurant convivial, situé au sud de Braga, qui sert une délicieuse cuisine du terroir. Essayez la morue au pain de maïs. ● *lun. ; les 2 der. sem. d'août.*

BRAGA : *Panorâmico do Elevador* $$$
Hotel do Elevador, Bom Jesus do Monte. **Carte routière C1.** *053-67 66 11.*
Un des restaurants les plus connus de la région. Vous apprécierez la vue panoramique de Braga et du Bom Jesus, et les plats typiques.

CAMINHA : *Napoléon* $$$
Lugar de Coura, Seixas. **Carte routière C1.** *058-72 71 15.*
Napoléon est un restaurant gastronomique avec une carte de plats régionaux, nationaux et français. ● *lun. ; dim. soir ; 2 sem. en mai ; 2 sem. en déc.*

GUIMARÃES : *El Rey* $$
Praça Santiago 20. **Carte routière C1.** *053-41 90 96.*
Le menu est très abordable et l'atmosphère sympathique. Laissez-vous tenter par le *bacalhau mistério* (morue surprise), une invention de la maison. ● *dim.*

GUIMARÃES : *São Gião* $$$
Lugar de Vinhas, Moreira de Cónegos. **Carte routière C1.** *053-56 18 53.*
Installé dans un village juste au sud de Guimarães, le São Gião prépare des plats appétissants comme le canard aux olives, l'épaule de veau à la São Gião et le *cozido à portuguesa.* ● *lun. ; sam. soir ; août.*

Restaurant	Cartes bancaires	Service tardif	Tables en terrasse	Bonne carte des vins
Vila Real : Espadeiro	AE DC MC V		●	
Vila Real : Cozinha do Vale	AE DC MC V			■
Arcos de Valdevez : Adega Regional Grill	V	■	●	
Barcelos : Bagoeira	AE DC MC V		●	■
Barcelos : Dom António	AE DC MC V	■		
Braga : Abade de Priscos				■
Braga : Ignácio	AE DC MC V			
Braga : São Frutuoso	MC V		●	
Braga : Panorâmico do Elevador	AE DC MC V			
Caminha : Napoléon	AE DC MC V		●	■
Guimarães : El Rey	AE DC MC V	■	●	
Guimarães : São Gião		■	●	■

GUIMARÃES : *Solar do Arco* $$$
Rua de Santa Maria 48–50. **Carte routière C1.** *053-51 30 72.*
Ce restaurant élégant occupe une charmante demeure ancienne au cœur de la ville. Les spécialités de la maison sont le poisson frais et les fruits de mer.
AE MC V

PONTE DA BARCA : *Bar do Rio* $$
Praia Fluvial. **Carte routière C1.** *058-425 82.*
Petit restaurant de charme au décor de bois, offrant une vue surprenante sur la rivière Lima. Essayez le *rojões* (porc frit) ou le cabillaud au gratin. *mar.*
MC V

PONTE DE LIMA : *A Carvalheira* $$
Antepaço, Arcozelo. **Carte routière C1.** *058-74 23 16.*
Cet endroit est fréquenté par la population locale. La spécialité de la maison est le *bacalhau com broa* (morue servie avec du pain de maïs). *lun.*
MC V

PONTE DE LIMA : *Encanada* $$
Largo Doutor Rodrigues Alves. **Carte routière C1.** *058-94 11 89.*
Ce restaurant animé qui donne sur la rivière sert une cuisine traditionnelle, accompagnée de *vinhos verdes.* *jeu. ; mai.*
AE MC V

PÓVOA DE VARZIM : *O Marinheiro* $$$$
Estrada Fontes Novas. **Carte routière C2.** *052-68 21 51.*
Un restaurant attrayant, en forme de bateau et décoré de filets de pêche et de bouées, qui propose des menus de poissons.
AE DC MC V

VALENÇA DO MINHO : *Mané* $$$
Avenida Miguel Dantas 5. **Carte routière C1.** *051-234 02.*
Restaurant moderne servant un grand choix de poissons et de viandes. Prix relativement bon marché. *dim. soir ; lun. (sauf août) ; 10 janv.–10 fév.*
MC V

VALENÇA DO MINHO : *São Teotónio* $$$
Pousada de São Teotónio, Baluarte de Socorro. **Carte routière C1.** *051-82 42 42.*
Appartenant à la *pousada* logée dans le vieux fort, le São Teotónio sert des spécialités, comme le ragoût de chevreau. Belle vue sur la vallée du Minho.
AE DC MC V

VIANA DO CASTELO : *Camelo* $$$
Rua de S. Marta 119–122, S. Marta de Portuzelo. **Carte routière C1.** *058-83 05 17.*
Cette merveille de restaurant organise tous les mois des banquets et, en été, des dîners sous les tonnelles de vigne. Essayez la spécialité de la maison, le *bacalhau à camelo* (morue). *lun. ; mi-sept.–mi-oct.*
AE DC MC V

VIANA DO CASTELO : *Casa d'Armas* $$$
Largo 5 de Outubro 30. **Carte routière C1.** *058-249 99.*
Derrière la façade impressionnante de ce restaurant, le décor de pierre et de bois crée une atmosphère médiévale. Au menu : poissons, fruits de mer et viandes de première qualité. *mer. ; 2 sem. en oct. ou nov.*
MC V

VIANA DO CASTELO : *Cozinha das Malheiras* $$$
Rua Gago Coutinho 19–21. **Carte routière C1.** *058-82 36 80.*
Vous apprécierez la cuisine traditionnelle de ce restaurant, qui occupe une ancienne chapelle. Le poisson est recommandé. *mar. ; 1 sem. en déc.*
AE DC MC V

VILA PRAIA DE ÂNCORA : *Tasquinha Ibrain* $$$
Rua dos Pescadores. **Carte routière C1.** *058-91 16 89.*
Ce restaurant sert surtout du poisson. Essayez, pour changer, le *costeletão* (côte de bœuf). Service impeccable et vue sur le port. *1 sem. en oct.*
AE MC V

ALENTEJO

ALANDROAL : *A Maria* $$
Rua João de Deus 12. **Carte routière D5.** *068-43 11 43.*
Très bonne cuisine régionale, comme le *cozido de grão* (porc aux pois chiches) ou la *sopa de cação* (soupe d'églefin). *lun. ; 1er–15 sept.*
AE DC MC V

ALVITO : *Castelo de Alvito* $$$$
Pousada do Castelo de Alvito, Apartado 9. **Carte routière D6.** *084-483 43.*
Un château du XVe siècle, entouré de jardins où se promènent en liberté des paons, sert de cadre à ce très bon restaurant. Tentez la morue aux herbes ou l'agneau rôti aux épinards.
AE DC MC V

BEJA : *Dom Dinis* $$
Rua Dom Dinis 11. **Carte routière D6.** *084-259 37.*
Dom Dinis est un restaurant campagnard spécialisé dans les grillades, en particulier les brochettes de viande et les côtelettes de veau. *jeu.*
AE DC MC V

Prix moyens par personne pour un repas comprenant trois plats et une demi-bouteille de vin de la maison, taxes et service compris.

$ moins de 2 000$00
$$ 2 000–3 000$00
$$$ 3 000–4 500$00
$$$$ 4 500–6 000$00
$$$$$ plus de 6 000$00

Service tardif
La cuisine reste ouverte après 22 h, et on sert le plus souvent jusqu'à 23 h.

Tables en terrasse
Tables à l'extérieur, dans un jardin ou sur une terrasse, souvent avec une vue agréable.

Bonne carte des vins
Le restaurant propose un vaste choix de vins de qualité.

Cartes bancaires
Un symbole indique que les cartes American Express (AE), Diner's Club (DC), Master Card Access (MC), Visa (V) sont acceptées.

Beja : *Os Infantes* $$
Rua dos Infantes 14. **Carte routière** D6. *084-227 89.*
Ce restaurant, bien situé et au décor réussi, propose des spécialités régionales, comme le perdreau et le lapin. Bon rapport qualité-prix.

Campo Maior : *O Faisão* $$
Rua 1° de Maio 19. **Carte routière** E5. *068-68 61 39.*
L'atmosphère intime qui s'en dégage est sans doute liée à la cheminée et aux photos du quartier ornant la salle. Goûtez le *cozido de grão* (porc aux pois chiches) ou le bœuf à la sauce aux champignons.

Crato : *Flor da Rosa* $$$$
Pousada da Flor da Rosa. **Carte routière** D4. *045-99 72 10.*
Ce restaurant se trouve dans la *pousada* installée dans un monastère, datant sans doute du milieu du XVIe siècle. Il sert des plats régionaux, comme les pieds de cochon dans une sauce à la coriandre.

Elvas : *A Lareira* $$
Estrada do Caia. **Carte routière** D5. *068-62 35 45.*
Cuisine régionale au menu de ce restaurant très fréquenté. Goûtez les *migas com entrecosto* (côtes découvertes) ou l'*ensopado de borrego* (panade à l'agneau). Personnel aimable.

Estremoz : *Águias d'Ouro* $$$
Rossio do Marquês de Pombal 27. **Carte routière** D5. *068-33 33 26.*
Situé dans un bel hôtel particulier, ce restaurant sert des pieds de cochon délicieux dans une sauce à la coriandre et de l'agneau à la sauce aux fruits.

Évora : *Um Quarto Para as Nove* $$
Rua Pedro Simões 9a. **Carte routière** D5. *066-267 74.*
Restaurant charmant, situé dans la vieille ville. Parmi les spécialités, on trouve la lotte, le lapin et l'*açorda alentejana* (soupe épaisse à la coriandre). *mer. ; 2 sem. en sept. ; 2 sem. en oct.*

Évora : *Cozinha de Santo Humberto* $$$
Rua da Moeda 39. **Carte routière** D5. *066-242 51.*
Situé près de la place principale, ce restaurant sert de la cuisine régionale. Le sous-sol est décoré de meubles d'époque. *jeu. ; nov.*

Évora : *O Grémio* $$$$
Alcárcova de Cima 10. **Carte routière** D5. *066-74 29 31.*
Très bon restaurant, installé dans le mur d'enceinte romain. Goûtez un plat savoureux : l'*entrecosto agridoce* (côtes découvertes au vin et au miel).

Évora : *Fialho* $$$$
Travessa dos Mascarenhas 16. **Carte routière** D5. *066-230 79.*
Ce bon restaurant, caché dans une petite rue, propose toutes sortes de viandes, poissons, crustacées et gibier. *lun. ; 1er–24 sept. ; der. sem. de déc.*

Marvão : *Sever* $$
Portagem. **Carte routière** D4. *045-931 92.*
Un beau restaurant avec vue sur la rivière. Le menu, parfait, comprend des spécialités régionales, comme le sanglier aux palourdes ou le ragoût d'agneau.

Mértola : *Alengarve* $
Avenida Aureliano Mira Fernandes 20. **Carte routière** D6. *086-622 10.*
Ce restaurant sans prétention offre des plats régionaux, dont l'*açorda alentejana* et le chevreau rôti. Bon rapport qualité-prix. *2 sem. en oct.*

Monsaraz : *Casa de Forno* $$
Travessa da Sanabrosa. **Carte routière** D5. *066-551 26.*
Bien placé, près des sites touristiques, le Casa de Forno propose une bonne cuisine régionale, dont le ragoût d'agneau et le porc aux palourdes. *mar.*

Restaurant	Cartes bancaires	Service tardif	Tables en terrasse	Bonne carte des vins
Beja : Os Infantes	AE DC MC V			
Campo Maior : O Faisão	AE DC MC V	■	●	■
Crato : Flor da Rosa	AE DC MC V			■
Elvas : A Lareira	AE DC MC V	■	●	
Estremoz : Águias d'Ouro	AE DC MC V	■		■
Évora : Um Quarto Para as Nove	AE MC V	■	●	
Évora : Cozinha de Santo Humberto	AE DC MC V			
Évora : O Grémio	AE DC MC V			■
Évora : Fialho	AE DC MC V	■		■
Marvão : Sever	MC V	■	●	
Mértola : Alengarve			●	
Monsaraz : Casa de Forno	AE MC V		●	

Restaurant	Prix	Cartes			
PORTALEGRE : *O Tarro* Avenida Movimento das Forças Armadas. **Carte routière D4.** *045-33 12 23.* Au menu, vous trouverez du *bacalhau à Tarro* (morue avec jambon dans une sauce à la crème). Clientèle populaire.	$$$	MC V	■		■
REDONDO : *Ermita* Convento de São Paulo, Aldeia da Serra. **Carte routière D5.** *066-99 91 00.* Situé dans un bel hôtel, l'Ermita propose des plats très variés, dont l'avocat au porto et le canard à la sauce aux olives. Le menu de poissons grillés comprend bar, lotte, crevettes et calmars.	$$$$	AE DC MC V			■
SANTIAGO DO CACÉM : *O Retiro* Rua Machado dos Santos 8. **Carte routière C6.** *069-226 59.* Les spécialités du chef sont le riz au canard et le *bacalhau com nata* (morue dans une sauce à la crème). Personnel sympathique. *dim.*	$$	MC V			
SERPA : *Adega Molha O Bico* Rua Quente 1. **Carte routière D6.** *084-902 64.* Ce restaurant de quartier sert une cuisine savoureuse. Laissez-vous tenter par le rôti de porc ou le *cozido de grão* (porc aux pois chiches). *dim.*	$		■		
SINES : *O Migas* Rua Pero de Alenquer 17. **Carte routière C6.** *069-63 67 67.* Le menu soigné comprend *mexilhões à moda d'Aveiro* (moules à la mode d'Aveiro) et perdreau mariné. *sam. midi ; dim. ; 15–30 oct.*	$$$	AE MC V			■
VILA NOVA DE MILFONTES : *Porto das Barcas* Estrada do Canal. **Carte routière C6.** *083-992 83.* Parmi les spécialités, on trouve l'*arroz de marisco* (riz aux fruits de mer) et la *caldeirada de peixe* (matelote). Vue sur la mer.	$$$	AE DC MC V	■	●	
VILA VIÇOSA : *Os Cucos* Mata Municipal. **Carte routière D5.** *068-988 06.* Ce restaurant, très bien situé dans les jardins municipaux, propose une bonne variété de poissons grillés. *2 sem. en août.*	$	AE MC V	■	●	
ALGARVE					
ALBUFEIRA : *Os Compadres* Avenida Dr Sá Carneiro, Edifício Pateo Sá Carneiro. **Carte routière C7.** *089-54 18 48.* Le propriétaire, toujours sur place, offre ses conseils aux clients. L'ambiance est agréable et le personnel sympathique. *jeu. (oct.–mai) ; déc.*	$$	AE DC MC V	■	●	
ALBUFEIRA : *Marisqueira Santa Eulália* Praia de Santa Eulália. **Carte routière C7.** *089-54 26 36.* Dominant la plage, ce restaurant moderne sert des plats de la mer, dont la lotte grillée, le saumon et les palourdes. *déc.–janv.*	$$$	AE DC MC V	■	●	
ALBUFEIRA : *Ruína* Rua Cais Herculano. **Carte routière C7.** *089-51 20 94.* La Ruína est l'un des meilleurs restaurant de la ville. Ses spécialités sont les fruits de mer et le poisson frais. Certaines salles sont réservées à l'écoute du fado ou à la dégustation du café.	$$$$$	MC V	■	●	■
ALMANCIL : *Chameleon* Rua da República, 40. **Carte routière D7.** *089-39 75 99.* Le petit menu de ce restaurant agréable, au décor simple, se caractérise par des plats influencés par la cuisine indonésienne. *lun.*	$$$	AE DC MC V	■	●	
ALMANCIL : *Ibérico* Estrada Almancil, Vale do Lobo. **Carte routière D7.** *089-39 40 66.* Situé à proximité du complexe de Vale do Lobo, au sud d'Almancil, ce restaurant a beaucoup de caractère. Son menu comprend aussi bien de l'espadon fumé dans une sauce au raifort que des cannellonis façon ibérique. *midi.*	$$$	AE MC V	■	●	
ALMANCIL : *Aux Bons Enfants* Sítio das Areias, Estrada de Almancil. **Carte routière D7.** *089-39 68 40.* Aux Bons Enfants propose une cuisine française et un bon choix de vins français et portugais depuis 1945. *midi ; dim.*	$$$$			●	■
ALMANCIL : *O Tradicional* Estrada da Fonte Santa, Escanxinas. **Carte routière D7.** *089-39 90 93.* Parmi les spécialités de cet excellent restaurant, on trouve le steak sauce roquefort et le blanc de canard à l'orange. *midi ; dim. ; nov.–déc.*	$$$$$	AE MC V	■		■

Prix moyens par personne pour un repas comprenant trois plats et une demi-bouteille de vin de la maison, taxes et service compris.
(\$) moins de 2 000\$00
(\$)(\$) 2 000–3 000\$00
(\$)(\$)(\$) 3 000–4 500\$00
(\$)(\$)(\$)(\$) 4 500–6 000\$00
(\$)(\$)(\$)(\$)(\$) plus de 6 000\$00

SERVICE TARDIF
La cuisine reste ouverte après 22 h, et on sert le plus souvent jusqu'à 23 h.

TABLES EN TERRASSE
Tables à l'extérieur, dans un jardin ou sur une terrasse, souvent avec une vue agréable.

BONNE CARTE DES VINS
Le restaurant propose un vaste choix de vins de qualité.

CARTES BANCAIRES
Un symbole indique que les cartes American Express (AE), Diner's Club (DC), Master Card Access (MC), Visa (V) sont acceptées.

ARMAÇÃO DE PÊRA : *Santola* (\$)(\$)
Largo da Fortaleza. **Carte routière** C7. ☎ *082-31 23 32.*
Ce restaurant, à l'atmosphère agréable, commande une vue panoramique. Les fruits de mer et les crustacés sont des valeurs sûres. ● *15 nov.–15 déc.*

ESTOI : *Monte do Casal* (\$)(\$)(\$)(\$)(\$)
Cerro do Lobo. **Carte routière** D7. ☎ *089-915 03.*
Situé dans une ancienne ferme, le Monte do Casal affiche au menu un choix de plats végétariens. Parmi les spécialités, goûtez les fruits de mer sauce Monte do Casal. ● *mi-nov.–mi-fév.* ▤

FARO : *Adega Nortenha* (\$)
Praça Ferreira de Almeida 25. **Carte routière** D7. ☎ *089-82 27 09.*
Bien placé, ce restaurant sans prétention est très fréquenté. Les spécialités sont la *feijoada* et la *caldeirada* (sorte de matelote). ▤

FARO : *Dois Irmãos* (\$)(\$)
Praça Ferreira de Almeida 13–14. **Carte routière** D7. ☎ *089-82 33 37.*
Ce restaurant, l'un des plus fréquentés de Faro, propose une bonne cuisine et un service efficace. Spécialités : poissons frais, viande *cataplana (p. 288).*

FARO : *A Taska* (\$)(\$)
Rua do Alportel 36–8. **Carte routière** D7. ☎ *089-82 47 39.*
A Taska est un restaurant simple, à l'allure d'une taverne d'autrefois. Essayez le ragoût d'anguilles ou le porc aux palourdes. ● *dim.* ▤

FARO : *Camané* (\$)(\$)(\$)(\$)(\$)
Avenida Nascente, Praia de Faro. **Carte routière** D7. ☎ *089-81 75 39.*
Restaurant de fruits de mer, situé au bord de l'eau. Laissez-vous tenter par la spécialité de la maison, la lotte servie avec du riz. ● *lun. ; 2 sem. en oct.* ▤ ♿

LAGOA : *O Castelo* (\$)(\$)(\$)
Rua do Casino 63, Praia do Carvoeiro. **Carte routière** C7. ☎ *082-35 72 18.*
Le Castelo est spécialisé dans les fruits de mer et le poisson, notamment la lotte. Jardin agréable. Réservez à l'avance. ● *lun. ; 10 janv.–10 fév.* ▤ ♿

LAGOA : *O Lotus* (\$)(\$)(\$)
Rua Marquês de Pombal 11. **Carte routière** C7. ☎ *082-520 98.*
Ce restaurant propose une bonne cuisine portugaise, dont les sardines marinées, les calmars ou le bar en croûte. Parmi les desserts, de la mousse au chocolat et du *morgado de figo* (gâteau aux figues et à la pâte d'amandes). ● *sam.* ▤

LAGOS : *António* (\$)(\$)(\$)
Praia do Porto de Mós. **Carte routière** C7. ☎ *082-76 35 60.*
Donnant sur la mer, ce restaurant bénéficie d'un bel emplacement. Spécialités de fruits de mer. L'ambiance est sympathique et détendue. ♿

LAGOS : *Dom Sebastião* (\$)(\$)(\$)
Rua 25 de Abril 20–22. **Carte routière** C7. ☎ *082-76 27 95.*
Restaurant au charme rustique, proposant un vaste choix de plats portugais, dont le ragoût de chevreau au vin rouge. ● *1er–25 déc.* ▤ ♿

LOULÉ : *Bica Velha* (\$)(\$)
Rua Martim Moniz 17–19. **Carte routière** C7. ☎ *089-46 33 76.*
Ce restaurant familial est installé dans une vieille maison datant de 1816. Parmi les spécialités : brochettes d'agneau, côtelettes de porc avec compote de pommes ou mousse à l'orange. ● *dim. (sauf août) ; 2 sem. en nov. ou déc.*

LOULÉ : *Casa dos Arcos* (\$)(\$)
Rua Sá de Miranda 23–5. **Carte routière** D7. ☎ *089-41 67 13.*
Situé dans la vieille ville, ce restaurant est fréquenté par les habitants du quartier et les touristes. On y sert de la viande et des spécialités de poissons. ● *dim.* ▤

Restaurant	Cartes bancaires	Service tardif	Tables en terrasse	Bonne carte des vins
Armação de Pêra : Santola	AE MC V	■	●	
Estoi : Monte do Casal	MC V		●	■
Faro : Adega Nortenha	MC V			
Faro : Dois Irmãos	AE MC V	■	●	
Faro : A Taska		■	●	
Faro : Camané	MC V	■	●	■
Lagoa : O Castelo	AE DC MC V	■	●	■
Lagoa : O Lotus	AE MC V	■		
Lagos : António	AE DC MC V	■	●	
Lagos : Dom Sebastião	AE DC MC V	■	●	
Loulé : Bica Velha	AE DC MC V			
Loulé : Casa dos Arcos	AE MC V			

OLHÃO : *Aquário* $$
Rua Doutor João Lúcio 8. **Carte routière** D7. *089-70 35 39.*
Situé dans le centre-ville, l'Aquário offre un bon choix de plats à base de fruits de mer, comprenant paella, calmars farcis et crevettes à la crème. *lun.* — AE DC MC V

PORTIMÃO : *Cervejaria Lúcio* $$
Largo Francisco Maurício 3. **Carte routière** C7. *082-242 75.*
Les habitants du coin se réunissent dans ce pub animé et bruyant, qui domine la rivière. On y sert poisson et fruits de mer. *lun. ; nov.–déc.*

PORTIMÃO : *A Lanterna* $$$
Rua Foz do Arade Parchal. **Carte routière** C7. *082-41 44 29.*
Au menu, vous toruvez de l'espadon fumé, des palourdes du chef et une mousse aux amandes. Les vins viennent de l'Alentejo. *dim. ; nov.–déc.* — MC V

QUARTEIRA : *Restaurante Suisse* $$
Estrada Quarteira-Almancil, Fonte Santa. **Carte routière** D7. *089-38 01 48.*
Malgré son emplacement, au sud de Quarteira, ce restaurant, avec ses poutres apparentes et ses meubles d'époque, a du charme. On y sert de la cuisine suisse-allemande jusqu'à 2 h du matin. *mar. (déc.–fév.).* — MC V

QUINTA DO LAGO : *Cã d'Oro* $$$$$
Hotel Quinta do Lago. **Carte routière** D7. *089-39 66 66.*
Élégant et raffiné, cet établissement est spécialisé dans la cuisine vénitienne. On y sert des *calamari e gamberi con verdurine di campo* (crevettes frites, calmars et légumes frais). *mar. (sept.–juin).* — AE DC MC V

SAGRES : *O Telheiro* $$
Praia da Mareta. **Carte routière** C7. *082-641 79.*
Il a comme spécialité le riz au homard. Le service est excellent et la terrasse commande une vue panoramique. *mar. ; 2 sem. en nov. ou déc.* — AE DC MC V

SAGRES : *Pousada do Infante* $$$$
Pousada do Infante. **Carte routière** C7. *082-642 22.*
Ce restaurant propose des filets de poisson frais et du porc aux palourdes. Vue superbe sur les falaises et la mer. — AE DC MC V

SILVES : *Marisqueira Rui* $$
Rua Comendador Vilarinho 23. **Carte routière** C7. *082-44 26 82.*
Très fréquenté, ce restaurant, situé dans le centre-ville, sert jusqu'à 2 h du matin. Au menu, riz aux fruits de mer et porc aux palourdes. *mar. ; 2 sem. en nov.* — AE DC MC V

TAVIRA : *Quatro Águas* $$
Quatro Águas. **Carte routière** D7. *081-32 53 29.*
Situé à 1 km au sud de Tavira, ce restaurant offre une belle vue sur la lagune. Goûtez la spécialité de la maison, le poulpe doré. *lun. ; 3 sem. en nov.* — AE MC V

VILAMOURA : *Sirius Restaurant* $$$$$
Vilamoura Marinotel. **Carte routière** D7. *089-38 99 88.*
Installé dans un bel hôtel dominant la marina, le Sirius sert une cuisine savoureuse comprenant des plats français. Laissez-vous tenter par le caviar beluga, les escargots ou le homard thermidor. *midi.* — AE DC MC V

MADÈRE

FUNCHAL : *Fim de Século* $
Rua da Carreira 144. *091-22 44 76.*
Des lustres de style Tiffany donnent à ce restaurant une ambiance fin de siècle. Les menus à prix fixes sont les plus abordables du centre-ville. *dim.* — AE DC MC V

FUNCHAL : *O Jango* $$
Rua de Santa Maria 166. *091-22 12 80.*
Cette maison de pêcheurs transformée en restaurant chaleureux propose bouillabaisse et paella du jour. Bon rapport qualité-prix. *1er–21 juil.* — AE DC MC V

FUNCHAL : *Londres* $$
Rua da Carreira 64a. *091-23 53 29.*
Ce restaurant du centre-ville a un plat du jour typiquement portugais, tel que le *bacalhau* (morue) aux olives et le *cozido* (sorte de pot-au-feu). *dim.* — MC V

FUNCHAL : *Marisa* $$
Rua de Santa Maria 162. *091-22 61 89.*
Ce restaurant intime, situé dans la vieille ville, propose une paella délicieuse ou du riz aux fruits de mer, préparés par le propriétaire et son fils. — AE DC MC V

Prix moyens par personne pour un repas comprenant trois plats et une demi-bouteille de vin de la maison, taxes et service compris.

- $ moins de 2 000$00
- $$ 2 000–3 000$00
- $$$ 3 000–4 500$00
- $$$$ 4 500–6 000$00
- $$$$$ plus de 6 000$00

SERVICE TARDIF
La cuisine reste ouverte après 22 h, et on sert le plus souvent jusqu'à 23 h.

TABLES EN TERRASSE
Tables à l'extérieur, dans un jardin ou sur une terrasse, souvent avec une vue agréable.

BONNE CARTE DES VINS
Le restaurant propose un vaste choix de vins de qualité.

CARTES BANCAIRES
Un symbole indique que les cartes American Express (AE), Diner's Club (DC), Master Card Access (MC), Visa (V) sont acceptées.

Restaurant	Prix	Cartes bancaires	Service tardif	Tables en terrasse	Bonne carte des vins
FUNCHAL : *Carochinha* Rua de São Francisco 2a. 091-22 36 95. Ce restaurant anglais offre un menu éclectique et une cuisine internationale variée. La « mique » est excellente. dim.	$$	AE DC MC V			■
FUNCHAL : *O Tapassol* Rua Don Carlos I 62. 091-22 50 23. Réservez à l'avance dans ce petit restaurant, situé dans la vieille ville. Vous pourrez savourer cailles, moules, patelles ou lapin. L'intérieur est chic et la petite terrasse animée.	$$	AE DC MC V	■	●	
FUNCHAL : *Caravela* Avenida das Comunidades Madeirenses. 091-22 84 64. Ce petit restaurant sert de bons poissons, comme le thon, l'espadon ou le turbot. 25 déc.	$$$	AE DC MC V	■		■
FUNCHAL : *Casa dos Reis* Rua Penha de França. 091-22 51 82. Un petit restaurant hors du commun, tranquille et sophistiqué, qui propose un menu français et des plats végétariens. midi.	$$$	AE DC MC V	■		■
FUNCHAL : *O Celeiro* Rua Imperatriz Dona Amélia 101. 091-23 06 22. En dînant aux chandelles, vous pourrez savourer un menu à base de fruits de mer, dont le homard *cataplana,* les crustacés et la *caldeirada.*	$$$	AE DC MC V	■		■
FUNCHAL : *Dom Filet* Rua do Favila 7. 091-76 44 26. Les spécialités de ce restaurant sont le bœuf Madère — embroché sur une tige de laurier et grillé — et le bœuf à l'argentine (grillé au charbon de bois). dim. midi.	$$$	AE DC MC V	■		
FUNCHAL : *Marina Terrace* Marina do Funchal. 091-23 05 47. Un des restaurants à ciel ouvert bordant le port de plaisance, le Marina Terrace propose des plats divers, comme la pizza, le homard ou le poisson grillé. Musique folklorique et fado.	$$$	AE DC MC V	■	●	
FUNCHAL : *Dona Amélia* Rua Imperatriz Dona Amélia 83. 091-22 57 84. Les spécialités sont les plats flambés, le poisson grillé et les *espetadas* — bœuf Madère embroché sur une tige de laurier.	$$$$	AE DC MC V			■
FUNCHAL : *Quinta Palmeira Gourmet Restaurant* Avenida do Infante 5. 091-22 18 14. Ce restaurant, situé dans une maison du XIXᵉ siècle, sert des plats régionaux bien présentés. Les glaces maison sont délicieuses.	$$$$	AE DC MC V	■	●	■
FUNCHAL : *Les Faunes* Reid's Palace Hotel, Estrada Monumental 139. 091-76 30 01. Le meilleur restaurant de Madère. La cuisine internationale est impeccable. Savourez ses desserts gastronomiques, dont les crêpes aux fraises et le *zabaglione* au vin de Madère. midi ; dim. ; avr.–oct.	$$$$$	AE DC MC V	■		■
RIBEIRA BRAVA : *Palheiro Rodízio Grill* Sítio da Meia Légua. 091-95 70 46. Ce restaurant sans prétention propose une cuisine brésilienne très prisée. Pour un prix fixe, le buffet de viandes grillées est à volonté. lun.	$$$	MC V	■	●	
SANTANA : *Quinta do Furão* Achada do Gramacho. 091-57 21 30. Dégustez le steak en croûte et les brochettes de fruits de mer devant la cheminée de ce restaurant dominant la mer. Ambiance chaleureuse.	$$$	AE DC MC V		●	

Restaurant	Prix	Cartes			
PORTO MONIZ : *Orca* Hotel Orca, Praia de Porto Moniz. *091-85 33 59.* Les grandes fenêtres de ce restaurant donnent sur la mer. Goûtez la spécialité, l'espadon aux bananes.	$	*AE DC MC V*		●	
LES AÇORES					
CORVO : *O Caldeirão* Rua dos Moinhos. *092-561 56.* L'unique restaurant de Corvo est perché sur une colline dominant la mer. Au menu : fruits de mer, poulet aux palourdes, porc salé ou jambon fumé.	$$	*MC V*		●	
FAIAL : *O Capote* Rua Conselheiro Miguel da Silveira, Horta. *092-232 95.* Ce restaurant animé, situé en bord de mer, est essentiellement fréquenté par une clientèle de quartier et les plaisanciers. *oct.*	$$	*V*	■		■
FAIAL : *Vista da Baía* Avenida Tenente Simas, Varadouro. *092-951 40.* Renommé pour son poulet rôti au barbecue, ce restaurant est un bon endroit pour déjeuner tout en admirant la baie et la côte ouest de l'île. *mer. ; lun.–ven. (oct.–mars).*	$$			●	■
FLORES : *Reis* Rua da Boa Vista, Santa Cruz. *092-526 97.* Situé sur les collines dominant Santa Cruz, ce restaurant simple est tenu par le boucher voisin.	$$	*MC V*	■		
GRACIOSA : *A Coluna* Largo Barão de Guadalupe 10, Santa Cruz da Graciosa. *095-723 33.* Le gérant de ce petit restaurant insolite a vécu longtemps au Brésil, ce qui explique ses spécialités brésiliennes, dont la *feijoada*. *dim.*	$				■
PICO : *Terra e Mar* Miradouro do Arrife, Terras, Lajes do Pico. *092-67 27 94.* Ce petit restaurant, perché sur une colline et doté d'un moulin et d'une terrasse, est une bonne halte lors d'une excursion dans l'île. Au menu, poissons et viandes.	$			●	
SANTA MARIA : *O Fontes* Cruz Teixeira, Vila do Porto. *096-823 72.* Restaurant spécialisé dans la cuisine des Açores, dont le *caldo de nabos* (soupe de navets) et l'*aheira morcela* (saucisson à l'ail et boudin noir).	$$				
SÃO JORGE : *Manezinho* Furna das Pombras, Urzelina. *095-444 84.* Ce restaurant simple, situé en bord de mer, a une clientèle populaire. Au menu : *ameijoas* (palourdes) de Fajã da Caldeira de Santo Cristo. *lun.*	$		■	●	
SÃO MIGUEL : *Tony's* Largo do Teatro 5, Furnas. *096-542 90.* La spécialité est le *cozido (p. 231)*, un ragoût de viande mijoté sur les pierres volcaniques de Fumas. Réservez au moins un jour à l'avance.	$	*AE DC MC V*	■	●	
SÃO MIGUEL : *Monte Verde* Rua da Areia 4, Ribeira Grande. *096-47 29 75.* La salle à manger de ce petit restaurant sympathique est ornée d'*azulejos* modernes. La cuisine — toujours correcte — comprend des plats de poissons, dont la *tigelada de chicharro* (ragoût de petits poissons).	$$	*MC V*	■	●	
SÃO MIGUEL : *Alcides* Rua Hintze Ribeiro 67–77, Ponta Delgada. *096-226 77.* Ce bon restaurant, sans prétention, propose un steak frites copieux. Il est situé près de l'igreja Matriz de São Sebastião.	$$$				
TERCEIRA : *Casa do Peixe* Estrada Miguel Corte Real, Angra do Heroísmo. *095-276 78.* Dominant le port, ce restaurant où il y a de l'ambiance offre un riche menu et un service aimable.	$	*MC V*			
TERCEIRA : *Quinta do Martelo* Canada do Martelo 24 , Cantinho, São Mateus. *095-64 28 42.* Savourez la soupe Saint-Esprit (viande et légumes au vin blanc) et l'*alcatra* (ragoût de viande). *mer.*	$$$	*AE MC V*	■	●	■

Légende des symboles, voir rabat de couverture

450

Renseignements pratiques

RENSEIGNEMENTS PRATIQUES

Si le Portugal est moins touristique que l'Espagne, tout s'y conjugue pour satisfaire les goûts de ses visiteurs. L'Algarve, très prisé, offre un éventail de stations balnéaires propres à rivaliser avec les plus belles villégiatures d'Europe

Sigle des Offices du tourisme

et les Portugais aiment faire connaître leur pays doté, par ailleurs, d'innombrables offices de tourisme. Les réductions proposées aux enfants dans les nombreux hôtels et restaurants font du Portugal une excellente destination familiale *(p. 377)*.

QUAND SE RENDRE AU PORTUGAL ?

Dans les provinces du Sud, le climat est sec et méditerranéen. Comparés aux étés caniculaires, les hivers paraissent doux. Évitez-les dans le Nord, où le froid peut sévir. Entre avril et octobre, la température y est très agréable, mais les intempéries existent. Pour plus de précisions sur le climat, reportez-vous aux pages 34 et 35. À Noël, Pâques et aux mois de juillet et août — haute saison touristique —, trouver une chambre, surtout dans le Sud, prend souvent des allures de casse-tête. Sans parler des prix qui ont une fâcheuse tendance à grimper. Si vous le pouvez, préférez-leur d'autres périodes de l'année, comme le printemps et l'automne qui restent les meilleurs moments avec un climat agréable, la possibilité de faire — encore ! — de bonnes affaires, des tarifs hôteliers en baisse et des touristes… rares.

DOUANES

Il n'existe plus de restrictions quantitatives à l'importation et l'exportation de biens dans l'Union européenne (à condition de s'être acquitté des taxes dans le pays d'origine). Seuls sont limités les achats de certains produits : tabac, alcool et parfums (tolérance douanière identique dans toute l'UE). En ce qui concerne la TVA, consultez les pages 436-437.

Bouteilles de porto

VISAS

Les ressortissants de l'UE ont besoin d'une carte d'identité, les citoyens suisses et canadiens d'un passeport, tous deux en cours de validité. Pour tout séjour inférieur à 3 mois (2 pour les Canadiens), aucun visa n'est exigé. Au-delà, vous devrez demander une *autorização de residência* (permis de résident) aux bureaux du *Serviços de Estrangeiros e Fronteiras* (police des frontières) dans les 3 jours suivant votre arrivée. Pour un plus long séjour, un document prouvant que vous suivez des cours ou avez signé un contrat de travail est nécessaire.

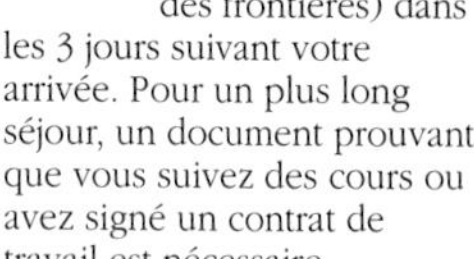

INFORMATION TOURISTIQUE

Le ministère portugais du Tourisme a divisé le pays en régions distinctes et séparées administrativement. Au sein de chacune d'elle, ainsi qu'à Madère et aux Açores, se trouvent des **Offices du tourisme gouvernementaux** *(Postos de Turismo)*, généralement situés dans les grandes villes et les aéroports. Ils constituent une mine d'informations sur leur région. Cartes, plans, détails des événements locaux et manifestations culturelles y sont disponibles, ainsi que la liste des hôtels (ils s'occupent rarement des réservations). Il est parfois possible de s'y procurer à l'avance des billets de spectacles et de concerts. Pour vous aider dans vos

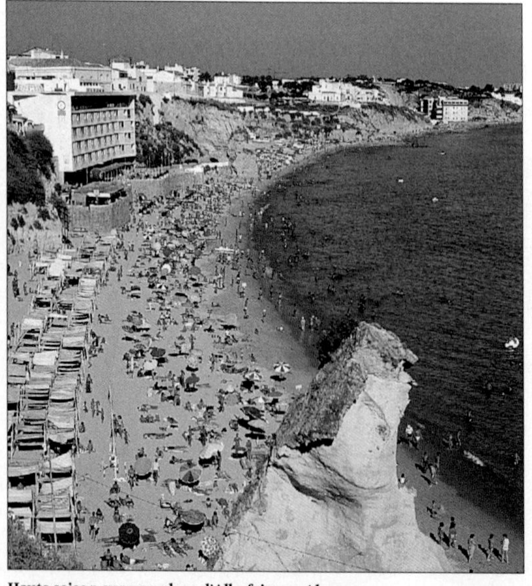

Haute saison sur une plage d'Albufeira en Algarve

◁ Produits frais au marché dos Lavradores, Funchal

Poteau indicateur à Marvão

recherches, ce guide vous indique les bureaux correspondant à chaque site. Les régions touristiques étant indépendantes, les horaires d'ouverture varient selon les lieux. En général, ils suivent ceux des magasins. À la campagne, les offices du tourisme sont souvent fermés le week-end et n'offrent pas les mêmes services que dans les grandes villes. Autre source de renseignements : les Offices du tourisme portugais à l'étranger. Si vous désirez préparer votre voyage avant le départ, ils proposent un large choix de brochures.

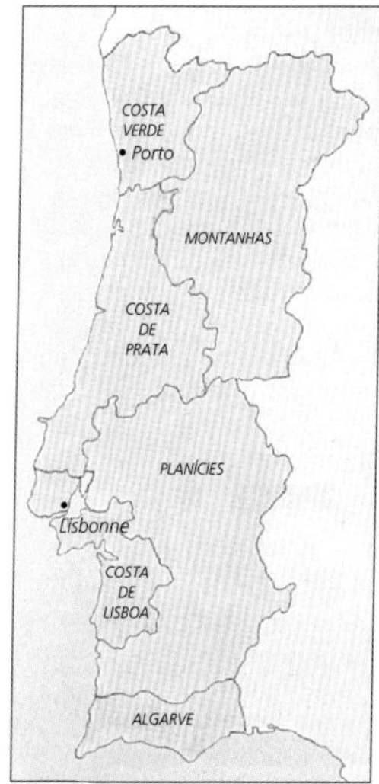

Carte représentant les six régions touristiques du Portugal

Musées

Si la plupart des musées appartiennent à l'État, il existe également de nombreux musées privés. En dehors des galeries et des musées nationaux, vous trouverez une multitude de musées régionaux, où vous pourrez aussi bien admirer les vestiges historiques régionaux que les œuvres d'artistes locaux.

Prix d'entrée

Le prix d'entrée des musées n'excède pas 500$00. Des réductions pouvant aller jusqu'à 40 % sont accordées aux enfants et aux retraités (pièce d'identité à l'appui). Les jeunes de moins de 26 ans, détenteurs d'un *Cartão Jovem* (carte jeune) ou de la carte internationale d'étudiant, bénéficient de billets d'entrée à moitié prix. Il arrive que le dimanche et les jours fériés l'entrée soit moins chère, voire gratuite. Si vous séjournez à Lisbonne, vous pouvez vous procurer la carte LISBOA, en vente dans les kiosques Carris *(p. 449)*. Elle offre un droit d'entrée dans 26 musées de la ville (pas les musées privés, comme Gulbenkian) et la gratuité des transports en commun pour une période allant de un à trois jours.

Billet de musée

Heures d'ouverture

En règle générale, les musées (de même que certains sites) sont fermés le lundi et les jours fériés, et ouvrent le reste du temps de 10 h à 17 h. Toutefois, faites attention à l'heure du déjeuner. Vous risquez de trouver porte close entre 12 h et 14 h, ou 12 h 30 et 14 h 30. Vérifiez également les horaires des petits musées et des musées privés. De même les églises, à l'exception des plus importantes, n'ouvrent que pour les offices religieux. Si vous voulez les visiter, vous devrez parfois partir en quête de la clé.

Carnet d'adresses

Ambassades et consulats

Belgique
Praça Marquês de Pombal, 14, 6°, Lisbonne. **Plan** 5 C5.
(01) 317 05 10.

Canada
Avenida da Liberdade - Edifício MCB, 144, 4°, Lisbonne. **Plan** 5 C5.
(01) 347 48 92.

France
Rua Santos-o-Velho, 5, Lisbonne. **Plan** 4D3.
01 60 81 20.

Suisse
Travessa Patrocínio, 1, Lisbonne. **Plan** 3 C2.
(01) 397 31 21.

Consulat français
Funchal *(091) 201 52.*
Lisbonne *(01) 390 81 20.*
Porto *(02) 69 48 05.*

Offices de tourisme gouvernementaux

Au Portugal : Coimbra
Largo da Portagem, 3000 Coimbra.
039-330 19.

Faro
Rua da Misericórdia 8, 8000 Faro.
089-80 36 04.

Lisbonne
Palácio Foz, Praça dos Restauradores, 1200 Lisbonne. **Plan** 7 A2.
01-346 36 43.

Porto
Praça Dom João I 43, 4050 Porto.
02-31 75 14.

En France : Paris
7, rue Scribe, 75009.
01 47 42 55 57.
Minitel : 36-15 Portugal.

Centre de Renseignements Douaniers
01 40 24 65 10.

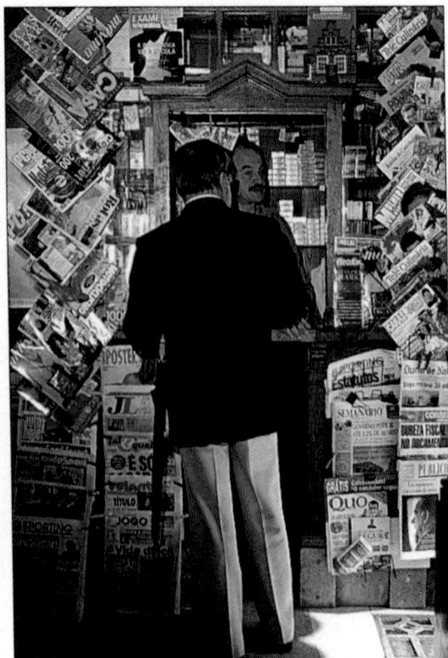

Journaux au café A Brasileira *(p. 90)*

LANGUE

S'il est vrai que le portugais ressemble en de nombreux points à l'espagnol et qu'un hispaniste le lira sans difficulté, la langue parlée, à la prononciation aussi variable que différente, s'en éloigne totalement. Du fait des liens historiques avec le Brésil et certains pays d'Afrique, il est largement parlé à travers le monde et les Portugais en sont — avec raison — très fiers. Sachez qu'ils n'apprécieront pas beaucoup que vous vous adressiez à eux en espagnol. Vous trouverez à la fin de ce guide un lexique comprenant la plupart des phrases et des mots usuels, ainsi que leur prononciation phonétique *(p. 478-479)*.

COUTUMES

N'hésitez pas, même si vos connaissances sont limitées, à vous adresser aux Portugais dans leur langue. Ne serait-ce que pour un simple *Bom dia* (bonjour), *boa tarde* (bon après-midi) ou *boa noite* (bonsoir), vos efforts seront toujours reconnus et la réponse, à coup sûr, amicale. D'autant que les Portugais sont chaleureux — surtout dans les provinces du Nord et les zones rurales — et infailliblement courtois. Pour s'adresser à vous, ils n'oublieront jamais d'ajouter *Senhor* ou *Senhora* à leur phrase. Rendez-leur cette politesse qui, parfois, s'étend aux titres professionnels. Un diplômé en art s'appellera *doutor*, un diplômé en sciences, *engenheiro*. En ce qui concerne l'habillement, les Portugais sont décontractés et les règles vestimentaires sont moins strictes que dans d'autres pays du Sud. Toutefois, il vous sera demandé de respecter les lieux religieux, surtout dans le Nord. Ainsi, évitez d'entrer dans une église bras et jambes nus.

JOURNAUX ET MAGAZINES

Les journaux français ne sont distribués que dans les grandes villes, les aéroports et les stations balnéaires courues (avec un jour de décalage). Les journaux anglophones, tels que l'*Algarve Magazine* qui fournit beaucoup de renseignements sur la vie locale, sont nombreux. Parmi les journaux, magazines et quotidiens portugais, les plus connus sont le *Diário de Notícias*, le *Público*, le *Correio da Manhã*, distribué dans le Sud, et le *Jornal de Notícias*, dans le Nord.

Quotidiens portugais et anglais

RADIO ET TÉLÉVISION

Il existe deux chaînes d'État, la RTP1 (en été, nouvelles en français après le journal de 10 h), la RTP2, et deux chaînes privées : SIC, axée sur l'information, et TVI, régie par l'Église. Le câble et le satellite permettent de recevoir les chaînes européennes. En ce qui concerne les radios, la station RDF diffuse durant les mois d'été des programmes en plusieurs langues et il est possible de capter France Inter sur les grandes ondes. Enfin, Madère possède sa propre chaîne de télévision et une station de radio destinée aux touristes, émettant sur 96 FM.

HANDICAPÉS

Pour le moment, les installations sont encore limitées, même si la situation semble en voie d'amélioration. Il est désormais possible de trouver des fauteuils roulants et des toilettes adaptées dans la plupart des aéroports, ainsi que dans les stations balnéaires importantes. Les parkings réservés, les rampes et les ascenseurs font leur apparition dans les lieux publics et il existe aujourd'hui à Lisbonne et Porto un service de bus destiné aux handicapés. Pour l'utiliser, il suffit de téléphoner pour indiquer le lieu et l'heure où vous désirez que l'on passe vous chercher, ainsi que votre destination.

Bus pour les personnes handicapées *(transporte especial para deficientes)*

Visiteuses admirant la vue depuis le château à Lisbonne

Attention ! Les opérateurs parlent uniquement portugais. Enfin, certaines villes proposent des services de taxis spécialisés.

Les femmes seules

Voyager seule au Portugal présente peu de risques. Toutefois, et comme partout, certaines règles sont à respecter. Ainsi, évitez de vous promener la nuit dans les endroits mal éclairés et isolés, notamment dans les quartiers de Bairro Alto et le Cais do Sodré à Lisbonne. Sachez aussi que certaines stations en Algarve et sur la côte, autour de Lisbonne, ne sont pas les endroits les mieux choisis si vous aimez passer inaperçue ! Quant à l'auto-stop, il est fortement déconseillé.

Information pour les étudiants

Si vous êtes âgés de 12 à 25 ans, le *Cartão Jovem* (carte jeune) est un investissement intéressant. En vente à l'*Instituto Português de Juventude* (l'Institut portugais de la jeunesse), elle est valide un an, coûte environ 1 100$00, comprend une assurance et offre de multiples réductions dans les magasins, musées, transports et auberges de jeunesse *(p. 376)*. Vous pouvez également vous procurer, avant de partir, la carte internationale d'étudiant, laquelle offre les mêmes avantages.

Services religieux

La religion prédominante est la religion catholique. Des offices religieux sont célébrés pratiquement tous les soirs, les dimanches matins, et bien sûr lors des fêtes religieuses, dans les innombrables églises. Pour les visiter, il est conseillé d'éviter ces temps de prière. Des messes en français sont dites dans les principales églises de Lisbonne.

Le Portugal est majoritairement catholique, mais toutes les autres grandes religions y sont représentées. Pour plus de détails, contactez les différents centres confessionnels de Lisbonne.

L'heure au Portugal

Le Portugal et Madère sont en retard de 1 h sur la France, la Belgique et la Suisse, et en avance de 5 sur le Canada. ; les Açores, ont 2 h de décalage avec l'Europe et 4 avec le Canada. Passage à l'heure d'été de mars à septembre. Comme en France, le décompte des heures se fait de 0 h à 24 h.

Fidèles à la sortie de la messe, à Trás-os-Montes

Adaptateurs électriques

Les prises sont alimentées en courant alternatif de 220 volts et acceptent des prises mâles à deux broches rondes. La plupart des hôtels trois étoiles et plus possèdent des adaptateurs pour les rasoirs à fiches plates.

Carnet d'adresses

Lieux de culte

Église São Jorge
Rua de São Jorge à Estrela 6, Lisbonne.
01-60 62 48.

Église São João
Largo da Maternidade de Júlio Dinis, Porto.
02-606 49 89.

Synagogue de Lisbonne
Rua A. Herculano 59, Lisbonne.
01-388 15 92.

Sé
Largo da Sé, Lisbonne. **Plan** 8 D4.

Informations pour les étudiants

Instituto Português da Juventude
Avenida da Liberdade 194, r/c, 1250 Lisbonne.
01-315 19 55.

Taxis pour handicapés

Braga
053-68 40 81.
Coimbra
039-48 45 22.
Lisbonne
01-815 50 61.

Bus pour handicapés

Lisbonne
01-758 56 76.
Porto
02-600 63 53.

Santé et sécurité

Pharmacie

Si le Portugal est un pays sûr, au faible taux de criminalité, prenez pourtant certaines précautions, comme de ne jamais laisser un objet de valeur dans la voiture et veiller aux pickpockets dans les lieux fréquentés et les transports. Vous pourrez, pour une affection bénigne, consulter un pharmacien et, en cas de problème de santé grave, composer un numéro d'urgence.

Poste de police à Bragança, région de Trás-os-Montes

Que faire en cas d'urgence ?

Composez le 112, puis indiquez le service souhaité : police *(polícia)*, ambulance *(ambulância)* ou pompiers *(bombeiros)*. Si vous avez besoin d'un traitement médical, vous bénéficierez de l'assistance médicale 24 h sur 24 dans les hôpitaux. Les cliniques sont généralement ouvertes de 8 h à 20 h. Enfin, si vous avez un accident sur une autoroute ou une route principale, utilisez le téléphone orange SOS (en portugais seulement).

Téléphone SOS sur autoroute

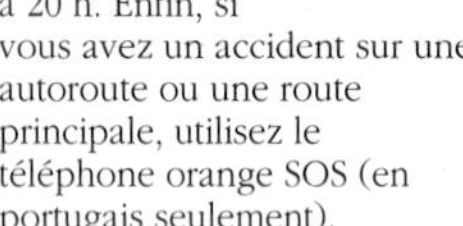

Précautions

Si aucune vaccination n'est exigée, il est malgré tout préférable d'être à jour en ce qui concerne le rappel DTPolio. Si vous partez pendant l'été, n'oubliez pas d'emporter un répulsif anti-moustiques. Quant à l'eau du robinet, elle est potable à travers tout le pays.

Traitement médical

Tout ressortissant d'un pays de l'Union européenne peut bénéficier d'une couverture permettant le remboursement de ses soins. Pour cela, il suffit de retirer avant le départ un formulaire E111 auprès de son centre de Sécurité Sociale. Toutefois, ce formulaire ne couvrant que les urgences, il est vivement recommandé de contracter une assurance complémentaire concernant tous les autres types de traitements médicaux, ainsi que le rapatriement. Si vous parlez l'anglais, vous trouverez des médecins de langue anglaise à l'Hôpital britannique de Lisbonne, de même que dans les centres de soins internationaux à Estoril, Cascais et en Algarve (pour avoir la liste, consultez les journaux anglais locaux).

Pharmacies

Pour un problème de santé bénin, vous pouvez vous rendre dans une pharmacie *(farmácia)* où un traitement approprié vous sera proposé. Il est possible d'y trouver tous les médicaments courants. Grâce à leur croix verte sur fond blanc, les *farmácia* sont facilement identifiables. Ouvertes de 9 h à 13 h et de 15 h à 19 h, du lundi au vendredi, et le samedi matin, elles indiquent sur leurs devantures les adresses des officines de garde les plus proches.

La police portugaise

Dans les villes de grande et moyenne importance, c'est la *Polícia de Segurança Pública* (PSP) qui fait régner l'ordre et la loi ; à la campagne, la *Guarda Nacional Republicana* (GNR). La *Brigada de Trânsito* (police routière), au brassard rouge, est, quant à elle, responsable de la sécurité routière.

Sécurité personnelle

Les agressions violentes sont extrêmement rares au Portugal, mais les délinquants existent et il est préférable de prendre certaines précautions,

Police de la route

Agent PSP

Femme policier PSP

Camion de pompier

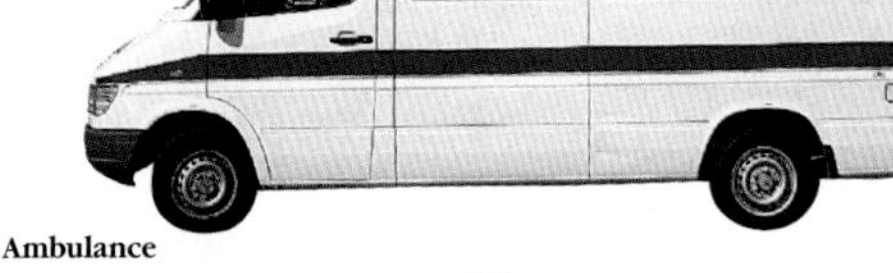

Ambulance

Voiture de police

la première étant bien sûr de souscrire une assurance couvrant le vol et la perte de vos biens personnels. Il est également conseillé de rester vigilant, tout particulièrement à la nuit tombée, dans les quartiers d'Alfama, Bairro Alto et Cais do Sodré, à Lisbonne, ainsi que dans certaines stations balnéaires de l'Algarve et du district de Ribeira, à Porto. Ne laissez jamais d'objets personnels dans votre voiture, à commencer par les radios, et prenez soin de dissimuler vos portefeuilles lorsque vous vous promenez. Enfin, pour ne pas tenter les voleurs à la tire, évitez de porter vos sacs, caméras et appareils photos côté rue.

Signaler un délit

Si vous êtes victime d'un vol, contactez immédiatement le poste de police le plus proche. N'oubliez pas que tout vol de papiers d'identité doit également être signalé à votre ambassade ou consulat. Il faut savoir que la plupart des compagnies d'assurances exigent un rapport de police établi dans les 24 heures suivant le délit. Faute de quoi, vous risquez de ne pas être remboursé. En ville, contactez la PSP ; à la campagne, le GNR. Dans les zones rurales, il est possible que vous soyez obligé d'accompagner l'autre conducteur au poste de police le plus proche afin de remplir les papiers nécessaires. Si vous avez un problème de langue, n'hésitez pas à demander l'aide d'un interprète.

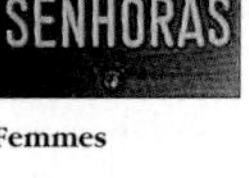

Femmes

Hommes

Carnet d'adresses

Numéros d'urgence

Urgence générale (pompiers, police, ambulance)
112.

Associação Portuguesa de Tradutores
Rua de Ceuta 4b, Garagem 5,
2795 Linda-a-Velha, Lisbonne.
01-419 82 55.

Hôpital britannique
Rua Saraiva de Carvalho 49,
1250 Lisbonne.
01-395 50 67.

Ordem dos Advogados
Largo de São Domingos 14, 1°,
1100 Lisbonne.
01-886 36 14.

Assistance juridique

Mondial Assistance ou Europe Assistance proposent des contrats incluant la garantie d'assistance juridique en cas d'accident. Si vous n'avez pas souscrit ce type de contrat, contactez votre consulat le plus proche ou l'*Ordem dos Advogados* (ordre des avocats), qui vous mettra en relation avec des avocats et vous aidera à obtenir une représentation juridique. Si nécessaire, des listes d'interprètes sont indiquées dans les Pages Jaunes locales (Pàginas Amarelas) sous l'intitulé *Tradutores e Intérpretes*. Vous pourrez aussi vous les procurer auprès de l'*Associação Portuguesa de Tradutores*, située à Lisbonne.

Les toilettes publiques

En portugais, toilettes se dit *retretes*. *Homens* (hommes) et *senhoras* (femmes) remplacent souvent les figures habituelles. Sur les autoroutes, vous trouverez des toilettes dans les stations-service et sur les aires de repos. En ville, les sanisettes étant rares, utilisez les toilettes des cafés, mais seulement après avoir commandé une consommation.

Banques et monnaie

Logo de la BFB

Vous êtes libre d'importer au Portugal toute somme d'argent jusqu'à 2 500 000 escudos. Au-delà, vous devrez la déclarer lors de votre entrée sur le territoire. Si, comme partout, le chèque de voyage est un moyen sûr de transporter de l'argent, les cartes bancaires demeurent la solution la plus pratique. Elles permettent de retirer de l'argent un peu partout, moyennant une commission.

Banque ouverte 24 h/24, aéroport de Lisbonne

Heures d'ouverture des banques

Ouvertes du lundi au vendredi, de 8 h 30 à 15 h, les banques ferment les jours fériés. Il est fréquent que les grandes agences des centres-villes et des sites touristiques restent ouvertes jusqu'à 18 heures.

Change

Il est facile de changer de l'argent au Portugal. Adressez-vous de préférence aux banques. Elles sont plus nombreuses que les bureaux de change *(câmbio)* et proposent des taux plus intéressants que les hôtels. Inconvénients : certaines limitent ce service à leurs seuls clients et les formulaires à remplir sont nombreux, d'où une perte de temps. Le moyen le plus rapide et le plus simple consiste à utiliser les appareils de change automatique. Vous en trouverez dans les aéroports, les gares et à l'extérieur de la plupart des grandes banques. Pratiques, ils permettent de changer de l'argent en dehors de leurs heures d'ouverture. Le cours et les instructions, données en plusieurs langues, sont indiqués sur leur écran central.

Panneau indiquant les différentes monnaies acceptées par l'appareil.

Billets et pièces portugais sortent par ces fentes.

La monnaie étrangère est à insérer ici.

Taux de change et instructions s'affichent sur cet écran.

Langue et monnaie sont sélectionnées par ces boutons.

Appareil de change à l'aéroport de Lisbonne
Un système pratique pour changer des billets étrangers en argent portugais à n'importe quelle heure du jour et de la nuit.

Chèques et cartes bancaires

Vous pouvez changer vos chèques de voyage dans les agences Thomas Cook, American Express, dans la plupart des banques et les grands bureaux de poste. S'ils demeurent un moyen sûr d'emporter de l'argent, les changer revient cher, car les taux des commissions sont élevés ; ils varient souvent d'une banque à une autre. Une solution plus économique consiste à vous procurer des Eurochèques et leur carte. De nombreux magasins les acceptent et toutes les banques affichant leur logo vous les changeront. Vous pouvez les utiliser jusqu'à concurrence de 30 000$00 par jour. Quant aux cartes bancaires, largement acceptées, elles offrent l'avantage de pouvoir retirer de l'argent partout.

Distributeurs automatiques

Les multiples distributeurs automatiques MB (Multibanco) acceptent de nombreuses cartes bancaires (Visa, Mastercard, Amex, Eurochèque et Eurocard). Le plus souvent, une taxe de transaction et une commission vous seront débitées. Il est donc préférable de rechercher les meilleurs taux, car les taxes et les commissions sont variables.

Monnaie

L'unité de base de la monnaie portugaise est l'escudo ($), prononcé « *ichkoudou* », lui-même divisé en 100 centavos. Le signe de l'escudo s'inscrivant avant le nombre de centavos, 1 000 escudos s'écrira 1 000$00. La plus petite pièce en circulation est celle de 1$00 (1 escudo) ; le plus gros billet — orange —, celui de 10 000$00 (10 000 escudos). Pour 1 000$00, on parle généralement d'un *conto,* terme également utilisé sur les chèques et dans le langage courant. Ainsi, les Portugais diront plus facilement 12 *contos* que 12 000$00. Ayez toujours sur vous petites coupures et monnaie. Vous risquez en effet de vous voir refuser un billet important pour un petit achat (notamment dans les bus, petites boutiques et kiosques).

10 000$00

5 000$00

2 000$00

1 000$00

500$00

Billets de banque
Il existe des billets de 10 000$00, 5 000$00, 2 000$00, 1 000$00 et 500$00. Si les anciennes coupures sont progressivement retirées et remplacées par de nouvelles effigies (nouveau billet de 500$00 par exemple), les deux versions ont toujours cours. Ci-contre, les billets récents, plus petits, sont présentés au premier plan ; les anciens, derrière.

Pièces
Vous trouverez au Portugal des pièces de 200$00, 100$00, 50$00, 20$00, 10$00, 5$00, 2$50 et 1$00. Il n'existe pas de pièces de centavos en circulation. La seule qui les inclu est celle de 2$50.

200$00

100$00

50$00

20$00

10$00

5$00

2$50

1$00

Le téléphone au Portugal

Une cabine à l'anglaise

Ces dernières années ont vu une amélioration spectaculaire du système de télécommunication portugais. Pendant longtemps, les usagers se sont trouvés confrontés à de multiples problèmes, dus, notamment, aux installations antédiluviennes. Fort heureusement, leur mise à jour rend aujourd'hui l'utilisation des téléphones publics beaucoup plus simple. Il existe des téléphones à pièces et à cartes. Pour les appels internationaux et longue distance, il est conseillé d'acheter une carte téléphonique, plus pratique, ou de se procurer, avant le départ, la carte France Telecom.

Cabine d'un bureau de poste

Téléphone à pièces

1 Décrochez le combiné et attendez la tonalité.

2 Introduisez des pièces de 10, 20, 50, 100 ou 200$00.

3 Le montant de votre crédit apparaît sur l'écran. S'il est insuffisant, le message « inserir mais moedas por favor » apparaît.

4 Composez votre numéro et attendez la sonnerie.

5 Si vous désirez passer un autre appel, appuyez sur le bouton « appel suivant ».

6 Raccrochez après la communication. Les pièces inutilisées sont restituées.

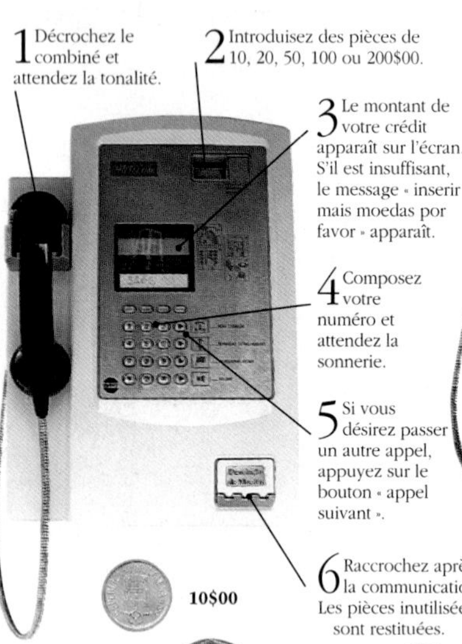

10$00

20$00 50$00 100$00 200$00

Téléphone à carte

1 Décrochez le combiné et attendez la tonalité.

2 Introduisez les cartes téléphone flèche vers le haut et les cartes de crédit, bande magnétique en bas.

3 Le nombre d'unités restantes apparaît sur l'écran.

4 Composez alors votre numéro et attendez la sonnerie.

5 Si la carte arrive à expiration au milieu de la conversation, retirez-la et introduisez-en une nouvelle.

6 Raccrochez après l'appel et retirez votre carte dès qu'elle réapparaît.

Une carte Telecom

Téléphoner au Portugal

Les téléphones publics sont innombrables. Vous trouverez dans les rues deux types de postes : les verts — les plus anciens — où vous ne pourrez utiliser que des pièces de 10, 20 et 50$00, et les beiges, plus récents, fonctionnant également avec celles de 100 et 200$00. Dans les cafés, boutiques et kiosques à journaux sont installés des téléphones à pièces rouges (uniquement 10, 20 et 50$00) et des postes de couleur bleu acceptant, en plus, celles de 100 et 200$00. Pour appeler l'étranger, il est plus simple d'acheter une carte téléphonique. Il en existe deux : la carte Credifone et la carte Telecom (50 ou 120 unités), disponibles dans tous les bureaux de poste, les tabacs et les kiosques. Reste la solution la plus pratique qui consiste à se procurer la carte France Telecom. Elle permet d'appeler partout dans le monde, le montant des communications étant ensuite débité sur votre compte. Pour plus d'informations, appelez le numéro vert : 05 202 202. Il est également possible de téléphoner depuis les bureaux de poste. Pour cela, adressez-vous aux guichets. Vous serez dirigé vers une cabine et payerez vos communications à la fin de votre appel. Sachez enfin qu'il revient moins cher de téléphoner le soir et le week-end.

PORTUGAL TELECOM

Le logo des Telecom

Appels en PCV

Vous pouvez appeler facilement en PCV, au Portugal, depuis n'importe quel poste. Il suffit pour cela de composer le numéro *país direto* du pays que vous désirez obtenir. Vous trouverez ce numéro dans les premières pages de n'importe quel annuaire (après les indicatifs des villes du pays concerné). Vous serez alors mis directement en relation avec l'opérateur local.

Un nouveau téléphone (beige) protégé par un abri, à Porto

Indicatifs

- À l'intérieur de chaque ville, composez le numéro à 6 ou 7 chiffres.
- Pour téléphoner à Lisbonne, si vous êtes en dehors de la ville, composez le 01, pour Porto, le 02.
- Les zones en Algarve sont : Portimão (082), Faro (089), Tavira (081). Pour Madère : 091.
- Pour obtenir un numéro au Portugal depuis l'étranger : 00 351, suivi de l'indicatif de la ville ou de la région sans le 0 (ex. : 00 351 1 pour Lisbonne).
- Pour obtenir un numéro à l'étranger, composez le 00, puis l'indicatif du pays : France 33, Belgique 32, Canada 1, Suisse 41.
- Renseignements : 118. Renseignements internationaux : 098.

Courrier

Le logo Correios (service postal)

Le service postal, *Correios*, est assez efficace. Une lettre envoyée au sein de l'Union européenne mettra entre cinq et sept jours, alors qu'il faudra compter une moyenne de sept à dix jours pour un envoi outre-Atlantique. Vous reconnaîtrez le logo de *Correios* à son cheval blanc sur fond rouge.

Envoyer une lettre

Le courrier à tarif rapide *(correio azul)* doit être déposé dans les boîtes aux lettres bleues, le tarif lent *(normal)* dans les boîtes rouges. Dans les bureaux de poste, certaines comportent deux fentes distinctes destinées l'une au courrier national, l'autre à l'international. Il existe également un service de courrier express, l'EMS, et un service de recommandé avec accusé de réception *(correio registado)*. Les timbres *(selos)* s'achètent dans les bureaux de poste, les magasin affichant le logo de *Correios,* et aux distributeurs situés dans les aéroports, les gares et la rue.

Timbres portugais

Poste restante

La majorité des grands bureaux de poste offrent un service de poste restante *(posta restante)*. Pour éviter les erreurs, le nom doit être écrit en majuscules souligné, suivi de « *posta restante* », du code postal et du nom de la ville où vous désirez recevoir votre courrier. Pour le récupérer, une pièce d'identité et une faible commission vous seront demandées.

Bureaux de poste

Les bureaux de poste ouvrent du lundi au vendredi, de 8 h 30 à 18 h 30. En ville, les horaires diffèrent et vous trouverez souvent des bureaux ouverts du lundi au vendredi, de 8 h à 22 h, et le samedi, de 9 h à 18 h.

Adresses portugaises

Il est fréquent que l'étage et l'emplacement du domicile soient indiqués avec l'adresse. Ainsi pour le rez-de-chaussée, inscrivez (r/c) *rés-do-chão*, pour le premier (1°) *primeiro andar*, le second 2°, etc. Gauche se dit *esquerdo* (E ou Esqd°), et droite *direito* (D ou Dt°).

Boîtes aux lettres portugaises
Les bleues sont destinées au tarif rapide (Correio Azul), les rouges au tarif lent.

Boutiques et marchés

L'artisanat portugais n'a jamais souffert de la modernisation du pays et a su conserver l'originalité de ses styles régionaux. S'il est possible de dénicher un peu partout la poterie ou l'*azulejo* de ses rêves, Madère reste le berceau incontesté des plus belles broderies et dentelles. Fromages, charcuteries et vins abondent sur tous les marchés. Quant aux portos, madères et alcools, vous les trouverez souvent directement chez le producteur. Les amateurs d'artisanat et de spécialités culinaires pourront satisfaire leurs goûts à des prix très raisonnables, surtout à la campagne.

Fromage de chèvre de la Serra da Estrela

Fruits et légumes frais sur un étal typique le long de la route dans l'Alentejo

TVA

Tout visiteur étranger à l'Union européenne peut se faire rembourser la TVA, sous réserve de rester moins de 6 mois. Pour cela, il suffit de demander sur le lieu d'achat un formulaire *Isenção de IVA* ou une facture en trois exemplaires (à présenter à la douane), décrivant les biens, leur quantité, leur valeur.

Heures d'ouverture

Les magasins ouvrent de 9 h à 19 h, à l'exception des petites boutiques et des magasins situés hors des sites touristiques qui ferment souvent à l'heure du déjeuner. Les centres commerciaux, avec supermarchés, restaurants et banques, restent ouverts tous les jours, de 10 h à 23 h (dimanche compris).

Marchés

Véritable lieu de rencontre et paradis des amateurs d'artisanat, le marché fait partie intégrante de la vie portugaise. La plupart du temps, il se tient sur la place principale des villes et des villages. Si vous ne le trouvez pas, demandez le *mercado* ou *feira*. Partout, les marchés foisonnent de produits : fruits et légumes, charcuterie (jambons fumés, saucisses), fromages, pains, ustensiles ménagers, mais aussi vêtements et produits d'artisanat. Certains sont même spécialisés : vente de poteries, dentelles et tapis. Généralement, ils ont lieu le matin, mais il n'est pas rare de les voir se poursuivre jusque tard dans l'après-midi sur les sites touristiques. Le plus réputé, mais aussi le plus important du Portugal, est sans doute celui de Barcelos *(p. 273)*, dans le Minho, patrie du fameux coq en céramique multicolore. Il se tient tous les jeudis sur la place principale. Pour vous aider, ce guide indique les jours de marché dans la rubrique mode d'emploi de chaque ville.

Céramiques

Décoratives ou utilitaires *(p. 24-25)*, les céramiques sont issues d'une longue tradition. Il y en pour tous les goûts, que vous soyez amateur d'élégantes porcelaines (comme celles de Vista Alegre) ou de poteries simples en terre cuite, sans oublier les *azulejos*, carreaux de faïence vernissée. Les plus beaux, très recherchés, sont hors de prix. Vous pourrez toutefois acheter d'excellentes reproductions, notamment au Museu Nacional do Azulejo *(p. 122-123)*.

Les autres produits d'artisanat

L'artisanat portugais est particulièrement riche, chaque région possédant ses spécialités. Les fameuses dentelles et broderies se trouvent principalement à Madère, mais vous pourrez également en acheter dans les villes du Minho, comme Viana do Castelo, tout aussi renommée pour ses ravissants châles aux couleurs vives. Vous découvrirez également dans le Minho des bijoux en filigrane *(filigrana)*, semblables à ceux portés lors des fêtes régionales. Composés de fils d'or et d'argent, et

Céramiques au marché de Barcelos *(p. 273)*

travaillés avec finesse et complexité, les broches, boucles d'oreilles et pendentifs sont en vente dans les boutiques locales (en théorie, l'or que vous achèterez doit être d'au moins 19 carats). L'Alentejo, l'une des plus grandes régions de l'artisanat portugais, est, quant à elle, particulièrement réputée pour ses célèbres tapis de couleur, comme ceux d'Arraiolos *(p. 301)*, ses meubles traditionnels peints à la main, ses objets en bois sculpté, ses poteries ou ses nappes brodées. Le liège de la région

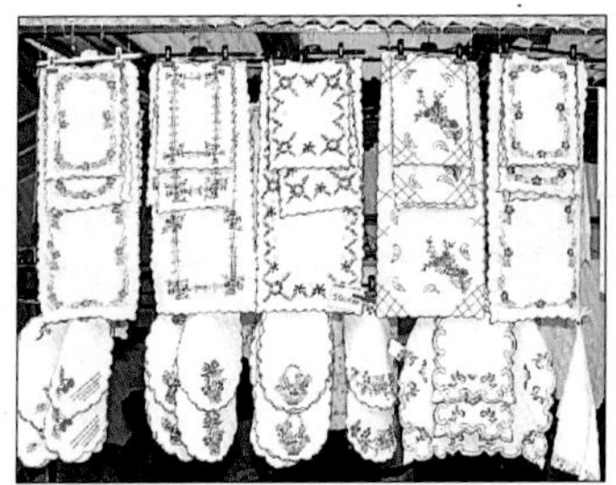

Mouchoirs brodés et napperons à Caldas do Gerês, Minho *(p. 270-271)*

Paniers faits main dans la région de Beiras *(p. 195)*

(p. 313) est utilisé pour la fabrication d'objets, tels que dessous de plat ou seaux à glace. Les amateurs de couvre-lits brodés (avec de la soie sur toile de lin) seront comblés par ceux de Castelo Branco, dans la Beira Baixa. Sachez aussi que les tricots sont bon marché et que les pulls de pêcheurs en laine de Nazaré *(p. 180)*, faits à la main, sont d'un bon rapport qualité-prix. La vannerie, enfin, considérée comme l'une des autres grandes spécialités de Madère (dont les chaises de jardin, de style colonial, sont particulièrement prisées), offre un choix considérable de paniers et corbeilles, tressés en osier ou roseau. Ils sont en vente partout et constituent de ravissants souvenirs.

PRODUITS RÉGIONAUX

Même si les spécialités gastronomiques les plus connues sont répandues à travers tout le pays, il est préférable de les acheter dans leur région d'origine. Vous trouverez à Chaves *(p. 256-257)*, réputée pour sa charcuterie, l'un des meilleurs jambons fumés *(presunto)* du Nord, et à Porto *(p. 236-241)*, les fameuses saucisses fumées *(linguiça)*. Parmi les fromages régionaux — généralement chers —, vous pourrez goûter le délicieux fromage de brebis Serra, produit de mai à octobre dans la Serra da Estrela *(p. 218-219)*, et l'Ilha, un fromage fort et sec, fabriqué aux Açores. Le Queijinhos, petit fromage blanc produit à Tomar et dans la région alentour *(p. 184-185)*, est souvent servi en hors-d'œuvre.

VINS ET ALCOOLS

Célèbre par son porto *(p. 228-229)* et son madère *(p. 349)*, le Portugal offre également une gamme de crus très étendue, souvent d'excellente qualité *(p. 28-29)*. Parmi eux, les vins rouges, doux et veloutés, issus des vignobles de Dão, qui s'apparentent aux bourgognes, les blancs frais de ces mêmes cépages et le *vinho verde* du Minho, un vin léger, légèrement pétillant et très rafraîchissant, idéal avec les fruits de mer et les poissons. Il existe également de nombreux alcools de bonne qualité, le plus connu étant le *bagaceira* ou *bagaço*, un alcool blanc et fort ; mais il y a aussi le *figo* (alcool de figues), le *ginginba* (à base de cerises) et le *medronbeira*, une eau-de-vie issue de l'arbutus *(p. 289)*. Enfin, sachez qu'il existe plusieurs variétés de portos, dont les vignobles sont cultivés le long du Douro, jusqu'à la frontière espagnole. Si, parmi ce large éventail, vous ne trouvez pas votre bonheur, goûtez les brandys, comme le *Macieira* et le *Constantino*, tous deux savoureux et bon marché. Pour vous procurer ces alcools et ces vins, le plus simple est de se rendre directement dans les caves où sont organisées de nombreuses visites guidées et des dégustations *(p. 347)*.

Gantier dans le quartier du Chiado à Lisbonne *(p. 94-95)*

VÊTEMENTS ET CHAUSSURES

Le Portugal possède une industrie textile florissante, mais la plupart de sa production est destinée à l'exportation. Vous ne la trouverez donc pas dans les boutiques. D'excellents articles de second choix sont en vente sur les marchés locaux, l'un des plus célèbres étant celui de Carcavelos, entre Lisbonne et Estoril. Les articles de cuir sont en général de bonne qualité, ce que reflète souvent leur prix. En revanche, vous pourrez trouver à bon prix des modèles de chaussures vendues à l'étranger par de grandes marques.

Sports et activités de plein air

En dépit de sa petite superficie, le Portugal offre une variété saisissante de sites sportifs. Grâce aux installations disséminées à travers le pays, les amateurs de golf et de tennis seront comblés, surtout dans le Sud où la douceur du climat permet de jouer toute l'année. Les passionnés de randonnées pédestres, cyclisme, équitation et sports nautiques pourront s'adonner eux aussi à leur sport favori. Pour connaître les dates des événements organisés dans chaque région et la liste des équipements sportifs, contactez les offices du tourisme.

Planche à voile à Viana do Castelo *(p. 274-275)*

Sports nautiques

Grâce à ses 800 km de côtes et ses îles, le Portugal bénéficie d'une situation idéale pour la pratique des sports nautiques. Le site mondialement connu de Guincho, près de Cascais *(p. 162-163)*, où ont eu lieu des championnats internationaux, est considéré par les surfers comme la meilleure plage (mais attention ! les brisants y sont redoutables). Moins dangereuses, les stations balnéaires de l'Algarve offrent la possibilité de s'initier à la voile et à la planche à voile, et de louer du matériel (Lagos et **Vilamoura** sont des marinas réputées). La **Federação Portuguesa de Actividades Subaquáticas** vous informera sur les différents centres de plongée du continent, ainsi que sur ceux de Madère et des Açores. Quant aux amateurs de canoë et de kayak, ils auront l'embarras du choix entre les multiples rivières du continent (contactez la **Federação Portuguesa de Canoagem**).

Randonneurs au sommet du Pico Ruivo à Madère *(p. 354)*

Randonnées pédestres et cyclisme

Les marcheurs seront comblés, que ce soit dans les parcs naturels de Montesinho *(p. 260)* et de Peneda-Gerês *(p. 270-271)*, ou à Madère et sur les îles de São Miguel et São Jorge, aux Açores, qui offrent les plus belles randonnées du Portugal. Suivre les *levadas* (canaux d'irrigation) de Madère, dont certains datent du XVe siècle *(p. 354)*, permet de rejoindre des sites inaccessibles par la route. Le Portugal ravira aussi les amateurs de VTT en montagne, même si le relief particulièrement accidenté de certains sites risque de décourager les moins entreprenants.

Terrains de golf en Algarve

Grâce à son climat agréable qui assure des conditions de jeu parfaites tout au long de l'année et à ses nombreux parcours dessinés par des professionnels de haut niveau, tels que Henry Cotton, l'Algarve est considéré comme l'une des meilleures destinations européennes. Les amateurs y trouveront des séjours spécialisés de tout premier ordre et si certains parcours requièrent un minimum de handicap, la plupart des golfs, dotés d'une excellente structure d'enseignement, accueillent des joueurs de tout niveau.

Fairway sur le parcours de Vilamoura II

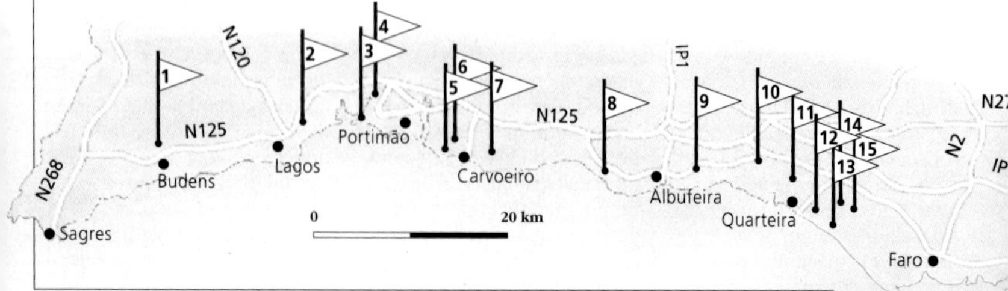

Golfeurs sur un parcours de Vale do Lobo, en Algarve

Tennis et golf

Les courts de tennis foisonnent au Portugal. En Algarve, notamment, vous pourrez faire de nombreux séjours avec stages, la plupart du temps sur des terrains en dur. Ailleurs, vous trouverez davantage de courts en terre battue. Le Portugal est aussi réputé pour ses parcours de golf, dont certains figurent parmi les plus beaux d'Europe — la plupart se trouvant dans la région de Lisbonne, en Algarve et le long du littoral nord. Nombre d'agences spécialisées y organisent des séjours. Malgré son terrain accidenté et rocailleux, l'île de Madère possède deux superbes parcours : Santo da Serra, dans l'est de l'île, et Palheiro Golf, au-dessus de Funchal.

Pêche à Praia da Adraga, près de Colares *(p. 153)*

1 Parque da Floresta *(082-653 33).*
2 Palmares *(082-76 29 53).*
3 Alto Golf *(082-41 69 13).*
4 Penina *(082-41 54 15).*
5 Quinta do Gramacho *(082-526 70).*
6 Vale da Pinta *(082-526 70).*
7 Vale de Milho *(082-35 85 02).*
8 Salgados *(089-59 11 11).*
9 Sheraton/Pine Cliffs *(089-50 19 19).*
10 Vilamoura I, II, III *(089-32 16 52).*
11 Vila Sol *(089-30 21 44).*
12 Vale do Lobo *(089-39 39 39).*
13 San Lorenzo *(089-39 65 22).*
14 Quinta do Lago *(089-39 60 02).*
15 Pinheiros Altos *(089-39 43 40).*

Pêche

Le Portugal est un paradis pour les pêcheurs, avec ses eaux profondes au large de l'Algarve, de Madère et des Açores, et ses rivières, idéales pour la pêche à la truite et au saumon. Il est nécessaire de se procurer une licence auprès de l'**Instituto Florestal.**

Équitation

Le Portugal, avec ses célèbres chevaux lusitaniens, jouit d'une longue tradition équestre. L'Algarve compte deux centres réputés, Quinta dos Amigos et Vale de Ferro, mais il y en a aussi dans l'Alentejo et le parc national de Peneda-Gerês, dans le Nord.

Carnet d'adresses

Sports nautiques

Federação Portuguesa de Actividades Subaquáticas
Rua Frei Manuel Cardoso 39, 1700 Lisbonne.
01-846 01 74.

Federação Portuguesa de Canoagem
Rua António Pinto Machado 60, 4100 Porto.
02-609 73 50.

Marina de Vilamoura S.A.
8125 Quarteira.
089-30 29 23.

Golf

Federação Portuguesa de Golfe
Rua General Ferreira Martins 10, 5°C, Miraflores, 1495 Algés.
01-410 76 83.

Greens du Monde
La Rouvenède, 83350 Ramatuelle.
04 94 55 97 77.

Voyages Gallia
12, rue Auber, 75009 Paris.
01 42 66 48 71.

Pêche

Federação Portuguesa de Pesca Desportiva
Rua da Sociedade Farmacêutica 56, 2°, 1150 Lisbonne.
01-356 31 47.

Instituto Florestal
Avenida João Crisóstomo 28, 1050 Lisbonne.
01-314 63 04.

Équitation

Quinta dos Amigos
8135 Almancil.
089-39 52 69.

Vale de Ferro
Centro Hípico, Mexilhoeira Grande, 8500 Portimão.
082-964 44.

ALLER AU PORTUGAL

La compagnie nationale, TAP Air Portugal, dessert tous les aéroports du Portugal, ainsi que ceux des Açores et de Madère, les grandes compagnies européennes assurant, quant à elles, des liaisons avec Lisbonne et Porto. L'été, de nombreux vols charters sont affrétés, notamment à destination de l'Algarve. Le plus souvent, ils sont vendus avec des séjours. Si vous décidez de vous déplacer en train, armez-vous de patience. Il est lent, mais aussi moins cher (en particulier si vous achetez des billets touristiques) que les autocars. Ces derniers permettent de voyager plus rapidement, avec une meilleure souplesse horaire. Quant à la voiture, elle demeure le moyen de transport le plus pratique, à l'exception des îles où il est souvent préférable d'emprunter les taxis, mais aussi le plus risqué. En effet, le Portugal possède le taux d'accidents le plus élevé d'Europe et les deux consignes à respecter sont la prudence et la vigilance.

Logo de la TAP

Aéroport de Lisbonne

ARRIVER EN AVION

Sur le continent, les aéroports de Lisbonne, Porto et Faro sont desservis par la **Tap Air Portugal.** Ceux de Lisbonne et Porto accueillent aussi les vols réguliers de toutes les grandes compagnies européennes. La TAP et **Air France Europe** assurent plusieurs liaisons quotidiennes avec Lisbonne et Porto — la plupart du temps, correspondances pour Faro, Madère et les Açores —, et la TAP dessert deux fois par semaine Funchal et Faro en vol direct depuis Paris. **Air Toulouse** propose plusieurs fois par semaine des vols pour Lisbonne, en provenance de Toulouse, Marseille et Lyon, ainsi qu'un vol hebdomadaire pour Porto depuis Lyon. Enfin, **Portugália** assure un Mulhouse-Lisbonne quatre fois par semaine. L'été, il existe de nombreux vols charters, notamment pour l'Algarve. **Nouvelles Frontières, Look Voyages** et **Go Voyages** proposent des vols secs toute l'année, avec des pics au moment des grands départs.

Panneaux d'information dans un aéroport

VOLS LONG-COURRIERS

Si vous venez d'Amérique du Nord, il existe des vols directs New-York-Lisbonne sur la **TWA, Delta Airlines** et la TAP Air Portugal. Aucun vol direct en provenance du Canada sauf par la **SATA** qui propose des vols charters sans escale pour les Açores, depuis Toronto. Ces vols étant prisés, il est recommandé de réserver vos billets à l'avance. Les passagers désirant se rendre à Faro, Porto, Madère ou aux Açores devront prendre une correspondance à Lisbonne. La TAP et son partenaire brésilien, la **VARIG,** relient Lisbonne et Porto à des villes sud-américaines.

AÉROPORT	INFORMATION	CENTRE-VILLE	TARIF TAXI (CENTRE-VILLE)	DURÉE DU TRAJET (TRANSPORT EN COMMUN)
Lisbonne	01-81 37 00	6 km	1 500$00	20 minutes
Porto	02-948 25 52	11 km	3 000$00	30 minutes
Faro	089-80 08 00	4 km	1 100$00	15 minutes
Funchal	091-22 50 85	18 km	3 600$00	30 minutes
Ponta Delgada	096-62 93 85	4 km	1 000$00	10 minutes
Horta	092-935 11	8 km	1 000$00	15 minutes

TARIFS AÉRIENS

Les tarifs varient selon la saison, la classe et la flexibilité du billet. Sur les vols réguliers, vous pouvez parfois bénéficier de réductions très intéressantes. Ainsi, Air France Europe propose des tarifs promotionnels à certaines périodes de l'année et pour certaines destinations (Le kiosque/Air France). Le temps de séjour est alors soumis à des impératifs et le billet doit être réglé au moment de la réservation. Air France propose aussi des tarifs avantageux sous certaines conditions d'utilisation. Les vols charters, nombreux en été, ne sont pas forcément les plus compétitifs. Sachez qu'ils présentent des inconvénients, comme l'impossibilité de modifier ses dates de départ une fois la réservation faite, car le billet n'est pas remboursé en cas d'annulation (il vaut mieux souscrire une assurance annulation), et un temps de séjour limité (entre 7 jours et un mois). Les meilleurs tarifs reviennent aux billets de dernière minute. Les réductions vont alors jusqu'à 40 %. Pour cela, consultez la presse ou tapez 36-15 DÉGRIFTOUR, ou RÉDUCTOUR. Enfin, n'oubliez pas les « Coups de cœur » d'Air France.

SÉJOURS

De nombreux séjours sont désormais organisés par les voyagistes spécialisés, tels que Donatello et Lusitânia.

Un appareil de la TAP sur une piste de l'aéroport de Lisbonne

Les forfaits proposés (week-end, voyages à la carte, etc.), souvent avantageux, incluent la plupart du temps le transport aérien (souvent avec le trajet entre l'aéroport et le centre-ville), le logement à l'hôtel, dans des *pousadas* *(p. 378-379)* ou, si vous le préférez, appartements et villas (bon choix de location) et la location de voiture. Air France Europe propose des forfaits avion plus hôtel et/ou location de voiture, permettant de bénéficier de tarifs hôteliers intéressants. Sachez qu'il existe également de nombreux circuits en autocar. Vous pouvez vous procurer à l'Office du tourisme la liste des voyagistes.

Arrêt des navettes, aéroport de Lisbonne

VOLS INTÉRIEURS

La TAP et son concurrent, Portugália, assurent des liaisons quotidiennes entre Lisbonne et Porto, ainsi que Lisbonne et Faro. La TAP dessert également tous les jours Funchal, São Miguel, Terceira et Faial aux Açores, en vols directs depuis Lisbonne et Porto, Porto Santo et Ponta Delgada depuis Funchal. La SATA relie les îles des Açores *(p. 447)*.

NUMÉROS UTILES

COMPAGNIES AÉRIENNES

Air France
☎ *01 44 35 61 61.*

Air Toulouse
☎ *08 03 05 31 31*
(n° Indigo : 1,09 F/mn).

TAP Air Portugal
Paris ☎ *01 42 96 15 75.*
Bruxelles ☎ *2-219 55 66.*
Genève ☎ *22-731 73 50.*
Lisbonne ☎ *01 841 69 90.*

VOLS LONG-COURRIERS

Delta Airlines
New York ☎ *800 241 414.*

Séjours Donatello
Paris ☎ *01 45 58 30 60.*

Lusitânia
Paris ☎ *01 46 69 75 13.*

Portugatour-Zénith
Paris ☎ *01 44 58 17 17.*

SATA
Boston ☎ *508-677 0555.*
Toronto ☎ *416-515 71 88.*

TWA
New York ☎ *800-892 41 41.*

VOLS INTÉRIEURS

Portugália
Lisbonne ☎ *01-848 66 93.*

SATA
Ponta Delgada ☎ *096-222 83.*

Navette de la TAP en partance pour le centre de Lisbonne

Voyager par le train

Le réseau de chemins de fer portugais, Caminhos de Ferro Portugueses (CP), couvre le pays tout entier. En voie de modernisation, il offre encore une qualité de service variable et si le train à grande vitesse, Alfa, qui relie Lisbonne à Porto, via Coimbra, est aussi rapide que confortable, il n'en va pas de même pour tous les trains. Bien que peu onéreux, ils concurrencent difficilement les autocars, notamment sur les longs trajets.

Une arche sculptée à la gare du Rossio, Lisbonne ***(p. 82)***

Arriver par le train

Il existe deux lignes de train à destination du Portugal. La première part de Paris-Montparnasse. Après le TGV jusqu'à Irun, à la frontière franco-espagnole, vous prendrez le train de nuit qui, en se scindant à Coimbra, rejoint Lisbonne (arrivée le lendemain aux alentours de midi à la gare Santa Apolónia) ou le nord du pays (Porto). Bien qu'étant le plus rapide, ce trajet dure malgré tout une vingtaine d'heures. La seconde possibilité consiste à passer par Madrid (par le Talgo ou le Puerta del Sol), puis, de là, à prendre le train de nuit pour Lisbonne. Ce train, connu sous le nom de « train-hôtel », comprend des compartiments luxueux, dont certains avec douche.

Circuler en train

Au Portugal, la plupart des régions sont desservies par le train, même si l'aménagement de nouveaux axes routiers provoque la fermeture des lignes les plus éloignées, comme celle reliant Mirandela à Bragança. Généralement, des services de cars sont mis en place pour pallier ces suppressions, mais il est préférable de se renseigner. Il existe plusieurs catégories de trains, le plus rapide et le plus confortable étant le train à grande vitesse, Alfa, qui assure la liaison Lisbonne-Porto en passant par Coimbra. Le Rápido Inter-Cidades (IC), moins luxueux, mais à peine moins rapide, circule entre les villes les plus importantes. Toutes les autres, ainsi que les villages, sont desservis par les trains régionaux et inter-régionaux, plus lents et moins bien équipés que l'Alfa et le Rápido, mais proposant des arrêts beaucoup plus fréquents.

Logo des Caminhos de Ferro Portugueses

La façade de la gare de Santiago do Cacém, décorée d'*azulejos*

L'Alfa à la gare de Santa Apolónia, Lisbonne

Gares

Il existe quatre gares à Lisbonne. Celle de **Santa Apolónia** dessert le Nord et les destinations internationales. Une nouvelle gare, **Oriente,** proche du site de l'Expo'98 et sur la même ligne que Santa Apolónia, devrait bientôt être terminée. Pour rejoindre l'Algarve et l'Alentejo, il vous faudra traverser le Tage par ferry, afin de prendre le train à la gare **Barreiro.** Le terminal des ferries est situé à proximité de la praça do Comércio. Plus à l'ouest se trouve la gare de **Cais do Sodré,** point de départ des trains pour Estoril et Cascais. Enfin, en prenant le train à la gare du **Rossio,** praça dos Restaurades, vous pourrez rejoindre Sintra en 45 minutes. Cette gare dessert également des localités le long de la côte nord, jusqu'à Figueira da Foz. Les deux gares de **Coimbra, A** et **B** (où arrivent les trains de Lisbonne et Porto), sont à cinq minutes en navette l'une de l'autre. Quant à la ville de Porto, elle possède trois gares : celle de **Campanhã,** terminus des trains en provenance des régions sud ; la gare de **Trindade,** au nord, qui dessert Guimarães, Vila do Conde et Póvoa do Varzim ; et enfin **São Bento,** dans le centre, d'où vous pourrez partir pour Bragança (service de navettes pour rejoindre la gare de Campanhã).

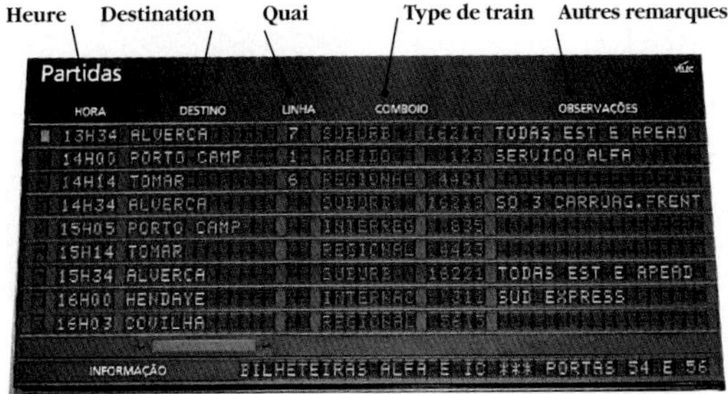

Tableau des départs à Santa Apolónia, Lisbonne

Tarifs

Les enfants âgés de moins de 4 ans voyagent gratuitement ; les moins de 12 ans, à moitié prix. Les groupes, étudiants et retraités peuvent également bénéficier de remises. Les secondes classes sont, la plupart du temps, d'un confort correct et nettement plus abordables que les premières. Si vous projetez d'effectuer plusieurs trajets en train, vous aurez tout intérêt à acheter un billet touristique *(bilhete turístico)*, utilisable sur tous les trains et qui offre un nombre illimité de voyages pour une durée de 7, 14 ou 21 jours consécutifs. Les familles nombreuses, quant à elles, pourront faire des économies en se procurant le *cartão de família*, valable sur des trajets de plus de 150 km. Grâce à elle, un membre de la famille payera plein tarif, les autres, âgés de plus de 13 ans, 50 %, et ceux de moins de 13 ans, 25 % du prix du billet. La carte Interrail, destinée aux moins de 26 ans, donne droit à un nombre illimité de trajets en Europe, pour une durée d'un mois. Elle permet aussi bien de rejoindre le Portugal (si elle est achetée hors du pays) que d'y circuler. La même carte, pour les plus de 26 ans, un peu plus chère, n'offre pas la possibilité de voyager en Espagne. Enfin, si vous avez l'intention de vous déplacer uniquement dans le pays, la carte Eurodomino propose un forfait de 3, 5 ou 10 jours ; tarif réduit pour les moins de 26 ans.

Principales lignes de chemin de fer

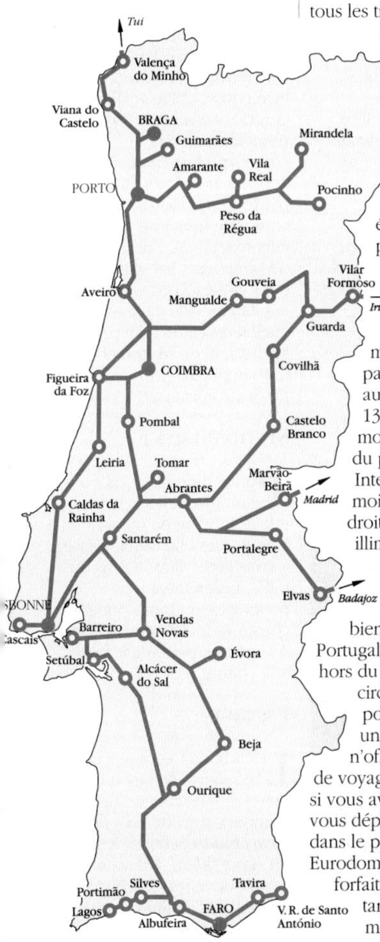

Achat des billets

Les réservations s'effectuent dans les gares et les agences de voyages, jusqu'à 20 jours avant le départ pour l'Alfa et le Rapido (IC), un délai généralement réduit à 10 jours pour les autres trains. Si vous voulez acheter votre billet le jour du départ, arrivez tôt ; le plus souvent, les files d'attente sont longues aux guichets, surtout aux heures de pointe et en périodes de vacances. Enfin, pour éviter une amende payable sur-le-champ, achetez votre billet avant de monter dans le train.

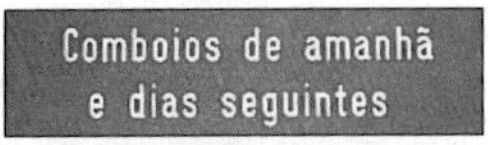

Comboios de amanhã e dias seguintes

Guichet pour l'achat de billets avant le départ

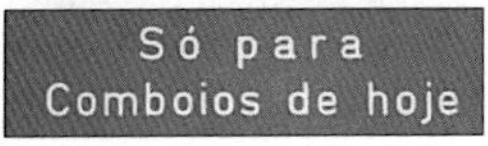

Só para Comboios de hoje

Guichet pour l'achat de billets avec départ immédiat

Horaires

Le *Guia Horário Oficial* (horaires des chemins de fer) est disponible dans les grandes gares. Outre les informations sur les trajets de l'IC, des trains inter-régionaux et régionaux, il fournit des renseignements sur les billets et les réductions possibles.

Carnet d'adresses

Gares

Coimbra
Coimbra A *039-246 32.*
Coimbra B *039-272 63.*

Faro
089-80 17 26.

Lisbonne
Barreiro *01-207 31 18.*
Cais do Sodré *02-56 56 45.*
Rossio *01-346 31 81.*
Santa Apolónia *01-881 60 00.*

Porto
Campanhã *02-56 56 45.*
São Bento *02-200 27 22.*
Trindade *02-200 52 24.*

Conduire au Portugal

Automóvel Clube de Portugal, logo

Si certains axes nécessitent encore de sérieuses rénovations, le réseau routier doté aujourd'hui d'autoroutes s'est considérablement amélioré. En ville, les embouteillages constituant de véritables problèmes, il est conseillé de ne pas prendre le volant aux heures de pointe et de se méfier de la conduite fantasque des Portugais. Munissez-vous toujours de votre pièce d'identité, permis de conduire, assurance, carte grise ou contrat de location du véhicule.

Débarquement à Setúbal des passagers en provenance de Tróia

Arriver en voiture

Pour venir de France, la route la plus rapide passe par Irún, à la frontière franco-espagnole. Il faut ensuite emprunter la N 620, jusqu'à Vilar Formoso, au Portugal. Par cet itinéraire, vous traverserez les villes espagnoles de Valladolid et Salamanque qui constituent de superbes étapes. Ceux qui désirent se rendre directement à Lisbonne ou descendre en Algarve devront bifurquer à Burgos, d'où ils prendront la direction de Caceres et Badajoz. Si la durée du voyage vous fait peur (il faut compter 2 jours), sachez qu'il existe un service Train-Auto, au départ de Paris-Austerlitz. Le véhicule déposé le jour même, entre 9 h et 16 h 30, sera récupéré le lendemain, entre 11 h 30 et 20 h 30. Pour plus de détails, appelez les renseignements **SNCF.**

Location de voiture

Vous trouverez des agences de location dans toutes les villes et les aéroports de Lisbonne, Faro et Porto. Toutefois, les agences locales restent moins chères que les compagnies internationales. Mais attention ! mieux vaut vérifier l'état de la voiture avant le départ, ainsi que la couverture de l'assurance. Enfin, vous devez être en possession de votre permis de conduire depuis au moins un an et avoir plus de 23 ans (permis international pour les Canadiens). Possibilité de louer des voitures depuis la France (**Avis** ou **Hertz**).

Trafic au péage du Ponte 25 de Abril à Lisbonne

Une route escarpée dans la Serra da Estrela *(p. 218-219)*

Circuler en voiture

Il existe plusieurs catégories de routes principales : les EN *(Estrada Nacional),* dont beaucoup ont été améliorées et reclassées en IC *(Itinerário Complementar)* et IP *(Itinerário Principal).* Ces derniers axes étant empruntés par les poids lourds, attendez-vous à de fréquents ralentissements. Sur les routes de campagne, les stations sont rares et il est conseillé de faire le plein en ville. Les meilleures cartes sont celles de Michelin et de l'Automobile-Club Portugais *(Automóvel Clube de Portugal).*

Stationnement

Trouver une place de stationnement en ville relève souvent du miracle. Si vous êtes chanceux, pensez à vous garer dans le sens du trafic. Récemment, des parkings souterrains ont été construits à Lisbonne et Porto. À Coimbra, préférez le bus à la voiture.

Essence

Le carburant est assez cher. Le moins onéreux est le diesel (couleur jaune sur les pompes), suivi du sans plomb (*sem chumbo,* couleur verte) et du super (bleu). Les stations restent ouvertes jusqu'à 22 h ou minuit. Certaines pompes sont en libre-service.

Code de la route

Les Portugais conduisent à droite et leur code de la route est identique au nôtre, avec un système de signalisation international. Aux carrefours, ronds-points et intersections, vous avez la priorité à droite, à moins d'une indication contraire. Le port de la ceinture de sécurité est rigoureusement obligatoire et le taux d'alcoolémie de 0,5 g comme dans le reste de l'Union européenne. Enfin, la vitesse est limitée à 60 km/h en ville, 90 km/h sur les routes et 120 km/h sur les autoroutes. Si vous ne les respectez pas, vous risquez une amende à paiement immédiat.

Panneaux indicateurs à Lisbonne

Autoroutes et péages

Le réseau d'autoroutes portugais *(voir la carte sur le rabat de couverture)* relie Lisbonne à Braga, Guimarães et Torres Vedras, Porto à Amarante et traverse le pays d'ouest en est, en direction de la frontière espagnole, à Elvas. La plupart des tronçons sont à deux voies, sauf autour de Lisbonne et Porto. Aux péages, évitez la Via Verde (voie verte)

La « Via Verde », sur la file de gauche, à un péage d'autoroute

réservée aux conducteurs ayant souscrit à un système de paiement automatique. À Lisbonne, il existe également des péages sur le Ponte 25 de Abril et le Ponte Vasco da Gama, dont l'ouverture est prévue pour 1998.

Services de dépannage

Les membres d'organisations similaires à l'**ACP,** telles que l'**Automobile Club National,** seront couverts en cas de panne. Il existe des possibilités d'adhésion pour la durée d'un seul séjour. Quand vous utilisez les téléphones d'urgence, précisez bien que vous êtes couvert par l'ACP. Sinon, ne vous inquiétez pas, la plupart des villes possèdent garages et dépanneuses.

Cyclisme

Le Sud est idéal pour faire du vélo, mais en été faites attention à la chaleur, surtout dans l'Alentejo. Procurez-vous des cartes à grande échelle à l'**Instituto Português de Cartografia e Cadastro.**

Les voies

Les routes ont jusqu'à trois dénominations. Grâce à des améliorations, les anciennes EN *(Estrada Nacional)* peuvent être classées en axe IP *(Itinerário Principal)*. Un E *(Estrada Europeia)* indique une route internationale.

L'IP4 Bragança-Porto est en partie autoroute (A4) et en partie route à 4 voies.

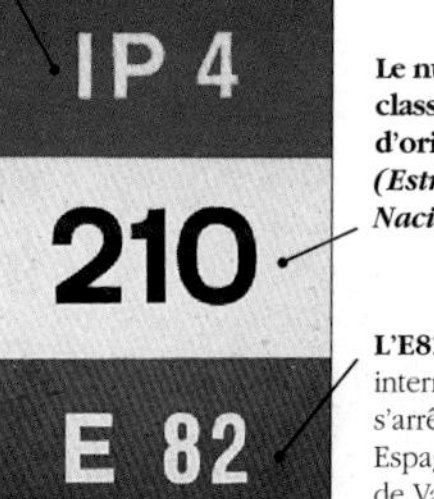

Le numéro de classification d'origine E *(Estrada Nacional)*

L'E82, axe international, s'arrête en Espagne, près de Valladolid.

Carnet d'adresses

Arriver en voiture

Renseignements SNCF
01 45 82 50 50.
ou 36-15 — 36-16 SNCF.

Location de voitures

Hertz, Paris
01 47 88 51 51.

Avis, Paris
01 46 10 60 60.

A.A. Castanheira, Lisbonne
01-357 00 60.

Avis, Porto
02-31 59 47.

Budget, Faro
089-81 88 88.

Budget, Lisbonne
01-796 10 28.

Eurodollar, Faro
089-81 82 94.

Hertz, Lisbonne
01-941 10 60.

Hertz, Porto
02-31 23 87.

Services de dépannage

Automobile Club National, Paris
01 44 51 53 99.

ACP sud de Pombal
01-942 50 95.

ACP nord de Pombal
02-830 11 27.

Bicyclette

Instituto Português de Cartografia e Cadastro
Rua Artilharia Um 107,
1070 Lisbonne.
01-386 96 00.

Voyager en autocar

Logo d'EVA, l'une des sociétés d'autocars nationales

Depuis la privatisation du réseau d'autocars portugais, la Rodoviária Nacional (RN), les compagnies se sont multipliées — certains trajets sont même assurés par des sociétés étrangères — et rivalisent d'efficacité pour offrir les meilleures prestations. En conséquence, de nombreuses liaisons sont beaucoup plus confortables et rapides que leurs équivalents en train. De plus en plus de lignes ferroviaires étant supprimées, comme celles de Mirandela-Bragança et Beja-Moura, les autocars prennent aujourd'hui le relais.

Un autocar de Rodonorte, qui couvre l'extrême Nord du pays

Arriver en autocar

Se rendre au Portugal en autocar est peu onéreux mais fatigant (le trajet dure une bonne trentaine d'heures !). **Eurolines** assure des liaisons quotidiennes au départ de Paris et de certaines grandes villes de province. **France Cars International** dessert le nord du Portugal (Paris-Porto en 24 h) avec arrêts dans de nombreuses villes de France.

Circuler en autocar

Les sociétés d'autocars foisonnent au Portugal. Ainsi, **Renex** assure des liaisons entre Faro, Lisbonne, Porto et Braga, et **EVA** couvre le pays tout entier. **Rodoviária Estremadura** relie Lisbonne à Estremadura. Basée à Vila Real, **Rodonorte** dessert l'extrême Nord, tandis que **Rede Expressos,** à Porto, couvre l'intérieur du pays. Il n'existe pas de gare centrale dans les grandes villes. Toutefois, le terminal le plus important de Lisbonne se trouve sur l'avenida Casal Ribeiro, alors que, à Porto, arrivées et départs se font principalement rua das Carmelitas et praça Dona Filipa de Lencastre. Les informations sur les trajets, tarifs et horaires sont disponibles dans les offices du tourisme et les agences de voyages.

Circuits en autocar

Cityrama organise des visites de Lisbonne et de la côte alentour, des excursions d'une journée vers des sites comme Batalha, Sintra et Mafra, ainsi qu'un tour de la ville « by night », avec la visite du monastère dos Jerónimos, dîner et spectacle de fado. À Porto, cette même compagnie propose des circuits dans le Minho et les vallées du Douro, ainsi qu'un voyage de 6 jours jusqu'à Lisbonne. Avec **Gray Line,** filiale de Cityrama basée à Lisbonne, vous pourrez aller passer une journée à Évora et Coimbra, faire une croisière sur le Tage et même un circuit de 3 jours dans l'Algarve. Généralement, les départs se font des grands hôtels ou des centres-villes. En Algarve, les possibilités sont tout aussi nombreuses : visites de Loulé, Silves et Monchique, du sud-ouest et du Guadiana, d'Évora ou même Lisbonne. Pour tout renseignement, rendez-vous dans les offices du tourisme, agences de voyages et hôtels.

Un car Cityrama le long de la côte près de Lisbonne

Carnet d'adresses

Paris

Eurolines.
☎ 01 49 72 51 51.

France Cars International.
☎ 01 48 74 12 50.

Nord du Portugal

Rede Expressos
Rua das Carmelitas 7, Porto.
☎ 02-208 28 98.

Renex
Rua das Carmelitas 1, Porto.
☎ 02-82 86 68.

Rodonorte
Rua D. Pedro de Castro, Vila Real.
☎ 059-32 32 34.

Lisbonne

Cityrama
Avenida Praia da Vitória 12b.
☎ 01-355 85 69.

Gray Line
Avenida Praia da Vitória 12b.
☎ 01-352 25 94.

Renex
Rua dos Arameiros 15.
☎ 01-888 28 29.

Rodoviária Estremadura
Avenida Casal Ribeiro 18a/b.
☎ 01-354 54 39.

Algarve

EVA
Avenida da República, Faro.
☎ 089-899 761.

Voyager dans les îles

À Madère et aux Açores, de nombreux sites sont inaccessibles en voiture et la nature accidentée du terrain rend le transport difficile. La conduite nécessitant prudence et patience, il est souvent plus reposant et appréciable de se déplacer en car ou en taxi.

Avion inter-îles sur une piste à Pico

D'île en île

La TAP assure des liaisons quotidiennes entre Funchal et Porto Santo ; la SATA dessert les îles des Açores *(p. 441)*. Les vols à destination de Flores et Corvo étant souvent annulés à cause des mauvaises conditions météorologiques, renseignez-vous sur d'éventuels retards. Les vols de la SATA doivent être confirmés 72 heures avant le départ. Quant aux liaisons ferry, les plus empruntées relient les îles centrales des Açores, notamment la ligne Faial-Pico.

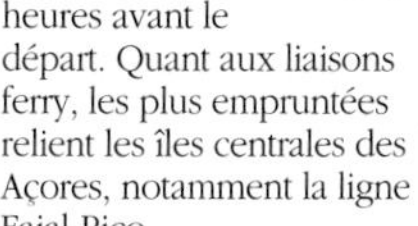

Compagnie aérienne des Açores

Madère

Pour découvrir Madère, optez pour les excursions des compagnies **Intervisa** et **Blandy,** pour la journée, ou, mieux encore, louez un taxi ou une voiture. Mieux vaut réserver à l'avance et prévoir du temps pour les excursions, les routes de Madère étant sinueuses et escarpées. Un nouvel axe, longeant la côte sud, devrait être terminé en l'an 2000, mais de nombreux sites demeurent encore inaccessibles, sauf pour les randonneurs.

Les Açores

Vous pourrez louer une voiture partout, sauf à Corvo. Il faut toutefois savoir que les taxes y sont plus lourdes que sur le continent et les routes difficiles. Pour explorer les petites îles en particulier, il est plus reposant de louer un taxi. Un seul conseil : mettez-vous d'accord sur le prix, l'itinéraire et l'heure de retour avant le départ. Surveillez également la météo et différez vos excursions si les montagnes et calderas se trouvent dans les nuages. Quant aux cars, ils sont très bon marché, mais, comme à Madère, davantage destinés aux îliens. Pour connaître les excursions organisées, en particulier par l'**Agência Açoriana de Viagens,** renseignez-vous auprès des offices du tourisme, qui fournissent des informations sur les promenades en bateau. Enfin, vous pourrez louer des bicyclettes. Mais la meilleure façon de découvrir les Açores reste la marche. Les chauffeurs de taxis seront toujours prêts à vous déposer au début d'un sentier, puis à venir vous rechercher plus tard. Même si certaines routes sont décrites dans les guides spécialisés vendus sur place, il est préférable de se procurer des cartes détaillées avant le départ.

Carnet d'adresses

Madère

Blandy
Avenida do Mar das Comunidades Madeirenses, Funchal.
091-20 06 00.

Intervisa
Avenida M. Arriaga 30, Funchal.
091-22 83 44.

Açores

Agência Açoriana de Viagens
Lado Sul da Matriz 68–9, Ponta Delgada, São Miguel.
096-278 04/06.

Avis
Praça 5 de Outubro 19, Ponta Delgada.
096-241 07.

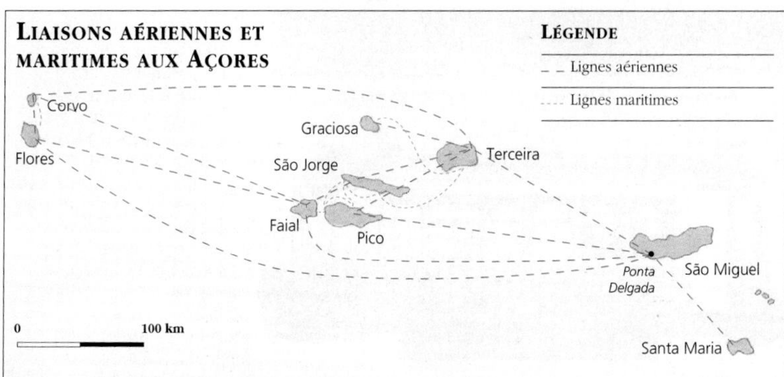

Circuler en ville

Logo du métro de Lisbonne

Grâce aux nombreux transports en commun, vous pourrez aisément délaisser votre voiture pour circuler en ville. À Lisbonne, vous emprunterez le métro, dont le réseau en pleine expansion devrait être terminé en l'an 2000, les funiculaires ou les tramways qui, peu à peu, sont remplacés par de nouveaux modèles. Ailleurs, bus, trolleybus et taxis offrent l'embarras du choix. Mais le moyen le plus agréable de découvrir les centres-villes, souvent d'accès difficile, reste la marche.

Bus

Pour partir à la découverte des grandes villes, le bus est une solution pratique. À Lisbonne, il revient plus cher que le métro, mais vous pouvez acheter des carnets de 10 tickets, plus avantageux que le ticket unique en vente dans le bus. Il existe aussi des cartes, valables de 1 à 3 jours, ainsi que des forfaits de deux trajets pour le prix d'un. Le ticket doit être validé dans la machine *(obliterador)* située près du chauffeur. Si vous passez outre, vous encourez le risque d'une amende à régler sur-le-champ. Les destinations sont indiquées à l'avant de chaque véhicule et le détail des trajets à chaque arrêt *(paragem)*. Quant à la montée, elle se fait à l'avant.

Bus blanc et orange à Lisbonne, pour la praça do Comércio

Tramways et funiculaires

À Porto, vous pourrez emprunter les trolleybus qui descendent vers le fleuve ou longer le front de mer en tramway. Si vous êtes à Lisbonne, ascenseurs, funiculaires et tramways sont des moyens agréables pour explorer la ville. **Carris** propose un tour des collines *(Linha das Colinas)* dans un ancien tramway. L'excursion comprend une visite des sites touristiques. Pour rejoindre le Bairro Alto, il existe deux funiculaires, l'elevador da Bica, situé non loin de la gare Cais do Sodré, et l'elevador da Glória, praça dos Restaurades, ainsi qu'un ascenseur, celui de Santa Justa *(p. 86)*.

Nouveau modèle de tramway, plus long et aérodynamique

Un ancien tramway rouge pour l'excursion de la Linha do Tejo

Montée au Bairro Alto par l'elevador da Glória, Lisbonne

Excursions en car

À Porto, **Gray Line** propose des tours de la ville deux fois par semaine, davantage en été. Ils incluent la visite d'un chai avec dégustation *(p. 247)*. Les billets sont en vente au bureau des Gray Lines ainsi qu'à l'Office du tourisme, point de départ des cars, praça Dom João I.
À Coimbra, Cityrama organise une excursion hebdomadaire. Renseignements et réservations à l'Office du tourisme d'où se font les départs.

Le métro de Lisbonne

En pleine expansion, le réseau devrait comporter pour l'Exposition universelle de 1998 un total de quatre lignes destinées à offrir une meilleure couverture du centre-ville et des banlieues proches. En l'an 2000, une liaison est prévue avec la gare de Santa Apolónia. Les billets, peu onéreux, vous coûteront moins chers si vous les achetez par carnets de 10 *(caderneta)*. Ils doivent être validés dans les machines *obliterador*. Enfin, le métro fonctionne entre 6 h et 1 h du matin, mais mieux vaut fuir les heures de pointe.

Billets à Lisbonne

Les billets sont les mêmes pour les bus, tramways, funiculaires et ascenseurs. Des billets à tarif réduit sont en vente dans les kiosques Carris à praça da Figueira, l'ascenseur Santa Justa et la gare de Sete Rios. Les forfaits offrent le maximum de réductions.

Ticket de métro pour la journée

Billet valable pour la journée

Ticket valable pour deux trajets

La carte LISBOA donne accès à 26 musées de Lisbonne, ainsi qu'aux transports publics pour une durée de 1 à 3 jours (p. 427).

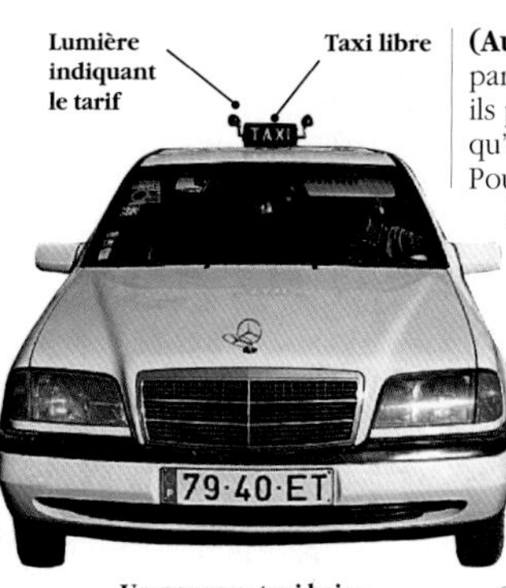

Un nouveau taxi beige

Taxis

Les anciens taxis, noirs avec un toit vert, sont peu à peu abandonnés au profit de nouveaux véhicules de couleur beige. Vous pouvez les héler dans la rue ou les appeler par téléphone **(Autocoope).** Si vous partagez le prix de la course, ils peuvent revenir moins cher qu'un bus ou un tramway. Pour les trajets en périphérie, les compteurs sont arrêtés et le coût calculé selon le kilométrage, le tarif minimum étant de 250$00. Mettez-vous d'accord sur le prix de la course avant le départ. Une taxe fixe de 300$00 vous sera réclamée pour les bagages placés dans le coffre. Le prix des courses est plus élevé entre 22 h et 6 h du matin, les week-ends et les jours fériés. Le tarif en vigueur est indiqué par les lumières du toit : une pour le plus faible, deux pour le plus cher. Si le taxi est libre, la lampe centrale sera allumée. En cas de problème, le numéro à contacter est inscrit sur la vitre arrière gauche.

Carnet d'adresses

Excursions en car et tramway

Carris, Lisbonne
Rua 1° de Maio 101–3,
2300 Lisbonne.
01-363 20 84.

Office du tourisme de Coimbra
Largo da Portagem,
3000 Coimbra.
039-238 86.

Gray Line, Porto
Rua Doutor Albino Montenegro 447, Valbom, 4420 Gondomar.
09-31 55 51 64.

Radio-taxis

Autocoope (Lisbonne)
01-793 27 56.

Radio Taxis (Porto)
02-52 80 61.

Le métro de Lisbonne (1998)

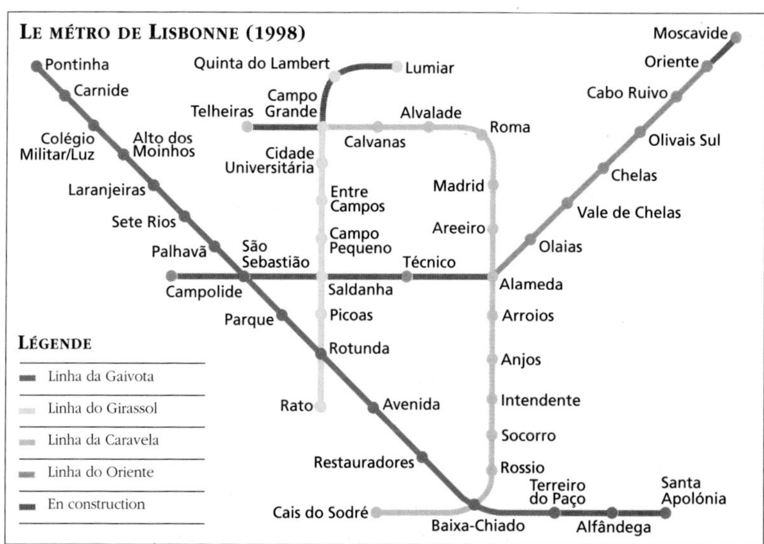

Index

Les numéros de page en **gras** renvoient aux entrées principales

C

H

I

J

K

L

R

S

Remerciements

L'éditeur remercie les organismes, les institutions et les particuliers suivants dont la contribution a permis la préparation de cet ouvrage.

Conseiller

Martin Symington, auteur de récits de voyages, est né au Portugal, où il a passé son enfance. Auteur du *New Essential Portugal* (AA), il a également apporté sa contribution aux guides *Voir Grande-Bretagne* et *Séville et l'Andalousie*. Écrivain prolifique en ce qui concerne le Portugal, ses récits sont publiés régulièrement dans le *Daily Telegraph* et le *Sunday Telegraph*, ainsi que dans d'autres journaux nationaux anglais.

Auteurs

Susie Boulton a fait ses études dans le domaine de l'histoire de l'art à Cambridge University. Elle est auteur de récits de voyages et du guide *Voir Venise et la Vénétie*.

Christopher Catling écrit des récits de voyages. Auteur de *Madeira* (AA) et du Guide *Voir Florence et la Toscane*, il a également participé aux guides *Voir Italie* et *Grande-Bretagne*.

Marion Kaplan, qui a vécu au Portugal, a écrit pour de nombreux journaux et revues. Elle est l'auteur de *The Portuguese* (Viking/Penguin 1992), et elle a apporté sa contribution au guide Berlitz *Travellers Guide to Portugal*.

Sarah McAlister, rédactrice et écrivain pour les guides *Time Out*, connaît bien Lisbonne et la côte.

Alice Peebles, rédactrice et écrivain, a participé à plusieurs guides *Voir*.

Carol Rankin est née au Portugal. Historienne de l'art, elle a donné des conférences sur la majeure partie des aspects de l'art et de l'architecture du Portugal. Elle a également participé, en tant que conseillère, à de multiples études culturelles.

Joe Staines, écrivain, est également coauteur de l'ouvrage *Exploring Rural Portugal* (Helm).

Robert Strauss, auteur de récits de voyages, est éditeur professionnel. Il a travaillé pour le Luso-British Institute, à Porto, et a écrit plusieurs ouvrages, qui ont été publiés par les éditions Lonely Planet et Brandt. Il est l'auteur de la partie concernant le Portugal dans les ouvrages *Western Europe* et *Mediterranean Europe* (Lonely Planet, 1993).

Nigel Tisdall, journaliste, a écrit de nombreux articles sur les Açores. En outre, il a contribué aux guides *Voir France, Espagne* et *Californie*.

Edite Vieira est l'auteur de plusieurs ouvrages sur la cuisine portugaise, dont *The Taste of Portugal* (Grub Street). Elle est membre de la Guild of Food Writers. Le BBC World Service diffuse régulièrement ses émissions.

Autres collaborateurs

Dr Giray Ablay, Gerry Stanbury, Paul Sterry, Paul Vernon.

Illustrations d'appoint

Richard Bonson, Chris Forsey, Chris Orr, Mel Pickering, Nicola Rodway.

Collaboration artistique et éditoriale

Gillian Andrews, Jan English, Joy FitzSimmons, Felicity Laughton, Helen Markham, Rebecca Mills, Robert Mitchell, Adam Moore, Helena Nogueira, David Noonan, Alice Peebles, Marianne Petrou, Jake Reimann, Andrew Ribeiro-Hargreave, Alison Stace, Amanda Tomeh, Fiona Wild.

Index

Hilary Bird.

Photographies d'appoint

Steve Gorton/DK Studio, John Heseltine, Dave King, Martin Norris, Roger Phillips, Clive Streeter, Matthew Ward.

Références artistiques

Stephen Evans, Nigel Tisdall.

Avec le concours spécial de

Emília Tavares, Arquivo Nacional de Fotografia, Lisbonne ; Luísa Cardia, Biblioteca Nacional e do Livro, Lisbonne ; Marina Gonçalves et Aida Pereira, Câmara Municipal de Lisbonne ; Caminhos de Ferro Portugueses; Carris, Lisbonne ; Enatur, Lisbonne ; Karen Ollier-Spry, John E. Fells and Sons Ltd; Maria Fátima Moreira, Fundação Bissaya-Barreto, Coimbra; Maria Helena Soares da Costa, Fundação Calouste Gulbenkian, Lisbonne ; João Campilho, Fundação da Casa de Bragança, Lisbonne ; Pilar Serras et José Aragão, ICEP, Londres ; Instituto do Vinho de Porto, Porto; Simoneta Afonso, IPM, Lisbonne ; Mário Abreu, Dulce Ferraz, IPPAR, Lisbonne ; Pedro Moura Bessa et Eduardo Corte-Real, Livraria Civilização Editora, Porto; Metropolitano de Lisbonne ; Raquel Florentino et Cristina Leite, Museu da Cidade, Lisbonne ; João Castel Branco G. Pereira, Museu Nacional do Azulejo, Lisbonne ; TURIHAB, Ponte de Lima ; Ilídio Barbosa, Universidade de Coimbra ; Coimbra, Teresa Chicau de l'office de tourisme d'Évora, Conceição Estudante de l'office de tourisme de Funchal et le personnel de tous les autres offices de tourisme et hôtels de ville au Portugal.

Crédits photographiques

L'éditeur exprime sa reconnaissance aux responsables qui ont autorisé la prise de vues dans leur établissement : Instituto Português do Património Arquitectónico e Arqueológico (IPPAR), Fundação da Casa de Alorna, Instituto Português dos Museus (IPM), Museu da Marinha, Lisbonne ; Museo do Mar, Cascais ; Igreja de Santa Maria dos Olivais, Tomar. L'éditeur tient à remercier également tous ceux qui ont autorisé la prise de vues dans les églises, musées, hôtels, restaurants, magasins, galeries et sites trop nombreux pour être tous cités.

Abréviations utilisées

b = en bas ; bc = en bas au centre ; bd = en bas à droite ; bg = en bas à gauche ; c = au centre ; cb = au centre en bas ; cbd = au centre en bas à droite ; cg = au centre à gauche ; ch = au centre en haut ; chd = au centre en haut à droite ; chg = au centre en haut à gauche ; h = en haut ; hc = en haut au centre ; hd = en haut à droite ; hg = en haut à gauche ; (d) = détail.

Nous prions par avance les propriétaires des droits photographiques de bien vouloir excuser toute erreur ou omission subsistant dans cette liste en dépit de nos soins. La correction appropriée serait effectuée à la prochaine édition de ce guide.

La Femme allongée, 1982, œuvre figurant p. 120 hg, a été reproduite avec l'aimable autorisation de la Fondation Henry Moore ; *Terreiro do Paço,* de Dirk Stoop, reproduite p. 121b, avec l'aimable autorisation du Museu da Cidade, Lisbonne.

Les œuvres d'art ont été reproduites avec l'aimable autorisation des particuliers et organismes suivants :

Maurício Abreu : 33t/cd, 145hd, 338bc/bd, 358, 360h, 364b/c, 365b, 366ch, 367c, 368tr/ch/cb, 370h, 371h, 399b ; Aisa : 38hd, 39hc, 39bd, 56bd, 106b ; Publicações Alfa : 186b. Office du tourisme de l'Algarve : 286hd ; Allsport : Mike Powell 57cbd ; Arquivo Nacional de Fotografia-Instituto Português de Museus, Lisbonne : Museu Nacional de Arte Antiga/Pedro Ferreira 98h, 99h ; Francisco Matias 49hg ; Carlos Monteiro 46chg ; Luís Pavão 39hg, 52cbg, 53c, 60h, 96bl/bd, 97b, 99c ; José Pessoa 20bg, 21hd, 45c, 49hd, 50hd, 51t/cbg, 96tl/hd, 97t/cd, 98b, 99b ; Museu Nacional do Azulejo : *Painel de azulejos Composição Geométrica*, 1970, Raul Lino-Fábrica Cerâmica Constância 23hd ; Francisco Matias 22b ; José Pessoa 22cra/23cb/bg ; Colecções Arquivo Nacional de Fotografia/San Payo 39hd ; Igreja de São Vicente de Fora/Carlos Monteiro 39bg ; Museu Nacional dos Coches/José Pessoa 39bc, 103bg, 144bd, 145b ; Henrique Ruas 104b ; Museu Nacional de Arqueologia/José Pessoa 40h, 41ca/cb, 105c ; Museu Monográfico de Conimbriga 41hg ; Museu de Mértola/Paulo Cintra 42cg ; Igreja Matriz Santiago do Cacém/José Rubio 43hg ; Museu Nacional Machado de Castro/Carlos Monteiro 44hg ; José Pessoa 45hg ; Biblioteca da Ajuda/José Pessoa 44chg ; Museu de São Roque/Abreu Nunes 47hg ; Museu Grão Vasco/José Pessoa 48bg ; Universidade de Coimbra, Gabinete de Física/José Pessoa 52hd ; Museu de Cerâmica das Caldas da Rainha/José Pessoa 54 chg ; Museu do Chiado 55hg ; Col. Jorge de Brito/José Pessoa 62/3hc ; Col. António Chainho/José Pessoa 66b ; Arnaldo Soares 66hd, 67hg ; Museu Nacional do Teatro/Arnaldo Soares 66cg ; Luisa Oliveira 67hd ; Museu de Évora/José Pessoa 303 chd ; Tony Arruza : 282–283, 38c, 44bg, *Portrait de Fernando Pessoa* par Almada Negreiros © DACS 1997 : 56hd ; 57bd, 62/3c, 145ch.

Jorge Barros s.p.a.: 226cd ; Instituto da Biblioteca Nacional do Livro, Lisbonne : 37b, 46bca/b, 47cbd, 50cb, 51bd, 53bd, 165bg, 183b ; 283 (encart) ; Gabriele Boiselle : 144bg ; Boutinot Prince Wine Shippers, Stockport : 228bd ; The Bridgeman Art Library, avec l'aimable autorisation de Michael Chase : *Paysage près de Lagos, Algarve, Portugal* par Sir Cedric Morris (1889–1982), Bonhams, Londres : 8–9 ; avec l'autorisation de the British Library, Londres : *Dom João I*[er] *traité du Portugal traité par Jean de Gand* (d), extrait de la *Chronique d'Angleterre* de Wavrin (Roy 14E IV 244v) 46/47c ; © Trustees of the British Museum, Londres : 43chg, 48bd, 54bg.

Câmara Municipal de Lisboa : 51cbd, António Rafael 62cg ; Câmara Municipal de Oeiras : 52cbg ; Centro Europeu Jean Monnet : 57hd ; Cephas : Mick Rock 28cbd, 29c ; Ceramicarte : 24bg ; Cockburn Smithes & Cia, s.a. (an Allied Domecq Company) : 228cbd.

D & F Wineshippers, Londres : 29bc ; Diário de Notícias : 55cg ; Michael Diggin : 334t/b, 359t/b, 360b, 361h, 365h, 369h.

Empics : Steve Etherington 32c ; Espaço Talassa : Gerard Soury 368b ; ET Archive : Musée maritime, Genoa 357b ; Wellington Museum 193b ; Greg Evans International : Greg Balfour Evans 287bd ; Mary Evans Picture Library : 51bg, 63hd, 161b, 210b ; Expo '98 : 57chd.

Fototeca Internacional, Lisbonne : Luís Elvas 33cg, 44tl/hd/cd ; César Soares 27h, 38bg ; Luíz O Franquinho/António da Costa : 337bla ;

FUNDAÇÃO DA CASA DE BRAGANÇA : 298t/c/b, 299bg ; FUNDAÇÃO CALOUSTE GULBENKIAN : 65h ; FUNDAÇÃO DA CASA DE MATEUS : Nicholas Sapieha 254b ; FUNDAÇÃO RICARDO DO ESPÍRITO SANTO SILVA, MUSEU-ESCOLA DE ARTES DECORATIVAS PORTUGUESAS 72c.

JORGE GALVÃO : 57cbg ; GIRAUDON : 48c. ROBERT HARDING PICTURE LIBRARY : 13b ; KIT HOUGHTON : 32b ; 145cb.

THE IMAGE BANK : Maurício Abreu 30bg ; Moura Machado 19h, 361b, 371b ; João Paulo 31cb, 227cg, 363h ; IMAGES COLOUR LIBRARY : 226b.

MARION KAPLAN : 144cg, 227t/cd.

LUSA : António Cotrim 67c ; André Kosters 93h ; Manuel Moura 56bc, 357h ; Luís Vasconcelos 92b.

JOSÉ MANUEL : 29bd, 63bd ; ANTÓNIO MARQUES : 296c, 297b ; ARXIU MAS : 50hg ; METROPOLITANO DE LISBOA, Paulo Sintra : *Quatre* azulejos *du métro de Lisbonne* (Cidade Universitária), Maria Helena Vieira da Silva © ADAGP, Paris and DACS, Londres 1997, 56hg ; JOHN MILLER : 21b ; MUSEU CERRALBO, Madrid : 42hg ; MUSEU CALOUSTE GULBENKIAN, Lisboa : *Ornement de corsage de René Lalique* © ADAGP, Paris et DACS, Londres 1997, 116ch ; 116t/ch/cb/b, 117t/ch/cb/b, 118c/b/h, 119b/h/c ; MUSEU DA CIDADE, Lisbonne : António Rafael 62tl/bg/bd ; 63c/bg ; MUSEU DA MARINHA, Lisbonne : 38bd, 56cg, 108b.

NATIONAL MARITIME MUSEUM, Londres : 50ch ; NATIONALMUSEET, Copenhague : 48hd ; NATURE PHOTOGRAPHERS : Brinsley Burbidge 336bd, 337bd ; Andrew Cleave 336clb/bg, 337bg ; Peter Craig-Cooper 329cbd ; Geoff du Feu 329b ; Jean Hall 336bcd ; Tony Schilling 336bcg ; Paul Sterry 319c, 337bra/blc ; NATURPRESS : Juan Hidalgo-Candy Lopesino 32hg, 33bd ; Jaime Villanueva 24h ; NHPA : Michael Leach 369cbd ; Jean-Louis le Moigne 329chd.

ARCHIVO FOTOGRÁFICO ORONOZ : 38bc, 42/3c, 43b, 46lb, 179bd.

Fotografia cedida y autorizada por el PATRIMONIO NACIONAL : 42cb ; THE PIERPONT MORGAN LIBRARY/ ART RESOURCE, New York : 37h ; POPPERFOTO : 55b ; POUSADAS DE PORTUGAL : 378t/chg.

QUINTA DO BOMFIM : 29cg, 229t/chg/chd ; Claúdio Capone 229bc.

NORMAN RENOUF : 374b, 379b ; RCG, PAREDE : Rui Cunha 30h, 31cg, 32hd, 64b, 332–333, 336chd, 337chd, 339hd, 365c, 366t/b, 377 ; REX FEATURES : Sipa Press, Michel Ginies 57bg ; MANUEL RIBEIRO : 22h ; RADIO TELEVISÃO PORTUGUESA (RTP) : 54h, 55cbg, 56cd.

HARRY SMITH HORTICULTURAL PHOTOGRAPHIC COLLECTION : 337chg ; SOLAR DO VINHO DO PORTO : 252b ; TONY STONE IMAGES : Tony Arruza 30ch ; Shaun Egan 286b ; Graham Finlayson 41cbd ; Simeone Huber 284b ; John Lawrence 31b ; Ulli Seer 317h ; 426b ; SYMINGTON PORT AND MADEIRA SHIPPERS : 28cla/chd.

NIGEL TISDALL : 339tl, 362, 363b, 364h, 370c/b, 447t ; TOPHAM PICTURE SOURCE : 57ch ; ARQUIVOS NACIONAIS/TORRE DO TOMBO : 36, 44bla, 267b ; TURIHAB : Roger Day 376hg ; 376b.

NIK WHEELER : 314 ; PETER WILSON : 30bd, 31hd, 56bg, 93b, 226tl/r/cg ; WOODFALL WILD IMAGES : Mike Lane 169b ; WORLD PICTURES : 287tc/bg.

Couverture : Photos de commande, sauf THE IMAGE BANK : João Paulo FC cg.

Page de garde (début) : Photos de commande sauf MAURÍCIO ABREU hg ; NIK WHEELER bd ; PETER WILSON blc.

Lexique

En cas d'urgence

Au secours !	**Socorro!**	sou-**kôh**-rou
Arrêtez !	**Páre!**	**peuhr**
Appelez un médecin !	**Chame um médico!**	**cheum** ou **mè**-di-kou
Appelez une ambulance !	**Chame uma ambulância!**	**cheum** oumeu amm-bou-**lin**-ssieu
Appelez la police !	**Chame a polícia!**	**cheum** a pou-**li**-cieu
Appelez les pompiers !	**Chame os bombeiros!**	**cheum** ouj bom-**béï**-rouj
Où est le téléphone le plus proche ?	**Há um telefone aqui perto?**	**a** oũ teu-leu-**fon'** eu-**ki pè**-rtou
Où est l'hôpital le plus proche ?	**Onde é o hospital mais próximo?**	ond **è** ou **oush**-pi-**tal maïch pro**-si-mou

L'essentiel

Oui	**Sim**	**si**
Non	**Não**	**neun**[ou]
S'il vous plaît	**Por favor/ Faz favor**	pour feu-**vôr** **feuj** feu-**vôr**
Merci	**Obrigado/da**	oub-ri-**geu**-dou/deu
Excusez-moi	**Desculpe**	dich-**koul-peu**
Bonjour	**Olá**	o-**la**
Au revoir	**Adeus**	eu-**dé**-[ou]-ch
Bonjour	**Bom-dia**	boñ **di**-eu
Bonsoir	**Boa-tarde**	**bo**-eu **tardeu**
Bonne nuit	**Boa-noite**	**bo**-eu **noï-teu'**
Hier	**Ontem**	onn-**teun**[y]
Aujourd'hui	**Hoje**	**ô-jeu**
Demain	**Amanhã**	a-meu-**gneun**
Ici	**Aqui**	eu-**ki**
Là	**Ali**	eu-**li**
Quoi ?	**O quê?**	**ou** ké
Lequel ?	**Qual?**	**k**[ou]**al**
Quand ?	**Quando?**	**k**[ou]**eunn-dou**
Pourquoi ?	**Porquê?**	**pour**-ké
Où ?	**Onde?**	**onn-deu**

Quelques phrases utiles

Comment allez-vous ?	**Como está?**	**kô**-mou **ichteu**
Très bien, merci.	**Bem, obrigado/da.**	**beun**[y] ou-bri-**geu**-dou/deu
Enchanté(e)	**Encantado/a.**	ẽng-keunn-**teu**-dou/deu
À bientôt.	**Até logo.**	eu-**té lo**-gou
C'est parfait.	**Está bem.**	**ichta beun**[y]
Où est/sont… ?	**Onde está/estão . . . ?**	**ond ichta/ ichteun**[ou]
À quelle distance se trouve… ?	**A que distância fica . . . ?**	eu ke dich-**teun syeu fi**-keu
Comment aller à… ?	**Como se vai para . . . ?**	**kou**-mou se **vaï** peu-reu
Parlez-vous français ?	**Fala francês?**	**fa**-leu freun-**séch**
Je ne comprends pas.	**Não compreendo. por favor?**	neun[ou] konm-pryẽ**n**-dou
Pourriez-vous parler plus lentement, SVP ?	**Pode falar mais devagar**	**pod** feu-**lar maïch** d'-veu-**gar** pour feu-**vôr?**
Excusez-moi.	**Desculpe.**	dich-**koul**-peu

Quelques mots utiles

grand	**grande**	**ghreunn**-deu
petit	**pequeno**	peu-**ké**-nou
chaud	**quente**	**kẽn**-teu
froid	**frio**	**fri**[ou]
bon	**bom**	**bonm**
mauvais	**mau**	**ma**[ou]
assez	**bastante**	beuch-**teunn**-teu
bien	**bem**	**beun**[y]
ouvert	**aberto**	eu-**bèr**-tou
fermé	**fechado**	fi-**cha**-dou
gauche	**esquerda**	**ich-kér**-deu
droite	**direita**	di-**réï**-teu
tout droit	**em frente**	eun[y] **frẽn-teu**
près	**perto**	**pè**-rtoo
loin	**longe**	**lon**-jeu
en haut	**suba**	**sou**-beu
en bas	**desça**	**dé**-cheu
tôt	**cedo**	**sé**-dou
tard	**tarde**	**tardeu**
entrée	**entrada**	ẽn-**tra**-deu
sortie	**saída**	seu-**i**-deu
toilettes	**casa de banho**	**ka**-zeu d' **beu**-gnou
plus	**mais**	**maïch**
moins	**menos**	**mé**-nouch

Au téléphone

Je voudrais téléphoner à l'étranger.	**Queria fazer uma chamada internacional.**	**keu**-rieu feu-**zér** oũ-meu cheu-**ma**-deh ĩn-teur-neun-**syou**-**nal**
un appel local	**uma chamada local**	**oũ**-meu cheu-**ma**-deu lou-**kal**
Puis-je laisser un message ?	**Posso deixar uma mensagem?**	**pó**-sou déi-**char oũ** mẽ-**sa**--jeun[y]

Le shopping

Combien cela coûte-t-il ?	**Quanto custa isto?**	**k**[ou]**eunn**-tou - **kouch**teu **ich**-tou
Je voudrais…	**Queria . . .**	**keuri**-eu…
Je ne fais que regarder.	**Estou só a ver obrigado/a.**	**ichtô so** eu **vér** oub-ri-**ga**-dou/eu
Acceptez-vous les cartes de crédit ?	**Aceita cartões de crédito?**	eu-**séï**-teu kar-**taonj** de **krè**-di-tou
À quelle heure ouvrez-vous ?	**A que horas abre?**	eu **keu o**-raj **a**-breu
À quelle heure fermez-vous ?	**A que horas fecha?**	eu **keu o**-raj **fe**-cheu
ceci	**Este**	**éch**-teu
cela	**Esse**	**é**-seu
cher	**caro**	**ka**-rou
bon marché	**barato**	beu-**ra**-tou
la taille (vêtements)	**número**	**nou**-meu-rou
blanc	**branco**	**breun**-kou
noir	**preto**	**pré**-tou
rouge	**roxo**	**rro**-chou
jaune	**amarelo**	eu-ma-**rè**-lou
vert	**verde**	**vér**-deu
bleu	**azul**	eu-**zoul**
antiquaire	**loja de antiguidades**	**lo**-jeu de eunn-ti-g[ou]i-**da-deuj**
boulangerie	**padaria**	**peu**-deu-**ri**-eu
banque	**banco**	**beun**-kou
librairie	**livraria**	li-vreu-**ri**-eu
boucherie	**talho**	**ta**-l'ou
pâtisserie	**pastelaria**	peuch-teu-leu-**ri**-eu
pharmacie	**farmácia**	feur-**ma**-syeu
poissonnerie	**peixaria**	péï-cheu-**ri**-eu
coiffeur	**cabeleireiro**	keu-bé-léï-**réï**-rou
marché	**mercado**	meur-**ka**-dou
marchand de journaux	**kiosque**	k[y]**ochkeu**
poste	**correios**	kou-**rréï**-ouj
marchand de chaussures	**sapataria**	seu-peu-teu-**ri**-eu
supermarché	**supermercado**	sou-**pèr**-meur-**ka**-dou
tabac	**tabacaria**	teu-beu-keu-**ria**-eu
agence de voyages	**agência de viagens**	eu-jẽ-**sy**eu de vy**a**-jeunch

Le tourisme

cathédrale	**sé**	**sè**
église	**igreja**	i-**gré**-jeu
jardin	**jardim**	jeur-**dĩ**
bibliothèque	**biblioteca**	bi-blyou-**tè**-keu
musée	**museu**	**mou**-zé[ou]
office du tourisme	**posto de turismo**	pôch-**tou** deu tou-**rij**-mou
fermé les jours fériés	**fechado para férias**	fe-**sha**-doo puh-ruh **fê**-ryeuch
arrêt de bus	**estação de autocarros**	ich-teu-**seun**[ou] deu-aou-tou-**ka**-rrouj
gare	**estação de comboios**	ich-teu-**seun**[ou] deu-konm-**boï**-ouj

À l'hôtel

Avez-vous une chambre ?	**Tem um quarto livre?**	**teunn** oũ **k**[ou]**ar**-tou **livreu**
une chambre avec bain	**um quarto com casa de banho**	oũ **k**[ou]**ar**-tou kon **ka**-zeu deu beu-**gnou**
douche	**duche**	**dou**-cheu
une chambre pour une personne	**quarto individual**	**k**[ou]**ar**-tou ĩn-deu-vi-**doual**
une chambre pour deux personnes	**quarto de casal**	**k**[ou]**ar**-tou deu - keu-**zal**
une chambre à deux lits	**quarto com duas camas**	**k**[ou]**ar**-tou kon - **douach keu**-meuch
le portier	**porteiro**	pour-**téï**-rou
la clef	**chave**	**cheuveu**
J'ai réservé une chambre.	**Tenho um quarto reservado.**	**tẽgnou** oũ **k**[ou]**ar**-tou-rreu-zer-**va**-dou

Au restaurant

Avez-vous une table pour… ?	**Tem uma mesa para . . . ?**	**tẽ** oumeu **mé**-zeu peu-reu
Je voudrais réserver une table.	**Quero reservar uma mesa.**	**kè**-rou rreu-zèr-**var** oumeu **mé**-zeu
L'addition, s'il vous plaît.	**A conta por favor/ faz favor.**	eu **konn**-teu pour fuh-**vor**/ **fash** feu-**vôr**
Je suis végétarien/ne.	**Sou vegetariano/a.**	Sô veu-jeu-teu-ry-**eu**-nou/eu
S'il vous plaît [serveur/serveuse] !	**Por favor!/ Faz favor!**	pour feu-**vôr** **feuch** feu-**vôr**
la carte	**a lista**	uh **leesh**-tuh
menu à prix fixe	**a ementa turística**	eu i-**mẽn**-teu tou-**rich**-ti-keu
carte des vins	**a lista de vinhos**	eu **lich**-teu de **vi**-gnouch
verre	**um copo**	oũ **ko**-pou
bouteille	**uma garrafa**	oumeu gheu-**rra**-feu
demi-bouteille	**meia-garrafa**	**méï**-eu gheu-**rra**-feu
couteau	**uma faca**	ou-meu **fa**-keu
fourchette	**um garfo**	oũ **ghar**-fou
cuillère	**uma colher**	ou-meu koul^{y}**ér**
assiette	**um prato**	oũ **pra**-tou
serviette	**um guardanapo**	oũ gh^{ou}-ar-deu-**na**-pou
petit déjeuner	**pequeno-almoço**	peu-**ké**-nou-al-**mô**-sou
déjeuner	**almoço**	al-**mô**-sou
dîner	**jantar**	jeunn-**tar**
couvert	**couvert**	kou-**vèr**
entrée	**entrada**	ẽn-**tra**-deu
plat	**prato principal**	**pra**-tou prĩ-si-**pal**
plat du jour	**prato do dia**	**pra**-tou dou **di**-eu
plat à prix fixe	**combinado**	konm-bi-**na**-dou
demi-portion	**meia-dose**	méï-eu **do**-zeu
dessert	**sobremesa**	**sô**-breu-**mé**-zeu
saignant	**mal passado**	**mal** peu-**sa**-dou
à point	**médio**	**mè**-dyou
bien cuit	**bem passado**	**beun**^{y} peu-**sa**-dou

Lire le menu

abacate	eu-beu-**kateu**	avocat
açorda	eu-**çor**-deu	panade (souvent aux fruits de mer)
açúcar	eu-sou-**kar**	sucre
água mineral	**a**-g^{ou}eu mi-neu-**ral**	eau minérale
(com gás)	kon **ghach**	pétillante
(sem gás)	sayñ **ghach**	plate
alho	**al**^{y}ou	ail
alperche	al-**pèr**-cheu	abricot
amêijoas	eu-méï-**j**^{ou}-ach	palourdes
ananás	eu-neu-**nach**	ananas
arroz	eu-**rrôch**	riz
assado	eu-**sa**-dou	cuit au four
atum	eu-**toũ**	thon
aves	**a**-veuch	volaille
azeite	eu-**zéï**-teu	huile d'olive
azeitonas	eu-zéï-**tô**-nach	olives
bacalhau	beu-keu-**l**^{y}**aou**	morue séchée
banana	beu-**neu**-neu	banane
batatas	beu-**ta**-teuch	pommes de terre
batatas fritas	beu-**ta**-teuch **fri**-teuch	frites
batido	beu-**ti**-dou	milk-shake
bica	**bi**-keu	express
bife	**bi**-feu	steak
bolacha	bou-**la**-cheu	biscuit
bolo	**bô**-lou	gâteau
borrego	bou-**rré**-gou	agneau
caça	**ka**-seu	gibier
café	keu-**fè**	café
camarões	keu-meu-**roïch**	bouquets
caracóis	keu-reu-**koïch**	escargots
caranguejo	keu-reun-**ghé**-jou	crabe
carne	**karneu**	viande
cataplana	keu-teu-**pla**-neu	à l'étuvée
cebola	seu-**bô**-leu	oignon
cerveja	seur-**vé**-jeu	bière
chá	**cha**	thé
cherne	**cherneu**	bar
chocolate	chou-kou-**la**-teu	chocolat
chocos	**chou**-kouch	seiche
chouriço	chou-**ri**-sou	chorizo
churrasco	chou-**rrach**-cou	cuit à la broche
cogumelos	kou-gou-**mè**-louch	champignons
cozido	kou-**zi**-dou	bouilli
enguias	ẽng-**ghi**-euch	anguilles
fiambre	fi**am**-breu	jambon
fígado	**fi**-geu-dou	foie
frango	**freun**-ghou	poulet
frito	**fri**-tou	frit
fruta	**frou**-teu	fruit
gambas	**gheunm**-beuch	gambas
gelado	jeu-**la**-dou	crème glacée
gelo	jé-**lou**	glace
goraz	gou-**raj**	dorade
grelhado	ghri-**l**^{y}**a**-dou	grillé
iscas	**ich**-keuch	marinade de foie
lagosta	leu-**gôch**-teu	homard
laranja	leu-**reun**-jeu	orange
leite	**léïteu**	lait
limão	li-**meun**^{ou}	citron
limonada	li-mou-**na**-deu	limonade
linguado	lĩ-**gh**^{ou}**a**-dou	sole
lulas	**lou**-leuch	calmar
maçã	meu-**seun**	pomme
manteiga	meunn-**téï**-geu	beurre
mariscos	meu-**rich**-kouch	fruits de mer
meia-de-leite	**méï**-eu-de **léï**-teu	café au lait
ostras	**ôch**-treuch	huîtres
ovos	**o**-vouch	œufs
pão	**peun**^{ou}	pain
pastel	peuch-**tel**	gâteau
pato	**pa**-tou	canard
peixe	**péï**-cheu	poisson
peixe-espada	**péï**-cheu-**ichpa**-deu	espadon
pimenta	pi-**mẽn**-teu	poivre
polvo	**pôl**-vou	poulpe
porco	**pôr**-kou	porc
queijo	**kéï**-jou	fromage
sal	**sal**	sel
salada	seu-**la**-deu	salade
salsichas	sal-**si**-cheuch	saucisses
sandes	**seunn**-dech	sandwich
santola	seunn-**to**-leu	tourteau
sopa	**sô**-peu	soupe
sumo	**sou**-mou	jus
tamboril	teunm-bou-**ril**	lotte
tarte	**tarteu**	tarte
tomate	tou-**ma**-teu	tomate
torrada	tou-**rra**-deu	pain grillé
tosta	**toch**-teu	sandwich grillé
vinagre	vi-**na**-greu	vinaigre
vinho branco	**vi**-gnou **breun**-kou	vin blanc
vinho tinto	**vi**-gnou **tĩn**-tou	vin rouge
vitela	vi-**tè**-leu	veau

Les nombres

0	**zero**	**zè**-rou
1	**um**	**oũ**
2	**dois**	**doïch**
3	**três**	**tréch**
4	**quatro**	**k**^{ou}**a**-trou
5	**cinco**	**sĩn**-kou
6	**seis**	**séïch**
7	**sete**	**sè**-**teu**
8	**oito**	**oï**-tou
9	**nove**	**no**-**veu**
10	**dez**	**dèch**
11	**onze**	**on**-**zeu**
12	**doze**	**dô**-**zeu**
13	**treze**	**tré**-**zeu**
14	**catorze**	keu-**tôr**-zeu
15	**quinze**	**kĩ**-**zeu**
16	**dezasseis**	deu-zeu-**séïch**
17	**dezassete**	deu-zeu-**sèteu**
18	**dezoito**	deu-**zoï**-tou
19	**dezanove**	deu-zeu-**noveu**
20	**vinte**	**vĩn**-**teu**
21	**vinte e um**	**vĩnt**'-i oũ
30	**trinta**	**trĩn**-teu
40	**quarenta**	koueu--**rẽn**-teu
50	**cinquenta**	s~i-**k**^{ou}**ẽn**-teu
60	**sessenta**	seu-**sẽn**-teu
70	**setenta**	seu-**tẽn**-teu
80	**oitenta**	oï-**tẽn**-teu
90	**noventa**	nou-**vẽn**-teu
100	**cem**	**seun**^{y}
101	**cento e um**	**sẽn**-tou-i-oũ
102	**cento e dois**	**sẽn**-tou-i-**doïch**
200	**duzentos**	dou-**zẽn**-touch
300	**trezentos**	tre-**zẽn**-touch
400	**quatrocentos**	**k**^{ou}**a**-trou**sẽn**touch
500	**quinhentos**	ki-**gnẽ**-touch
700	**setecentos**	sèteu-**sẽn**-touch
900	**novecentos**	noveu-**sẽm**-touch
1 000	**mil**	**mil**

Le jour et l'heure

une minute	**um minuto**	oũ mi-**nou**-tou
une heure	**uma hora**	**ou**-meu **o**-reu
une demi-heure	**meia-hora**	**méï**-eu-**o**-reu
lundi	**segunda-feira**	seu**goũn**-deu-**féï**
mardi	**terça-feira**	térseu-**féï**-reu
mercredi	**quarta-feira**	**k**^{ou}**ar**ta-**féï**-reu
jeudi	**quinta-feira**	**kĩn**ta-**féï**-reu
vendredi	**sexta-feira**	**séï**chta-**féï**-reu
samedi	**sábado**	**sa**-ba-dou
dimanche	**domingo**	dou-**min**-gou

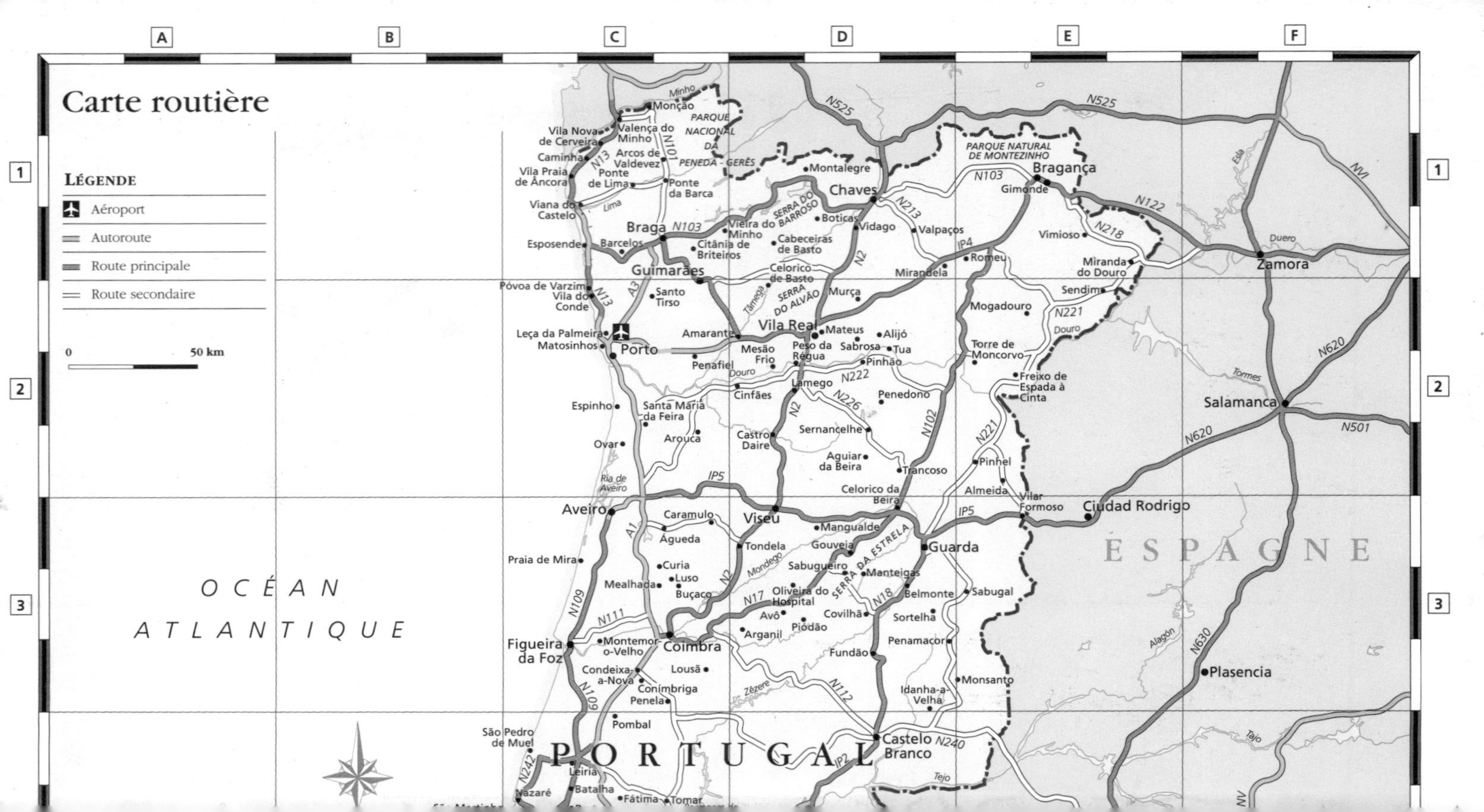

Carte routière
LÉGENDE
Aéroport
Autoroute
Route principale
Route secondaire
0
50 km
A
B
C
D
E
F
1
2
3
OCÉAN
ATLANTIQUE
PORTUGAL
ESPAGNE
PARQUE NACIONAL DA PENEDA - GERÊS
PARQUE NATURAL DE MONTEZINHO
SERRA DO BARROSO
SERRA DO ALVÃO
SERRA DA ESTRELA
Minho
Lima
Tâmega
Douro
Mondego
Zêzere
Tejo
Tajo
Esla
Duero
Tormes
Alagón
Ria de Aveiro
N525
NVI
N122
N218
N103
N213
IP4
N2
N221
N620
N501
N101
N13
A3
N222
N226
N102
IP5
A1
N17
N18
N109
N111
N112
N240
IP2
N242
N630
NV
Monção
Valença do Minho
Vila Nova de Cerveira
Caminha
Arcos de Valdevez
Vila Praia de Âncora
Ponte de Lima
Ponte da Barca
Viana do Castelo
Montalegre
Chaves
Bragança
Gimonde
Braga
Vieira do Minho
Boticas
Vidago
Valpaços
Vimioso
Esposende
Barcelos
Citânia de Briteiros
Cabeceiras de Basto
Guimarães
Celorico de Basto
Mirandela
Romeu
Miranda do Douro
Zamora
Póvoa de Varzim
Vila do Conde
Santo Tirso
Murça
Sendim
Mogadouro
Leça da Palmeira
Matosinhos
Porto
Amarante
Vila Real
Mateus
Alijó
Sabrosa
Tua
Mesão Frio
Peso da Régua
Penafiel
Pinhão
Torre de Moncorvo
Freixo de Espada à Cinta
Lamego
Cinfães
Penedono
Espinho
Santa Maria da Feira
Arouca
Castro Daire
Sernancelhe
Salamanca
Ovar
Aguiar da Beira
Trancoso
Pinhel
Almeida
Vilar Formoso
Celorico da Beira
Ciudad Rodrigo
Aveiro
Caramulo
Viseu
Mangualde
Águeda
Tondela
Gouveia
Guarda
Praia de Mira
Curia
Luso
Mealhada
Buçaco
Sabugueiro
Manteigas
Oliveira do Hospital
Belmonte
Sabugal
Avô
Covilhã
Sortelha
Arganil
Piódão
Figueira da Foz
Montemor-o-Velho
Coimbra
Penamacor
Fundão
Lousã
Condeixa-a-Nova
Conímbriga
Penela
Monsanto
Idanha-a-Velha
Plasencia
Pombal
São Pedro de Muel
Castelo Branco
Leiria
Nazaré
Batalha
Fátima
Tomar